여러분의 합 ...

해커스공무원의 ... 혜택

FREE 공무원 행정법 **특강**

해커스공무원(gosi.Hackers.com) 접속 후 로그인 ▶ 상단의 [무료강좌] 클릭 ▶ [교재 무료특강] 클릭 후 이용

해커스공무원 온라인 단과강의 **20% 할인쿠폰**

6988B86235EF7BCZ

해커스공무원(gosi.Hackers.com) 접속 후 로그인 ▶ 상단의 [나의 강의실] 클릭 ▶
좌측의 [쿠폰등록] 클릭 ▶ 위 쿠폰번호 입력 후 이용

* 등록 후 7일간 사용 가능(ID당 1회에 한해 등록 가능)

합격예측 **온라인 모의고사 응시권 + 해설강의 수강권**

828FF3F7FE2374DY

해커스공무원(gosi.Hackers.com) 접속 후 로그인 ▶ 상단의 [나의 강의실] 클릭 ▶
좌측의 [쿠폰등록] 클릭 ▶ 위 쿠폰번호 입력 후 이용

* ID당 1회에 한해 등록 가능

쿠폰 이용 관련 문의 **1588-4055**

단기 합격을 위한 해커스공무원 커리큘럼

입문

탄탄한 기본기와 핵심 개념 완성!

누구나 이해하기 쉬운 개념 설명과 풍부한 예시로 부담없이 쌩기초 다지기

TIP 베이스가 있다면 **기본 단계**부터!

기본+심화

필수 개념 학습으로 이론 완성!

반드시 알아야 할 기본 개념과 문제풀이 전략을 학습하고
심화 개념 학습으로 고득점을 위한 응용력 다지기

기출+예상 문제풀이

문제풀이로 집중 학습하고 실력 업그레이드!

기출문제의 유형과 출제 의도를 이해하고 최신 출제 경향을 반영한
예상문제를 풀어보며 본인의 취약영역을 파악 및 보완하기

동형문제풀이

동형모의고사로 실전력 강화!

실제 시험과 같은 형태의 실전모의고사를 풀어보며 실전감각 극대화

최종 마무리

시험 직전 실전 시뮬레이션!

각 과목별 시험에 출제되는 내용들을 최종 점검하며 실전 완성

PASS

* 커리큘럼 및 세부 일정은 상이할 수 있으며,
자세한 사항은 해커스공무원 사이트에서 확인하세요.

단계별 교재 확인 및 **수강신청은 여기서!**

gosi.Hackers.com

해커스공무원

신동욱 행정법총론

기본서 | 2권

서문

승리는 가장 끈기 있는 자에게 돌아간다.

행정법은 다른 법에 비해 낯선 개념들이 더 많이 등장하기 때문에 여러 법과목 중에서도 비교적 어려운 과목으로 알려져 있습니다. 특히, 법을 처음 공부하는 수험생들에게는 더더욱 어렵게 느껴질 것입니다. 이를 극복하기 위해서는 결국 시간이 필요합니다. 차근차근 묵묵히 내용을 읽고 학습을 반복한다면 어느덧 합격의 열매를 거두실 것입니다.

『해커스공무원 신동욱 행정법총론 기본서』는 다음과 같은 특징이 있습니다.

행정법총론의 핵심 내용만을 체계적으로 구성한 본 교재는 본인의 학습 과정 및 수준 등에 맞춰 수험 생활 전반에 두루 활용할 수 있도록 다음과 같은 특징을 가졌습니다.

첫째, 본문에 수록된 '핵심정리', '판례정리', '판례연구' 등 다양한 학습장치를 통해 행정법총론의 이론, 판례, 법조문을 다각도로 꼼꼼하게 학습할 수 있습니다.

둘째, 본문 내용과 연관된 주요 기출지문을 선별하여 '핵심OX' 문제로 구성하고 연관된 본문 내용과 나란히 배치하여, 기본서에서 학습한 내용이 실제 시험에서는 어떻게 출제되었는지를 바로 확인해볼 수 있습니다.

셋째, 각 편의 뒷부분에 수록된 '학습 점검 문제'를 통해, 실제 시험에 출제되는 문제 유형을 확인하고 문제에 대한 응용력을 키울 수 있습니다.

넷째, 교재의 마지막에 '판례색인'을 수록하여 원하는 판례만을 빠르고 간단하게 찾아볼 수 있습니다.

그 밖에 자세한 책의 구성 및 특징은 **'이 책의 활용법(p.8~9)'**을 참고하시기 바랍니다.

행정법총론 학습은 어떻게 해야 할까요?

9급 행정 직렬을 비롯한 여러 직렬에서 행정법총론이 필수과목으로 변경되어 당락을 좌우하는 핵심과목으로 자리매김 되고 있는 만큼, 처음부터 제대로 확실하게 준비하여야 합니다.

이론은 지엽적인 학설이나 그 논거보다는 기본 개념이나 다수설의 입장이 주로 출제되므로, 이를 중점적으로 학습하여야 합니다.

판례는 학습 시간이 짧다면 결론 위주로 학습하는 방법도 크게 문제 없습니다. 그러나 고난도 문제나 사례형 문제를 대비하고자 한다면 판례의 주요 쟁점 및 그 이유와 근거까지 파악해둘 필요가 있습니다.

법조문은 행정법총론과 관련된 법령을 파악하고, 자주 출제되는 중요 조문들은 따로 꼼꼼히 정리하여 암기하는 학습이 필요합니다. 특히 구체적인 숫자나 주어, 어미 등을 주의하여야 하고, 내용을 분명하게 학습하시기 바랍니다.

더불어, 공무원 시험 전문 사이트 **해커스공무원(gosi.Hackers.com)**에서 교재 학습 중 궁금한 점을 나누고, 다양한 무료 학습 자료를 함께 이용하여 학습 효과를 극대화할 수 있습니다.
확실한 목표를 정하고 매진하며 땀을 흘리는 모습은 그 자체로 아름답고 보람된 일입니다. 힘든 과정들이 있지만 멋진 꿈을 이루어가는 즐거운 여정이니 행복하게 즐기시기를 바랍니다.
부디 **『해커스공무원 신동욱 행정법총론 기본서』**와 함께 공무원 행정법총론 시험 고득점을 달성하고 합격을 향해 한걸음 더 나아가시기를 바랍니다. 여러분들의 빠른 합격과 건강을 기원합니다.

신동욱, 해커스 공무원시험연구소

목차

1권

제1편 행정법 서론

제2편 행정작용법

목차

2권

제4편 행정의 실효성 확보수단

제5편 행정상 손해전보

제6편 행정쟁송

제4편

행정의 실효성 확보수단

제1장 행정의 실효성 확보수단 개설

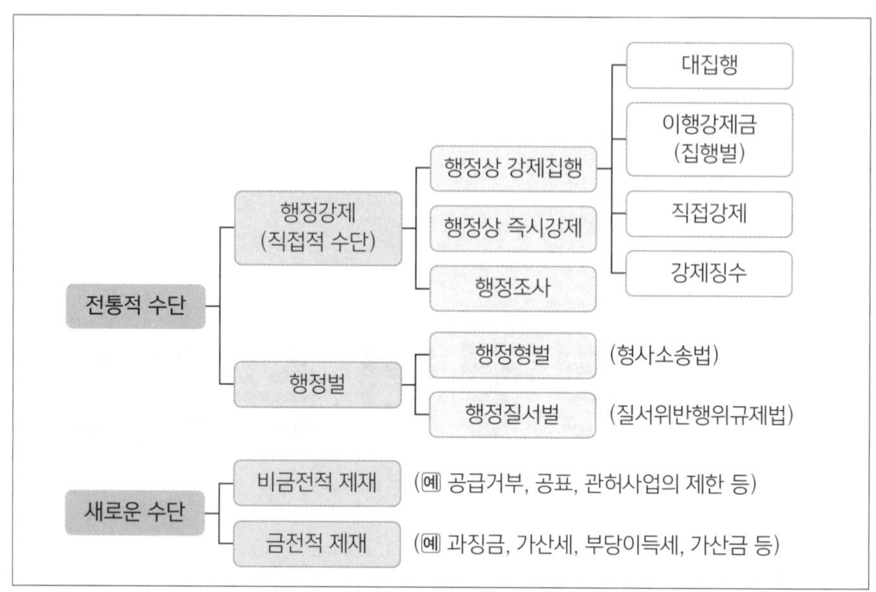

1 의의

행정목적을 달성하기 위해서는 국민에게 명령·금지 등의 일정한 의무가 행정객체에게 부과된다. 이러한 의무에 대하여 행정객체가 협력을 하여야 행정목적을 달성하게 되는데, 국민이 그 의무를 스스로 이행하지 아니하거나 위반하는 경우에 행정주체가 국민의 신체·재산 등에 직접·간접으로 실력을 행사하여 행정목적을 달성하는 것을 행정의 실효성 확보수단이라고 한다.

2 전통적 행정강제론

과거에는 행정강제를 직접적인 의무이행 확보수단인 행정강제와 간접적인 의무이행확보수단인 행정벌로 구별하고, 행정강제는 의무불이행에 대한 의무이행 확보수단으로서의 강제집행과 의무불이행과는 관계없이 목전의 급박한 장해제거를 목적으로 하는 즉시강제로 구분하는 것이 일반적이었다.

3 새로운 행정강제수단의 등장

현대사회에서는 행정작용과 행정의 실효성 확보수단이 다양해지고 있는바, 과거의 행정강제수단과 더불어 과징금, 공급거부, 관허사업의 제한, 명단의 공표 등과 같은 새로운 제재수단이 등장하게 되었다.

제2장 행정상 강제집행

제1절 행정상 강제집행

1 의의

행정상 강제집행은 행정법상 **의무불이행**에 대하여 행정주체가 장래에 향하여 그 의무를 이행시키거나 또는 이행된 것과 같은 상태를 실현하는 작용을 말한다.

2 구별개념

1. 행정벌과의 구별

행정상 강제집행은 장래에 향하여 **의무의 이행을 강제**하는 것을 목적으로 하는 점에서, 과거의 의무위반에 대한 제재로서의 행정벌과 구별된다.

2. 행정상 즉시강제와의 구별

행정상 강제집행은 의무의 **존재**와 그 **불이행을 전제**로 하는 점에서, 이러한 의무의 불이행을 전제로 하지 않고 행정목적 달성을 위해 실력을 가하는 즉시강제와 구별된다.

3. 민사상 강제집행과의 구별

(1) 양자 모두 국가의 강제력을 통하여 의무를 실현시키는 것은 동일하지만, 민사상의 강제집행은 법원의 판결에 의하여 강제집행이 이루어지는 '타력집행'인 데 대하여, 행정상 강제집행은 법원의 판결 없이 행정권이 **독자적인 강제수단**에 의하여 집행하는 '자력집행'이다.

(2) 행정상 강제집행이 가능한 경우 민사상 강제집행의 허용 여부가 문제되나, 판례는 행정상 강제집행이 가능한 경우 민사상 강제집행은 허용될 수 없다는 입장이다.

핵심 OX

01 행정상 강제집행은 행정법상 개별 · 구체적인 의무의 불이행을 전제로 그 불이행한 의무를 장래에 향해 실현시키는 것을 목적으로 한다는 점에서 과거의 의무위반에 대한 제재로써 가하는 행정벌과 구별된다.
08. 국가7급 ( )

핵심 OX

02 행정대집행절차가 인정되는 공법상 의무의 이행에 대하여는 민사상 강제집행은 인정되지 않는다.
14. 국가9급, 13 · 10. 지방7급 ( )

03 행정상 강제집행이 법률에 규정되어 있는 경우에도 민사상 강제집행은 인정된다.
17. 국가9급(10월), 15. 국가9급, 14. 지방7급, 08. 선관위9급 ( )

01 O 02 O 03 X

핵심 OX

01 제3자가 아무런 권원 없이 국유재산에 설치한 시설물에 대해 해당 국유재산에 대한 사용청구권을 가진 사인은 일정한 경우에는 국가를 대위하여 민사소송으로 해당 시설물의 철거를 구할 수 있다.
13. 지방7급 ( )

01 ○

관련판례

1 이 사건 토지는 잡종재산인 국유재산으로서, 국유재산법 제52조는 "정당한 사유 없이 국유재산을 점유하거나 이에 시설물을 설치한 때에는 행정대집행법을 준용하여 철거 기타 필요한 조치를 할 수 있다."라고 규정하고 있으므로, 관리권자인 보령시장으로서는 행정대집행의 방법으로 이 사건 시설물을 철거할 수 있고, 이러한 행정대집행의 절차가 인정되는 경우에는 따로 민사소송의 방법으로 피고들에 대하여 이 사건 시설물의 철거를 구하는 것은 허용되지 않는다고 할 것이다.
다만, 관리권자인 보령시장이 행정대집행을 실시하지 아니하는 경우 국가에 대하여 이 사건 토지 사용청구권을 가지는 원고로서는 위 청구권을 보전하기 위하여 국가를 대위하여 피고들을 상대로 민사소송의 방법으로 이 사건 시설물의 철거를 구하는 이외에는 이를 실현할 수 있는 다른 절차와 방법이 없어 그 보전의 필요성이 인정되므로, 원고는 국가를 대위하여 피고들을 상대로 민사소송의 방법으로 이 사건 시설물의 철거를 구할 수 있다(대판 2009.6.11. 2009다1122).

2 공유재산 및 물품 관리법 제83조 제1항은 "지방자치단체의 장은 정당한 사유 없이 공유재산을 점유하거나 공유재산에 시설물을 설치한 경우에는 원상복구 또는 시설물의 철거 등을 명하거나 이에 필요한 조치를 할 수 있다."라고 규정하고, 제2항은 "제1항에 따른 명령을 받은 자가 그 명령을 이행하지 아니할 때에는 행정대집행법에 따라 원상복구 또는 시설물의 철거 등을 하고 그 비용을 징수할 수 있다."라고 규정하고 있다.
위 규정에 따라 지방자치단체장은 행정대집행의 방법으로 공유재산에 설치한 시설물을 철거할 수 있고, 이러한 행정대집행의 절차가 인정되는 경우에는 민사소송의 방법으로 시설물의 철거를 구하는 것은 허용되지 아니한다(대판 2017.4.13. 2013다207941).

4. 기타 행위와의 구별

행정상 강제집행은 사실행위인 점에서 법적 행위인 행정행위와 구별되고, 권력적 사실행위인 점에서 비권력적 사실행위인 행정지도와 구별된다.

3 행정상 강제집행의 근거

1. 이론상 근거

(1) 전통적 견해(처분권 내재설)

행정주체가 국민에게 의무를 명하는 법규는 동시에 의무이행을 강제하는 근거법이 된다고 보았다.

(2) 오늘날의 견해(법적 근거 필요)

행정기본법 제30조 제1항은 행정청은 행정목적을 달성하기 위하여 필요한 경우에는 법률로 정하는 바에 따라 조치를 할 수 있도록 규정하여 행정상 강제가 법률로 정해져 있어야 한다는 행정상 강제 법정주의를 채택했다.

관련판례

행정대집행법 제2조는 대집행의 대상이 되는 의무를 '법률(법률의 위임에 의한 명령, 지방자치단체의 조례를 포함한다. 이하 같다)에 의하여 직접 명령되었거나 또는 법률에 의거 한 행정청의 명령에 의한 행위로서 타인이 대신하여 행할 수 있는 행위'라고 규정하고 있으므로, 대집행계고처분을 하기 위하여는 법령에 의하여 직접 명령되거나 법령에 근거한 행정청의 명령에 의한 의무자의 대체적 작위의무 위반행위가 있어야 한다. 따라서 단순한 부작위의무의 위반, 즉 관계 법령에 정하고 있는 절대적 금지나 허가를 유보한 상대적 금지를 위반한 경우에는 당해 법령에서 그 위반자에 대하여 위반에 의하여 생긴 유형적 결과의 시정을 명하는 행정처분의 권한을 인정하는 규정(예컨대, 건축법 제69조, 도로법 제74조, 하천법 제67조, 도시공원법 제20조, 옥외광고물등관리법 제10조 등)을 두고 있지 아니한 이상, 법치주의의 원리에 비추어 볼 때 위와 같은 부작위의무로부터 그 의무를 위반함으로써 생긴 결과를 시정하기 위한 작위의무를 당연히 끌어낼 수는 없으며, 또 위 금지규정(특히 허가를 유보한 상대적 금지 규정)으로부터 작위의무, 즉 위반결과의 시정을 명하는 권한이 당연히 추론되는 것도 아니다(대판 1996.6.28. 96누4374).

2. 실정법상 근거

행정기본법 제30조 【행정상 강제】[1] ① 행정청은 행정목적을 달성하기 위하여 필요한 경우에는 법률로 정하는 바에 따라 필요한 최소한의 범위에서 다음 각 호의 어느 하나에 해당하는 조치를 할 수 있다.

1. 행정대집행: 의무자가 행정상 의무(법령 등에서 직접 부과하거나 행정청이 법령등에 따라 부과한 의무를 말한다. 이하 이 절에서 같다)로서 타인이 대신하여 행할 수 있는 의무를 이행하지 아니하는 경우 법률로 정하는 다른 수단으로는 그 이행을 확보하기 곤란하고 그 불이행을 방치하면 공익을 크게 해칠 것으로 인정될 때에 행정청이 의무자가 하여야 할 행위를 스스로 하거나 제3자에게 하게 하고 그 비용을 의무자로부터 징수하는 것
2. 이행강제금의 부과: 의무자가 행정상 의무를 이행하지 아니하는 경우 행정청이 적절한 이행기간을 부여하고, 그 기한까지 행정상 의무를 이행하지 아니하면 금전급부의무를 부과하는 것
3. 직접강제: 의무자가 행정상 의무를 이행하지 아니하는 경우 행정청이 의무자의 신체나 재산에 실력을 행사하여 그 행정상 의무의 이행이 있었던 것과 같은 상태를 실현하는 것
4. 강제징수: 의무자가 행정상 의무 중 금전급부의무를 이행하지 아니하는 경우 행정청이 의무자의 재산에 실력을 행사하여 그 행정상 의무가 실현된 것과 같은 상태를 실현하는 것
5. 즉시강제: 현재의 급박한 행정상의 장해를 제거하기 위한 경우로서 다음 각 목의 어느 하나에 해당하는 경우에 행정청이 곧바로 국민의 신체 또는 재산에 실력을 행사하여 행정목적을 달성하는 것
   가. 행정청이 미리 행정상 의무 이행을 명할 시간적 여유가 없는 경우
   나. 그 성질상 행정상 의무의 이행을 명하는 것만으로는 행정목적 달성이 곤란한 경우

② 행정상 강제 조치에 관하여 이 법에서 정한 사항 외에 필요한 사항은 따로 법률로 정한다.

핵심 OX

02 관계 법령에서 금지규정 및 그 위반에 대한 벌칙규정은 두고 있으나 금지규정 및 벌칙규정은 당연히 금지규정 위반행위로 인해 발생한 유형적 결과를 시정하게 하는 것도 예정하고 있다고 할 것이어서 금지규정 위반으로 인한 결과의 시정을 명하는 권한도 인정하고 있는 것으로 해석된다. 18. 국가9급 ( )

03 행정법상의 의무를 명할 수 있는 명령권의 근거가 되는 법은 동시에 행정강제의 근거가 될 수 있다. 09. 지방9급 ( )

04 행정법관계에서는 강제력의 특질이 인정되므로 행정법상의 의무를 명하는 명령권의 근거규정은 동시에 그 의무불이행에 대한 행정상 강제집행의 근거가 될 수 있다. 17. 국가7급, 14. 서울7급 ( )

[1] 행정기본법 제30조
- 행정대집행: 공법상 대체적 작위의무 불이행의 경우 대신 이행한 이후 비용 징수
- 이행강제금: 대체적·비대체적 작위·부작위의무 불이행의 경우 부과하여 장래의 의무이행 확보
- 직접강제: 의무 불이행의 경우 직접 실력을 가하여 의무이행 확보
- 강제징수: 금전급부의무 불이행의 경우 실력을 가하여 의무이행 확보
- 즉시강제: 급박한 행정상 장애 제거를 목적으로 실력을 가하여 행정상 필요한 상태 확보

02 X **03** X **04** X

(1) 일반법

일반법으로 **행정기본법**, 대집행에 관한 **행정대집행법**과 행정상 강제징수에 관한 **국세징수법**이 있다.

(2) 개별법

그 밖에 개별법으로서는 직접강제를 규정한 식품위생법, 공중위생관리법 등이 있고, 이행강제금(집행벌)은 건축법, 농지법 등에서 규정하고 있다.

제2절 행정상 강제집행 수단

행정상 강제집행의 수단으로는 ① 대집행(대체적 작위의무), ② 집행벌(대체적 · 비대체적 작위 · 부작위의무), ③ 직접강제(모든 의무), ④ 행정상 강제징수(금전급부의무)가 있다. 이때 대집행과 강제징수가 일반적으로 인정되고, 직접강제와 집행벌은 개별법규가 있는 경우 예외적으로 인정된다.

핵심 OX

01 행정상 강제집행 수단으로는 대집행과 강제징수가 일반적으로 인정되고 직접강제와 집행벌은 예외적으로 인정된다. 09. 지방9급 ( )

1 대집행

1. 의의

(1) 대집행이란 의무자가 **대체적 작위의무**를 이행하지 않은 경우에 행정청이 스스로 행하거나(자기집행) 또는 제3자에게 이를 행하게 하고(타자집행), 그 비용을 의무자로부터 징수하는 것을 말한다.

(2) 독일에서는 제3자가 대행하는 경우만을 대집행으로 보고 행정청 스스로 집행하는 경우에는 직접강제의 일종으로 보는 반면, 우리나라에서는 제3자가 하는 경우뿐만 아니라 행정청 자신이 행하는 경우까지 대집행으로 인정하고 있다.

2. 법적 근거

대집행에 관하여는 일반법으로 **행정대집행법**이 있고, 특별법으로는 건축법 제85조, 공익사업을 위한 토지 등의 취득 및 보상에 관한 법률 제89조 등이 있다.

3. 주체(대집행권자)

(1) 의무를 명한 **당해 행정청**(감독청 ×)이 주체가 된다. 당해 행정청의 위임이 있으면 권한을 위임받은 **수임청**도 대집행의 주체가 될 수 있다. 그러나 행정청을 대신하여 대집행을 하는 제3자는 대집행의 주체가 아니다(단, 제3자를 공무수탁사인으로 보는 견해도 있다). 이 경우에도 대집행의 주체는 당해 행정청이 되나, 대집행의 실행행위는 행정청에 의한 경우 이외에 제3자에 의해서도 가능하다.

핵심 OX

02 대집행은 대체적 작위의무의 불이행이 있는 경우에 행정청이 스스로 의무자가 행할 행위를 대신 수행하는 조치이다. ( )

03 대집행은 부작위의무의 이행을 확보하기 위하여 활용하는 대표적인 행정작용의 실효성 확보수단에 해당한다. 13. 국회9급 ( )

04 대집행의 주체는 당해 행정청이 되나, 대집행의 실행행위는 행정청에 의한 경우 이외에 제3자에 의해서도 가능하다. 13. 서울9급 ( )

05 행정청의 위임을 받아 대집행을 실행하는 제3자는 대집행의 주체가 아니다. 13. 국가7급 ( )

06 행정주체와 사인 사이의 건축도급계약에 있어서, 사인이 의무불이행을 하였다고 하여도 행정대집행은 허용되지 않는다. 15. 지방9급 ( )

01 ○ 02 ○ 03 × 04 ○ 05 ○ 06 ○

(2) 판례에 의하면 법령에 의해 대집행권한을 위탁받은 경우, 그러한 공사 등은 대집행의 보조자가 아니라 대집행의 주체로서 행정주체에 해당한다.

관련판례

1 군수가 군사무위임조례의 규정에 따라 무허가 건축물에 대한 철거대집행사무를 하부 행정기관인 읍·면에 위임하였다면, 읍·면장에게는 관할구역 내의 무허가 건축물에 대하여 그 철거대집행을 위한 계고처분을 할 권한이 있다(대판 1997.2.14. 96누15428).

2 한국토지공사는 구 한국토지공사법(2007.4.6. 법률 제8340호로 개정되기 전의 것) 제2조, 제4조에 의하여 정부가 자본금의 전액을 출자하여 설립한 법인이고, 같은 법 제9조 제4호에 규정된 한국토지공사의 사업에 관하여는 공익사업을 위한 토지 등의 취득 및 보상에 관한 법률 제89조 제1항, 위 한국토지공사법 제22조 제6호 및 같은 법 시행령 제40조의3 제1항의 규정에 의하여 본래 시·도지사나 시장·군수 또는 구청장의 업무에 속하는 대집행권한을 한국토지공사에게 위탁하도록 되어 있는바, 한국토지공사는 이러한 법령의 위탁에 의하여 대집행을 수권받은 자로서 공무인 대집행을 실시함에 따르는 권리·의무 및 책임이 귀속되는 행정주체의 지위에 있다고 볼 것이지 지방자치단체 등의 기관으로서 국가배상법 제2조 소정의 공무원에 해당한다고 볼 것은 아니다(대판 2010.1.28. 2007다82950·82967).

4. 요건

행정대집행법 제1조【목적】 행정의무의 이행확보에 관하여서는 따로 법률로써 정하는 것을 제외하고는 본법의 정하는 바에 의한다.

제2조【대집행과 그 비용징수】 법률(법률의 위임에 의한 명령, 지방자치단체의 조례를 포함한다. 이하 같다)에 의하여 직접 명령되었거나 또는 법률에 의거한 행정청의 명령에 의한 행위로서 타인이 대신하여 행할 수 있는 행위를 의무자가 이행하지 아니하는 경우 다른 수단으로써 그 이행을 확보하기 곤란하고 또한 그 불이행을 방치함이 심히 공익을 해할 것으로 인정될 때에는 당해 행정청은 스스로 의무자가 하여야 할 행위를 하거나 또는 제3자로 하여금 이를 하게 하여 그 비용을 의무자로부터 징수할 수 있다.

(1) 대체적 작위의무의 불이행이 있을 것

① **대체적 작위의무:** 대집행의 대상이 될 수 있는 의무는 대체적 작위의무에 한한다. 대체적 작위의무란 타인이 하더라도 의무자가 스스로 행한 것과 동일한 목적을 달성할 수 있는 의무를 말한다. 따라서 일신전속적이거나 전문기술적인 비대체적 작위·부작위의무, 수인의무 등은 대집행의 대상이 될 수 없다. 또한, 대집행은 행정법상 의무이어야 하므로 행정주체에 대한 의무라도 **사법적**(私法的)인 것은 대집행의 대상이 되지 않는다.

핵심 OX

07 군수가 군사무위임조례의 규정에 따라 무허가 건축물에 대한 철거대집행사무를 하부 행정기관인 읍·면에 위임한 경우라도, 읍·면장에게는 관할구역 내의 무허가 건축물에 대하여 그 철거대집행을 위한 계고처분을 할 권한이 없다. 17. 국가7급(10월) ( )

08 법령에 의해 대집행권한을 위탁받은 한국토지공사는 국가배상법 제2조에서 말하는 공무원에 해당한다. 15. 국회8급 ( )

핵심 OX

09 조례는 행정대집행법상의 대체적 작위의무 부과의 근거가 되는 법령에 해당하지 않는다. 09. 국가7급 ( )

10 행정대집행법 제2조에서 의무자에게 부과된 의무는 행정청에 의해서 행해진 명령에 한하며 법률에 의해 혹은 법률에 근거하여 행해진 명령은 해당되지 않는다. 18. 서울7급 ( )

11 행정대집행법에 의하면 법령에 의해 직접 성립하는 의무도 행정대집행의 대상이 될 수 있다. 15. 서울9급 ( )

12 군복무를 위한 징집소환영장에의 불응의 경우 행정대집행을 할 수 있다. 13. 서울7급 ( )

13 대집행계고처분을 하기 위해서는 의무자의 공법상 대체적 작위의무 위반행위가 있어야 한다. 13. 국가7급 ( )

07 X 08 X 09 X 10 X 11 O 12 X 13 O

핵심 OX

01 공익사업을 위해 토지를 협의매도한 종전 토지소유자가 토지 위의 건물을 철거하겠다는 약정을 하였다고 하더라도 이러한 약정 불이행시 대집행의 대상이 되지 아니한다.
18. 서울9급 (　)

02 구 공공용지의 취득 및 손실보상에 관한 특례법에 따른 토지 등의 협의취득시 건물소유자가 철거의무를 부담하겠다는 약정을 한 경우, 그 철거의무는 행정대집행법상 대집행의 대상이 되는 대체적 작위의무이다.
13. 국가7급 (　)

핵심 OX

03 국유 일반재산인 대지에 대한 대부계약이 해지되어 국가가 원상회복으로 지상의 시설물을 철거하려는 경우, 행정대집행법에 따라 대집행을 하여야 하고 민사소송의 방법으로 시설물의 철거를 구하는 것은 허용되지 않는다.
18. 국가7급, 11. 사복 (　)

관련판례 **사법상 의무불이행 ⇨ 대집행 불가(자력집행력 ⇦ 행정행위의 특질)**

1 국유재산에 대한 임대차계약관계는 국가가 공권력의 주체로서가 아니고, 사경제적 주체로서 한 사법상의 법률관계에 불과하여 공법상의 행위의무가 발생하는 것이 아니므로, 그 지상에 있는 건물의 철거는 행정대집행법에 의한 철거계고처분에 의할 수 없다(대판 1975.4.22. 73누215).

2 구 공공용지의 취득 및 손실보상에 관한 특례법에 의한 협의취득시 건물소유자가 매매대상 건물에 대한 철거의무를 부담하겠다는 취지의 약정을 한 경우에는 그 철거의무가 행정대집행법에 의한 대집행의 대상이 되지 않는다(대판 2006.10.13. 2006두7096).

관련판례 **행정대집행의 절차가 인정되는 경우에 민사소송의 방법으로 철거 등을 구할 수 있는지의 여부 ⇨ 불가**

행정대집행의 절차가 인정되는 경우에는 행정대집행의 방법으로 그 의무내용을 실현할 수 있는 것이고, 따로 민사소송의 방법으로 공작물의 철거 및 그 속에 있는 물건의 수거 등을 구할 수는 없다(대판 2000.5.12. 99다18909).

관련판례

국유 일반재산인 대지에 대한 대부계약이 해지되어 국가가 원상회복으로 지상의 시설물을 철거하려는 경우, 행정대집행법에 따라 대집행을 하여야 하고 민사소송의 방법으로 시설물의 철거를 구하는 것은 허용되지 않는다고 본 사례

공유재산 및 물품 관리법 제83조 제1항은 "지방자치단체의 장은 정당한 사유 없이 공유재산을 점유하거나 공유재산에 시설물을 설치한 경우에는 원상복구 또는 시설물의 철거 등을 명하거나 이에 필요한 조치를 할 수 있다."라고 규정하고, 제2항은 "제1항에 따른 명령을 받은 자가 그 명령을 이행하지 아니할 때에는 행정대집행법에 따라 원상복구 또는 시설물의 철거 등을 하고 그 비용을 징수할 수 있다."라고 규정하고 있다. 위 규정에 따라 지방자치단체 장은 행정대집행의 방법으로 공유재산에 설치한 시설물을 철거할 수 있고, 이러한 행정대집행의 절차가 인정되는 경우에는 민사소송의 방법으로 시설물의 철거를 구하는 것은 허용되지 아니한다(대판 2017.4.13. 2013다207941).

비교판례

모든 국유재산은 행정대집행 대상이다.

구 국유재산법 제52조는 정당한 사유 없이 행정재산 또는 보존재산을 점유하거나 이에 시설물을 설치한 때에는 행정대집행법을 준용하여 철거 기타 필요한 조치를 할 수 있다고 규정함으로써 행정대집행법을 준용할 수 있는 근거를 마련하면서도 그 대상을 행정재산과 보존재산으로 제한하였으므로, 행정재산 또는 보존재산이 아닌 국유재산에 대하여는 행정대집행을 할 여지가 없었으나 현행 국유재산법은 위와 같은 제한 없이 모든 국유재산에 대하여 행정대집행법을 준용할 수 있도록 규정하였으므로, 행정청은 당해 재산이 행정재산 등 공용재산인 여부나 그 철거의무가 공법상의 의무인 여부에 관계없이 대집행을 할 수 있다(대판 1992.9.8. 91누13090).

01 ○ 02 X 03 ○

② 부작위의무의 위반은 대체적 작위의무로의 전환을 요함

㉠ 대집행은 대체적 작위의무만을 대상으로 하므로 부작위의무 위반으로부터 생긴 결과를 시정하기 위해서는 위반대상에 대한 제거 · 이전 · 개수 · 철거 등의 대체적 작위의무를 부과하고, 그 의무의 불이행이 있는 경우에(부작위의무를 대체적 작위의무로 전환시킨 다음) 비로소 대집행을 할 수 있다. 즉, 부작위의무는 그 자체로는 대집행의 대상이 되지 않고, 대체적 작위의무로의 전환을 요한다. 예컨대, 부관을 위반하여 도로에 자재 등을 불법적치한 경우, 관할 행정청은 바로 행정대집행법에 따라 불법적치된 자재 등을 제거할 수 없으며, 이에 대하여 시정명령(예 불법적치물 제거명령)을 발하여 작위의무로 전환시킨 후 그 작위의무 불이행을 이유로 대집행을 할 수 있다.

㉡ 판례에 의하면 부작위의무 위반행위에 대하여 법률에 부작위의무를 대체적 작위의무로 전환하는 규정이 있으면 부작위의무를 대체적 작위의무로 전환시켜 대집행할 수 있으나(별도의 법적 근거 요함), 법률의 명시적 근거가 없으면 금지조항에서 작위의무를 명하는 조항이 도출되지는 않는다.

관련판례

1 금지규정에서 작위의무명령권이 당연히 도출되는지 여부(소극)

[1] 행정대집행법 제2조는 대집행의 대상이 되는 의무를 '법률(법률의 위임에 의한 명령, 지방자치단체의 조례를 포함한다. 이하 같다)에 의하여 직접 명령되었거나 또는 법률에 의거한 행정청의 명령에 의한 행위로서 타인이 대신하여 행할 수 있는 행위'라고 규정하고 있으므로, 대집행계고처분을 하기 위하여는 법령에 의하여 직접 명령되거나 법령에 근거한 행정청의 명령에 의한 의무자의 대체적 작위의무 위반행위가 있어야 한다. 따라서 단순한 부작위의무의 위반, 즉 관계 법령에 정하고 있는 절대적 금지나 허가를 유보한 상대적 금지를 위반한 경우에는 당해 법령에서 그 위반자에 대하여 위반에 의하여 생긴 유형적 결과의 시정을 명하는 행정처분의 권한을 인정하는 규정(예컨대, 건축법 제69조, 도로법 제74조, 하천법 제67조, 도시공원법 제20조, 옥외광고물등관리법 제10조 등)을 두고있지 아니한 이상, 법치주의의 원에 비추어 볼 때 위와 같은 부작위의무리로부터 그 의무를 위반함으로써 생긴 결과를 시정하기 위한 작위의무를 당연히 끌어낼 수는 없으며, 또 위 금지규정(특히 허가를 유보한 상대적 금지규정)으로부터 작위의무, 즉 위반결과의 시정을 명하는 권한이 당연히 추론되는 것도 아니다.

[2] 행정기관의 권한에는 사무의 성질 및 내용에 따르는 제약이 있고, 지역적 · 대인적으로 한계가 있으므로 이러한 권한의 범위를 넘어서는 권한 유월의 행위는 무권한 행위로서 원칙적으로 무효이고, 선행행위가 부존재하거나 무효인 경우에는 그 하자는 당연히 후행행위에 승계되어 후행행위도 무효로 된다. 그런데 주택건설촉진법 제38조 제2항은 공동주택 및 부대시설 · 복리시설의 소유자 · 입주자 · 사용자 등은 부대시설 등에 대하여 도지사의 허가를 받지 않고 사업계획에 따른 용도 이외의 용도에 사용하는 행위 등을 금지하고(정부조직법 제5조 제1항, 행정권한의 위임 및 위탁에 관한 규정 제4조에 따른 인천광역시사무위임규칙에 의하여 위 허가권이 구청장에게 재위임되었다), 그 위반행위에 대하여 위 주택건설촉진법 제52조의2 제1호에서 1천만원 이하의 벌금에 처하도록 하는 벌칙규정만을 두고 있을 뿐, 건축법 제69조 등과 같은 부작위의무 위반행위에

핵심 OX

04 대집행을 하기 위하여는 법령에 의하여 직접 명령되거나 법령에 근거한 행정청의 명령에 의한 의무자의 대체적 작위의무 위반행위가 있어야 하는데, 단순한 부작위의무 위반의 경우에는 당해 법령에서 그 위반자에게 위반에 의해 생긴 유형적 결과의 시정을 명하는 행정처분 권한을 인정하는 규정을 두고 있지 않은 이상, 이와 같은 부작위의무로부터 그 의무를 위반함으로써 생긴 결과를 시정하기 위한 작위의무를 당연히 끌어낼 수는 없다. 19. 국가7급 ( )

05 부작위하명에는 행정행위의 강제력의 효력이 있으므로 당해 하명에 따른 부작위의무의 불이행에 대하여는 별도의 법적 근거 없이 대집행이 가능하다. 18. 국가9급, 18 · 15. 서울9급, 17 · 15. 국가9급, 15. 지방9급 · 교행, 13. 국가7급, 11. 사복 ( )

06 부작위의무 위반행위에 대하여 법률에 부작위의무를 대체적 작위의무로 전환하는 규정이 있으면 부작위의무를 대체적 작위의무로 전환시켜 대집행할 수 있다. 15. 사복 ( )

07 대집행계고처분을 하기 위해서는 의무자의 공법상 대체적 작위의무 위반행위가 있어야 한다. 그러나 판례에 따르면 단순한 부작위의무의 위반만으로는 위반결과를 시정하기 위한 작위의무가 당연히 도출되지는 않는 것으로 본다. 13. 국가7급 ( )

04 ○ 05 X 06 ○ 07 ○

대하여 대체적 작위의무로 전환하는 규정을 두고 있지 아니하므로 위 금지규정으로부터 그 위반결과의 시정을 명하는 원상복구명령을 할 수 있는 권한이 도출되는 것은 아니다. 결국 행정청의 원고에 대한 원상복구 명령은 권한 없는 자의 처분으로 무효라고 할 것이고, 위 원상복구명령 이 당연무효인 이상 후행처분인 계고처분의 효력에 당연히 영향을 미쳐 그 계고처분 역시 무효로 된다(대판 1996.6.28. 96누4374).

2 부작위의무에 대한 대집행계고처분의 적법 여부(소극)

하천유수인용허가신청이 불허되었음을 이유로 하천유수인용행위를 중단할 것과 이를 불이행할 경우 행정대집행법에 의하여 대집행하겠다는 내용의 계고처분은 대집행의 대상이 될 수 없는 부작위의무에 대한 것으로서 그 자체로 위법하다(대판 1998.10.2. 96누5445).

3 관계 법령에 위반하여 장례식장 영업을 하고 있는 자의 장례식장 사용중지의무는 행정대집행법 제2조의 규정에 의한 대집행의 대상이 아니라고 한 사례

'장례식장 사용중지의무'가 원고 이외의 '타인이 대신'할 수도 없고, 타인이 대신하여 '행할 수 있는 행위'라고도 할 수 없는 비대체적 부작위의무에 대한 것이므로, 대집행이 허용되지 않는다(대판 2005.9.28. 2005두7464).

③ 토지 · 물건의 인도(명도)의무의 대집행 대상 여부

㉠ 이러한 경우에는 직접적인 실력행사가 필요한 것이지, 대체적 작위의무에 해당하는 것이 아니라고 할 수 있다. 행정대집행법에 의한 대집행의 대상이 되지 않고 **직접강제**의 방법에 의하는 것이 일반적이다.

㉡ 공익사업을 위한 토지 등의 취득 및 보상에 관한 법률 제89조는 수용 목적물인 토지나 물건의 인도 또는 이전에 관한 대집행을 규정하고 있으나, 판례는 위 규정에도 불구하고 토지 및 물건의 인도(명도)의무는 대집행이 불가능하다는 입장이다.❶

관련판례 ❷

1 공유재산 대부계약의 해지에 따른 원상회복으로 행정대집행의 방법에 의하여 그 지상물을 철거시킬 수 있는지 여부(적극)

지방재정법 제85조 제1항은, 공유재산을 정당한 이유 없이 점유하거나 그에 시설을 한 때에는 이를 강제로 철거하게 할 수 있다고 규정하고, 그 제2항은, 지방자치단체의 장이 제1항의 규정에 의한 강제철거를 하게 하고자 할 때에는 행정대집행법 제3조 내지 제6조의 규정을 준용한다고 규정하고 있는바, 공유재산의 점유자가 그 공유재산에 관하여 대부계약 외 달리 정당한 권원이 있다는 자료가 없는 경우 그 대부계약이 적법하게 해지된 이상 그 점유자의 공유재산에 대한 점유는 정당한 이유 없는 점유라 할 것이고, 따라서 지방자치단체의 장은 지방재정법 제85조에 의하여 행정대집행의 방법으로 그 지상물을 철거시킬 수 있다(대판 2001.10.12. 2001두4078).

2 관계 법령에 위반하여 장례식장 영업을 하고 있는 자의 장례식장 사용 중지 의무는 행정대집행법 제2조의 규정에 의한 대집행의 대상인지 여부(소극)

장례식장 사용중지 의무는 원고 이외의 '타인이 대신'할 수도 없고, 타인이 대신하여 행할 수 있는 행위라고도 할 수 없는 비대체적 부작위 의무이다(대판 2005.9.28. 2005두7464).

핵심 OX

01 법령상 부작위의무 위반에 대해 작위의무를 부과할 수 있는 법령의 근거가 없음에도, 행정청이 작위의무를 명한 후 그 의무불이행을 이유로 대집행계고처분을 한 경우 그 계고처분은 유효하다. 16. 지방7급 ( )

02 판례에 의하면 용도위반 부분을 장례식장으로 사용하는 것을 중지할 것과 이를 불이행할 경우 행정대집행을 하겠다는 내용의 계고처분은 적법하다고 본다.
18. 국회8급 · 서울9급, 17. 국가7급 · 9급(10월), 10. 국가9급 ( )

03 퇴거의무 및 점유인도의무의 불이행은 행정대집행의 대상이 되지 않는다.
19. 변호사, 18 · 15 · 14 · 10 · 08. 국가9급, 15 · 08. 국회8급, 15. 서울9급, 14. 지방9급, 13. 국가7급 · 서울7급 ( )

04 대집행의 원인이 되는 의무불이행은 법령에 의하여 직접 부과된 의무와 법령에 의거한 행정청의 처분에 의해 부과된 의무를 불이행한 경우를 모두 포함한다.
13. 국회8급 · 지방7급 ( )

❶
중지의무, 퇴거 및 명도의무 ⇨ 대집행 불가

❷
· 중지의무, 퇴거의무, 명도의무 ⇨ 비대체적: 대집행 불가
· 철거의무에 퇴거의무도 포함되어 있음 ⇨ 철거 대집행 과정에서 퇴거조치 가능

01 X 02 X 03 O 04 O

3 도시공원시설인 매점의 관리청이 그 공동점유자 중의 1인에 대하여 소정의 기간 내에 위 매점으로부터 퇴거하고, 이에 부수하여 그 판매시설물 및 상품을 반출하지 아니할 때에는 이를 대집행하겠다는 내용의 계고처분은 그 주된 목적이 매점의 원형을 보존하기 위하여 점유자가 설치한 불법시설물을 철거하고자 하는 것이 아니라, 매점에 대한 점유자의 점유를 배제하고 그 점유이전을 받는 데 있다고 할 것인데, 이러한 의무는 그것을 강제적으로 실현함에 있어 직접적인 실력행사가 필요한 것이지 대체적 작위의무에 해당하는 것은 아니어서, 직접강제의 방법에 의하는 것은 별론으로 하고 행정대집행법에 의한 대집행의 대상이 되는 것은 아니다(대판 1998.10.23. 97누157).

4 피수용자 등이 기업자에 대하여 부담하는 수용대상 토지의 인도의무에 관한 구 토지수용법(2002.2.4. 법률 제6656호 공익사업을 위한 토지 등의 취득 및 보상에 관한 법률 부칙 제2조로 폐지) 제63조, 제64조, 제77조 규정에서의 '인도'에는 명도도 포함되는 것으로 보아야 하고, 이러한 명도의무는 그것을 강제적으로 실현하면서 직접적인 실력행사가 필요한 것이지 대체적 작위의무라고 볼 수 없으므로 특별한 사정이 없는 한 행정대집행법에 의한 대집행의 대상이 될 수 있는 것이 아니다(대판 2005.8.19. 2004다2809).

5 건물의 점유자가 철거의무자일 때에는 건물철거의무에 퇴거의무도 포함되어 있는 것이어서 별도로 퇴거를 명하는 집행권원이 필요하지 않다. 행정청이 행정대집행의 방법으로 건물철거의무의 이행을 실현할 수 있는 경우에는 건물철거 대집행 과정에서 부수적으로 건물의 점유자들에 대한 퇴거조치를 할 수 있고, 점유자들이 적법한 행정대집행을 위력을 행사하여 방해하는 경우 형법상 공무집행방해죄가 성립하므로, 필요한 경우에는 경찰관 직무집행법에 근거한 위험발생방지조치 또는 형법상 공무집행방해죄의 범행방지 내지 현행범체포의 차원에서 경찰의 도움을 받을 수도 있다(대판 2017.4.28. 2016다213916).

핵심정리 의무의 대집행 대상에의 해당 여부

대집행의 대상이 되는 의무 (대체적 작위의무)		• 무허가건물철거의무 • 지상의 묘목이나 비닐하우스의 철거의무 • 건물의 이전 · 보수 · 청소의무 • 불법광고판철거의무 • 교통장애물제거의무 • 위험축대파괴의무 • 불법개간한 산림의 원상회복의무 등
대집행의 대상이 될 수 없는 의무	비대체적 작위의무	• 의사의 진료의무, 전문가의 감정의무 • 국유지로부터의 퇴거의무 • 토지 · 건물의 명도나 인도의무 • 증인출석의무
	부작위의무	• 출입금지구역에 출입하지 않을 의무 • 야간통행금지의무 • 토지형질변경금지의무 • 야간에 소음을 내지 않을 의무 등 • 허가 없이 영업하지 아니할 의무 • 장례식장 사용중지의무
	수인의무	신체검사, 예방접종, 건강진단을 받을 의무 등

핵심 OX

05 구 토지수용법상 피수용자 등이 기업자에 대하여 부담하는 수용대상 토지의 인도의무는 특별한 사정이 없는 한 행정대집행법에 의한 대집행의 대상이 될 수 없다. 19. 서울9급(6월) ( )

06 토지의 명도의무는 특별한 사정이 없는 한 행정대집행법에 의한 대집행의 대상이 될 수 없다. 13. 국가7급 ( )

07 행정청이 행정대집행의 방법으로 건물철거의무의 이행을 실현할 수 있는 경우에는 건물철거 대집행 과정에서 부수적으로 그 건물의 점유자들에 대한 퇴거조치를 할 수 있다. 19. 국가9급 · 서울9급(2월), 18. 국회8급 ( )

08 건물의 점유자가 철거의무자일 때에는 건물철거의무에 퇴거의무도 포함되어 있는 것이어서 별도로 퇴거를 명하는 집행권원이 필요하지 않다. 19. 지방9급 ( )

09 행정청이 행정대집행의 방법으로 건물철거의무의 이행을 실현할 수 있는 경우, 점유자들이 적법한 행정대집행을 위력을 행사하여 방해한다면 형법상 공무집행방해죄의 범행방지차원에서 경찰의 도움을 받을 수도 있다. 19 · 18. 국가7급, 19. 서울9급(2월), 18. 지방9급 ( )

05 ○ 06 ○ 07 ○ 08 ○ 09 ○

핵심 OX

01 대집행은 다른 수단으로 그 이행확보가 불가능한 경우 부득이한 수단으로서만 발동될 수 있다. 13·11. 국회8급 ( )

(2) 다른 수단으로는 그 이행확보가 곤란할 것(보충성의 원칙)

대체적 작위의무의 불이행이 있다고 하여 곧바로 대집행을 할 수 있는 것은 아니고, 대집행으로 인한 **당사자의 불이익을 최소화**하기 위해서 더 완화된 방법이 있다면 그 방법에 의하여야 한다. 이때의 다른 수단에는 행정벌이나 민사상의 강제집행은 포함되지 않는다.

관련판례

건축주가 도립공원으로서 자연환경지구로 지정된 임야 위에 건축허가를 받을 수 없음을 알면서도 건축행위에 착수하였을 뿐만 아니라, 건축 도중 3회에 걸쳐 관할관청으로부터 건축중지 및 시공부분의 철거지시를 받고도 공사를 강행하여 건축물을 완공하였으며, 그 완공 후에도 계속 철거명령에 불응하고 있고 그 건축물의 신축행위가 자연공원법 소정의 신축이나 재축 등의 허용행위에 해당하지 않는다면, 비록 건축주가 다액의 공사비를 투입하여 위 건축물을 신축한 것이고 이것이 철거된 종전의 건축물보다 주위의 경관에 더 잘 어울린다고 하여도, 위 건축물을 그대로 방치하는 것은 심히 공익을 해하는 것이고 이에 관한 철거대집행은 다른 수단으로써 그 이행을 확보하기 곤란한 경우에 해당한다고 볼 것이므로 위 건축물철거계고처분은 행정대집행법이 정한 요건을 구비한 것이다(대판 1989.10.10. 88누11230).

핵심 OX

02 의무의 불이행만으로 대집행이 가능한 것은 아니며 의무의 불이행을 방치하는 것이 심히 공익을 해한다고 인정되는 경우에 비로소 대집행이 허용된다. 13. 지방9급 ( )

03 대집행이 행해지기 위해서는 대체적 작위의무의 불이행을 방치함이 심히 공익을 해할 것으로 인정될 때이어야 하나, 다른 수단으로써 그 이행을 확보하기 곤란할 필요까지는 요하지 않는다. 15. 사복 ( )

(3) 그 불이행의 방치가 심히 공익을 해하는 것일 것

① 대집행은 개인의 자유를 침해하는 작용이기 때문에 그 요건으로서 우월한 공익적 요청이 있을 것을 요건으로 하고 있다.

관련판례 심히 공익을 해하는 경우

1 개발제한구역 및 도시공원에 속하는 임야상에 신축된 위법건축물인 대형교회건물의 합법화가 불가능할 경우, 교회건축물의 건축으로 공원미관조성이나 공원관리 측면에서 유리하고 철거될 경우 막대한 손해를 입게 되며 신자들이 예배할 장소를 잃게 된다는 사정을 고려하더라도 위 교회건물의 불이행을 방치함은 심히 공익을 해한다고 보아야 한다(대판 2000.6.23. 98두3112).

2 허가 없이 무단증평된 부분이 상당히 클 뿐만 아니라, 도로쪽 전면으로 돌출되어 있어 쉽게 발견되고, 기존에 설정된 도시계획선을 침범한 경우(대판 1992.8.14. 92누3885)

관련판례 심히 공익을 해하는 것이 아닌 경우

1 **도로관리청으로부터 도로점용허가를 받지 아니하고 광고물을 설치하였다는 점의 방치가 심히 공익을 해하는지 여부(소극)**

도로관리청으로부터 도로점용허가를 받지 아니하고 광고물을 설치하였다는 점만으로 곧 심히 공익을 해치는 경우에 해당한다고 할 수 없고 대집행계고의 요건에 관한 주장입증책임은 처분청에게 있다(대판 1974.10.25. 74누122).

01 ○ 02 ○ 03 X

2 **당초 허가내용과 달리 증·개축한 건물을 그대로 방치함이 심히 공익을 해하는 것인지 여부(소극)**
대수선 및 구조변경허가의 내용과 다르게 건물을 증 · 개축하여 그 위반결과가 현존하고 있다고 할지라도, 그 공사결과 건물모양이 산뜻하게 되었고, 건물의 안정감이 더하여진 반면 그 증평부분을 철거함에는 많은 비용이 소요되고 이를 철거하여도 건물의 외관만을 손상시키고 쓰임새가 줄 뿐인 경우라면 건축주의 철거의무불이행을 방치함이 심히 공익을 해하는 것으로 볼 수 없다(대판 1987.3.10. 86누860).

3 건축허가면적보다 0.02m²정도 초과하여 이웃의 대지를 침범한 경우(대판 1991.3.12. 90누10070)

4 무단증축주택건물의 축조로 인해 인접건물과 40cm정도 근접해졌음에 불과한 경우(대판 1991.8.27. 91누5136)

5 노후되어 붕괴될 위험에 처하여 있었는데도 대지에 관한 소유권 다툼 때문에 수선허가를 받을 수 없어, 부득이 개수신고를 한 후 대수선을 한 경우(대판 1988.2.9. 87누213)

② '심히 공익을 해하는' 경우 여부의 판단은 전문적 · 기술적 판단이 필요하기 때문에 판단여지가 인정될 수 있다는 견해와, 판단여지가 아니라 기속행위라는 견해의 대립이 있다.

③ 판례는 "대집행요건에 대한 판단은 공익재량에 속하는 사항이지만, 그것이 심히 부당한 경우에는 법원이 이것을 심사할 수 있다."라고 하여 사법심사의 가능성을 인정하고 있다(대판 1967.11.28. 67누139).

(4) 대집행에 있어서의 재량문제

대집행을 할 것인지 여부가 재량행위라는 판례(대판 1996.10.11. 96누8086)에 따라 행정청의 재량으로 보는 견해와, 공익을 해하는 경우 대집행을 하여야 한다는 기속으로 보는 견해의 대립이 있으나, 재량으로 보는 것이 다수설이다.

(5) 불가쟁력 발생이 대집행의 요건인지 여부

독일행정법과 달리 우리 행정대집행법은 행정처분의 불가쟁력을 대집행실행의 요건으로 규정하지 않은바, 불가쟁력이 발생되기 전이라도 대집행을 할 수 있다.

(6) 대집행 요건의 입증책임 – 처분청

건축법을 위반하여 건축한 것이어서 철거의무가 있는 건물이라 하더라도 그 철거의무를 대집행하기 위한 계고처분을 하려면, 다른 방법으로는 이행의 확보가 어렵고 불이행을 방치함이 심히 공익을 해하는 것으로 인정될 때에 한하여 허용되고, 이러한 **요건의 주장 · 입증책임**은 처분 **행정청**에 있다(대판 1993.9.14. 92누16690).

핵심 OX

04 행정대집행법 제2조에 따른 대집행의 실시 여부는 행정청의 재량에 속하지 않는다. 17. 국가9급, 15. 사복 ( )

05 대집행의 요건이 충족된 경우에는 대집행을 하여야 하며, 대집행권한을 발동할지에 대해 행정청의 재량은 인정되지 않는다. 15. 지방9급 ( )

06 의무를 명하는 행정행위가 불가쟁력이 발생하지 않은 경우에는 그 행정행위에 따른 의무의 불이행에 대하여 대집행을 할 수 없다. 17. 국가9급 ( )

07 대집행계고처분의 요건에 대한 입증책임은 처분청에 있다. 14. 경특1차, 11. 사복 ( )

08 계고처분을 하려면 다른 방법으로는 이행의 확보가 어렵고 불이행을 방치함이 심히 공익을 해하는 것으로 인정될 때에 한하여 허용되고 이러한 요건의 주장 · 입증책임은 처분 행정청에 있다. 17. 국가7급(10월) ( )

09 원칙적으로 '의무의 불이행을 방치하는 것이 심히 공익을 해하는 것으로 인정되는 경우'의 요건은 계고를 할 때에 충족되어 있어야 한다. 17. 국가9급 ( )

04 X **05** X **06** X **07** O **08** O **09** O

(7) 행정벌과의 관계 - 병과 가능

대집행은 장래의 의무이행 확보수단이라는 점에서, 과거의무에 대한 제재인 행정벌과는 그 목적을 달리하므로 **병과**할 수 있다.

> **관련판례**
>
> 전통적으로 행정대집행은 대체적 작위의무에 대한 강제집행수단으로, 이행강제금은 부작위의무나 비대체적 작위의무에 대한 강제집행수단으로 이해되어 왔으나, 이는 이행강제금제도의 본질에서 오는 제약은 아니며, 이행강제금은 대체적 작위의무의 위반에 대하여도 부과될 수 있다. 행정청은 개별사건에 있어서 위반내용, 위반자의 시정의지 등을 감안하여 대집행과 이행강제금을 선택적으로 활용할 수 있으며, 이처럼 그 합리적인 재량에 의해 선택하여 활용하는 이상 중첩적인 제재에 해당한다고 볼 수 없다(헌재 2004.2.26. 2001헌바80 · 84 · 102 · 103 · 2002헌바26).

(8) 판례는 행정대집행의 절차가 인정되는 경우에는 별도로 민사소송의 방법으로 공작물 등의 철거 등을 구할 수 없다는 입장이다(대판 2000.5.12. 99다18909).[1]

5. 대집행절차

대집행은 **계**고, 대집행영장의 **통**지, 대집행의 **실**행, **비**용징수의 4단계로 이루어진다.

(1) 계고

① **의의**: 계고란 대집행을 함에 있어서는 상당한 이행기한을 정하여 그 기한까지 이행하지 아니하면 대집행을 한다는 뜻을 미리 문서로써 계고하여야 한다(제3조 제1항). 원칙적으로 계고를 함에 있어서는 대집행의 요건이 충족되어 있어야 한다.

> **관련판례**
>
> 상당한 의무이행기간을 부여하지 아니한 대집행계고처분 후에 대집행영장으로써 대집행의 시기를 늦추었더라도 대집행계고처분은 상당한 이행기한을 정하여 한 것이 아니어서 대집행의 적법절차에 위배한 것으로 위법한 처분이다(대판 1990.9.14. 90누2048).

② **성질**: 계고의 성질에 관하여 의무를 명하는 하명행위로 보는 견해도 있으나, 준법률행위적 행정행위 중 **의사의 통지**로 보는 것이 통설 · 판례의 입장이다. 따라서 계고는 **행정쟁송의 대상**이 된다. 한편 1차 계고에 대한 의무불이행을 이유로 2 · 3차 계고가 행하여진 경우 반복된 계고는 처분성이 인정되지 않고 기한연기 통지에 불과하므로 **최초의 계고만**이 처분이 된다는 입장이다(대판 2000.2.22. 98두4665). 그리고 판례는 위법한 공유자 1인에 대한 계고처분은 다른 공유자에게는 효력이 없다고 본다(대판 1994.10.28. 94누5144).

핵심 OX

01 건축법에 위반된 건축물의 철거를 명하였으나 불응하자 이행강제금을 부과 · 징수한 후 이후에도 철거를 하지 아니하자 다시 행정대집행 계고처분을 한 경우 그 계고처분은 유효하다. 19. 국회8급, 18. 국가7급, 16. 지방7급 ( )

02 건축법상 위법 건축물에 대하여 행정청은 대집행과 이행강제금을 선택적으로 활용할 수 있으며, 이러한 선택적 활용이 중첩적 제재에 해당한다고 볼 수 없다. 18. 국가7급 ( )

[1] 대집행 요건
- 공법상
- 대체적
- 작위의무
- 다른 수단으로 이행확보 곤란
- 심히 공익을 해침

핵심 OX

03 일반적으로 대집행의 절차는 계고, 대집행영장에 의한 통지, 대집행의 실행, 비용징수의 단계를 거치게 된다. 07. 국가7급 ( )

04 상당한 의무이행기간을 부여하지 않은 계고처분 후 대집행영장으로 대집행의 시기를 늦추더라도 그 계고처분은 적법절차에 위배한 것으로 위법한 처분이다. 15. 국회8급, 09. 지방9급 ( )

05 대집행의 계고는 행정지도에 해당한다. 15. 교행 ( )

06 계고는 행정처분으로서 항고소송의 대상이 된다. 15. 국가9급 ( )

07 대집행의 계고는 준법률행위적 행정행위로서 통지행위에 해당하며, 계고가 반복된 경우 각각의 계고는 행정소송의 대상이 되는 행정처분에 해당한다. 14. 국가7급 ( )

01 ○ 02 ○ 03 ○ 04 ○ 05 X 06 ○ 07 X

관련판례

건물의 소유자에게 위법건축물을 일정기간까지 철거할 것을 명함과 아울러 불이행할 때에는 대집행한다는 내용의 철거대집행 계고처분을 고지한 후 이에 불응하자 다시 제2차 · 제3차 계고서를 발송하여 일정기간까지의 자진철거를 촉구하고 불이행하면 대집행을 한다는 뜻을 고지하였다면 행정대집행법상의 건물철거의무는 제1차 철거명령 및 계고처분으로서 발생하였고 제2차 · 제3차의 계고처분은 새로운 철거의무를 부과한 것이 아니고, 다만 대집행기한의 연기통지에 불과하므로 행정처분이 아니다(대판 1994.10.28. 94누5144).

③ **형식 및 내용**: 계고는 문서에 의하여야 하며, **구두에 의한 계고**는 **무효**이다. 또한 계고서에 의해서 대집행의 내용과 범위가 특정되어야 하지만, 그 행위의 내용 및 범위는 반드시 대집행계고서에 의하여서만 특정되어야 하는 것이 아니고, 계고처분 전후에 송달된 문서나 기타 사정을 종합하여 행위의 내용이 특정되면 족하다는 것이 판례의 입장이다(대판 1994.10.28. 94누5144).

관련판례

1 **제1차로 창고건물의 철거 및 하천부지에 대한 원상복구명령을 하였음에도 이에 불응하므로 대집행계고를 하면서 다시 자진철거 및 토사를 반출하여 하천부지를 원상복구할 것을 명한 경우, 대집행계고서에 기재된 자진철거 및 원상복구명령이 취소소송의 대상이 되는 독립한 행정처분인지 여부(소극)**

제1차로 창고건물의 철거 및 하천부지에 대한 원상복구명령을 하였음에도 이에 불응하므로 대집행계고를 하면서 다시 자진철거 및 토사를 반출하여 하천부지를 원상복구할 것을 명한 경우, 행정대집행법상의 철거 및 원상복구의무는 제1차 철거 및 원상복구명령에 의하여 이미 발생하였다 할 것이어서, 대집행계고서에 기재된 자진철거 및 원상복구명령은 새로운 의무를 부과하는 것이라고 볼 수 없으며, 단지 종전의 철거 및 원상복구를 독촉하는 통지에 불과하므로 취소소송의 대상이 되는 독립한 행정처분이라고 할 수 없고, 대집행계고서에 기재된 철거 및 원상복구의무의 이행기한은행정대집행법 제3조 제1항에 따른 이행기한을 정한 것에 불과하다고 할 것이다(대판 2004.6.10. 2002두12618).

2 행정청이 행정대집행법 제3조 제1항에 의한 대집행계고를 함에 있어서는 의무자가 스스로 이행하지 아니하는 경우에 대집행할 행위의 내용 및 범위가 구체적으로 특정되어야 하나, 그 행위의 내용 및 범위는 반드시 대집행계고서에 의하여서만 특정되어야 하는 것이 아니고, 계고처분 전후에 송달된 문서나 기타 사정을 종합하여 행위의 내용이 특정되거나 실제건물의 위치, 구조, 평수 등을 계고서의 표시와 대조 · 검토하여 대집행의무자가 그 이행의무의 범위를 알 수 있을 정도로 하면 족하다(대판 1996.10.11. 96누8086).

3 [1] 계고서라는 명칭의 1장의 문서로서 일정기간 내에 위법건축물의 자진철거를 명함과 동시에 그 소정기한 내에 자진철거를 하지 아니할 때에는 대집행할 뜻을 미리 계고한 경우라도, 건축법에 의한 철거명령과 행정대집행법에 의한 계고처분은 독립하여 있는 것으로서 각 그 요건이 충족되었다.

[2] 위의 경우, 철거명령에서 주어진 일정기간이 자진철거에 필요한 상당한 기간이라면 그 기간 속에는 계고시에 필요한 '상당한 이행기간'도 포함되어 있다.

핵심 OX

08 제1차 철거명령 및 계고처분에 불응하여 다시 철거촉구 및 대집행의 뜻을 알리는 제2차 계고처분 역시 행정처분의 성질을 가진다.
19 · 15. 국회8급, 18. 국가9급, 15. 사복 · 지방9급, 14. 국가7급 ( )

09 대집행의 계고는 문서에 의한 것이어야 하고, 구두에 의한 계고는 무효가 된다. 12. 사복 ( )

10 대집행할 행위의 내용 및 범위는 반드시 대집행계고서에 의하여서만 특정되어야 하는 것이 아니고, 계고처분 전후에 송달된 문서나 기타 사정을 종합하여 행위의 내용이 특정되거나 의무자가 그 이행의무의 범위를 알 수 있으면 족하다는 것이 판례의 입장이다.
18. 국가9급, 14. 국가7급 ( )

11 행정청이 대집행계고를 함에 있어서 의무자가 스스로 이행하지 아니하는 경우에 대집행할 행위의 내용 및 범위는 반드시 대집행계고서에 의해서만 특정되어야 하는 것이지, 계고처분 전후에 송달된 문서나 기타 사정을 종합하여 행위의 내용이 특정되거나 대집행 의무자가 그 이행의무의 범위를 알 수 있는 것만으로는 부족하다.
18. 국회8급, 16. 지방7급, 13. 국가7급, 08. 관세사 ( )

12 대집행의 계고는 대집행의 의무적 절차의 하나이므로 생략할 수 없지만, 철거명령과 계고처분을 1장의 문서로 동시에 행할 수는 있다.
20. 국가7급 ( )

13 철거명령에서 주어진 일정기간이 자진철거에 필요한 상당한 기간이라고 하여도 그 기간 속에는 계고시에 필요한 '상당한 이행기간'이 포함되어 있다고 볼 수 없다.
19. 지방9급 ( )

08 X 09 O 10 O 11 X 12 X 13 X

[3] 계고를 함에 있어서는 의무자가 이행하여야 할 행위와 그 의무불이행시 대집행할 행위의 내용 및 범위가 구체적으로 특정되어야 할 것이지만 그 특정 여부는 실제건물의 위치, 구조, 평수 등을 계고서의 표시와 대조 · 검토하여 대집행의무자가 그 이행의무의 범위를 알 수 있을 정도로 하면 족하다(대판 1992.6.12. 91누13564).

④ **생략 여부**: 법률에 규정이 있거나 비상시 또는 위험이 절박하여 계고할 수 없는 경우에는 계고를 생략할 수 있다(제3조 제3항).

⑤ **의무부과와 계고와의 결합 여부**: 대집행요건은 계고를 할 때에 충족되어 있어야 하므로 의무를 명하는 행정행위와 대집행의 계고는 결합할 수 없는 것이 원칙이다. 그러나 판례는 예외적으로 양자의 결합을 인정하고 있다.

(2) 대집행영장의 통지

① **의의**: 대집행영장의 통지란 의무자가 계고를 받고 그 지정기한까지 그 의무를 이행하지 아니할 때에는 당해 행정청은 대집행영장으로써 대집행을 할 시기, 대집행을 시키기 위하여 파견하는 집행책임자의 성명과 대집행에 요하는 비용의 개산에 의한 견적액을 의무자에게 통지하여야 한다(제3조 제2항).

② **성질**: 계고와 같이 준법률행위적 행정행위 중 **통지행위**이며, 비상시 또는 위험이 절박한 경우에는 생략이 가능하다.

(3) 대집행의 실행

① **의의**: 의무자가 지정된 기한까지 의무를 이행하지 않은 경우에 의무이행상태를 실현시키는 행위를 말한다. 이는 권력적 사실행위로서 **항고소송의 대상**이 된다.

② **증표의 휴대**: 대집행을 하기 위하여 현장에 파견되는 집행책임자는 그가 집행책임자라는 것을 표시한 증표를 휴대하여 대집행시에 이해관계인에게 제시하여야 한다(제4조).

③ **실력행사 여부**: 의무자가 대집행 실행에 항거하는 경우 이를 실력으로 배제할 수 있는가에 대하여 명문으로 긍정하는 독일의 행정집행법과는 달리 우리는 명문의 규정을 두고 있지 않으므로, 형법상 공무집행방해죄와 경찰관 직무집행법(즉시강제)에 의하여야 한다는 부정설이 다수설이다.

관련판례

행정청이 행정대집행의 방법으로 건물철거의무이행을 실현하는 과정에서 부수적으로 건물 점유자에 대한 퇴거조치를 실현하려 하자 점유자들이 이를 위력을 행사하여 방해하는 경우에, 행정청은 행정대집행법에 명문의 규정이 없는 이상 경찰관 직무집행법에 근거하여서는 경찰의 도움을 받을 수 있는지 여부(적극)

관계 법령상 행정대집행의 절차가 인정되어 행정청이 행정대집행의 방법으로 건물의 철거 등 대체적 작위의무의 이행을 실현할 수 있는 경우에는 따로 민사소송의 방법으로 그 의무의 이행을 구할 수 없다. 한편 건물의 점유자가 철거의무자일 때에는 건물철거의무에 퇴거의무도 포함되어 있는 것이어서 별도로 퇴거를 명하는 집행권원이 필요하지 않다. 행정청이 행정대집행의 방법으로 건물철거의무의 이행을 실현할 수 있는 경우에는 건물철거 대집행 과정에서 부수적으로 건물의 점유자들에 대한

핵심 OX

01 대집행영장의 통지는 대집행을 실행하겠다는 단순한 사실의 통지에 불과하여 행정처분이라고 보기 어려우므로 이에 대해서는 취소소송을 제기할 수 없다. 12. 사복, 10. 국가9급 (   )

02 비상시 또는 위험이 절박한 경우에 있어서 계고 · 대집행영장의 통지 규정에서 정하는 수속을 취할 여유가 없을 경우라도 위의 두 수속 모두를 거치지 아니하고는 대집행을 할 수 없다. 19. 서울7급, 16. 국가9급, 15. 교행, 11. 국가9급 (   )

03 대집행의 실행행위는 권력적 사실행위로서의 성질을 갖기에 원칙적으로는 항고소송으로 불복이 가능하다. 13. 서울9급 변형 (   )

04 행정대집행을 실행할 때 대집행 상대방이 저항하는 경우에 대집행 책임자가 실력행사를 하여 직접강제를 할 수 있다는 것이 판례의 입장이다. 14. 국가9급 (   )

05 대집행에 대해 상대방이 저항할 경우 그 저항을 배제하기 위하여 최소한의 실력행사는 허용된다고 보는 견해가 있다. 14. 서울7급 (   )

06 행정청이 행정대집행의 방법으로 건물철거의무의 이행을 실현할 수 있는 경우에는 건물철거 대집행 과정에서 부수적으로 건물의 점유자들에 대한 퇴거 조치를 할 수 있고, 점유자들이 적법한 행정대집행을 위력을 행사하여 방해하는 경우 경찰관 직무집행법에 근거한 위험발생 방지조치 차원에서 경찰의 도움을 받을 수도 있다. 19. 국가7급 (   )

01 X 02 X 03 O 04 X 05 O 06 O

퇴거조치를 할 수 있고, 점유자들이 적법한 행정대집행을 위력을 행사하여 방해하는 경우 형법상 공무집행방해죄가 성립하므로, 필요한 경우에는 경찰관 직무집행법에 근거한 위험발생 방지조치 또는 형법상 공무집행방해죄의 범행방지 내지 현행범체포의 차원에서 경찰의 도움을 받을 수도 있다(대판 2017.4.28. 2016다213916).

④ **시간상 제한:** 해가 뜨기 전이나 해가 진 후에는 대집행을 하여서는 안 된다. 다만, 예외적으로 의무자가 동의한 경우, 해가 지기 전에 대집행을 착수한 경우, 해가 뜬 후부터 해가 지기 전까지 대집행을 하는 경우에는 대집행의 목적 달성이 불가능한 경우, 그 밖에 비상시 또는 위험이 절박한 경우에는 대집행을 할 수 있다.

(4) 비용징수

대집행에 소요된 비용은 당해 행정청이 의무자로부터 징수한다. 비용징수는 그 금액과 납부기일을 정하여 의무자에게 문서로써 명하고, 이때 의무자가 기일 내에 납부하지 않을 때에는 국세체납처분의 예에 의하여 강제징수할 수 있다(제5조, 제6조 제1항). 비용징수 역시 하명으로서 **항고소송의 대상**이 된다.

관련판례

[1] 대한주택공사가 구 대한주택공사법(2009.5.22. 법률 제9706호 한국토지주택공사법 부칙 제2조로 폐지) 및 구 대한주택공사법 시행령(2009.9.21. 대통령령 제21744호 한국토지주택공사법 시행령 부칙 제2조로 폐지)에 의하여 대집행권한을 위탁받아 공무인 대집행을 실시하기 위하여 지출한 비용은 행정대집행법 절차에 따라 국세징수법의 예에 의하여 징수할 수 있다.

[2] 대한주택공사가 구 대한주택공사법 및 구 대한주택공사법 시행령에 의하여 대집행권한을 위탁받아 공무인 대집행을 실시하기 위하여 지출한 비용을 행정대집행법 절차에 따라 국세징수법의 예에 의하여 징수할 수 있음에도 민사소송절차에 의하여 그 비용의 상환을 청구한 사안에서, 행정대집행법이 대집행비용의 징수에 관하여 민사소송절차에 의한 소송이 아닌 간이하고 경제적인 특별구제절차를 마련해 놓고 있으므로, 위 청구는 소의 이익이 없어 부적법하다(대판 2011.9.8. 2010다48240).

6. 대집행에 대한 구제

(1) 대집행 실행 종료 전

① **행정쟁송:** 대집행에 대하여 불복이 있는 자는 **행정심판**을 제기할 수 있으며(제7조 제1항), 또한 법원에 **행정소송**을 제기할 수 있다(제8조).

② **행정심판임의주의:** 행정심판을 제기함이 법원에 대한 출소의 권리를 방해하지 아니한다(제8조)는 규정을 필수전치의 예외로 인정하는 견해와 법원에 대한 출소권을 강조하는 견해(판례)의 대립이 있었으나, 행정심판이 임의절차화된 오늘날은 논의의 실익이 없어졌으므로 당연히 행정심판을 거치지 않고 행정소송을 제기할 수 있다.

③ 집행정지의 신청

핵심 OX

07 해가 지기 전에 대집행에 착수한 경우라고 할지라도 해가 진 후에는 대집행을 할 수 없다. 19. 서울9급(6월) ( )

08 대집행의 소요비용은 행정청이 스스로 부담한다. 13. 서울9급 ( )

09 대집행비용의 납부명령은 독립하여 항고소송의 대상이 된다. 11. 국가9급 ( )

10 대집행을 실시하기 위하여 지출한 비용은 행정대집행법 절차에 따라 국세징수법의 예에 의하여 징수할 수 있으므로 민사소송절차에 의한 청구는 소의 이익이 없어 부적법하다. 14. 국가7급 · 경특 ( )

11 행정대집행법 절차에 따라 국세징수의 대집행비용을 징수할 수 있음에도 불구하고 민사소송절차에 의하여 그 비용의 상환을 청구할 수 있다. 19. 서울7급, 13. 지방9급 ( )

12 구 대한주택공사가 대집행권한을 위탁받아 공무인 대집행을 실시하기 위하여 지출한 비용을 행정대집행법 절차에 따라 국세징수법의 예에 의하여 징수할 수 있음에도 민사소송절차에 의하여 그 비용의 상환을 구하는 청구는 소의 이익이 없어 부적법하다. 19. 지방9급 · 국가9급 · 국회8급 · 서울9급(2월), 18. 지방9급, 15. 서울9급 ( )

13 민사소송절차에 따라 민법 제750조에 기한 손해배상으로서 대집행비용의 상환을 구하는 청구는 소의 이익이 없어 부적법하다. 19. 서울9급(6월), 16. 사복 ( )

07 X 08 X 09 O 10 O 11 X 12 O 13 O

④ **하자의 승계:** 대집행은 4단계(계고, 통지, 실행, 비용징수)의 행위로 이루어지는데, 이들 행위 상호간에는 의무이행 확보를 위한 동일한 목적을 추구하는 것이므로 선행행위와 후행행위간에 하자의 승계가 인정된다. 그러나 대집행의 전제가 되는 하명처분의 하자는 계고에 승계되지 않는다. 다만, 하명처분이 무효인 경우에는 계고에 승계된다(예 적법한 건물에 대하여 철거명령이 내려진 경우 등).

관련판례

1 적법한 건축물에 대한 철거명령은 그 하자가 중대하고 명백하여 당연무효라고 할 것이고, 그 후행행위인 건축물철거대집행계고처분 역시 당연무효라고 할 것이다(대판 1999.4.27. 97누6780).

2 대집행의 계고 · 대집행영장에 의한 통지 · 대집행의 실행 · 대집행에 요한 비용의 납부명령 등은, 타인이 대신하여 행할 수 있는 행정의무의 이행을 의무자의 비용부담하에 확보하고자 하는, 동일한 행정목적을 달성하기 위하여 단계적인 일련의 절차로 연속하여 행하여지는 것으로서, 서로 결합하여 하나의 법률효과를 발생시키는 것이므로, 선행처분인 계고처분이 하자가 있는 위법한 처분이라면, 비록 하자가 중대하고도 명백한 것이 아니어서 당연무효의 처분이라 고 볼 수 없고 대집행의 실행이 이미 사실행위로서 완료되어 계고처분의 취소를 구할 법률상이익이 없게 되었으며, 또 대집행비용납부명령 자체에는 아무런 하자가 없다 하더라도, 후행처분인 대집행비용납부명령의 취소를 청구하는 소송에서 청구원인으로 선행처분인 계고처분이 위법한 것이기 때문에 그 계고처분을 전제로 행하여진 대집행비용납부명령도 위법한 것이라는 주장을 할 수 있다(대판 1993.11.9. 93누14271).

(2) 대집행 실행 종료 후(협의의 소의 이익)

대집행의 실행행위는 권력적 사실행위로서 행정소송의 대상이 되지만, 대집행계고처분취소소송의 변론종결 전에 대집행영장에 의한 통지절차를 거쳐 사실행위로서 대집행의 실행이 완료된 경우에는, 행위가 위법한 것이라는 이유로 손해배상이나 원상회복 등을 청구하는 것은 별론으로 하고 처분의 취소를 구할 법률상 이익은 없다(대판 1967.10.23. 67누115). 그러나 대집행이 종료된 후에도 대집행의 취소로 인해 회복되는 법률상의 이익이 있는 경우에는 예외적으로 항고소송을 제기할 수 있다.

관련판례

계고처분에 기한 대집행의 실행이 이미 사실행위로서 완료되었다면, 계고처분이나 대집행의 실행행위 자체의 무효확인 또는 취소를 구할 법률상 이익은 없다(대판 1995.7.28. 95누2623).

핵심 OX

01 철거명령과 대집행절차를 이루는 행위는 별개의 법적 효과를 가져오는 행위이므로 철거명령의 흠은 대집행 절차를 이루는 각 행위에 승계되지 아니한다. 13. 지방7급 ( )

02 국토의 계획 및 이용에 관한 법률상 도시 · 군계획시설결정과 실시계획인가는 동일한 법률효과를 목적으로 하는 것이므로 선행처분인 도시 · 군계획시설결정의 하자는 실시계획인가에 승계된다. 18. 국가9급 ( )

03 대집행의 계고, 대집행영장에 의한 통지, 대집행의 실행, 대집행비용의 납부명령은 동일한 행정목적을 달성하기 위하여 일련의 절차로 연속하여 행하여지는 것으로서, 서로 결합하여 하나의 법률효과를 발생시킨다고 볼 수 있어 하자의 승계가 인정된다. 18. 서울9급 변형 ( )

04 선행 계고처분의 위법성을 들어 대집행 비용납부명령의 취소를 구할 수 없다. 18. 국가9급, 17. 국가7급(10월), 15. 국회8급, 13. 국회9급, 11. 지방9급 ( )

핵심 OX

05 계고처분에 기한 대집행의 실행이 완료되었다면, 대집행의 실행행위에 대해 취소를 구할 법률상 이익은 없다. 11. 국가7급 ( )

06 대집행계고처분 취소소송의 변론이 종결되기 전에 대집행영장에 의한 통지절차를 거쳐 사실행위로서 대집행의 실행이 완료된 경우에는 계고처분의 취소를 구할 법률상의 이익이 없다. 19. 지방9급 ( )

07 집행의 실행이 완료된 후에는 소의 이익이 없으므로 행정쟁송으로 다툴 수 없음이 원칙이다. 15. 국회8급 ( )

08 대집행이 완료되어 취소소송을 제기할 수 없는 경우에도 국가배상청구는 가능하다. 15. 국가9급 ( )

01 ○ 02 X 03 ○ 04 X 05 ○ 06 ○ 07 ○ 08 ○

판례연구 대집행(1)[1]

1. 기본 판례

사법상 의무불이행에 대해서는 대집행을 할 수 없다.

> 행정대집행법상 대집행의 대상이 되는 대체적 작위의무는 공법상 의무이어야 할 것인데, 구 공공용지의 취득 및 손실보상에 관한 특례법(2002.2.4. 법률 제6656호 공익사업을 위한 토지 등의 취득 및 보상에 관한 법률 부칙 제2조로 폐지)에 따른 토지 등의 협의취득은 공공사업에 필요한 토지 등을 그 소유자와의 협의에 의하여 취득하는 것으로서 공공기관이 사경제주체로서 행하는 사법상 매매 내지 사법상 계약의 실질을 가지는 것이므로, 그 협의취득시 건물소유자가 매매대상 건물에 대한 철거의무를 부담하겠다는 취지의 약정을 하였다고 하더라도 이러한 철거의무는 공법상의 의무가 될 수 없고, 이 경우에도 행정대집행법을 준용하여 대집행을 허용하는 별도의 규정이 없는 한 위와 같은 철거의무는 행정대집행법에 의한 대집행의 대상이 되지 않는다(대판 2006.10.13. 2006두7096).

2. 관련 판례

① 도시공원시설 점유자의 퇴거 및 명도의무는 대체적 작위의무가 아니므로 대집행의 대상이 되지 않는다.
② 공유재산 대부계약의 해지에 따른 원상회복으로 행정대집행의 방법에 의하여 그 지상물을 철거시킬 수 있다.
③ 하천유수인용행위를 중단할 것(부작위의무)과 이를 불이행할 경우의 대집행 계고는 위법하다.
④ 부작위의무로부터 작위의무를 당연히 끌어낼 수 있는 것은 아니다.
⑤ 토지·건물의 명도의무는 대집행의 대상이 아니다.
⑥ 피수용자 등이 기업자에 대하여 부담하는 수용대상 토지의 인도의무는 행정대집행법에 의한 대집행의 대상이 될 수 없다.
⑦ 사법상 의무불이행에 대해서는 대집행을 할 수 없다.

판례연구 대집행(2)

1. 기본 판례

도시미관, 주거환경, 교통소통에 지장이 없다는 사유만으로는 공익을 해하지 않는 것은 아니다.

> 무허가로 불법건축되어 철거할 의무가 있는 건축물을 도시미관, 주거환경, 교통소통에 지장이 없다는 등의 사유만을 들어 그대로 방치한다면 불법건축물을 단속하는 당국의 권능을 무력화하여 건축행정의 원활한 수행을 위태롭게 하고 건축허가 및 준공검사시에 소방시설, 주차시설 기타 건축법 소정의 제한규정을 회피하는 것을 사전에 예방한다는 더 큰 공익을 해칠 우려가 있다(대판 1989.3.28. 87누930).

2. 관련 판례

① 행정대집행의 절차가 인정되는 경우에는 따로 민사소송의 방법으로 공작물의 철거를 구할 수 없다.
② 철거로 막대한 금전적 손해를 입는다는 사유가 공익을 해하지 않는 정당한 사유가 될 수 없다.
③ 도시미관, 주거환경, 교통소통에 지장이 없다는 사유만으로는 공익을 해하지 않는 것은 아니다.
④ 건축 도중 3회에 걸쳐 건축중지 및 철거지시를 받고도 공사를 강행하여 완공한 경우 심히 중대한 공익상 침해가 인정되므로 대집행은 적법하다.
⑤ 불법증축부분이 합법화될 가능성이 있게 된 경우 철거의무를 방치하는 것이 심히 공익을 해하는 것이라고 볼 수 없다.
⑥ 수차에 걸친 계고처분 중 철거의무의 부과는 제1차 계고처분으로써 발생하고, 이후의 계고처분은 독립된 행정처분이 아니다.

[1] 대집행 완료의 경우 소송
대집행이 완료된 경우, 취소소송으로 얻을 수 있는 법률상 이익이 없음(불법건축물을 무너뜨렸다고 생각하면 이해가 용이)
- 원칙적으로는 회복 가능한 이익이 없어 취소소송은 불가능(대집행을 취소한다고 건축물이 다시 세워지는 것 아님)
- 하지만 예외적으로 취소로서 회복 가능한 이익이 있는 경우 취소소송 가능

⑦ 대집행할 행위의 내용 및 범위가 반드시 계고서에 의해 특정되어야 하는 것은 아니다.
⑧ 계고서라는 명칭의 1장의 문서로 일정기간 내에 위법건축물의 자진철거와 동시에 그 소정 기한내에 자진철거를 하지 아니할 때에는 대집행할 뜻을 미리 계고하는 경우도 가능하다.
⑨ 의무이행의 상당한 기간을 부여하지 않은 대집행계고는 위법하다.
⑩ 대집행의 실행이 완료된 경우에는 처분의 취소를 구할 법률상 이익은 없다.

2 이행강제금(집행벌)

1. 의의

(1) 이행강제금이란 주로 **비대체적 작위의무** 또는 **부작위의무**의 불이행이 있는 경우에 그 의무자에게 심리적 압박을 가하여 장래의 의무이행을 간접적으로 **강제**하기 위한 금전벌을 말한다.

(2) 이행강제금은 의무자 자신에 의하지 않으면 이행될 수 없는 경우에 의무자를 심리적으로 압박하여 자발적으로 이행하게 하기 위하여 인정되는 것이다.

(3) 과거에는 이행강제금의 적용대상이 비대체적 작위·부작위의무의 불이행이었으나, 현행법상으로는 '대체적 작위의무'를 강제하기 위해서도 활용되고 있다(예 건축법상의 이행강제금).

관련판례

1 전통적으로 행정대집행은 대체적 작위의무에 대한 강제집행수단으로, 이행강제금은 부작위의무나 비대체적 작위의무에 대한 강제집행수단으로 이해되어 왔으나, 이는 이행강제금제도의 본질에서 오는 제약은 아니며, 이행강제금은 대체적 작위의무의 위반에 대하여도 부과될 수 있다(헌재 2004.2.26. 2001헌바80 · 84 · 102 · 103 · 2002헌바26).

2 개별사건에 있어서 위반내용, 위반자의 시정의지 등을 감안하여 허가권자는 행정대집행과 이행강제금을 선택적으로 활용할 수 있고, 행정대집행과 이행강제금 부과가 동시에 이루어지는 것이 아니라 허가권자의 합리적인 재량에 의해 선택하여 활용하는 이상 이를 중첩적인 제재에 해당한다고 볼 수 없다(헌재 2011.10.25. 2009헌바140).

2. 구별개념

(1) 대집행 · 직접강제와의 구별

① 대집행은 대체적 작위의무위반에 대하여 가해지는 것이나, 집행벌은 원칙적으로 비대체적 작위 · 부작위의무위반에 대하여 가해지는 것이다.

② 대집행과 직접강제는 직접적 · 물리적 강제수단이나, 집행벌은 **간접적 · 심리적 강제수단**이다.

(2) 행정벌과의 구별

행정벌은 과거의 의무위반에 대한 제재로서 위반행위에 대하여 반복하여 부과할 수 없으나, 집행벌은 장래의 의무이행을 심리적으로 강제하기 위한 것으로서 의무이행이 있을 때까지 반복하여 부과할 수 있다. 따라서 양자는 규제목적을 달리하므로 서로 병과할 수 있다.

핵심 OX

01 이행강제금은 의무의 불이행시에 일정액수의 금전납부의무가 부과될 것임을 의무자에게 미리 계고함으로써 간접적으로 의무의 이행을 확보하는 수단을 말한다. 14. 경특1차 ( )

02 이행강제금은 이행명령의 불이행이라는 과거의 위반행위에 대한 제재로서의 의미를 갖는 것은 아니다. 15. 서울7급 ( )

03 이행강제금은 비대체적 작위의무 위반에만 부과될 뿐 대체적 작위의무의 위반에는 부과될 수 없다. 19. 지방9급, 15. 국가9급, 14. 사복 · 지방9급 ( )

핵심 OX

04 행정벌과 이행강제금은 장래에 의무의 이행을 강제하기 위한 제재로서 직접적으로 행정작용의 실효성을 확보하기 위한 수단이라는 점에서는 동일하다. 17. 국가9급 ( )

01 ○ 02 ○ 03 X 04 X

관련판례

1 형사처벌과 별도로 시정명령 위반에 대하여 이행강제금을 부과하는 건축법 제83조 제1항은 이중처벌에 해당하지 않으며, 시정명령 이행시까지 반복하여 이행강제금을 부과 · 징수할 수 있도록 규정한 같은 조 제4항도 과잉금지원칙에 위반되지 않는다(대결 2005.8.19. 2005마30).

2 건축법 제78조에 의한 무허가 건축행위에 대한 형사처벌과 건축법 제83조 제1항에 의한 시정명령 위반에 대한 이행강제금의 부과는 그 처벌 내지 제재대상이 되는 기본적 사실관계로서의 행위를 달리하며, 또한 그 보호법익과 목적에서도 차이가 있으므로 헌법 제13조 제1항이 금지하는 이중처벌에 해당한다고 할 수 없다(헌재 2004.2.26. 2001헌바80 · 84 · 102 · 103 · 2002헌바26).

3. 필요성

과거에는 비대체적 작위 · 부작위의무위반에 대하여 행정벌이 활용되었으나, 시대변화와 전과자가 양산된다는 점에서 집행벌이 필요하게 되었다. 집행벌은 의무위반의 상태가 존속되는 한 행정청이 반복 부과할 수 있고(일사부재리의 원칙 부적용), 행정형벌과 같은 엄격한 절차가 요구되지 않으므로 신속하게 행정목적을 달성할 수 있다.

4. 성질

(1) 이행강제금 부과처분의 성질은 급부하명에 해당한다. 또한 이행강제금의 부과는 침익적 행위로서 원칙적으로 행정절차법상 의견청취절차를 거쳐야 한다.

(2) 판례에 의하면 이행강제금은 **일신전속적인 것**으로서 승계되지 않는다는 입장이다.

관련판례

[1] 구 건축법상의 이행강제금 납부의무는 상속인 기타의 사람에게 승계될 수 없는 일신전속적인 성질의 것이므로 이미 사망한 사람에게 이행강제금을 부과하는 내용의 처분이나 결정은 당연무효이다.

[2] 건축법상 이행강제금은 일신전속적인 성질의 것이므로 이행강제금을 부과받은 사람이 재판절차가 개시된 이후 사망한 경우, 재판절차는 종료된다(대결 2006.12.8. 2006마470).

(3) 반복 부과 가능

이행강제금은 의무이행을 확보할 때까지 **반복**하여 이를 부과할 수 있다. 따라서 일사부재리의 원칙에 위반되지 않는다.

5. 절차

이행강제금의 부과 절차는 다음과 같다.

(1) 시정명령 및 의무의 불이행

(2) 상당한 이행기한의 통지

핵심 OX

05 건축법상 이행강제금은 과거의 일정한 법률위반 행위에 대한 제재로서의 형벌이 아니라 장래의 의무이행의 확보를 위한 강제수단일 뿐이어서 범죄에 대하여 국가가 형벌권을 실행하는 과벌에 해당하지 않으므로 헌법 제13조 제1항이 금지하는 동일한 범죄에 대한 거듭된 '처벌'에 해당되지 않는다. 19. 변호사, 15. 국가9급, 14. 지방9급 ( )

06 건축법상 위반건축물에 대한 행정대집행과 이행강제금은 합리적인 재량에 의해 선택하여 활용하는 이상 중첩적인 제재에 해당한다고 볼 수 없다. 14. 국가9급 ( )

07 건축법상의 이행강제금은 간접강제의 일종으로서 그 이행강제금 납부의무는 일신전속적인 성질의 것이므로 이미 사망한 사람에게 이행강제금을 부과하는 내용의 처분은 당연무효이다. 18. 지방9급, 16 · 15. 국가9급, 15. 국회8급, 13. 국가7급 ( )

08 이행강제금은 장래의 의무이행을 심리적으로 강제하기 위한 것으로서 의무이행이 있을 때까지 반복하여 부과할 수 있다. 19. 서울7급, 13. 국회8급 ( )

09 건축법상 허가권자는 이행강제금을 부과하기 전에 이행강제금을 부과 · 징수한다는 뜻을 미리 문서로써 계고하여야 한다. 19. 지방9급 ( )

10 이행강제금은 작위의무 또는 부작위의무를 불이행한 경우에 그 의무를 간접적으로 강제이행시키는 수단으로서 집행벌이라고도 한다. 15. 국가7급 ( )

05 ○ 06 ○ 07 ○ 08 ○ 09 ○ 10 ○

(3) 계고처분

시정명령을 이행하지 아니한 자에 대해 이행강제금을 부과·징수한다는 뜻을 미리 문서로써 계고하여야 한다.

(4) 이행강제금 부과

① 계고에도 불구하고 시정명령을 이행하지 않은 경우 이행강제금을 부과한다. 건축법상 시정명령 불이행에 대한 이행강제금 부과의 경우 허가권자는 최초의 시정명령이 있었던 날을 기준으로 하여 1년에 2회 이내의 범위에서 그 시정명령이 이행될 때까지 반복하여 이행강제금을 부과·징수할 수 있다.

② 한편, 건축법 제79조 제1항에 따른 위반 건축물 등에 대한 시정명령을 받은 자가 이를 이행하면, 허가권자는 새로운 이행강제금의 부과를 즉시 중지하되 이미 부과된 이행강제금은 징수한다.

관련판례

1 공무원들이 위법건축물임을 알지 못하여 공사 도중에 시정명령이 내려지지 않아 위법건축물이 완공되었다 하더라도, 공공복리의 증진이라는 위 목적의 달성을 위해서는 완공 후에라도 위법건축물임을 알게 된 이상 시정명령을 할 수 있다고 보아야 할 것이며, 만약 완공 후에는 시정명령을 할 수 없다면 위법건축물을 축조한 자가 일단 건물이 완공되었다는 이유만으로 그 시정을 거부할 수 있는 결과를 초래하게 될 것이므로, 공사기간 중에 위법건축물임을 알지 못하여 시정명령을 하지 않고 있다가 완공 후에 이러한 사실을 알고 시정명령을 하였다고 하여 부당하다고 볼 수는 없고, 시정명령을 내릴 수 있는 시점을 공사 도중이나 특정 시점까지만 할 수 있다고 정해두지 아니하였다고 하여 그 침해의 필요성이 없음에도 국민의 자유와 권리를 침해하고 있다거나, 국민의 자유와 권리에 대한 본질적인 내용을 침해한 것이라고 볼 수는 없다(대판 2002.8.16. 2002마1022).

2 **이행강제금을 부과·징수할 때마다 그에 앞서 시정명령 절차를 다시 거쳐야 하는지 여부(소극)**

개발제한구역의 지정 및 관리에 관한 특별조치법 제30조 제1항, 제30조의2 제1항 및 제2항의 규정에 의하면 시정명령을 받은 후 그 시정명령의 이행을 하지 아니한 자에 대하여 이행강제금을 부과할 수 있고, 이행강제금을 부과하기 전에 상당한 기간을 정하여 그 기한까지 이행되지 아니할 때에 이행강제금을 부과·징수한다는 뜻을 문서로 계고하여야 하므로, 이행강제금의 부과·징수를 위한 계고는 시정명령을 불이행한 경우에 취할 수 있는 절차라 할 것이고, 따라서 이행강제금을 부과·징수할 때마다 그에 앞서 시정명령 절차를 다시 거쳐야 할 필요는 없다(대판 2013.12.12. 2012두20397).

3 부동산 실권리자명의 등기에 관한 법률(이하 '부동산실명법'이라 한다) 제10조 제1항·제4항, 제6조 제2항의 내용, 체계 및 취지 등을 종합하면, 부동산의 소유권이전을 내용으로 하는 계약을 체결하고 반대급부의 이행을 완료한 날로부터 3년 이내에 소유권이전등기를 신청하지 아니한 등기권리자 등(이하 '장기미등기자'라 한다)에 대하여 부과되는 이행강제금은 소유권이전등기신청의무 불이행이라는 과거의 사실에 대한 제재인 과징금과 달리, 장기미등기자에게 등기신청의무를 이행하지 아니하면 이행강제금이 부과된다는 심리적 압박을 주어 의무의 이행을 간접적으로 강제하는 행정상의 간접강제 수단에 해당한다. 따라서 장기미등기자가 이행강제금 부과 전에 등기신청의무를 이행하였다면 이행강제금의

핵심 OX

01 건축법상 시정명령 불이행에 대한 이행강제금 부과의 경우 허가권자는 최초의 시정명령이 있었던 날을 기준으로 하여 1년에 2회 이내의 범위에서 그 시정명령이 이행될 때까지 반복하여 이행강제금을 부과·징수할 수 있다. 14. 사복, 12. 국회9급 ( )

핵심 OX

02 공무원이 위법건축물임을 알지 못하여 공사 도중에 시정명령이 내려지지 않아 건축물이 완공되었다 하더라도 위법건축물 완공 후에도 시정명령을 할 수 있고 그 불이행에 대하여 이행강제금을 부과할 수 있다. 13. 국회8급 ( )

03 건축법상 시정명령을 받은 의무자가 이행강제금이 부과되기 전에 그 의무를 이행한 경우에는 비록 시정명령에서 정한 기간을 지나서 이행한 경우라도 이행강제금을 부과할 수 없다. 20. 국가9급 ( )

01 ○ 02 ○ 03 ○

부과로써 이행을 확보하고자 하는 목적은 이미 실현된 것이므로 부동산실명법 제6조 제2항에 규정된 기간이 지나서 등기신청의무를 이행한 경우라 하더라도 이행강제금을 부과할 수 없다(대판 2016.6.23. 2015두36454).

(5) 납부의 독촉

이행강제금 부과처분을 받은 자가 이행강제금을 납부기한까지 내지 아니하면 지방세외수입금의 징수 등에 관한 법률에 따라 독촉 및 체납처분을 할 수 있다. 이 경우 독촉은 항고소송의 대상이 되는 행정처분에 해당한다.

관련판례 납부의 독촉

건축법상 이행강제금 납부의 최초 독촉은 항고소송의 대상이 되는 행정처분에 해당하는지 여부(적극)

구 건축법 제69조의2 제6항, 지방세법 제28조 · 제82조, 국세징수법 제23조의 각 규정에 의하면, 이행강제금 부과처분을 받은 자가 이행강제금을 기한 내에 납부하지 아니한 때에는 그 납부를 독촉할 수 있으며, 납부독촉에도 불구하고 이행강제금을 납부하지 않으면 체납절차에 의하여 이행강제금을 징수할 수 있고, 이때 이행강제금 납부의 최초 독촉은 징수처분으로서 항고소송의 대상이 되는 행정처분이 될 수 있다(대판 2009.12.24. 2009두14507).

관련판례 이행강제금

1 사용자가 이행하여야 할 행정법상 의무의 내용을 초과하는 것을 '불이행 내용'으로 기재한 이행강제금 부과 예고서에 의하여 이행강제금 부과 예고를 한 다음 이행강제금을 부과한 경우, 이행강제금 부과 예고 및 이행강제금 부과처분이 위법한지 여부(원칙적 적극)

이행강제금은 행정법상의 부작위의무 또는 비대체적 작위의무를 이행하지 않은 경우에 '일정한 기한까지 의무를 이행하지 않을 때에는 일정한 금전적 부담을 과할 뜻'을 미리 '계고'함으로써 의무자에게 심리적 압박을 주어 장래를 향하여 의무의 이행을 확보하려는 간접적인 행정상 강제집행 수단이고, 노동위원회가 근로기준법 제33조에 따라 이행강제금을 부과하는 경우 그 30일 전까지 하여야 하는 이행강제금 부과 예고는 이러한 '계고'에 해당한다. 따라서 사용자가 이행하여야 할 행정법상 의무의 내용을 초과하는 것을 '불이행 내용'으로 기재한 이행강제금 부과 예고서에 의하여 이행강제금 부과 예고를 한 다음 이를 이행하지 않았다는 이유로 이행강제금을 부과하였다면, 초과한 정도가 근소하다는 등의 특별한 사정이 없는 한 이행강제금 부과 예고는 이행강제금 제도의 취지에 반하는 것으로서 위법하고, 이에 터 잡은 이행강제금 부과처분 역시 위법하다(대판 2015.6.24. 2011두2170).

2 노동위원회가 사용자에게 '부당한 징계 및 해고기간 동안 정상적으로 근무하였다면 받을 수 있었던 임금상당액을 지급하라'는 구제명령을 하고 구제명령 불이행을 이유로 이행강제금을 부과한 사안에서, 위 구제명령에서 지급의무의 대상이 되는 '임금상당액'의 액수를 구체적으로 특정하지 않았다고 하더라도 구제명령의 이행이 불가능할 정도로 불특정하여 위법·무효라고 할 수 없으므로 이행강제금 부과처분이 적법한지 여부(적극)

핵심 OX

04 건축법상 허가권자는 이행강제금 부과처분을 받은 자가 이행강제금을 납부기한까지 내지 아니하면 지방세외수입금의 징수 등에 관한 법률에 따라 징수한다. 10. 국가9급 ( )

05 이행강제금 부과처분을 받고 기한 내에 납부하지 아니한 자에 대한 이행강제금 납부독촉은 사실행위인 통지로서 항고소송의 대상이 되지 아니한다. 13. 국가7급, 10. 국가9급 ( )

06 건축법상 이행강제금 납부의 최초 독촉은 징수처분으로서 항고소송의 대상이 되는 행정처분이 될 수 있다. 19. 지방9급, 10. 지방9급 ( )

핵심 OX

07 사용자가 이행하여야 할 행정법상 의무의 내용을 초과하는 것을 '불이행 내용'으로 기재한 이행강제금 부과 예고서에 의하여 근로기준법상 이행강제금 부과 예고를 한 다음 이를 이행하지 않았다는 이유로 이행강제금을 부과하였다면, 초과한 정도가 근소하다는 등의 특별한 사정이 없는 한 이행강제금 부과 예고는 이행강제금 제도의 취지에 반하는 것으로서 위법하고, 이에 터 잡은 이행강제금 부과처분 역시 위법하다. 21. 변호사 ( )

04 ○ 05 X 06 ○ 07 ○

노동위원회가 근로자들에 대하여 부당한 승무정지와 해고의 징계처분을 한 택시회사에 근로자들을 원직에 복직시키고 '부당한 징계 및 해고기간 동안 정상적으로 근무하였다면 받을 수 있었던 임금상당액을 지급하라'는 구제명령을 하고 구제명령 불이행을 이유로 이행강제금을 부과한 사안에서, 위 구제명령은 자체로 집행력이 발생하는 것은 아니고 수범자인 사용자의 행위에 의하여 실현되는 것이므로 내용의 특정 여부에 관하여 지나치게 엄격하게 해석할 필요가 없고 사용자는 평균임금을 기초로 하여 부당해고 기간 동안 정상적으로 근로를 제공하였다면 받을 수 있었던 임금상당액을 용이하게 산정할 수 있는 것으로 보이는 점 등에 비추어, 구제명령에서 지급의무의 대상이 되는 '임금상당액'의 액수를 구체적으로 특정하지 않았다고 하더라도 구제명령의 이행이 불가능할 정도로 불특정하여 위법 · 무효라고 할 수 없으므로, 이행강제금 부과처분은 적법하다(대판 2010.10.28. 2010두12682).

3 건축법상 이행강제금의 법적 성격: 건축주 등이 장기간 시정명령을 이행하지 아니하였으나 그 기간 중에 시정명령의 이행기회가 제공되지 아니하였다가 뒤늦게 이행기회가 제공된 경우, 이행기회가 제공되지 아니한 과거의 기간에 대한 이행강제금까지 한꺼번에 부과할 수 있는지 여부(소극) 및 이를 위반하여 이루어진 이행강제금 부과처분의 하자가 중대·명백한지 여부(적극)

구 건축법 제79조 제1항, 제80조 제1항 · 제2항 · 제4항 본문 · 제5항의 내용, 체계 및 취지 등을 종합하면, 구 건축법상 이행강제금은 시정명령의 불이행이라는 과거의 위반행위에 대한 제재가 아니라, 시정명령을 이행하지 않고 있는 건축주 · 공사시공자 · 현장관리인 · 소유자 · 관리자 또는 점유자(이하 '건축주 등'이라 한다)에 대하여 다시 상당한 이행기한을 부여하고, 기한 안에 시정명령을 이행하지 않으면 이행강제금이 부과된다는 사실을 고지함으로써 의무자에게 심리적 압박을 주어 시정명령에 따른 의무의 이행을 간접적으로 강제하는 행정상의 간접강제수단에 해당한다. 그리고 구 건축법 제80조 제1항 · 제4항에 의하면 문언상 최초의 시정명령이 있었던 날을 기준으로 1년 단위별로 2회에 한하여 이행강제금을 부과할 수 있고, 이 경우에도 매 1회 부과시마다 구 건축법 제80조 제1항 단서에서 정한 1회분 상당액의 이행강제금을 부과한 다음, 다시 시정명령의 이행에 필요한 상당한 이행기한을 정하여 그 기한까지 시정명령을 이행할 수 있는 기회(이하 '시정명령의 이행기회'라 한다)를 준 후 비로소 다음 1회분 이행강제금을 부과할 수 있다. 따라서 비록 건축주 등이 장기간 시정명령을 이행하지 아니하였더라도, 그 기간 중에는 시정명령의 이행기회가 제공되지 아니하였다가 뒤늦게 시정명령의 이행기회가 제공된 경우라면, 시정명령의 이행기회 제공을 전제로 한 1회분의 이행강제금만을 부과할 수 있고, 시정명령의 이행기회가 제공되지 아니한 과거의 기간에 대한 이행강제금까지 한꺼번에 부과할 수는 없다. 그리고 이를 위반하여 이루어진 이행강제금 부과처분은 과거의 위반행위에 대한 제재가 아니라 행정상의 간접강제 수단이라는 이행강제금의 본질에 반하여 구 건축법 제80조 제1항 · 제4항 등 법규의 중요한 부분을 위반한 것으로서, 그러한 하자는 중대할 뿐만 아니라 객관적으로도 명백하다(대판 2016.7.14. 2015두46598).

4 국토의 계획 및 이용에 관한 법률상 토지의 이용의무 불이행에 따른 이행명령을 받은 의무자가 이행명령에서 정한 기간을 지나서 그 명령을 이행한 경우, 이행명령 불이행에 따른 최초의 이행강제금을 부과할 수 있는지 여부(소극)❶

국토의 계획 및 이용에 관한 법률(이하 '국토계획법'이라고 한다) 제124조의2 제5항이 이행명령을 받은 자가 그 명령을 이행하는 경우에 새로운 이행강제금의 부과를 즉시 중지하도록 규정한 것은, 이행강제금의 본질상 이행강제금 부과로 이행을 확보하고자 한 목적이 이미 실현된 경우에는 그 이행강제금을 부과할 수 없다는 취지를 규정한 것으로서, 이에 의하여 부과가 중지되는 '새로운 이행강제금'에는 국토계획법 제124조의2 제3항의 규정에 의하여 반복 부과되는 이행강제금뿐만 아니라 이행명령

핵심 OX

01 건축주 등이 장기간 시정명령을 이행하지 아니하였으나 그 기간 중에 시정명령의 이행 기회가 제공되지 아니하였다가 뒤늦게 이행 기회가 제공된 경우, 이행 기회가 제공되지 아니한 과거의 기간에 대한 이행강제금까지 한꺼번에 부과하였다면 그러한 이행강제금 부과처분은 하자가 중대 · 명백하여 당연무효이다. 19. 국가7급 ( )

02 건축주 등이 건축법상 시정명령을 장기간 이행하지 아니하였더라도, 그 기간 중에는 시정명령의 이행 기회가 제공되지 아니하였다가 뒤늦게 시정명령의 이행기회가 제공된 경우라면, 행정청은 시정명령의 이행 기회 제공을 전제로 한 1회분의 이행강제금만을 부과할 수 있고 시정명령의 이행기회가 제공되지 아니한 과거의 기간에 대한 이행강제금까지 한꺼번에 부과할 수는 없다. 23. 국가7급 ( )

❶
이행강제금은 '의무이행의 확보'를 위함
⇨ 이미 의무이행이 된 경우, 이행강제금 부과 불가

01 ○ 02 ○

불이행에 따른 최초의 이행강제금도 포함된다. 따라서 이행명령을 받은 의무자가 그 명령을 이행한 경우에는 이행명령에서 정한 기간을 지나서 이행한 경우라도 최초의 이행강제금을 부과할 수 없다(대판 2014.12.11. 2013두15750).

5 건축법상의 이행강제금과 관련하여, 시정명령을 받은 의무자가 시정명령에서 정한 기간이 지났으나 이행강제금이 부과되기 전에 의무를 이행한 경우, 이행강제금을 부과할 수 있는지 여부(소극)

건축법상의 이행강제금은 시정명령의 불이행이라는 과거의 위반행위에 대한 제재가 아니라, 의무자에게 시정명령을 받은 의무의 이행을 명하고 그 이행기간 안에 의무를 이행하지 않으면 이행강제금이 부과된다는 사실을 고지함으로써 의무자에게 심리적 압박을 주어 의무의 이행을 간접적으로 강제하는 행정상의 간접강제 수단에 해당한다. 이러한 이행강제금의 본질상 시정명령을 받은 의무자가 이행강제금이 부과되기 전에 그 의무를 이행한 경우에는 비록 시정명령에서 정한 기간을 지나서 이행한 경우라도 이행강제금을 부과할 수 없다.

나아가 시정명령을 받은 의무자가 그 시정명령의 취지에 부합하는 의무를 이행하기 위한 정당한 방법으로 행정청에 신청 또는 신고를 하였으나 행정청이 위법하게 이를 거부 또는 반려함으로써 결국 그 처분이 취소되기에 이르렀다면, 특별한 사정이 없는 한 그 시정명령의 불이행을 이유로 이행강제금을 부과할 수는 없다고 보는 것이 위와 같은 이행강제금 제도의 취지에 부합한다(대판 2018.1.25. 2015두35116).

6 행정청에 국토의 계획 및 이용에 관한 법률 시행령 제124조의3 제3항에서 정한 토지이용의무를 위반한 자에게 부과할 이행강제금 부과기준과 다른 이행강제금액을 결정할 재량권이 있는지 여부(소극)

국토의 계획 및 이용에 관한 법률 시행령 제124조의3 제3항은 토지이용의무를 위반한 유형을 토지거래계약 허가를 받아 토지를 취득한 자가 '당초의 목적대로 이용하지 아니하고 방치한 경우', '직접 이용하지 아니하고 임대한 경우', '행정청의 승인을 얻지 아니하고 당초의 이용목적을 변경하여 이용하는 경우' 및 '그 이외의 경우'등 4가지 유형으로 구분하여 각 유형별로 이행강제금액을 '토지 취득가액의 100분의 10, 100분의 7, 100분의 5에 상당하는 금액'으로 차별하여 규정하고 있다. 그 중 '당초의 목적대로 이용하지 아니하고 방치한 경우'에는 처음부터 허가 목적대로 이용하지 않고 방치한 경우뿐만 아니라 허가 목적대로 이용하다가 중단하고 방치한 경우까지 포함된다고 보는 것이 타당하다. 국토의 계획 및 이용에 관한 법률(이하 '국토계획법'이라 한다) 제124조의2 제1항 · 제2항 및 국토의 계획 및 이용에 관한 법률 시행령 제124조의3 제3항이 토지이용에 관한 이행명령의 불이행에 대하여 법령 자체에서 토지이용의무 위반을 유형별로 구분하여 이행강제금을 차별하여 규정하고 있는 등 규정의 체계, 형식 및 내용에 비추어 보면, 국토계획법 및 같은 법 시행령이 정한 이행강제금의 부과기준은 단지 상한을 정한 것에 불과한 것이 아니라, 위반행위 유형별로 계산된 특정 금액을 규정한 것이므로 행정청에 이와 다른 이행강제금액을 결정할 재량권이 없다고 보아야 한다(대판 2014.11.27. 2013두8653).

7 건축법상 위법건축물 완공 후에도 시정명령 및 이행강제금 부과 가능하다는 판례

이행강제금은 국민의 자유와 권리를 제한한다는 의미에서 행정상 간접강제의 일종인 이른바 침익적 행정행위에 속하기는 하나, 위법건축물의 방치를 막고자 행정청이 시정조치를 명하였음에도 건축주 등이 이를 이행하지 아니한 경우에 행정명령의 실효성을 확보하기 위하여 시정명령 이행시까지 지속적으로 부과함으로써 건축물의 안전과 기능, 미관을 향상시켜 공공복리의 증진을 도모하기 위한 것이므로 그 목적의 정당성이 인정된다 할 것이고, 공무원들이 위법건축물임을 알지 못하여 공사 도중에 시정명령이 내려지지 않아 위법건축물이 완공되었다 하더라도, 공공복리의 증진이

핵심 OX

03 건축법상 이행강제금은 행정상의 간접강제 수단에 해당하므로, 시정명령을 받은 의무자가 이행강제금이 부과되기 전에 그 의무를 이행한 경우에는 비록 시정명령에서 정한 기간을 지나서 이행한 경우라도 이행강제금을 부과할 수 없다. 19. 지방7급 ( )

04 이행명령을 받은 자가 그 명령을 이행하는 경우에 새로운 이행강제금의 부과를 즉시 중지하도록 법령이 규정한 것은 이러한 이행강제금의 본질상 이행강제금 부과로 이행을 확보하고자 한 목적이 이미 실현된 경우에는 그 이행강제금을 부과할 수 없다는 취지를 규정한 것으로 보아야 한다. 15. 서울7급 ( )

05 사용자가 이행하여야 할 행정법상 의무의 내용을 초과하는 것을 '불이행 내용'으로 기재한 이행강제금 부과예고서에 의하여 이행강제금 부과예고를 한 다음 이행강제금을 부과한 경우, 이행강제금 부과예고 및 이행강제금 부과처분은 위법하다. 17. 지방9급 ( )

06 건축법상 시정명령을 받은 의무자가 이행강제금이 부과되기 전에 그 의무를 이행하였더라도 그 시정명령에서 정한 기간을 지나서 이행한 경우라면 행정청은 이행강제금을 부과할 수 있다. 23. 국가7급 ( )

03 ○ **04** ○ **05** ○ **06** X

라는 위 목적의 달성을 위해서는 완공 후에라도 위법건축물임을 알게 된 이상 시정명령을 할 수 있다고 보아야 할 것이며, 만약 완공 후에는 시정명령을 할 수 없다면 위법건축물을 축조한 자가 일단 건물이 완공되었다는 이유만으로 그 시정을 거부할 수 있는 결과를 초래하게 될 것이므로, 공사기간 중에 위법건축물임을 알지 못하여 시정명령을 하지 않고 있다가 완공 후에 이러한 사실을 알고 시정명령을 하였다고 하여 부당하다고 볼 수는 없고, 시정명령을 내릴 수 있는 시점을 공사 도중이나 특정 시점까지만 할 수 있다고 정해두지 아니하였다고 하여 그 침해의 필요성이 없음에도 국민의 자유와 권리를 침해하고 있다거나, 국민의 자유와 권리에 대한 본질적인 내용을 침해한 것이라고 볼 수는 없다 할 것이므로, 건축법 제83조 제1항 및 제69조 제1항에서 시정명령을 내리도록 규정하면서 그 발령 시기를 규정하지 아니한 것이 헌법 제37조 제2항에 위반된다고도 볼 수 없다(대결 2002.8.16. 2002마1022).

8 독점규제 및 공정거래에 관한 법률 제16조에 따른 이행강제금이 부과되기 전에 시정조치를 이행하거나 부작위 의무를 명하는 시정조치 불이행을 중단한 경우 과거의 시정조치 불이행기간에 대하여 이행강제금을 부과할 수 있는지 여부(적극)

공정거래법 관련 규정 형식과 내용, 체계, 연혁 등을 종합적으로 고려하면, 공정거래법 제17조의3에 따른 이행강제금은 기업결합과 관련하여 종래의 과징금 제도를 폐지하고 과거의 의무위반행위에 대한 제재와 장래 의무 이행의 간접강제를 통합하여 시정조치 불이행기간에 비례하여 제재금을 부과하도록 하는 제도라고 보아야 한다. … 이행강제금이 부과되기 전에 시정조치를 이행하거나 부작위의무를 명하는 시정조치 불이행을 중단한 경우 과거의 시정조치 불이행기간에 대하여 이행강제금을 부과할 수 있다고 봄이 타당하다(대판 2019.12.12. 2018두63563).❶

❶ **5번 판례와 비교할 것**
건축법상 이행강제금은 과거 시정조치 불이행기간에 대하여 이행강제금 부과 불가하나, 공정거래법상 이행강제금은 부과 가능

6. 법적 근거

이행강제금(집행벌)에 관한 **일반법은 행정기본법**이다. 각 개별법에서 규정하는 이행강제금(집행벌)에 해당되는 것으로는 건축법(제80조), 농지법(제62조), 부동산 실권리자명의 등기에 관한 법률(제6조), 연구개발특구의 육성에 관한 특별법(제70조), 장사 등에 관한 법률(제43조), 독점규제 및 공정거래에 관한 법률(제17조의3)상의 이행강제금 규정이 있다.

행정기본법 제31조【이행강제금의 부과】 ① 이행강제금 부과의 근거가 되는 법률에는 이행강제금에 관한 다음 각 호의 사항을 명확하게 규정하여야 한다. 다만, 제4호 또는 제5호를 규정할 경우 입법목적이나 입법취지를 훼손할 우려가 크다고 인정되는 경우로서 대통령령으로 정하는 경우는 제외한다.
1. 부과 · 징수 주체
2. 부과 요건
3. 부과 금액
4. 부과 금액 산정기준
5. 연간 부과 횟수나 횟수의 상한

② 행정청은 다음 각 호의 사항을 고려하여 이행강제금의 부과 금액을 가중하거나 감경할 수 있다.
1. 의무 불이행의 동기, 목적 및 결과
2. 의무 불이행의 정도 및 상습성
3. 그 밖에 행정목적을 달성하는 데 필요하다고 인정되는 사유

③ 행정청은 이행강제금을 부과하기 전에 미리 의무자에게 적절한 이행기간을 정하여 그 기한까지 행정상 의무를 이행하지 아니하면 이행강제금을 부과한다는 뜻을 문서로 계고(戒告)하여야 한다.
④ 행정청은 의무자가 제3항에 따른 계고에서 정한 기한까지 행정상 의무를 이행하지 아니한 경우 이행강제금의 부과 금액 · 사유 · 시기를 문서로 명확하게 적어 의무자에게 통지하여야 한다.
⑤ 행정청은 의무자가 행정상 의무를 이행할 때까지 이행강제금을 반복하여 부과할 수 있다. 다만, 의무자가 의무를 이행하면 새로운 이행강제금의 부과를 즉시 중지하되, 이미 부과한 이행강제금은 징수하여야 한다.
⑥ 행정청은 이행강제금을 부과받은 자가 납부기한까지 이행강제금을 내지 아니하면 국세강제징수의 예 또는 지방행정제재 · 부과금의 징수 등에 관한 법률에 따라 징수한다.

7. 구제

현행법상 이행강제금에 대한 불복절차는 여러 가지가 있다. 이행강제금에 대하여 개별법에 특별한 불복방법을 규정하고 있는 경우 그에 따르고, 아무런 규정이 없는 경우에는 행정쟁송의 대상이 된다. 건축법상의 이행강제금에 대하여 특별한 불복방법을 규정하고 있지 않으므로 항고소송을 제기할 수 있다. 이에 반해 과태료는 질서위반행위규제법에 특별한 불복절차를 두고 있으므로 항고소송의 대상이 되지 아니한다.

(1) 비송사건절차법에 의하는 경우[2]

농지법상 농지처분명령을 불이행하여 이행강제금을 부과받은 경우에는 이행강제금부과처분의 고지를 받은 날로부터 30일 이내에 당해 부과권자에게 이의를 제기할 수 있다(농지법 제62조 제6항). 이때 부과권자는 지체 없이 관할 법원에 그 사실을 통보하여야 하며, 그 통보를 받은 관할 법원은 **비송사건절차법**에 따른 과태료 재판에 준하여 재판을 한다(동법 제62조 제7항).

(2) 건축법상 이행강제금의 경우

구 건축법상의 이행강제금에 대해서는 과태료 불복절차 준용규정에 의하여 비송사건절차법에 의한 재판을 받았으나, 2005.11.8. 건축법 개정으로 준용규정이 삭제되어 **일반 행정쟁송절차**에 의하게 되었다.

(3) 장사 등에 관한 법률의 경우

구 장사 등에 관한 법률에서는 이행강제금에 대한 불복절차를 과태료 재판에 의하도록 하였으나 이러한 규정을 삭제하여 건축법과 같이 일반적인 행정쟁송절차에 따르도록 하였다(동법 제43조).

(4) 과징금 불복절차에 의하는 경우

이행강제금에 대한 이의로 과징금의 불복절차유형을 따르는 경우(독점규제 및 공정거래에 관한 법률 제17조의3, 부동산 실권리자명의 등기에 관한 법률 제6조)에는 이행강제금 부과처분은 **일반 행정쟁송절차**에 의한다.

❷ 특별한 불복방법
· 농지법상 이행강제금: 비송사건절차법
· 과태료: 질서위반행위금지법

핵심 OX

01 이행강제금 부과처분에 대한 불복방법은 과태료와 마찬가지로 비송사건절차법에 따른 재판에 의한다. 14. 서울9급 ( )

02 건축법상 이행강제금의 부과에 대해서는 항고소송을 제기할 수 없고 비송사건절차법에 따라 재판을 청구할 수 있다. 17. 지방9급 ( )

01 X 02 X

판례연구 이행강제금(집행벌)

1. 기본 판례

이행강제금은 부작위의무나 비대체적 작위위무뿐만 아니라 대체적 작위의무의 위반에 대하여도 부과될 수 있다.

> 전통적으로 행정대집행은 대체적 작위의무에 대한 강제집행수단으로, 이행강제금은 부작위의무나 비대체적 작위의무에 대한 강제집행수단으로 이해되어 왔으나, 이는 이행강제금제도의 본질에서 오는 제약은 아니며, 이행강제금은 대체적 작위의무의 위반에 대하여도 부과될 수 있다(헌재 2004.2.26. 2001헌바80 · 84 · 102 · 103 · 2002헌바26).

2. 관련 판례

① 형사처벌과 이행강제금 부과는 이중처벌에 해당하지 않는다.
② 이행강제금은 대체적 작위의무의 위반에 대하여도 부과될 수 있다.
③ 이행강제금에 대한 불복에 대해 최종적으로 비송사건절차법에 의한 경우 이행강제금부과처분은 행정소송의 대상이 되는 행정처분이라 볼 수 없다.
④ 이행강제금 납부의무는 상속인 기타의 사람에게 승계될 수 없는 일신전속적인 성질의 것이다.
⑤ 개발제한구역 내 건축물의 용도변경행위에 대하여 건축법 위반으로 이행강제금을 부과할 수 있다.
⑥ 건축법상 위법건축물 완공 후에도 시정명령을 할 수 있으며, 그 불이행에 대한 이행강제금의 부과가 헌법에 위배되지 않는다.

3 직접강제

1. 의의

직접강제란 행정상 의무의 불이행의 경우에 직접 의무자의 신체나 재산에 실력을 행사하여 의무이행을 확보하는 강제집행수단을 말한다(예 실력에 의한 예방접종, 촬영금지지역에서 촬영한 필름의 즉각적인 압수, 무허가 영업소 강제폐쇄 등).

2. 구별개념

(1) 즉시강제와의 구별

직접강제는 행정상의 즉시강제와 외형상 비슷하나 직접강제는 **의무불이행을 전제**로 한다는 점에서, 이를 전제로 하지 않는 즉시강제와 구별된다.

(2) 대집행과의 구별

대집행은 대체적 작위의무위반을 대상으로 하나, 직접강제는 작위 · 부작위 · 수인 · 급부의무 등 **모든 의무불이행을 대상**으로 하는 점에서 구별된다.

3. 필요성(확대도입 논의)

(1) 현행법상 무허가 영업행위나 영업정지기간 중의 영업행위 등은 부작위의무위반으로서 대집행에 의할 수 없고 행정벌에 의한 간접적 의무이행확보에 그치고 있다. 그러나 행정벌은 이중처벌금지가 적용되어 반복하여 처벌할 수 없으며, 벌금형과 같은 금전벌은 위반행위로 인한 경제적 이익이 보다 클 때에는 실효성이 거의 없고 전과자만 양산하는 문제점이 있다.

핵심 OX

01 직접강제는 행정법상의 의무불이행이 있는 경우에 직접 의무자의 신체나 재산에 실력을 가하여 의무의 이행이 있었던 것과 같은 상태를 실현하는 작용이다. 09. 국가9급 (　)

01 ○

(2) 이러한 문제점을 극복하기 위하여 영업소를 폐쇄하는 등의 직접강제수단을 공중보건 · 위생 · 식품 · 환경 등에 관한 분야에 확대적용할 필요가 있게 되었다.

4. 법적 근거

(1) 일반법

직접강제에 대한 **일반법은 행정기본법**이고, 기타 개별법에서 인정하고 있다.

> **행정기본법 제32조【직접강제】** ① 직접강제는 행정대집행이나 이행강제금 부과의 방법으로는 행정상 의무 이행을 확보할 수 없거나 그 실현이 불가능한 경우에 실시하여야 한다.
> ② 직접강제를 실시하기 위하여 현장에 파견되는 집행책임자는 그가 집행책임자임을 표시하는 증표를 보여 주어야 한다.
> ③ 직접강제의 계고 및 통지에 관하여는 제31조 제3항 및 제4항을 준용한다.

(2) 개별법

① 무허가영업소 강제폐쇄(식품위생법 제79조)
② 외국인 강제퇴거(출입국관리법 제46조, 단 즉시강제로 보는 견해도 있음)
③ 허가 없이 방어해면구역을 항해하는 선박의 강제퇴거(방어해면법 제7조)
④ 시위군중 강제해산(집회 및 시위에 관한 법률 제20조)
⑤ 영업장 또는 사업장의 폐쇄(먹는물관리법 제46조 제1항)
⑥ 학원 등에 대한 폐쇄조치(학원의 설립 · 운영 및 과외교습에 관한 법률 제19조)

관련판례

학원의 설립 · 운영에 관한 법률상 무등록 학원의 설립 · 운영자에 대하여 관할 행정청이 그 폐쇄를 명할 수 있는지 여부(소극)
학원의 설립 · 운영에 관한 법률 제2조 제1호와 제6조 및 제19조 등의 관련 규정에 의하면, 같은 법상의 학원을 설립 · 운영하고자 하는 자는 소정의 시설과 설비를 갖추어 등록을 하여야 하고, 그와 같은 등록절차를 거치지 아니한 경우에는 관할 행정청이 직접 그 무등록 학원의 폐쇄를 위하여 출입제한 시설물의 설치와 같은 조치를 취할 수 있게 되어 있으나, 달리 무등록 학원의 설립 · 운영자에 대하여 그 폐쇄를 명할 수 있는 것으로는 규정하고 있지 아니하고, 위와 같은 폐쇄조치에 관한 규정이 그와 같은 폐쇄명령의 근거규정이 된다고 할 수도 없다(대판 2001.2.23. 99두6002).

5. 한계

직접강제는 의무자의 신체에 대한 물리적인 강제력이 행사된다는 점에서 강제집행수단 중 가장 강력한 수단이라고 할 수 있으므로 국민의 기본권 침해의 가능성이 높다. 따라서 직접강제는 반드시 법률에 근거가 있는 경우에만 행사되어야 하며, 비례의 원칙을 준수하여 최후수단으로서 행하여져야 한다(보충성의 원칙).

핵심 OX

02 경찰관 직무집행법은 직접강제에 관한 일반적 근거를 규정하고 있다. 14. 국가9급 ( )

03 사업장의 폐쇄, 외국인의 강제퇴거는 직접강제의 예에 해당한다. 09. 지방9급 ( )

02 X 03 O

관련판례

강제퇴거명령을 받은 사람을 보호할 수 있도록 하면서 보호기간의 상한을 마련하지 아니한 출입국관리법 제63조 제1항(이하 '심판대상조항'이라 한다)이 과잉금지원칙 및 적법절차원칙에 위배되어 피보호자의 신체의 자유를 침해하는지 여부(적극)

심판대상조항은 강제퇴거대상자를 대한민국 밖으로 송환할 수 있을 때까지 보호시설에 인치 · 수용하여 강제퇴거명령을 효율적으로 집행할 수 있도록 함으로써 외국인의 출입국과 체류를 적절하게 통제하고 조정하여 국가의 안전과 질서를 도모하고자 하는 것으로, 입법목적의 정당성과 수단의 적합성은 인정된다. 그러나 보호기간의 상한을 두지 아니함으로써 강제퇴거대상자를 무기한 보호하는 것을 가능하게 하는 것은 보호의 일시적 · 잠정적 강제조치로서의 한계를 벗어나는 것이라는 점, 보호기간의 상한을 법에 명시함으로써 보호기간의 비합리적인 장기화 내지 불확실성에서 야기되는 피해를 방지할 수 있어야 하는데, 단지 강제퇴거명령의 효율적 집행이라는 행정목적 때문에 기간의 제한이 없는 보호를 가능하게 하는 것은 행정의 편의성과 획일성만을 강조한 것으로 피보호자의 신체의 자유를 과도하게 제한하는 것인 점, 강제퇴거명령을 받은 사람을 보호함에 있어 그 기간의 상한을 두고 있는 국제적 기준이나 외국의 입법례에 비추어 볼 때 보호기간의 상한을 정하는 것이 불가능하다고 볼 수 없는 점, 강제퇴거명령의 집행 확보는 심판대상조항에 의한 보호 외에 주거지 제한이나 보고, 신원보증인의 지정, 적정한 보증금의 납부, 감독관 등을 통한 지속적인 관찰 등 다양한 수단으로도 가능한 점, 현행 보호일시해제제도나 보호명령에 대한 이의신청, 보호기간 연장에 대한 법무부장관의 승인제도만으로는 보호기간의 상한을 두지 않은 문제가 보완된다고 보기 어려운 점 등을 고려하면, 심판대상조항은 침해의 최소성과 법익균형성을 충족하지 못한다. 따라서 심판대상조항은 과잉금지원칙을 위반하여 피보호자의 신체의 자유를 침해한다(헌재 2023.3.23. 2020헌가1 등).

6. 구제

직접강제는 국민에게 실력을 행사하는 권력적 사실행위이므로 처분성이 인정되어 행정쟁송을 제기할 수 있으며, 행정상 손해배상청구 · 결과제거청구도 가능하다.

4 행정상 강제징수

1. 의의

행정상 강제징수란 **행정법상 금전급부의무**가 이행되지 않은 경우에 행정기관이 의무자의 재산에 실력을 가하여 그 의무의 이행이 있었던 것과 같은 상태를 실현하는 강제집행을 말한다.

2. 법적 근거

행정상 강제징수의 **일반법**으로는 **국세징수법**이 있다.

3. 절차

국세징수법에 의한 강제징수절차는 독촉 및 체납처분(재산압류, 압류재산의 매각 · 청산)으로 이루어진다.

(1) 독촉

① 독촉은 납부의무자에게 이행을 청구하고 체납처분을 할 것을 예고하는 준법률행위적 행정행위인 **통지행위**이다.

핵심 OX

01 출입국관리법상 보호명령제도는 외국인의 출입국과 체류를 적절하게 통제하고 조정하기 위한 목적에서 강제퇴거명령의 신속하고 효율적인 집행을 위한 효과적인 방법으로 인정되는 것으로 목적의 정당성과 수단의 적정성이 인정되고, 강제퇴거명령을 집행할 수 있을 때까지 일시적 · 잠정적으로 신체의 자유를 제한하고, 또한 보호의 일시해제, 이의신청, 행정소송 및 집행정지 등 강제퇴거대상자가 보호에서 해제될 수 있는 다양한 제도가 마련되어 있어 침해의 최소성 및 법익의 균형성 요건도 충족하므로, 과잉금지의 원칙을 위반하여 신체의 자유를 침해한다고는 볼 수 없다. 19. 변호사 ( )

핵심 OX

02 국세징수법은 행정상 강제징수에 관한 사실상 일반법의 지위를 갖는다. 15. 사복 ( )

03 국세징수법에 의한 강제징수절차는 독촉과 체납처분으로, 체납처분은 다시 재산압류, 압류재산의 매각, 청산의 단계로 이루어진다. 15. 사복, 09. 국가9급 ( )

01 X **02** O **03** O

② 납세자가 국세를 지정납부기한까지 완납하지 아니한 때에는 관할 세무서장은 지정납부기한이 지난 후 10일 이내에 체납된 국세에 대한 독촉장을 발급하여야 한다(국세징수법 제10조 제1항). 이 경우 독촉장은 독촉을 하는 날부터 20일 이내의 범위에서 기한을 정하여 발급한다(동법 제10조 제2항).

③ 독촉은 구두로 할 수 없고 **문서로써** 하여야 하며, 독촉절차를 결한 체납처분은 일반적으로 무효라고 보나, 판례는 독촉절차 없이 압류처분을 한 경우에도 중대하고 명백한 무효가 아닌 취소사유로 본 경우(대판 1992.3.10. 91누6030 ; 대판 1987.9.22. 87누383)가 있고, 독촉절차를 결한 압류행위를 무효로 본 경우(대판 1982.8.24. 81누162)도 있다.

④ 독촉은 압류의 전제요건이 되며 **소멸시효중단의 효과**가 발생한다.

⑤ 계고와 마찬가지로 동일한 내용의 독촉이 반복된 경우 **최초의 독촉만이 처분성이 인정**된다는 것이 판례의 입장이다(대판 1999.7.13. 97누119).

> **관련판례**
>
> 보험자 또는 보험자단체가 부당이득금 또는 가산금의 납부를 독촉한 후 다시 동일한 내용의 독촉을 하는 경우 최초의 독촉만이 징수처분으로서 항고소송의 대상이 되는 행정처분이 되고 그 후에 한 동일한 내용의 독촉은 체납처분의 전제요건인 징수처분으로서 소멸시효 중단사유가 되는 독촉이 아니라 민법상의 단순한 최고에 불과하여 국민의 권리의무나 법률상의 지위에 직접적으로 영향을 미치는 것이 아니므로 항고소송의 대상이 되는 행정처분이라 할 수 없다(대판 1999.7.13. 97누119).

(2) 체납처분

① 재산압류

㉠ 납세자가 독촉장을 받고 지정된 기한까지 국세와 가산금을 완납하지 아니하거나 납기 전에 납부의 고지를 받고 지정된 기한까지 국세와 가산금을 완납하지 아니한 때에는 납세자의 재산을 압류한다. 여기서 압류란 의무자의 재산에 대하여 사실상 및 법률상의 처분을 금지함으로써 체납자의 재산을 보전하는 강제행위로서 **권력적 사실행위**를 말한다.

㉡ **압류대상:** 체납자의 소유재산으로서 금전적 가치를 가지며 양도 가능한 것이다.

국세징수법 제41조【압류금지 재산】 다음 각 호의 재산은 압류할 수 없다.
1. 체납자 또는 그와 생계를 같이 하는 가족(사실상 혼인관계에 있는 사람을 포함한다. 이하 이 조에서 '동거가족'이라 한다)의 생활에 없어서는 아니 될 의복, 침구, 가구, 주방기구, 그 밖의 생활필수품
2. 체납자 또는 그 동거가족에게 필요한 3개월간의 식료품 또는 연료
3. 인감도장이나 그 밖에 직업에 필요한 도장
4. 제사 또는 예배에 필요한 물건, 비석 또는 묘지
5. 체납자 또는 그 동거가족의 장례에 필요한 물건
6. 족보 · 일기 등 체납자 또는 그 동거가족에게 필요한 장부 또는 서류
7. 직무수행에 필요한 제복
8. 훈장이나 그 밖의 명예의 증표
9. 체납자 또는 그 동거가족의 학업에 필요한 서적과 기구

핵심 OX

04 판례에 의하면 압류는 체납국세의 징수를 실현하기 위하여 체납자의 재산을 보전하는 강제행위로서 항고소송의 대상이 되는 처분이다. 15. 사복, 10. 국가7급 ( )

05 압류대상 재산은 의무자 및 동거인의 소유인 재산적인 가치가 있는 모든 재산을 말하며, 생활필수품의 압류에는 의무자의 동의를 요한다. 10. 국가7급 ( )

06 세무공무원이 체납처분을 하기 위하여 질문 · 검사 또는 수색을 하거나 재산을 압류할 때에는 그 신분을 표시하는 증표를 지니고 이를 관계자에게 보여 주어야 한다. 19. 국가9급 ( )

04 ○ 05 X 06 ○

10. 발명 또는 저작에 관한 것으로서 공표되지 아니한 것
11. 주로 자기의 노동력으로 농업을 하는 사람에게 없어서는 아니 될 기구, 가축, 사료, 종자, 비료, 그 밖에 이에 준하는 물건
12. 주로 자기의 노동력으로 어업을 하는 사람에게 없어서는 아니 될 어망, 기구, 미끼, 새끼 물고기, 그 밖에 이에 준하는 물건
13. 전문직 종사자 · 기술자 · 노무자, 그 밖에 주로 자기의 육체적 또는 정신적 노동으로 직업 또는 사업에 종사하는 사람에게 없어서는 아니 될 기구, 비품, 그 밖에 이에 준하는 물건
14. 체납자 또는 그 동거가족의 일상생활에 필요한 안경 · 보청기 · 의치 · 의수족 · 지팡이 · 장애보조용 바퀴의자, 그 밖에 이에 준하는 신체보조기구 및 자동차관리법에 따른 경형자동차
15. 재해의 방지 또는 보안을 위하여 법령에 따라 설치하여야 하는 소방설비, 경보기구, 피난시설, 그 밖에 이에 준하는 물건
16. 법령에 따라 지급되는 사망급여금 또는 상이급여금(傷痍給與金)
17. 제8조에 따라 우선변제를 받을 수 있는 금액
18. 체납자의 생계 유지에 필요한 소액금융재산으로서 대통령령으로 정하는 것

ⓒ 체납자의 재산이 압류되면 처분이 금지되고 압류의 효력은 압류재산의 천연과실 · 법정과실에도 미치고, 재판상의 가압류 · 가처분 또는 체납자의 사망이나 법인합병 등에 영향을 받지 아니한다(국세징수법 제26조, 제27조, 제44조).

ⓓ 압류대상인 재산이 이미 다른 기관에 의하여 체납처분 등 강제환가절차가 개시된 경우에는 그 집행기관에 대하여 국세 · 가산금과 체납액의 교부청구를 하여야 하고(동법 제59조), 압류하고자 하는 재산이 이미 다른 기관에서 압류하고 있는 재산인 때에는 교부청구에 갈음하여 그 압류에 참가할 수 있다(동법 제61조).

ⓔ 압류와 관계되는 체납액의 전부가 납부, 충당 기타의 사유로 압류의 필요가 없게 된 때 세무서장은 압류를 해제하여야 한다(동법 제57조 제1항).

ⓕ 납세자가 아닌 제3자의 재산을 대상으로 한 압류는 법률상 실현될 수 없는 것이어서 당연무효라는 것이 판례의 입장이다.

ⓢ 체납자가 사망한 후 체납자 명의의 재산에 대하여 한 압류는 그 재산을 상속한 상속인에 대하여 한 것으로 본다(동법 제27조).

관련판례

1 압류처분에 기한 압류등기가 경료된 경우에도 압류처분의 무효확인을 구할 이익이 있는지 여부(적극)

체납처분에 기한 압류처분은 행정처분으로서 이에 기하여 이루어진 집행방법인 압류등기와는 구별되므로 압류등기의 말소를 구하는 것을 압류처분 자체의 무효를 구하는 것으로 볼 수 없고, 또한 압류등기가 말소된다고 하여도 압류처분이 외형적으로 효력이 있는 것처럼 존재하는 이상 그 불안과 위험을 제거할 필요가 있다고 할 것이므로, 압류처분에 기한 압류등기가 경료되어 있는 경우에도 압류처분의 무효확인을 구할 이익이 있다(대판 2003.5.16. 2002두3669).

핵심 OX

01 압류 후 부과처분의 근거법률이 위헌으로 결정된 경우에는 압류처분은 취소사유가 있는 것이 되므로 압류를 해제하여야 할 것이다. 08. 지방9급 ( )

핵심 OX

02 납세자가 아닌 제3자의 재산을 대상으로 한 압류처분은 무효사유에 해당하지 않는다. 15. 지방9급 ( )

03 체납자가 사망한 후 체납자명의의 재산에 대하여 한 압류는 그 재산을 상속한 상속인에 대하여 한 것으로 본다. 10. 국가7급 ( )

01 ○ **02** X **03** ○

2 [1] **국세징수법상 체납처분에 의한 채권압류에서 압류조서가 작성되지 않은 경우, 채권압류 자체가 무효인지 여부(소극)**

국세징수법상 체납처분에 의한 채권압류에서 압류조서의 작성은 과세관청 내부에서 당해 채권을 압류하였다는 사실을 기록 · 증명하는 것에 불과하여 이를 채권압류의 효력발생요건이라고 할 수 없으므로, 압류조서가 작성되지 않았다고 하여 채권압류 자체가 무효라고 할 수 없다.

[2] **제3채무자에 대한 채권압류통지서에 피압류채권이 특정되지 않거나 체납자에 대한 채무이행 금지의 문언이 기재되지 않은 경우, 채권압류의 효력(무효)**

채권압류는 채무자(이하 '제3채무자'라 한다)에게 체납자에 대한 채무이행을 금지시켜 조세채권을 확보하는 것을 본질적 내용으로 하는 것이므로, 제3채무자에 대한 채권압류통지서의 문언에 비추어 피압류채권이 특정되지 않거나 체납자에 대한 채무이행을 금지하는 문언이 기재되어 있지 않다면 채권압류는 효력이 없다(대판 2017.6.15. 2017다213678).

3 체납처분으로서 압류의 요건을 규정한 국세징수법 제24조 각 항의 규정을 보면 어느 경우에나 압류의 대상을 납세자의 재산에 국한하고 있으므로, 납세자가 아닌 제3자의 재산을 대상으로 한 압류처분은 그 처분의 내용이 법률상 실현될 수 없는 것이어서 당연무효이다(대판 2012.4.12. 2010두4612).

4 세무공무원이 국세의 징수를 위해 납세자의 재산을 압류하는 경우 그 재산의 가액이 징수할 국세액을 초과한다 하여 위 압류가 당연무효의 처분이라고는 할 수 없다(대판 1986.11.11. 86누479).

5 국세징수법 제53조 제1항 제1호는 압류의 필요적 해제사유로 '납부, 충당, 공매의 중지, 부과의 취소 기타의 사유로 압류의 필요가 없게 된 때'를 들고 있고, 여기에서의 납부 · 충당 · 공매의 중지 · 부과의 취소는 '압류의 필요가 없게 된 때'에 해당하는 사유를 예시적으로 열거한 것이라고 할 것이므로 '기타의 사유'는 위 법정사유와 같이 납세의무가 소멸되거나 혹은 체납처분을 하여도 체납세액에 충당할 잉여가망이 없게 된 경우는 물론 과세처분 및 그 체납처분 절차의 근거 법령에 대한 위헌결정으로 후속 체납처분을 진행할 수 없어 체납세액에 충당할 가망이 없게 되는 등으로 압류의 근거를 상실하거나 압류를 지속할 필요성이 없게 된 경우도 포함하는 의미라고 새겨야 한다(대판 2002.7.12. 2002두3317).

② 압류재산의 매각

㉠ 압류재산(부동산 등 · 동산 · 유가증권 · 그 밖의 재산권과 체납자를 대위하여 받은 물건)은 금전을 제외하고 매각하여 금전으로 환가하여야 한다(국세징수법 제66조 제1항). 공매는 **입찰 또는 경매**의 방법에 의하나(동법 제65조 제2항), **보충적으로 수의계약**이 가능한 경우도 있다(동법 제67조).

국세징수법 제67조【수의계약】 ① 관할 세무서장은 압류재산이 다음 각 호의 어느 하나에 해당하는 경우에는 수의계약으로 매각할 수 있다.
1. 수의계약으로 매각하지 아니하면 매각대금이 강제징수비 금액 이하가 될 것으로 예상하는 경우
2. 부패 · 변질 또는 감량되기 쉬운 재산으로서 속히 매각하지 아니하면 그 재산 가액이 줄어들 우려가 있는 경우

핵심 OX

04 세무공무원이 국세의 징수를 위해 납세자의 재산을 압류하는 경우 그 재산의 가액이 징수할 국세액을 초과한다면 당해 압류처분은 무효이다. 17. 국가9급, 11. 국회8급 ( )

핵심 OX

05 국세징수법상의 체납처분에서 압류재산의 매각은 공매를 통해서만 이루어지며 수의계약으로 해서는 안 된다. 15. 국가9급 ( )

04 X 05 X

3. 압류한 재산의 추산가격이 1천만원 미만인 경우
4. 법령으로 소지 또는 매매가 규제된 재산인 경우
5. 제1회 공매 후 1년간 5회 이상 공매하여도 매각되지 아니한 경우
6. 공매가 공익을 위하여 적절하지 아니한 경우

ⓛ 다만, 관할 세무서장은 압류한 재산의 공매에 전문지식이 필요하거나 기타 특수한 사정이 있어 직접 공매하기에 적당하지 아니하다고 인정되는 때에는 대통령령이 정하는 바에 따라 금융회사부실자산 등의 효율적 처리 및 한국자산관리공사의 설립에 관한 법률에 의하여 설립된 한국자산관리공사로 하여금 이를 대행하게 할 수 있으며 이 경우의 공매는 세무서장이 한 것으로 본다(동법 제103조 제1항).❶

관련판례

성업공사(현 한국자산관리공사)가 체납압류된 재산을 공매하는 것은 세무서장의 공매권한 위임에 의한 것으로 보아야 할 것이므로, 성업공사가 한 그 공매처분에 대한 취소 등의 항고소송을 제기함에 있어서는 수임청으로서 실제로 공매를 행한 성업공사를 피고로 하여야 하고, 위임청인 세무서장은 피고적격이 없다(대판 1997.2.28. 96누1757).❷

ⓐ 한국자산관리공사의 **공매결정**은 처분이 아니라 **내부적 의사결정**에 불과하여 **처분성이 부정**된다는 것이 판례의 태도이다.

ⓑ 나아가 공매통지 역시 단순한 통지에 불과하여 공매통지상의 하자로 인해 공매처분이 위법하게 되는 것은 아니라고 보았으나, 최근 판례는 견해를 변경하여 공매통지를 공매처분의 절차적 요건으로 보아 공매통지상의 하자가 있으면 공매처분은 위법하다고 한다.❸

관련판례

1 체납자 등에 대한 공매통지가 공매의 절차적 요건인지 여부(적극) 및 체납자 등에게 공매통지를 하지 않았거나 적법하지 않은 공매통지를 한 경우 그 공매처분이 위법한지 여부(적극)

체납자 등에 대한 공매통지는 국가의 강제력에 의하여 진행되는 공매에서 체납자 등의 권리 내지 재산상의 이익을 보호하기 위하여 법률로 규정한 절차적 요건이라고 보아야 하며, 공매처분을 하면서 체납자 등에게 공매통지를 하지 않았거나 공매통지를 하였더라도 그것이 적법하지 아니한 경우에는 절차상의 흠이 있어 그 공매처분은 위법하다. 다만, 공매통지의 목적이나 취지 등에 비추어 보면, 체납자 등은 자신에 대한 공매통지의 하자만을 공매처분의 위법사유로 주장할 수 있을 뿐 다른 권리자에 대한 공매통지의 하자를 들어 공매처분의 위법사유로 주장하는 것은 허용되지 않는다. 종래 공매통지는 공매의 요건이 아니라 공매사실 자체를 체납자 등에게 알려주는 데 불과한 것이라는 취지로 판시한 대판 1996.9.6. 95누12026 판결 등을 비롯한 같은 취지의 판결들은 이 판결의 견해에 배치되는 범위 내에서 이를 모두 변경하기로 한다(대판 2008.11.20. 2007두18154 전합).

핵심 OX

01 세무서장은 한국자산관리공사로 하여금 공매를 대행하게 할 수 있으며, 이 경우 공매는 세무서장이 한 것으로 본다. 15. 국가9급 ( )

❶ 위임
'위임'의 경우 '권한의 이전'이 발생하여 수임기관이 자신의 명의와 책임하에 권한을 행사하게 되므로 항고소송의 피고적격은 처분권자인 수임기관이 됨

❷
· 위임청: 세무서장
· 수임청: 성업공사

❸ 한국자산관리공사의 공매결정과 공매통지
· 공매결정: 처분이 아니라 내부적 의사결정에 불과함
· 공매통지: [종래] 단순한 통지
⇨ [판례변경] 공매처분의 절차적 요건 (대판 2008.11.20. 2007두18154 전합)

핵심 OX

02 한국자산관리공사가 인터넷을 통하여 재공매(입찰)하기로 한 결정 자체는 상대방의 법적 지위나 권리·의무에 직접 영향을 주는 것으로 행정처분에 해당한다. 16. 국가7급 ( )

03 공매처분을 하면서 체납자에게 공매통지를 하지 않았거나 공매통지를 하였지만 그것이 적법하지 아니하다 하더라도 공매처분 자체는 위법하지 않다. 23. 지방9급 ( )

01 ○ 02 X 03 X

2 공매결정이 행정처분인지 여부(소극)

성업공사가 당해 부동산을 공매하기로 한 결정 자체는 내부적인 의사결정에 불과하여 항고소송의 대상이 되는 행정처분이라고 볼 수 없고, 또한 위 공사가 한 공매통지는 공매의 요건이 아니고 공매사실 그 자체를 체납자에게 알려주는데 불과한 것으로서 통지의 상대방인 골프장 업자의 법적 지위나 권리 · 의무에 직접 영향을 주는 것이 아니라고 할 것이므로 이것 역시 행정처분에 해당한다고 할 수 없다(대판 1998.6.26. 96누12030).

3 한국자산관리공사가 인터넷으로 재공매(입찰)하기로 한 결정이 행정처분인지 여부(소극)

한국자산공사가 당해 부동산을 인터넷을 통하여 재공매(입찰)하기로 한 결정 자체는 내부적인 의사결정에 불과하여 항고소송의 대상이 되는 행정처분이라고 볼 수 없고, 또한 한국자산공사가 공매통지는 공매의 요건이 아니라 공매사실 자체를 체납자에게 알려주는 데 불과한 것으로서, 통지의 상대방의 법적 지위나 권리 · 의무에 직접 영향을 주는 것이 아니라고 할 것이므로 이것 역시 행정처분에 해당한다고 할 수 없다(대판 2007.7.27. 2006두8464).

4 공매통지가 행정처분인지 여부(소극)

[1] 공매통지 자체가 그 상대방인 체납자 등의 법적 지위나 권리 · 의무에 직접적인 영향을 주는 행정처분에 해당한다고 할 것은 아니므로, 다른 특별한 사정이 없는 한 체납자 등은 공매통지의 결여나 위법을 들어 공매처분의 취소 등을 구할 수 있는 것이지 공매통지 자체를 항고소송의 대상으로 삼아 그 취소 등을 구할 수는 없다.

[2] 과세관청의 체납자 등에 대한 공매통지는 국가의 강제력에 의하여 진행되는 공매절차에서 체납자 등의 권리 내지 재산상 이익을 보호하기 위하여 법률로 규정한 절차적 요건에 해당하지만, 그 통지를 하지 아니한 채 공매처분을 하였다 하여도 그 공매처분이 당연무효로 되는 것은 아니다(대판 2011.3.24. 2010두25527).

㉢ 세무서장은 압류된 재산이 자본시장과 금융투자업에 관한 법률 제8조의2 제4항 제1호에 따른 증권시장에 상장된 증권일 때에는 해당 시장에서 직접 매각할 수 있다(동법 제66조 제2항).

㉣ 국세기본법에 따른 이의신청 · 심사청구 또는 심판청구절차가 진행 중이거나 행정소송이 계속 중인 국세의 체납으로 압류한 재산은 그 신청 또는 청구에 대한 결정이나 소(訴)에 대한 판결이 확정되기 전에는 공매할 수 없다.
다만, 그 재산이 부패 · 변질 또는 감량되기 쉬운 재산으로서 속히 매각하지 아니하면 그 재산가액이 줄어들 우려가 있는 경우에는 예외로 한다(동법 제66조 제4항).

㉤ **매각**의 법적 성질은 **공법상 대리**로서 우월한 공권력의 행사인 **행정처분**이며, 공매에 의하여 재산을 매수한 자는 취소된 공매처분에 대하여 법률상 이익이 있다는 것이 판례의 입장이다(대판 1984.9.25. 84누201). 수의계약에 의하는 경우에는 **사법상 계약**으로서의 성질을 가진다.

㉥ **매수인의 제한**: 체납자 또는 세무공무원은 직접 · 간접을 불문하고 압류재산을 매수하지 못한다(동법 제80조).

핵심 OX

04 한국자산공사가 당해 부동산을 인터넷을 통하여 재공매하기로 한 결정 자체는 내부적인 의사결정에 불과하여 항고소송의 대상이 되는 행정처분이라고 볼 수 없지만, 이에 관한 공매 통지는 공매사실 자체를 체납자에게 알려줌으로써 통지의 상대방의 법적 지위나 권리 · 의무에 직접 영향을 주게 되므로 항고소송의 대상인 행정처분에 해당한다. 17. 지방7급 ( )

05 국세징수법상 공매통지 자체는 원칙적으로 항고소송의 대상이 되는 행정처분이다. 19 · 15. 국회8급, 19. 서울7급, 16. 국가9급, 14. 지방9급 ( )

06 국세징수법상 체납자에 대한 공매통지는 국가의 강제력에 의하여 진행되는 공매에서 체납자의 권리 내지 재산상의 이익을 보호하기 위하여 법률로 규정한 절차적 요건으로, 이를 이행하지 않은 경우 그 공매처분은 당연무효이다. 18. 지방9급, 17. 국가7급 변형 ( )

07 체납자 등에 대한 공매처분을 하면서 체납자 등에게 공매통지를 하지 않았거나 공매통지를 하였더라도 그것이 적법하지 않은 경우 절차상의 흠이 있어 그 공매처분이 위법하게 되는 것인바, 공매통지는 상대방인 체납자 등의 법적 지위나 권리 · 의무에 직접적인 영향을 주는 행정처분으로서 항고소송의 대상이 된다. 19. 국가7급 ( )

08 과세관청이 체납처분으로서 하는 공매는 행정처분으로 볼 수 없다. 16. 지방9급, 15 · 11. 국가9급, 13. 국가7급 ( )

09 과세관청이 체납처분으로서 행하는 공매에 의하여 재산을 매수한 자는 그 공매처분이 취소된 경우에 그 취소처분의 위법을 주장하여 행정소송을 제기할 법률상 이익이 있다. 17. 지방7급 ( )

04 X **05** X **06** X **07** X **08** X **09** O

ⓢ 염가로 공매된 경우 매수인의 부당이득 문제

관련판례

공매절차에서 공매재산에 대한 감정평가나 매각예정가격의 결정이 잘못된 경우, 매수인이 공매재산의 소유자에 대한 관계에서 공매재산의 시가와 감정평가액과의 차액을 부당이득한 것이라고 할 수 있는지 여부(소극)

과세관청이 체납처분으로서 하는 공매에 있어서 공매재산에 대한 감정평가나 매각예정가격의 결정이 잘못되었다고 하더라도, 그로 인하여 공매재산이 부당하게 저렴한 가격으로 공매됨으로써 공매처분이 위법❶하다고 볼 수 있는 경우에 공매재산의 소유자 등이 이를 이유로 적법한 절차에 따라 공매처분의 취소를 구하거나 공매처분이 확정된 경우에는 위법한 재산권의 침해로서 불법행위의 요건을 충족하는 경우에 국가 등을 상대로 불법행위로 인한 손해배상을 청구할 수 있음은 별론으로 하고, 매수인이 공매절차에서 취득한 공매재산의 시가와 감정평가액과의 차액 상당을 법률상의 원인 없이 부당이득한 것이라고는 볼 수 없다고 할 것이고, 이러한 이치는 공매재산에 부합된 물건이 있는데도 이를 간과한 채 부합된 물건의 가액을 제외하고 감정평가를 함으로써 공매재산의 매각예정가격이 낮게 결정된 경우에 있어서도 마찬가지라고 할 것이다(대판 1997.4.8. 96다52915).

핵심 OX

01 공매에 있어서 공매재산에 대한 감정평가나 매각예정가격의 결정이 잘못되어 공매재산이 부당하게 저렴한 가격으로 공매된 경우 그 공매처분은 당연무효가 된다. 08. 지방7급 ( )

❶ 당연무효가 아니고, 취소사유에 해당

③ 청산(배분, 충당)

㉠ 청산이란 압류금전, 체납자 · 제3채무자로부터 받은 금전, 매각대금, 교부청구로 받은 금전을 국세 · 가산금과 강제징수비 기타의 채권에 배분하는 절차를 말한다.

㉡ 배분 후 잔여금이 있으면 체납자에게 지급하고, 부족하면 민법 기타 법령에 따른 배분순위와 배분금액에 따라 배분한다(국세징수법 제96조 제3항 · 제4항).

㉢ 배분순위는 강제징수비 ⇨ 국세 ⇨ 가산세의 순으로 한다(국세징수법 제3조).

핵심 OX

02 국세징수법상 체납액의 징수순위는 강제징수비, 국세, 가산금의 순서에 따른다. 13. 경특 ( )

관련판례

1 납세자에게 국세징수법 제14조 제1항 제1호 내지 제6호의 사유가 발생하고 납부고지가 된 국세의 납부기한도 도과하여 체납 상태에 있는 경우, 과세관청이 독촉장을 발급하거나 이미 발급한 독촉장에 기재된 납부기한의 도과를 기다릴 필요 없이 해당 국세에 대하여 교부청구를 할 수 있는지 여부(적극)

국세징수법 제56조, 제14조 제1항 제1호 내지 제6호의 문언과 체계, 교부청구 제도의 취지와 성격, 교부청구를 하여야 하는 사유 등을 종합하면, 납세자에게 국세징수법 제14조 제1항 제1호 내지 제6호의 사유가 발생하였고 납부고지가 된 국세의 납부기한도 도과하여 체납 상태에 있는 경우라면, 과세관청은 독촉장을 발급하거나 이미 발급한 독촉장에 기재된 납부기한의 도과를 기다릴 필요 없이 해당 국세에 대하여 교부청구를 할 수 있다고 보아야 한다(대판 2019.7.25. 2019다206933).

2 공매절차에서 세무서장 등이 매각대금이 완납되어 압류재산이 매수인에게 이전되기 전까지 성립·확정된 조세채권에 관해서만 교부청구할 수 있는지 여부(적극)

구 국세징수법에서 비록 세무서장 등이 언제까지 성립 · 확정된 조세채권에 관하여 배분요구를 하여야만 압류재산의 매각대금 등의 배분대상이 될 수 있는

01 X 02 O

지에 관하여 명시적인 규정을 두고 있지 않지만, 세무서장 등은 늦어도 매각대금이 완납되어 압류재산이 매수인에게 이전되기 전까지 성립 · 확정된 조세채권에 관해서만 교부청구할 수 있고, 그 이후에 성립 · 확정된 조세채권은 설령 배분계산서 작성 전까지 교부청구를 하였더라도 압류재산 매각대금 등의 배분대상에 포함될 수 없다(대판 2016.11.25. 2014두5316).

(3) 압류 · 매각의 유예(국세징수법 제105조)

① 관할 세무서장은 체납자가 다음의 어느 하나에 해당하는 경우에는 그 체납액에 대하여 체납처분에 의한 재산의 압류나 압류재산의 매각을 대통령령으로 정하는 바에 따라 유예할 수 있다.

㉠ 국세청장이 성실납세자로 인정하는 기준에 해당하는 경우

㉡ 재산의 압류나 압류재산의 매각을 유예함으로써 사업을 정상적으로 운영할 수 있게 되어 체납액의 징수가 가능하다고 인정되는 경우

② 관할 세무서장은 제1항에 따라 유예를 하는 경우에 필요하다고 인정하면 이미 압류한 재산의 압류를 해제할 수 있다.

③ 관할 세무서장은 제1항 및 제2항에 따라 재산의 압류를 유예하거나, 압류한 재산의 압류를 해제하는 경우에는 그에 상당하는 납세담보의 제공을 요구할 수 있다. 다만, 성실납세자가 체납세액 납부계획서를 제출하고 제106조의 국세체납정리위원회가 체납세액 납부계획의 타당성을 인정하는 경우에는 납세담보의 제공을 요구하지 아니한다.

(4) 납부지연가산세

① **의의**: 종전 국세징수법에 있던 가산금과 중가산금 규정이 폐지되고 국세기본법의 '납부지연가산세'로 통합되었다. 기존의 가산금(3%)에 상당하는 납부지연가산세(3%)가 신설되었고, 중가산금은 고지된 납부기한 이후의 경과일수에 2.5/10000를 적용한 비율만큼 가산세가 부과된다.

② **납부지연가산세(구 가산금) 고지의 처분성**: 국세징수법 제21조, 제22조가 규정하는 **가산금 또는 중가산금은 국세를 납부기한까지 납부하지 아니하면 과세청의 확정절차 없이도 법률 규정에 의하여 당연히 발생하는 것이므로 가산금 또는 중가산금의 고지가 항고소송의 대상이 되는 처분이라고 볼 수 없다**(대판 2005.6.10. 2005다15482).

국세기본법 제47조의4【납부지연가산세】 ① 납세의무자(연대납세의무자, 납세자를 갈음하여 납부할 의무가 생긴 제2차 납세의무자 및 보증인을 포함한다)가 법정납부기한까지 국세(인지세법 제8조 제1항에 따른 인지세는 제외한다)의 납부(중간예납 · 예정신고납부 · 중간신고납부를 포함한다)를 하지 아니하거나 납부하여야 할 세액보다 적게 납부(이하 '과소납부'라 한다)하거나 환급받아야 할 세액보다 많이 환급(이하 '초과환급'이라 한다)받은 경우에는 다음 각 호의 금액을 합한 금액을 가산세로 한다.

핵심 OX

03 국세징수법상 가산금 또는 중가산금의 고지는 항고소송의 대상이 되는 처분이 아니다. 23. 지방9급 ( )

03 ○

3. 법정납부기한까지 납부하여야 할 세액(세법에 따라 가산하여 납부하여야 할 이자 상당 가산액이 있는 경우에는 그 금액을 더한다) 중 납세고지서에 따른 납부기한까지 납부하지 아니한 세액 또는 과소납부분 세액 × 100분의 3(국세를 납세고지서에 따른 납부기한까지 완납하지 아니한 경우에 한정한다)

4. 행정상 강제징수에 대한 불복

핵심 OX

01 독촉과 체납처분에 대하여 불복이 있는 자는 바로 취소소송을 제기할 수 있다. 15. 사복 ( )

(1) 행정쟁송

① 독촉 · 체납처분이 위법 · 부당한 경우에는 행정쟁송절차에 의하여 그 취소 또는 변경을 청구할 수 있다. 다만, 행정쟁송절차 중 행정심판에 있어서는 일반 행정심판법이 배제되고 국세기본법의 특별한 절차가 적용된다(국세기본법 제56조).

② 원고적격

인정	부정
공매에 의하여 재산을 매수한 자는 그 공매처분이 취소된 경우에 그 취소처분의 위법을 주장하여 행정소송을 제기할 법률상 이익이 있다(대판 1984.9.25. 84누201).	과세관청이 조세의 징수를 위하여 납세의무자 소유의 **부동산을 압류한 이후에 압류등기가 된 부동산을 양도받아 소유권이전등기를 마친 사람**은 위 압류처분에 대하여 사실상 간접적 이해관계를 가질 뿐, 법률상 직접적이고 구체적인 이익을 가지는 것은 아니어서 그 압류처분의 무효확인을 구할 당사자 적격이 없다(대판 1990.10.16. 89누5706).

③ **대상적격:** 국세환급금 결정 및 그에 대한 신청거부결정과 국세환급금 충당은 처분성이 부정된다.

관련판례

국세환급결정이나 환급신청에 대한 거부결정이 항고소송의 대상이 되는 처분인지 여부(소극)

[1] 세무서장의 국세환급금에 대한 결정은 이미 납세의무자의 환급청구권이 확정된 국세환급금에 대하여 내부적인 사무처리절차로서 과세관청의 환급절차를 규정한 것에 지나지 않고 국세환급금의 결정에 의하여 비로소 환급청구권이 확정되는 것이 아니므로, 국세환급금 결정이나 그 결정을 구하는 신청에 대한 환급거부결정 등은 항고소송의 대상이 되는 처분이라고 볼 수 없다.

[2] 국세환급금의 충당은 납세의무자가 갖는 환급청구권의 존부나 범위 또는 소멸에 구체적이고 직접적인 영향을 미치는 처분이라기보다는, 국가의 환급금채무와 조세채권이 대등액에서 소멸되는 점에서 오히려 민법상의 상계와 비슷하고, 소멸대상인 조세채권이 존재하지 아니하거나 당연무효 또는 취소되는 경우에는 그 충당의 효력이 없는 것으로서, 이러한 사유가 있는 경우에 납세의무자로서는 충당의 효력이 없음을 주장하여 언제든지 민사소송에 의하여 이미 결정된 국세환급금의 반환을 청구할 수 있다고 할 것이므로, 이는 국세환급결정이나 그 국세환급신청에 대한 거부결정과 마찬가지로 항고소송의 대상이 되는 처분이라고 할 수 없다(대판 1994.12.2. 92누14250).

핵심 OX

02 세무서장이 납세자의 국세환급금 지급청구에 대하여 거부를 한 경우 납세자는 그 거부행위에 대한 취소소송을 제기할 수 없다. 20. 국가7급 ( )

01 X 02 O

④ **전치주의 여부:** 세무서장 또는 지방국세청장에게 임의절차로서 이의신청을 할 수 있고, 국세청장에게 심사청구 또는 국세심판원에 심판청구를 제기하되, 심사청구와 심판청구 중 어느 하나를 거쳐야만 행정소송을 제기할 수 있다. 이러한 국세행정심판은 **필수적 전치주의가 적용**된다(국세기본법 제56조 제2항).

(2) 하자의 승계

독촉과 체납처분간에는 강제징수라는 동일한 목적을 위한 단계적 절차이므로 **하자가 승계**되나, 조세부과처분과 독촉 또는 체납처분간에는 하자가 승계되지 않는다.

관련판례

조세의 부과처분과 압류 등의 체납처분은 별개의 행정처분으로서 독립성을 가지므로 부과처분에 하자가 있더라도 그 부과처분이 취소되지 아니하는 한 그 부과처분에 의한 체납처분은 위법이라고 할 수는 없지만, 체납처분은 부과처분의 집행을 위한 절차에 불과하므로 그 부과처분에 중대하고도 명백한 하자가 있어 무효인 경우에는 그 부과처분의 집행을 위한 체납처분도 무효라 할 것이다(대판 1987.9.22. 87누383).

판례연구 강제징수

1. 기본 판례

한국자산공사의 재공매(입찰)결정 자체는 항고소송의 대상이 되는 행정처분이라 할 수 없다.

한국자산공사가 당해 부동산을 인터넷을 통하여 재공매(입찰)하기로 한 결정 자체는 내부적인 의사결정에 불과하여 항고소송의 대상이 되는 행정처분이라고 볼 수 없고, 또한 한국자산공사가 공매통지는 공매의 요건이 아니라 공매사실 자체를 체납자에게 알려주는 데 불과한 것으로서, 통지의 상대방의 법적 지위나 권리 · 의무에 직접 영향을 주는 것이 아니라고 할 것이므로 이것 역시 행정처분에 해당한다고 할 수 없다(대판 2007.7.27. 2006두8464).

2. 관련 판례

① 성업공사(현 한국자산관리공사)의 공매결정 및 공매통지의 항고소송의 대상이 되는 처분성이 부정된다.

② 한국자산공사가 당해 부동산을 인터넷을 통하여 재공매(입찰)하기로 한 결정 자체는 내부적인 의사결정에 불과하여 항고소송의 대상이 되는 행정처분이라고 볼 수 없다.

③ 과세관청이 체납처분으로서 행하는 공매는 우월한 공권력의 행사로서 행정소송의 대상이 되는 공법상의 행정처분에 속한다.

④ 한국자산관리공사의 공매처분의 취소소송의 피고는 수임청으로서 한국자산관리공사가 된다.

⑤ 공매통지에 하자가 있는 경우 공매처분은 위법하다.

핵심 OX

03 조세부과처분에 취소사유인 하자가 있는 경우 그 하자는 후행 강제징수절차인 독촉 · 압류 · 매각 · 청산 절차에 승계된다. 19. 국가7급 ( )

03 X

제3장 행정상 즉시강제와 행정조사

제1절 행정상 즉시강제

1 개설

1. 의의

행정상 즉시강제란 목전의 급박한 행정상 장애를 제거해야 할 필요성이 있는 경우에 미리 의무를 명할 시간적 여유가 없거나, 성질상 미리 의무를 명하여서는 목적달성이 곤란한 때에 직접 국민의 신체 또는 재산에 실력을 가하여 행정상 필요한 상태를 실현하는 작용을 말한다.

2. 구별개념

(1) 행정상 강제집행과의 구별

① 행정상 즉시강제는 실력으로 행정상의 필요한 상태를 실현시키는 권력적 사실행위라는 점에서 행정상 강제집행과 동일하나, 행정상 강제집행은 선행되는 의무의 존재와 불이행을 전제로 하는 데 대하여, 행정상 즉시강제는 선행되는 의무자체가 존재하지 않으며 의무불이행을 전제로 하지 않는 점에서 구별된다.

② 따라서 행정상 즉시강제는 예측가능성과 법적안정성을 침해할 여지가 크므로 행정상 강제집행을 원칙으로 하고 행정상 즉시강제는 **예외적인 강제수단**으로 보아야 한다.

(2) 행정조사와의 구별

종래에는 행정조사를 즉시강제에 포함시켰으나, 오늘날에는 양자의 차이점으로 인하여 구별하는 것이 보통이다. 행정상 즉시강제는 행정상 목적을 구체적으로 실현하기 위한 것이고 급박성을 요건으로 하나, 행정조사는 자료수집을 위한 준비적·보조적 작용으로서 급박성은 요건이 아니다.

3. 법적 성질

행정상 즉시강제는 신체나 재산에 대한 실력행사이므로 권력적 사실행위이다. 따라서 행정쟁송의 대상인 처분성이 인정된다.

핵심 OX

01 즉시강제란 법령 또는 행정처분에 의한 선행의 구체적 의무의 불이행으로 인한 목전의 급박한 장애를 제거할 필요가 있는 경우에 행정기관이 즉시 국민의 신체 또는 재산에 실력을 행사하여 행정상의 필요한 상태를 실현하는 작용을 말한다. 19. 국가9급 (   )

핵심 OX

02 권력적 사실행위인 즉시강제는 그 조치가 계속 중인 상태에 있는 경우에도 취소소송의 대상이 될 수는 없다. 18. 지방교행, 07. 대구9급 (   )

03 직접강제와 즉시강제는 권력적 사실행위로서의 성격을 가지고 있다. 19. 서울9급(2월) (   )

01 X 02 X 03 O

2 근거

1. 이론적 근거

(1) 종래 독일에서는 행정상 즉시강제의 근거를 국가의 일반긴급권(경찰긴급권)에서 찾았으며, 영 · 미에서는 보통법상의 불법방해 및 자력제거의 법리에서 구하여 급박한 위해가 존재하는 경우에는 특별한 법적 근거가 없더라도 즉시강제를 할 수 있다고 보았다.

(2) 오늘날 실질적 법치국가에 있어서는 예측가능성과 법적 안정성을 침해하는 즉시강제는 **반드시 실정법적 근거가 필요**하다는 것이 통설이다.

2. 실정법상 근거

행정상 즉시강제를 일반적으로 규정한 **일반법**은 **행정기본법**이 있고, 개별법령으로서 경찰관 직무집행법, 소방기본법, 식품위생법, 감염병의 예방 및 관리에 관한 법률, 마약류 관리에 관한 법률 등이 있다.

행정기본법 제33조【즉시강제】 ① 즉시강제는 다른 수단으로는 행정목적을 달성할 수 없는 경우에만 허용되며, 이 경우에도 최소한으로만 실시하여야 한다.
② 즉시강제를 실시하기 위하여 현장에 파견되는 집행책임자는 그가 집행책임자임을 표시하는 증표를 보여 주어야 하며, 즉시강제의 이유와 내용을 고지하여야 한다.

3 한계

1. 실체법적 한계

(1) 법적 근거

행정상 즉시강제는 실력을 행사하여 신체 · 재산에 대한 침해를 가져오므로 **반드시 법적 근거를 요한다.** 경찰관 직무집행법(제1조 제2항)은 "이 법에 규정된 경찰관의 직권은 그 직무수행에 필요한 최소한도에서 행사되어야 하며 남용되어서는 아니 된다."라고 하여 **비례의 원칙을 규정**하고 있다.

(2) 법적 한계

① **긴급성의 원칙:** 행정상의 장해가 목전에 급박할 것
② **보충성의 원칙:** 다른 수단으로는 행정목적을 달성할 수 없을 것
③ **비례성의 원칙:** 행정목적의 달성에 필요한 최소한도에 그칠 것
④ **소극성의 원칙:** 사회공동의 안녕질서의 유지를 위하여 필요한 한도에 그칠 것

관련판례

행정강제는 행정상 강제집행을 원칙으로 하며, 법치국가적 요청인 예측가능성과 법적 안정성에 반하고, 기본권 침해의 소지가 큰 권력작용인 행정상 즉시강제는 어디까지나 예외적인 강제수단이라고 할 것이다. 이러한 행정상 즉시강제는 엄격한 실정법상의 근거를 필요로 할 뿐만 아니라, 그 발동에 있어서는 법규의 범위 안에서도 다시 행정상의 장해가 목전에 급박하고, 다른 수단으로는 행정목적을 달성할 수 없는 경우이어야 하며, 이러한 경우에도 그 행사는 필요 최소한도에 그쳐야 함을 내용으로 하는 조리상의 한계에 기속된다(헌재 2002.10.31. 2000헌가12).

핵심 OX

04 신체의 자유를 제한하는 즉시강제는 헌법상 기본권 침해에 해당하여 법률의 규정에 의해서도 허용되지 아니한다. 18. 지방교행 ( )

05 행정상 즉시강제는 개인에게 미리 의무를 명할 시간적 여유가 없는 경우를 전제로 하므로 그 긴급성을 고려할 때 원칙적으로 법률적 근거를 요하지 아니한다. 19. 서울9급(6월) ( )

06 행정상 즉시강제는 실정법의 근거를 필요로 하고, 그 발동에 있어서는 법규의 범위 안에서도 행정상의 장해가 목전에 급박하고, 다른 수단으로는 행정목적을 달성할 수 없는 경우이어야 하며, 이러한 경우에도 그 행사는 필요 최소한도에 그쳐야 함을 내용으로 하는 한계에 기속된다. 19. 서울9급(2월), 18. 지방교행, 17. 국가9급(10월), 07. 대구9급 ( )

핵심 OX

07 즉시강제는 법치국가의 요청인 예측가능성과 법적 안정성에 반하고 기본권 침해의 소지가 큰 권력작용이라는 비판이 존재한다. 19. 서울9급(2월) ( )

08 행정강제는 행정상 강제집행을 원칙으로 하고, 행정상 즉시강제는 예외적으로 인정되는 강제수단이다. 17. 국가9급(10월) ( )

04 X 05 X 06 O 07 O 08 O

2. 절차법적 한계(행정상 즉시강제와 영장주의)

헌법은 형사절차에 관하여 신체·재산 및 가택을 침해하는 경우 영장주의를 규정하고 있다(헌법 제12조). 이러한 영장주의가 행정상 즉시강제에도 적용되는지가 문제된다.

(1) 영장불요설

헌법상의 영장제도는 형사사법권의 부당한 행사로부터 국민의 기본권을 보장하기 위한 것이므로 행정상 즉시강제에는 이러한 영장주의가 적용되지 않는다는 입장이다.

(2) 영장필요설

헌법상의 영장제도는 일반적인 통치권의 부당한 행사로부터 국민의 자유와 권리를 보장하기 위한 절차적 보장수단이므로 행정상 즉시강제에도 영장주의가 당연히 적용된다는 입장이다.

(3) 절충설(다수설)

원칙적으로 행정상 즉시강제에도 영장주의가 적용되어야 하나, 행정목적의 달성을 위하여 불가피하다고 인정할 합리적인 이유가 있는 특별한 경우에 한해서는 영장주의의 예외를 인정할 수 있다는 것이 통설적 견해이다.

관련판례

1 구 음반·비디오물 및 게임물에 관한 법률상 등급분류를 받지 아니한 게임물을 발견한 경우 관계행정청이 관계공무원으로 하여금 이를 수거·폐기하는 행위(행정상 즉시강제)에 헌법상 영장주의가 적용되지 않는다는 취지의 판례

영장주의가 행정상 즉시강제에도 적용되는지에 관하여는 논란이 있으나, 행정상 즉시강제는 상대방의 임의이행을 기다릴 시간적 여유가 없을 때 하명 없이 바로 실력을 행사하는 것으로서, 그 본질상 급박성을 요건으로 하고 있어 법관의 영장을 기다려서는 그 목적을 달성할 수 없다고 할 것이므로, 원칙적으로 영장주의가 적용되지 않는다고 보아야 할 것이다(헌재 2002.10.31. 2000헌가12).

2 사전영장주의원칙은 인신보호를 위한 헌법상의 기속원리이기 때문에 인신의 자유를 제한하는 국가의 모든 영역(예컨대, 행정상의 즉시강제)에서도 존중되어야 하고, 다만 사전영장주의를 고수하다가는 도저히 그 목적을 달성할 수 없는 지극히 예외적인 경우에만 형사절차에서와 같은 예외가 인정된다고 할 것이다. 그런데, 지방의회에서의 사무감사·조사를 위한 증인의 동행명령장제도도 증인의 신체의 자유를 억압하여 일정 장소로 인치하는 것으로서 헌법 제12조 제3항의 '체포 또는 구속'에 준하는 사태로 보아야 할 것이고, 거기에 현행범 체포와 같이 사후에 영장을 발부받지 아니하면 목적을 달성할 수 없는 긴박성이 있다고 인정할 수는 없을 것이다. 그러므로, 이 경우에도 헌법 제12조 제3항에 의하여 법관이 발부한 영장의 제시가 있어야 할 것이다. 그럼에도 불구하고 동행명령장을 법관이 아닌 의장이 발부하고 이에 기하여 증인의 신체의 자유를 침해하여 증인을 일정 장소에 인치하도록 규정된 조례안 제6조는 영장주의원칙을 규정한 헌법 제12조 제3항에 위반한 것이라고 할 것이다(대판 1995.6.30. 93추83).❶

3 사회안전법(1989.6.16. 법률 제4132호에 의해 '보안관찰법'이란 명칭으로 전문 개정되기 전의 것) 제11조 소정의 동행보호규정은 재범의 위험성이 현저한 자를 상대로 긴급히 보호할 필요가 있는 경우에 한하여 단기간의 동행보호를 허용한 것으로서 그 요건을 엄격히 해석하는 한, 동 규정 자체가 사전영장주의를 규정한 헌법규정에 반한다고 볼 수는 없다(대판 1997.6.13. 96다56115).

핵심 OX

01 즉시강제에서 영장주의가 적용되는가의 여부에 대하여 판례는 국민의 권익보호를 위하여 예외 없이 영장주의가 적용되어야 한다는 영장필요설의 입장을 취하고 있다. 13. 경특 ( )

핵심 OX

02 행정강제는 행정상 강제집행을 원칙으로 하므로 불법 게임물에 대해서도 관계당사자에게 수거·폐기를 명하고 그 불이행시 직접강제 등 행정상 강제집행으로 나아가야 한다. 19. 서울9급(2월) ( )

❶ 즉시강제 영장불요 법적 근거

- 대법: 원칙적으로는 즉시강제에도 영장 필요하나, 목적달성을 위해 예외 인정
- 헌재: 즉시강제 특성상 원칙적으로 영장 불요

핵심 OX

03 재범의 위험성이 현저한 자를 상대로 긴급히 보호할 필요가 있는 경우에 단기간의 동행보호를 허용한 구 사회안전법상 동행보호규정은 사전영장주의를 규정한 헌법규정에 반한다. 14. 지방9급 ( )

01 X 02 X 03 X

4 수단

1. 대인적 즉시강제

(1) 경찰관 직무집행법상

① 불심검문(제3조)❷

② 구호를 요하는 자의 보호조치(제4조)

③ 경고 · 억류 · 피난 등과 같은 위험발생방지조치(제5조 제1항)

④ 통행제한 · 금지조치(제5조 제2항)

⑤ 범죄의 예방 및 제지조치(제6조), 무기 및 장구사용(제10조)

(2) 각 단행법상

감염병의 예방 및 관리에 관한 법률상의 강제건강진단(제19조), 강제격리(제42조), 교통차단(제47조), 마약류 관리에 관한 법률상의 강제수용, 소방기본법(제24조)상의 소방활동종사명령 등

2. 대물적 즉시강제

(1) 경찰관 직무집행법상

무기 · 흉기 등 위험물의 임시영치(제4조 제3항), 위험발생방지조치(제5조) 등

(2) 각 단행법상

식품위생법(제56조), 약사법(제71조), 검역법(제10조)상의 물건의 폐기, 영화 및 비디오물의 진흥에 관한 법률(제70조)상의 비디오물의 수거 및 폐기, 소방기본법(제25조)상의 정차된 차량 · 물건 등의 제거 또는 이동, 민방위기본법(제32조)상의 물건 · 시설의 이전 · 분산 · 소개, 형의 집행 및 수용자의 처우에 관한 법률(제25조)상의 휴대금품의 영치, 도로교통법(제71조, 제72조)상의 교통장애물의 제거 · 위험방지조치, 청소년 보호법(제36조)상의 수거 · 파기 등

3. 대가택적 즉시강제

(1) 경찰관 직무집행법(제7조)상 위험방지를 위한 가택출입, 개별법상 식품위생법(제17조)상의 영업소 등 출입과 식품 등 검사, 검역법(제29조)상 검역을 위한 운송수단에의 출입, 총포 · 도검 · 화약류 등의 안전관리에 관한 법률(제44조)상의 출입 · 검사 등

(2) 종래의 대가택적 즉시강제로 인식되었던 것이 오늘날에는 행정조사의 범주에 속하는 것으로 보는 경향이 유력해지고 있다.

5 행정상 즉시강제에 대한 구제

1. 적법한 즉시강제에 대한 구제

적법한 즉시강제로 인하여 개인에게 손실을 가한 경우 그로 인하여 귀책사유 없이 특별한 희생을 입은 자는 **손실보상**을 청구할 수 있다(예 소방기본법 제25조의 강제처분시의 손실보상). 보상규정이 없는 경우에는 독일의 이론을 도입하여 수용유사침해이론이나 수용적 침해이론을 적용하여 보상하자는 견해가 있다.

핵심 OX

04 행정상 즉시강제에 관한 일반법은 없고 개별법에서 행정상 즉시강제에 해당하는 수단을 규정하고 있다. 17. 국가9급(10월) ( )

❷

오늘날 행정조사로 보는 것이 다수설

핵심 OX

05 식품위생법상 영업소 폐쇄명령을 받은 후에도 계속하여 영업을 하는 경우 해당 영업소를 폐쇄하는 조치는 행정상 즉시강제의 수단에 해당한다. 14. 지방9급 ( )

04 X 05 X

2. 위법한 즉시강제에 대한 구제

(1) 행정쟁송

즉시강제는 **권력적 사실행위**로서 **행정쟁송의 대상**이 된다. 그러나 즉시강제는 단기간 내에 종료하는 것이 보통이므로 행정소송상 소의 이익이 없는 경우가 많다. 이러한 경우에는 손해배상 또는 원상회복을 청구할 수밖에 없게 될 것이다. 다만, 즉시강제행위가 종료된 이후에도 그 취소로 회복될 이익이 있는 경우에는 예외적으로 행정쟁송을 제기할 수 있다(행정심판법 제9조, 행정소송법 제12조).

(2) 행정상 손해배상

즉시강제가 종료되어 행정쟁송이 불가능한 경우에는 위법한 즉시강제에 대한 **손해배상**이 가장 실효적인 권리구제방법이 된다.

(3) 정당방위

위법한 즉시강제에 대하여는 실력으로 저항할 수 있으므로 공무집행방해죄가 구성되지 않고 정당방위가 된다. 형법상의 정당방위가 인정될 수 있으므로 이 경우의 저항행위는 공무집행방해죄를 구성하지 아니한다.

(4) 기타

처분청의 취소 · 정지, 공무원의 형사책임 및 징계책임, 청원, 고발, 고소 등의 사후적 · 간접적인 구제방법이 있다.

제2절 행정조사

1 의의

1. 개념(행정조사기본법 제2조 제1호)

'행정조사'란 행정기관이 정책을 결정하거나 직무를 수행하는 데 필요한 정보나 자료를 수집하기 위하여 현장조사 · 문서열람 · 시료채취 등을 하거나 조사대상자에게 보고요구 · 자료제출요구 및 출석 · 진술요구를 행하는 활동을 말한다(행정조사기본법 제2조 제1호). 행정조사에는 출두명령, 문서제출요구 등 행정행위의 형식을 취하는 것과 검진, 질문 등 사실행위의 형식을 취하는 것이 있다.

관련판례

세무조사는 국가의 과세권을 실현하기 위한 행정조사의 일종으로서 국세의 과세표준과 세액을 결정 또는 경정하기 위하여 질문을 하고 장부 · 서류 그 밖의 물건을 검사 · 조사하거나 그 제출을 명하는 일체의 행위를 말하며, 부과처분을 위한 과세관청의 질문조사권이 행하여지는 세무조사의 경우 납세자 또는 그 납세자와 거래가 있다고 인정되는 자 등(이하 '납세자 등'이라 한다)은 세무공무원의 과세자료 수집을 위한 질문에 대답하고 검사를 수인하여야 할 법적 의무를 부담한다(대판 2017.3.16. 2014두8360).

핵심 OX

01 행정상 즉시강제는 원칙적으로는 항고소송의 대상이 되는 처분의 성질을 갖는다. 22. 국가9급 ( )

핵심 OX

02 판례는 위법한 즉시강제에 대한 항거가 공무집행방해죄를 구성하지 아니 한다고 본다. 07. 대구9급 ( )

핵심 OX

03 행정조사란 행정기관이 정책을 결정하거나 직무를 수행하는 데 필요한 정보나 자료를 수집하기 위하여 현장조사문서열람, 시료채취 등을 하거나 조사대상자에게 보고요구 · 자료제출요구 및 출석 · 진술요구를 행하는 활동을 말한다. 12. 지방9급 ( )

04 일반적으로 행정조사 그 자체는 법적 효과를 가져오지 않는 사실행위에 해당한다. 12. 사복 ( )

01 ○ 02 ○ 03 ○ 04 ○

2. 구별개념

종래에는 조사목적을 위한 질문·검사·가택의 출입 등 자료수집활동을 행정상 즉시강제에 포함시켜 왔으나, 오늘날은 이들을 즉시강제와 분리하여 고찰하는 것이 일반적이다.

(1) 행정상 즉시강제는 독일법상의 개념으로서 직접 개인의 신체·재산에 실력을 가하여 행정상 필요한 구체적인 결과를 실현하는 것을 목적으로 하나, 행정조사는 영미법상의 개념으로서 행정작용에 필요한 자료수집을 위한 **준비적·보조적 조사작용**이다.

(2) 행정상 즉시강제는 직접적인 실력행사를 통하여 스스로 일정한 상태를 실현시키는데 대하여, 행정조사는 영장에 의하는 경우 외에는 일반적으로 직접적인 실력행사가 아니라 불이익처분에 의하여 행정조사를 수인시키는 것이다.

(3) 행정상 즉시강제는 급박성을 개념요소로 하나, 행정조사는 급박성을 개념요소로 하지 않는 점에서 구별된다.

핵심정리 **행정상 즉시강제와 행정조사의 비교**

구분	행정상 즉시강제	행정조사
연혁	대륙법계에서 유래	영미법계에서 유래
개념	직접 개인의 신체·재산에 실력을 가하여 행정상 필요한 구체적인 결과를 실현하는 것을 목적으로 하는 작용	행정기관이 행정작용을 위하여 필요한 정보나 자료를 위한 준비적·보조적 수단으로서의 조사작용
성질	권력적 사실행위	권력적 사실행위(비권력적 조사는 비권력적 사실행위)
긴급성 여부	긴급성을 요함	긴급성을 요하지 않음
일반법적 근거	일반법 존재 (개별법: 경찰관 직무집행법)	일반법 존재(행정조사기본법)

2 근거

1. 이론상 근거

행정기관은 법령 등에서 행정조사를 규정하고 있는 경우에 한하여 행정조사를 실시할 수 있다. 다만, 조사대상자의 자발적인 협조를 얻어 실시하는 행정조사(임의조사)의 경우에는 그러하지 아니하다(동법 제5조).

핵심 OX

05 행정조사기본법상 행정기관은 법령 등에서 행정조사를 규정하고 있는 경우에 한하여 행정조사를 실시할 수 있고 규정이 없는 경우에는 조사대상자의 자발적 협력이 있는 경우에도 행정조사를 실시할 수 없다.
18·09. 국가9급, 18. 지방9급, 15·14. 경특1차 ( )

05 X

관련판례

개별 법령 등에서 행정조사를 규정하고 있는 경우, 행정기관이 행정조사기본법 제5조 단서에서 정한 '조사대상자의 자발적인 협조를 얻어 실시하는 행정조사'를 실시할 수 있는지 여부(적극)

행정조사기본법 제5조에 의하면 행정기관은 법령 등에서 행정조사를 규정하고 있는 경우에 한하여 행정조사를 실시할 수 있으나(본문), 한편 '조사대상자의 자발적인 협조를 얻어 실시하는 행정조사'의 경우에는 그러한 제한이 없이 실시가 허용된다(단서). 행정조사기본법 제5조는 행정기관이 정책을 결정하거나 직무를 수행하는 데에 필요한 정보나 자료를 수집하기 위하여 행정조사를 실시할 수 있는 근거에 관하여 정한 것으로서, 이러한 규정의 취지와 아울러 문언에 비추어 보면, 단서에서 정한 '조사대상자의 자발적인 협조를 얻어 실시하는 행정조사'는 개별 법령 등에서 행정조사를 규정하고 있는 경우에도 실시할 수 있다(대판 2016.10.27. 2016두41811).

2. 실정법상 근거

과거에는 행정조사에 관한 일반법이 존재하지 않았으나, 현재는 **행정조사기본법**이 제정되어 있다. 또한 개별법에도 조사에 관한 규정이 존재한다. 예컨대 경찰관 직무집행법(제3조)상의 불심검문, 총포 · 도검 · 화약류 등 단속에 관한 법률(제44조)상의 출입 · 검사, 소방기본법(제30조)상의 출입 · 조사, 식품위생법(제17조)상의 식품검사, 소득세법(제170조)상의 질문 · 조사 등이 있다.

3 종류

1. 대상에 의한 구분

(1) 대인적 조사

신체수색, 질문, 불심검문, 음주운전측정 등

(2) 대물적 조사

장부 · 서류의 열람, 시설 · 물건의 검사 · 수거 등

(3) 대가택적 조사

주거 · 영업소 · 선박 · 항공기 등에 대한 출입 · 임검 · 수색 등

2. 성질에 의한 구분

(1) 권력적 행정조사

가택 · 신체수색, 물건의 수거 · 검사, 음주운전측정 등

(2) 비권력적 행정조사

여론조사, 임의적 공청회, 인구조사 등

3. 방법에 의한 구분

(1) 직접조사

사람의 신체 · 재산에 직접 실력을 가하는 조사(예 불심검문, 수색 등)

(2) 간접조사

사람의 신체 · 재산에 직접 실력을 가함이 없이 자료나 정보를 수집하는 조사(예 여론조사 등)

4. 범위에 의한 구분

(1) 일반조사

일반정책수립의 목적을 위한 조사(예 공익사업을 위한 토지 등의 취득 및 보상에 관한 법률상의 토지조서 및 물건조서의 작성 등)

(2) 개별조사

특정한 개별적 · 구체적인 목적을 위한 조사(예 통계법상의 국세조사 등)

5. 영역에 의한 구분

경찰상 목적인 경찰조사(예 불심검문 등), 경제행정상 목적인 경제행정조사(예 국세조사 등), 교육행정상 목적인 교육행정조사(예 취학예정아동조사 등), 보건복지행정상 목적인 보건행정조사(예 불량식품검사, AIDS 환자실태조사 등), 건설교통상 목적인 도로교통조사(예 통행차량조사) 등

4 기본원칙(행정조사기본법 제4조)

공공기관이 규제하는 영역이 확대됨에 따라 각종 행정기관이 기업 등을 대상으로 다양한 행정조사를 실시하고 있으나, 행정조사에 대한 기본원칙이 없어 행정편의에 따라 행정조사가 이루어지는 경향이 있었지만 행정조사기본법이 제정되어 행정조사의 일반원칙을 규정하게 되었다.

1. 조사범위의 최소화(비례의 원칙)

행정조사는 조사목적을 달성하는 데 필요한 **최소한의 범위 안**에서 실시하여야 하며, 다른 목적을 위하여 조사권을 남용하여서는 아니 된다.

2. 조사목적의 적합성

행정기관은 조사목적에 적합하도록 조사대상자를 선정하여 행정조사를 실시하여야 한다.

3. 중복조사의 제한

행정기관은 유사하거나 동일한 사안에 대하여는 **공동조사 등을 실시**함으로써 행정조사가 중복되지 아니하도록 하여야 한다.

4. 예방위주의 행정조사

행정조사는 법령 등의 위반에 대한 처벌보다는 법령 등을 준수하도록 유도하는 데 중점을 두어야 한다.

핵심 OX

01 행정조사는 조사목적을 달성하는 데 필요한 최소한의 범위 안에서 실시하여야 한다.
14. 서울9급, 09. 국회9급 ( )

02 행정기관은 조사목적에 적합하도록 조사대상자를 사전에 선정하지 않고 행정조사를 실시해야 한다.
09. 국회9급 ( )

03 행정기관은 유사하거나 동일한 사안에 대하여는 공동조사 등을 실시함으로써 행정조사가 중복되지 아니하도록 하여야 한다.
14. 국회8급 · 경특1차, 09. 국회8급 ( )

04 행정조사는 조사를 통해 법령 등의 위반사항을 발견하고 처벌하는 데 중점을 두어야 한다.
14. 서울9급, 10. 지방9급 ( )

01 ○ 02 X 03 ○ 04 X

핵심 OX

01 다른 법률에 따르지 아니하고는 행정조사의 대상자 또는 행정조사의 내용을 공표하거나 직무상 알게 된 비밀을 누설하여서는 아니 된다. 09. 국회9급 ( )

02 행정기관은 행정조사를 통하여 알게 된 정보를 임의로 다른 국가기관에 제공할 수 있다. 08. 지방9급 ( )

5. 조사내용 공표금지

다른 법률에 따르지 아니하고는 행정조사의 대상자 또는 행정조사의 내용을 공표하거나 직무상 알게 된 비밀을 누설하여서는 아니 된다.

6. 조사결과에 대한 이용제한

행정기관은 행정조사를 통하여 알게 된 정보를 다른 법률에 따라 내부에서 이용하거나 다른 기관에 제공하는 경우를 제외하고는 원래의 조사목적 이외의 용도로 이용하거나 타인에게 제공하여서는 아니 된다.

5 내용

1. 총칙

(1) 목적(제1조)

행정조사에 관한 기본원칙·행정조사의 방법 및 절차 등에 관한 공통적인 사항을 규정함으로써 행정의 공정성·투명성 및 효율성을 높이고, 국민의 권익을 보호함을 목적으로 한다.

핵심 OX

03 행정조사에 현장조사, 문서열람, 시료채취 보고요구, 자료제출요구, 진술요구는 포함되지만 출석요구는 포함되지 않는다. 10. 지방9급 ( )

04 행정조사를 행하는 행정기관에는 법령 및 조례·규칙에 따라 행정권한이 있는 기관뿐만 아니라 그 권한을 위임 또는 위탁받은 법인·단체 또는 그 기관이나 개인이 포함된다. 18. 지방9급 ( )

(2) 용어의 정의(제2조)

① **행정조사:** 행정기관이 정책을 결정하거나 직무를 수행하는 데 필요한 정보나 자료를 수집하기 위하여 현장조사·문서열람·시료채취 등을 하거나 조사대상자에게 보고요구·자료제출요구 및 출석·진술요구를 행하는 활동을 말한다.

② **행정기관:** 법령 및 조례·규칙에 따라 행정권한이 있는 기관과 그 권한을 위임 또는 위탁받은 법인·단체 또는 그 기관이나 개인을 말한다.

③ **조사원:** 행정조사업무를 수행하는 행정기관의 공무원·직원 또는 개인을 말한다.

④ **조사대상자:** 행정조사의 대상이 되는 법인·단체 또는 그 기관이나 개인을 말한다.

핵심 OX

05 근로기준법상 근로감독관의 직무에 관한 사항에 대하여는 행정조사기본법이 적용된다. 12. 지방9급 ( )

06 조세에 관한 사항도 행정조사기본법상 행정조사의 대상에 해당한다. 14. 국회8급, 10. 지방9급 ( )

07 금융감독기관의 감독·검사·조사에 대하여는 행정조사기본법이 적용될 여지가 없다. 12·08. 지방9급, 12. 지방7급 ( )

01 ○ 02 X 03 X 04 ○ 05 X 06 X 07 X

(3) 적용범위(제3조)

① 행정조사에 관하여 다른 법률에 특별한 규정이 있는 경우를 제외하고는 행정조사기본법으로 정하는 바에 따른다.

② 다음의 어느 하나에 해당하는 사항에 대하여는 행정조사기본법을 적용하지 아니한다.

㉠ 행정조사를 한다는 사실이나 조사내용이 공개될 경우 국가의 존립을 위태롭게 하거나 국가의 중대한 이익을 현저히 해칠 우려가 있는 국가안전보장·통일 및 외교에 관한 사항

㉡ 국방 및 안전에 관한 사항 중 다음의 어느 하나에 해당하는 사항

ⓐ 군사시설·군사기밀보호 또는 방위사업에 관한 사항

ⓑ 병역법·예비군법·민방위기본법·비상대비자원 관리법에 따른 징집·소집·동원 및 훈련에 관한 사항

㉢ 공공기관의 정보공개에 관한 법률 제4조 제3항의 정보에 관한 사항

㉣ 근로기준법 제101조에 따른 **근로감독관의 직무**에 관한 사항

ⓜ **조세·형사·행형 및 보안처분**에 관한 사항

ⓑ **금융감독기관**의 감독·검사·조사 및 감리에 관한 사항

ⓢ 독점규제 및 공정거래에 관한 법률, 표시·광고의 공정화에 관한 법률, 하도급거래 공정화에 관한 법률, 가맹사업거래의 공정화에 관한 법률, 방문판매 등에 관한 법률, 전자상거래 등에서의 소비자보호에 관한 법률, 약관의 규제에 관한 법률 및 할부거래에 관한 법률에 따른 공정거래위원회의 법률위반행위 조사에 관한 사항

③ 위 규정에도 불구하고 제4조(행정조사의 기본원칙), 제5조(행정조사의 근거) 및 제28조(정보통신수단을 통한 행정조사)는 ②의 사항에 대하여 적용한다.

2. 조사계획의 수립 및 조사대상의 선정

(1) 연도별 행정조사운영계획의 수립 및 제출(제6조)

① **행정기관의 장**은 매년 12월 말까지 다음 연도의 **행정조사운영계획**을 수립하여 국무조정실장에게 제출하여야 한다. 다만, 행정조사운영계획을 제출해야 하는 행정기관의 구체적인 범위는 대통령령으로 정한다.

② 행정기관의 장이 행정조사운영계획을 수립하는 때에는 행정조사의 기본원칙에 따라야 한다.

③ 행정조사운영계획에는 조사의 종류, 조사방법, 공동조사 실시계획, 중복조사 방지계획, 그 밖에 대통령령으로 정하는 사항이 포함되어야 한다.

④ 국무조정실장은 행정기관의 장이 제출한 행정조사운영계획을 검토한 후 그에 대한 보완을 요청할 수 있다. 이 경우 행정기관의 장은 특별한 사정이 없는 한 이에 응하여야 한다.

(2) 조사의 주기(제7조)

행정조사는 법령 등 또는 행정조사운영계획으로 정하는 바에 따라 **정기적으로 실시**함을 원칙으로 한다. 다만, 다음 중 어느 하나에 해당하는 경우에는 **수시조사**를 할 수 있다.

① **법률**에서 수시조사를 규정하고 있는 경우

② 법령 등의 위반에 대하여 **혐의**가 있는 경우

③ 다른 행정기관으로부터 법령 등의 위반에 관한 **혐의를 통보 또는 이첩**받은 경우

④ 법령 등의 위반에 대한 **신고**를 받거나 **민원**이 접수된 경우

⑤ 그 밖에 행정조사의 필요성이 인정되는 사항으로서 대통령령으로 정하는 경우

(3) 조사대상의 선정(제8조)

① 행정기관의 장은 행정조사의 목적, 법령준수의 실적, 자율적인 준수를 위한 노력, 규모와 업종 등을 고려하여 명백하고 객관적인 기준에 따라 행정조사의 대상을 선정하여야 한다.

② 조사대상자는 조사대상 선정기준에 대한 열람을 행정기관의 장에게 신청할 수 있다.

③ 행정기관의 장이 열람신청을 받은 때에는 다음 어느 하나에 해당하는 경우를 제외하고 신청인이 조사대상 선정기준을 열람할 수 있도록 하여야 한다.

핵심 OX

08 행정조사는 수시로 실시함을 원칙으로 한다. 15. 경특1차, 14·09. 국회8급 ( )

09 행정기관의 장은 행정조사의 목적, 법령준수의 실적, 자율적인 준수를 위한 노력, 규모와 업종 등을 고려하여 명백하고 객관적인 기준에 따라 행정조사의 대상을 선정하여야 한다. 14. 국회8급 ( )

10 조사대상자는 법령 등에서 규정하고 있는 경우에 한하여 조사대상 선정기준에 대한 열람을 행정기관의 장에게 신청할 수 있다. 15. 지방9급 ( )

11 조사대상의 선정에 있어 자율준수 노력 등을 고려함은 형평에 어긋나므로 허용되지 않는다. 09. 국회8급 ( )

08 X **09** O **10** X **11** X

ㄱ 행정기관의 당해 행정조사업무를 수행할 수 없을 정도로 조사활동에 지장을 초래하는 경우
ㄴ 내부고발자 등 제3자에 대한 보호가 필요한 경우

3. 행정조사의 방법

(1) 출석 · 진술요구(제9조)

① 행정기관의 장이 조사대상자의 출석 · 진술을 요구하는 때에는 일정한 사항이 기재된 **출석요구서를 발송**하여야 한다.

② 조사대상자는 지정된 출석일시에 출석하는 경우 업무 또는 생활에 지장이 있는 때에는 행정기관의 장에게 출석일시를 변경하여 줄 것을 신청할 수 있으며, 변경신청을 받은 행정기관의 장은 행정조사의 목적을 달성할 수 있는 범위 안에서 출석일시를 변경할 수 있다.

③ 출석한 조사대상자가 출석요구서에 기재된 내용을 이행하지 아니하여 행정조사의 목적을 달성할 수 없는 경우를 제외하고는 조사원은 조사대상자의 **1회** 출석으로 당해 조사를 종결하여야 한다.

(2) 보고요구와 자료제출의 요구(제10조)

① **보고요구**: 행정기관의 장은 조사대상자에게 조사사항에 대하여 보고를 요구하는 때에는 일정한 사항이 포함된 보고요구서를 발송하여야 한다.

② **자료제출의 요구**: 행정기관의 장은 조사대상자에게 장부 · 서류나 그 밖의 자료를 제출하도록 요구할 때에는 일정한 사항이 포함된 자료제출요구서를 발송해야 한다.

(3) 현장조사(제11조)

① 조사원이 가택 · 사무실 또는 사업장 등에 출입하여 현장조사를 실시하는 경우에는 행정기관의 장은 일정한 사항이 기재된 현장출입조사서 또는 법령 등에서 현장조사 시 제시하도록 규정하고 있는 문서를 조사대상자에게 발송하여야 한다.

② 현장조사는 해가 뜨기 전이나 해가 진 뒤에는 할 수 없다. 다만, 다음의 어느 하나에 해당하는 경우에는 그러하지 아니하다.

ㄱ 조사대상자(대리인 및 관리책임이 있는 자를 포함)가 **동의**한 경우
ㄴ 사무실 또는 사업장 등의 **업무시간**에 행정조사를 실시하는 경우
ㄷ 해가 뜬 후부터 해가 지기 전까지 행정조사를 실시하는 경우에는 조사목적의 달성이 불가능하거나 **증거인멸**로 인하여 조사대상자의 법령 등의 위반 여부를 확인할 수 없는 경우

③ 현장조사를 하는 조사원은 그 권한을 나타내는 증표를 지니고 이를 조사대상자에게 내보여야 한다.

(4) 시료채취와 손실보상(제12조)

① **시료채취**: 조사원이 조사목적의 달성을 위하여 시료채취를 하는 경우에는 그 시료의 소유자 및 관리자의 정상적인 경제활동을 방해하지 아니하는 범위 안에서 최소한도로 하여야 한다.

② **손실보상**: 행정기관의 장은 시료채취로 조사대상자에게 손실을 입힌 때에는 대통령령으로 정하는 절차와 방법에 따라 그 손실을 보상하여야 한다.

핵심 OX

01 조사대상자가 조사대상 선정기준에 대한 열람을 신청한 경우에 행정기관은 그 열람이 당해 행정조사업무를 수행할 수 없을 정도로 조사활동에 지장을 초래한다는 이유로 열람을 거부할 수 없다. 18. 지방9급 (   )

핵심 OX

02 현장조사는 조사대상자가 동의한 경우에도 해가 뜨기 전이나 해가 진 뒤에는 할 수 없다. 09. 국가9급 (   )

핵심 OX

03 조사원이 조사목적의 달성을 위하여 시료채취를 하는 경우 이로 인하여 조사대상자에게 손실을 입힌 때에는 법령이 정하는 절차와 방법에 따라 그 손실을 보상하여야 한다. 08. 지방7급 (   )

01 X **02** X **03** O

관련판례

행정청이 현장조사를 실시하는 과정에서 조사상대방으로부터 구체적인 위반사실을 자인하는 내용의 확인서를 작성받은 경우, 그 확인서의 증거가치를 부정할 수 있는지 여부(원칙적 소극)

행정청이 현장조사를 실시하는 과정에서 조사상대방으로부터 구체적인 위반사실을 자인하는 내용의 확인서를 작성받았다면, 그 확인서가 작성자의 의사에 반하여 강제로 작성되었거나 또는 내용의 미비 등으로 구체적인 사실에 대한 증명자료로 삼기 어렵다는 등의 특별한 사정이 없는 한 그 확인서의 증거가치를 쉽게 부정할 수 없다 (대판 2017.7.11. 2015두2864).

(5) 자료 등의 영치(제13조)

① 조사원이 현장조사 중에 자료 · 서류 · 물건 등을 영치하는 때에는 조사대상자 또는 그 대리인을 입회시켜야 한다.

② 조사원이 자료 등을 영치하는 경우에 조사대상자의 생활이나 영업이 사실상 불가능하게 될 우려가 있는 때에는 조사원은 자료 등을 사진으로 촬영하거나 사본을 작성하는 등의 방법으로 영치에 갈음할 수 있다. 다만, 증거인멸의 우려가 있는 자료 등을 영치하는 경우에는 그러하지 아니하다.

③ 조사원이 영치를 완료한 때에는 영치조서 2부를 작성하여 입회인과 함께 서명날인하고 그중 1부를 입회인에게 교부하여야 한다.

④ 행정기관의 장은 영치한 자료 등이 다음의 어느 하나에 해당하는 경우에는 이를 즉시 반환하여야 한다.

㉠ 영치한 자료 등을 검토한 결과 당해 행정조사와 관련이 없다고 인정되는 경우

㉡ 당해 행정조사의 목적의 달성 등으로 자료 등에 대한 영치의 필요성이 없게 된 경우

(6) 공동조사(제14조)

① 행정기관의 장은 다음의 어느 하나에 해당하는 행정조사를 하는 경우에는 **공동조사**를 하여야 한다(재량이 아닌 **기속**).

㉠ 당해 행정기관 내의 2 이상의 부서가 동일하거나 유사한 업무분야에 대하여 동일한 조사대상자에게 행정조사를 실시하는 경우

㉡ 서로 다른 행정기관이 대통령령으로 정하는 분야에 대하여 동일한 조사대상자에게 행정조사를 실시하는 경우

② 공동조사사항에 대하여 행정조사의 사전통지를 받은 조사대상자는 관계 행정기관의 장에게 공동조사를 실시하여 줄 것을 신청할 수 있다. 이 경우 조사대상자는 신청인의 성명 · 조사일시 · 신청이유 등이 기재된 공동조사신청서를 관계 행정기관의 장에게 제출하여야 한다.

③ 공동조사를 요청받은 행정기관의 장은 이에 응하여야 한다.

④ 국무조정실장은 행정기관의 장이 제출한 행정조사운영계획의 내용을 검토한 후 관계 부처의 장에게 공동조사의 실시를 요청할 수 있다.

핵심 OX

04 조사원이 현장조사 중에 자료 · 서류 · 물건 등을 영치하는 경우에 조사대상자의 생활이나 영업이 사실상 불가능하게 될 우려가 있는 때에는 조사원은 증거인멸의 우려가 있는 경우가 아니라면 사진촬영 등의 방법으로 영치에 갈음할 수 있다. 18. 국가7급 ( )

핵심 OX

05 당해 행정기관 내의 2 이상의 부서가 동일하거나 유사한 업무분야에 대하여 동일한 조사대상자에게 행정조사를 실시하는 경우 행정기관의 장은 공동조사를 실시할 수 있다. 15. 경특1차 ( )

04 ○ **05** X

핵심 OX

01 정기조사 또는 수시조사를 실시한 행정기관의 장은 조사대상자의 자발적인 협조를 얻어 실시하는 경우가 아닌 한, 동일한 사안에 대하여 동일한 조사대상자를 재조사하여서는 아니 된다. 18. 지방9급 ( )

(7) 중복조사의 제한(제15조)

① 정기조사 또는 수시조사를 실시한 행정기관의 장은 동일한 사안에 대하여 동일한 조사대상자를 재조사하여서는 아니 된다. 다만, 당해 행정기관이 이미 조사를 받은 조사대상자에 대하여 위법행위가 의심되는 새로운 증거를 확보한 경우에는 그러하지 아니하다.

② 행정조사를 실시할 행정기관의 장은 행정조사를 실시하기 전에 다른 행정기관에서 동일한 조사대상자에게 동일하거나 유사한 사안에 대하여 행정조사를 실시하였는지 여부를 확인할 수 있다.

③ 행정조사를 실시할 행정기관의 장이 ②의 사실을 확인하기 위하여 행정조사의 결과에 대한 자료를 요청하는 경우, 요청받은 행정기관의 장은 특별한 사유가 없는 한 관련 자료를 제공하여야 한다.

관련판례

구 국세기본법 제81조의4 제2항에 따라 금지되는 재조사에 기하여 과세처분을 하는 것이 그 자체로 위법한지 여부(원칙적 적극) 및 이는 과세관청이 그러한 재조사로 얻은 과세자료를 과세처분의 근거로 삼지 않았다거나 이를 배제하고서도 동일한 과세처분이 가능한 경우에도 마찬가지인지 여부(적극)

세무조사는 기본적으로 적정하고 공평한 과세의 실현을 위하여 필요한 최소한의 범위 안에서만 행하여져야 하고, 더욱이 같은 세목 및 같은 과세기간에 대한 재조사는 납세자의 영업의 자유나 법적 안정성을 심각하게 침해할 뿐만 아니라 세무조사권의 남용으로 이어질 우려가 있으므로 조세공평의 원칙에 현저히 반하는 예외적인 경우를 제외하고는 금지할 필요가 있다. 같은 취지에서 국세기본법은 재조사가 예외적으로 허용되는 경우를 엄격히 제한하고 있는바, 그와 같이 한정적으로 열거된 요건을 갖추지 못한 경우 같은 세목 및 같은 과세기간에 대한 재조사는 원칙적으로 금지되고, 나아가 이러한 중복세무조사금지의 원칙을 위반한 때에는 과세처분의 효력을 부정하는 방법으로 통제할 수밖에 없는 중대한 절차적 하자가 존재한다고 보아야 한다. 구 국세기본법 제81조의4 제1항, 제2항 규정의 문언과 체계, 재조사를 엄격하게 제한하는 입법 취지, 그 위반의 효과 등을 종합하여 보면, 구 국세기본법 제81조의4 제2항에 따라 금지되는 재조사에 기하여 과세처분을 하는 것은 단순히 당초 과세처분의 오류를 경정하는 경우에 불과하다는 등의 특별한 사정이 없는 한 그 자체로 위법하고, 이는 과세관청이 그러한 재조사로 얻은 과세자료를 과세처분의 근거로 삼지 않았다거나 이를 배제하고서도 동일한 과세처분이 가능한 경우라고 하여 달리 볼 것은 아니다(대판 2017.12.13. 2016두55421).

4. 행정조사의 실시

(1) 개별조사계획의 수립(제16조)

① 행정조사를 실시하고자 하는 행정기관의 장은 사전통지를 하기 전에 개별조사계획을 수립하여야 한다. 다만, 행정조사의 시급성으로 행정조사계획을 수립할 수 없는 경우에는 행정조사에 대한 결과보고서로 개별조사계획을 갈음할 수 있다.

② 개별조사계획에는 조사의 목적 · 종류 · 대상 · 방법 및 기간, 그 밖에 대통령령으로 정하는 사항이 포함되어야 한다.

01 X

(2) 조사의 사전통지(제17조)[1]

① 행정조사를 실시하고자 하는 행정기관의 장은 출석요구서(제9조), 보고요구서·자료제출요구서(제10조) 및 현장출입조사서(제11조)를 **조사개시 7일 전까지** 조사대상자에게 서면으로 통지하여야 한다. 다만, 다음의 어느 하나에 해당하는 경우에는 행정조사의 개시와 동시에 출석요구서 등을 조사대상자에게 제시하거나 행정조사의 목적 등을 조사대상자에게 구두로 통지할 수 있다.

㉠ 행정조사를 실시하기 전에 관련 사항을 미리 통지하는 때에는 증거인멸 등으로 행정조사의 목적을 달성할 수 없다고 판단되는 경우

㉡ 통계법 제3조 제2호에 따른 지정통계의 작성을 위하여 조사하는 경우

㉢ 행정조사기본법 제5조 단서에 따라 조사대상자의 자발적인 협조를 얻어 실시하는 행정조사의 경우

② 행정기관의 장이 출석요구서 등을 조사대상자에게 발송하는 경우 출석요구서 등의 내용이 외부에 공개되지 아니하도록 필요한 조치를 하여야 한다.

(3) 조사의 연기신청(제18조)

① 출석요구서 등을 통지받은 자가 천재지변이나 그 밖에 대통령령으로 정하는 사유로 인하여 행정조사를 받을 수 없는 때에는 당해 행정조사를 연기하여 줄 것을 행정기관의 장에게 요청할 수 있다.

② 연기요청을 하고자 하는 자는 연기하고자 하는 기간과 사유가 포함된 연기신청서를 행정기관의 장에게 제출하여야 한다.

③ 행정기관의 장은 행정조사의 연기요청을 받은 때에는 연기요청을 받은 날부터 **7일 이내**에 조사의 연기 여부를 결정하여 조사대상자에게 통지하여야 한다.

(4) 제3자에 대한 보충조사(제19조)

① 행정기관의 장은 조사대상자에 대한 조사만으로는 당해 행정조사의 목적을 달성할 수 없거나, 조사대상이 되는 행위에 대한 사실 여부 등을 입증하는 데 과도한 비용 등이 소요되는 경우로서 다음의 어느 하나에 해당하는 경우에는 제3자에 대하여 보충조사를 할 수 있다.

㉠ 다른 법률에서 제3자에 대한 조사를 허용하고 있는 경우

㉡ 제3자의 동의가 있는 경우

② 행정기관의 장은 제3자에 대한 보충조사를 실시하는 경우에는 조사개시 **7일 전까지** 보충조사의 일시·장소 및 보충조사의 취지 등을 제3자에게 서면으로 통지하여야 한다.

③ 행정기관의 장은 제3자에 대한 보충조사를 하기 전에 그 사실을 원래의 조사대상자에게 하여야 한다. 다만, 제3자에 대한 보충조사를 사전에 통지하여서는 조사목적을 달성할 수 없거나 조사목적의 달성이 현저히 곤란한 경우에는 제3자에 대한 조사결과를 확정하기 전에 그 사실을 통지하여야 한다.

④ 원래의 조사대상자는 통지에 대하여 의견을 제출할 수 있다.

---

[1] 행정조사기본법에 나오는 날짜는 모두 7일

핵심 OX

02 행정조사를 실시하고자 하는 행정기관의 장은 출석요구서 등을 조사개시 3일 전까지 조사대상자에게 서면으로 통지하여야 한다.
09. 국가9급 ( )

03 행정조사기본법에 따르면, 행정조사를 실시하는 경우 조사개시 7일 전까지 조사대상자에게 출석요구서, 보고요구서·자료제출요구서, 현장출입조사서를 서면으로 통지하여야 하나, 조사대상자의 자발적인 협조를 얻어 행정조사를 실시하는 경우에는 미리 서면으로 통지하지 않고 행정조사의 개시와 동시에 이를 조사대상자에게 제시할 수 있다.
18. 국가9급, 09. 국회8급 ( )

04 행정기관의 장은 법령 등에 특별한 규정이 있는 경우를 제외하고는 행정조사의 결과를 확정한 날로부터 7일 이내에 그 결과를 조사대상자에게 통지하여야 한다.
18. 서울7급, 15. 경특1차 ( )

02 X **03** O **04** O

(5) 자발적인 협조에 따라 실시하는 행정조사(제20조)

① 행정기관의 장이 조사대상자의 **자발적인 협조**를 얻어 행정조사를 실시하고자 하는 경우 조사대상자는 **문서 · 전화 · 구두** 등의 방법으로 당해 행정조사를 거부할 수 있다.

② 자발적인 협조에 따른 행정조사에 대하여 조사대상자가 조사에 응할 것인지에 대한 **응답을 하지 아니하는 경우**에는 법령 등에 특별한 규정이 없는 한 그 **조사를 거부**한 것으로 본다.

③ 행정기관의 장은 자발적인 협조에 따른 조사거부자의 인적사항 등에 관한 기초자료는 특정 개인을 식별할 수 없는 형태로 통계를 작성하는 경우에 한하여 이를 이용할 수 있다.

(6) 의견제출(제21조)

① 조사대상자는 조사의 사전통지의 내용에 대하여 행정기관의 장에게 의견을 제출할 수 있다.

② 행정기관의 장은 조사대상자가 제출한 의견이 상당한 이유가 있다고 인정하는 경우에는 이를 행정조사에 반영하여야 한다.

(7) 조사원 교체신청(제22조)

① 조사대상자는 조사원에게 공정한 행정조사를 기대하기 어려운 사정이 있다고 판단되는 경우에는 행정기관의 장에게 당해 조사원의 교체를 신청할 수 있다.

② 교체신청은 그 이유를 명시한 서면으로 행정기관의 장에게 하여야 하며, 교체신청을 받은 행정기관의 장은 즉시 이를 심사하여야 한다.

③ 행정기관의 장은 교체신청이 타당하다고 인정되는 경우에는 다른 조사원으로 하여금 행정조사를 하게 하여야 한다.

④ 행정기관의 장은 교체신청이 조사를 지연할 목적으로 한 것이거나 그 밖에 교체신청에 타당한 이유가 없다고 인정되는 때에는 그 신청을 기각하고 그 취지를 신청인에게 통지하여야 한다.

(8) 조사권 행사의 제한(제23조)

① 조사원은 조사대상자의 출석 · 진술요구(제9조), 보고요구와 자료제출의 요구(제10조), 현장조사(제11조)에 따라 사전에 발송된 사항에 한하여 조사대상자를 조사하되, 사전통지한 사항과 관련된 추가적인 행정조사가 필요할 경우에는 조사대상자에게 추가조사의 필요성과 조사내용 등에 관한 사항을 서면이나 구두로 통보한 후 추가조사를 실시할 수 있다.

② 조사대상자는 법률 · 회계 등에 대하여 전문지식이 있는 관계전문가로 하여금 행정조사를 받는 과정에 입회하게 하거나 의견을 진술하게 할 수 있다.

③ 조사대상자와 조사원은 조사과정을 방해하지 아니하는 범위 안에서 행정조사의 과정을 녹음하거나 녹화할 수 있다. 이 경우 녹음 · 녹화의 범위 등은 상호 협의하여 정하여야 한다.

④ 조사대상자와 조사원이 녹음이나 녹화를 하는 경우에는 사전에 이를 당해 행정기관의 장에게 통지하여야 한다.

핵심 OX

01 행정기관의 장이 조사대상자의 자발적인 협조를 얻어 행정조사를 실시하고자 하는 경우 조사대상자는 문서 · 전화 · 구두 등의 방법으로 당해 행정조사를 거부할 수 있다. 23. 지방9급, 18. 국가7급, 15. 지방9급 ( )

02 자발적인 협조에 따라 실시하는 행정조사에 있어 조사대상자가 조사에 응할 것인지에 대한 응답을 하지 않은 경우에는 그 조사에 동의한 것으로 간주된다. 09. 국회8급 ( )

03 행정기관의 장은 조사대상자가 제출한 의견이 상당한 이유가 있다고 인정하는 경우 이를 행정조사에 반영할 수 있다. ( )

04 조사대상자는 조사원에게 공정한 행정조사를 기대하기 어려운 사정이 있다고 판단되는 경우에는 행정기관의 장에게 당해 조사원의 교체를 신청할 수 있다. 15. 서울7급 ( )

05 조사대상자는 행정기관의 장이 승인하지 않는 한 조사원의 교체신청을 할 수 없다. 10. 지방9급 ( )

06 조사대상자에 의한 조사원 교체신청은 그 이유를 명시한 서면으로 행정기관의 장에게 하여야 한다. 15. 지방9급 ( )

핵심 OX

07 조사대상자는 법률, 회계 등에 대하여 전문지식이 있는 관계 전문가로 하여금 행정조사를 받는 과정에 입회하게 하거나 의견을 진술하게 할 수 있다. 15. 서울7급 ( )

08 조사대상자와 조사원은 조사과정을 방해하지 아니하는 범위 안에서 행정조사의 과정을 녹음하거나 녹화할 수 있다. 15. 서울7급 ( )

01 ○ **02** X **03** X **04** ○ **05** X **06** ○ **07** ○ **08** ○

(9) 조사결과의 통지(제24조)

행정기관의 장은 법령 등에 특별한 규정이 있는 경우를 제외하고는 행정조사의 결과를 확정한 날부터 7일 이내에 그 결과를 조사대상자에게 통지하여야 한다.

5. 자율관리체제의 구축 등

행정조사대상자가 조사내용을 스스로 신고하도록 하고, 신고한 조사내용에 대하여는 행정조사에 갈음할 수 있도록 하는 자율신고제도 등을 도입하여, 성실한 자율신고자에게는 행정조사를 감면해 주는 등 동기를 부여할 수 있도록 하고, 정보화 등 시대적 환경 변화에 맞추어 행정조사운영체계를 개편함으로써 국민이 참여하는 행정을 구현하고, 행정조사사항에 대한 자발적인 신고 등을 통하여 조사대상자의 자율성을 신장하며, 행정조사대상자의 부담이 경감되도록 하였다.

(1) 자율신고제도(제25조)

① 행정기관의 장은 법령 등에서 규정하고 있는 조사사항을 조사대상자로 하여금 스스로 신고하도록 하는 제도를 운영할 수 있다.

② 행정기관의 장은 조사대상자가 신고한 내용이 거짓의 신고라고 인정할 만한 근거가 있거나 신고내용을 신뢰할 수 없는 경우를 제외하고는 그 신고내용을 행정조사에 갈음할 수 있다.

(2) 자율관리체제의 구축(제26조)

① 행정기관의 장은 조사대상자가 자율적으로 행정조사사항을 신고 · 관리하고, 스스로 법령준수사항을 통제하도록 하는 체제의 기준을 마련하여 고시할 수 있다.

② 다음의 어느 하나에 해당하는 자는 자율관리체제를 구축하여 대통령령으로 정하는 절차와 방법에 따라 행정기관의 장에게 신고할 수 있다.

㉠ 조사대상자

㉡ 조사대상자가 법령 등에 따라 설립하거나 자율적으로 설립한 단체 또는 협회

③ 국가와 지방자치단체는 행정사무의 효율적인 집행과 법령 등의 준수를 위하여 조사대상자의 자율관리체제 구축을 지원하여야 한다.

(3) 자율관리에 대한 혜택의 부여(제27조)

행정기관의 장은 자율신고를 하는 자와 자율관리체제를 구축하고 자율관리체제의 기준을 준수한 자에 대하여는 법령 등으로 규정한 바에 따라 행정조사의 감면 또는 행정 · 세제상의 지원을 하는 등 필요한 혜택을 부여할 수 있다.

6. 보칙

(1) 정보통신수단을 통한 행정조사(제28조)

① 행정기관의 장은 인터넷 등 정보통신망을 통하여 조사대상자로 하여금 자료의 제출 등을 하게 할 수 있다.

② 행정기관의 장은 정보통신망을 통하여 자료의 제출 등을 받은 경우에는 조사대상자의 신상이나 사업비밀 등이 유출되지 아니하도록 제도적 · 기술적 보안조치를 강구하여야 한다.

핵심 OX

09 행정기관의 장은 조사대상자가 신고한 내용이 거짓의 신고라고 인정할 만한 근거가 있거나 신고내용을 신뢰할 수 없는 경우를 제외하고는 그 신고내용을 행정조사에 갈음하여야 한다. 12. 사복 ( )

핵심 OX

10 행정기관의 장은 인터넷 등 정보통신망을 통하여 조사대상자로 하여금 자료의 제출 등을 하게 할 수 있다. 15. 지방9급 ( )

09 X 10 O

(2) 행정조사의 점검과 평가(제29조)

① 국무조정실장은 행정조사의 효율성 · 투명성 및 예측가능성을 제고하기 위하여 각급 행정기관의 행정조사 실태, 공동조사 실시현황 및 중복조사 실시 여부 등을 확인 · 점검하여야 한다.

② 국무조정실장은 확인 · 점검결과를 평가하여 대통령령으로 정하는 절차와 방법에 따라 국무회의와 대통령에게 보고하여야 한다.

③ 국무조정실장은 확인 · 점검을 위하여 각급 행정기관의 장에게 행정조사의 결과 및 공동조사의 현황 등에 관한 자료의 제출을 요구할 수 있다.

6 한계

1. 실체법적 한계(제5조)

조사대상자의 자발적인 협조를 얻어 실시하는 행정조사의 경우를 제외하고는, 행정기관은 법령 등에서 행정조사를 규정하고 있는 경우에 한하여 행정조사를 실시할 수 있다.

관련판례

헌법 제12조 제1항에서 규정하고 있는 적법절차의 원칙은 형사소송절차에 국한되지 아니하고 모든 국가작용 전반에 대하여 적용된다. 세무조사는 국가의 과세권을 실현하기 위한 행정조사의 일종으로서 과세자료의 수집 또는 신고내용의 정확성 검증 등을 위하여 필요불가결하며, 종국적으로는 조세의 탈루를 막고 납세자의 성실한 신고를 담보하는 중요한 기능을 수행한다. 이러한 세무공무원의 세무조사권의 행사에서도 적법절차의 원칙은 마땅히 준수되어야 한다(대판 2014.6.26. 2012두911).

2. 절차법적 한계

(1) 행정조사와 영장주의

권력적 조사인 질문 · 검사 · 가택출입 등에 영장주의가 적용될 것인가에 대하여는 행정상 즉시강제와 마찬가지로 절충설이 다수설이다. 즉, 행정조사도 상대방의 신체나 재산에 실력을 가하는 것이므로 원칙적으로 **영장주의**가 적용되나, 다만 형사처벌을 위한 조사작용이 아니거나 긴급을 요하는 불가피한 경우에는 예외가 인정될 수 있다.

관련판례

1 우편물 통관검사절차에서 압수 · 수색영장 없이 진행된 우편물의 개봉, 시료채취, 성분분석 등 검사의 적법 여부(원칙적 적극)

관세법 제246조 제1항 · 제2항, 제257조, '국제우편물 수입통관 사무처리' 제1-2조 제2항, 제1-3조, 제3-6조, 구 '수출입물품 등의 분석사무 처리에 관한 시행세칙' 등과 관세법이 관세의 부과 · 징수와 아울러 수출입물품의 통관을 적정하게 함을 목적으로 한다는 점(관세법 제1조)에 비추어 보면, 우편물 통관검사절차에서 이루어지는 우편물의 개봉, 시료채취, 성분분석 등의 검사는 수출입물품에 대한 적정한 통관 등을 목적으로 한 행정조사의 성격을 가지는 것으로서 수사기관의

핵심 OX

01 우편물 통관검사절차에서 이루어지는 우편물의 개봉, 시료채취, 성분분석 등의 검사는 수출입물품에 대한 적정한 통관 등을 목적으로 한 행정조사의 성격을 가지는 것으로서 수사기관의 강제처분이라고 할 수 없다. 18. 국가7급 ( )

01 ○

강제처분이라고 할 수 없으므로, 압수·수색영장 없이 우편물의 개봉, 시료채취, 성분분석 등 검사가 진행되었다 하더라도 특별한 사정이 없는 한 위법하다고 볼 수 없다(대판 2013.9.26. 2013도7718).

2 수출입물품을 검사하는 과정에서 마약류가 감추어져 있다고 밝혀지거나 그러한 의심이 드는 경우, 마약류 불법거래 방지에 관한 특례법 제4조 제1항에 따라 검사의 요청으로 세관장이 행하는 조치에 영장주의 원칙이 적용되는지 여부(한정 적극)/위 조항에 따른 조치의 일환으로 특정한 수출입물품을 개봉하여 검사하고 그 내용물의 점유를 취득한 행위가 범죄수사인 압수 또는 수색에 해당하여 사전 또는 사후에 영장을 받아야 하는지 여부(적극)

수사기관에 의한 압수·수색의 경우 헌법과 형사소송법이 정한 적법절차와 영장주의 원칙은 법률에 따라 허용된 예외사유에 해당하지 않는 한 관철되어야 한다. 세관공무원이 수출입 물품을 검사하는 과정에서 마약류가 감추어져 있다고 밝혀지거나 그러한 의심이 드는 경우, 검사는 마약류의 분산을 방지하기 위하여 충분한 감시체제를 확보하고 있어 수사를 위하여 이를 외국으로 반출하거나 대한민국으로 반입할 필요가 있다는 요청을 세관장에게 할 수 있고, 세관장은 그 요청에 응하기 위하여 필요한 조치를 할 수 있다(마약류 불법거래 방지에 관한 특례법 제4조 제1항). 그러나 이러한 조치가 수사기관에 의한 압수·수색에 해당하는 경우에는 영장주의 원칙이 적용된다. 물론 수출입물품 통관검사절차에서 이루어지는 물품의 개봉, 시료채취, 성분분석 등의 검사는 수출입물품에 대한 적정한 통관 등을 목적으로 조사를 하는 것으로서 이를 수사기관의 강제처분이라고 할 수 없으므로, 세관공무원은 압수·수색영장 없이 이러한 검사를 진행할 수 있다. 세관공무원이 통관검사를 위하여 직무상 소지하거나 보관하는 물품을 수사기관에 임의로 제출한 경우에는 비록 소유자의 동의를 받지 않았더라도 수사기관이 강제로 점유를 취득하지 않은 이상 해당 물품을 압수하였다고 할 수 없다. 그러나 마약류 불법거래 방지에 관한 특례법 제4조 제1항에 따른 조치의 일환으로 특정한 수출입물품을 개봉하여 검사하고 그 내용물의 점유를 취득한 행위는 위에서 본 수출입물품에 대한 적정한 통관 등을 목적으로 조사를 하는 경우와는 달리, 범죄수사인 압수 또는 수색에 해당하여 사전 또는 사후에 영장을 받아야 한다(대판 2017.7.18. 2014도8719).

(2) 사전통지(제17조)

행정조사를 실시하고자 하는 행정기관의 장은 출석요구서(제9조), 보고요구서·자료제출요구서(제10조) 및 현장출입조사서(제11조)를 **조사개시 7일 전까지** 조사대상자에게 서면으로 통지하도록 규정하고 있다.

(3) 증표의 제시(제11조 제3항)

현장조사를 하는 조사원은 그 권한을 나타내는 증표를 지니고 이를 조사대상자에게 내보여야 한다고 규정하고 있다.

(4) 행정조사와 진술거부권

헌법 제12조에 따른 형사상 불리한 진술을 거부할 수 있는 진술거부권은 형사절차에 있어서의 진술거부권을 인정한 것으로 행정조사를 위한 질문에는 적용되지 않는다 할 것이나, 질문 등이 행정조사와 형사추급을 목적으로 행사되는 경우에는 **진술거부권이 적용**된다고 할 것이다.

3. 실력행사의 가능성

적법한 조사를 위한 가택출입 · 검사 · 질문 등에 대해 상대방이 이를 거부하는 경우 행정청이 실력으로 필요한 조사를 할 수 있는지가 문제된다. 이에 대해 현행법은 출입 · 검사를 거부하거나 방해하는 경우 대체로 처벌이나 불이익처분 등 행정상 제재를 두고 있으므로 실력행사는 허용되지 않는다고 보는 것이 다수설의 견해이다.

핵심 OX

01 조사대상자가 행정조사의 실시를 거부하거나 방해하는 경우 조사원은 행정조사기본법상의 명문규정에 의하여 조사대상자의 신체와 재산에 대해 실력을 행사할 수 있다. 18. 국가7급 ( )

02 행정조사의 상대방이 조사를 거부하는 경우에 공무원이 실력행사를 하여 강제로 조사할 수 있는지 여부에 대해서는 견해가 대립한다. 14. 국가9급 ( )

7 행정조사에 대한 구제

1. 적법한 행정조사에 대한 구제(제12조 제2항)

행정기관의 장은 시료채취로 조사대상자에게 손실을 입힌 때에는 그 손실을 보상하여야 한다.

2. 위법한 행정조사에 대한 구제

(1) 행정쟁송

위법한 행정조사로 인하여 권리 · 이익을 침해당한 경우에는 행정심판, 행정소송을 제기할 수 있다. 그러나 행정상 즉시강제와 마찬가지로 단기간의 침해로 종료되는 경우가 보통이므로 장기간에 걸쳐 행하여지는 경우로 한정된다.

(2) 손해배상

행정쟁송상 소의 이익이 부정되는 경우에는 국가배상이 중요한 구제수단이 된다.

(3) 위법한 행정조사로 인한 행정행위의 효력

행정조사가 위법한 경우에 이를 기초로 한 행정처분의 효력은 어떠한지가 문제된다. 행정조사에 의해 수집된 정보 자체가 사실에 반하고 그에 근거한 행정처분이 있다면 사실의 기초에 흠이 있는 경우로서 위법한 처분이 된다. 다만, 행정조사가 실체법상 또는 절차법상의 한계를 넘어 위법한 경우 그에 따른 처분이 위법한가에 대하여는 적극설과 소극설의 대립한다. 판례는 적극설의 입장이다.

관련판례

이 사건 부가가치세부과처분은 이미 피고가 1998.11.경에 한 세무조사(부가가치세 경정조사)와 같은 세목 및 같은 과세기간에 대하여 중복하여 실시한 서울지방국세청장의 위법한 중복조사에 기초하여 이루어진 것이므로 위법하다(대판 2006.6.2. 2004두12070).

핵심 OX

03 위법한 행정조사로 수집된 정보가 정당한 것이 아님에도 그러한 사실에 기초하여 발령된 행정처분은 위법하다. 14. 경특1차 ( )

01 X 02 O 03 O

(4) 위법한 행정조사의 하자승계 여부

행정조사가 위법한 경우 이를 기초로 하여 행해진 처분이 위법한지에 대한 논의이다.

관련판례

1 세무조사가 과세자료의 수집 또는 신고내용의 정확성 검증이라는 본연의 목적이 아니라 부정한 목적을 위하여 행하여진 경우, 세무조사에 의하여 수집된 과세자료를 기초로 한 과세처분이 위법한지 여부(적극)

국세기본법은 제81조의4 제1항에서 "세무공무원은 적정하고 공평한 과세를 실현하기 위하여 필요한 최소한의 범위에서 세무조사를 하여야 하며, 다른 목적 등을 위하여 조사권을 남용해서는 아니 된다."라고 규정하고 있다. 이 조항은 세무조사의 적법요건으로 객관적 필요성, 최소성, 권한 남용의 금지 등을 규정하고 있는데, 이는 법치국가원리를 조세절차법의 영역에서도 관철하기 위한 것으로서 그 자체로서 구체적인 법규적 효력을 가진다. 따라서 세무조사가 과세자료의 수집 또는 신고내용의 정확성 검증이라는 본연의 목적이 아니라 부정한 목적을 위하여 행하여진 것이라면 이는 세무조사에 중대한 위법사유가 있는 경우에 해당하고 이러한 세무조사에 의하여 수집된 과세자료를 기초로 한 과세처분 역시 위법하다. 세무조사가 국가의 과세권을 실현하기 위한 행정조사의 일종으로서 과세자료의 수집 또는 신고내용의 정확성 검증 등을 위하여 필요불가결하며, 종국적으로는 조세의 탈루를 막고 납세자의 성실한 신고를 담보하는 중요한 기능을 수행하더라도 만약 남용이나 오용을 막지 못한다면 납세자의 영업활동 및 사생활의 평온이나 재산권을 침해하고 나아가 과세권의 중립성과 공공성 및 윤리성을 의심받는 결과가 발생할 것이기 때문이다(대판 2016.12.15. 2016두47659).

2 [1] 구 관세법 제111조에 의하여 금지되는 재조사에 기한 과세처분이 위법한지 여부(원칙적 적극)

구 관세법(2011.12.31. 법률 제11121호로 개정되기 전의 것) 제111조에 의하면, 세관공무원은 예외적인 경우를 제외하고는 해당 사안에 대하여 이미 조사를 받은 자에 대하여 재조사를 할 수 없다. 나아가 금지되는 재조사에 기하여 과세처분을 하는 것은 단순히 당초 과세처분의 오류를 경정하는 경우에 불과하다는 등의 특별한 사정이 없는 한 그 자체로 위법하다.

[2] 과세관청이 그러한 재조사로 얻은 과세자료를 과세처분의 근거로 삼지 않았다거나 이를 배제하고서도 동일한 과세처분이 가능한 경우에도 마찬가지인지 여부(적극)

과세관청이 그러한 재조사로 얻은 과세자료를 과세처분의 근거로 삼지 않았다거나 이를 배제하고서도 동일한 과세처분이 가능한 경우에도 금지되는 재조사에 기한 과세처분은 위법하다(대판 2020.2.13. 2015두745).

제4장 행정벌과 새로운 의무이행 확보수단

제1절 행정벌

1 서설

1. 의의

(1) 개념

행정벌이란 행정법상 의무위반에 대하여 행정주체가 일반통치권에 근거하여 과하는 제재로서 직접적으로는 과거의 의무위반에 대한 제재를 목적으로 하나, 간접적으로는 의무자에게 심리적 압박을 가하여 **의무의 이행을 확보**하는 것을 말한다.

핵심정리 행정벌과 행정상 강제집행의 비교

구분	행정벌	행정상 강제집행
대상	의무위반에 대해 과함	의무불이행에 대해 과함
성격	'과거'의 의무위반에 대한 '제재'의 수단	'장래'에 향하여 의무이행을 '강제'하기 위한 수단
공통점	행정법상의 의무이행을 확보하기 위한 수단	
병과 여부	직접적인 목적을 달리하므로 같은 의무의 불이행에 대하여 양자의 병과가 가능	

(2) 구별개념

① 징계벌과의 구별

㉠ 행정벌은 일반권력관계의 질서유지를 위한 일반통치권에 근거하여 과하는 제재로서 법률유보가 엄격하게 적용되나, 징계벌은 특별권력관계의 내부질서를 유지하기 위하여 위반자에게 과하는 제재로서 법률유보의 적용이 없는 점에서 구별된다.

㉡ 행정벌과 징계벌은 목적, 대상, 권력적 기초 등에서 차이가 있으므로 양자는 병과할 수 있다. 즉, 일사부재리의 원칙이 적용되지 아니한다.

② 집행벌과의 구별

㉠ 행정벌은 과거의무불이행에 대한 제재로서 일사부재리원칙이 적용되어 반복하여 부과할 수 없으나, 집행벌은 행정상 강제집행의 일종으로서 일사부재리의 원칙이 적용되지 않아 반복하여 부과할 수 있다. 그러나 양자 모두 간접적인 의무이행을 확보하는 기능에서는 동일한 점이 있다고 볼 수 있다.

핵심 OX

01 징계벌은 특별권력관계의 질서를 유지하기 위한 것이나, 행정벌은 일반권력관계에 있어서 일반사인에 대한 통치권의 발동으로 과해지는 제재이다. 07. 대구9급 (   )

01 ○

ⓛ 행정벌은 과거의무위반에 대한 제재라는 점에서, 장래 이행확보수단인 집행벌과 차이가 있다. 따라서 양자는 목적을 달리하므로 병과할 수 있다.

핵심정리 행정벌과 집행벌의 비교

구분	행정벌	집행벌
목적	과거 의무위반에 대한 제재	과거 의무불이행에 대한 장래 의무이행 확보수단
수단	형벌 또는 과태료	금전 부과
부과기관	법원(원칙)	행정청
반복부과 여부 (일사부재리원칙 적용 여부)	반복부과 불가 (일사부재리원칙 적용)	반복부과 가능 (일사부재리원칙 부적용)
불복절차	• 행정형벌(형사소송법) • 행정질서벌(질서위반행위규제법)	• 비송사건절차법 • 일반 행정쟁송절차(건축법상 이행강제금)

③ **형사벌과의 구별**: 행정벌은 **행정형벌**과 **행정질서벌**이 있는데, 이 중 행정형벌과 형사벌을 구별할 것인가에 대해서는 견해의 대립이 있다.

ⓖ **부정설**: 양자는 제재로서의 형법상의 형벌이 가해지는 것이라는 점에서 차이가 없다고 한다.

ⓛ **긍정설(다수설)**

ⓐ 피침해이익의 성질을 기준으로 형사벌은 법익침해행위의 처벌인 데 대하여, 행정형벌은 공공복리를 목적으로 하는 행정에 단지 협조를 태만히 한 반행정적 행위의 처벌이라는 점에서 구별된다고 한다.

ⓑ 피침해규범의 성질을 기준으로 형사벌은 법규의 규정 없이도 반윤리성·반사회성이 인정되는 자연범에 대한 처벌인 데 대하여, 행정형벌은 원칙적으로 행정목적의 실현을 위해 법규가 정한 명령·금지에 위반함으로써 비로소 범죄가 되는 법정범에 대한 처벌이라는 점에서 구별된다.

ⓒ 행정형벌이 시간이 경과하면서 형사벌화 되어가는 것이 현실이며, 이러한 행정형벌과 형사벌의 구별은 상대적이며 유동적이라고 할 수 있다.

ⓓ **행정형벌과 형사벌**은 형사처벌이라는 점은 같기 때문에 **양자를 병과할 수는 없다.**

2. 법적 근거

(1) 행정형벌에 대하여는 일반적인 규정이 없으나 행정질서벌은 질서위반행위규제법이 제정되어 일반적인 규정이 존재하게 되었다. 그러나 죄형법정주의는 형사벌뿐만 아니라 행정벌에도 당연히 적용되므로 그 제재를 과하기 위해서는 법적 근거를 요한다. 행정형벌을 법규명령에 위임하는 경우에도 처벌대상과 형벌의 최고한도를 정하여 구체적으로 위임하여야 한다. 헌법재판소에 의하면 행정형벌에는 죄형법정주의가 적용되나, 행정질서벌(과태료부과)에는 죄형법정주의가 적용되지 않는다.

핵심 OX

02 죄형법정주의의 원칙 등 형벌법규의 해석 원리는 행정형벌에 관한 규정을 해석할 때에도 적용되어야 한다.
19. 서울9급(6월), 11. 사복 ( )

02 ○

(2) 지방자치법은 조례위반행위에 대하여 **1천만원 이하의 과태료**를 부과할 수 있는 규정을 두고 있다(지방자치법 제34조 제1항).

3. 종류

(1) 행정형벌

① 행정형벌은 위반한 의무의 종류에 따라 질서벌, 공기업벌, 재정벌, 군정벌 등으로 나눌 수 있다.

② 행정형벌은 행정법상 의무위반에 대한 제재로서 형법에 규정된 형벌(사형 · 징역 · 금고 · 자격상실 · 자격정지 · 벌금 · 구류 · 과료 · 몰수)을 과하는 것을 말한다.

③ 행정형벌에 관한 특별한 규정이 있는 경우를 제외하고는 형법총칙이 적용되며 그 절차에 있어서는 **형사소송절차**에 의하여야 하나, **특별절차**로서 **즉결심판절차**와 **통고처분절차**에 의하는 경우가 있다.

(2) 행정질서벌

① 행정법상 의무위반에 대한 제재로서 행정상 질서를 침해하거나 간접적으로 행정목적을 침해하는 행위(신고 · 등록 · 장부비치의무위반)에 대하여 과태료를 과하는 행정벌을 말한다.

② 질서위반행위규제법이 제정되기 전에는 비송사건절차법이 정한 절차에 따라 과하여졌으나, 현재는 **질서위반행위규제법의 절차**에 의하여 과하여지게 되었다.

관련판례

어떤 행정법규 위반행위에 대하여 이를 단지 간접적으로 행정상의 질서에 장해를 줄 위험성이 있음에 불과한 경우(단순한 의무태만 내지 의무위반)로 보아 행정질서벌인 과태료를 과할 것인가, 아니면 직접적으로 행정목적과 공익을 침해한 행위로 보아 행정형벌을 과할 것인가, 그리고 행정형벌을 과할 경우 그 법정형의 형종과 형량을 어떻게 정할 것인가는, 당해 위반행위가 위의 어느 경우에 해당하는가에 대한 법적 판단을 그르친 것이 아닌 한 그 처벌내용은 기본적으로 입법권자가 제반사정을 고려하여 결정할 그 입법재량에 속하는 문제이다(헌재 1997.8.21. 93헌바51).

핵심정리 행정형벌과 행정질서벌의 비교

구분	행정형벌	행정질서벌
대상문제	• 행정법규의 직접적 위반 • 공익침해 정도가 큼	• 행정법규의 간접적 위반 • 공익침해 정도가 작음(예 신고 · 보고 · 장부비치 등의 행정상의무에 대한 태만행위 등)
종류	형법총칙상 9종의 형벌 (사형 · 징역 · 금고 · 자격상실 · 자격정지 · 벌금 · 구류 · 과료 · 몰수)	과태료

핵심 OX

01 지방자치단체는 조례를 위반한 행위에 대하여 조례로써 1천만원 이하의 과태료를 정할 수 있다. 14. 경특2차 ( )

핵심 OX

02 어떤 행정법규 위반행위에 대해 과태료를 과할 것인지 행정형벌을 과할 것인지는 기본적으로 입법재량에 속한다. 14. 지방9급 ( )

01 ○ 02 ○

구분			
법적 근거		죄형법정주의 원칙이 적용되므로 법적 근거 요구됨	• 질서위반행위법정주의가 적용되므로 법적 근거 요구됨 • 단, 지방자치단체의 조례에 의하여 부과될 수 있음(지방자치법 제34조)
형법총칙 적용		적용	부적용
고의 · 과실		필요	(종래) 불요 ⇨ (현재) 필요
처벌절차		형사소송법	질서위반행위규제법
공소시효 · 형의시효		적용	(종래) 부적용 ⇨ (현재) 적용
양자 관계	병과	• 양자 모두 행정벌이므로 병과할 수 없음(견해대립) • 판례는 병과 인정	
	일사부재리의 원칙 적용	• 일사부재리의 원칙이 적용됨(견해대립) • 판례는 일사부재리원칙에 위반되지 않는다는 입장	

2 행정형벌

1. 특수성

(1) 행정형벌과 형법총칙

① 형법 제8조는 "본법 총칙은 타 법령에 정한 죄에 적용한다. 다만, 그 법령에 특별한 규정이 있는 때에는 예외로 한다."라고 규정한다. 총칙규정이 없는 행정형벌에도 형법총칙은 원칙적으로 적용된다.

② 이 경우 형법총칙이 배제되는 '특별한 규정'의 의미에 대해서는 ㉠ 명문의 규정에 한정된다고 보는 견해, ㉡ 명문의 규정과 법령의 취지 · 목적이나 행위의 성질을 고려하여 조리상 형법총칙의 규정이 배제되는 것으로 보는 견해가 있으나, ㉢ 성문법에 특별한 규정이 있는 경우와 당해규정의 해석상 행위자에게 불리하지 아니한 경우에만 형법총칙의 적용이 배제된다는 것이 다수설 · 판례의 입장이다(대판 1965.6.29. 65도1).

핵심 OX

03 행정형벌에는 특별한 규정이 있는 경우를 제외하고는 형법총칙이 적용된다. 09. 국가9급 ( )

(2) 행정형벌의 특수성

① 고의 · 과실

㉠ 형사범의 경우에는 고의범 처벌을 원칙으로 하고, 과실범은 처벌하는 명문의 규정이 있는 경우에만 처벌할 수 있다. 이러한 원칙은 행정형벌에서도 동일하게 적용된다. 다만, 판례는 과실범의 경우 명문규정이 있는 경우뿐만 아니라 명문의 규정이 없더라도 해석상 과실범의 처벌을 인정하는 경우에는 처벌할 수 있다는 입장이다.

핵심 OX

04 행정형벌의 과벌은 행위자의 고의 · 과실을 요하지 않는다. 11. 사복 ( )

03 O 04 X

핵심 OX

01 행정범의 경우에는 과실행위를 벌한다는 명문의 규정이 없는 경우에도 그 법률 규정 중에 과실행위를 벌한다는 명백한 취지를 알 수 있는 경우에는 과실행위에 행정형벌을 부과할 수 있다.
19. 국가9급, 12. 지방9급 ( )

02 구 대기환경보전법에 따라 배출허용기준을 초과하는 배출가스를 배출하는 자동차를 운행하는 행위를 처벌하는 규정은 과실범의 경우에 적용하지 아니한다. 14. 국가9급 ( )

관련판례

1 구 대기환경보전법의 입법목적이나 제반 관계규정의 취지 등을 고려하면, 법정의 배출허용기준을 초과하는 배출가스를 배출하면서 자동차를 운행하는 행위를 처벌하는 위 법 제57조 제6호의 규정은 자동차의 운행자가 그 자동차에서 배출되는 배출가스가 소정의 운행 자동차 배출허용기준을 초과한다는 점을 실제로 인식하면서 운행한 고의범의 경우는 물론 과실로 인하여 그러한 내용을 인식하지 못한 과실범의 경우도 함께 처벌하는 규정이다(대판 1993.9.10. 92도1136).

2 **명시적 규정 없이도 과실범으로 처벌할 수 있는 경우**
행정상의 단속을 주안으로 하는 법규라 하더라도 '명문규정이 있거나 해석상 과실범도 벌할 뜻이 명확한 경우'를 제외하고는 형법의 원칙에 따라 '고의'가 있어야 벌할 수 있다(대판 2010.2.11. 2009도9807).

ⓛ 위법성의 인식

ⓐ 고의의 성립에는 위법성인식가능성을 필요로 하므로 위법성의 인식이 없는 경우에는 고의가 성립하지 않는다(다수설 · 판례). 그러나 행정범의 경우 행위자가 비록 행위사실을 인식하였다고 하여도 구체적인 행정법규의 인식이 없는 결과 그 행위의 위법성을 인식하지 못하여 고의가 성립하지 않는 경우가 많다.

ⓑ 따라서 형법 제16조(법률의 착오)는 행정범에 대하여 언제나 타당하다고 할 수 없으며, 명문의 규정으로 이의 적용을 배제시키는 개별 법률들도 있다(예 담배사업법 제31조, 관세법 제278조, 조세범 처벌법 제4조 제1항 등).

핵심 OX

03 행정청의 허가가 있어야 함에도 불구하고 허가를 받지 아니하여 처벌대상의 행위를 한 경우라도, 허가를 담당하는 공무원이 허가를 요하지 아니하는 것으로 잘못 알려주어 이를 믿었기 때문에 허가를 받지 아니하는 것이라면 허가를 받지 않더라도 죄가 되지 않는 것으로 착오를 일으킨 데 대하여 정당한 이유가 있는 경우에 해당하여 처벌할 수 없다.
11. 국회9급 ( )

관련판례

허가를 담당하는 공무원이 허가를 요하지 않는다고 잘못 알려 준 것을 믿은 경우 자기의 행위가 죄가 되지 않는 것으로 오인한 데 정당한 이유가 있는지 여부(적극)
행정청의 허가가 있어야 함에도 불구하고 허가를 받지 아니하여 처벌대상의 행위를 한 경우라도, 허가를 담당하는 공무원이 허가를 요하지 않는 것으로 잘못 알려 주어 이를 믿었기 때문에 허가를 받지 아니한 것이라면, 허가를 받지 않더라도 죄가 되지 않는 것으로 착오를 일으킨 데 대하여 정당한 이유가 있는 경우에 해당하여 처벌할 수 없다(대판 1992.5.22. 91도2525).

② **법인의 범죄능력:** 형사범에서는 법인의 범죄능력은 없는 것으로 본다. 이는 행정법규에도 타당하나, 행정범에 있어서는 법인의 대표자 또는 대리인 · 사용인 기타 종업원이 의무를 위반한 경우에 행위자뿐만 아니라 법인에 대한 처벌규정을 두어 재산형을 과하는 양벌규정의 경우가 많다(도로교통법 제159조, 소방기본법 제55조).

01 ○ 02 X 03 ○

관련판례

[법 개정 전]

사행행위 등 규제 및 처벌 특례법 제31조【양벌규정】 법인의 대표자나 법인 또는 개인의 대리인 · 사용인 기타의 종업원이 그 법인 또는 개인의 업무에 관하여 제30조의 규정에 의한 위반행위를 한 때에는 행위자를 벌하는 외에 그 법인 또는 개인에 대하여도 동조의 벌금형을 과한다.

[법 개정 후]

제31조【양벌규정】 법인의 대표자나 법인 또는 개인의 대리인, 사용인, 그 밖의 종업원이 그 법인 또는 개인의 업무에 관하여 제30조의 위반행위를 하면 그 행위자를 벌하는 외에 그 법인 또는 개인에게도 해당 조문의 벌금형을 과(科)한다. 다만, 법인 또는 개인이 그 위반행위를 방지하기 위하여 해당 업무에 관하여 상당한 주의와 감독을 게을리하지 아니한 경우에는 그러하지 아니하다.

1 양벌규정은 업무주가 아니면서 당해 업무를 실제로 집행하는 자가 있는 때에 위벌칙규정의 실효성을 확보하기 위하여 그 적용대상자를 당해 업무를 실제로 집행하는 자에게까지 확장함으로써 그러한 자가 당해 업무집행과 관련하여 위 벌칙규정의 위반행위를 한 경우 위 양벌규정에 의하여 처벌할 수 있도록 한 행위자의 처벌규정임과 동시에 그 위반행위의 이익귀속주체인 업무주에 대한 처벌규정이라고 할 것이다(대판 1999.7.15. 95도2870).

2 이 사건 법률조항은 법인이 고용한 종업원 등이 업무에 관하여 같은 법 제30조 제2항 제1호를 위반한 범죄행위를 저지른 사실이 인정되면, 법인이 그와 같은 종업원 등의 범죄에 대해 어떠한 잘못이 있는지를 전혀 묻지 않고 곧바로 그 종업원 등을 고용한 법인에게도 종업원 등에 대한 처벌조항에 규정된 벌금형을 과하도록 규정하고 있는바, 오늘날 법인의 반사회적 법익침해활동에 대하여 법인 자체에 직접적인 제재를 가할 필요성이 강하다 하더라도, 입법자가 일단 '형벌'을 선택한 이상, 형벌에 관한 헌법상 원칙, 즉 법치주의와 죄형법정주의로부터 도출되는 책임주의원칙이 준수되어야 한다. 그런데 이 사건 법률조항에 의할 경우 법인이 종업원 등의 위반행위와 관련하여 선임 · 감독상의 주의의무를 다하여 아무런 잘못이 없는 경우까지도 법인에게 형벌을 부과될 수밖에 없게 되어, 법치국가의 원리 및 죄형법정주의로부터 도출되는 책임주의원칙에 반하므로 헌법에 위반된다(헌재 2009.7.30. 2008헌가14).

③ **타인의 행위에 대한 책임:** 형사범에 있어서는 죄를 범한 자에 한하여 형벌을 과하는 것이 원칙이나, 행정범에서는 반드시 현실적인 행위자가 아니라 행정법상 의무를 지는 자가 책임을 지는 경우가 있다(예 미성년자 · 금치산자의 위법행위에 대한 법정대리인의 책임, 종업원의 행위에 대한 사업주의 책임=양벌규정). 이러한 책임은 대위책임이 아니라 주의 · 감독을 태만히 한 자기책임으로 볼 수 있다.❶

④ **판례:** 지방자치단체 소속 공무원이 자치사무 처리과정에서 위반행위를 한 경우 양벌규정의 적용대상이 되는 법인에 해당한다는 입장이다.

핵심 OX

04 법인의 독자적인 책임에 관한 규정이 없이 단순히 종업원이 업무에 관한 범죄행위를 하였다는 이유만으로 법인에게 형사처벌을 과하는 것은 책임주의 원칙에 반한다.
19. 서울9급(6월), 12. 국회8급 ( )

05 종업원 등의 범죄에 대해 법인에게 어떠한 잘못이 있는지를 전혀 묻지 않고, 곧바로 그 종업원 등을 고용한 법인에게도 종업원 등에 대한 처벌조항에 규정된 벌금형을 과하도록 규정하는 것은 책임주의에 반한다.
17. 국가9급, 12. 지방9급 ( )

❶ 양벌규정에 의한 사업주의 처벌은 무과실책임이 아님

04 ○ **05** ○

관련판례

1 **[1] 정보통신망 이용촉진 및 정보보호 등에 관한 법률 제75조, 영화 및 비디오물의 진흥에 관한 법률 제97조에서 양벌규정을 둔 취지**

정보통신망 이용촉진 및 정보보호 등에 관한 법률 제75조 및 영화 및 비디오물의 진흥에 관한 법률 제97조는 법인의 대표자 등이 그 법인의 업무에 관하여 각 법규위반행위를 하면 그 행위자를 벌하는 외에 그 법인에도 해당 조문의 벌금을 과하는 양벌규정을 두고 있다. 위와 같이 양벌규정을 따로 둔 취지는, 법인은 기관을 통하여 행위하므로 법인의 대표자의 행위로 인한 법률효과와 이익은 법인에 귀속되어야 하고, 법인 대표자의 범죄행위에 대하여는 법인 자신이 책임을 져야 하는바, 법인 대표자의 법규위반행위에 대한 법인의 책임은 법인 자신의 법규위반행위로 평가될 수 있는 행위에 대한 법인의 직접책임이기 때문이다. 따라서 대표자의 고의에 의한 위반행위에 대하여는 법인 자신의 고의에 의한 책임을, 대표자의 과실에 의한 위반행위에 대하여는 법인 자신의 과실에 의한 책임을 져야 한다.

[2] 위 양벌규정 중 '법인의 대표자' 관련 부분은 대표자의 책임을 요건으로 하여 법인을 처벌하는 것인지 여부(적극) 및 그 대표자의 처벌까지 전제조건이 되는지 여부(소극)

이처럼 양벌규정 중 법인의 대표자 관련 부분은 대표자의 책임을 요건으로 하여 법인을 처벌하는 것이지 그 대표자의 처벌까지 전제조건이 되는 것은 아니다(대판 2022.11.17. 2021도701).

2 국가가 본래 그의 사무의 일부를 지방자치단체의 장에게 위임하여 처리하게 하는 기관위임사무의 경우 지방자치단체는 국가기관의 일부로 볼 수 있고, 지방자치단체가 그 고유의 자치사무를 처리하는 경우 지방자치단체는 국가기관의 일부가 아니라 국가기관과는 별도의 독립한 공법인으로서 양벌규정에 의한 처벌대상이 되는 법인에 해당한다. 지방자치단체 소속 공무원이 **지정항만순찰 등의 업무**를 위해 관할관청의 승인 없이 개조한 승합차를 운행함으로써 구 자동차관리법을 위반한 사안에서, 지방자치법, 구 항만법, 구 항만법 시행령 등에 비추어 위 항만순찰 등의 업무가 지방자치단체의 장이 국가로부터 위임받은 기관위임사무에 해당하여, 해당 지방자치단체가 구 자동차관리법 제83조의 양벌규정에 따른 처벌대상이 될 수 없다(대판 2009.6.11. 2008도6530).

3 **지방자치단체 소속 공무원이 지방자치단체 고유의 자치사무를 처리하면서 위반행위를 한 경우 지방자치단체도 양벌규정에 따라 처벌대상이 되는 법인에 해당하는지 여부(적극)**

헌법 제117조, 지방자치법 제3조 제1항, 제9조, 제93조, 도로법 제54조, 제83조, 제86조의 각 규정을 종합하여 보면, 국가가 본래 그의 사무의 일부를 지방자치단체의 장에게 위임하여 그 사무를 처리하게 하는 기관위임사무의 경우에는 지방자치단체는 국가기관의 일부로 볼 수 있는 것이지만, 지방자치단체가 그 고유의 자치사무를 처리하는 경우에는 지방자치단체는 국가기관의 일부가 아니라 국가기관과는 별도의 독립한 공법인이므로, 지방자치단체 소속 공무원이 지방자치단체 고유의 자치사무를 수행하던 중 도로법 제81조 내지 제85조의 규정에 의한 위반행위를 한 경우에는 지방자치단체는 도로법 제86조의 양벌규정에 따라 처벌대상이 되는 법인에 해당한다. 즉, 지방자치단체 소속 공무원이 압축트럭 청소차를 운전하여 고속도로를 운행하던 중 제한축중을 초과 적재 운행함으로써 도로

핵심 OX

01 지방자치단체 소속 공무원이 자치사무를 수행하던 중 법 위반행위를 한 경우 지방자치단체는 같은 법의 양벌규정에 따라 처벌되는 법인에 해당한다.

19. 서울9급(6월), 18. 변호사, 16. 사복, 14. 지방9급, 12. 지방7급 · 국회8급 (   )

01 ○

관리청의 차량운행제한을 위반한 사안에서, 해당 지방자치단체가 도로법 제86조의 양벌규정에 따른 처벌대상이 된다(대판 2005.11.10. 2004도2657).

4 사건 법률조항들은 법인이 고용한 종업원 등의 범죄행위에 관하여 비난할 근거가 되는 법인의 의사결정 및 행위구조, 즉 종업원 등이 저지른 행위의 결과에 대한 법인의 독자적인 책임에 관하여 전혀 규정하지 않은 채, 단순히 법인이 고용한 종업원 등이 업무에 관하여 범죄행위를 하였다는 이유만으로 법인에 대하여 형사처벌을 과하고 있는바, 이는 다른 사람의 범죄에 대하여 그 책임 유무를 묻지 않고 형벌을 부과함으로써 법치국가의 원리 및 죄형법정주의로부터 도출되는 책임주의원칙에 반하여 헌법에 위반된다(헌재 2010.9.30. 2010헌가10).

5 **양벌규정에 의한 영업주의 처벌에 있어서 종업원의 범죄성립이나 처벌을 요하는지 여부(소극)**
양벌규정에 의한 영업주의 처벌은 금지위반행위자인 종업원의 처벌에 종속하는 것이 아니라 독립하여 그 자신의 종업원에 대한 선임감독상의 과실로 인하여 처벌되는 것이므로 종업원의 범죄성립이나 처벌이 영업주 처벌의 전제조건이 될 필요는 없다(대판 2006.2.24. 2005도7673).

6 다단계판매업의 영업태양 및 다단계판매업자와 다단계판매원 사이의 관계에 비추어 볼 때, 다단계판매원이 하위판매원의 모집 및 후원활동을 하는 것은 실질적으로 다단계판매업자의 관리 아래 그 업무를 위탁받아 행하는 것으로 볼 수 있어, 다단계판매업자가 상품의 판매 또는 용역의 제공에 의한 이익의 귀속주체가 된다고 할 것이므로, 다단계판매원은 다단계판매업자의 통제 · 감독을 받으면서 다단계판매업자의 업무를 직접 또는 간접으로 수행하는 자로서, 적어도 구 방문판매 등에 관한 법률의 양벌규정의 적용에 있어서는 다단계판매업자의 사용인(고용된 자)의 지위에 있다고 봄이 상당하다(대판 2006.2.24. 2003도4966).

7 **양벌규정에 의한 법인의 처벌은 어디까지나 형벌일 뿐 행정적 제재처분과는 성격을 달리하는지 여부(적극)**
양벌규정에 의한 법인의 처벌은 어디까지나 형벌의 일종으로서 행정적 제재처분이나 민사상 불법행위책임과는 성격을 달리한다(대판 2019.11.14. 2017도4111).

8 **법인 대표자의 법규위반행위에 대한 법인의 책임은 법인 자신의 법규위반행위로 평가될 수 있는 행위에 대한 법인의 직접책임인지 여부(적극)**
법인 대표자의 법규위반행위에 대한 법인의 책임은 법인 자신의 법규위반행위로 평가될 수 있는 행위에 대한 법인의 직접책임이므로, 대표자의 고의에 의한 위반행위에 대하여는 법인이 고의 책임을, 대표자의 과실에 의한 위 반행위에 대하여는 법인이 과실 책임을 부담한다. 따라서 심판대상조항 중 법인의 대표자 관련 부분은 법인의 직접 책임을 근거로 하여 법인을 처벌하므로 책임주의원칙에 위배되지 않는다(헌재 2020.4.23. 2019헌가25).

9 甲 교회의 총회 건설부장인 피고인이 관할시청의 허가 없이 건물 옥상층에 창고시설을 건축하는 방법으로 건물을 불법 증축하여 건축법 위반으로 기소된 사안에서, 甲 교회는 乙을 대표자로 한 법인격 없는 사단이고, 피고인은 甲 교회에 고용된 사람이므로, 乙을 구 건축법 제112조 제4항 양벌규정의 '개인'의 지위에 있다고 보아 피고인을 같은 조항에 의하여 처벌할 수는 없다(대판 2017.12.28. 2017도13982).

핵심 OX

02 양벌규정에 의해 영업주가 처벌되기 위해서는 종업원의 범죄가 성립하거나 처벌이 이루어져야 함이 전제조건이 되어야 한다.
19. 서울9급(6월), 18. 변호사, 12. 지방9급 ( )

03 다단계판매원은 구 방문판매 등에 관한 법률의 양벌규정의 적용에 있어서 다단계판매업자의 사용인 지위에 있다. 08. 국가9급 ( )

04 양벌규정에 의한 영업주의 처벌은 그 자신의 종업원에 대한 선임감독상의 과실로 인하여 처벌되는 것이므로 종업원의 범죄성립이나 처벌이 영업주 처벌의 전제조건이 될 필요는 없다. 23. 국가7급 ( )

02 X **03** O **04** O

⑤ **책임능력:** 형사범에서는 14세 미만자와 심신상실자의 행위는 벌하지 않고(형법 제9조, 제10조 제1항) 심신미약자 · 농아자의 행위는 그 형을 감경하도록 규정하고 있으나(동법 제10조 제2항, 제11조), 행정범에 대하여는 이들 규정의 적용을 배제 또는 제한하는 규정을 둔 경우가 있다(담배사업법 제31조).

⑥ **공범:** 행정범에 있어서는 공동정범 · 교사범 · 종범에 관한 규정의 적용을 배제하는 경우가 있고(선박법 제39조), 종범 감경규정을 배제하는 경우가 있으며(담배사업법 제31조), 교사범을 정범으로 처벌하는 경우가 있다(근로기준법 제116조).

⑦ **누범 · 경합범 · 작량감경:** 행정범에 있어서는 누범(형법 제35조), 경합범(동법 제38조), 작량감경(동법 제53조)에 관한 규정의 적용을 배제하는 경우가 있다(담배사업법 제31조).

(3) 절차법적 특수성

행정형벌은 형사소송절차에 따라 과하는 것이 원칙이나, 통고처분과 즉결심판이라는 특별절차에 의하여 처벌되는 경우가 있다.

① **통고처분**[1]

㉠ **의의:** 통고처분은 **조세범 · 관세범** · 경범죄사범 · **교통사범** 및 출입국사범에 대하여 형사소송에 갈음하여 벌금 · 과료에 상당하는 금액의 납부를 명하는 준사법적 행정절차를 말한다.

㉡ **성질:** 통고처분은 준사법적 행정행위로서 행정행위의 일종이지만, 이에 불복이 있는 경우에는 정식 형사소송절차가 인정되므로 행정쟁송을 제기할 수 없다(대판 1980.10.14. 80누380). 또한 판례는 통고처분을 할 것인지 여부는 통고처분권자의 재량이라고 판시한 바 있다.

관련판례

1 통고처분은 상대방의 임의의 승복을 그 발효요건으로 하기 때문에 그 자체만으로는 통고이행을 강제하거나 상대방에게 아무런 권리 · 의무를 형성하지 않으므로 행정심판이나 행정소송의 대상으로서의 처분성을 부여할 수 없고, 통고처분에 대하여 이의가 있으면 통고내용을 이행하지 않음으로써 고발되어 형사재판절차에서 통고처분의 위법 · 부당함을 얼마든지 다툴 수 있기 때문에 관세법 제38조 제3항 제2호가 법관에 의한 재판받을 권리를 침해한다든가 적법절차의 원칙에 저촉된다고 볼 수 없다(헌재 1998.5.28. 96헌바4).

2 관세법 해석상 통고처분을 할 것인지의 여부는 관세청장 또는 세관장의 재량에 맡겨져 있고, 따라서 관세범에 대하여 통고처분을 하지 아니한 채 고발하였다는 것만으로는 그 고발 및 이에 기한 공소의 제기가 부적법하게 되는 것은 아니다(대판 2007.5.11. 2006도1993).

㉢ **대상:** 벌금 · 과료와 같은 비교적 경한 형벌에 부과되는 것으로서, 자유형(징역 · 금고형)에 대해서는 인정되지 않는다. 또한 통고처분은 행정형벌의 특수한 과벌절차이므로 행정질서벌에는 통고처분이 인정되지 않는다.

---

[1] 특별한 불복절차
- 통고처분: 별도의 행위 불요, 통고내용 불이행으로 기소되고 형사소송절차로 불복 가능
- 과태료: 별도의 이의제기 필요, 만약 별도의 행위를 하지 않을 경우 가산금 부과

핵심 OX

01 관세법상 통고처분은 상대방의 임의의 승복을 그 발효요건으로 하기 때문에 그 자체만으로는 통고이행을 강제하거나 상대방에게 아무런 권리의무를 형성하지 않는다. 19. 국가7급 ( )

02 행정형벌은 형사소송법이 정하는 절차에 따라 법원이 과벌하는 것이 원칙이다. 09. 국가9급 ( )

03 통고처분은 조세범, 관세범, 출입국사범, 교통사범 등 행정형벌의 예외적인 과벌절차이다. 08. 선관위9급 ( )

04 도로교통법상 경찰서장의 통고처분은 형사절차에 의한 불복이 예정되어 있으므로 행정소송의 대상이 되는 행정처분이 아니다. 22. 국가7급 ( )

05 도로교통법에 의한 경찰서장의 통고처분에 대한 항고소송은 부적법하고 이에 대하여 이의가 있는 경우에는 통고처분에 따른 범칙금을 이행하지 아니함으로써 경찰서장의 즉결심판청구에 의하여 법원의 심판을 받을 수 있게 된다. 19. 국회8급 ( )

06 법률에 따라 통고처분을 할 수 있으면 행정청은 통고처분을 하여야 하며, 통고처분 이외의 조치를 취할 재량은 없다. 15. 지방9급, 12. 지방7급 · 국가9급 ( )

07 법률의 규정에 의하여 통고처분을 할 수 있음에도 불구하고 법률이 정한 즉시고발사유의 존재를 이유로 통고처분을 하지 않고 고발하였다면 그 고발 및 이에 기한 공소의 제기는 부적법한 것이다. 08. 국가9급 ( )

01 ○ 02 ○ 03 ○ 04 ○ 05 ○ 06 X 07 X

㉣ **통고처분권자**: 경찰서장, 세무서장, 지방국세청장, 국세청장, 세관장, 관세청장, 출입국관리소장 등이 통고처분권자에 해당한다.❷

㉤ 효과

ⓐ 통고처분을 이행하면 이는 **확정판결과 동일한 효력**이 발생하므로 동일사건에 대하여 다시 형사소추하지 못하는 **일사부재리의 원칙**이 적용되고 공소의 시효는 중단된다. 통고처분내용의 이행기간이 경과하여도 고발하기 전이면 이행이 가능하다.

관련판례

[1] 도로교통법 제119조 제3항은 그 법 제118조에 의하여 범칙금 납부통고서를 받은 사람이 그 범칙금을 납부한 경우 그 범칙행위에 대하여 다시 벌받지 아니한다고 규정하고 있는바, 이는 범칙금의 납부에 확정재판의 효력에 준하는 효력을 인정하는 취지로 해석하여야 한다.

[2] 범칙금의 통고 및 납부 등에 관한 규정들의 내용과 취지 등에 비추어 볼 때, 범칙자가 경찰서장으로부터 범칙행위를 하였음을 이유로 범칙금의 통고를 받고 납부기간 내에 그 범칙금을 납부한 경우 범칙금의 납부에 확정판결에 준하는 효력이 인정됨에 따라 다시 벌받지 아니하게 되는 행위사실은 범칙금 통고의 이유에 기재된 당해 범칙행위 자체 및 그 범칙행위와 동일성이 인정되는 범칙행위에 한정된다고 해석함이 상당하다.

[3] 범칙행위와 같은 일시, 장소에서 이루어진 행위라 하더라도 범칙행위의 동일성을 벗어난 형사범죄행위에 대하여는 범칙금의 납부에 따라 확정판결의 효력에 준하는 효력이 미치지 아니한다(대판 2002.11.22. 2001도849).

ⓑ 통고처분을 받은 자가 법정기한(교통사범 · 관세범 · 출입국사범은 10일) 이내에 이행하지 않으면 통고처분은 효력을 상실하고, 통고처분권자는 검찰에게 고발하여 정식 형사소송절차가 진행된다. 검찰은 통고처분권자의 고발 없이는 기소할 수 없음이 원칙이다.❸

관련판례

1 '통고처분'의 성격 및 통고서는 범칙자별로 작성되는지 여부(적극)

통고처분은 조세범칙자에게 벌금 또는 과료에 해당하는 금액 등을 납부할 것을 통고하는 처분일 뿐 벌금 또는 과료의 면제를 통고하는 처분이 아니며, 통고서는 범칙자별로 작성된다(대판 2014.10.15. 2013도5650).

2 [1] **범칙금을 납부한 사람은 그 범칙행위에 대하여 다시 벌받지 아니한다는 도로교통법 제119조 제3항의 의미**

도로교통법 제119조 제3항은 그 법 제118조에 의하여 범칙금 납부통고서를 받은 사람이 그 범칙금을 납부한 경우 그 범칙행위에 대하여 다시 벌받지 아니한다고 규정하고 있는바, 이는 범칙금의 납부에 확정재판의 효력에 준하는 효력을 인정하는 취지로 해석하여야 한다.

[2] **범칙자가 범칙금 납부통고를 받아 범칙금을 납부한 경우, 도로교통법 제119조 제3항에 의하여 다시 벌받지 아니하게 되는 행위의 범위**

범칙금의 통고 및 납부 등에 관한 규정들의 내용과 취지 등에 비추어 볼 때, 범칙자가 경찰서장으로부터 범칙행위를 하였음을 이유로 범칙

---

❷
검사 ×, 법원 ×

핵심 OX

08 통고처분은 행정질서벌에도 인정된다. 11. 지방7급 (　)

09 통고처분권자는 검사이다. 07. 서울9급 (　)

10 통고처분에 따른 범칙금을 납부한 후에 동일한 사건에 대하여 다시 형사처벌을 하는 것이 일사부재리의 원칙에 반하는 것은 아니다. 19. 국가9급, 15. 지방9급, 12. 국가9급, 11. 지방7급 (　)

11 통고처분에 의해 범칙금을 납부한 경우, 그 납부의 효력에 따라 다시 벌 받지 아니하게 되는 행위사실은 범칙금 통고의 이유에 기재된 당해 범칙행위 자체에 한정될 뿐, 그 범칙행위와 동일성이 인정되는 범칙행위에는 미치지 않는다. 17. 국가7급 (　)

❸
통고처분 이행 ⇨ 기판력 인정 O

08 X 09 X 10 X 11 X

금의 통고를 받고 납부기간 내에 그 범칙금을 납부한 경우 범칙금의 납부에 확정판결에 준하는 효력이 인정됨에 따라 다시 벌받지 아니하게 되는 행위사실은 범칙금 통고의 이유에 기재된 당해 범칙행위 자체 및 그 범칙행위와 동일성이 인정되는 범칙행위에 한정된다고 해석함이 상당하다(대판 2002.11.22. 2001도849).

3 이미 통고처분이 이루어진 범칙행위와 동일성이 인정되는 공소사실로 다시 기소된 경우 공소제기의 절차가 법률의 규정을 위반하여 무효인지 여부(적극)

경찰서장이 범칙행위에 대하여 통고처분을 한 이상, 범칙자의 위와 같은 절차적 지위를 보장하기 위하여 통고처분에서 정한 범칙금 납부기간까지는 원칙적으로 경찰서장은 즉결심판을 청구할 수 없고, 범칙행위에 대한 형사소추를 위하여 이미 한 통고처분을 임의로 취소할 수 없으며, 검사도 동일한 범칙행위에 대하여 공소를 제기할 수 없다고 보아야 한다. 이 부분 공소사실은 이미 통고처분이 이루어진 범칙행위와 동일성이 인정되는 것으로서 공소제기의 절차가 법률의 규정을 위반하여 무효인 때에 해당한다(대판 2023.3.16. 2023도751).

4 도로교통법상 통고처분의 취소를 구하는 행정소송이 가능한지 여부

경찰서장의 통고처분은 행정소송의 대상이 되는 행정처분이 아니므로 그 처분의 취소를 구하는 소송은 부적법하고, 도로교통법상의 통고처분을 받은 자가 그 처분에 대하여 이의가 있는 경우에는 통고처분에 따른 범칙금의 납부를 이행하지 아니함으로써 경찰서장의 즉결심판청구에 의하여 법원의 심판을 받을 수 있게 될 뿐이다(대판 1995.6.29. 95누4674).

5 지방국세청장 또는 세무서장이 조세범칙행위에 대하여 고발을 한 후에 동일한 조세범칙행위에 대하여 한 통고처분의 효력(원칙적 무효) 및 조세범칙행위자가 이러한 통고처분을 이행한 경우, 조세범 처벌절차법 제15조 제3항에서 정한 일사부재리의 원칙이 적용되는지 여부(소극)

지방국세청장 또는 세무서장이 조세범 처벌절차법 제17조 제1항에 따라 통고처분을 거치지 아니하고 즉시 고발하였다면 이로써 조세범칙사건에 대한 조사 및 처분 절차는 종료되고 형사사건 절차로 이행되어 지방국세청장 또는 세무서장으로서는 동일한 조세범칙행위에 대하여 더 이상 통고처분을 할 권한이 없다. 따라서 지방국세청장 또는 세무서장이 조세범칙행위에 대하여 고발을 한 후에 동일한 조세범칙행위에 대하여 통고처분을 하였더라도, 이는 법적 권한 소멸 후에 이루어진 것으로서 특별한 사정이 없는 한 효력이 없고, 조세범칙행위자가 이러한 통고처분을 이행하였더라도 조세범 처벌절차법 제15조 제3항에서 정한 일사부재리의 원칙이 적용될 수 없다(대판 2016.9.28. 2014도10748).

6 경찰서장이 범칙행위에 대하여 통고처분을 하였는데 통고처분에서 정한 범칙금 납부기간이 경과하지 아니한 경우, 원칙적으로 즉결심판을 청구할 수 없고, 검사도 동일한 범칙행위에 대하여 공소를 제기할 수 없는지 여부(적극)

경찰서장이 범칙행위에 대하여 통고처분을 한 이상, 범칙자의 위와 같은 절차적 지위를 보장하기 위하여 통고처분에서 정한 범칙금 납부기간까지는 원칙적으로 경찰서장은 즉결심판을 청구할 수 없고, 검사도 동일한 범칙행위에 대하여 공소를 제기할 수 없다고 보아야 한다(대판 2020.4.29. 2017도13409).

핵심 OX

01 도로교통법상 통고처분에 대하여 이의가 있는 자는 통고처분에 따른 범칙금의 납부를 이행한 후에 행정쟁송을 통해 통고처분을 다툴 수 있다. 17. 지방9급 ( )

02 도로교통법상 통고처분을 받은 자가 그 처분에 대하여 이의가 있는 경우에는 통고처분에 따른 범칙금의 납부를 이행하지 아니함으로써 경찰서장의 즉결심판청구에 의하여 법원의 심판을 받을 수 있게 된다. 12. 지방9급 ( )

03 지방국세청장이 조세범칙행위에 대하여 형사고발을 한 후에 동일한 조세범칙행위에 대하여 한 통고처분은 특별한 사정이 없는 한 위법하지만 무효는 아니다. 18. 지방7급 ( )

04 조세범처벌절차법에 근거한 범칙자에 대한 세무관서의 통고처분은 행정소송의 대상이 되는 행정처분이다. 18. 서울7급, 17 · 14. 국가9급, 15 · 14. 지방9급 ( )

05 지방국세청장 또는 세무서장이 조세범처벌절차법에 따라 통고처분을 거치지 아니하고 즉시 고발하였다면 이로써 조세범칙사건에 대한 조사 및 처분절차는 종료되고 형사사건 절차로 이행되어 지방국세청장 또는 세무서장으로서는 동일한 조세범칙행위에 대하여 더 이상 통고처분을 할 권한이 없다. 23. 국가7급 ( )

01 X 02 O 03 X 04 X 05 O

② **즉결심판절차:** 20만원 이하의 벌금 · 구류 또는 과료의 행정형벌은 즉결심판에 관한 절차법이 정하는 바에 따라 경찰서장의 청구에 의하여 피고인에게 벌금 등을 과한다. 즉결심판에 불복이 있는 피고인은 고지받은 날로부터 7일 이내에 정식재판을 청구할 수 있다. 이러한 즉결심판절차는 일반 형사범에 대하여도 적용되므로 행정형벌에만 적용되는 특수한 절차는 아니다.

2. 과벌절차

(1) 경미한 위반행위에 대하여 행정형벌을 가하는 것은 전과자를 양산하는 등 불합리한 점이 많아 오늘날에는 벌금 등의 행정형벌은 과태료를 과하는 행정질서벌로 전환되는 경향에 있다.

(2) 행정질서벌의 과벌절차를 제1차적으로 당해 행정법규를 집행하는 행정기관이 과하고 상대방이 이에 불복하는 경우에만 법원에서 과하도록 하는 절차 등이 나타나고 있다(예 공중위생관리법 제23조, 식품위생법 제78조 등).

3 행정질서벌

1. 특수성

(1) 개괄

① 행정질서벌의 총칙적 규정인 질서위반행위규제법에 의하면, 법률(조례 포함)에 따르지 아니하고는 어떤 행위도 질서위반행위로 과태료를 부과하지 아니한다.

② 질서위반행위규제법상 과태료의 부과 · 징수, 재판 및 집행 등의 절차에 관한 다른 법률의 규정 중 질서위반행위규제법의 규정에 저촉되는 것은 질서위반행위규제법으로 정한 바에 의한다.

③ 질서위반행위란 법률(조례 포함)상의 의무를 위반하여 과태료를 부과하는 행위를 말한다. 다만, 대통령령으로 정하는 사법상 · 소송법상 의무를 위반한 행위 및 대통령령으로 정하는 법률에 따른 징계사유에 해당하여 과태료를 부과하는 행위는 질서위반행위에 포함되지 않는다.

(2) 의의

행정질서벌이란 행정법규위반에 대하여 과태료가 과하여지는 행정벌을 말한다. 이러한 과태료에 대한 일반적인 규정이 존재하지 않았으나 2007.12.21. 제정된 질서위반행위규제법이 제정되어 2008.6.22.부터 시행되었다.

2. 질서위반행위규제법

(1) 제정 이유

질서위반행위의 성립과 과태료처분에 관한 법률관계를 명확히 하여 국민의 권익을 보호하도록 하고, 개별법령에서 통일되지 못하고 있던 과태료의 부과 · 징수절차를 일원화하며, 행정청이 재판에 참여할 수 있도록 하고 지방자치단체가 부과한 과태료는 지방자치단체의 수입이 되도록 하는 등, 과태료 재판과 집행절차를 개선 · 보완함으로써 과태료가 의무이행 확보수단으로서의 기능을 효과적으로 수행할 수 있도록 하였다.

핵심 OX

06 행정법규 위반자가 법정기간 내에 통고처분에 의해 부과된 금액을 납부하지 않으면 비송사건절차법에 의해 처리된다.
15. 지방9급, 08. 국가9급 (　)

핵심 OX

07 지방자치단체의 조례상의 의무를 위반하여 과태료를 부과하는 행위는 질서위반행위에 해당되지 않는다.
19. 지방9급, 18. 서울7급, 11. 사복 (　)

08 민법상의 의무를 위반하여 과태료를 부과하는 행위는 질서위반행위규제법상 질서위반행위에 해당한다.
19. 서울9급(6월) (　)

09 질서위반행위란 법률(조례를 포함한다)상의 의무를 위반하여 과태료를 부과하는 행위를 말하고, 이에는 대통령령으로 정하는 법률에 따른 징계사유에 해당하여 과태료를 부과하는 행위가 포함된다.
09. 국가7급 (　)

06 X　07 X　08 X　09 X

핵심 OX

01 여객자동차 운수사업법에서 정하는 과태료처분이나 감차처분 등은 형벌이 아니므로 같은 법이 정하고 있는 처분대상인 위반행위를 유추해석하거나 확대해석하는 것이 가능하다. 18. 변호사, 11. 지방9급 ( )

관련판례

여객자동차 운수사업법상 과태료 처분이나 감차처분 등의 처벌 또는 제재를 가하는 대상인 위반행위의 해석방법

여객자동차 운수사업법 제76조, 제85조에서 정하는 과태료처분이나 감차처분 등은 규정 위반자에 대하여 처벌 또는 제재를 가하는 것이므로 같은 법이 정하고 있는 처분대상인 위반행위를 함부로 유추해석하거나 확대해석하여서는 아니 된다(대판 2007.3.30. 2004두7665).

구분	종래 판례	질서위반행위규제법
제척기간	부정	긍정
	과태료의 제재는 범죄에 대한 형벌이 아니므로 그 성질상 처음부터 공소시효나 형의 시효에 상당하는 것은 있을 수 없고, 이에 상당하는 규정도 없으므로 일단 한번 과태료에 처해질 위반행위를 한 자는 그 처벌을 면할 수 없는 것이다(대결 2000.8.24. 2000마1350).	제19조【과태료 부과의 제척기간】① 행정청은 질서위반행위가 종료된 날(다수인이 질서위반행위에 가담한 경우에는 최종행위가 종료된 날을 말한다)부터 5년이 경과한 경우에는 해당 질서위반행위에 대하여 과태료를 부과할 수 없다.
소멸시효	5년(국가재정법상)	5년(질서위반행위규제법상)
	예산회계법(현 국가재정법) 제96조 제1항은 "금전의 급부를 목적으로 하는 국가의 권리로서 시효에 관하여 다른 법률에 규정이 없는 것은 5년간 행사하지 아니할 때에는 시효로 인하여 소멸한다."라고 규정하고 있으므로 과태료결정 후 징수의 시효, 즉 과태료 재판의 효력이 소멸하는 시효에 관하여는 국가의 금전채권으로서 예산회계법에 의하여 그 기간은 5년이라고 할 것이다(대결 2000.8.24. 2000마1350).	제15조【과태료의 시효】① 과태료는 행정청의 과태료 부과처분이나 법원의 과태료 재판이 확정된 후 5년간 징수하지 아니하거나 집행하지 아니하면 시효로 인하여 소멸한다. ② 제1항에 따른 소멸시효의 중단·정지 등에 관하여는 국세기본법 제28조를 준용한다.
고의·과실	• 원칙: 불요 과태료와 같은 행정질서벌은 행정질서유지를 위하여 행정법규위반이라는 객관적 사항에 대하여 과한 제재이므로 반드시 현실적인 행위자가 아니라고 하여도 법령상 책임자로 규정된 자에게 부과되고, 또한 특별한 규정이 없는 한 원칙적으로 위반자의 고의·과실을 요하지 아니한다(대판 1994.8.26. 94누6949 ; 대판 1993.11.9. 93누16345). • 예외: 필요 위반자가 그 의무를 알지 못하는 것이 무리가 아니었다고 할 수 있어 그것을 정당시할 수 있는 사정이 있을 때, 또는 그 의무의 이행을 그 당사자에게 기대하는 것이 무리라고 하는 사정이 있을 때 등 그 의무해태를 탓할 수 없는 정당한 사유가 있는 때에는 이를 부과할 수 없다(대판 2000.5.26. 98두5972).	제7조【고의 또는 과실】고의 또는 과실이 없는 질서위반행위는 과태료를 부과하지 아니한다.
소송형태	과태료 부과처분의 성질 ⇨ 비송사건절차법의 적용대상(×, 행정소송의 대상) 옥외광고물등관리법에 의하여 부과된 과태료 처분의 당부는 최종적으로 비송사건절차법에 의한 절차에 의하여만 판단되어야 한다고 보아야 할 것이므로, 위와 같은 과태료처분은 행정소송의 대상이 되는 행정처분이라고 볼 수 없다(대판 1993.11.23. 93누16833).	제5조【다른 법률과의 관계】과태료의 부과·징수, 재판 및 집행 등의 절차에 관한 다른 법률의 규정 중 이 법의 규정에 저촉되는 것은 이 법으로 정하는 바에 따른다.

01 ×

(2) 주요 내용

① **질서위반행위 성립요건(제7조 ~ 제10조 및 제12조 ~ 제15조)**: 고의 · 과실을 질서위반행위의 성립요건으로 규정하고 위법성 착오에 정당한 이유가 있는 경우와 14세 미만자 또는 심신장애인의 질서위반행위는 면책되도록 하며, 과태료 처분에 있어서는 질서위반행위의 공범을 모두 정범으로 취급하고, 여러 개의 질서위반행위가 발생하는 경우 각각에 대하여 과태료를 부과하며, 확정된 과태료의 소멸시효를 5년으로 하였다.

㉠ **대상**: 법인의 대표자, 법인 또는 개인의 대리인, 사용인, 그 밖의 종업원이 업무에 관하여 법인 또는 그 개인에게 부과된 법률상의 의무를 위반한 때에는 법인 또는 그 개인에게 과태료를 부과한다.

㉡ **수인이 질서위반행위를 한 경우**: ⓐ 2인 이상이 질서위반행위에 가담한 때에는 각자가 질서위반 행위를 한 것으로 보고, ⓑ 신분에 의하여 성립하는 질서위반행위에 신분이 없는 자가 가담한 때에는 신분이 없는 자에 대하여도 질서위반행위가 성립한 것으로 보며, ⓒ 신분에 의하여 과태료를 감경 또는 가중하거나 과태료를 부과하지 아니하는 때에는 그 신분의 효과는 신분이 없는 자에게는 미치지 아니한다.

㉢ **수개의 질서위반행위를 한 경우**: 하나의 행위가 둘 이상의 질서위반행위에 해당하는 경우에는 각 질서위반행위에 대하여 정한 과태료 중 가장 중한 과태료를 부과하며, 이 경우를 제외하고는 둘 이상의 질서위반행위가 경합하는 경우에는 각 질서위반행위에 대하여 정한 과태료를 각각 부담한다.

㉣ **소멸시효**: 과태료는 행정청의 과태료부과처분이나 법원의 과태료재판이 확정된 후 5년간 징수하지 아니하거나 집행하지 아니하면 시효로 인하여 소멸한다.

㉤ **시간적 범위**: 질서위반행위의 성립과 과태료처분은 행위시의 법률을 따르는 것이 원칙이나, 질서위반행위 후 법률이 변경되어 그 행위가 질서위반행위에 해당하지 아니하게 되거나 과태료가 변경되기 전의 법률보다 경하게 된 때에는 법률에 특별한 규정이 없는 한 변경된 법률을 적용한다. 행정청의 과태료처분이나 법원의 과태료재판이 확정된 후 법률이 변경되어 그 행위가 질서위반행위에 해당하지 아니하게 된 때에는 변경된 법률에 특별한 규정이 없는 한 과태료의 징수 또는 집행을 면제한다.[1]

관련판례

질서위반행위에 대하여 과태료를 부과하는 근거 법령이 개정되어 행위시의 법률에 의하면 과태료 부과대상이었지만 재판시의 법률에 의하면 부과대상이 아니게 된 때에는 개정 법률의 부칙 등에서 행위시의 법률을 적용하도록 명시하는 등 특별한 사정이 없는 한 재판시의 법률을 적용하여야 하므로 과태료를 부과할 수 없다(대결 2017.4.7. 2016마1626).

핵심 OX

02 질서위반행위규제법상 개인의 대리인이 업무에 관하여 그 개인에게 부과된 법률상의 의무를 위반한 때에는 행위자인 대리인에게 과태료를 부과한다. 17. 국가9급 ( )

03 2인 이상이 질서위반행위에 가담한 때에는 각자가 질서위반행위를 한 것으로 본다. 14. 사복 ( )

04 신분에 의하여 과태료를 감경 또는 가중하거나 과태료에 처하지 아니하는 때에는 그 신분의 효과는 신분이 없는 자에게는 미치지 아니한다. 14. 국가7급, 11. 국회8급 ( )

05 신분에 의하여 성립하는 질서위반행위에 신분이 없는 자가 가담한 때에는 신분이 없는 자에 대하여는 질서위반행위가 성립하지 않는다. 18. 지방7급, 15. 지방9급 · 경특1차, 12. 국가7급 ( )

[1] 법률이 '유리하게 변경'된 경우, 변경된 법률을 적용

핵심 OX

06 하나의 행위가 2 이상의 질서위반행위에 해당하는 경우에는 각 질서위반행위에 대하여 정한 과태료를 합산하여 부과한다. 19. 서울9급(6월) ( )

07 과태료는 행정청의 과태료 부과처분이나 법원의 과태료 재판이 확정된 후 3년간 징수하지 아니하거나 집행하지 아니하면 시효로 인하여 소멸한다. 19. 서울9급(6월) · 지방9급 · 국회8급, 18. 서울7급, 15. 서울9급 · 지방9급, 14. 국가9급, 13. 경특, 09. 지방9급 ( )

08 질서위반행위규제법 상 법원의 과태료 재판이 확정된 후에는 법률이 변경되어 그 행위가 질서위반행위에 해당하지 아니하게 된 경우라 하더라도 과태료의 집행을 면제하지 못한다. 22. 국가7급 ( )

02 X 03 O 04 O 05 X 06 X 07 X 08 X

핵심 OX

01 질서위반행위규제법은 대한민국 영역 밖에서 질서위반행위를 한 대한민국의 국민에게 적용한다. 15. 경특1차, 10. 지방9급 ( )

핵심 OX

02 행정청이 질서위반행위에 대하여 과태료를 부과하고자 하는 때에는 당사자에게 5일 이상의 기간을 정하여 의견제출의 기회를 주어야 한다. 15. 지방9급, 14. 경특2차, 13. 국가9급 ( )

03 질서위반행위규제법에 의하면 행정청은 질서위반행위가 종료된 날부터 5년이 경과한 경우에는 해당 질서위반행위에 대하여 과태료를 부과할 수 없다. 17. 국가7급 ( )

핵심 OX

04 행정청의 과태료부과에 불복하는 당사자는 과태료부과통지를 받은 날부터 60일 이내에 해당 행정청에 서면으로 이의제기를 할 수 있으나, 이 경우에도 행정청의 과태료부과처분의 효력에는 영향을 미치지 아니한다. 19. 지방9급, 18. 서울7급 · 지방7급, 15. 서울7급 · 9급, 14. 국가7급, 13. 국가9급 ( )

05 이의제기를 받은 행정청은 이의제기를 받은 날부터 14일 이내에 이에 대한 의견 및 증빙서류를 첨부하여 관할법원에 통보하여야 하는 것이 원칙이다. 15. 서울9급 ( )

01 ○ 02 X 03 ○ 04 X 05 ○

ⓗ **장소적 범위:** 질서위반행위규제법은 대한민국 영역 안에서 질서위반행위를 한 자에게 적용되며, 대한민국 영역 밖에서 질서위반행위를 한 대한민국 국민에게도 적용된다. 또한 대한민국 영역 밖에 있는 대한민국의 선박 또는 항공기 안에서 질서위반행위를 한 외국인에게도 적용된다.

관련판례

질서위반행위규제법은 과태료의 부과대상인 질서위반행위에 대하여도 책임주의 원칙을 채택하여 제7조에서 "고의 또는 과실이 없는 질서위반행위는 과태료를 부과하지 아니한다."라고 규정하고 있으므로, 질서위반행위를 한 자가 자신의 책임 없는 사유로 위반행위에 이르렀다고 주장하는 경우 법원으로서는 그 내용을 살펴 행위자에게 고의나 과실이 있는지를 따져보아야 한다(대결 2011.7.14. 2011마364).

② **과태료 부과 · 징수절차(제16조 ~ 제20조):** 행정청이 과태료를 부과하고자 하는 때에는 **10일 이상의 기간**을 정하여 당사자에게 의견을 제출할 기회를 부여한 후 과태료를 부과 · 징수하고, 과태료 부과의 제척기간은 질서위반행위가 종료한 날부터 **5년**으로 하며, 과태료 부과에 대하여 당사자가 이의를 제기하면 이를 법원에 통보하여 재판을 받도록 하는 방식으로 과태료 부과 · 징수절차를 정하였다.

㉠ 행정청이 질서위반행위에 대하여 과태료를 부과하고자 하는 때에는 미리 당사자에게 대통령령으로 정하는 사항을 통지하고, 10일 이상의 기간을 정하여 의견을 제출할 기회를 주어야 한다.

㉡ 행정청은 의견제출절차를 마친 후 서면(당사자가 동의하는 경우 전자문서 포함)으로 과태료를 부과하여야 한다.

㉢ 행정청은 질서위반행위가 종료된 날(다수인이 질서위반행위에 가담한 경우에는 최종행위가 종료된 날을 말한다)부터 5년이 경과한 후에는 해당 질서위반행위에 대하여 과태료를 부과할 수 없다.

㉣ 행정청의 과태료부과에 불복하는 당사자는 과태료부과통지를 받은 날부터 60일 이내에 해당 행정청에 서면으로 이의를 제기할 수 있고, 이의제기가 있는 경우 행정청의 과태료부과처분은 그 효력을 상실한다. 이의제기를 받은 행정청은 이의제기를 받은 날부터 14일 이내에 이에 대한 의견 및 증빙서류를 첨부하여 관할법원에 통보하여야 한다.

관련판례

1 옥외광고물등관리법에 의하여 부과된 과태료처분의 당부는 최종적으로 비송사건절차법에 의한 절차에 의하여만 판단되어야 한다고 보아야 할 것이므로 위와 같은 과태료처분은 행정소송의 대상이 되는 행정처분이라고 볼 수 없다(대판 1993.11.23. 93누16833).

2 과태료부과처분의 취소를 구하는 헌법소원은 권리보호의 이익이 없다(헌재 1998.9.30. 98헌마18).

③ **과태료 재판과 집행절차의 개선(제26조, 제27조, 제32조, 제38조 제2항, 제43조 및 제45조 제2항):** 과태료 재판절차에 관한 상세한 규정을 마련함으로써 과태료 재판절차의 미비점을 보완하고, 행정청이 법원의 허가를 받아 재판에 참여할 수 있도록 하며, 검사는 과태료 집행을 행정청에 위탁할 수 있도록 하고, 지방자치단체의 장이 위탁받는 경우에는 그 집행한 과태료를 지방자치단체의 수입이 되도록 하였다.

④ **과태료의 실효성 제고(제18조, 제22조 ~ 제24조, 제52조 ~ 제54조):** 당사자가 과태료를 자진납부하는 경우 감경하여 주고, 질서위반행위의 발생 여부 및 과태료 부과 · 징수를 위하여 행정청에 질서위반행위에 대한 조사권한과 공공기관에 대한 자료제공요청권한을 부여하며, 과태료를 체납하는 경우에는 가산금을 부과하고, 관허사업을 제한하며, 고액 · 상습체납자에 대하여는 신용정보기관에 관련 정보를 제공하고, 법원의 재판을 통하여 30일의 범위 내에서 감치(監置)할 수 있도록 하였다.

⑤ **과태료 부과 시 사법적 효력:** 질서위반행위에 과태료를 부과해도 사법적 효력까지 부인되는 것은 아니다.

관련판례

구 주택건설촉진법 제32조 및 구 주택공급에 관한 규칙 제27조 제4항, 제3항을 위반한 주택공급계약의 사법적 효력(유효)
주택공급계약이 구 주택건설촉진법 제27조 제4항, 제3항에 위반하였다고 하더라도 그 사법적 효력까지 부인된다고 할 수는 없다(대판 2007.8.23. 2005다59475).

[질서위반행위규제법]
제1장 총칙
제1조【목적】 이 법은 법률상 의무의 효율적인 이행을 확보하고 국민의 권리와 이익을 보호하기 위하여 질서위반행위의 성립요건과 과태료의 부과 · 징수 및 재판 등에 관한 사항을 규정하는 것을 목적으로 한다.
제2조【정의】 이 법에서 사용하는 용어의 뜻은 다음과 같다.
1. '질서위반행위'란 법률(지방자치단체의 조례를 포함한다. 이하 같다)상의 의무를 위반하여 과태료를 부과하는 행위를 말한다. 다만, 다음 각 목의 어느 하나에 해당하는 행위를 제외한다.
   가. 대통령령으로 정하는 사법(私法)상 · 소송법상 의무를 위반하여 과태료를 부과하는 행위
   나. 대통령령으로 정하는 법률에 따른 징계사유에 해당하여 과태료를 부과하는 행위
2. '행정청'이란 행정에 관한 의사를 결정하여 표시하는 국가 또는 지방자치단체의 기관, 그 밖의 법령 또는 자치법규에 따라 행정권한을 가지고 있거나 위임 또는 위탁받은 공공단체나 그 기관 또는 사인(私人)을 말한다.
3. '당사자'란 질서위반행위를 한 자연인 또는 법인(법인이 아닌 사단 또는 재단으로서 대표자 또는 관리인이 있는 것을 포함한다. 이하 같다)을 말한다.

제3조【법 적용의 시간적 범위】 ① 질서위반행위의 성립과 과태료 처분은 행위시의 법률에 따른다.

핵심 OX

06 과태료를 부과하는 근거 법령이 개정되어 행위시의 법률에 의하면 과태료 부과대상이었지만 재판시의 법률에 의하면 부과대상이 아니게 된 때에는 특별한 사정이 없는 한 과태료를 부과할 수 없다.
19 · 13. 국가9급 (　)

07 질서위반행위에 대하여 과태료를 부과하는 근거 법령이 개정되어 행위시의 법률에 의하면 과태료 부과대상이었으나 재판시의 법률에 의하면 부과대상이 아닌 때에도 특별한 사정이 없는 한 행위시의 법률에 의하여 과태료를 부과할 수 있다.
19. 국회8급, 18. 국가9급 (　)

06 ○ **07** X

② 질서위반행위 후 법률이 변경되어 그 행위가 질서위반행위에 해당하지 아니하게 되거나 과태료가 변경되기 전의 법률보다 가볍게 된 때에는 법률에 특별한 규정이 없는 한 변경된 법률을 적용한다.
③ 행정청의 과태료 처분이나 법원의 과태료 재판이 확정된 후 법률이 변경되어 그 행위가 질서위반행위에 해당하지 아니하게 된 때에는 변경된 법률에 특별한 규정이 없는 한 과태료의 징수 또는 집행을 면제한다.

제4조 【법 적용의 장소적 범위】 ① 이 법은 대한민국 영역 안에서 질서위반행위를 한 자에게 적용한다.
② 이 법은 대한민국 영역 밖에서 질서위반행위를 한 대한민국의 국민에게 적용한다.
③ 이 법은 대한민국 영역 밖에 있는 대한민국의 선박 또는 항공기 안에서 질서위반행위를 한 외국인에게 적용한다.

제5조 【다른 법률과의 관계】 과태료의 부과 · 징수, 재판 및 집행 등의 절차에 관한 다른 법률의 규정 중 이 법의 규정에 저촉되는 것은 이 법으로 정하는 바에 따른다.

제2장 질서위반행위의 성립 등

제6조 【질서위반행위 법정주의】 법률에 따르지 아니하고는 어떤 행위도 질서위반행위로 과태료를 부과하지 아니한다.

제7조 【고의 또는 과실】 고의 또는 과실이 없는 질서위반행위는 과태료를 부과하지 아니한다.

제8조 【위법성의 착오】 자신의 행위가 위법하지 아니한 것으로 오인하고 행한 질서위반행위는 그 오인에 정당한 이유가 있는 때에 한하여 과태료를 부과하지 아니한다.

제9조 【책임연령】 14세가 되지 아니한 자의 질서위반행위는 과태료를 부과하지 아니한다. 다만, 다른 법률에 특별한 규정이 있는 경우에는 그러하지 아니하다.

제10조 【심신장애】 ① 심신(心神)장애로 인하여 행위의 옳고 그름을 판단할 능력이 없거나 그 판단에 따른 행위를 할 능력이 없는 자의 질서위반행위는 과태료를 부과하지 아니한다.
② 심신장애로 인하여 제1항에 따른 능력이 미약한 자의 질서위반행위는 과태료를 감경한다.
③ 스스로 심신장애 상태를 일으켜 질서위반행위를 한 자에 대하여는 제1항 및 제2항을 적용하지 아니한다.

제11조 【법인의 처리 등】 ① 법인의 대표자, 법인 또는 개인의 대리인 · 사용인 및 그 밖의 종업원이 업무에 관하여 법인 또는 그 개인에게 부과된 법률상의 의무를 위반한 때에는 법인 또는 그 개인에게 과태료를 부과한다.
② 제7조부터 제10조까지의 규정은 도로교통법 제56조 제1항에 따른 고용주 등을 같은 법 제160조 제3항에 따라 과태료를 부과하는 경우에는 적용하지 아니한다.

제12조 【다수인의 질서위반행위 가담】 ① 2인 이상이 질서위반행위에 가담한 때에는 각자가 질서위반행위를 한 것으로 본다.
② 신분에 의하여 성립하는 질서위반행위에 신분이 없는 자가 가담한 때에는 신분이 없는 자에 대하여도 질서위반행위가 성립한다.
③ 신분에 의하여 과태료를 감경 또는 가중하거나 과태료를 부과하지 아니하는 때에는 그 신분의 효과는 신분이 없는 자에게는 미치지 아니한다.

제13조 【수개의 질서위반행위의 처리】 ① 하나의 행위가 2 이상의 질서위반행위에 해당하는 경우에는 각 질서위반행위에 대하여 정한 과태료 중 가장 중한 과태료를 부과한다.
② 제1항의 경우를 제외하고 2 이상의 질서위반행위가 경합하는 경우에는 각 질서위반행위에 대하여 정한 과태료를 각각 부과한다. 다만, 다른 법령(지방자치단체의 조례를 포함한다. 이하 같다)에 특별한 규정이 있는 경우에는 그 법령으로 정하는 바에 따른다.

핵심 OX

01 과태료의 부과요건 · 절차 등에 관하여 질서위반행위규제법의 규정과 다른 법률 규정이 있으면 그 규정을 우선 적용한다.
15. 서울7급, 12. 국회8급 ( )

02 과태료는 행정형벌이 아닌 행정질서벌이므로 질서위반행위규제법은 행위자의 고의 또는 과실이 없더라도 과태료를 부과하도록 하고 있다.
18. 변호사, 16. 지방7급 15. 지방9급 · 사복, 14. 지방9급, 13. 국가9급, 12 · 11. 국가7급 ( )

03 자신의 행위가 위법하지 아니한 것으로 오인하고 행한 질서위반행위는 과태료를 부과하지 아니한다.
16. 지방7급, 14. 사복, 09. 지방9급 ( )

04 다른 법률에 특별한 규정이 없는 한 14세가 되지 아니한 자의 질서위반행위는 과태료를 부과하지 아니한다.
14. 경특2차 ( )

05 스스로 심신장애 상태를 일으켜 질서위반행위를 한 자에 대하여는 과태료를 감경한다. 19. 국가7급 ( )

06 신분에 의하여 과태료를 감경 또는 가중하거나 과태료를 부과하지 아니하는 때에는 그 신분의 효과는 신분이 없는 자에게는 미치지 않는다.
21. 국가7급 ( )

01 X **02** X **03** X **04** O **05** X **06** O

제14조【과태료의 산정】 행정청 및 법원은 과태료를 정함에 있어서 다음 각 호의 사항을 고려하여야 한다.

1. 질서위반행위의 동기 · 목적 · 방법 · 결과
2. 질서위반행위 이후의 당사자의 태도와 정황
3. 질서위반행위자의 연령 · 재산상태 · 환경
4. 그 밖에 과태료의 산정에 필요하다고 인정되는 사유

제15조【과태료의 시효】 ① 과태료는 행정청의 과태료 부과처분이나 법원의 과태료 재판이 확정된 후 5년간 징수하지 아니하거나 집행하지 아니하면 시효로 인하여 소멸한다.

② 제1항에 따른 소멸시효의 중단 · 정지 등에 관하여는 국세기본법 제28조를 준용한다.

제3장 행정청의 과태료 부과 및 징수

제16조【사전통지 및 의견 제출 등】 ① 행정청이 질서위반행위에 대하여 과태료를 부과하고자 하는 때에는 미리 당사자(제11조 제2항에 따른 고용주등을 포함한다. 이하 같다)에게 대통령령으로 정하는 사항을 통지하고, 10일 이상의 기간을 정하여 의견을 제출할 기회를 주어야 한다. 이 경우 지정된 기일까지 의견 제출이 없는 경우에는 의견이 없는 것으로 본다.

② 당사자는 의견 제출 기한 이내에 대통령령으로 정하는 방법에 따라 행정청에 의견을 진술하거나 필요한 자료를 제출할 수 있다.

③ 행정청은 제2항에 따라 당사자가 제출한 의견에 상당한 이유가 있는 경우에는 과태료를 부과하지 아니하거나 통지한 내용을 변경할 수 있다.

제17조【과태료의 부과】 ① 행정청은 제16조의 의견 제출 절차를 마친 후에 서면(당사자가 동의하는 경우에는 전자문서를 포함한다. 이하 이 조에서 같다)으로 과태료를 부과하여야 한다.

② 제1항에 따른 서면에는 질서위반행위, 과태료 금액, 그 밖에 대통령령으로 정하는 사항을 명시하여야 한다.

제17조의2【신용카드 등에 의한 과태료의 납부】 ① 당사자는 과태료, 제24조에 따른 가산금, 중가산금 및 체납처분비를 대통령령으로 정하는 과태료 납부대행기관을 통하여 신용카드, 직불카드 등(이하 '신용카드'등이라 한다)으로 낼 수 있다.

제18조【자진납부자에 대한 과태료 감경】 ① 행정청은 당사자가 제16조에 따른 의견 제출 기한 이내에 과태료를 자진하여 납부하고자 하는 경우에는 대통령령으로 정하는 바에 따라 과태료를 감경할 수 있다.

② 당사자가 제1항에 따라 감경된 과태료를 납부한 경우에는 해당 질서위반행위에 대한 과태료 부과 및 징수절차는 종료한다.

제19조【과태료 부과의 제척기간】 ① 행정청은 질서위반행위가 종료된 날(다수인이 질서위반행위에 가담한 경우에는 최종행위가 종료된 날을 말한다)부터 5년이 경과한 경우에는 해당 질서위반행위에 대하여 과태료를 부과할 수 없다.

② 제1항에도 불구하고 행정청은 제36조 또는 제44조에 따른 법원의 결정이 있는 경우에는 그 결정이 확정된 날부터 1년이 경과하기 전까지는 과태료를 정정부과 하는 등 해당 결정에 따라 필요한 처분을 할 수 있다.

제20조【이의제기】 ① 행정청의 과태료 부과에 불복하는 당사자는 제17조 제1항에 따른 과태료 부과 통지를 받은 날부터 60일 이내에 해당 행정청에 서면으로 이의제기를 할 수 있다.

② 제1항에 따른 이의제기가 있는 경우에는 행정청의 과태료 부과처분은 그 효력을 상실한다.

핵심 OX

07 행정청의 과태료 부과에 불복하는 당사자는 과태료 부과 통지를 받은 날부터 60일 이내에 해당 행정청에 서면으로 이의제기를 할 수 있으나, 이 경우에도 행정청의 과태료 부과처분의 효력에는 영향을 미치지 아니한다. 14. 국가7급 ( )

08 질서위반행위규제법에 의한 과태료부과처분은 처분의 상대방이 이의제기하지 않은 채 납부기간까지 과태료를 납부하지 않으면 도로교통법상 통고처분과 마찬가지로 그 효력을 상실한다. 18. 국가7급 ( )

07 X **08** X

③ 당사자는 행정청으로부터 제21조 제3항에 따른 통지를 받기 전까지는 행정청에 대하여 서면으로 이의제기를 철회할 수 있다.

제21조【법원에의 통보】 ① 제20조 제1항에 따른 이의제기를 받은 행정청은 이의제기를 받은 날부터 14일 이내에 이에 대한 의견 및 증빙서류를 첨부하여 관할 법원에 통보하여야 한다. 다만, 다음 각 호의 어느 하나에 해당하는 경우에는 그러하지 아니하다.

1. 당사자가 이의제기를 철회한 경우
2. 당사자의 이의제기에 이유가 있어 과태료를 부과할 필요가 없는 것으로 인정되는 경우

② 행정청은 사실상 또는 법률상 같은 원인으로 말미암아 다수인에게 과태료를 부과할 필요가 있는 경우에는 다수인 가운데 1인에 대한 관할권이 있는 법원에 제1항에 따른 이의제기 사실을 통보할 수 있다.

③ 행정청이 제1항 및 제2항에 따라 관할 법원에 통보를 하거나 통보하지 아니하는 경우에는 그 사실을 즉시 당사자에게 통지하여야 한다.

제22조【질서위반행위의 조사】 ① 행정청은 질서위반행위가 발생하였다는 합리적 의심이 있어 그에 대한 조사가 필요하다고 인정할 때에는 대통령령으로 정하는 바에 따라 다음 각 호의 조치를 할 수 있다.

1. 당사자 또는 참고인의 출석 요구 및 진술의 청취
2. 당사자에 대한 보고 명령 또는 자료 제출의 명령

② 행정청은 질서위반행위가 발생하였다는 합리적 의심이 있어 그에 대한 조사가 필요하다고 인정할 때에는 그 소속 직원으로 하여금 당사자의 사무소 또는 영업소에 출입하여 장부 · 서류 또는 그 밖의 물건을 검사하게 할 수 있다.

③ 제2항에 따른 검사를 하고자 하는 행정청 소속 직원은 당사자에게 검사 개시 7일 전까지 검사 대상 및 검사 이유, 그 밖에 대통령령으로 정하는 사항을 통지하여야 한다. 다만, 긴급을 요하거나 사전통지의 경우 증거인멸 등으로 검사목적을 달성할 수 없다고 인정되는 때에는 그러하지 아니하다.

④ 제2항에 따라 검사를 하는 직원은 그 권한을 표시하는 증표를 지니고 이를 관계인에게 내보여야 한다.

⑤ 제1항 및 제2항에 따른 조치 또는 검사는 그 목적 달성에 필요한 최소한에 그쳐야 한다.

제23조【자료제공의 요청】 행정청은 과태료의 부과 · 징수를 위하여 필요한 때에는 관계 행정기관, 지방자치단체, 그 밖에 대통령령으로 정하는 공공기관(이하 "공공기관 등"이라 한다)의 장에게 그 필요성을 소명하여 자료 또는 정보의 제공을 요청할 수 있으며, 그 요청을 받은 공공기관 등의 장은 특별한 사정이 없는 한 이에 응하여야 한다.

제24조【가산금 징수 및 체납처분 등】 ① 행정청은 당사자가 납부기한까지 과태료를 납부하지 아니한 때에는 납부기한을 경과한 날부터 체납된 과태료에 대하여 100분의 3에 상당하는 가산금을 징수한다.

② 체납된 과태료를 납부하지 아니한 때에는 납부기한이 경과한 날부터 매 1개월이 경과할 때마다 체납된 과태료의 1천분의 12에 상당하는 가산금(이하 이 조에서 '중가산금'이라 한다)을 제1항에 따른 가산금에 가산하여 징수한다. 이 경우 중가산금을 가산하여 징수하는 기간은 60개월을 초과하지 못한다.

③ 행정청은 당사자가 제20조 제1항에 따른 기한 이내에 이의를 제기하지 아니하고 제1항에 따른 가산금을 납부하지 아니한 때에는 국세 또는 지방세 체납처분의 예에 따라 징수한다.

핵심 OX

01 당사자가 과태료를 납부하지 아니하여도 가산금을 징수할 수는 없다. 11. 지방9급 (　)

02 행정청은 당사자가 납부기한까지 과태료를 납부하지 아니한 때에는 납부기한을 경과한 날부터 체납된 과태료에 대하여 100분의 10에 상당하는 가산금을 징수한다. 15. 경특 (　)

03 납부기한을 경과한 날부터 체납된 과태료에 대하여 1000분의 12에 상당하는 가산금을 징수한다. 15. 서울7급, 14. 경특2차 (　)

01 X **02** X **03** X

제24조의2【상속재산 등에 대한 집행】 ① 과태료는 당사자가 과태료 부과처분에 대하여 이의를 제기하지 아니한 채 제20조 제1항에 따른 기한이 종료한 후 사망한 경우에는 그 상속재산에 대하여 집행할 수 있다.

② 법인에 대한 과태료는 법인이 과태료 부과처분에 대하여 이의를 제기하지 아니한 채 제20조 제1항에 따른 기한이 종료한 후 합병에 의하여 소멸한 경우에는 합병 후 존속한 법인 또는 합병에 의하여 설립된 법인에 대하여 집행할 수 있다.

제24조의3【과태료의 징수유예 등】 ① 행정청은 당사자가 다음 각 호의 어느 하나에 해당하여 과태료(체납된 과태료와 가산금, 중가산금 및 체납처분비를 포함한다. 이하 이 조에서 같다)를 납부하기가 곤란하다고 인정되면 1년의 범위에서 대통령령으로 정하는 바에 따라 과태료의 분할납부나 납부기일의 연기(이하 '징수유예 등'이라 한다)를 결정할 수 있다.

1. 국민기초생활 보장법에 따른 수급권자
2. 국민기초생활 보장법에 따른 차상위계층 중 다음 각 목의 대상자
   가. 의료급여법에 따른 수급권자
   나. 한부모가족지원법에 따른 지원대상자
   다. 자활사업 참여자
3. 장애인복지법 제2조 제2항에 따른 장애인
4. 본인 외에는 가족을 부양할 사람이 없는 사람
5. 불의의 재난으로 피해를 당한 사람
6. 납부의무자 또는 그 동거 가족이 질병이나 중상해로 1개월 이상의 장기 치료를 받아야 하는 경우
7. 채무자 회생 및 파산에 관한 법률에 따른 개인회생절차개시결정자
8. 고용보험법에 따른 실업급여수급자
9. 그 밖에 제1호부터 제8호까지에 준하는 것으로서 대통령령으로 정하는 부득이한 사유가 있는 경우

제4장 질서위반행위의 재판 및 집행

제25조【관할 법원】 과태료 사건은 다른 법령에 특별한 규정이 있는 경우를 제외하고는 당사자의 주소지의 지방법원 또는 그 지원의 관할로 한다.

제26조【관할의 표준이 되는 시기】 법원의 관할은 행정청이 제21조 제1항 및 제2항에 따라 이의제기 사실을 통보한 때를 표준으로 정한다.

제27조【관할위반에 따른 이송】 ① 법원은 과태료 사건의 전부 또는 일부에 대하여 관할권이 없다고 인정하는 경우에는 결정으로 이를 관할 법원으로 이송한다.

② 당사자 또는 검사는 이송결정에 대하여 즉시항고를 할 수 있다.

제28조【준용규정】 비송사건절차법 제2조부터 제4조까지, 제6조, 제7조, 제10조(인증과 감정을 제외한다) 및 제24조부터 제26조까지의 규정은 이 법에 따른 과태료 재판(이하 '과태료 재판'이라 한다)에 준용한다.

제29조【법원직원의 제척 등】 법원직원의 제척 · 기피 및 회피에 관한 민사소송법의 규정은 과태료 재판에 준용한다.

제30조【행정청 통보사실의 통지】 법원은 제21조 제1항 및 제2항에 따른 행정청의 통보가 있는 경우 이를 즉시 검사에게 통지하여야 한다.

제31조【심문 등】 ① 법원은 심문기일을 열어 당사자의 진술을 들어야 한다.

② 법원은 검사의 의견을 구하여야 하고, 검사는 심문에 참여하여 의견을 진술하거나 서면으로 의견을 제출하여야 한다.

③ 법원은 당사자 및 검사에게 제1항에 따른 심문기일을 통지하여야 한다.

핵심 OX

04 질서위반행위규제법상 과태료는 당사자가 과태료 부과처분에 대하여 이의를 제기하지 아니한 채 질서위반행위규제법에 따른 이의제기기한이 종료한 후 사망한 경우에는 그 상속재산에 대하여 집행할 수 있다. 16. 지방7급, 14. 사복 ( )

핵심 OX

05 과태료 사건은 다른 법령에 특별한 규정이 있는 경우를 제외하고는 과태료를 부과한 행정청의 소재지를 관할하는 행정법원의 관할로 한다. 19. 서울9급(6월), 15. 서울9급 ( )

06 질서위반행위규제법상 과태료 사건은 다른 법령에 특별한 규정이 있는 경우를 제외하고는 행정청의 주소지의 지방법원 또는 그 지원의 관할로 한다. 23. 국가7급 ( )

04 ○ **05** X **06** X

핵심 OX

01 과태료의 재판은 이유를 붙인 결정으로써 한다. 12. 국회9급 ( )

02 당사자와 검사는 과태료 재판에 즉시항고할 수 있고, 이 경우 항고는 집행정지의 효력이 있다. 15. 사복, 14. 국가7급, 12. 국회9급, 04. 5급 공채 ( )

03 과태료의 재판은 판사의 명령으로 집행하며, 이 경우 그 명령은 집행력 있는 집행권원과 동일한 효력이 있다. 15. 경특, 12. 지방9급 ( )

04 질서위반행위규제법에 따르면, 당사자와 검사는 과태료 재판에 대하여 즉시항고를 할 수 있으며, 이 경우 항고는 집행정지의 효력이 있다. 24. 국가9급 ( )

05 법원이 심문없이 과태료 재판을 하고자 하는 때에는 당사자와 검사는 특별한 사정이 없는 한 약식재판의 고지를 받은 날부터 7일 이내에 이의신청을 할 수 있다. 23. 지방9급 ( )

01 ○ **02** ○ **03** X **04** ○ **05** ○

제32조【행정청에 대한 출석 요구 등】 ① 법원은 행정청의 참여가 필요하다고 인정하는 때에는 행정청으로 하여금 심문기일에 출석하여 의견을 진술하게 할 수 있다.
② 행정청은 법원의 허가를 받아 소속 공무원으로 하여금 심문기일에 출석하여 의견을 진술하게 할 수 있다.

제33조【직권에 의한 사실탐지와 증거조사】 ① 법원은 직권으로 사실의 탐지와 필요하다고 인정하는 증거의 조사를 하여야 한다.
② 제1항의 증거조사에 관하여는 민사소송법에 따른다.

제36조【재판】 ① 과태료 재판은 이유를 붙인 결정으로써 한다.
② 결정서의 원본에는 판사가 서명날인하여야 한다. 다만, 제20조 제1항에 따른 이의제기서 또는 조서에 재판에 관한 사항을 기재하고 판사가 이에 서명날인함으로써 원본에 갈음할 수 있다.
③ 결정서의 정본과 등본에는 법원사무관등이 기명날인하고, 정본에는 법원인을 찍어야 한다.
④ 제2항의 서명날인은 기명날인으로 갈음할 수 있다.

제38조【항고】 ① 당사자와 검사는 과태료 재판에 대하여 즉시항고를 할 수 있다. 이 경우 항고는 집행정지의 효력이 있다.
② 검사는 필요한 경우에는 제1항에 따른 즉시항고 여부에 대한 행정청의 의견을 청취할 수 있다.

제41조【재판비용】 ① 과태료 재판절차의 비용은 과태료에 처하는 선고가 있는 경우에는 그 선고를 받은 자의 부담으로 하고, 그 외의 경우에는 국고의 부담으로 한다.
② 항고법원이 당사자의 신청을 인정하는 과태료 재판을 한 때에는 항고절차의 비용과 전심에서 당사자의 부담이 된 비용은 국고의 부담으로 한다.

제42조【과태료 재판의 집행】 ① 과태료 재판은 검사의 명령으로써 집행한다. 이 경우 그 명령은 집행력 있는 집행권원과 동일한 효력이 있다.
② 과태료 재판의 집행절차는 민사집행법에 따르거나 국세 또는 지방세 체납처분의 예에 따른다. 다만, 민사집행법에 따를 경우에는 집행을 하기 전에 과태료 재판의 송달은 하지 아니한다.

제43조【과태료 재판 집행의 위탁】 ① 검사는 과태료를 최초 부과한 행정청에 대하여 과태료 재판의 집행을 위탁할 수 있고, 위탁을 받은 행정청은 국세 또는 지방세 체납처분의 예에 따라 집행한다.
② 지방자치단체의 장이 제1항에 따라 집행을 위탁받은 경우에는 그 집행한 금원(金員)은 당해 지방자치단체의 수입으로 한다.

제44조【약식재판】 법원은 상당하다고 인정하는 때에는 제31조 제1항에 따른 심문 없이 과태료 재판을 할 수 있다.

제45조【이의신청】 ① 당사자와 검사는 제44조에 따른 약식재판의 고지를 받은 날부터 7일 이내에 이의신청을 할 수 있다.
② 검사는 필요한 경우에는 제1항에 따른 이의신청여부에 대하여 행정청의 의견을 청취할 수 있다.
③ 제1항의 기간은 불변기간으로 한다.
④ 당사자와 검사가 책임질 수 없는 사유로 제1항의 기간을 지킬 수 없었던 경우에는 그 사유가 없어진 날부터 14일 이내에 이의신청을 할 수 있다. 다만, 그 사유가 없어질 당시 외국에 있던 당사자에 대하여는 그 기간을 30일로 한다.

제5장 보칙

제52조 【관허사업의 제한】 ① 행정청은 허가·인가·면허·등록 및 갱신(이하 '허가 등'이라 한다)을 요하는 사업을 경영하는 자로서 다음 각 호의 사유에 모두 해당하는 체납자에 대하여는 사업의 정지 또는 허가 등의 취소를 할 수 있다.

1. 해당 사업과 관련된 질서위반행위로 부과받은 과태료를 3회 이상 체납하고 있고, 체납발생일부터 각 1년이 경과하였으며, 체납금액의 합계가 500만원 이상인 체납자 중 대통령령으로 정하는 횟수와 금액 이상을 체납한 자
2. 천재지변이나 그 밖의 중대한 재난 등 대통령령으로 정하는 특별한 사유 없이 과태료를 체납한 자

② 허가 등을 요하는 사업의 주무관청이 따로 있는 경우에는 행정청은 당해 주무관청에 대하여 사업의 정지 또는 허가 등의 취소를 요구할 수 있다.

제53조 【신용정보의 제공 등】 ① 행정청은 과태료 징수 또는 공익목적을 위하여 필요한 경우 국세징수법 제110조를 준용하여 신용정보의 이용 및 보호에 관한 법률 제2조에 따른 신용정보회사 또는 같은 법 제25조에 따른 신용정보집중기관의 요청에 따라 체납 또는 결손처분자료를 제공할 수 있다. 이 경우 국세징수법 제110조를 준용할 때 '체납자'는 '체납자 또는 결손처분자'로, '체납자료'는 '체납 또는 결손처분 자료'로 본다.

제54조 【고액·상습체납자에 대한 제재】 ① 법원은 검사의 청구에 따라 결정으로 30일의 범위 이내에서 과태료의 납부가 있을 때까지 다음 각 호의 사유에 모두 해당하는 경우 체납자(법인인 경우에는 대표자를 말한다. 이하 이 조에서 같다)를 감치(監置)에 처할 수 있다.

1. 과태료를 3회 이상 체납하고 있고, 체납발생일부터 각 1년이 경과하였으며, 체납금액의 합계가 1천만원 이상인 체납자 중 대통령령으로 정하는 횟수와 금액 이상을 체납한 경우
2. 과태료 납부능력이 있음에도 불구하고 정당한 사유 없이 체납한 경우

② 행정청은 과태료 체납자가 제1항 각 호의 사유에 모두 해당하는 경우에는 관할 지방검찰청 또는 지청의 검사에게 체납자의 감치를 신청할 수 있다.

③ 제1항의 결정에 대하여는 즉시항고를 할 수 있다.

제55조 【자동차 관련 과태료 체납자에 대한 자동차 등록번호판의 영치】 ① 행정청은 자동차관리법 제2조 제1호에 따른 자동차의 운행·관리 등에 관한 질서위반행위 중 대통령령으로 정하는 질서위반행위로 부과받은 과태료(이하 '자동차 관련 과태료'라 한다)를 납부하지 아니한 자에 대하여 체납된 자동차 관련 과태료와 관계된 그 소유의 자동차의 등록번호판을 영치할 수 있다.

3. 행정벌과의 병과

(1) 행정질서벌과 행정형벌의 병과 여부

① 행정질서벌과 행정형벌이 기본적 사실관계로서의 행위를 달리하는 경우에는 병과가 가능하나, 기본적 사실관계를 같이 하는 경우에는 양자 모두 행정벌이므로 병과할 수 없다는 부정설과 병과할 수 있다는 긍정설이 있다.

② 대법원 판례는 행정질서벌은 형법상의 형을 과하는 것이 아니므로 행정형벌과 병과할 수 있다는 입장이다(대판 1996.4.12. 96도158).

③ 헌법재판소는 동일한 행위를 대상으로 형벌과 과태료를 함께 부과하는 것은 이중처벌금지의 기본정신에 위반될 여지가 있다는 입장이다(헌재 1994.6.30. 92헌바38).

핵심 OX

06 과태료의 고액, 상습체납자는 검사의 청구에 따라 법원의 결정으로써 30일의 범위 내에서 납부가 있을 때까지 감치될 수 있다.
12. 국회8급 ( )

핵심 OX

07 헌법재판소의 결정에 따르면 행정질서벌과 행정형벌을 병과하면 이중처벌금지의 기본정신에 배치될 여지가 있다고 설시하고 있다.
09. 국회9급 ( )

06 ○ **07** ○

대법원	헌법재판소
행정법상 질서벌인 과태료의 부과처분과 형사처벌은 그 **성질이나 목적을 달리하는 별개의 것**이므로, 행정법상의 질서벌인 과태료를 납부한 후 형사처벌을 한다고 하여 이를 **일사부재리의 원칙에 반하는 것이라고 할 수는 없다**(대판 2000.10.27. 2000도3874).	행정질서벌로서의 과태료는 행정상 의무의 위반에 대하여 국가가 일반통치권에 기하여 과하는 제재로서, 형벌과 목적·기능이 중복되는 면이 없지 않으므로, 동일한 행위를 대상으로 하여 형벌을 부과하면서 아울러 행정질서벌로서의 과태료까지 부과한다면, 그것은 **이중처벌금지의 기본정신에 위반되어 국가입법권의 남용으로 인정될 여지가 있음**을 부정할 수 없다(헌재 1994.6.30. 92헌바38).

핵심 OX

01 임시운행허가기간을 벗어난 무등록 차량을 운행한 자는 과태료와 별도로 형사처벌의 대상이 된다.
14. 국가9급 ( )

(2) 행정벌과 행정처분은 병과가 가능하다.

관련판례

운행정지처분의 사유가 된 사실관계로 자동차 운송사업자가 이미 형사처벌을 받은바 있다 하여 서울특별시장의 자동차운수사업법 제31조를 근거로 한 운행정지처분이 일사부재리의 원칙에 위반된다 할 수 없다(대판 1983.6.14. 82누439).

(3) 행정벌과 과징금은 병과가 가능하다.

판례연구 행정형벌(과태료와 형벌의 병과 가능성)

1. 기본 판례

① 대법원

행정법상의 질서벌인 과태료의 부과처분과 형사처벌은 그 성질이나 목적을 달리하는 별개의 것이므로 행정법상의 질서벌인 과태료를 납부한 후에 형사처벌을 한다고 하여 이를 일사부재리의 원칙에 반하는 것이라고 할 수는 없다(대판 1996.4.12. 96도158).

② 헌법재판소

행정질서벌로서의 과태료는 행정상 의무의 위반에 대하여 국가가 일반통치권에 기하여 과하는 제재로서 형벌(특히 행정형벌)과 목적·기능이 중복되는 면이 없지 않으므로, 동일한 행위를 대상으로 하여 형벌을 부과하면서 아울러 행정질서벌로서의 과태료까지 부과한다면 그것은 이중처벌금지의 기본정신에 배치되어 국가 입법권의 남용으로 인정될 여지가 있음을 부정할 수 없다(헌재 1994.6.30. 92헌바38).

핵심 OX

02 과태료처분을 받고 이를 납부한 일이 있는데도 그 후에 형사처벌을 하면 일사부재리의 원칙에 위반된다.
19. 국회8급, 18. 변호사, 12. 지방7급 ( )

2. 관련 판례

① 해석상 과실범도 벌할 뜻이 명확할 경우를 제외하고는 형법의 원칙에 따라 고의가 있어야 벌할 수 있다.
② 지방자치단체도 자치사무를 수행하는 경우에는 양벌규정에 따라 처벌대상이 되는 법인에 해당한다.
③ 기관위임사무를 수행하는 지방자치단체는 양벌규정에 따라 처벌할 수 없다.
④ 양벌규정에 의한 영업주의 처벌은 종업원의 처벌에 종속하는 것이 아닌 독립된 그 자신의 선임·감독상의 과실책임이다.
⑤ 통고처분은 행정심판이나 행정소송의 대상에서 제외되며 이러한 통고처분제도는 합헌이다.
⑥ 통고처분의 대상되는 범칙행위에 대해 고발 없는 검사의 공소제기는 무효이다.
⑦ 통고처분을 하지 아니한 채 고발하였다는 것만으로는 그 고발 및 이에 기한 공소의 제기가 부적법하게 되는 것은 아니다.
⑧ 비송사건절차법에 따라 과태료를 부과하는 경우 과태료부과는 항고소송의 대상이 되지 않는다.

01 ○ 02 X

3. 질서위반행위규제법 이전 과태료에 대한 주요 판례
① 행정질서벌은 법령상 책임자에게 부과되고 고의·과실을 요하지 않는다.
② 과태료에는 죄형법정주의가 적용되지 않는다.
③ 의무해태를 탓할 수 없는 정당한 사유가 인정되는 경우 행정질서벌의 부과는 불가하다.

제2절 행정상 새로운 의무이행 확보수단

1 개설

현대 행정기능의 확대에 따라 전통적인 행정강제수단으로는 행정목적을 달성할 수 없게 되자 새로운 의무이행확보수단이 등장하게 되었다.

2 비금전적 제재

1. 공급거부

(1) 의의

① 공급거부란 행정법상의 의무를 위반하거나 불이행이 있는 경우에 행정상 일정한 재화나 서비스의 공급을 거부하는 행정작용을 말한다. 전기·수도와 같은 국민생활에 필수적인 재화·서비스를 거부함으로써 행정법상의 의무이행을 간접적으로 강제하는 수단이다.
② 국민생활에 필수적인 재화·서비스를 공급거부하는 것이므로 매우 강력한 행정의 실효성 확보수단으로 기능한다.

(2) 법적 근거

공급거부는 부담적 행정작용이므로 **법률상 근거**를 요한다. 이에 대하여 일반법은 없으며, 구 건축법 제69조 제2항에서 규정하고 있었으나, 2005.11.8. 개정으로 삭제되었다.

(3) 한계(부당결부금지의 원칙)

이행이 확보되어야 할 의무와 거부되는 공급간에 관련성이 없는 경우에는 부당결부금지의 원칙에 위반될 여지가 있다. 공급거부에 대하여 포르스트호프(E. Forsthoff)는 '법치국가에 적합하지 않으며, 행정국가의 가장 야만적인 형식으로의 후퇴'라는 비판을 한 바 있다.

(4) 공급거부에 대한 구제수단

공급거부는 급부행정의 영역에서 문제되는 것이나 공급거부가 사법적인 경우에는 민사소송에 의하여, 공법적인 경우에는 행정쟁송에 의하여 구제받을 수 있다. 판례는 **단수처분**은 **항고소송의 대상**이 되는 행정처분에 해당한다는 입장이나(대판 1979.12.28. 79누218), 위법건축물에 대한 공급거부요청은 처분으로 인정하지 않는다(대판 1996.3.22. 96누433).[1]

핵심 OX

03 공급거부란 행정법상의 의무를 위반하거나 불이행한 자에 대해 일정한 재화나 서비스의 공급을 거부하는 행정작용을 말한다. 14. 경특1차 ( )

[1]
· 전기·전화: 사법
· 수도: 공법

03 ○

핵심 OX

01 위법 건축물에 대한 단전 및 전화통화 단절조치 요청행위는 처분성이 부인된다. 13. 지방9급 ( )

단전조치요청	단수처분
• 단전조치요청 등은 강학상 행정지도의 일종으로서 이른바 **권고에 해당**한다. 따라서 공급거부요청은 한전 및 전화국에 대해 전기·전화의 공급을 거부할 것을 희망하는 비권력적 사실행위이므로 **처분성이 부정**된다(대판 1996.3.22. 96누433). • 무단 용도변경을 이유로 단전조치된 건물의 소유자로부터 새로이 전기공급신청을 받은 한국전력공사가 관할 구청장에게 전기공급의 적법 여부를 조회한 데 대하여, 관할 구청장이 한국전력공사에 대하여 건축법 제69조 제2항·제3항의 규정에 의하여 위 건물에 대한 전기공급이 불가하다는 내용의 회신을 하였다면, 그 회신은 권고적 성격의 행위에 불과한 것으로서 한국전력공사나 특정인의 법률상 지위에 직접적인 변동을 가져오는 것은 아니므로 항고소송의 대상이 되는 행정처분이라고 볼 수 없다(대판 1995.11.21. 95누9099).	종로구청장이 한 단수처분은 항고소송의 대상이 되는 **행정처분에 해당**한다(대판 1979.12.28. 79누218).

2. 관허사업의 제한

(1) 의의

행정상의 의무이행을 확보하기 위하여 의무위반사항과 직접적 관련이 없는 개별법상 인·허가발급의 거부 등을 통하여 행정법상의 의무이행을 확보하는 수단을 말한다.

(2) 종류

① **관련된 특정관허사업의 제한**: 건축법을 위반한 건축물을 사용하는 다른 법령에 의한 영업허가신청에 대하여 시장·군수 등이 허가권자에 대해 허가를 하지 아니하도록 요청할 수 있고, 이러한 요청을 받은 자는 특별한 사유가 없는 한 이에 응하도록 하는 규정(건축법 제79조 제2항·제3항)이 있다.

② **일반적인 관허사업의 제한**: 국세체납자에 대한 관허사업을 제한(국세징수법 제112조 제1항·제2항·제4항)하는 규정이 있다.

> **국세징수법 제112조 【사업에 관한 허가 등의 제한】** ① 관할 세무서장은 납세자가 허가·인가·면허 및 등록 등(이하 이 조에서 '허가 등'이라 한다)을 받은 사업과 관련된 소득세, 법인세 및 부가가치세를 체납한 경우 해당 사업의 주무관청에 그 납세자에 대하여 허가 등의 갱신과 그 허가 등의 근거 법률에 따른 신규 허가등을 하지 아니할 것을 요구할 수 있다. 다만, 재난, 질병 또는 사업의 현저한 손실, 그 밖에 대통령령으로 정하는 사유가 있는 경우에는 그러하지 아니하다.
> ② 관할 세무서장은 허가 등을 받아 사업을 경영하는 자가 해당 사업과 관련된 소득세, 법인세 및 부가가치세를 3회 이상 체납하고 그 체납된 금액의 합계액이 500만원 이상인 경우 해당 주무관청에 사업의 정지 또는 허가 등의 취소를 요구할 수 있다. 다만, 재난, 질병 또는 사업의 현저한 손실, 그 밖에 대통령령으로 정하는 사유가 있는 경우에는 그러하지 아니하다.

01 ○

③ 관할 세무서장은 제1항 또는 제2항의 요구를 한 후 해당 국세를 징수한 경우 즉시 그 요구를 철회하여야 한다.
④ 해당 주무관청은 제1항 또는 제2항에 따른 관할 세무서장의 요구가 있을 때에는 정당한 사유가 없으면 요구에 따라야 하며, 그 조치 결과를 즉시 관할 세무서장에게 알려야 한다.

③ **한계(부당결부금지의 원칙)**: 국세징수법 제112조에 의한 관허사업의 제한은 체납자와 사업자가 동일인이기만 하면 되고, 체납된 조세와 직접 관련이 없는 사업에 대한 인·허가라 하더라도 이를 거부하거나 철회할 수 있도록 하고 있는데, 이는 부당결부금지의 원칙에 위반된다는 비판이 있다.

3 명단 공표(위반사실 등의 공표)

1. 의의

행정법상의 의무위반 등이 있는 경우에 **의무위반자의 명단**을 **불특정 다수인**에게 공표함으로써 그 위반자의 명예·신용의 침해를 위협하여 행정법상의 의무이행을 간접적으로 강제하는 수단을 말한다(예 고액체납자의 명단공개, 조세체납자의 명단공개, 공정거래위반행위의 공개 등).

2. 법적 성질

공표는 일정한 사실을 알리는 비권력적 사실행위에 지나지 않으므로 아무런 법적 효과도 발생하지 않는다는 것이 종래 일반적인 견해이었으나, 오늘날에는 명예나 신용에 영향을 미치는 공표는 **권력적 사실행위**로 보는 견해가 유력하다.

행정절차법 제40조의3【위반사실 등의 공표】 ① 행정청은 법령에 따른 의무를 위반한 자의 성명·법인명, 위반사실, 의무 위반을 이유로 한 처분사실 등(이하 "위반사실 등"이라 한다)을 법률로 정하는 바에 따라 일반에게 공표할 수 있다.
② 행정청은 위반사실 등의 공표를 하기 전에 사실과 다른 공표로 인하여 당사자의 명예·신용 등이 훼손되지 아니하도록 객관적이고 타당한 증거와 근거가 있는지를 확인하여야 한다.
③ 행정청은 위반사실 등의 공표를 할 때에는 미리 당사자에게 그 사실을 통지하고 의견제출의 기회를 주어야 한다. 다만, 다음 각 호의 어느 하나에 해당하는 경우에는 그러하지 아니하다.
1. 공공의 안전 또는 복리를 위하여 긴급히 공표를 할 필요가 있는 경우
2. 해당 공표의 성질상 의견청취가 현저히 곤란하거나 명백히 불필요하다고 인정될 만한 타당한 이유가 있는 경우
3. 당사자가 의견진술의 기회를 포기한다는 뜻을 명백히 밝힌 경우
④ 제3항에 따라 의견제출의 기회를 받은 당사자는 공표 전에 관할 행정청에 서면이나 말 또는 정보통신망을 이용하여 의견을 제출할 수 있다.
⑤ 제4항에 따른 의견제출의 방법과 제출 의견의 반영 등에 관하여는 제27조 및 제27조의2를 준용한다. 이 경우 "처분"은 "위반사실 등의 공표"로 본다.
⑥ 위반사실 등의 공표는 관보, 공보 또는 인터넷 홈페이지 등을 통하여 한다.

핵심 OX

02 조세체납자의 관허사업제한을 명시하고 있는 국세징수법 관련 규정은 부당결부금지원칙에 반하여 위헌이라는 것이 판례의 입장이다. 14. 국가9급 ( )

03 행정상 공표는 의무위반자의 명예나 신용의 침해를 위협함으로써 직접적으로 행정법상 의무이행을 확보하는 수단이다. 10. 지방9급 ( )

04 국세기본법상에는 고액체납자의 명단공개제도에 대하여 규정하고 있다. 15. 국회8급 ( )

02 X 03 X 04 O

⑦ 행정청은 위반사실 등의 공표를 하기 전에 당사자가 공표와 관련된 의무의 이행, 원상회복, 손해배상 등의 조치를 마친 경우에는 위반사실 등의 공표를 하지 아니할 수 있다.
⑧ 행정청은 공표된 내용이 사실과 다른 것으로 밝혀지거나 공표에 포함된 처분이 취소된 경우에는 그 내용을 정정하여, 정정한 내용을 지체 없이 해당 공표와 같은 방법으로 공표된 기간 이상 공표하여야 한다. 다만, 당사자가 원하지 아니하면 공표하지 아니할 수 있다.

3. 법적 근거

(1) 행정법상 공표에 관하여 일반법적 근거로는 행정절차법(제40조의3)이 있고, 개별법으로는 독점규제 및 공정거래에 관한 법률(제5조, 제27조) 등이 있다.

(2) 이들 개별법 중에서 독점규제 및 공정거래에 관한 법률 제27조(공정거래위원회의 법위반사실의 공표명령)에 대해서는 헌법재판소의 위헌결정이 내려졌고(헌재 2002.1.31. 2001헌바43), 구 청소년의 성보호에 관한 법률 제20조의 성범죄자의 명단공개제도에 대해서는 합헌결정이 있었다(헌재 2003.6.26. 2002헌가14).

구분	위헌결정	합헌결정
내용	독점규제 및 공정거래에 관한 법률상 공정거래위원회의 법위반사실 공표	청소년의 성보호에 관한 법률상 성범죄자 명단공표
공표 시점	확정판결 전	확정판결 후

(3) 공표 자체가 단순한 사실행위라는 점에서 법적 근거가 필요 없다는 견해도 있으나, 명예·신용 등에 중대한 영향을 미치고 프라이버시 측면에서 **법적 근거를 요한다**는 것이 다수설이다.

(4) **국세기본법** 제85조의5의 규정에 의한 **명단공개제도**의 경우 과거에는 훈령에 근거를 두고 있었으나, 2003.12.30. 이후에 실정법적 근거를 두게 되었다.

4. 한계

(1) 공표와 프라이버시권

공표는 위반사실을 일반인에게 공개하여 그의 명예·신용의 훼손을 위협함으로써 행정상의 의무이행을 간접적으로 강제하는 수단이므로 공표의 필요성(국민의 알 권리·표현의 자유)과 상대방의 프라이버시권을 비교·형량하여야 한다.

(2) 공표에서의 위법성 판단기준

행정상 공표는 비례의 원칙과 부당결부금지의 원칙, 무죄추정의 원칙에 위반하지 않아야 한다. 판례는 행정상 공표의 방법으로 실명을 공개함으로써 타인의 명예를 훼손한 경우, 그 공표된 사람에 관하여 적시된 사실의 내용이 진실이라는 증명이 없더라도 국가기관이 공표 당시 이를 진실이라고 믿었고 또 그렇게 믿을 만한 상당한 이유가 있다면 위법성이 없다는 입장을 취하고 있다. 다만, 일반인보다는 엄격한 기준이 요구된다고 본다.

핵심 OX

01 행정법상 의무위반자에 대한 명단의 공표는 법적인 근거가 없더라도 허용된다. 15. 사복 ( )

02 헌법재판소는 청소년 성매수자의 신상공개제도가 이중처벌금지원칙, 과잉금지원칙, 평등원칙, 적법절차원칙 등에 위반되지 않는다는 입장이다. 10. 지방9급 ( )

핵심 OX

03 행정상 공표는 사생활의 비밀의 자유, 국민의 알 권리 등 다른 기본권과 충돌하는 경우에는 이익형량에 의하여 제한할 수 있다. 10. 지방9급 ( )

04 공표로 타인의 명예를 훼손한 경우에도 국가기관이 공표 당시 이를 진실이라고 믿었고 또 그렇게 믿을 만한 상당한 이유가 있다면 위법성이 없다. 07. 관세사 ( )

01 X **02** O **03** O **04** O

형법 제16조【법률의 착오】 자기의 행위가 법령에 의하여 죄가 되지 아니하는 것으로 오인한 행위는 그 오인에 정당한 이유가 있는 때에 한하여 벌하지 아니한다.

관련판례

1 검사의 피의사실 공표행위가 위법하다고 본 사례

피해자의 진술 외에는 직접 증거가 없고 피의자가 피의사실을 강력히 부인하고 있어 보강수사가 필요한 상황이며, 피의사실의 내용이 국민들에게 급박히 알릴 현실적 필요성이 있다고 보기 어려움에도 불구하고, 검사가 마치 피의자의 범행이 확정된 듯한 표현을 사용하여 검찰청 내부절차를 밟지도 않고 각 언론사의 기자들을 상대로 언론에 의한 보도를 전제로 피의사실을 공표한 경우, 피의사실 공표행위의 위법성이 조각되지 않는다(대판 2001.11.30. 2000다68474).

2 지방국세청 소속 공무원들이 통상적인 조사를 다하여 의심스러운 점을 밝혀 보지 아니한 채 막연한 의구심에 근거하여 원고가 위장증여자로서 국토이용관리법을 위반하였다는 요지의 조사결과를 보고한 것이라면 국세청장이 이에 근거한 보도자료의 내용이 진실하다고 믿은 데에는 상당한 이유가 없다고 본 사례

국가기관이 행정목적 달성을 위하여 언론에 보도자료를 제공하는 등 이른바 행정상 공표의 방법으로 실명을 공개함으로써 타인의 명예를 훼손한 경우, 그 공표된 사람에 관하여 적시된 사실의 내용이 진실이라는 증명이 없더라도 국가기관이 공표 당시 이를 진실이라 믿었고 또 그렇게 믿을 만한 상당한 이유가 있다면 위법성이 없다. 다만, 그 상당한 이유가 있기 위해서는 사실이 근거가 있어야 하며, 이 점은 언론을 포함한 사인에 의한 명예훼손의 경우와 마찬가지이다. 다만, 상당한 이유의 존부의 판단에 있어서는, 실명 공표 자체가 매우 신중하게 이루어져야 한다는 요청에서 비롯되는 무거운 주의의무와 공권력의 광범한 사실조사능력, 공표된 사실이 진실하리라는 점에 대한 국민의 강한 기대와 신뢰, 공무원의 비밀엄수의무와 법령준수의무 등에 비추어, 사인의 행위에 의한 경우보다는 훨씬 더 엄격한 기준이 요구된다 할 것이므로, 그 사실이 의심의 여지없이 확실히 진실이라고 믿을 만한 객관적이고도 타당한 확증과 근거가 있는 경우가 아니라면 그러한 상당한 이유가 있다고 할 수 없다.

그 결과 지방국세청 소속 공무원들이 통상적인 조사를 다하여 의심스러운 점을 밝혀 보지 아니한 채, 막연한 의구심에 근거하여 원고가 위장증여자로서 국토이용관리법을 위반하였다는 요지의 조사결과를 보고한 것이라면 국세청장이 이에 근거한 보도자료의 내용이 진실하다고 믿은 데에는 상당한 이유가 없다(대판 1993.11.26. 93다18389).

3 민주주의 국가에서는 여론의 자유로운 형성과 전달에 의하여 다수의견을 집약시켜 민주적 정치질서를 생성 · 유지시켜 나가는 것이므로 표현의 자유, 특히 공익사항에 대한 표현의 자유는 중요한 헌법상의 권리로서 최대한 보장을 받아야 하지만, 그에 못지 않게 개인의 명예나 사생활의 자유와 비밀 등 사적 법익도 보호되어야 할 것이므로, 인격권으로서의 개인의 명예의 보호와 표현의 자유의 보장이라는 두 법익이 충돌하였을 때 그 조정을 어떻게 할 것인지는 구체적인 경우에 사회적인 여러 가지 이익을 비교하여 표현의 자유로 얻어지는 이익, 가치와 인격권의 보호에 의하여 달성되는 가치를 형량하여 그 규제의 폭과 방법을 정하여야 한다(대판 1998.7.14. 96다17257).

핵심 OX

05 대법원은 국세청장이 부동산투기자의 명단을 언론사에 공표함으로써 명예를 훼손한 사건에서 손해배상 책임을 인정하였다. 10. 지방9급 ( )

05 O

5. 공표에 대한 구제수단

(1) 취소소송

① **비권력적 사실행위로 이해하는 견해(종래 다수설)**: 공표는 그 자체로서 아무런 법적 효과를 발생하지 않는 것이므로 그 처분성을 인정하기 곤란하다는 견해이다.

② **공권력 행사에 준하는 행정작용으로 보는 견해(최근 유력설)**: 권력적 사실행위에도 형식적 행정행위 개념을 도입하여 처분성을 인정하고자 하는 견해이다.

(2) 손해배상

공표가 비권력적 사실행위이지만 통설 · 판례는 국가배상법상의 공무원의 직무행위에는 비권력적 사실행위도 포함하고 있으므로 위법한 공표로 권익을 침해받은 자는 **국가배상청구**가 가능하다고 본다.

(3) 결과제거청구권

공표가 명예훼손이 되는 경우에는 결과제거청구권에 기해 행정청에 대하여 공표된 내용의 **정정 · 철회** 등의 **시정을 요구**할 수 있다.

(4) 기타

위법한 공표를 행한 공무원에 대해서는 형법상의 피의사실공표죄(제126조), 공무상 비밀누설죄(제127조), 명예훼손죄(제307조) 등의 문제가 제기될 수도 있다.

4 금전상의 제재

1. 과징금

(1) 의의

① **전형적 과징금**: 시장지배적 사업자가 지위남용을 한 경우 등 행정법상의 의무를 위반한 당해 사업자에 대하여 부과하는 불법적 이익을 박탈하는 **행정제재금**의 형태로서 독점규제 및 공정거래에 관한 법률에서 최초로 도입되었다. 그리고 최근에 행정기본법의 제정으로 과징금부과에 관한 일반적인 기준이 생기게 되었다.

> **행정기본법 제28조【과징금의 기준】** ① 행정청은 법령 등에 따른 의무를 위반한 자에 대하여 법률로 정하는 바에 따라 그 위반행위에 대한 제재로서 과징금을 부과할 수 있다.
> ② 과징금의 근거가 되는 법률에는 과징금에 관한 다음 각 호의 사항을 명확하게 규정하여야 한다.
> 1. 부과 · 징수주체
> 2. 부과사유
> 3. 상한액
> 4. 가산금을 징수하려는 경우 그 사항
> 5. 과징금 또는 가산금 체납 시 강제징수를 하려는 경우 그 사항
>
> **제29조【과징금의 납부기한 연기 및 분할 납부】** 과징금은 한꺼번에 납부하는 것을 원칙으로 한다. 다만, 행정청은 과징금을 부과받은 자가 다음 각 호의 어느 하나에 해당하는 사유로 과징금 전액을 한꺼번에 내기 어렵다고 인정될 때에는 그 납부기한을 연기하거나 분할 납부하게 할 수 있으며, 이 경우 필요하다고 인정하면 담보를 제공하게 할 수 있다.

핵심 OX

01 판례에 따르면 위법한 공표에 의하여 명예 · 신용 등이 침해된 경우에는 행정상 손해배상청구소송을 제기하여 그 손해배상을 구할 수 없다. 10. 국회9급, 07. 관세사 (　)

핵심 OX

02 전형적 과징금은 원칙적으로 행정법상의 의무를 위반한 자에 대하여 당해 위반행위로 얻게 된 경제적 이익을 박탈하기 위한 목적으로 부과되는 금전적인 제재이다. 14. 국회8급 (　)

03 과징금의 근거가 되는 법률에는 과징금에 관한 부과 · 징수주체, 부과사유, 상한액, 가산금을 징수하려는 경우 그 사항, 과징금 또는 가산금 체납시 강제징수를 하려는 경우 그 사항을 명확하게 규정하여야 한다. 24. 국가9급 (　)

04 행정기본법령에 따르면, 과징금 납부 의무자가 과징금을 분할납부하려는 경우에는 납부기한 7일전까지 과징금의 분할납부를 신청하는 문서에 해당사유를 증명하는 서류를 첨부하여 행정청에 신청해야 한다. 24. 국가9급 (　)

01 X 02 ○ 03 ○ 04 X

1. 재해 등으로 재산에 현저한 손실을 입은 경우
2. 사업 여건의 악화로 사업이 중대한 위기에 처한 경우
3. 과징금을 한꺼번에 내면 자금 사정에 현저한 어려움이 예상되는 경우
4. 그 밖에 제1호부터 제3호까지에 준하는 경우로서 대통령령으로 정하는 사유가 있는 경우

시행령 제7조【과징금의 납부기한 연기 및 분할납부】 ① 과징금 납부 의무자는 법 제29조 각 호 외의 부분 단서에 따라 과징금 납부기한을 연기하거나 과징금을 분할 납부하려는 경우에는 납부기한 10일 전까지 과징금 납부기한의 연기나 과징금의 분할납부를 신청하는 문서에 같은 조 각 호의 사유를 증명하는 서류를 첨부하여 행정청에 신청해야 한다.

독점규제 및 공정거래에 관한 법률 제53조【과징금】 ① 공정거래위원회는 제51조(사업자단체의 금지행위) 제1항을 위반하는 행위가 있을 때에는 해당 사업자단체에 대하여 10억원의 범위 안에서 과징금을 부과할 수 있다.
② 공정거래위원회는 제51조(사업자단체의 금지행위) 제1항 제1호를 위반하는 행위에 참가한 사업자에 대하여는 대통령령이 정하는 매출액에 100분의 20을 곱한 금액을 초과하지 아니하는 범위에서 과징금을 부과할 수 있다. 다만, 매출액이 없는 경우 등에는 40억원을 초과하지 아니하는 범위에서 과징금을 부과할 수 있다.
③ 공정거래위원회는 제51조 제1항 제2호부터 제4호까지의 규정을 위반하는 행위에 참가한 사업자에게 대통령령으로 정하는 매출액에 100분의 10을 곱한 금액을 초과하지 아니하는 범위에서 과징금을 부과할 수 있다. 다만, 매출액이 없는 경우 등에는 20억원을 초과하지 아니하는 범위에서 과징금을 부과할 수 있다.

② **변형된 과징금:** 인 · 허가사업에 있어서 그 사업정지를 명할 일정한 위법사유가 있음에도 불구하고 이용고객보호 등 공익을 위하여 그 영업을 계속하게 하고, 그에 따른 이익을 박탈하는 내용의 행정제재금을 말한다(예 여객자동차 운수사업법 제88조, 도시가스사업법 제10조상의 과징금 등). 과징금을 부과할 것인지 영업정지처분을 내릴 것인지는 통상 행정청의 재량에 속하는 것으로 본다.

여객자동차운수사업법 제88조【과징금 처분】 ① 국토교통부장관 또는 시 · 도지사는 여객자동차 운수사업자가 제85조 제1항 각 호의 어느 하나에 해당하여 사업정지처분을 하여야 하는 경우에 그 사업정지처분이 그 여객자동차 운수사업을 이용하는 사람들에게 심한 불편을 주거나 공익을 해칠 우려가 있는 때에는 그 사업정지처분을 갈음하여 5천만원 이하의 과징금을 부과 · 징수할 수 있다.

관련판례

1 과징금을 부과하면서 추후 부과금 산정기준인 새로운 자료가 나올 경우 과징금액을 변경할 수 있다고 유보하거나 실제로 새로운 자료가 나왔다는 이유로 새로운 부과처분을 할 수 있는지 여부(소극)

과징금은 행정법상의 의무를 위반한 자에 대하여 당해 위반행위로 얻게 된 경제적 이익을 박탈하기 위한 목적으로 부과하는 금전적인 제재로서, 같은 법이 규정한 범위 내에서 그 부과처분 당시까지 부과관청이 확인한 사실을 기초로 일의적으로 확정되어야 할 것이고, 그렇지 아니하고 부과관청이 과징금을 부과하면서 추후에 부과금 산정기준이 되는 새로운 자료가 나올 경우에는 과징금액이 변경될 수도 있다고 유보한다든지, 실제로 추후에 새로운 자료가 나왔다고 하여 새로운 부과처분을 할 수는 없다(대판 1999.5.28. 99두1571).

핵심 OX

05 과징금에 대하여 규정하고 있는 대표적 법률로 독점규제 및 공정거래에 관한 법률이 있다. 12. 국가7급 ( )

06 변형된 과징금은 인 · 허가사업에 관한 법률상의 의무위반이 있음에도 불구하고 공익상 필요하여 그 인 · 허가사업을 취소 · 정지시키지 않고 사업을 계속하되, 이에 갈음하여 사업을 계속함으로써 얻은 이익을 박탈하는 행정제재금이다. 14. 국회8급 ( )

07 영업정지에 갈음하는 과징금을 변형된 과징금이라 하며 변형된 과징금 제도는 일반공중의 이용편의를 도모하기 위한 것이다. 13. 국회9급 ( )

08 변형과징금의 1차적 목적은 영업정지처분을 받는 자에 대한 최소침해의 수단을 찾는 것이다. 09. 국회8급 ( )

09 과징금을 부과할 것인지 영업정지처분을 내릴 것인지는 통상 행정청의 재량에 속하는 것으로 본다. 19. 서울9급(6월), 13. 국회9급, 10. 국가7급 ( )

핵심 OX

10 부과관청이 추후에 부과금 산정기준이 되는 새로운 자료가 나올 경우 과징금액이 변경될 수도 있다고 유보하며 과징금을 부과했다면, 새로운 자료가 나온 것을 이유로 새로이 부과처분을 할 수 있다. 18. 지방9급 ( )

05 ○ 06 ○ 07 ○ 08 X 09 ○ 10 X

핵심 OX

01 행정법규위반에 대하여 벌금 이외에 과징금을 함께 부과하는 것은 이중처벌금지원칙에 위반된다. 18. 지방교행, 14. 사복 (   )

02 독점규제 및 공정거래에 관한 법률상의 부당내부거래에 대한 과징금에는 행정상의 제재금으로서의 기본적 성격에 부당이득환수적 요소도 부가되어 있다. 18. 서울7급 (   )

01 X **02** O

2 구 독점규제 및 공정거래에 관한 법률 제24조의2에 의한 부당내부거래에 대한 과징금은 그 취지와 기능, 부과의 주체와 절차 등을 종합할 때 부당내부거래 억지라는 행정목적을 실현하기 위하여 그 위반행위에 대하여 제재를 가하는 행정상의 제재금으로서의 기본적 성격에 부당이득환수적 요소도 부가되어 있는 것이라 할 것이고, 이를 두고 헌법 제13조 제1항에서 금지하는 국가형벌권 행사로서의 '처벌'에 해당한다고는 할 수 없으므로, 공정거래법에서 형사처벌과 아울러 과징금의 병과를 예정하고 있더라도 이중처벌금지원칙에 위반된다고 볼 수 없다(헌재 2003.7.24. 2001헌가25).

3 **여객자동차운수사업자가 범한 여러 가지 위반행위에 대하여 관할 행정청이 사업정지처분을 갈음하는 과징금 부과처분을 하기로 선택하는 경우, 여러 가지 위반행위에 대하여 1회에 부과할 수 있는 과징금 총액의 최고한도액(= 5,000만원) 및 관할 행정청이 여객자동차운송사업자의 여러 가지 위반행위를 인지한 경우, 인지한 여러 가지 위반행위 중 일부에 대해서만 우선 과징금부과처분을 하고 나머지에 대해서는 차후에 별도의 과징금 부과처분을 할 수 있는지 여부(소극)**

[1] 위반행위가 여러 가지인 경우에 행정처분의 방식과 한계를 정한 관련 규정들의 내용과 취지에다가, 여객자동차운수사업자가 범한 여러 가지 위반행위에 대하여 관할행정청이 구 여객자동차 운수사업법 제85조 제1항 제12호에 근거하여 사업정지처분을 하기로 선택한 이상 각 위반행위의 종류와 위반 정도를 불문하고 사업정지처분의 기간은 6개월을 초과할 수 없는 점을 종합하면, 관할 행정청이 사업정지처분을 갈음하는 과징금 부과처분을 하기로 선택하는 경우에도 사업정지처분의 경우와 마찬가지로 여러 가지 위반행위에 대하여 1회에 부과할 수 있는 과징금 총액의 최고한도액은 5,000만원이라고 보는 것이 타당하다. 관할 행정청이 여객자동차운송사업자의 여러 가지 위반행위를 인지하였다면 전부에 대하여 일괄하여 5,000만원의 최고한도 내에서 하나의 과징금부과처분을 하는 것이 원칙이고, 인지한 여러 가지 위반행위 중 일부에 대해서만 우선 과징금부과처분을 하고 나머지에 대해서는 차후에 별도의 과징금부과처분을 하는 것은 다른 특별한 사정이 없는 한 허용되지 않는다. 만약 행정청이 여러 가지 위반행위를 인지하여 그 전부에 대하여 일괄하여 하나의 과징금부과처분을 하는 것이 가능하였음에도 임의로 몇 가지로 구분하여 각각 별도의 과징금부과처분을 할 수 있다고 보게 되면, 행정청이 여러 가지 위반행위에 대하여 부과할 수 있는 과징금의 최고한도액을 정한 구 여객자동차 운수사업법 시행령 제46조 제2항의 적용을 회피하는 수단으로 악용될 수 있기 때문이다(대판 2021.2.4. 2020두48390).

[2] 관할 행정청이 여객자동차운송사업자가 범한 여러 가지 위반행위 중 일부만 인지하여 과징금 부과처분을 하였는데 그 후 그 과징금 부과처분 시점 이전에 이루어진 다른 위반행위를 인지하여 이에 대하여 별도의 과징금 부과처분을 하게 되는 경우에도 종전 과징금 부과처분의 대상이 된 위반행위와 추가 과징금 부과처분의 대상이 된 위반행위에 대하여 일괄하여 하나의 과징금 부과처분을 하는 경우와의 형평을 고려하여 추가 과징금 부과처분의 처분양정이 이루어져야 한다. 다시 말해, 행정청이 전체 위반행위에 대하여 하나의 과징금 부과처분을 할 경우에 산정되었을 정당한 과징금액에서 이미 부과된 과징금액을 뺀 나머지 금액을 한도로 하여서만 추가 과징금 부과처분을 할 수 있다고 보아야 한다. 행정청이 여러 가지 위반행위를 언제 인지하였느냐는 우연한 사정에 따라 처분상대방에게 부과되는 과징금의 총액이 달라지는 것은 그 자체로 불합리하기 때문이다(대판 2021.2.4. 2020두48390).

4 영업정지에 갈음하여 부과되는 이른바 변형된 과징금의 부과 여부는 통상 행정청의 재량행위인지 여부(적극)

행정청에는 운영정지 처분이 영유아 및 보호자에게 초래할 불편의 정도 또는 그 밖에 공익을 해칠 우려가 있는 지 등을 고려하여 어린이집 운영정지 처분을 할 것인지 또는 이에 갈음하여 과징금을 부과할 것인지를 선택할 수 있는 재량이 인정된다(대판 2015.6.24. 2015두39378).

(2) 구별개념

① **부과금과의 구별**: 부과금이란 어떤 사업을 수행하기 위하여 필요한 경비를 다수의 관계자로부터 징수하는 금전적 부담금을 말한다(예 대기환경보전법 제35조 상의 배출부과금-대기오염물질을 배출한 사업자 및 배출시설의 설치허가를 받지 않고 배출시설을 설치·변경한 자 등에게 부과하는 금전적 부담). 부과금과 과징금은 행정법상의 의무위반에 대한 금전적 제재로서의 성질을 갖는다는 점과 그 징수절차가 국세나 지방세 체납처분의 예에 의하는 점에서 과징금과 같으나, 부과금의 경우에는 국고수입으로 돌아가는 것이 아니라 당해 특정된 행정법상의 의무이행을 전체적으로 확보하기 위한 목적으로 그 사용목적이 제한되는 점에서 과징금과 구별된다.

② **행정벌과의 구별**: 과징금은 의무위반자에 대한 제재로서 과해진다는 점에서 행정벌과 유사하나, ㉠ 과징금은 형벌이 아닌 점, ㉡ 그 목적이 불법적 이익박탈이나 영업정지 등에 갈음하기 위한 것인 점, ㉢ 법원이 아니라 행정청에 의하여 부과되고 그 불복도 형사절차가 아닌 일반 행정쟁송절차에 의한다는 점에서 차이가 있다. 따라서 양자는 이론상 병과가 가능하지만, 이중처벌의 성질이 있다는 점에서 실무적으로 과징금과 벌금을 선택적으로 부과하게 한 경우가 있다.

③ **범칙금과의 구별**: 범칙금은 도로교통법을 위반한 자가 통고처분에 의해 납부해야 할 금전을 말한다. 이는 도로교통법을 위반한 자에게 일정한 금액의 범칙금 납부를 통고하고 그 통고를 받은 자가 기간 내에 납부할 때에는 절차가 종료하지만, 납부하지 않을 경우에는 형사처벌절차로 진행되는 도로교통법상의 제도이다(동법 제164조). 이러한 범칙금은 과태료와 함께 행정벌의 일종으로 볼 수 있다.

(3) 법적 근거

과징금부과기준에 관한 일반적인 근거법은 행정기본법이고, 강제적 금전부담이므로 당연히 각 개별법에서 별도로 구체적인 법적 근거가 필요하다.

(4) 부과 및 징수

① 과징금은 법원이 아니라 **소관 행정청이 부과**하며, 불이행시 국세징수법에 의하여 강제징수된다. 과징금은 **대체적 급부가 가능**하므로 과징금을 부과받은 자가 사망한 경우에는 그 **상속인에게 승계**될 수 있다는 것이 판례의 입장이다(대판 1999.5.14. 99두35). 또한 판례는 공정거래위원회의 법 위반행위자에 대한 과징금 부과처분의 법적 성질은 재량행위로 본 반면, 기속행위로 본 경우도 있다.

핵심 OX

03 과징금부과처분에는 원칙적으로 행정절차법이 적용된다.
19. 서울9급(6월), 12. 국가9급 ( )

04 부동산 실권리자명의 등기에 관한 법률상 실권리자명의 등기의무에 위반하여 부과된 과징금채무는 대체적 급부가 가능한 의무이므로 과징금을 부과받은 자가 사망한 경우 그 상속인에게 포괄승계된다.
14. 사복 ( )

05 대법원 판례에 따르면 과징금채무는 대체적 급부가 가능한 의무이므로 과징금을 부과받은 자가 사망한 경우 그 상속인에게 포괄승계된다.
12. 국가7급 ( )

03 ○ **04** ○ **05** ○

핵심 OX

01 과징금 부과처분의 경우 원칙적으로 위반자의 고의 · 과실을 요하지 아니하나, 위반자의 의무 해태를 탓할 수 없는 정당한 사유가 있는 등의 특별한 사정이 있는 경우에는 이를 부과할 수 없다. 18. 국가7급 ( )

02 과징금은 행정목적 달성을 위하여, 행정법규 위반이라는 객관적 사실에 착안하여 부과된다. 19. 서울9급(6월) ( )

03 행정법규 위반에 대하여 가하는 제재조치(영업정지처분)는 반드시 현실적인 행위자가 아니라도 법령상 책임자로 규정된 자에게 부과되고, 특별한 사정이 없는 한 위반자에게 고의나 과실이 없더라도 부과할 수 있다. 18. 지방7급, 14. 지방7급 ( )

04 공정거래위원회의 과징금부과처분은 재량행위적 성질을 가진다. 12. 국가9급, 08. 지방7급 ( )

05 부동산 실권리자명의 등기에 관한 법률 및 시행령상 명의신탁자에 대한 과징금 부과처분은 기속행위의 성질을 갖는다. 09. 국가7급 ( )

06 재량행위의 성격을 갖는 과징금 부과처분이 법이 정한 한도액을 초과하여 위법한 경우에는 법원으로서는 그 한도액을 초과한 부분만을 취소할 수 있다. 19. 서울9급(6월), 18. 지방7급, 17. 지방9급, 14. 국회8급, 12. 국가7급 ( )

01 O 02 O 03 O 04 O 05 O 06 X

관련판례

1 과징금 부과처분의 경우 원칙적으로 위반자의 고의·과실을 요하지 아니하나, 위반자의 의무 해태를 탓할 수 없는 정당한 사유가 있는 등의 특별한 사정이 있는 경우에는 이를 부과할 수 없는지 여부(적극)

구 여객자동차운수사업법 제88조 제1항의 과징금부과처분은 제재적 행정처분으로서 여객자동차 운수사업에 관한 질서를 확립하고 여객의 원활한 운송과 여객자동차 운수사업의 종합적인 발달을 도모하여 공공복리를 증진한다는 행정목적의 달성을 위하여 행정법규 위반이라는 객관적 사실에 착안하여 가하는 제재이므로 현실적인 행위자가 아니라도 법령상 책임자로 규정된 자에게 부과되고 원칙적으로 위반자의 고의 · 과실을 요하지 아니하나, 위반자의 의무해태를 탓할 수 없는 정당한 사유가 있는 등의 특별한 사정이 있는 경우에는 이를 부과할 수 없다(대판 2014.10.15. 2013두5005).

2 공정거래위원회는 법 위반행위에 대하여 과징금을 부과할 것인지 여부와 만일 과징금을 부과한다면 일정한 범위 안에서 과징금의 부과액수를 얼마로 정할 것인지에 관하여 재량을 가지고 있다 할 것이므로 공정거래위원회의 법 위반행위자에 대한 과징금부과처분은 재량행위라 할 것이다(대판 2002.5.28. 2000두6121).

3 부동산 실권리자명의 등기에 관한 법률 및 시행령상 명의신탁자에 대한 과징금 부과처분의 법적 성질(= 기속행위)

부동산 실권리자명의 등기에 관한 법률 제3조 제1항, 제5조 제1항, 같은 법 시행령 제3조 제1항의 규정을 종합하면, 명의신탁자에 대하여 과징금을 부과할 것인지 여부는 기속행위에 해당하므로, 명의신탁이 조세를 포탈하거나 법령에 의한 제한을 회피할 목적이 아닌 경우에 한하여 그 과징금을 일정한 범위 내에서 감경할 수 있을 뿐이지 그에 대하여 과징금부과처분을 하지 않거나 과징금을 전액 감면할 수 있는 것은 아니다(대판 2007.7.12. 2005두17287).

4 자동차운수사업면허조건 등을 위반한 사업자에 대하여 행정청이 행정제재수단으로 사업 정지를 명할 것인지, 과징금을 부과할 것인지, 과징금을 부과키로 한다면 그 금액은 얼마로 할 것인지에 관하여 재량권이 부여되었다 할 것이므로 과징금부과처분이 법이 정한 한도액을 초과하여 위법할 경우 법원으로서는 그 전부를 취소할 수밖에 없고, 그 한도액을 초과한 부분이나 법원이 적정하다고 인정되는 부분을 초과한 부분만을 취소할 수 없다(대판 1998.4.10. 98두2270).

비교판례

공정거래위원회가 위반행위에 대한 과징금을 부과하면서 여러 개의 위반행위에 대하여 외형상 하나의 과징금 납부명령을 하였으나 여러 개의 위반행위 중 일부 위반행위에 대한 과징금 부과만 위법하고 소송상 그 일부 위반행위를 기초로 한 과징금액을 산정할 수 있는 자료가 있는 경우, 그 일부 위반행위에 대한 과징금액에 해당하는 부분만 취소하여야 하는지 여부(적극)

공정거래위원회가 위반행위에 대한 과징금을 부과하면서 여러 개의 위반행위에 대하여 외형상 하나의 과징금 납부명령을 하였으나 여러 개의 위반행위 중 일부의 위반행위에 대한 과징금 부과만이 위법하고 소송상 그 일부의 위반행위를 기초로 한 과징금액을 산정할 수 있는 자료가 있는 경우에는, 하나의 과징금 납부명령일지라도 그 일부의 위반행위에 대한 과징금액에 해당하는 부분만을 취소하여야 한다(대판 2019.1.31. 2013두14726).

② **과징금 부과 대상**: 행정기본법 제28조에 따르면 법령등에 따른 의무를 위반한 자에게 과징금을 부과할 수 있다. 여러 법령에서 과징금 부과 대상자를 규정하고 있으며, 과징금은 현실적인 행위자가 아닌 법령상 책임자에게 부과할 수 있다(대판 2014.10.15. 2013두5005).

(5) 구제수단

과징금의 부과에 대하여는 특별한 쟁송제도가 마련되어 있지 않으므로 일반행정심판과 행정소송을 통하여 그 취소를 구할 수 있다. 과징금의 부과행위는 행정행위(급부하명)이므로 그것이 위법한 경우 **행정쟁송** 등이 가능하다.

판례연구 과징금

1. 기본 판례

과징금부과처분은 국가형벌권 행사로서의 처벌에 해당하는 것이 아니다.

> 구 독점규제 및 공정거래에 관한 법률 제23조 제1항 제7호, 같은 법 제24조의2 소정의 부당지원행위를 한 지원주체에 대한 과징금은 그 취지와 기능, 부과의 주체와 절차 등을 종합할 때 부당지원행위의 억지(抑止)라는 행정목적을 실현하기 위한 입법자의 정책적 판단에 기하여 그 위반행위에 대하여 제재를 가하는 행정상의 제재금으로서의 기본적 성격에 부당이득환수적 요소도 부가되어 있는 것이라고 할 것이어서 그것이 헌법 제13조 제1항에서 금지하는 국가형벌권 행사로서의 처벌에 해당한다고 할 수 없다(대판 2004.4.9. 2001두6197).

2. 관련 판례

① 형사처벌과 아울러 과징금병과가 예정되어 있다 하여 이중처벌금지원칙에 위반되지 않는다.
② 공정거래위원회에 의한 과징금부과는 합헌이다.
③ 재량행위인 과징금부과처분이 법정한도액을 초과한 경우 그 전부를 취소한다.
④ 기속행위에 해당하는 과징금은 그 과징금을 일정범위 내에서 감경할 수 있을 뿐이지 전액감면할 수 없다.
⑤ 과징금감액처분은 감액된 과징금 부분에 관하여만 법적 효과가 미치는 것으로서 당초 부과처분과 별개 독립의 과징금 부과처분이 아니라 그 실질은 당초 부과처분의 변경일 뿐이다.
⑥ 과징금감액처분에 의해 감액된 부분에 대한 부과처분취소청구는 부적법하다.
⑦ 과징금부과처분을 취소한 재결에 대하여 처분의 상대방 아닌 제3자는 그 취소를 구할 법률상 이익이 없다.

2. 가산세

(1) 의의

조세법상 의무위반에 대한 제재로서 본래 납세의무와는 별개로 부과되는 것으로, **납부불성실**에 대한 가산세와 **신고불성실**에 대한 가산세가 있다(소득세법 제81조 제1항).

(2) 특징

판례는 가산세를 행정벌적인 성격을 갖는 것으로 파악하고 있으며(대판 1992.4.28. 91누848), 고의나 과실을 요건으로 하지 않는다고 본다(대판 1994.8.26. 93누20467). 다만, 의무불이행에 정당한 이유가 있는 경우 가산세를 부과할 수 없다.

핵심 OX

07 위법한 과징금의 부과행위는 행정소송을 통하여 취소 등을 구할 수 있다. 13. 국회9급 ( )

08 과징금의 부과에 대하여 불복이 있는 경우에는 비송사건절차법에 의하여 법원이 결정한다. 04. 관세사 ( )

09 가산세는 과세권의 행사 및 조세채권의 실현을 용이하게 하기 위하여 개별세법이 정하는 바에 따라 부과되는 행정상의 제재로서, 가산세를 부과하기 위해서는 원칙적으로 조세채무를 이행하지 않은 데 대한 납세자의 고의 또는 과실이 필요하다. 18. 서울7급 15. 국회8급, 14. 사복 · 국회8급, 12. 국가9급 ( )

10 세법상 가산세를 부과할 때 납세자에게 조세납부를 거부 또는 지연하는 데 고의 또는 과실이 있었는지는 원칙적으로 고려하지 않지만, 납세의무자의 의무해태를 탓할 수 없는 정당한 사유가 있는 경우에는 가산세를 부과할 수 없다. 18. 국가9급 ( )

07 O 08 X 09 X 10 O

핵심 OX

01 세법상 가산세는 납세자가 정당한 이유 없이 법에 규정된 신고·납세 의무 등을 위반한 경우에 부과되는 행정상 제재로서, 납세의무자가 세무공무원의 잘못된 설명을 믿고 그 신고납부의무를 이행하지 아니한 경우에는 그것이 관계 법령에 어긋나는 것임이 명백하다고 하더라도 정당한 사유가 있는 경우에 해당한다.
19. 국가9급, 18·17 지방7급 ( )

핵심 OX

02 가산세는 납세자가 정당한 이유없이 법에 규정된 신고, 납세 등 각종 의무를 위반한 경우에 개별세법이 정하는 바에 따라 부과되는 행정상의 제재로서 납세자의 고의·과실 또한 중요한 고려요소가 된다.
23. 국가7급 ( )

01 X 02 X

관련판례

1 변호사인 甲이 2002년부터 2014년까지 다수의 법인파산사건에 대한 파산관재 업무를 수행하고 지급받은 보수를 줄곧 기타소득으로 신고하였는데, 과세관청이 이를 기타소득이 아닌 사업소득으로 보아 아직 부과제척기간이 도과하지 않은 과세연도인 2009년 내지 2013년 귀속 종합소득세 부과처분을 하면서 가산세까지 부과한 사안에서, 甲이 위 보수를 사업소득으로 신고·납부하지 아니하였더라도 그 의무를 게을리하였다고 비난할 수 없는 정당한 사유가 있는지 여부(적극)

변호사인 甲이 2002년부터 2014년까지 다수의 법인파산사건에 대한 파산관재 업무를 수행하고 지급받은 보수를 줄곧 기타소득으로 신고하였는데, 과세관청이 이를 기타소득이 아닌 사업소득으로 보아 아직 부과제척기간이 도과하지 않은 과세연도인 2009년 내지 2013년 귀속 종합소득세 부과처분을 하면서 가산세까지 부과한 사안에서, 파산관재인의 보수가 사업소득으로 과세될 수 있는지에 관하여 세법 해석상 견해의 대립이 있었고, 과세관청 역시 2015년에 이르러 비로소 부과처분을 하는 등 그에 대한 확실한 견해를 가지지 못하였던 것으로 보이며, 종합소득세의 부과경위를 감안할 때 甲에게 가산세까지 부과하는 것은 지나치게 가혹하므로, 甲이 위 보수를 사업소득으로 신고·납부하지 아니하였더라도 그 의무를 게을리하였다고 비난할 수 없는 정당한 사유가 있는데도 이와 달리 본 원심판단에 법리를 오해하여 판결에 영향을 미친 위법이 있다(대판 2017.7.11. 2017두36885).

2 하나의 납세고지서에 본세와 가산세를 함께 부과할 때 및 여러 종류의 가산세를 함께 부과하는 경우, 납세고지서의 기재 방식 / 본세와 가산세 각각의 세액과 산출근거 및 가산세 상호간의 종류별 세액과 산출근거 등을 구분하여 기재하지 않은 채 본세와 가산세의 합계액 등만을 기재한 경우, 과세처분이 위법한지 여부(적극)

하나의 납세고지서에 의하여 본세와 가산세를 함께 부과할 때에는 납세고지서에 본세와 가산세 각각의 세액과 산출근거 등을 구분하여 기재하여야 하고, 여러 종류의 가산세를 함께 부과하는 경우에는 가산세 상호간에도 종류별로 세액과 산출근거 등을 구분하여 기재하여야 한다. 본세와 가산세 각각의 세액과 산출근거 및 가산세 상호간의 종류별 세액과 산출근거 등을 제대로 구분하여 기재하지 않은 채 본세와 가산세의 합계액 등만을 기재한 경우에도 과세처분은 위법하다(대판 2018.12.13. 2018두128).

3 납세의무자가 세무공무원의 잘못된 설명을 믿고 신고납부의무를 이행하지 아니하였다 하더라도 그것이 관계 법령에 어긋나는 것임이 명백한 때에는 그러한 사유만으로 가산세를 부과할 수 없는 정당한 사유에 해당하는지 여부(소극)

세법상 가산세는 과세권의 행사 및 조세채권의 실현을 용이하게 하기 위하여 납세자가 정당한 이유 없이 법에 규정된 신고·납세의무 등을 위반한 경우에 법이 정하는 바에 의하여 부과하는 행정상의 제재로서 납세자의 고의·과실은 고려되지 아니하는 것이고, 법령의 부지 또는 오인은 그 정당한 사유에 해당한다고 볼 수 없으며, 또한 납세의무 자가 세무공무원의 잘못된 설명을 믿고 그 신고납부의무를 이행하지 아니하였다 하더라도 그것이 관계 법령에 어긋나는 것임이 명백한 때에는 그러한 사유만으로는 정당한 사유가 있는 경우에 해당한다고 할 수 없다(대판 2002.4.12. 2000두5944).

3. 납부지연가산세

(1) 의의

① 종전 국세징수법에 있던 가산금과 중가산금 규정이 폐지되고 국세기본법의 '납부지연가산세'로 통합되었다. 기존의 가산금(3%)에 상당하는 납부지연가산세(3%)가 신설되었고, 중가산금은 고지된 납부기한 이후의 경과일수에 2.5/10000를 적용한 비율만큼 가산세가 부과된다.

② 판례는 행정재산의 사용 · 수익 허가에 따른 사용료에 대하여 가산금과 중가산금을 징수할 수 있고, 이는 미납분에 관한 지연이자의 의미로 부과되는 부대세의 일종으로 본다.

관련판례

1 국유재산 등의 관리청이 하는 행정재산의 사용 · 수익 허가에 따른 사용료에 대하여는 국유재산법 제25조 제3항의 규정에 의하여 국세징수법 제21조, 제22조가 규정한 가산금과 중가산금을 징수할 수 있다 할 것이고, 위 가산금과 중가산금은 위 사용료가 납부기한까지 납부되지 않은 경우 미납분에 관한 지연이자의 의미로 부과되는 부대세의 일종이다. 가산금 지급채무의 부존재를 주장하여 구제를 받으려면, 적절한 행정쟁송절차를 통하여 권리관계를 다투어야 할 것이지, 민사소송으로 위 지급의무의 부존재확인을 구할 수는 없는 것이다(대판 2006.3.9. 2004다31074).

2 가산금 또는 중가산금은 국세를 납부기한까지 납부하지 아니하면 과세청의 확정절차 없이도 법률 규정에 의하여 당연히 발생하는 것이므로 가산금 또는 중가산금의 고지가 항고소송의 대상이 되는 처분이라고 볼 수 없다(대판 2005.6.10. 2005다15482).

(2) 법적 근거

① 국세기본법 제47조의4의 납부지연가산세제도가 있다.

국세기본법 제47조의4 【납부지연가산세】 ① 납세의무자(연대납세의무자, 납세자를 갈음하여 납부할 의무가 생긴 제2차 납세의무자 및 보증인을 포함한다)가 법정납부기한까지 국세(인지세법 제8조 제1항에 따른 인지세는 제외한다)의 납부(중간예납 · 예정신고납부 · 중간신고납부를 포함한다)를 하지 아니하거나 납부하여야 할 세액보다 적게 납부(이하 '과소납부'라 한다)하거나 환급받아야 할 세액보다 많이 환급(이하 '초과환급'이라 한다)받은 경우에는 다음 각 호의 금액을 합한 금액을 가산세로 한다.

3. 법정납부기한까지 납부하여야 할 세액(세법에 따라 가산하여 납부하여야 할 이자 상당 가산액이 있는 경우에는 그 금액을 더한다) 중 납세고지서에 따른 납부기한까지 납부하지 아니한 세액 또는 과소납부분 세액 × 100분의 3(국세를 납세고지서에 따른 납부기한까지 완납하지 아니한 경우에 한정한다)

② 2020년부터 국제징수법에 따른 가산금제도와 국세기본법에 따른 납부불성실가산세제도를 납부지연가산세로 통합, 가산금제도를 폐지함으로써 관련 규정을 정비하였다.

핵심 OX

03 가산세는 행정상 금전급부의무를 납부기한까지 납부하지 아니함에 대한 지연이자의 의미를 갖는 것이며, 가산금(현 납부지원가산세)은 성실한 납세신고와 같은 협력의무를 위반한 경우 부과하는 것이다. 06. 국회8급 ( )

04 가산금은 세법상의 의무의 성실한 이행을 확보하기 위하여 세법에 의하여 산출된 세액에 가산하여 징수하는 금액을 말한다. 18. 지방교행, 14. 경특1차 ( )

05 행정재산의 사용 · 수익 허가에 따른 사용료에 대하여는 국세징수법에 따라 가산금과 중가산금을 징수할 수 있고, 이는 미납분에 관한 지연이자의 의미로 부과되는 부대세의 일종이다. 12. 국가9급 ( )

06 구 국세징수법상 가산금은 국세를 납부기한까지 납부하지 아니하면 과세청의 확정절차 없이도 법률에 의하여 당연히 발생하는 것이므로 가산금의 고지는 항고소송의 대상이 되는 처분이라고 볼 수 없다. 19. 국가9급, 13. 지방7급 ( )

03 X 04 X 05 O 06 O

핵심 OX

01 국세의 가산금은 체납된 국세의 3/1000이며, 납부기한이 지난 날부터 매 1개월이 지날 때마다 체납된 국세의 12/1000의 중가산금을 가산금에 가산하여 징수한다.
14. 국회8급 ( )

> **구 국세징수법 제21조 【가산금】** ① 국세를 납부기한까지 완납하지 아니하였을 때에는 그 납부기한이 지난 날부터 체납된 국세의 100분의 3에 상당하는 가산금을 징수한다.
> ② 체납된 국세를 납부하지 아니하였을 때에는 납부기한이 지난 날부터 매 1개월이 지날 때마다 체납된 국세의 1천분의 12에 상당하는 가산금을 제1항에 따른 가산금에 가산하여 징수한다. 다만, 체납된 국세의 납세고지서별 · 세목별 세액이 100만원 미만인 경우는 제외한다.
> ③ 제2항에 따른 가산금을 가산하여 징수하는 기간은 60개월을 초과하지 못한다.
> ④ 제1항 및 제2항은 국가와 지방자치단체(지방자치단체조합을 포함한다)에 대하여는 적용하지 아니한다.

핵심 OX

02 가산금은 행정법상의 금전급부의무의 불이행에 대한 제재로서 가해지는 금전부담으로, 금전채무의 이행에 대한 간접강제의 효과를 갖는다.
17. 지방7급 ( )

(3) 특징

가산금은 연체금으로서 조세채무의 이행을 간접적으로 강제하기 위한 것으로서 행정행위의 하명의 성질을 가지고 있다.

5 기타 수단

1. 수익적 행정행위의 취소 · 정지(도시가스사업법 제9조)

국민의 생업인 인 · 허가사업을 취소 · 정지하여 행정상 강제집행이나 행정벌보다 실효적인 강제수단으로서 작용하고 있다.

2. 해외여행의 제한(출입국관리법 제4조, 여권법 제12조)

국세의 고액체납자에 대하여 국외여행을 제한하는 경우가 있다.

01 ○ 02 ○

학습 점검 문제

01 행정대집행에 대한 판례의 입장으로 옳은 것은?

① 법령상 부작위의무 위반에 대해 작위의무를 부과할 수 있는 법령의 근거가 없음에도, 행정청이 작위의무를 명한 후 그 의무불이행을 이유로 대집행계고처분을 한 경우 그 계고처분은 유효하다.

② 건축법에 위반한 건축물의 철거를 명하였으나 불응하자 이행강제금을 부과·징수한 후, 이후에도 철거를 하지 아니하자 다시 행정대집행계고처분을 한 경우 그 계고처분은 유효하다.

③ 계고서라는 명칭의 1장의 문서로 일정기간 내에 위법건축물의 자진철거를 명함과 동시에 그 소정기한 내에 자진철거를 하지 아니할 때에는 대집행할 뜻을 미리 계고한 경우, 철거명령에서 주어진 일정기간이 자진철거에 필요한 상당한 기간이라도 그 기간 속에 계고 시에 필요한 '상당한 이행기간'이 포함된다고 볼 수 없다.

④ 행정청이 대집행계고를 함에 있어서 의무자가 스스로 이행하지 아니하는 경우에 대집행할 행위의 내용 및 범위는 반드시 대집행계고서에 의해서만 특정되어야 하는 것이지, 계고처분 전후에 송달된 문서나 기타 사정을 종합하여 행위의 내용이 특정되거나 대집행 의무자가 그 이행의무의 범위를 알 수 있는 것만으로는 부족하다.

정답 및 해설

01 전통적으로 행정대집행은 대체적 작위의무에 대한 강제집행수단으로, 이행강제금은 부작위의무나 비대체적 작위의무에 대한 강제집행수단으로 이해되어 왔으나, 이는 이행강제금제도의 본질에서 오는 제약은 아니며, 이행강제금은 대체적 작위의무의 위반에 대하여도 부과될 수 있다. 현행 건축법상 위법건축물에 대한 이행강제수단으로 대집행과 이행강제금이 인정되고 있는데, 양 제도는 각각의 장·단점이 있으므로 행정청은 개별사건에 있어서 위반내용, 위반자의 시정의지 등을 감안하여 대집행과 이행강제금을 선택적으로 활용할 수 있으며, 이처럼 그 합리적인 재량에 의해 선택하여 활용하는 이상 중첩적인 제재에 해당한다고 볼 수 없다. 건축법 제78조에 의한 무허가 건축행위에 대한 형사처벌과 건축법 제83조 제1항에 의한 시정명령 위반에 대한 이행강제금의 부과는 그 처벌 내지 제재대상이 되는 기본적 사실관계로서의 행위를 달리하며, 또한 그 보호법익과 목적에서도 차이가 있으므로 헌법 제13조 제1항이 금지하는 이중처벌에 해당한다고 할 수 없다(헌재 2004.2.26. 2001헌바80·84·102·103·2002헌바26).

| 선지분석 |

① 행정대집행법 제2조는 대집행의 대상이 되는 의무를 "법률(법률의 위임에 의한 명령, 지방자치단체의 조례를 포함한다. 이하 같다)에 의하여 직접 명령되었거나 또는 법률에 의거한 행정청의 명령에 의한 행위로서 타인이 대신하여 행할 수 있는 행위"라고 규정하고 있으므로, 대집행계고처분을 하기 위하여는 법령에 의하여 직접 명령되거나 법령에 근거한 행정청의 명령에 의한 의무자의 대체적 작위의무 위반행위가 있어야 한다. 따라서 단순한 부작위의무의 위반, 즉 관계 법령에 정하고 있는 절대적 금지나 허가를 유보한 상대적 금지를 위반한 경우에는 당해 법령에서 그 위반자에 대하여 위반에 의하여 생긴 유형적 결과의 시정을 명하는 행정처분의 권한을 인정하는 규정(예컨대, 건축법 제69조, 도로법 제74조, 하천법 제67조, 도시공원법 제20조, 옥외광고물등관리법 제10조 등)을 두고 있지 아니한 이상, 법치주의의 원리에 비추어 볼 때 위와 같은 부작위의무로부터 그 의무를 위반함으로써 생긴 결과를 시정하기 위한 작위의무를 당연히 끌어낼 수는 없으며, 또 위 금지규정(특히 허가를 유보한 상대적 금지규정)으로부터 작위의무, 즉 위반결과의 시정을 명하는 권한이 당연히 추론되는 것도 아니다. … 건축법 제69조 등과 같은 부작위의무 위반행위에 대하여 대체적 작위의무로 전환하는 규정을 두고 있지 아니하므로 위 금지규정으로부터 그 위반결과의 시정을 명하는 원상복구명령을 할 수 있는 권한이 도출되는 것은 아니다. 결국 행정청의 원고에 대한 원상복구명령은 권한 없는 자의 처분으로 무효라고 할 것이고, 위 원상복구명령이 당연무효인 이상 후행처분인 계고처분의 효력에 당연히 영향을 미쳐 그 계고처분 역시 무효로 된다(대판 1996.6.28. 96누4374).

③ 계고서라는 명칭의 1장의 문서로서 일정기간 내에 위법건축물의 자진철거를 명함과 동시에 그 소정기한 내에 자진철거를 하지 아니할 때에는 대집행할 뜻을 미리 계고한 경우라도 건축법에 의한 철거명령과 행정대집행법에 의한 계고처분은 독립하여 있는 것으로서 각 그 요건이 충족되었다고 볼 것이다. 철거명령에서 주어진 일정기간이 자진철거에 필요한 상당한 기간이라면 그 기간 속에는 계고시에 필요한 '상당한 이행기간'도 포함되어 있다고 보아야 할 것이다(대판 1992.6.12. 91누13564).

④ 건축법위반 건축물의 철거를 명하고 그 의무불이행시 행할 대집행의 계고를 함에 있어서 의무자가 이행하여야 할 행위와 그 의무불이행시 대집행할 행위의 내용 및 범위는 반드시 대집행계고서에 의하여서만 특정되어야 하는 것은 아니고 그 처분 전후에 송달된 문서나 기타 사정을 종합하여 이를 특정할 수 있으면 족하다(대판 1992.3.10. 91누4140).

정답 01 ②

02 이행강제금에 대한 내용으로 옳지 않은 것은? (다툼이 있는 경우 판례에 의함)

① 이행강제금은 과거의 의무불이행에 대한 제재의 기능을 지니고 있으므로, 이행강제금이 부과되기 전에 의무를 이행한 경우에도 시정명령에서 정한 기간을 지나서 이행한 경우라면 이행강제금을 부과할 수 있다.

② 건축법상 허가권자는 이행강제금을 부과하기 전에 이행강제금을 부과 · 징수한다는 뜻을 미리 문서로써 계고하여야 한다.

③ 건축법상 이행강제금 납부의 최초 독촉은 징수처분으로서 항고소송의 대상이 되는 행정처분이 될 수 있다.

④ 부작위의무나 비대체적 작위의무 뿐만 아니라 대체적 작위의무의 위반에 대하여도 이행강제금을 부과할 수 있다.

03 국세징수법상 강제징수절차에 대한 판례의 입장으로 옳지 않은 것은?

① 세무 공무원이 국세의 징수를 위해 납세자의 재산을 압류하는 경우 그 재산의 가액이 징수할 국세액을 초과한다면 당해 압류처분은 무효이다.

② 국세를 납부기한까지 납부하지 아니하면 과세권자의 가산금 확정절차 없이 국세징수법 제21조에 의하여 가산금이 당연히 발생하고 그 액수도 확정된다.

③ 조세부과처분의 근거규정이 위헌으로 선언된 경우, 그에 기한 조세부과처분이 위헌결정 전에 이루어졌다 하더라도 위헌결정 이후에 조세채권의 집행을 위해 새로이 착수된 체납처분은 당연무효이다.

④ 공매통지가 적법하지 아니하다면 특별한 사정이 없는 한, 공매통지를 직접 항고소송의 대상으로 삼아 다툴 수 없고 통지 후에 이루어진 공매처분에 대하여 다투어야 한다.

04 직접강제와 즉시강제에 대한 내용으로 가장 옳지 않은 것은? (다툼이 있는 경우 판례에 의함)

① 직접강제와 즉시강제는 권력적 사실행위로서의 성격을 가지고 있다.

② 즉시강제의 목적과 침해되는 상대방의 권익 사이에는 비례관계가 유지되어야 한다.

③ 행정강제는 행정상 강제집행을 원칙으로 하므로 불법 게임물에 대해서도 관계당사자에게 수거 · 폐기를 명하고 그 불이행 시 직접강제 등 행정상 강제집행으로 나아가야 한다.

④ 즉시강제는 법치국가의 요청인 예측가능성과 법적 안정성에 반하고 기본권 침해의 소지가 큰 권력작용이라는 비판이 존재한다.

05 행정벌에 대한 내용으로 옳지 않은 것은? (다툼이 있는 경우 판례에 의함)

① 과실범을 처벌한다는 명문의 규정이 없더라도 행정형벌법규의 해석에 의하여 과실행위도 처벌한다는 뜻이 도출되는 경우에는 과실범도 처벌될 수 있다.

② 통고처분에 따른 범칙금을 납부한 후에 동일한 사건에 대하여 다시 형사처벌을 하는 것이 일사부재리의 원칙에 반하는 것은 아니다.

③ 과태료는 행정질서벌에 해당할 뿐 형벌이라고 할 수 없어 죄형법정주의의 규율대상에 해당하지 아니한다.

④ 과태료를 부과하는 근거 법령이 개정되어 행위 시의 법률에 의하면 과태료 부과대상이었지만 재판 시의 법률에 의하면 부과대상이 아니게 된 때에는 특별한 사정이 없는 한 과태료를 부과할 수 없다.

정답 및 해설

02 건축법상의 이행강제금은 시정명령의 불이행이라는 과거의 위반행위에 대한 제재가 아니라, 의무자에게 시정명령을 받은 의무의 이행을 명하고 그 이행기간 안에 의무를 이행하지 않으면 이행강제금이 부과된다는 사실을 고지함으로써 의무자에게 심리적 압박을 주어 의무의 이행을 간접적으로 강제하는 행정상의 간접강제 수단에 해당한다. 이러한 이행강제금의 본질상 시정명령을 받은 의무자가 이행강제금이 부과되기 전에 그 의무를 이행한 경우에는 비록 시정명령에서 정한 기간을 지나서 이행한 경우라도 이행강제금을 부과할 수 없다. 나아가 시정명령을 받은 의무자가 그 시정명령의 취지에 부합하는 의무를 이행하기 위한 정당한 방법으로 행정청에 신청 또는 신고를 하였으나 행정청이 위법하게 이를 거부 또는 반려함으로써 결국 그 처분이 취소되기에 이르렀다면, 특별한 사정이 없는 한 그 시정명령의 불이행을 이유로 이행강제금을 부과할 수는 없다고 보는 것이 위와 같은 이행강제금 제도의 취지에 부합한다(대판 2018.1.25. 2015두35116).

| 선지분석 |

② 건축법 제80조 제3항에 대한 옳은 내용이다.

> **제80조 【이행강제금】** ③ 허가권자는 제1항 및 제2항에 따른 이행강제금을 부과하기 전에 제1항 및 제2항에 따른 이행강제금을 부과·징수한다는 뜻을 미리 문서로써 계고하여야 한다.

③ 건축법상 이행강제금 납부의 최초 독촉은 항고소송의 대상이 되는 행정처분에 해당함 구 건축법 제69조의2 제6항, 지방세법 제28조, 제82조, 국세징수법 제23조의 각 규정에 의하면, 이행강제금 부과처분을 받은 자가 이행강제금을 기한 내에 납부하지 아니한 때에는 그 납부를 독촉할 수 있으며, 납부독촉에도 불구하고 이행강제금을 납부하지 않으면 체납절차에 의하여 이행강제금을 징수할 수 있고, 이때 이행강제금 납부의 최초 독촉은 징수처분으로서 항고소송의 대상이 되는 행정처분이 될 수 있다(대판 2009.12.24. 2009두14507).

④ 전통적으로 행정대집행은 대체적 작위의무에 대한 강제집행수단으로, 이행강제금은 부작위의무나 비대체적 작위의무에 대한 강제집행수단으로 이해되어 왔으나, 이는 이행강제금제도의 본질에서 오는 제약은 아니며, 이행강제금은 대체적 작위의무의 위반에 대하여도 부과될 수 있다.

현행 건축법상 위법건축물에 대한 이행강제수단으로 대집행과 이행강제금이 인정되고 있는데, 양 제도는 각각의 장단점이 있으므로 행정청은 개별사건에 있어서 위반내용, 위반자의 시정의지 등을 감안하여 대집행과 이행강제금을 선택적으로 활용할 수 있으며, 이처럼 그 합리적인 재량에 의해 선택하여 활용하는 이상 중첩적인 제재에 해당한다고 볼 수 없다(헌재 2004.2.26. 2001헌바80·84·102·103·2002헌바26).

03 세무 공무원이 국세의 징수를 위해 납세자의 재산을 압류하는 경우 그 재산의 가액이 징수할 국세액을 초과한다 하여 위 압류가 당연무효의 처분이라고는 할 수 없다(대판 1986.11.11. 86누479).

04 불법게임물은 불법현장에서 이를 즉시 수거하지 않으면 증거인멸의 가능성이 있고, 그 사행성으로 인한 폐해를 막기 어려우며, 대량으로 복제되어 유통될 가능성이 있어, 불법게임물에 대하여 관계당사자에게 수거·폐기를 명하고 그 불이행을 기다려 직접강제 등 행정상의 강제집행으로 나아가는 원칙적인 방법으로는 목적달성이 곤란하다고 할 수 있으므로, 이 사건 법률조항의 설정은 위와 같은 급박한 상황에 대처하기 위한 것으로서 그 불가피성과 정당성이 인정된다. 또한 이 사건 법률조항은 수거에 그치지 아니하고 폐기까지 가능하도록 규정하고 있으나, 이는 수거한 불법게임물의 사후처리와 관련하여 폐기의 필요성이 인정되는 경우에 대비하여 근거규정을 둔 것으로서 실제로 폐기에 나아감에 있어서는 비례의 원칙에 의한 엄격한 제한을 받는다고 할 것이므로, 이를 두고 과도한 입법이라고 보기는 어렵다. 따라서 이 사건 법률조항은 피해의 최소성의 요건을 위반한 것으로는 볼 수 없고, 또한 이 사건 법률조항이 불법게임물의 수거·폐기에 관한 행정상 즉시강제를 허용함으로써 게임제공업주 등이 입게 되는 불이익보다는 이를 허용함으로써 보호되는 공익이 더 크다고 볼 수 있으므로, 법익의 균형성의 원칙에 위배되는 것도 아니다(헌재 2002.10.31. 2000헌가12).

05 통고처분에 따른 범칙금을 납부한 후에 동일한 사건에 대하여 다시 형사처벌을 하는 것은 일사부재리의 원칙에 반하는 것이다.

정답 02 ① 03 ① 04 ③ 05 ②

06 **행정조사에 대한 내용으로 가장 옳지 않은 것은? (다툼이 있는 경우 판례에 의함)**

① 행정기관의 장은 법령 등에 특별한 규정이 있는 경우를 제외하고는 행정조사의 결과를 확정한 날로부터 7일 이내에 그 결과를 조사대상자에게 통지하여야 한다.

② 행정기관의 장은 당해 행정기관이 이미 조사를 받은 조사대상자에 대하여 위법행위가 의심되는 새로운 증거를 확보하는 경우에는 재조사할 수 있다.

③ 지방세기본법은 지방자치단체장의 세무조사권에 대한 남용금지를 규정하고 있다.

④ 지방자치단체장의 세무조사결정은 납세의무자의 권리·의무에 간접적 영향을 미치는 행정작용으로서 항고소송의 대상이 되지 않는다.

07 **행정벌에 대한 내용으로 옳지 않은 것은? (다툼이 있는 경우 판례에 의함)**

① 도로교통법에 의한 경찰서장의 통고처분에 대한 항고소송은 부적법하고 이에 대하여 이의가 있는 경우에는 통고처분에 따른 범칙금을 이행하지 아니함으로써 경찰서장의 즉결심판청구에 의하여 법원의 심판을 받을 수 있게 된다.

② 행정청의 과태료 부과에 불복하는 당사자는 과태료 부과 통지를 받은 날부터 60일 이내에 해당 행정청에 서면으로 이의제기를 할 수 있다.

③ 질서위반행위에 대하여 과태료를 부과하는 근거 법령이 개정되어 행위시의 법률에 의하면 과태료 부과대상이었으나 재판시의 법률에 의하면 부과대상이 아닌 때에도 특별한 사정이 없는 한 행위시의 법률에 의하여 과태료를 부과할 수 있다.

④ 과태료는 행정청의 과태료 부과처분이나 법원의 과태료 재판이 확정된 후 5년간 징수하지 아니하거나 집행하지 아니하면 시효로 인하여 소멸한다.

08 **행정벌에 대한 내용으로 옳지 않은 것은? (다툼이 있는 경우 판례에 의함)**

① 명문의 규정이 없더라도 관련 행정형벌법규의 해석에 따라 과실행위도 처벌한다는 뜻이 명확한 경우에는 과실행위를 처벌할 수 있다.

② 영업주에 대한 양벌규정이 존재하는 경우, 영업주의 처벌은 금지위반행위자인 종업원의 범죄성립이나 처벌을 전제로 하지 않는다.

③ 통고처분에 의해 범칙금을 납부한 경우, 그 납부의 효력에 따라 다시 벌 받지 아니하게 되는 행위사실은 범칙금 통고의 이유에 기재된 당해 범칙행위 자체에 한정될 뿐, 그 범칙행위와 동일성이 인정되는 범칙행위에는 미치지 않는다.

④ 질서위반행위규제법에 의하면 행정청은 질서위반행위가 종료된 날부터 5년이 경과한 경우에는 해당 질서위반행위에 대하여 과태료를 부과할 수 없다.

09 질서위반행위규제법에 대한 내용으로 옳은 것은?

① 지방자치단체의 조례상의 의무를 위반하여 과태료를 부과하는 행위는 질서위반행위에 해당되지 않는다.

② 법원의 과태료 재판이 확정된 후 법률이 변경되어 그 행위가 질서위반행위에 해당하지 아니하게 된 때에는 변경된 법률에 특별한 규정이 없는 한 과태료의 집행을 면제한다.

③ 과태료는 행정청의 과태료 부과처분이 있은 후 3년간 징수하지 아니하면 시효로 인하여 소멸한다.

④ 행정청의 과태료 부과에 대한 이의제기는 과태료 부과처분의 효력에 영향을 주지 아니한다.

정답 및 해설

06 부과처분을 위한 과세관청의 질문조사권이 행해지는 세무조사결정이 있는 경우 납세의무자는 세무공무원의 과세자료 수집을 위한 질문에 대답하고 검사를 수인하여야 할 법적의무를 부담하게 되는 점 등을 종합하면, 세무조사결정은 납세의무자의 권리·의무에 직접 영향을 미치는 공권력의 행사에 따른 행정작용으로서 항고소송의 대상이 된다(대판 2011.3.10. 2009두23617·3624).

| 선지분석 |

① 행정조사를 실시하고자 하는 행정기관의 장은 제9조에 따른 출석요구서, 제10조에 따른 보고요구서·자료제출요구서 및 제11조에 따른 현장출입조사서(이하 "출석요구서등"이라 한다)를 조사개시 7일 전까지 조사대상자에게 서면으로 통지하여야 한다(지방세기본법 제17조 제1항).

② 정기조사 또는 수시조사를 실시한 행정기관의 장은 동일한 사안에 대하여 동일한 조사대상자를 재조사 하여서는 아니 된다. 다만, 당해 행정기관이 이미 조사를 받은 조사대상자에 대하여 위법행위가 의심되는 새로운 증거를 확보한 경우에는 그러하지 아니하다(지방세기본법 제15조 제1항).

③ 지방자치단체의 장은 적절하고 공평한 과세의 실현을 위하여 필요한 최소한의범위에서 세무조사를 하여야 하며, 다른 목적 등을 위하여 조사권을 남용해서는 아니 된다(지방세기본법 제80조 제1항).

07 질서위반행위에 대하여 과태료를 부과하는 근거 법령이 개정되어 행위시의 법률에 의하면 과태료 부과대상이었으나 재판시의 법률에 의하면 부과대상이 아닌 때에는 특별한 사정이 없는 한 변경된 법률에 의하여 과태료를 부과할 수 없다(질서위반행위규제법 제3조).

08 범칙금의 통고 및 납부 등에 관한 규정들의 내용과 취지 등에 비추어 볼 때, 범칙자가 경찰서장으로부터 범칙행위를 하였음을 이유로 범칙금의 통고를 받고 납부기간 내에 그 범칙금을 납부한 경우 범칙금의 납부에 확정판결에 준하는 효력이 인정됨에 따라 다시 벌 받지 아니하게 되는 행위사실은 범칙금 통고의 이유에 기재된 당해 범칙행위 자체 및 그 범칙행위와 동일성이 인정되는 범칙행위에 한정된다고 해석함이 상당하다. 범칙행위와 같은 일시, 장소에서 이루어진 행위라 하더라도 범칙행위의 동일성을 벗어난 형사범죄행위에 대하여는 범칙금의 납부에 따라 확정판결의 효력에 준하는 효력이 미치지 아니한다(대판 2002.11.22. 2001도849).

09

> **질서위반행위규제법 제3조【법 적용의 시간적 범위】** ③ 행정청의 과태료 처분이나 법원의 과태료 재판이 확정된 후 법률이 변경되어 그 행위가 질서위반행위에 해당하지 아니하게 된 때에는 변경된 법률에 특별한 규정이 없는 한 과태료의 징수 또는 집행을 면제한다.

| 선지분석 |

① 지방자치단체의 조례상의 의무를 위반하여 과태료를 부과하는 행위도 질서위반행위에 해당한다.

> **질서위반행위규제법 제2조【정의】** 이 법에서 사용하는 용어의 뜻은 다음과 같다.
> 1. "질서위반행위"란 법률(지방자치단체의 조례를 포함한다. 이하 같다)상의 의무를 위반하여 과태료를 부과하는 행위를 말한다. 다만, 다음 각 목의 어느 하나에 해당하는 행위를 제외한다.
>   가. 대통령령으로 정하는 사법(私法)상·소송법상 의무를 위반하여 과태료를 부과하는 행위
>   나. 대통령령으로 정하는 법률에 따른 징계사유에 해당하여 과태료를 부과하는 행위

③ 과태료는 행정청의 과태료 부과처분이나 법원의 과태료 재판이 확정된 후 5년간 징수하지 아니하거나 집행하지 아니하면 시효로 인하여 소멸한다(질서위반행위규제법 제15조 제1항).

④ 행정청의 과태료 부과에 불복하는 당사자는 제17조 제1항에 따른 과태료 부과 통지를 받은 날부터 60일 이내에 해당 행정청에 서면으로 이의제기를 할 수 있다. 제1항에 따른 이의제기가 있는 경우에는 행정청의 과태료 부과처분은 그 효력을 상실한다(질서위반행위규제법 제20조 제2항).

정답 06 ④ 07 ③ 08 ③ 09 ②

제5편

행정상 손해전보

제1장 행정상 손해배상

제1절 국가배상 개요

1 행정상 손해배상의 의의

공무원의 위법한 직무행위나 공공영조물의 설치 · 관리의 하자로 인하여 개인에게 손해가 발생한 경우에 행정주체(국가 또는 공공단체)가 그 손해를 배상하는 것을 말한다(헌법 제29조, 국가배상법 제2조 · 제5조).

2 행정상 손해배상과 손실보상

1. 행정상 손해배상과 손실보상의 비교

구분		손해배상	손실보상
차이점	본질	위법한 행정작용에 대한 구제	적법한 행정작용에 대한 구제
	기초이념 및 책임	개인주의에 입각한 도의적 과실책임주의에 기초	단체주의에 입각한 사회적 공평부담 사상과 무과실책임주의에 기초
	법적 근거	• 헌법 제29조와 개별법 • 일반법인 국가배상법	• 헌법 제23조와 개별법 • 일반법은 없음
	청구권의 성질	• 다수설: 공권 • 판례: 사권	• 다수설: 공권 • 판례: 사권
	양도 · 압류	일부(생명 · 신체 침해) 양도 · 압류 금지	양도 · 압류 가능
	청구권의 발생원인	• 위법 · 유책(고의 · 과실)한 공무원의 직무상 행위(과실책임) • 공공영조물의 설치 · 관리상의 하자(무과실책임)	적법 · 무책한 침해에 의해 가하여진 특별한 희생에 대한 보상
	보상기준	가해행위와 상당인과관계 있는 모든 손해	정당한 보상이 원칙
	보상내용	재산적 · 정신적 손해	재산적 손해에 한정
	전보방법	금전배상원칙	• 원칙적으로 금전보상 • 예외적으로 채권 · 현물 · 매수보상 가능
	청구절차	배상심의회의 결정(임의절차) ⇨ 법원	협의 ⇨ 재결 ⇨ 행정소송
	책임자	• 헌법: 국가 · 공공단체(제29조 제1항) • 국가배상법: 국가 · 지방자치단체	

공통점	행정작용으로 인한 개인의 권리침해를 구제하기 위하여 손해나 손실을 보전하는 사후적 구제제도

2. 양자의 융화 · 접근

과실책임에 입각한 손해배상제도가 피해자 구제의 필요성에 따라 입증책임의 전환, 과실의 객관화, 무과실책임의 등장으로 손해배상이 손실보상으로 접근하고 있으며, 위험책임의 등장으로 양자의 구별은 상대화되어 가고 있다.

3 각국 입법례

1. 프랑스

프랑스에서는 학설과 국참사원의 판례[1873년 블랑꼬(Blanco) 판결]를 통하여 공역무로 인한 국가배상책임이 민법과는 별개의 공법제도로 발전되었으며, 현재는 역무과실책임과 위험책임(무과실책임)의 이원적 구조를 취하고 있다. 프랑스 국가배상제도의 특징은 과실책임 이외에 무과실책임 또는 위험책임이 광범위하게 인정되어 손해배상책임과 손실보상책임의 구별이 명확하지 않고, 공무원의 책임과 국가의 책임이 병존하여 '공적 부담 앞의 평등', '위험의 사회화'를 실현하고 있다.

2. 독일

(1) 전통적으로 독일의 국가배상은 민법에 의한 공무원 자신의 배상책임으로 이해하여 국가는 이에 대하여 배상책임을 지지 않았다가, 20세기에 와서야 국가책임을 인정하는 입법이 행하여져 1919년 바이마르 헌법 제131조에 의하여 국가대위책임이 헌법상 수용되기에 이르렀다.

(2) 1949년 본기본법은 바이마르 헌법의 국가배상책임 원칙을 계승하였으나, 그 성격에 대해서는 대위책임으로 보는 것이 통설 · 판례의 입장이었다.

(3) 1982년 국가의 무과실책임 인정, 입증책임의 전환을 인정한 국가책임법이 시행되게 되었으나, 바덴 주(州) 등의 제소로 연방재판소의 위헌판결을 받아 무효로 되었다.

(4) 이러한 위헌판결을 계기로 본기본법이 개정되어 국가책임법 제정의 명시적 근거규정을 두게 되었다.

3. 영 · 미

(1) 영국에서는 "왕은 악을 행할 수 없다."라는 법리에 따라 20세기 초에 이르기까지 국가배상책임이 인정되지 않았다가, 1947년 국왕소추법의 제정으로 국가배상책임이 인정되게 되었다.

(2) 미국에서는 주권면책사상에 입각하여 국가배상을 부정하여 오다가, 1946년 연방불법행위청구권법 제정을 통해 국가배상책임이 인정되게 되었다.

(3) 오늘날 영 · 미는 국가배상책임을 인정하면서도 광범위한 적용배제조항을 두고 있어 실질적으로 국가배상책임을 제한하고 있다.

핵심 OX

01 평등의 원칙으로부터 파생된 '공적 부담 앞의 평등'은 손실보상의 이론적 근거가 될 수 있다.
17. 지방9급 ( )

01 O

4 우리나라의 국가배상제도

1. 국가배상책임의 헌법적 보장

(1) 헌법 제29조

헌법 제29조 제1항은 공무원의 직무상 불법행위에 대하여 국민의 국가배상청구권을 기본권으로 인정하고 있으나, 공공영조물의 설치 · 관리의 하자로 인한 국가배상책임은 규정하고 있지 않다.

> **헌법 제29조** ① 공무원의 직무상 불법행위로 손해를 받은 국민은 법률이 정하는 바에 의하여 국가 또는 공공단체에 정당한 배상을 청구할 수 있다. 이 경우 공무원 자신의 책임은 면제되지 아니한다.
> ② 군인 · 군무원 · 경찰공무원 기타 법률이 정하는 자가 전투 · 훈련 등 직무집행과 관련하여 받은 손해에 대하여는 법률이 정하는 보상외에 국가 또는 공공단체에 공무원의 직무상 불법행위로 인한 배상은 청구할 수 없다.
> **국가배상법 제1조 【목적】** 이 법은 국가나 지방자치단체의 손해배상의 책임과 배상절차를 규정함을 목적으로 한다.
> **제2조 【배상책임】** ① 국가나 지방자치단체는 공무원 또는 공무를 위탁받은 사인(이하 '공무원'이라 한다)이 직무를 집행하면서 고의 또는 과실로 법령을 위반하여 타인에게 손해를 입히거나, 자동차손해배상 보장법에 따라 손해배상의 책임이 있을 때에는 이 법에 따라 그 손해를 배상하여야 한다. 다만, 군인 · 군무원 · 경찰공무원 또는 예비군대원이 전투 · 훈련 등 직무 집행과 관련하여 전사 · 순직하거나 공상을 입은 경우에 본인이나 그 유족이 다른 법령에 따라 재해보상금 · 유족연금 · 상이연금 등의 보상을 지급받을 수 있을 때에는 이 법 및 민법에 따른 손해배상을 청구할 수 없다.
> ② 제1항 본문의 경우에 공무원에게 고의 또는 중대한 과실이 있으면 국가나 지방자치단체는 그 공무원에게 구상할 수 있다.
> **제7조 【외국인에 대한 책임】** 이 법은 외국인이 피해자인 경우에는 해당 국가와 상호보증이 있을 때에만 적용한다.
> **제8조 【다른 법률과의 관계】** 국가나 지방자치단체의 손해배상책임에 관하여는 이 법에 규정된 사항 외에는 민법에 따른다. 다만 민법 외의 법률에 다른 규정이 있을 때에는 그 규정에 따른다.

핵심 OX

01 한국수자원공사는 국가배상법상 손해배상의 책임자가 될 수 있다. 11. 국가7급 ( )

(2) 헌법과의 비교

국가배상에 관하여 **헌법**은 배상주체를 **국가 · 공공단체**로 규정하고 있으나, **국가배상법**은 **국가 · 지방자치단체**로 규정하여 국가와 지방자치단체 이외의 공공단체의 배상책임은 민법에 의하게 하고 있다.

(3) 민법과의 비교

국가배상법을 민법과 비교했을 때 민법 제756조의 '사용자 배상책임'은 사용자의 면책사유를 규정하고 있으나, 국가배상법은 사용자인 국가의 면책사유를 규정하고 있지 않다.

핵심 OX

02 헌법은 배상책임자를 '국가 또는 지방자치단체'로 규정하고 있으나, 국가배상법은 배상책임자를 '국가 또는 공공단체'로 규정하고 있다. 07. 국가7급 ( )

03 공무원이 직무를 집행하면서 고의 또는 과실로 위법하게 타인에게 손해를 가하였어도 국가나 지방자치단체가 그 공무원의 선임 및 감독에 상당한 주의를 하였다면 국가나 지방자치단체는 국가배상책임을 면한다. 18. 국가9급, 17. 국가9급(10월) ( )

01 X 02 X 03 X

민법 제756조 【사용자의 배상책임】 ① 타인을 사용하여 어느 사무에 종사하게 한 자는 피용자가 그 사무집행에 관하여 제삼자에게 가한 손해를 배상할 책임이 있다. 그러나 사용자가 피용자의 선임 및 그 사무감독에 상당한 주의를 한 때 또는 상당한 주의를 하여도 손해가 있을 경우에는 그러하지 아니하다.
② 사용자에 갈음하여 그 사무를 감독하는 자도 전항의 책임이 있다.
③ 전2항의 경우에 사용자 또는 감독자는 피용자에 대하여 구상권을 행사할 수 있다.

핵심정리 헌법과 국가배상법의 비교

구분	헌법	국가배상법
배상주체	국가, 공공단체	국가, 지방자치단체 (공법상 사단, 영조물법인, 공법상 재단 제외)
영조물책임에 관한 규정	×	○
구상권에 관한 규정	공무원의 책임이 면제되지 않는다고만 규정	고의 · 중과실이 있으면 구상 가능
이중배상금지 대상자	군인, 군무원, 경찰공무원	군인, 군무원, 경찰공무원 + 예비군대원

2. 국가배상법의 지위

국가배상법 제8조 【다른 법률과의 관계】 국가나 지방자치단체의 손해배상책임에 관하여는 이 법에 규정된 사항 외에는 민법에 따른다. 다만, 민법 외의 법률에 다른 규정이 있을 때에는 그 규정에 따른다.

(1) 국가배상에 관한 일반법

① 국가배상법 제8조는 국가배상법이 국가배상에 관한 일반법임을 규정하고 있다.
② 이 규정에 따라 법은 '국가배상에 관한 특별법 ⇨ 국가배상법 ⇨ 민법'의 순으로 적용된다.

(2) 국가배상에 관한 특별법

무과실책임을 인정하고 있는 법(예 자동차손해배상 보장법, 원자력 손해배상법, 공무원연금법, 산업재해보상보험법)이 있고, 배상책임의 범위 또는 손해배상을 경감 내지 정형화하고 있는 법(예 우편법, 전기통신사업법, 도시철도법)이 있다.

핵심 OX

04 행정상 손해배상에 관하여는 국가배상법이 일반법적 지위를 갖는다고 본다. 15. 서울9급 ( )

04 ○

관련판례

1 국가배상법 제7조에서 정한 '상호보증'이 있는지 판단하는 기준

국가배상법 제7조는 우리나라만이 입을 수 있는 불이익을 방지하고 국제관계에서 형평을 도모하기 위하여 외국인의 국가배상청구권의 발생요건으로 '외국인이 피해자인 경우에는 해당 국가와 상호보증이 있을 것'을 요구하고 있는데, 해당 국가에서 외국인에 대한 국가배상청구권의 발생요건이 우리나라의 그것과 동일하거나 오히려 관대할 것을 요구하는 것은 지나치게 외국인의 국가배상청구권을 제한하는 결과가 되어 국제적인 교류가 빈번한 오늘날의 현실에 맞지 아니할 뿐만 아니라 외국에서 우리나라 국민에 대한 보호를 거부하게 하는 불합리한 결과를 가져올 수 있는 점을 고려할 때, 우리나라와 외국 사이에 국가배상청구권의 발생요건이 현저히 균형을 상실하지 아니하고 외국에서 정한 요건이 우리나라에서 정한 그것보다 전체로서 과중하지 아니하여 중요한 점에서 실질적으로 거의 차이가 없는 정도라면 국가배상법 제7조가 정하는 상호보증의 요건을 구비하였다고 봄이 타당하다. 그리고 상호보증은 외국의 법령, 판례 및 관례 등에 의하여 발생요건을 비교하여 인정되면 충분하고 반드시 당사국과의 조약이 체결되어 있을 필요는 없으며, 당해 외국에서 구체적으로 우리나라 국민에게 국가배상청구를 인정한 사례가 없더라도 실제로 인정될 것이라고 기대할 수 있는 상태이면 충분하다(대판 2015.6.11. 2013다208388).

2 우리나라와 일본 사이에 국가배상법 제7조가 정하는 상호보증이 있다고 한 사례

일본인 甲이 대한민국 소속 공무원의 위법한 직무집행에 따른 피해에 대하여 국가배상청구를 한 사안에서, 일본 국가배상법 제1조 제1항, 제6조가 국가배상청구권의 발생요건 및 상호보증에 관하여 우리나라 국가배상법과 동일한 내용을 규정하고 있는 점 등에 비추어 우리나라와 일본 사이에 국가배상법 제7조가 정하는 상호보증이 있다(대판 2015.6.11. 2013다208388).

핵심 OX

01 일본 국가배상법이 국가배상청구권의 발생요건 및 상호보증에 관하여 우리나라 국가배상법과 동일한 내용을 규정하고 있는 점 등에 비추어 우리나라와 일본 사이에 우리나라 국가배상법 제7조가 정하는 상호보증이 있다.
19. 서울9급(6월), 15. 서울9급 ( )

3. 국가배상법의 법적 성격

(1) 공법설(다수설)

공행정작용으로 인한 국가배상법은 사경제작용을 규율하는 민법과는 근본적인 성격이 달라 국가배상법과 민법은 일반법과 특별법의 관계가 성립할 수 없으므로 국가배상법은 공법이라는 견해이다. 이 경우 국가배상에 관한 소송은 공법상 당사자소송에 의하게 된다.

(2) 사법설(판례)

국가배상책임이론은 공법에 특유한 책임이론이 아니라, 민법상의 일반불법행위책임의 한 유형에 불과하므로 국가배상법은 민법의 특별법의 지위에 있는 사법이라는 견해이다. 판례는 사법설에 입각하여 국가배상청구사건을 민사소송으로 다루고 있다(대판 1981.2.10. 80누317).

핵심 OX

02 실무상 국가배상청구소송은 민사소송으로 행해지고 있다.
13. 국회9급 ( )

관련판례

공무원의 직무상 불법행위로 손해를 받은 국민이 국가 또는 공공단체에 배상을 청구하는 경우 국가 또는 공공단체에 대하여 그의 불법행위를 이유로 손해배상을 구함은 국가배상법이 정한 바에 따른다 하여도 이 역시 민사상의 손해배상 책임을 특별법인 국가배상법이 정한데 불과하다(대판 1972.10.10. 69다701).

01 ○ 02 ○

4. 국가배상법의 내용

(1) 국가배상법은 외국인이 피해자인 경우에는 그 나라와 상호보증이 있는 경우에만 적용되는 **상호주의**를 채택하고 있다(국가배상법 제7조).

(2) 주한미국군대 및 한국증원군대(카투사) 구성원 등의 공무집행 중 행위와 이들이 소유·점유·관리하는 시설 등의 설치 또는 관리의 하자로 인한 피해자도 국가배상법의 규정에 따라 대한민국에 대하여 배상을 청구할 수 있다(한·미행정협정 제23조 제5항).

5. 자동차손해배상 보장법에 의한 국가배상

(1) 개관

공무원의 차량사고로 인하여 손해가 발생한 경우 국가 등이 자동차손해배상 보장법❶의 성립요건을 갖추게 되면 국가배상법에 의한 손해배상책임을 지게 된다. 이 경우 자배법이 적용되기 위해서는 '자동차의 운행으로 사람이 사망하거나 부상한 경우'와 자배법 제3조의 요건인 '자기를 위하여 자동차를 운행하는 자'라는 운행자성이 인정되어야 한다.

(2) 자배법 우선 적용

자배법은 배상책임의 요건에 관하여는 국가배상법에 우선하여 적용된다(국가배상법 제8조). 자배법이 적용되는 경우 승객이 사망하거나 부상한 경우에는 그 사망 또는 부상이 그 승객의 고의나 자살행위로 인한 것이 아닌 한 국가는 무과실책임을 진다. 따라서 국가 또는 지방자치단체가 자배법의 규정에 의하여 손해배상책임이 있는 경우에는 국가배상법에 의하여 그 손해를 배상하여야 한다(이중배상금지규정의 적용, 배상심의회와 절차의 적용).

(3) 유형

① **가장 일반적인 경우로서 공무원이 국가 또는 지방자치단체 소유의 공용차를 운행하는 경우:** 국가 또는 지방자치단체가 자배법의 책임을 부담한다.

② **공무원 개인이 개인적인 일로 무단으로 국가 또는 지방자치단체 소유의 공용차를 운전하다가 사고가 발생한 경우:** 국가 또는 지방자치단체는 자배법의 손해배상책임을 부담한다.

관련판례

1 공무원의 국가 소유의 오토바이 무단운전행위에 대해 국가가 오토바이에 대한 운행이익을 가지는지 여부(적극)

국가 소속 공무원이 관리권자의 허락을 받지 아니한 채 국가 소유의 오토바이를 무단으로 사용하다가 그 오토바이와 시동열쇠를 무단운전이 가능한 상태로 잘못 보관하였고, 위 공무원으로서도 국가와의 고용관계에 비추어 위 오토바이를 잠시 운전하다가 본래의 위치에 갖다 놓았을 것이 예상되는 한편 피해자들도 위 무단운전의 정을 알지 못하고 또한 알 수도 없었던 일반 제3자인 점에 비추어 보면, 국가가 위 공무원의 무단운전에도 불구하고 위 오토바이에 대한 객관적·외형적인 운행지배 및 운행이익을 계속 가지고 있었다고 봄이 상당하다(대판 1988.1.19. 87다카2202).

핵심 OX

03 국가배상법은 외국인이 피해자인 경우에는 해당 국가와 상호보증이 있는 때에만 국가배상법이 적용된다고 규정하고 있다.
17. 국가9급(10월) ( )

❶ 약칭: 자배법

03 ○

제5편 행정상 손해전보 해커스공무원 신동욱 행정법총론 기본서

2 군 소속 차량의 운전수가 일과시간 후에 무단으로 차를 운행하다가 사고가 일어난 경우에 군이 자동차손해배상 보장법 및 국가배상법상의 책임을 지는지 여부(소극)

군소속차량의 운전수가 일과시간 후에 피해자의 적극적인 요청에 따라 동인의 개인적인 용무를 위하여 상사의 허락 없이 무단으로 위 차를 운행하다가 사고가 일어났다면, 군은 자동차손해배상 보장법 제3조 소정의 자기를 위하여 자동차를 운행하는 자에 해당되지도 아니하며 위 사고가 위 운전수의 직무집행 중의 과실에 기인된 것도 아니므로 군에 대하여 국가배상법상의 책임도 물을 수 없다(대판 1981.2.10. 80다2720).

3 공무원이 자기 소유 차량으로 공무수행 중 사고를 일으킨 경우, 공무원 개인의 손해배상책임(무과실책임)

공무원이 자기 소유의 자동차로 공무수행 중 사고를 일으킨 경우에는 그 손해배상책임은 자동차손해배상 보장법이 정한 바에 의하게 되어, 그 사고가 자동차를 운전한 공무원의 경과실에 의한 것인지 중과실 또는 고의에 의한 것인지를 가리지 않고 그 공무원이 자동차손해배상 보장법 제3조 소정의 '자기를 위하여 자동차를 운행하는 자'에 해당하는 한 손해배상책임을 부담한다(대판 1996.5.31. 94다15271).

4 공무원이 그 직무를 집행하기 위하여 국가 또는 지방자치단체 소유의 관용차를 운행하는 경우 자동차손해배상 보장법 제3조 소정의 손해배상책임의 주체가 될 수 있는지 여부(소극)

자동차손해배상 보장법 제3조 소정의 '자기를 위하여 자동차를 운행하는 자'라고 함은 자동차에 대한 운행을 지배하여 그 이익을 향수하는 책임주체로서의 지위에 있는 자를 뜻하는 것인바, 공무원이 그 직무를 집행하기 위하여 국가 또는 지방자치단체 소유의 관용차를 운행하는 경우, 그 자동차에 대한 운행지배나 운행이익은 그 공무원이 소속한 국가 또는 지방자치단체에 귀속된다고 할 것이고, 그 공무원 자신이 개인적으로 그 자동차에 대한 운행지배나 운행이익을 가지는 것이라고는 볼 수 없으므로, 그 공무원이 자기를 위하여 관용차를 운행하는 자로서 같은 법조 소정의 손해배상책임의 주체가 될 수는 없다(대판 1992.2.25. 91다12356).

(4) 자동차손해배상 보장법이 아닌 국가배상법이 적용되는 경우

공무원이 직무를 집행하기 위하여 자기 소유의 자동차를 운행하다가 발생한 사고의 경우에는 국가 등이 자동차의 운행자가 아니므로 자배법이 적용되지 않고, 국가 등은 국가배상법에 따라 배상책임을 부담한다.

(5) 공무원 개인책임(공무원이 자기 소유의 자동차를 운행하다가 사고가 발생한 경우)

자배법이 적용되는 공무의 개인책임에 대하여는 국가배상법보다 우선하여 자배법이 적용된다. 일반적인 국가배상의 경우 공무원의 개인책임은 고의 · 중과실의 경우에만 공무원의 개인책임이 인정되지만, 자배법이 적용되는 '자기를 위하여 자동차를 운행하는 자'에 해당하는 경우에는 고의 · 중과실 · 경과실을 불문하고 공무원은 자배법에 의한 손해배상책임을 부담한다.

핵심 OX

01 공무원이 자기 소유 차량으로 공무수행 중 사고를 일으킨 경우 공무원 개인은 경과실에 의한 것인지 또는 고의 또는 중과실에 의한 것인지를 가리지 않고 자동차손해배상 보장법상의 운행자성이 인정되는 한 배상책임을 부담한다. 15. 국회8급 ( )

02 공무원이 그 직무를 집행하기 위하여 국가 또는 지방자치단체 소유의 공용차를 운행하는 경우, 그 자동차에 대한 운행지배나 운행이익은 그 공무원이 소속한 국가 또는 지방자치단체에 귀속된다고 할 것이므로, 그 공무원이 자기를 위하여 공용차를 운행하는 자로서 자동차손해배상 보장법 제3조 소정의 손해배상책임의 주체가 될 수는 없다. 14. 경특2차 ( )

핵심 OX

03 자동차손해배상 보장법은 배상책임의 성립요건에 관하여 국가배상법에 우선하여 적용된다. 15. 지방9급, 08. 국가7급 ( )

01 ○ **02** ○ **03** ○

핵심정리 국가배상법과 자동차손해배상 보장법과의 관계 요약

자동차손해배상 보장법		국가배상법		국가·지자체	공무원
차량	책임	직무 관련성	국가·지자체 책임		
관용차	국가·지자체	○	○	자동차손해배상 보장법상 책임 (∵국가배상법에 우선)	민법상 책임
		×	×	자동차손해배상 보장법상 책임	민법상 책임
자가용	공무원	○	○	국가배상법상 책임	자동차손해배상 보장법상 책임
		×	×	×	자동차손해배상 보장법상 책임

제2절 국가배상법 제2조

1 국가배상책임의 내용(국가배상책임의 법적 성질 및 선택청구문제)

1. 학설

(1) 대위책임설(행정법학계 다수설)

① **의의**: 공무원의 불법행위에 대한 책임은 본래 공무원 개인의 책임이나, 피해자 구제를 위하여 국가나 지방자치단체가 공무원을 대신하여 배상책임을 부담한다는 것이다.

② **근거**: 대위책임설의 근거로는 공무원의 위법행위가 바로 국가의 위법행위가 될 수 없다는 점, 국가배상법이 과실책임주의를 채택하여 1차적으로 공무원의 고의·과실이 인정되어야 한다는 점, 국가 등이 배상한 경우에 구상권을 규정하고 있다는 점 등을 그 근거로 하고 있다.

③ **선택적 청구권**: 대위책임설에 의하면 국가가 배상책임을 인수한 이상 공무원 개인에게는 선택적 청구권을 인정할 수 없다고 본다.

④ **구상권**: 공무원이 1차적인 책임을 진다면 구상권은 당연한 것이며, 그것은 부당이득반환청구라고 한다.

(2) 자기책임설(헌법학계 다수설)

① **의의**: 공무원의 불법행위에 대한 국가배상책임은 국가가 공무원을 대신하여지는 것이 아니라 국가가 공무원을 통하여 행한 자기책임이며, 민법 제35조에 규정된 법인의 불법행위책임에 해당한다고 한다.

핵심 OX

04 공무원의 불법행위책임을 국가 자신의 책임으로 보는 입장에서는 일반적으로 공무원의 피해자에 대한 책임을 부인한다. 18. 서울7급 ( )

04 X

② **근거:** 국가는 공무원이라는 기관을 통하여 행위를 하므로 공무원의 행위는 당연히 국가에 귀속된다는 점, 구상권의 인정문제는 정책적 문제로서 이를 기준으로 국가배상의 성질을 논하는 것은 옳지 않다는 점, 국가배상 관련 규정상 대신하여 책임을 부담한다는 규정이 없다는 점을 근거로 하고 있다.

③ **선택적 청구권:** 국가의 기관책임과 공무원의 개인책임은 별도로 존재하므로 선택적 청구권을 인정하게 된다.

④ **구상권:** 공무원의 행위는 국가의 행위가 되므로 구상권 설명이 곤란하나, 국가에 대한 직무위반으로 채무불이행책임을 인정할 수 있다고 한다.

구분	대위책임설	자기책임설
책임의 성질	공무원 개인책임이지만 국가가 대신 배상책임을 짐	국가의 기관책임이므로 국가가 배상(자기책임)
선택적 청구	국가가 배상책임 인수한 이상 공무원 개인에게 선택적 청구할 수 없음	국가의 기관책임과 공무원 개인책임 별도 존재하므로 선택적 청구 가능
구상권 행사	원래 공무원의 책임이므로 구상권 인정	공무원의 행위는 국가의 행위가 되므로 구상권 부정

(3) 중간설

① **의의:** 공무원의 고의·중과실에 대한 국가의 배상책임은 대위책임이나, 경과실에 대한 국가의 책임은 자기책임 성질을 갖는다는 견해이다.

② **근거:** 국가배상법 제2조 제2항의 구상권에 관한 규정이 고의·중과실에 대해서는 공무원에 대한 국가의 구상권이 인정되나, 경과실의 경우에는 구상권을 인정하지 않는다는 점이다. 또한 고의·중과실에 의한 행위는 기관행위로 볼 수 없으나, 경과실에 의한 행위는 기관행위로서 국가에 귀속시킬 수 있다는 것이다.

③ **선택적 청구권:** 공무원의 고의·중과실의 경우에는 선택적 청구권을 부정하나, 경과실의 경우에는 선택적 청구권을 인정한다.

④ **구상권:** 고의·중과실의 경우에는 구상권 행사가 긍정되고, 경과실의 경우에는 부정된다.

(4) 절충설

① **의의:** 중간설에 입각하여 정책적으로 내용을 수정하는 견해이다.

② **근거:** 공무원의 경과실의 직무행위는 기관행위로서 국가 등에 귀속시킬 수 있으나, 고의나 중과실에 의한 행위는 기관행위로 볼 수 없다는 점, 국가배상법이 경과실에 대하여는 구상권을 인정하고 있지 않다는 점을 근거로 하고 있다.

③ **선택적 청구권:** 고의·중과실의 경우에는 선택적 청구권이 인정되고, 경과실의 경우에는 부정된다.

④ **구상권:** 고의·중과실의 경우에는 구상권 행사가 긍정되고, 경과실의 경우에는 부정된다.

2. 판례(절충설)

(1) 판례는 절충설의 입장을 따르고 있다. 최초에는 이를 긍정하는 입장이었으나(대판 1972.10.10. 69다701), 이후 이를 부정하였다가(대판 1994.4.12. 93다11807), 현재는 판례를 변경하여 고의·중과실의 경우에는 공무원 개인에 대한 선택청구를 인정하고, 경과실의 경우에는 공무원 개인책임은 부담하지 않고 국가에 대해서만 인정하게 되었다(대판 1996.2.15. 95다38677 전합).❶

(2) 구상권에 대하여 국가배상법 제2조는 고의 또는 중과실의 경우에만 구상할 수 있다고 규정하고 있다.

핵심정리 국가배상책임의 법적 성질

비교	대위책임설	자기책임설	중간설	절충설(통설·판례)
책임의 성질	• 공무원 개인 책임 • 단, 국가가 대신 배상책임을 짐	• 국가의 기관 책임 • 국가가 배상(자기책임)	• 고의·중과실: 대위책임 • 경과실: 자기책임	• 고의·중과실: 대외적 자기책임(중첩책임) • 경과실: 자기책임
선택적 청구	부정	긍정	• 고의·중과실: 부정 • 경과실: 긍정	• 고의·중과실: 긍정 • 경과실: 부정
구상권 행사	긍정	부정	• 고의·중과실: 긍정 • 경과실: 부정	• 고의·중과실: 긍정 • 경과실: 부정

관련판례

1 경과실에 의한 공무원의 직무상 위법행위에 대하여 공무원 개인의 손해배상책임이 인정되는지 여부(소극)

헌법 제29조 제1항❷ 및 국가배상법 제2조를 그 각 입법취지에 비추어 합리적으로 해석하면 공무원이 공무집행상의 위법행위로 인하여 타인에게 손해를 입힌 경우에는 "공무원에게 고의 또는 중과실이 있는 때에는 공무원 개인도 불법행위로 인한 손해배상책임을 진다고 할 것이지만, 공무원에게 경과실뿐인 때에는 공무원 개인은 손해배상책임을 부담하지 아니한다."라고 할 것이다(대판 1996.2.15. 95다38677 전합).

2 공무원이 직무수행 중 불법행위로 타인에게 손해를 입힌 경우, 피해자에게 손해를 직접 배상한 경과실이 있는 공무원이 국가에 대하여 구상권을 취득하는지 여부(적극)

공무원에게 경과실이 있을 뿐인 경우에는 공무원 개인은 손해배상책임을 부담하지 아니한다. 이처럼 경과실이 있는 공무원이 피해자에 대하여 손해배상책임을 부담하지 아니함에도 피해자에게 손해를 배상하였다면 그것은 채무자 아닌 사람이 타인의 채무를 변제한 경우에 해당하고, 이는 민법 제469조의 '제3자의 변제' 또는 민법 제744조의 '도의관념에 적합한 비채변제'에 해당하여 피해자는 공무원에 대하여 이를 반환할 의무가 없고, 그에 따라 피해자의 국가에 대한 손해배상청구권이 소멸하여 국가는 자신의 출연 없이 채무를 면하게 되므로 … 국가에 대하여 국가의 피해자에 대한 손해배상책임의 범위 내에서 공무원이 변제한 금액에 관하여 구상권을 취득한다(대판 2014.8.20. 2012다54478).

핵심 OX

01 국가가 공무원의 불법행위로 인한 손해배상을 한 경우에 공무원에게 고의 또는 중대한 과실이 있으면 국가는 그 공무원에게 구상권을 행사할 수 있다. 18. 국가9급, 18·15. 서울7급, 17. 국가9급(10월) ( )

❶ 판례의 입장 변화
선택청구 긍정 ⇨ 선택청구 부정 ⇨ 절충설(고의·중과실: 선택청구 인정, 경과실: 선택청구 부정)

❷ 헌법 제29조 제1항
공무원의 직무상 불법행위로 손해를 받은 국민은 법률이 정하는 바에 의하여 국가 또는 공공단체에 정당한 배상을 청구할 수 있음(이 경우 공무원 자신의 책임은 면제되지 아니함)

핵심 OX

02 헌법 제29조 제1항 단서는 공무원 자신의 구체적인 민·형사책임이나 징계책임의 범위까지 규정한 것이다. 06. 관세사 ( )

03 공무원책임에 대한 규정인 헌법 제29조 제1항 단서는 그 조항 자체로 공무원 개인의 구체적인 손해배상책임의 범위까지 규정한 것으로 보기는 어렵다. 18. 서울7급 ( )

04 경과실이 있는 공무원이 피해자에게 직접 손해를 배상하였다면 그것은 채무자 아닌 사람이 타인의 채무를 변제한 경우에 해당한다. 15. 서울7급 ( )

01 ○ 02 X 03 ○ 04 ○

❶ 국가배상법 제2조 요건
· 공무원
· 직무집행상
· 고의 · 과실
· 법령 위반
· 손해 발생
· 손해와 직무 간 상당인과관계

2 국가배상법 제2조❶상 공무원의 직무상 불법행위 성립요건

공무원의 직무상 불법행위로 인한 손해배상책임이 성립하기 위하여는 공무원이 직무를 집행함에 당하여 **고의 또는 과실**로 **법령에 위반**하여 **타인에게 손해**를 가했어야 한다.

1. 공무원의 범위

(1) 국가배상에서의 공무원은 **'최광의의 공무원'**으로서 국가 · 지방공무원으로서의 행정부 공무원뿐만 아니라 입법부 및 사법부 소속 공무원은 물론이고, 널리 공무를 위탁받아 실질적으로 그에 종사하는 공무수탁사인 등 모든 자를 포함한다고 보는 것이 통설 · 판례이다. 다만, 공무수탁사인은 종래 공무원에 포함되는 해석을 하였으나, 최근 국가배상법 개정에 의해 공무수탁사인을 별도로 규정함으로서 입법적으로 해결되었다(국가배상법 2009.10.21. 개정). 한편 기관 자체(예 지방의회, 선거관리위원회)도 국가배상법상의 공무원에 포함한다. 또한 임용결격자가 공무원으로 행한 사실이 사후에 발견되어도 공무원에 해당한다고 본다.

긍정 최광의: 조직법상 공무원+기능상공무원 (공무수탁사인)	부정
• 시의 청소차 운전수 • 군무수행을 위해 채용된 민간인 • 교통할아버지 • 세금을 원천징수하는 회사의 임직원 등 • 전입신고서에 날인하는 통장 (대판 1991.7.9. 91다5570)	• 의용소방대원 • 시영버스운전사 • 아르바이트하는 자 • 한국토지공사 • 구 부동산소유권 이전등기 등에 관한 특별조치법상 보증인(대판 2019.1.31. 2013다14217)

관련판례

1 국가배상법 제2조 소정의 '공무원'이라 함은 국가공무원법이나 지방공무원법에 의하여 공무원으로서의 신분을 가진 자에 국한하지 않고, 널리 공무를 위탁받아 실질적으로 공무에 종사하고 있는 일체의 자를 가리키는 것으로서, 공무의 위탁이 일시적이고 한정적인 사항에 관한 활동을 위한 것이어도 달리 볼 것은 아니다.
지방자치단체가 '교통할아버지 봉사활동계획'을 수립한 후 관할 동장으로 하여금 선정하게 하여 어린이 보호, 교통안내, 거리질서확립 등의 공무를 위탁하여 집행하게 하던 중 '교통할아버지'로 선정된 노인이 위탁받은 업무범위를 넘어 교차로 중앙에서 교통정리를 하다가 교통사고를 발생시킨 경우, 지방자치단체는 국가배상법 제2조 소정의 배상책임을 부담한다(대판 2001.1.5. 98다39060).

2 **법령에 의해 대집행권한을 위탁받은 한국토지공사가 국가공무원법 제2조에서 말하는 공무원에 해당하는지 여부(소극)**
한국토지공사는 구 한국토지공사법(2007.4.6. 법률 제8340호로 개정되기 전의 것) 제2조, 제4조에 의하여 정부가 자본금의 전액을 출자하여 설립한 법인이고, 같은 법 제9조 제4호에 규정된 한국토지공사의 사업에 관하여는 공익사업을 위한 토지 등의 취득 및 보상에 관한 법률 제89조 제1항, 위 한국토지공사법 제22조 제6호 및 같은 법 시행령 제40조의3 제1항의 규정에 의하여 본래 시 · 도지사나 시장 · 군수 또는 구청장의 업무에 속하는 대집행권한을 한국토지공사에게 위탁하도록 되어 있는바, 한국토지공사는 이러한 법령의 위탁에 의하여 대집행을 수권받은 자로서 공무인 대집행을

핵심 OX

01 법관이나 헌법재판소 재판관은 국가배상법 제2조에서 말하는 공무원에 해당하지 않는다. 09. 국가9급 ( )

02 공무를 위탁받은 사인도 국가배상법상 공무원이 될 수 있다. 19. 국회8급, 15. 서울7급, 14. 지방9급, 13. 지방7급 ( )

03 공무원에는 널리 공무를 위탁받아 실질적으로 공무에 종사하고 있는 일체의 자가 포함되지만, 공무의 위탁이 일시적이고 한정적인 사항에 관한 활동을 위한 것인 경우에는 공무원에 해당하지 않는다. 12. 지방9급 ( )

04 서울특별시 강서구 교통할아버지 사건과 같은 경우 공무를 위탁받아 수행 하는 일반 사인(私人)은 국가배상법 제2조 제1항에 따른 공무원이 될 수 없다. 12. 국가9급 ( )

05 통장이 전입신고서에 확인인을 찍는 행위는 공무를 위탁받아 실질적으로 공무를 수행하는 것이라고 보아야 하므로, 통장은 그 업무범위 내에서는 국가배상법 제2조 소정의 공무원에 해당한다. 11. 국회8급 ( )

06 구청장의 업무에 속하는 대집행권한을 한국토지공사가 위탁받은 경우 한국토지공사는 법령의 위탁에 의하여 대집행을 수권받은 자로서 지방자치단체 등의 기관이며 국가배상법 제2조의 공무원에 해당한다. 19. 지방9급 · 국회8급 · 서울7급, 15. 국회8급 · 서울7급, 14. 경특2차 ( )

01 X 02 O 03 X 04 X 05 O 06 X

실시함에 따르는 권리 · 의무 및 책임이 귀속되는 행정주체의 지위에 있다고볼 것이지 지방자치단체 등의 기관으로서 국가배상법 제2조 소정의 공무원에 해당한다고볼 것은 아니다(대판 2010.1.28. 2007다82950 · 82967).

3 국가나 지방자치단체에 근무하는 청원경찰은 국가배상법의 공무원에 해당한다(대판 1993.7.13. 92다47564).

4 시 청소차 운전수는 국가배상법의 공무원에 해당한다(대판 1980.9.24. 80다1051).

5 향토예비군도 그 동원기간 중에는 국가배상법 제2조 소정의 공무원 중에 포함된다고 보는 것이 상당하다(대판 1970.5.26. 70다471).

6 의용소방대는 국가기관이라 할 수 없음은 물론이고 군(郡)에 예속된 기관이라고 할 수도 없다(대판 1975.11.25. 73다1896).

7 **대한변호사협회(공법인)의 임직원이 공무원인지 여부(적극)**
공법인이 국가로부터 위탁받은 공행정사무를 집행하는 과정에서 공법인의 임직원이나 피용인이 고의 또는 과실로 법령을 위반하여 타인에게 손해를 입힌 경우에는, 공법인은 위탁받은 공행정사무에 관한 행정주체의 지위에서 배상책임을 부담하여야 하지만, 공법인의 임직원이나 피용인은 실질적인 의미에서 공무를 수행한 사람으로서 국가배상법 제2조에서 정한 공무원에 해당하므로 고의 또는 중과실이 있는 경우에만 배상책임을 부담하고 경과실이 있는 경우에는 배상책임을 면한다(대판 2021.1.28. 2019다260197).

8 구 부동산소유권 이전등기 등에 관한 특별조치법상 보증인은 공무를 위탁받아 실질적으로 공무를 수행한다고 보기는 어렵다. 보증인을 위촉하는 관청은 소정 요건을 갖춘 주민을 보증인으로 위촉하는 데 그치고 대장소관청은 보증서의 진위를 확인하기 위한 일련의 절차를 거쳐 확인서를 발급할 뿐 행정관청이 보증인의 직무수행을 지휘 · 감독할 수 있는 법령상 근거가 없으며, 보증인은 보증서를 작성할 의무를 일방적으로 부과받으면서도 어떠한 경제적 이익도 제공받지 못하는 반면 재량을 가지고 발급신청의 진위를 확인하며 그 내용에 관하여 행정관청으로부터 아무런 간섭을 받지 않기 때문이다(대판 2019.1.31. 2013다14217).

(2) 다만, 국가배상법상 배상주체가 국가 · 지방자치단체로 한정하고 있어 **공공조합**(예 농업협동조합), **영조물법인**(예 서울대병원)의 직원은 공무원에 포함되지 않으므로 이에 대해서는 특별한 규정이 없는 한 민법상의 손해배상책임[제756조(사용자책임)]을 지게 된다.

2. 직무행위

공무원의 직무상 작위의무가 사회구성원 개인의 안전과 이익(사익)을 보호하기 위하여 설정된 것이어야 국가배상책임이 인정된다(사익보호성).

(1) 직무행위의 범위

① **협의설**: 국가배상법 제2조 제1항의 직무를 권력작용으로 보는 견해이다.

② **광의설(다수설)**: 국가배상법상의 직무를 공행정작용으로 보고, 사경제작용을 제외한 권력작용과 관리작용(비권력적 작용) 모두를 직무에 포함시키는 견해이다. 다만, 관리작용 중 공공영조물의 설치 · 관리작용은 국가배상법 제5조에 규정되어 있으므로 여기서 제외된다. 국가배상법의 법적 성질을 공법설로 보는 견해에서 취하는 입장이다.

핵심 OX

07 직무행위의 범위에는 원칙적으로 공법상 권력작용을 중심으로 하여 공법상 비권력적 작용을 포함하는 것이므로 준법률행위적 행정행위나 사실행위, 부작위는 포함되지 않는다. 08. 지방9급 ( )

08 국가배상청구의 요건인 공무원의 직무에는 권력적 작용만이 아니라 비권력적 작용도 포함된다. 14. 경특2차 ( )

09 국가배상법이 정한 배상청구의 요건인 공무원의 직무에는 권력작용뿐 아니라 관리작용도 포함된다. 11. 지방7급 ( )

07 X 08 O 09 O

③ **최광의설**: 국가배상법상의 직무를 공행정작용(권력작용 · 관리작용)뿐만 아니라 사경제적 작용까지도 포함하는 견해이다. 국가배상법의 법적 성질을 사법설로 보는 견해에서 취하는 입장이다.

④ **판례의 태도**

㉠ 과거에는 최광의설의 입장이었으나, 현재는 "국가배상법이 정한 배상청구의 요건인 '공무원의 직무'에는 권력적 작용만이 아니라 행정지도와 같은 비권력적 작용도 포함되며, 단지 행정주체가 사경제주체로서 하는 활동만 제외된다(대판 1998.7.10. 96다38971)."라고 하여 광의설에 따르고 있다. 다만, 그럼에도 불구하고 국가배상청구권을 사권으로 이해한다.

㉡ 국가 또는 지방자치단체가 사경제주체로 활동하였을 경우 그 손해배상의 책임에 국가배상법의 규정이 적용될 수 없고 민법이 적용된다.

관련판례

1 국가배상법이 정한 배상청구의 요건인 공무원의 직무에는 권력적 작용만이 아니라 행정지도와 같은 비권력적 작용도 포함되며, 단지 행정주체가 사경제주체로서 하는 활동만이 제외된다(대판 1998.7.10. 96다38971).

2 도로가설 등 공사로 인한 무허가건물의 강제철거와 관련하여 이루어지는 시나 구 등 지방자치단체의 철거건물 소유자에 대한 시영아파트분양권 부여 및 세입자에 대한 지원대책 등의 업무는 지방자치단체의 공권력 행사 기타 공행정작용과 관련된 활동으로 볼 것이지 단순한 사경제주체로서 하는 활동이라고는 볼 수 없다(대판 1991.7.26. 91다14819).

⑤ **철도운행사업과 관련된 손해배상**

㉠ **국가배상법 제2조**: 사경제적 작용은 직무에 해당하지 않으므로, 불가하다.

㉡ **국가배상법 제5조**: 철도시설물은 영조물에 해당하므로, 가능하다.

관련판례

개정 전 판례 입장❶

국가의 철도운행사업은 국가가 공권력의 행사로서 하는 것이 아니고 사경제적 작용이라 할 것이므로, 이로 인한 사고에 공무원이 관여하였다고 하더라도 국가배상법을 적용할 것이 아니고 일반 민법의 규정에 따라야 하므로, 국가배상법상의 배상전치절차를 거칠 필요가 없으나, 공공의 영조물인 철도시설물의 설치 또는 관리의 하자로 인한 불법행위를 원인으로 하여 국가에 대하여 손해배상청구를 하는 경우에는 국가배상법이 적용되므로 배상전치절차를 거쳐야 한다(대판 1999.6.22. 99다7008).

(2) 직무행위의 내용

공무원의 직무행위에는 국가의 입법 · 행정 · 사법의 모든 작용이 포함되고, 행정작용에는 법률행위적 행정행위 · 준법률행위적 행정행위와 같은 법적 행위는 물론 사실행위와 작위 · 부작위도 포함된다. 이 가운데 입법행위와 사법행위 및 공무원의 부작위에 대해서는 특별한 논의가 전개된다.

핵심 OX

01 국가 또는 공공단체라 할지라도 사경제의 주체로 활동하였을 경우에는 그 손해배상의 책임에 국가배상법의 규정이 적용될 수 없고 민법이 적용된다. 12. 지방9급 ( )

02 국가의 철도운행사업은 국가가 공권력의 행사로 하는 것이 아니고 사경제적 작용이라 하여도 그로 인한 사고에 공무원이 관여하였을 경우 국가배상법에 따라 배상청구를 하는 배상절차를 거쳐야 한다. 19. 서울9급(2월), 14. 경특2차, 13. 국가9급 ( )

❶ 현행
배상심의회 임의적 전치주의

핵심 OX

03 국가배상법은 행정작용뿐만 아니라 입법작용 및 사법작용에도 적용된다. 15. 교행, 13. 국회9급 ( )

01 ○ 02 X 03 ○

① **공무원의 부작위:** 법령에 의하여 일정한 행위를 해야 할 의무가 있는 데에도 이를 아니한 부작위에 대해서도 국가배상이 인정된다.

② **조리에 의한 작위의무 인정 여부:** 판례는 형식적 의미의 법령에 명시적으로 작위의무가 규정되어 있지 않더라도 위험방지의 작위의무를 인정하고 있다.

③ **국회의원의 입법행위:** 위헌인 법률에 근거한 행정처분에 의해 개인의 권익이 침해된 경우 행정처분의 위법성은 인정되나, 법률에 따른 처분을 한 공무원의 주관적인 과실을 인정하기가 곤란하다. 또한 위헌인 처분법률에 의하여 개인의 권익이 침해된 경우 그 위법성은 인정되나, 입법과정상의 과실을 인정하는 것은 쉽지 않다.

④ **법관의 재판행위:** 당해 법관의 위법 · 부당을 입증할 수 있는 특별한 경우를 제외하고는 국가배상책임을 부정하는 것이 원칙이다.

⑤ **검사의 공소권 행사와 국가배상책임:** 공소제기에 관한 검사의 판단이 그 당시의 자료에 비추어 경험칙이나 논리칙상 도저히 합리성을 긍정할 수 없는 정도에 이른 경우에만 그 위법성을 인정할 수 있다.

국회의원	• 국회의원은 입법에 관하여 원칙적으로 국민 전체에 대한 관계에서 정치적 책임을 질 뿐 국민 개개인의 권리에 대응하여 법적 의무를 지는 것은 아니므로, 국회의원의 입법행위는 **그 입법내용이 헌법의 문언에 명백히 위반됨에도 불구하고 국회가 굳이 당해 입법을 한 것과 같은 특수한 경우가 아닌 한 국가배상법 제2조 제1항 소정의 위법행위에 해당된다고 볼 수 없다**(대판 1997.6.13. 96다56115). • 같은 맥락에서 국가가 일정한 사항에 관하여 헌법에 의해 부과되는 구체적인 입법의무를 부담하고 있음에도 불구하고 그 입법에 필요한 상당한 기간이 경과하도록 **고의 또는 과실로 이러한 입법의무를 이행하지 아니하는 등 극히 예외적인 사정이 인정되는 사안에 한정하여 국가배상법 소정의 배상책임이 인정될 수 있다.** 위와 같은 구체적인 입법의무 자체가 인정되지 않는 경우는 애당초 부작위로 인한 불법행위 성립여지가 없다(대판 2008.5.29. 2004다33469).
법관	• 법관이 행하는 재판사무의 특수성과 그 재판과정의 잘못에 대하여는 따로 불복절차에 의하여 시정될 수 있는 제도적 장치가 마련되어 있는 점 등에 비추어 보면, 법관의 재판에 법령의 규정을 따르지 아니한 잘못이 있다 하더라도 이로써 바로 그 재판상 직무행위가 국가배상법 제2조 제1항에서 말하는 위법한 행위로 되어 국가의 손해배상책임이 발생하는 것은 아니고, 그 국가배상책임이 인정되려면 **당해 법관이 위법 또는 부당한 목적을 가지고 재판을 하는 등 법관이 그에게 부여된 권한의 취지에 명백**히 어긋나게 이를 행사하였다고 인정할 만한 특별한 사정이 있어야 한다(대판 2001.4.24. 2000다16114). • **재판에 대하여 불복절차 내지 시정절차 자체가 없는 경우**에는 부당한 재판으로 인하여 불이익 내지 손해를 입은 사람은 국가배상 이외의 방법으로는 자신의 권리 내지 이익을 회복할 방법이 없으므로, 이와 같은 경우에는 배상책임의 요건이 충족되는 한 국가배상책임을 인정하지 않을 수 없다. 헌법재판소 재판관이 청구기간 내에 제기된 헌법소원심판청구 사건에서 청구기간을 오인하여 각하결정을 한 경우, 이에 대한 불복절차 내지 시정절차가 없는 때에는 국가배상책임을 인정할 수 있다(대판 2003.7.11. 99다24218). • 압수수색할 물건의 기재가 누락된 압수수색영장을 발부한 법관이 위법 · 부당한 목적을 가지고 있었다거나 법이 직무수행상 준수할 것을 요구하고 있는 기준을 현저히 위반하였다는 등의 자료를 찾아볼 수 없다면 그와 같은 압수수색영장의 발부행위는 불법행위를 구성하지 않는다(대판 2001.10.12. 2001다47290).

핵심 OX

04 국회의원은 입법에 관하여 원칙적으로 국민 개개인의 권리에 대응하여 법적 의무를 지는 것이 아니라 정치적 책임을 질뿐이다.
07. 관세사 ( )

핵심 OX

05 직무행위와 관련하여 국회의원의 입법행위는 그 입법내용이 헌법의 문언에 명백히 위반된 경우에는 입법기관의 국가배상책임을 인정하는 데 별다른 어려움이 없다.
19. 국가9급, 14. 지방7급, 13. 국회9급, 12. 국회8급, 08. 지방9급 ( )

06 헌법에 의하여 일반적으로 부과된 의무가 있음에도 불구하고 국회가 그 입법을 하지 않고 있다면 국가배상법 상 배상책임이 인정된다.
17. 국가7급 ( )

07 법관의 재판행위가 위법행위로서 국가배상책임이 인정되려면 당해 법관이 위법 또는 부당한 목적을 가지고 재판하는 등 법관에게 부여된 권한의 취지에 명백히 어긋나게 이를 행사하였다고 인정할 특별한 사정이 있어야 한다.
17. 국가7급(10월) ( )

08 법령의 규정을 따르지 아니한 법관의 재판상 직무행위는 곧바로 국가배상법 제2조 제1항에서 규정하고 있는 위법행위가 되어 국가의 손해배상책임이 발생한다.
16. 지방9급 ( )

04 ○ 05 X 06 X 07 ○ 08 X

검사	• 검사는 수사기관으로서 … 합리적인 이유가 있다고 판단될 때에는 피의자에 대하여 공소를 제기할 수 있으므로 그 후 형사재판 과정에서 범죄사실의 존재를 증명함에 충분한 증거가 없다는 이유로 무죄판결이 확정되었다고 하더라도 그러한 사정만으로 바로 검사의 구속 및 공소제기가 위법하다고 할 수 없고, 그 구속 및 공소제기에 관한 검사의 판단이 그 당시의 자료에 비추어 경험칙이나 논리칙상 도저히 합리성을 긍정할 수 없는 정도에 이른 경우에만 그 위법성을 인정할 수 있다(대판 2002.2.22. 2001다23447). • 검사가 공판과정에서 피고인의 무죄를 입증할 수 있는 결정적인 증거를 입수하였으나 이를 법원에 제출하지 아니하여 유죄판결을 받았다면 국가배상이 인정된다(대판 2002.2.22. 2001다23447). • 검사는 공익의 대표자로서 실체적 진실에 입각한 국가 형벌권의 실현을 위하여 공소제기와 유지를 할 의무뿐만 아니라 그 과정에서 피고인의 정당한 이익을 옹호하여야 할 의무가 있다. 그리고 법원이 형사소송절차에서의 피고인의 권리를 실질적으로 보장하기 위하여 마련되어 있는 형사소송법 등 관련 법령에 근거하여 검사에게 어떠한 조치를 이행할 것을 명하였고, 관련 법령의 해석상 그러한 법원의 결정에 따르는 것이 당연하고 그와 달리 해석될 여지가 없는 경우라면, 법에 기속되는 검사로서는 법원의 결정에 따라야 할 직무상 의무도 있다 할 것이다(대판 2012.11.15. 2011다48452). • 법원이 형사소송법 제272조 제1항에 따라 송부요구한 서류가 피고인의 무죄를 뒷받침할 수 있거나 적어도 법관의 유·무죄에 대한 심증을 달리할 만한 상당한 가능성이 있는 중요증거에 해당하는데도 정당한 이유 없이 피고인 또는 변호인의 열람·지정 내지 법원의 송부요구를 거절하는 것은, 피고인의 신속·공정한 재판을 받을 권리와 변호인의 조력을 받을 권리를 중대하게 침해하는 것이다(대판 2012.5.24. 2012도1284).
공무원	행정처분이 후에 항고소송에서 취소된 사실만으로 당해 행정처분이 곧바로 공무원의 고의 또는 과실로 인한 것으로서 불법행위를 구성한다고 단정할 수는 없다.

관련판례

1 청구기간을 오인하여 각하결정을 한 헌법재판소결정에 대한 국가배상 사건

[1] 법관의 재판에 대한 국가배상책임이 인정되기 위한 요건

법관의 재판에 법령의 규정을 따르지 아니한 잘못이 있다 하더라도 이로써 바로 그 재판상 직무행위가 국가배상법 제2조 제1항에서 말하는 위법한 행위로 되어 국가의 손해배상책임이 발생하는 것은 아니고, 그 국가배상책임이 인정되려면 당해 법관이 위법 또는 부당한 목적을 가지고 재판을 하였다거나 법이 법관의 직무수행상 준수할 것을 요구하고 있는 기준을 현저하게 위반하는 등 법관이 그에게 부여된 권한의 취지에 명백히 어긋나게 이를 행사하였다고 인정할 만한 특별한 사정이 있어야 한다.

[2] 재판에 대한 불복절차 내지 시정절차의 유무와 부당한 재판으로 인한 국가배상책임 인정 여부

재판에 대하여 따로 불복절차 또는 시정절차가 마련되어 있는 경우에는 재판의 결과로 불이익 내지 손해를 입었다고 여기는 사람은 그 절차에 따라 자신의 권리 내지 이익을 회복하도록 함이 법이 예정하는 바이므로, 불복에 의한 시정을 구할 수 없었던 것 자체가 법관이나 다른 공무원의 귀책사유로 인한 것이라거나 그와 같은 시정을 구할 수 없었던 부득이한 사정이 있었다는 등의 특별한 사정이 없는 한, 스스로 그와 같은 시정을 구하지 아니한 결과 권리 내지 이익을 회복하지 못한 사람은 원칙적으로 국가배상에 의한 권리

핵심 OX

01 검사가 공판과정에서 피고인의 무죄를 입증할 수 있는 결정적인 증거를 입수하였으나 이를 법원에 제출하지 아니 하여 유죄판결을 받았다면 국가배상이 인정된다. 08. 국회8급 ( )

02 어떠한 행정처분이 항고소송에서 취소되었을지라도 그 기판력에 의하여 당해 행정처분이 곧바로 공무원의 고의 또는 과실로 인한 것으로서 국가배상책임이 성립한다고 단정할 수는 없다. 19. 국가7급 ( )

핵심 OX

03 재판에 대하여 불복절차 내지 시정절차 자체가 없는 경우, 부당한 재판으로 인하여 불이익 내지 손해를 입은 사람에게는 배상책임의 요건이 충족되는 한 국가배상책임이 인정될 수 있다. 19. 국가9급, 17. 국가7급(10월), 09. 국회8급 ( )

01 ○ 02 ○ 03 ○

구제를 받을 수 없다고 봄이 상당하다고 하겠으나, 재판에 대하여 불복절차 내지 시정절차 자체가 없는 경우에는 부당한 재판으로 인하여 불이익 내지 손해를 입은 사람은 국가배상 이외의 방법으로는 자신의 권리 내지 이익을 회복할 방법이 없으므로, 이와 같은 경우에는 배상책임의 요건이 충족되는 한 국가배상책임을 인정하지 않을 수 없다.

[3] 헌법재판소 재판관이 청구기간 내에 제기된 헌법소원심판청구 사건에서 청구기간을 오인하여 각하결정을 한 경우, 이에 대한 불복절차 내지 시정절차가 없는 때에는 국가배상책임(위법성)을 인정할 수 있다고 한 사례

헌법재판소 재판관이 청구기간 내에 제기된 헌법소원심판청구 사건에서 청구기간을 오인하여 각하결정을 한 경우, 이에 대한 불복절차 내지 시정절차가 없는 때에는 국가배상책임(위법성)을 인정할 수 있다.

[4] 헌법소원심판청구가 부당하게 각하되지 아니하였다고 하여도 본안 판단에서 청구기각되었을 사건인 경우, 위자료 인정 여부(적극)

헌법소원심판을 청구한 자로서는 헌법재판소 재판관이 일자 계산을 정확하게 하여 본안판단을 할 것으로 기대하는 것이 당연하고, 따라서 헌법재판소 재판관의 위법한 직무집행의 결과 잘못된 각하결정을 함으로써 청구인으로 하여금 본안판단을 받을 기회를 상실하게 한 이상, 설령 본안판단을 하였더라도 어차피 청구가 기각되었을 것이라는 사정이 있다고 하더라도 잘못된 판단으로 인하여 헌법소원심판 청구인의 위와 같은 합리적인 기대를 침해한 것이고 이러한 기대는 인격적 이익으로서 보호할 가치가 있다고 할 것이므로 그 침해로 인한 정신상 고통에 대하여는 위자료를 지급할 의무가 있다.

[5] 불법행위로 입은 정신적 고통에 대한 위자료 액수 결정이 사실심 법원의 직권에 속하는 재량 사항인지 여부(적극)

불법행위로 입은 정신적 고통에 대한 위자료 액수에 관하여는 사실심 법원이 제반 사정을 참작하여 그 직권에 속하는 재량에 의하여 이를 확정할 수 있다(대판 2003.7.11. 99다24218).

2 재판에 대하여 불복절차 또는 시정절차가 마련되어 있는 경우, 시정을 구하지 아니한 사람이 국가배상에 의한 권리구제를 받을 수 있는지 여부(원칙적 소극)

재판에 대하여 불복절차 또는 시정절차가 마련되어 있는 경우, 법관이나 다른 공무원의 귀책사유로 불복에 의한 시정을 구할 수 없었다거나 그와 같은 시정을 구할 수 없었던 부득이한 사정이 없는 한, 그와 같은 시정을 구하지 아니한 사람은 원칙적으로 국가배상에 의한 권리구제를 받을 수 없다(대판 2016.10.13. 2014다215499).

3 甲이 경주보훈지청에 국가유공자에 대한 주택구입대부제도에 관하여 전화로 문의하고 대부신청서까지 제출하였으나, 담당 공무원에게서 지급보증서제도에 관한 안내를 받지 못하여 대부제도 이용을 포기하고 시중은행에서 대출을 받아 주택을 구입함으로써 결과적으로 더 많은 이자를 부담하게 되었다고 주장하며 국가를 상대로 정신적 손해의 배상을 구한 사안에서, 국가배상책임이 인정되는지 여부(소극)

담당 공무원이 甲에게 주택구입대부제도에 관한 전화상 문의에 응답하거나 대부신청서의 제출에 따른 대부금지급신청안내문을 통지하면서 지급보증서제도에 관하여 알려주지 아니한 조치가 객관적 정당성을 결여하여 현저하게 불합리한 것으로서 고의 또는 과실로 법령을 위반하였다고 볼 수 없다(대판 2012.7.26. 2010다95666).

핵심 OX

04 헌법재판소 재판관이 청구기간 내에 제기된 헌법소원심판청구 사건에서 청구기간을 오인하여 각하결정을 한 경우, 이에 대한 불복절차 내지 시정절차가 없는 때에는 국가배상책임을 인정할 수 있다.
19. 지방9급, 18. 지방7급, 16. 사복·변호사, 15. 서울7급, 14. 경특1차, 12. 국가9급 ( )

04 O

⑥ **준법률행위적 행정행위**: 위조 인장에 의하여 타인 명의의 인감증명서가 발급되고, 이를 토대로 소유권이전등기가 경료된 부동산을 담보로 금전을 대여한 자가 손해를 입게 된 경우 인감증명 발급업무담당 공무원의 직무집행상의 과실이 인정된다(대판 2004.3.26. 2003다54490).

⑦ **기타 직무행위성 부정한 판례**: 서울특별시장의 대행자인 도봉구청장이 원고와 사이에 체결한 이 사건 매매계약은 공공기관이 사경제주체로서 행한 사법상 매매이므로, 설령 서울특별시장이나 그 대행자인 도봉구청장에게 원고를 위하여 양도소득세 감면신청을 할 법률상의 의무가 인정되고 이러한 의무를 위반하여 원고에게 손해를 가한 행위가 불법행위를 구성하는 것으로 본다 하더라도, 이에 대하여는 국가배상법을 적용하기는 어렵고 일반 민법의 규정을 적용할 수 있을 뿐이다(대판 1999.11.26. 98다47245).

(3) 직무행위의 판단기준(외형설)

직무행위의 판단기준은 당해 행위가 현실적으로 공무원의 정당한 권한 내의 것인지 또는 공무원이 주관적으로 직무집행의 의사를 갖고 있는지의 여부와 관계없이 객관적으로 직무행위의 **외형을 기준**으로 판단하여야 한다는 것이 통설·판례이다(직무에 부수하여 행하여지는 행위도 포함). 또한 공무원의 행위가 실질적으로 공무집행행위가 아니라는 사실을 피해자가 알았다고 하더라도 무방하다는 것이 판례의 입장이다(대판 1966.6.28. 66다781).

관련판례

인사업무담당 공무원이 다른 공무원의 공무원증 등을 위조한 행위에 대하여 실질적으로는 직무행위에 속하지 아니한다 할지라도 외관상으로 국가배상법 제2조 제1항의 직무집행관련성을 인정할 수 있는지 여부(적극)

[1] 국가배상법 제2조 제1항의 '직무를 집행함에 당하여'라 함은 직접 공무원의 직무집행행위이거나 그와 밀접한 관련이 있는 행위를 포함하고, 이를 판단함에 있어서는 행위 자체의 외관을 객관적으로 관찰하여 공무원의 직무행위로 보여질 때에는 비록 그것이 실질적으로 직무행위가 아니거나 또는 행위자로서는 주관적으로 공무집행의 의사가 없었다고 하더라도 그 행위는 공무원이 '직무를 집행함에 당하여' 한 것으로 보아야 한다.

[2] 인사업무담당 공무원이 다른 공무원의 공무원증 등을 위조한 행위에 대하여 실질적으로는 직무행위에 속하지 아니한다 할지라도 외관상으로 국가배상법 제2조 제1항의 직무집행관련성을 인정한 원심의 판단을 수긍한 사례(대판 2005.1.14. 2004다26805)

핵심 OX

01 행위 자체의 외관이 객관적으로 관찰하여 공무원의 직무행위로 보일 때에는 그것이 실질적으로 직무행위가 아니거나 또는 행위자에게 주관적으로 공무 집행의 의사가 없었다고 하더라도 그 행위는 직무행위에 해당한다.
18. 국가9급, 14. 국가7급, 06. 관세사 ( )

02 인사업무담당 공무원이 다른 공무원의 공무원증 등을 위조한 행위는 실질적으로 직무행위에 속하지 아니한다 할지라도 외관상으로는 국가배상법상의 직무집행에 해당한다.
18. 지방7급, 09. 국회8급 ( )

03 공무원증 및 재직증명서 발급 업무를 담당하는 공무원이 다른 공무원의 공무원증을 위조한 행위는 그 실질이 직무행위에 속하지 아니하므로 국가배상법 제2조 제1항 소정의 직무집행에 해당하지 아니한다.
18. 변호사, 14. 지방9급 ( )

01 ○ 02 ○ 03 X

직무행위와 관련성이 있는 행위	직무행위와 관련성이 없는 행위
군인의 훈련휴식 중 꿩사냥	[개인감정에 의한 총기사용] • 수차례 외상술값 독촉을 받은 불쾌감으로 격분하여 총기탈취, 자물쇠파손, 실탄 절취 후 민간 주점 주인을 살인한 행위 • 상급자로부터 구타당한 것에 원한을 품고 보초근무 중 근무장소를 이탈하여 절취한 총탄으로 저지른 살인 • 부대이탈 후 민간인 사살 • 불법휴대 카빈총으로 보리밭의 꿩사격 • 군인의 휴식 중 비둘기 사냥 • 사격장 부근 논에서 잉어를 잡으려다 발생한 총기사고
• 훈계권 행사 • 기합 또는 감방 내에서의 사형(私刑)	• 퇴근 후 음주난동행위 • 휴가 중의 폭력행위 • 싸움, 상호장난 • 피해자가 불법행위에 가담한 경우
• 근무시간 초과 후 위생검열 도중 가스관 폭발 • 비번 중인 공무원이 불심검문을 가장하여 금품을 강탈한 행위 • 수사 도중의 고문행위 • 시위진압 도중 전경이 조경수를 짓밟는 행위 • 직무와 관련된 수뢰행위 • 인사업무담당 공무원이 다른 공무원의 공무원증 등을 위조한 행위에 대하여 실질적으로는 직무행위에 속하지 아니한다 할지라도 외관상으로 직무집행 관련성을 인정(대판 2005.1.14. 2004다26805)	• 가솔린 불법처분 중 발화 • 압류 도중의 절도행위 • 도봉구청장이 토지소유자의 토지매매계약에 따라 서울시에 양도소득세 감면신청을 하지 않은 부작위 • 구청 세무과 소속 공무원 甲이 乙에게 무허가 건물 세입자들에 대한 시영아파트 입주권 매매행위를 한 경우
• 퇴근 후의 사고(자가용) • 출·퇴근시에 통근차로 출·퇴근하면서 사고를 낸 경우 • 상관명령에 의한 상관의 이삿짐 운반	통상적인 출근 중의 사고(자가용)
• 학군단소속차량의 장례식 참가차 운행 • 지프 운전병이 상관을 귀대시키고 오던 중 친지와 음주 후 그에게 대리운전을 시키다가 발생한 사고 • 군인의 사전훈련지역 정찰행위	결혼식 참석을 위한 군용차 운행
군의관의 소속 방위병에 대한 불완전구순열 수술 중 사망	군의관의 포경수술

핵심 OX

04 상급자가 전입사병인 하급자에게 암기사항에 관하여 교육하던 중 훈계하다가 도가 지나쳐 폭행한 경우에 그 폭행은 국가배상법상의 직무집행에 해당한다. 11. 국회8급 ( )

05 경찰관이 구체적 상황 하에서 그 인적 · 물적 능력의 범위 내의 적절한 조치라는 판단에 따라 범죄수사 직무를 수행한 경우, 그것이 객관적 정당성을 상실하여 현저하게 불합리하다고 인정되지 않는다면 그와 다른 조치를 취하지 아니한 부작위는 국가배상책임의 요건인 법령 위반에 해당하지 않는다. 18 · 14. 국가7급 ( )

04 ○ **05** ○

판례연구 국가배상법 제2조 요건(직무집행)

1. 기본 판례

국가배상법상 직무집행에는 사경제작용을 제외한 모든 국가작용이 포함된다.

> 국가배상법이 정한 배상청구의 요건인 '공무원의 직무'에는 권력적 작용만이 아니라 행정지도와 같은 비권력적 작용도 포함되며 단지 행정주체가 사경제주체로서 하는 활동만 제외된다(대판 1998.7.10. 96다38971).

2. 관련 판례

① 행정지도의 일환으로 수행된 공탁은 국가배상법상 직무집행에 포함된다.

② 국회의원의 입법행위는 그 입법 내용이 헌법의 문언에 명백히 위반됨에도 불구하고 국회가 굳이 당해 입법을 한 것과 같은 특수한 경우가 아닌 한 국가배상법 제2조 제1항 소정의 위법행위에 해당된다고 볼 수 없다.

③ 국가 등이 입법을 행하지 않음으로 손해가 발생한 경우 그 배상이 문제되는 바, 일반적으로 국가배상법상 직무의 범위에 작위 외에 부작위도 포함된다는 점에는 문제가 없다.

④ 입법부작위에 의한 국가배상은 부진정입법부작위는 입법의 부작위로 보기가 어렵다. 따라서 진정입법입법부작위만을 그 대상으로 하여야 할 것이다.

⑤ 법관의 재판에 법령의 규정을 따르지 아니한 잘못이 있다 하더라도 이로써 바로 그 재판상 직무행위가 국가배상법 제2조 제1항에서 말하는 위법한 행위로 되어 국가의 손해배상책임이 발생하는 것은 아니다.

⑥ 법관의 재판에 대해 국가배상책임이 인정되려면 당해 법관이 위법 또는 부당한 목적을 가지고 재판을 하였다거나 법이 법관의 직무수행상 준수할 것을 요구하고 있는 기준을 현저하게 위반하는 등 법관이 그에게 부여된 권한의 취지에 명백히 어긋나게 이를 행사하였다고 인정할 만한 특별한 사정이 있어야 한다.

⑦ 검사의 공소제기로 인해 무죄판결이 확정되었다는 이유만으로 구속이나 공소제기가 위법하다고 할 수 없고 그 구속 및 공소제기에 관한 검사의 판단이 경험칙이나 논리칙상 도저히 합리성을 긍정할 수 없는 정도에 이른 경우에만 그 위법성을 인정할 수 있다.

⑧ 무죄를 입증할 수 있는 결정적인 증거에 해당하는데도 검사가 그 감정서를 법원에 제출하지 아니하고 은폐하였다면 검사의 그와 같은 행위는 위법하다.

⑨ 법령에 명시적으로 공무원의 작위의무가 규정되어 있지 않은 경우에도 공무원의 부작위로 인한 국가배상책임을 인정할 수 있다.

⑩ 공무원의 직무상 의무가 공공 일반의 전체적인 이익을 도모하기 위한 것이지, 국민 개개인의 안전과 이익을 직접적으로 보호하기 위한 규정이 아닌 경우 이러한 행위가 국민에 대한 불법행위가 되지 않는다.

⑪ 국가 등에게 일정한 기준에 따라 상수원수의 수질을 유지하여야 할 의무를 부과하고 있는 수도법의 규정은 국민 일반의 이익을 보호하기 위한 것이지 개개인의 안전과 이익을 직접적 보호하기 위한 것이 아니다.

3. 고의 · 과실로 인한 행위

(1) 과실책임원칙

① 공무원의 위법한 직무행위로 인한 국가의 배상책임이 인정되기 위해서는 공무원의 고의 또는 과실이 있어야 하는 과실책임주의의 원칙에 입각하고 있다.

② 직무행위를 한 공무원에게 고의 · 과실이 있으면 되고, 선임 · 감독자인 국가의 고의 · 과실은 불문한다.

관련판례

1 행정규칙의 기준에 따른 영업허가취소처분이 행정심판에 의하여 재량권 일탈로 취소된 경우, 그 처분을 한 행정청 공무원에게 직무집행상 과실이 있다고 할 것인지 여부(소극)

영업허가취소처분이 나중에 행정심판에 의하여 재량권을 일탈한 위법한 처분임이 판명되어 취소되었다고 하더라도 그 처분이 당시 시행되던 공중위생법 시행규칙에 정하여진 행정처분의 기준에 따른 것인 이상, 그 영업허가취소처분을 한 행정청 공무원에게 그와 같은 위법한 처분을 한 데 있어 어떤 직무집행상의 과실이 있다고 할 수는 없다(대판 1994.11.8. 94다26141).

2 공무원의 '중과실'의 의미

공무원의 중과실이란 공무원에게 통상 요구되는 정도의 상당한 주의를 하지 않더라도 약간의 주의를 한다면 손쉽게 위법 · 유해한 결과를 예견할 수 있는 경우임에도 만연히 이를 간과한 경우와 같이, 거의 고의에 가까운 현저한 주의를 결여한 상태를 의미한다(대판 2021.1.28. 2019다260197).

(2) 과실의 객관화 경향

① 국가배상에서 피해자가 고의 · 과실을 입증하기 쉽지 않으므로 오늘날은 과실개념을 객관화하여 그 범위를 확대하려고 하고 있다. 따라서 과실은 직무상 요구되는 주의의무위반인바, 과실은 추상적 과실로 공무원이 그 직무를 수행함에 있어 당해 직무를 담당하는 평균인이 보통 갖추어야 할 **주의의무**를 게을리 한 것을 말하며, 특정 공무원 개인의 지식 · 능력 · 경험의 여하에 따라 주관적으로 정하여지지 아니한다.

② **가해공무원의 특정이 국가배상의 요건인지 여부:** 어느 공무원의 행위인지가 판명되지 않은 경우에도 그것이 공무원의 행위이기만 하면 국가의 배상책임이 성립한다는 점에서 **가해공무원의 특정**은 국가배상의 요건이 아니다(독일의 조직과실이론, 프랑스의 공역무과실이론). 판례도 과도한 시위진압으로 인한 사망사건에서 같은 입장을 취하고 있다(대판 1995.11.10. 95다23897).

관련판례

전투경찰들은 시위진압을 함에 있어서 합리적이고 상당하다고 인정되는 정도로 가능한 한 최루탄의 사용을 억제하고 또한 최대한 안전하고 평화로운 방법으로 시위진압을 하여 그 시위진압 과정에서 타인의 생명과 신체에 위해를 가하는 사태가 발생하지 아니하도록 하여야 하는데도, 이를 게을리 한 채 합리적이고 상당하다고 인정되는 정도를 넘어 지나치게 과도한 방법으로 시위진압을 한 잘못으로 피해자를 사망에 이르게 하였다 할 것이므로, 피고(대한민국)는 그 소속 공무원인 전투경찰들의 직무집행상의 과실로 발생한 사고로 인하여 원고들이 입은 손해를 배상할 책임이 있다(대판 1995.11.10. 95다23897).

③ **법령 해석과 공무원의 과실:** 공무원의 관계법규를 알지 못하거나 필요한 지식을 갖추지 못한 경우 국가배상이 인정됨이 원칙이다.

핵심 OX

01 영업허가취소처분이 나중에 행정심판에 의하여 재량권을 일탈한 위법한 처분이 되었다면 그 영업허가취소처분을 한 공무원에게 그와 같은 위법한 처분을 한 데 있어서의 직무집행상 과실이 인정된다. 21. 국가7급 ( )

02 공무원의 직무집행상의 과실이라 함은 공무원이 그 직무를 수행함에 있어 당해 직무를 담당하는 평균인이 통상 갖추어야 할 주의의무를 게을리 한 것을 말한다. 11. 사복 ( )

핵심 OX

03 불법행위를 행한 가해공무원을 특정할 수 없는 경우에는 국가배상책임이 인정되지 않는다. 15. 교행, 12. 국가9급 ( )

01 X 02 O 03 X

핵심 OX

01 특별한 사정이 없는 한 일반적으로 공무원이 관계법규를 알지 못하거나 필요한 지식을 갖추지 못하고 법규의 해석을 그르쳐 행정처분을 하였다면 그가 법률전문가가 아닌 행정직 공무원이라도 과실이 있다.
18. 지방7급, 15. 경특1차, 14. 서울9급, 08. 지방9급 ( )

02 법령해석에 여러 견해가 있어 관계 공무원이 신중한 태도로 어느 일설을 취하여 처분한 경우, 위법한 것으로 판명되었다고 하더라도 그것만으로 배상책임을 인정할 수 없다.
12. 국가9급, 07. 국회8급 ( )

법령에 대한 무지(無知)	학설·판례 결여시 나름대로 신중한 판단을 한 경우
과실: 인정	과실: 부정
법령에 대한 해석이 복잡, 미묘하여 워낙 어렵고, 이에 대한 학설, 판례조차 귀일되어 있지 않는 등의 특별한 사정이 없는 한, **일반적으로 공무원이 관계법규를 알지 못하거나 필요한 지식을 갖추지 못하고 법규의 해석을 그르쳐** 행정처분을 하였다면 그가 법률전문가가 아닌 행정직 공무원이라고 하여 과실이 없다고는 할 수 없다(대판 1981.8.25. 80다1598).	법령에 대한 해석이 그 문언 자체만으로는 명백하지 아니하여 여러 견해가 있을 수 있는데다가 이에 대한 선례나 학설, 판례 등도 귀일된 바 없는 경우에 **관계 공무원이 그 나름대로 신중을 다하여 합리적인 근거를 찾아 그 중 어느 한 견해를 따라 내린 해석**이 후에 대법원이 내린 입장과 같지 않아 결과적으로 잘못된 해석으로 돌아가고, 이에 따른 처리가 역시 결과적으로 위법하게 되어 그 법령의 부당집행이라는 결과를 가져오게 되었다고 하더라도, 그와 같은 처리방법 이상의 것을 성실한 평균적 공무원에게 기대하기는 어려운 일이고, 따라서 이러한 경우에까지 국가배상법상 공무원의 과실을 인정할 수는 없다(대판 1995.10.13. 95다32747).

관련판례

1 **[1] 구 부동산소유권 이전등기 등에 관한 특별조치법에 따라 확인서를 발급하는 대장소관청 공무원이 부담하는 주의의무의 내용 및 확인서 발급 공무원의 과실을 인정하기 위한 요건**

대장소관청 공무원이 확인서를 발급하면서 보증인들을 상대로 보증취지를 확인하고 보증사실의 진위를 확인하기 위하여 현장조사를 실시하는 한편 2개월 이상의 공고를 거치는 등 일련의 절차를 법령에서 정한 바에 따라 제대로 거쳤다면, 비록 확인서 발급신청인이 실제 권리자가 아니라는 사실이 나중에 밝혀졌다고 하더라도 그러한 사정만을 들어 대장소관청 공무원에게 곧바로 어떠한 과실이 있다고 할 수는 없다. 그리고 위와 같은 일련의 절차를 통해 실제 권리관계를 확인하는 과정에서 동일한 업무를 담당하는 평균적 공무원이 보통 갖추어야 할 통상의 주의의무만 기울였어도 보증사실과 실제의 권리관계가 다르다는 점을 알 수 있었음에도 이를 간과한 채 확인서를 발급한 경우에 과실을 인정할 수 있다.

[2] 구 부동산소유권 이전등기 등에 관한 특별조치법에 따라 확인서 발급신청을 접수한 대장소관청 담당공무원 甲이 현장조사를 하면서 주변에 인가가 없어 인근 거주주민의 의견청취를 생략하고 허위 내용으로 작성된 보증서에 따라 확인서를 발급한 사안에서, 甲에게 확인서 발급 시 주의의무를 위반한 과실이 있는지 여부(소극)

구 부동산소유권 이전등기 등에 관한 특별조치법에 따라 확인서 발급신청을 접수한 대장소관청 담당공무원 甲이 현장조사를 하면서 토지 주변에 인적이 드물다는 이유로 인근 거주 주민의 의견청취를 생략한 채 허위 내용으로 작성된 보증서에 따라 확인서를 발급함으로써 이에 터 잡아 이루어진 등기를 신뢰하여 거래한 금융기관이 손해를 입은 사안에서, 구 부동산소유권 이전등기 등에 관한 특별조치법 시행령 제12조 제3호 단서에서 현장조사 당시 인근 거주 주민의 부재로 의견을 들을 수 없을 때는 그 취지를 기재하고 의견청취를 생략할 수 있도록 규정하고 있는데, 위 토지 인근에 인가가 없고 甲이 현장조사를 나갔으나 인근에서 주민을 만나지 못하자 인근 주민의 의견청취를 생략하고 그 취지를 현장조사보고서에 기재한 사실 등 여러 사정에 비추어, 甲이 동일한 업무를 담당하는 평균적 공무원이 보통 갖추어야 할

01 ○ 02 ○

통상의 주의의무만 기울였어도 보증사실과 실제의 권리관계가 다르다는 점을 알 수 있었음에도 이를 간과한 채 확인서를 발급한 것이라고 볼 수 없으므로 甲에게 과실이 없다(대판 2012.2.9. 2011다35210).

2 식품의약품안전청장 등이 구 식품위생법 등에 의하여 부여된 권한을 행사하지 않은 것이 직무상 의무를 위반한 것으로 위법하다고 인정되기 위한 요건 및 그 권한 불행사가 위법한 것으로 평가되는 경우 과실도 인정되는지 여부(적극)

식품의약품안전청장 등에게 그러한 권한을 부여한 취지와 목적에 비추어 볼 때 구체적인 상황 아래에서 식품의약품안전청장 등이 그 권한을 행사하지 아니한 것이 현저하게 합리성을 잃어 사회적 타당성이 없는 경우에는 직무상 의무를 위반한 것이 되어 위법하게 된다. 그리고 위와 같이 식약청장등이 그 권한을 행사하지 아니한 것이 직무상 의무를 위반하여 위법한 것으로 되는 경우에는 특별한 사정이 없는 한 과실도 인정된다(대판 2010.9.9. 2008다77795).

3 행정입법에 관여한 공무원이 나름대로 합리적 근거를 찾아 어느 하나의 견해에 따라 경과규정을 두는 등의 조치 없이 새 법령을 그대로 시행 또는 적용하였으나 그 판단이 나중에 대법원이 내린 판단과 달라 결과적으로 신뢰보호 원칙 등을 위반하게 된 경우, 국가배상책임의 성립요건인 공무원의 과실이 있다고 볼 수 있는지 여부(소극)

행정입법에 관여한 공무원이 입법 당시의 상황에서 다양한 요소를 고려하여 나름대로 합리적인 근거를 찾아 어느 하나의 견해에 따라 경과규정을 두는 등의 조치 없이 새 법령을 그대로 시행하거나 적용하였다면, 그와 같은 공무원의 판단이 나중에 대법원이 내린 판단과 같지 아니하여 결과적으로 시행령 등이 신뢰보호의 원칙 등에 위배되는 결과가 되었다고 하더라도, 이러한 경우에까지 국가배상법 제2조 제1항에서 정한 국가배상책임의 성립요건인 공무원의 과실이 있다고 할 수는 없다(대판 2013.4.26. 2011다14428).

4 형벌에 관한 법령이 헌법재판소의 위헌결정으로 소급하여 효력을 상실하거나 법원에서 위헌·무효로 선언된 경우, 위헌 선언 전 위 법령에 기초하여 수사가 개시되어 공소가 제기되고 유죄판결이 선고되었다는 사정만으로 국가의 손해배상책임이 발생하는지 여부(소극)

형벌에 관한 법령이 헌법재판소의 위헌결정으로 소급하여 효력을 상실하였거나 법원에서 위헌 · 무효로 선언된 경우, 그 법령이 위헌으로 선언되기 전에 그 법령에 기초하여 수사가 개시되어 공소가 제기되고 유죄판결이 선고되었더라도, 그러한 사정만으로 수사기관의 직무행위나 법관의 재판상 직무행위가 국가배상법 제2조 제1항에서 말하는 공무원의 고의 또는 과실에 의한 불법행위에 해당하여 국가의 손해배상책임이 발생한다고 볼 수는 없다(대판 2014.10.27. 2013다217962).

5 [1] 수익적 행정처분인 허가 등을 신청한 사안에서 공무원이 신청인의 목적 달성에 필요한 안내나 배려 등을 하지 않았다는 사정만으로 직무집행에 있어 위법한 행위를 한 것이라고 볼 수 있는지 여부(소극)

국가배상법에 따른 손해배상책임을 부담시키기 위한 전제로서, 공무원이 행한 행정처분이 위법하다고 하기 위하여서는 법령을 위반하는 등으로 행정처분을 하였음이 인정되어야 하므로, 수익적 행정처분인 허가 등을 신청한 사안에서 행정처분을 통하여 달성하고자 하는 신청인의 목적 등을 자세하게 살펴 목적 달성에 필요한 안내나 배려 등을 하지 않았다는 사정만으로 직무집행에 있어 위법한 행위를 한 것이라고 보아서는 아니 된다.

[2] 甲주식회사가 乙지방자치단체에 하천부지에 잔디실험연구소를 설치하는 내용이 포함된 사업계획서를 제출하면서 하천점용허가를 신청하여 점용허가를 받은 후 하천부지에 컨테이너를 설치하였는데, 乙지방자치단체가 하천부지가 개발제한구역에 해당함에도 甲회사가 개발제한구역의 지정 및 관리에 관한 특별조치법 제12조에서 정한 행위허가를 받지 않은 채 컨테이너를 설치하였다는 이유로 하천점용허가를 취소한 사안에서, 乙지방자치단체의 손해배상책임을 인정한 원심판단에 법리오해의 잘못이 있다고 한 사례

甲주식회사가 乙지방자치단체에 하천부지에 잔디실험연구소를 설치하는 내용이 포함된 사업계획서를 제출하면서 하천점용허가를 신청하여 점용허가를 받은 후 하천부지에 컨테이너를 설치하였는데, 乙지방자치단체가 하천부지가 개발제한구역에 해당함에도 甲회사가 개발제한구역의 지정 및 관리에 관한 특별조치법 제12조에서 정한 행위허가를 받지 않은 채 컨테이너를 설치하였다는 이유로 하천점용허가를 취소한 사안에서, 甲회사는 개발제한구역에 속하는 하천부지를 단순히 점용하는 데 그치지 않고 그곳에 컨테이너를 설치하여 잔디실험연구소로 사용하려고 하였으므로, 목적 달성을 위하여서는 처음부터 하천점용허가가 의제되는 개발행위허가신청을 하거나 하천점용허가와는 별도로 개발행위허가신청을 하고 그 결과에 따라 후속행위를 하였어야 하는데도 하천점용허가만을 받은 상태에서 개발행위허가 없이 컨테이너를 설치한 잘못이 있고, 그 때문에 하천점용허가가 취소됨으로써 컨테이너 설치비용 상당의 손해를 입게 되었으므로, 甲회사가 입은 손해는 甲회사 스스로의 잘못에 기인한 것이어서 乙지방자치단체 소속 담당 공무원의 행위와 甲회사의 손해발생 사이에 상당인과관계가 있다고 보기 어렵고, 또한 乙지방자치단체 소속 담당 공무원이 甲회사의 허가신청에 따라 하천점용허가를 하면서 하천점용허가의 요건이 갖추어졌는지만을 살펴보고, 나아가 하천부지가 개발제한구역에 속하는지 등을 미리 파악하여 관련 부서와 협의를 거친 다음 하천점용허가 여부를 결정하거나 하천부지가 개발제한구역으로서 시설물 설치에 개발행위허가가 필요하다는 점 등을 甲회사에 따로 알려주지 않은 채 하천점용허가를 하였더라도, 이러한 乙지방자치단체 소속 담당 공무원의 행위를 위법한 행위라고 볼 수는 없는데도, 乙지방자치단체의 손해배상책임을 인정한 원심판단에 법리오해의 잘못이 있다(대판 2017.6.29. 2017다211726).

6 공무원이 관계 법령의 해석이 확립되기 전에 어느 한 설을 취하여 업무를 처리한 것이 결과적으로 위법하더라도 처분 당시 그 이상의 업무처리를 성실한 평균적 공무원에게 기대하기 어려웠던 경우라면 원칙적으로 공무원의 과실을 인정할 수 있는지 여부(소극)

행정청이 관계 법령의 해석이 확립되기 전에 어느 한 설을 취하여 업무를 처리한 것이 결과적으로 위법하게 되어 그 법령의 부당집행이라는 결과를 빚었다고 하더라도 처분 당시 그와 같은 처리 방법 이상의 것을 성실한 평균적 공무원에게 기대하기 어려웠던 경우라면 특별한 사정이 없는 한 이를 두고 공무원의 과실로 인한 것이라고는 할 수 없다(대판 1997.7.11. 97다7608).

(3) 입증책임

① 공무원의 고의·과실에 대한 입증책임은 원칙적으로 피해자인 원고에게 있다.

② 그러나 과실을 입증하는 것은 용이하지 않아, 피해자보호를 위하여 입증책임을 완화시키기 위한 '일응추정의 이론'을 인정하는 것이 통설의 입장이다.

핵심 OX

01 법령해석에 여러 견해가 있어 관계 공무원이 신중한 태도로 어느 일설을 취하여 처분한 경우, 위법한 것으로 판명되었다고 하더라도 그것만으로 배상책임을 인정할 수 없다. 12. 국가9급 ( )

02 과실의 입증책임은 원고가 아니라 피고인 국가 또는 지방자치단체로 전환된다. 15. 서울9급, 14. 지방7급 ( )

01 O **02** X

관련판례

직무수행과 자살로 인한 사망 사이의 상당인과관계에 관한 증명책임의 소재(= 이를 주장하는 측) 및 증명의 정도

군인 등이 복무 중 자살로 사망한 경우에도 보훈보상자법 제2조 제1항의 '직무수행이나 교육훈련 중 사망'에 해당하는지 여부는 직무수행 또는 교육훈련과 사망 사이에 상당인과관계가 있는지 여부에 따라 판단하여야 하고, 직무수행 또는 교육훈련과 사망 사이에 상당인과관계가 인정되는데도 그 사망이 자살로 인한 것이라는 이유만으로, 또는 자유로운 의지가 완전히 배제된 상태에서의 자살이 아니라는 이유로 보훈보상자에서 제외되어서는 안 된다. 또한 직무수행과 자살로 인한 사망 사이의 상당인과관계는 이를 주장하는 측에서 증명하여야 하지만, 반드시 의학적 · 자연과학적으로 명백히 증명되어야 하는 것이 아니며 규범적 관점에서 상당인과관계가 인정되는 경우에는 증명이 된 것으로 보아야 한다(대판 2020.2.13. 2017두47885).

판례연구 국가배상법 제2조 요건(고의 또는 과실)

1. 기본 판례

공무원의 과실은 평균적 공무원을 표준으로 객관적 주의의무를 기준으로 판단한다.

어떠한 행정처분이 후에 항고소송에서 취소되었다고 할지라도 그 기판력에 의하여 당해 행정처분이 곧바로 공무원의 고의 또는 과실로 인한 것으로서 불법행위를 구성한다고 단정할 수는 없는 것이고, 그 행정처분의 담당공무원이 보통 일반의 공무원을 표준으로 하여 볼 때 객관적 주의의무를 결하여 그 행정처분이 객관적 정당성을 상실하였다고 인정될 정도에 이른 경우에 비로소 국가배상법 제2조 소정의 국가배상책임의 요건을 충족하였다고 봄이 상당할 것이며, 이 때에 객관적 정당성을 상실하였는지 여부는 피침해이익의 종류 및 성질, 침해행위가 되는 행정처분의 태양 및 그 원인, 행정처분의 발동에 대한 피해자측의 관여의 유무, 정도 및 손해의 정도 등 제반 사정을 종합하여 손해의 전보책임을 국가 또는 지방자치단체에게 부담시켜야 할 실질적인 이유가 있는지 여부에 의하여 판단하여야 한다(대판 2003.11.27. 2001다33789 · 33796 · 33802 · 33819).

2. 관련 판례

① 특별한 사정이 없는 한 일반적으로 공무원이 관계법규를 알지 못하거나 필요한 지식을 갖추지 못하고 법규의 해석을 그르쳐 행정처분을 하였다면 그가 법률전문가가 아닌 행정직 공무원이라고 하여도 과실이 인정된다.

② 법령에 대한 해석이 그 문언 자체만으로는 명백하지 아니하여 여러 견해가 있을 수 있는 데다가 이에 대한 선례나 학설, 판례 등도 귀일된 바 없는 경우 공무원이 그 나름대로 신중을 다하여 합리적인 근거를 찾아 그중 어느 한 견해를 따라 내린 해석하였다면 과실이 부정된다.

③ 행정규칙의 처분기준에 따른 처분에 대한 공무원의 과실을 인정할 수 없다.

④ 항고소송에서 처분이 취소된 것만으로 곧바로 과실을 인정할 수 없다.

4. 법령위반(위법성) - 광의설

(1) 법령의 범위

국가배상책임이 인정되기 위해서는 가해공무원의 행위가 **위법**해야 한다.

① **협의설**: 성문법 · 불문법을 포함하는 모든 법규로 이해하는 입장이다.

② **광의설(통설 · 판례)**: 법령의 의미를 성문법 · 불문법뿐만 아니라 조리상의 일반원칙인 인권존중, 권리남용금지, 공서양속 등을 포함하여 **객관적**으로 **정당성을 결여**한 행위를 포함하는 입장이다.

핵심 OX

03 국가배상법은 직무행위로 인한 행정상 손해배상에 대하여 무과실책임을 명시하고 있다. 15. 서울9급 ( )

04 국가배상법상 공무원의 과실에 관하여 판례는 당해 직무를 담당하는 평균적 공무원의 주의능력을 기준으로 판단한다. 15. 서울9급, 10. 지방9급 ( )

03 X **04** O

핵심 OX

01 법령 위반에는 엄격한 의미의 법령위반뿐만 아니라 인권존중, 권력남용금지, 신의성실, 공서양속 등의 위반도 포함된다. 12. 지방9급 ( )

02 법령을 위반하였다 함은 엄격한 의미의 법령위반뿐 아니라 권력남용금지, 신의성실과 같이 공무원으로서 마땅히 지켜야 할 준칙이나 규범을 지키지 아니하고 위반한 경우를 포함한다.
17. 국가7급(10월), 12. 국회9급 ( )

03 경찰관이 구체적 상황 하에서 그 인적·물적 능력의 범위 내의 적절한 조치라는 판단에 따라 범죄수사 직무를 수행한 경우, 그것이 객관적 정당성을 상실하여 현저하게 불합리하다고 인정되지 않는다면 그와 다른 조치를 취하지 아니한 부작위는 국가배상책임의 요건인 법령 위반에 해당하지 않는다.
14. 국가7급 ( )

04 민법상의 사용자 면책사유는 국가배상법상의 고의과실의 판단에서는 적용되지 않는다. 10. 국가9급 ( )

01 ○ 02 ○ 03 ○ 04 ○

(2) 법령의 위반의 의미

국가배상의 요건으로서 법령위반의 위법성을 요구한다. 이러한 법령위반의 판단대상 및 판단기준에 대해서는 견해의 대립이 있다.

① **결과불법설:** 국가배상법의 위법은 민법상 불법행위의 위법과 동일하게 보고 침해행위의 결과인 손해의 불법을 의미한다. 결과불법설에서의 위법성 판단은 국민이 받은 손해가 결과적으로 시민법상의 원리에 비추어 수인되어야 할 것인가의 여부가 기준이 된다. 그러나 이는 민법에서 타당하다는 비판이 있다.

② **행위위법설(다수설):** 행위의 법규범에의 위반을 의미한다고 보는 견해로서 민법상의 불법행위책임과는 달리 위법성의 판단은 공무원의 행위가 법치행정의 원리에 부합하는지의 여부에 따라 판단하는 견해이다.

협의의 행위위법설	항고소송에서의 위법성과 같이 공권력 행사 자체의 법에의 위반으로 이해하는 견해이다. 국가배상법상의 위법을 민사상 요구되는 법적합성과는 다르게 보면서 행정소송의 위법과 동일시한다.
광의의 행위위법설	행위 자체의 법에의 위반뿐만 아니라, 명문의 규정이 없더라도 공권력 행사의 근거법규, 관계법규 및 조리를 종합적으로 고려한 공무원의 '직무상 일반적 손해방지의무'의 위반을 포함하는 견해이다.

③ **상대적 위법성설:** 행위 자체의 적법 · 위법뿐만 아니라, 피침해이익의 성격과 침해의 정도 및 가해행위의 태양 등을 종합적으로 고려하여 행위가 객관적으로 정당성을 결한 경우를 의미한다는 견해이다. 국가배상법상 위법의 판단에는 피침해이익을 고려하여야 한다는 견해이다. 따라서 행위의 위법성은 근거법령과 피해자에 대한 관계에서 서로 다를 수 있게 된다(일본의 다수설).

④ **직무의무위반설:** 국가배상법상의 위법성과 항고소송에서의 위법성은 서로 다른 것으로서, 취소소송의 위법성은 행정작용의 측면에서만 위법 여부를 판단하지만 국가배상책임에서의 위법성은 행정작용과 행정작용을 한 자와의 유기적 관련성(상관관계) 속에서 위법 여부를 판단한다.

⑤ **판례의 입장:** 원칙적으로 직무행위의 법위반을 위법으로 보아 '협의의 행위위법설'을 취하고 있다고 볼 수 있다. 다만, 최근에는 상대적 위법성설을 취한 판례도 나타나고 있다.

관련판례

1 甲이 국가의 의뢰로 도라산역사 내 벽면 및 기둥들에 벽화를 제작·설치하였는데, 국가가 작품 설치일로부터 약 3년 만에 벽화를 철거하여 소각한 사안에서 위법성을 인정한 판례

예술작품이 공공장소에 전시되어 일반대중에게 상당한 인지도를 얻는 등 예술작품의 종류와 성격 등에 따라서는 저작자로서도 자신의 예술작품이 공공장소에 전시 · 보존될 것이라는 점에 대하여 정당한 이익을 가질 수 있으므로, 저작물의 종류와 성격, 이용의 목적 및 형태, 저작물 설치 장소의 개방성과 공공성의 정도, 국가가 이를 선정하여 설치하게 된 경위, 폐기의 이유와 폐기 결정에 이른 과정 및 폐기 방법 등을 종합적으로 고려하여 볼 때 국가 소속 공무원의 해당 저작물의 폐기 행위가 현저하게 합리성을 잃고 저작자로서의 명예감정 및 사회적 신용과 명성 등을 침해하는 방식으로 이루어진 경우에는 객관적 정당성을 결여한 행위로서 위법하다(대판 2015.8.27. 2012다204587).

2 성폭력범죄의 담당 경찰관이 경찰서에 설치되어 있는 범인식별실을 사용하지 않고 공개된 장소인 형사과 사무실에서 피의자들을 한꺼번에 세워 놓고 나이 어린 학생인 피해자에게 범인을 지목하도록 한 행위는 국가배상법상의 '법령 위반' 행위에 해당한다(대판 2008.6.12. 2007다64365).

3 공인회계사 1차 시험의 정답결정오류에 대한 위법성을 부정한 판례

어떠한 행정처분이 후에 항고소송에서 취소되었다고 할지라도 그 기판력에 의하여 당해 행정처분이 곧바로 공무원의 고의 또는 과실로 인한 것으로서 불법행위를 구성한다고 단정할 수는 없는 것이고, 그 행정처분의 담당 공무원이 보통 일반의 공무원을 표준으로 하여 볼 때 객관적 주의의무를 결하여 그 행정처분이 객관적 정당성을 상실하였다고 인정될 정도에 이른 경우에 국가배상법 제2조 소정의 국가배상책임의 요건을 충족하였다고 봄이 상당할 것이며, 이때에 객관적 정당성을 상실하였는지 여부는 피침해이익의 종류 및 성질, 침해행위가 되는 행정처분의 태양 및 그 원인, 행정처분의 발동에 대한 피해자측의 관여의 유무, 정도 및 손해의 정도 등 제반사정을 종합하여 손해의 전보책임을 국가 또는 지방자치단체에게 부담시켜야 할 실질적인 이유가 있는지 여부에 의하여 판단하여야 한다(대판 2003.12.11. 2001다65236).

4 경찰권 행사의 위법성을 부정한 판례

[1] 경찰관들의 시위진압에 대항하여 시위자들이 던진 화염병에 의하여 발생한 화재로 인하여 손해를 입은 주민의 국가배상청구 부정(경북대학사건)

불법시위를 진압하는 경찰관들의 직무집행이 법령에 위반한 것이라고 하기 위해서는 그 시위진압이 불필요하거나 또는 불법시위의 태양 및 시위장소의 상황 등에서 예측되는 피해발생의 구체적 위험성의 내용에 비추어 시위진압의 계속 수행 내지 그 방법 등이 현저히 합리성을 결하여 이를 위법하다고 평가할 수 있는 경우이어야 한다(대판 1997.7.25. 94다2480).

[2] 경찰관이 교통법규 등을 위반하고 도주하는 차량을 순찰차로 추적하는 직무를 집행하는 중에 그 도주차량의 주행에 의하여 제3자가 손해를 입었다고 하더라도, 그 추적이 당해 직무목적을 수행하는 데에 불필요하다거나 또는 도주차량의 도주의 태양 및 도로교통상황 등으로부터 예측되는 피해발생의 구체적 위험성의 유무 및 내용에 비추어 추적의 개시 · 계속 혹은 추적의 방법이 상당하지 않다는 등의 특별한 사정이 없는 한 그 추적행위를 위법하다고 할 수는 없다(대판 2000.11.10. 2000다26807 · 26814).

5 시청 소속 공무원이 시장을 부패방지위원회에 부패혐의자로 신고한 후 동사무소로 전보된 사안에서, 그 전보인사가 사회통념상 용인될 수 없을 정도로 객관적 상당성을 결여하였다고 단정할 수 없어 불법행위를 구성하지 않는다고 한 사례

공무원에 대한 전보인사가 법령이 정한 기준과 원칙에 위배되거나 인사권을 다소 부적절하게 행사한 것으로 볼 여지가 있다 하더라도 그러한 사유만으로 그 전보인사가 당연히 불법행위를 구성한다고 볼 수는 없고, 인사권자가 당해 공무원에 대한 보복감정 등 다른 의도를 가지고 인사재량권을 일탈 · 남용하여 객관적 정당성을 상실하였음이 명백한 경우 등 전보인사가 우리의 건전한 사회통념이나 사회상규상 도저히 용인될 수 없음이 분명한 경우에, 그 전보인사는 위법하게 상대방에게 정신적 고통을 가하는 것이 되어 당해 공무원에 대한 관계에서 불법행위를 구성한다. 그리고 이러한 법리는 구 부패방지법에 따라 다른 공직자의 부패행위를 부패방지위원회에 신고한 공무원에 대하여 위 신고행위를 이유로 불이익한 전보인사가 행하여진 경우에도 마찬가지이다. 시청 소속 공무원이 시장을 부패방지위원회에 부패혐의자로 신고한 후 동사무소로 하향 전보된 사안

핵심 OX

05 어떠한 행정처분이 항고소송에서 위법한 것으로서 취소되었다면 이로써 당해 행정처분은 공무원의 고의 또는 과실에 의한 불법행위를 구성한다. 18. 변호사 · 서울7급, 15. 국회8급 ( )

핵심 OX

06 공무원의 직무집행이 법령이 정한 요건과 절차에 따라 이루어진 것이라도, 그 과정에서 개인의 권리가 침해되면 법령위반에 해당한다. 18. 서울9급 ( )

07 공무원의 직무집행이 법령이 정한 요건과 절차에 따라 이루어진 것이라면 특별한 사정이 없는 한 공무원의 행위는 법령에 적합한 것이나 그 과정에서 개인의 권리가 침해된 경우에는 법령적합성이 곧바로 부정된다. 18. 서울7급, 14. 지방7급 ( )

08 경찰관이 교통법규 등을 위반하고 도주하는 차량을 순찰차로 추적하는 직무를 집행하는 중에 그 도주차량의 주행에 의하여 제3자가 손해를 입었다고 하더라도 그 추적이 당해 직무 목적을 수행하는 데에 불필요하다거나 추적의 개시 · 계속 혹은 추적의 방법이 상당하지 않다는 등의 특별한 사정이 없는 한 그 추적행위를 위법하다고 할 수는 없다. 18. 국가7급 ( )

05 X 06 X 07 X 08 O

에서, 그 전보인사조치는 해당 공무원에 대한 다면평가 결과, 원활한 업무수행의 필요성 등을 고려하여 이루어진 것으로 볼 여지도 있으므로, 사회통념상 용인될 수 없을 정도로 객관적 상당성을 결여하였다고 단정할 수 없어 불법행위를 구성하지 않는다(대판 2009.5.28. 2006다16215).

(3) 행정규칙위반의 위법성

행정규칙의 위반을 법령위반으로 인정할 것인가에 대해서는 행정규칙의 성질론에 따라 결정되겠지만, 행정규칙의 법규성을 원칙적으로 인정하지 않는 것이 통설·판례의 입장이므로 법령위반에 해당하지 않는다고 볼 수 있다.

(4) 재량행위와 위법성

재량행위에 대해서는 **재량권이 0으로 수축**된 경우와 **재량이 일탈·남용**된 경우에는 위법성이 인정될 수 있다.

(5) 취소소송판결의 기판력과 국가배상청구(취소소송판결의 기판력이 국가배상청구소송에 미치는가의 여부)

행정처분의 취소를 구하는 취소소송이 제기되어 판결이 확정된 후에 국가배상청구소송이 제기된 경우에 취소소송판결의 기판력이 후소인 국가배상청구소송에 미치는가에 대해서는 견해의 대립이 있다.

① **전부 기판력 긍정설(일원설, 협의의 행위불법설)**: 국가배상법상의 법령위반과 항고소송의 위법개념은 동일하므로 전소인 취소소송판결의 기판력은 청구인용판결인가, 청구기각판결인가를 묻지 않고 후소인 국가배상청구소송에 미친다는 견해이다.

② **제한적 긍정설(광의의 행위불법설)**: 국가배상법상의 법령위반이 쟁송법상 위법개념보다 더 넓다고 보는 견해로서, 전소인 취소소송의 청구인용판결의 기판력은 후소인 국가배상청구소송에 미치지만, 청구기각판결의 경우에는 후소인 국가배상청구소송에 미치지 않는다는 견해이다.

③ **기판력 부정설(이원설, 결과불법설, 상대적 위법성설, 직무의무위반설)**: 취소소송에서의 위법성과 국가배상청구소송에서의 위법성은 그 범위가 다르므로 전소인 취소소송의 기판력은 그 인용 여부를 불문하고 후소인 국가배상청구소송에 미치지 않는다는 견해이다.

위법의 개념	내용	기판력
협의의 행위불법설	항고소송의 위법성 = 국가배상법상 위법성	전면적 긍정설
광의의 행위불법설	항고소송의 위법성 < 국가배상법상 위법성	제한적 긍정설
결과불법설/ 상대적 위법성설	질적인 차이	기판력 부정설

(6) 선결문제

행정실무상 국가배상청구소송은 민사소송으로 다루어지고 있는데, 국가배상의 관할법원이 국가배상을 심리함에 있어서 행정행위의 위법 여부가 재판의 선결문제가 된 경우에 이를 스스로 심판할 수 있는가에 대하여, 다수설은 민사법원이 행정행위의 효력을 부인하지 않는 한 그 위법성을 심사할 수 있다는 입장이다.

핵심 OX

01 시청 소속 공무원이 시장을 구 부패방지위원회에 부패혐의자로 신고한 후 동사무소로 전보된 경우, 사회통념상 용인될 수 없을 정도로 객관적 상당성을 결여하였으므로 불법행위를 구성한다. 11. 경특 ( )

02 행정청의 재량행위에 속하는 처분은 취소소송의 대상이 되지 않는다. 12. 지방9급 ( )

핵심 OX

03 취소판결의 기판력은 국가배상청구소송에도 미치므로, 행정처분이 후에 항고소송에서 위법을 이유로 취소된 경우에는 그 기판력에 의하여 당해 행정처분이 곧바로 공무원의 고의 또는 과실에 의한 불법행위를 구성한다고 보아야 한다. 19. 지방9급, 17. 국가9급, 15. 서울7급, 14. 사복 ( )

04 처분이 있은 후에 근거법률이 위헌으로 결정된 경우, 그 법률을 적용한 공무원에게 고의 또는 과실이 있었다고 단정할 수 있다. 19. 서울9급(2월), 14. 경특2차, 12. 국가7급 ( )

05 형벌에 관한 법령이 헌법재판소의 위헌결정으로 소급하여 효력을 상실한 경우, 위헌 선언 전 그 법령에 기초하여 수사가 개시되어 공소가 제기되고 유죄판결이 선고되었더라도, 그러한 사정만으로 국가의 손해배상책임이 발생한다고 볼 수 없다. 19. 지방9급 ( )

01 X **02** X **03** X **04** X **05** O

(7) 부작위의 위법성

① 법령상 · 조리상의 작위의무

<table>
<tr><td rowspan="2">법령상의 작위의무</td><td>기속행위</td><td>인정</td></tr>
<tr><td>재량행위
⇩
0으로 수축</td><td>경찰관 직무집행법 제5조는 … 형식상 경찰관에게 재량에 의한 직무수행권한을 부여한 것처럼 되어 있으나, 경찰관에게 그러한 권한을 부여한 취지와 목적에 비추어 볼 때 구체적인 사정에 따라 경찰관이 그 권한을 행사하여 필요한 조치를 취하지 아니하는 것이 현저하게 불합리하다고 인정되는 경우에는 그러한 권한의 불행사는 직무상의 의무를 위반한 것이 되어 위법하게 된다(대판 1998.8.25. 98다16890).</td></tr>
<tr><td>조리상의 작위의무</td><td colspan="2">• 국가배상법 제2조 제1항의 요건상 '법령에 위반하여'라고 하는 것이 엄격하게 형식적 의미의 법령에 명시적으로 공무원의 작위의무가 규정되어 있는데도 이를 위반하는 경우만을 의미하는 것은 아니고, 국민의 생명 · 신체 · 재산 등에 대하여 절박하고 중대한 위험상태가 발생하였거나 발생할 우려가 있어서 국민의 생명 · 신체 · 재산 등을 보호하는 것을 본래적 사명으로 하는 국가가 초법규적, 일차적으로 그 위험배제에 나서지 아니하면 국민의 생명 · 신체 · 재산 등을 보호할 수 없는 경우에는, 형식적 의미의 법령에 근거가 없더라도 국가나 관련 공무원에 대하여 그러한 위험을 배제할 작위의무를 인정할 수 있을 것이다(대판 2004.6.25. 2003다69652).
• 국민의 생명 · 신체 · 재산 등에 대하여 절박하고 중대한 위험상태가 발생하였거나 발생할 상당한 우려가 있어서 국민의 생명 등을 보호하는 것을 본래적 사명으로 하는 국가가 초법규적 · 일차적으로 그 위험의 배제에 나서지 아니하면 국민의 생명 등을 보호할 수 없는 경우에는 형식적 의미의 법령에 근거가 없더라도 국가나 관련 공무원에 대하여 그러한 위험을 배제할 작위의무를 인정할 수 있을 것이다. 그러나 그와 같은 절박하고 중대한 위험상태가 발생하였거나 발생할 상당한 우려가 있는 경우가 아닌 한, 원칙적으로 공무원이 관련 법령에서 정하여진 대로 직무를 수행하였다면 그와 같은 공무원의 부작위를 가지고 '고의 또는 과실로 법령에 위반'하였다고 할 수는 없다(대판 2012.7.26. 2010다95666).</td></tr>
</table>

② **사익보호성(반사적 이익론) 인정 여부 ⇨ 인정(배상범위 축소)**: 공무원의 행위가 의무위반행위으로 국가배상이 인정되기 위해서는 당해 직무상 의무가 공익뿐만 아니라 개인의 사익도 보호하고 있어야 하는가에 대해서는 견해가 대립한다.

㉠ **적극설**: 공무원에게 직무상 의무를 규율하는 법령이 공익뿐 아니라 국민 개인의 사익도 보호하는 것을 목적으로 하는 경우에 위법성이 인정된다는 견해이다.

㉡ **소극설**: 공무원의 직무상 행위가 법령을 위반하면 모두 위법한 행위로 보아야 한다는 견해이다.

㉢ **판례(적극설)**: 의무위반에 따른 국가배상이 인정되기 위해서는 직무상 의무가 공익뿐만 아니라 개인의 사익 보호를 목적으로 하고 있는 경우에 위법성이 인정된다.

관련판례

1 공무원의 직무상 의무위반으로 국가가 배상책임을 부담하게 되는 경우의 직무상 의무의 내용과 상당인과관계의 판단기준(사익보호성 필요)

공무원에게 부과된 직무상 의무의 내용이 단순히 공공 일반의 이익을 위한 것이거나 행정기관 내부의 질서를 규율하기 위한 것이 아니고 전적으로 또는

핵심 OX

06 경찰관 직무집행법상 경찰관에게 재량에 의한 직무수행권한을 부여한 것처럼 되어 있으나, 경찰관에게 권한을 부여한 취지와 목적에 비추어 볼 때 구체적인 사정에 따라 경찰관이 그 권한을 행사하여 필요한 조치를 취하지 않는 것이 현저하게 불합리 하다고 인정되는 경우에 권한의 불행사는 직무상 의무를 위반한 것으로 위법하다. 17. 국가7급(10월) ( )

07 공무원의 직무상 의무는 명문의 규정이 없는 경우에도 관련 규정에 비추어 조리상 인정될 수 있다. 12. 지방9급 ( )

08 국민의 생명 · 신체 · 재산 등에 대하여 절박하고 중대한 위험상태가 발생하였거나 발생할 상당한 우려가 있는 경우가 아닌 한, 원칙적으로 공무원이 관련법령에서 정하여진 대로 직무를 수행하였다면 손해방지조치를 제대로 이행하지 않은 부작위를 가지고 '고의 또는 과실로 법령에 위반'하였다고 할 수는 없다. 20. 변호사 ( )

09 공무원의 부작위로 인한 국가배상책임을 인정하기 위하여는 공무원의 작위로 인한 국가배상책임을 인정하는 경우와 마찬가지로 국가배상법 제2조 제1항의 요건이 충족되어야 한다. 13. 지방7급, 12. 국가9급 ( )

06 ○ 07 ○ 08 ○ 09 ○

핵심 OX

01 공무원의 직무상 작위의무가 사회 구성원 개인의 안전과 이익을 보호하기 위하여 설정된 것이어야 국가배상책임이 인정된다. 12. 지방7급 ( )

01 ○

부수적으로 사회구성원 개인의 안전과 이익을 보호하기 위하여 설정된 것이라면, 공무원이 그와 같은 직무상 의무를 위반함으로 인하여 피해자가 입은 손해에 대하여는 상당인과관계가 인정되는 범위 내에서 국가가 배상책임을 지는 것이고, 이때 상당인과관계의 유무를 판단함에 있어서는 일반적인 결과발생의 개연성은 물론 직무상 의무를 부과하는 법령 기타 행동규범의 목적이나 가해행위의 태양 및 피해의 정도 등을 종합적으로 고려하여야 할 것이다(대판 1993.2.12. 91다43466).

2 삼풍백화점 붕괴사고와 서초구청 소속 공무원들의 직무의무 위반행위 사이에 상당인과관계가 없다고 한 사례

건축법령상 공무원들에게 수시검사의 의무는 없을 뿐만 아니라, 가사 수시검사를 하였다고 하더라도 부실시공 여부를 확인하여 이를 적발할 수 있으리라고 기대할 수는 없는 것으로 보인다. 결국, 이 사건 붕괴사고의 원인은 어디까지나 건축주의 무계획적인 건축, 설계자의 부실 설계, 건축구조기술사의 구조계산의 잘못, 시공자의 부실 시공 및 소유자의 관리 · 유지상의 잘못이 경합된 것인데, 건축법령상 이 각 과정에서 피고 구가 실질적으로 관여 · 감독할 수 있거나 하여야 하는 부분이 거의 없으므로 피고 구 공무원들의 앞서 본 바와 같은 직무의무 위반으로 인하여 이 사건 붕괴사고가 발생할 개연성 자체가 인정되기 어렵고, 위 공무원들이 그 직무집행과 관련하여 뇌물을 받았다는 점에서 비난가능성이 높지만 그 직무의무 위반행위 자체만을 놓고 보면 그 정도가 가볍고 곧바로 위법상태가 해소된 점을 고려하면, 비록 이 사건 붕괴사고의 결과가 수많은 인명 · 재산피해를 가져온 참혹한 것이라고 하더라도 위 공무원들의 직무의무 위반행위와 이 사건 붕괴사고 사이에 상당인과관계가 있다고 인정할 수는 없다(대판 1999.12.21. 98다29797).

3 선박안전법 등이 공공의 안전 외에 일반인의 인명과 재화의 안전보장도 그 목적으로 하는지 여부(적극)-충무극동호 화재 침몰사건

선박안전법이나 유선및도선업법의 각 규정은 공공의 안전 외에 일반인의 인명과 재화의 안전보장도 그 목적으로 하는 것이라고 할 것이므로 국가 소속 선박검사관이나 시 소속 공무원들이 직무상 의무를 위반하여 시설이 불량한 선박에 대하여 선박중간검사에 합격하였다 하여 선박검사증서를 발급하고, 해당 법규에 규정된 조치를 취함이 없이 계속 운항하게 함으로써 화재사고가 발생한 것이라면, 화재사고와 공무원들의 직무상 의무위반행위와의 사이에는 상당인과관계가 있다(대판 1993.2.12. 91다43466).

4 오동도 관리사무소 근무자가 태풍경보시 차량과 사람의 통제를 제대로 하지 아니함으로 인해 발생한 손해에 대하여 지방자치단체의 배상책임을 인정한 사례

태풍경보가 발령되는 등으로 기상 상태가 악화되었으나 시 산하기관인 오동도 관리사무소 당직근무자가 재해시를 대비하여 마련되어 있는 지침에 따른 조치를 취하지 아니하고 방치하다가 상급기관의 지적을 받고서야 비로소 오동도 내로 들어오는 사람 및 차량의 통행은 금지시켰으나, 오동도 안에서 밖으로 나가려는 사람 및 차량의 통행을 금지시키지 아니한 채 만연히 철수하라는 방송만을 함으로써, 피해자들이 차량을 타고 진행하다가 파도가 차량을 덮치는 바람에 바닷물로 추락하여 사망한 사안에서, 오동도 관리사무소의 '95재해대책업무세부추진실천계획'은 국민의 신체 및 재산의 안전을 위하여 공무원에게 직무의무를 부과하는 행동규범임이 명백하고, 그 계획이 단순히 훈시규정에 불과하다거나 시 재해대책본부의 '95재해대책

업무지침'에 규정한 내용보다 강화된 내용을 담고 있다고 하여 이를 무효라고 볼 수 없으며, 당직근무자가 위 계획에 위배하여 차량의 통제를 하지 아니한 과실과 사고 사이에는 상당인과관계가 있다(대판 1997.9.9. 97다12907).

5 공무원 및 공공기관의 손해배상책임 관련 판례

[1] 공무원의 직무상 의무가 순전히 행정기관 내부의 질서를 유지하기 위한 것이거나 전체적으로 공공 일반의 이익을 도모하기 위한 것인 경우, 그 의무를 위반하여 국민에게 가한 손해에 대하여 국가 또는 지방자치단체가 배상책임을 부담하는지 여부(소극) 및 공무원의 직무상 의무가 오로지 공공일반의 전체적인 이익을 도모하기 위한 것에 불과한지 판단하는 기준

일반적으로 국가 또는 지방자치단체가 권한을 행사할 때에는 국민에 대한 손해를 방지하여야 하고, 국민의 안전을 배려하여야 하며, 소속 공무원이 전적으로 또는 부수적으로라도 국민 개개인의 안전과 이익을 보호하기 위하여 법령에서 정한 직무상 의무를 위반하여 국민에게 손해를 가하면 상당인과관계가 인정되는 범위 안에서 국가 또는 지방자치단체가 배상책임을 부담하는 것이지만, 공무원이 직무를 수행하면서 근거되는 법령의 규정에 따라 구체적으로 의무를 부여받았어도 그것이 국민의 이익과는 관계없이 순전히 행정기관 내부의 질서를 유지하기 위한 것이거나, 또는 국민의 이익과 관련된 것이라도 직접 국민 개개인의 이익을 위한 것이 아니라 전체적으로 공공일반의 이익을 도모하기 위한 것이라면, 그 의무를 위반하여 국민에게 손해를 가하여도 국가 또는 지방자치단체는 배상책임을 부담하지 아니한다. 이때 공무원이 준수하여야 할 직무상 의무가 오로지 공공일반의 전체적인 이익을 도모하기 위한 것에 불과한지 혹은 국민 개개인의 안전과 이익을 보호하기 위하여 설정된 것인지는 결국 근거 법령 전체의 기본적인 취지 · 목적과 그 의무를 부과하고 있는 개별 규정의 구체적 목적 · 내용 및 직무의 성질, 가해행위의 태양 및 피해의 정도 등의 제반 사정을 개별적 · 구체적으로 고려하여 판단하여야 한다.

[2] 공공기관이 구 산업기술혁신 촉진법령에서 정한 인증신제품 구매의무를 위반한 경우, 신제품 인증을 받은 자에 대하여 국가배상법 제2조가 정한 배상책임이나 불법행위를 이유로 한 손해배상책임을 지는지 여부(소극)

구 산업기술혁신 촉진법 제1조, 제3조, 제16조 제1항, 제17조 제1항 본문 및 구 산업기술혁신 촉진법 시행령 제23조, 제24조, 제25조, 제27조의 목적과 내용 등을 종합하여 보면, 위 법령이 공공기관에 부과한 신제품 인증을 받은 제품(이하 '인증신제품'이라 한다) 구매의무는 기업에 신기술개발제품의 판로를 확보하여 줌으로써 산업기술개발을 촉진하기 위한 국가적 지원책의 하나로 국민경제의 지속적인 발전과 국민의 삶의 질 향상이라는 공공일반의 이익을 도모하기 위한 것이고, 공공기관이 구매의무를 이행한 결과 신제품 인증을 받은 자가 재산상 이익을 얻게 되더라도 이는 반사적 이익에 불과할 뿐 위 법령이 보호하고자 하는 이익으로 보기는 어렵다. 따라서 공공기관이 위 법령에서 정한 인증신제품 구매의무를 위반하였다고 하더라도, 이를 이유로 신제품 인증을 받은 자에 대하여 국가배상법 제2조가 정한 배상책임이나 불법행위를 이유로 한 손해배상책임을 지는 것은 아니다(대판 2015.5.28. 2013다41431).

핵심 OX

02 공무원에게 부과된 직무상 의무의 내용이 전적으로 공공일반의 이익을 위한 것이거나 행정기관 내부의 질서를 규율하기 위한 것인 경우에도 공무원의 그와 같은 직무상 의무 위반으로 인한 손해에 대하여 국가는 배상책임을 진다.
19 · 14. 국가7급, 19. 서울7급 (   )

02 X

핵심 OX

01 공직선거법이 후보자가 되고자 하는 자와 그 소속 정당에게 전과기록을 조회할 권리를 부여하고 수사기관에 회보의무를 부과한 것은 공공의 이익만을 위한 것이지 후보자가 되고자 하는 자나 그 소속 정당의 개별적 이익까지 보호하기 위한 것은 아니다. 19. 국가7급 ( )

6 공직선거법이 후보자가 되고자 하는 자의 전과기록 조회를 규정한 취지

후보자가 되고자 하는 자와 그 소속 정당에게 전과기록을 조회할 권리를 부여하고 수사기관에 회보의무를 부과한 것은 단순히 유권자의 알권리 보호 등 공공 일반의 이익만을 위한 것이 아니라, 그와 함께 후보자가 되고자 하는 자가 자신의 피선거권 유무를 정확하게 확인할 수 있게 하고, 정당이 후보자가 되고자 하는 자의 범죄경력을 파악함으로써 부적격자를 공천함으로 인하여 생길 수 있는 정당의 신뢰도 하락을 방지할 수 있게 하는 등 개별적인 이익도 보호하기 위한 것이다. 공무원 甲이 내부전산망을 통해 乙에 대한 범죄경력자료를 조회하여 공직선거 및 선거부정방지법 위반죄로 실형을 선고받는 등 실효된 4건의 금고형 이상의 전과가 있음을 확인하고도 乙의 공직선거 후보자용 범죄경력조회 회보서에 이를 기재하지 않은 사안에서, 甲의 중과실을 인정하여 국가배상책임 외에 공무원 개인의 배상책임까지 인정한 원심판단을 수긍한 사례(대판 2011.9.8. 2011다34521)

7 공무원이 직무를 수행하면서 그 근거가 되는 법령의 규정에 따라 구체적으로 의무를 부여받았어도 그것이 국민의 이익과 관계없이 순전히 행정기관 내부의 질서를 유지하기 위한 것이라면 그 의무에 위반하여 국민에게 손해를 가하여도 국가 등은 배상책임을 부담하는지 여부(소극)

공무원이 직무를 수행하면서 그 근거되는 법령의 규정에 따라 구체적으로 의무를 부여받았어도 그것이 국민의 이익과는 관계없이 순전히 행정기관 내부의 질서를 유지하기 위한 것이거나, 또는 국민의 이익과 관련된 것이라도 직접 국민 개개인의 이익을 위한 것이 아니라 전체적으로 공공 일반의 이익을 도모하기 위한 것이라면 그 의무에 위반하여 국민에게 손해를 가하여도 국가 또는 지방자치단체는 배상책임을 부담하지 아니한다(대판 2002.3.12. 2000다55225 · 55232).

8 전자발찌 훼손·살인에 대한 국가배상사건

[1] 공무원의 부작위를 이유로 국가배상책임을 인정하기 위한 요건 및 그중 '법령 위반'의 의미 / 관련 공무원에 대하여 작위의무를 명하는 법령 규정이 없는 경우, 공무원의 부작위를 이유로 국가배상책임을 인정할 것인지 판단하는 기준

공무원의 부작위를 이유로 국가배상책임을 인정하기 위해서는 공무원의 작위로 국가배상책임을 인정하는 경우와 마찬가지로 '공무원이 직무를 집행하면서 고의 또는 과실로 법령을 위반하여 타인에게 손해를 입힌 때'라는 국가배상법 제2조 제1항의 요건이 충족되어야 한다. 여기서 '법령 위반'이란 엄격하게 형식적 의미의 법령에 명시적으로 공무원의 작위의무가 규정되어 있는데도 이를 위반하는 경우만을 의미하는 것은 아니고, 인권존중 · 권력남용금지 · 신의성실과 같이 공무원으로서 마땅히 지켜야 할 준칙이나 규범을 지키지 않고 위반한 경우를 포함하여 널리 객관적인 정당성이 없는 행위를 한 경우를 포함한다. 따라서 국민의 생명 · 신체 · 재산 등에 관하여 절박하고 중대한 위험상태가 발생하였거나 발생할 우려가 있어서 국민의 생명 · 신체 · 재산 등을 보호하는 것을 본래적 사명으로 하는 국가가 초법규적, 일차적으로 그 위험 배제에 나서지 않으면 국민의 생명 · 신체 · 재산 등을 보호할 수 없는 경우에는 형식적 의미의 법령에 근거가 없더라도 국가나 관련 공무원에 대하여 그러한 위험을 배제할 작위의무를 인정할 수 있다. 공무원의 부작위를 이유로 국가배상책임을 인정할 것인지가 문제 되는 경우에 관련 공무원에 대하여 작위의무를 명하는 법령 규정이 없다면 공무원의 부작

01 X

위로 침해된 국민의 법익 또는 국민에게 발생한 손해가 어느 정도 심각하고 절박한 것인지, 관련 공무원이 그와 같은 결과를 예견하여 결과를 회피하기 위한 조치를 취할 가능성이 있는지 등을 종합적으로 고려하여 판단하여야 한다.

[2] 경찰관에게 부여된 권한의 불행사가 현저하게 불합리하다고 인정되는 경우, 직무상의 의무를 위반한 것으로서 위법한지 여부(적극)

경찰은 범죄의 예방, 진압 및 수사와 함께 국민의 생명, 신체 및 재산의 보호 기타 공공의 안녕과 질서유지를 직무로 하고 직무의 원활한 수행을 위하여 경찰관 직무집행법, 형사소송법 등 관계 법령에 의하여 여러 가지 권한이 부여되어 있다. 구체적인 직무를 수행하는 경찰관으로서는 여러 상황에 대응하여 자신에게 부여된 여러 가지 권한을 적절하게 행사하여 필요한 조치를 취할 수 있고, 그러한 권한은 일반적으로 경찰관의 전문적 판단에 기한 합리적인 재량에 위임되어 있는 것이다. 그러나 구체적인 사정에서 경찰관이 권한을 행사하여 필요한 조치를 하지 아니하는 것이 현저하게 불합리하다고 인정되는 경우 그러한 권한의 불행사는 직무상의 의무를 위반한 것으로 위법하다.

[3] 보호관찰관이 위치추적 전자장치 피부착자의 재범 방지에 유효한 실질적인 조치를 하지 아니한 것이 현저하게 불합리하다고 인정되는 경우, 직무상의 의무를 위반한 것으로서 위법한지 여부(적극)

보호관찰관의 위치추적 전자장치 피부착자에 대한 지도 · 감독과 원호 업무는 재범의 위험성이 매우 높은 전자장치 피부착자가 재범으로 나아가지 않게 함으로써 건전한 사회복귀를 촉진하고 일반 국민이 전자장치 피부착자의 재범에 따른 피해를 입지 않도록 하는 데 중요한 역할을 한다. 구체적인 상황에서 전자장치 피부착자에 대한 지도 · 감독이나 원호 업무를 어떻게 수행할 것인지는 원칙적으로 보호관찰관의 전문적, 합리적 재량에 위임되었지만, 전자장치 피부착자의 재범을 효과적으로 방지하기 위해서는 전자장치 피부착자의 성향이나 환경 및 개별 관찰 결과에 맞추어 재범 방지에 유효한 실질적인 조치를 선택하여 적극적으로 수행하여야 한다. 만약 보호관찰관이 이러한 조치를 하지 아니한 것이 현저하게 불합리하다면 직무상의 의무를 위반한 것이어서 위법하다고 보아야 한다.

[4] 다수의 성폭력범죄로 여러 차례 처벌을 받은 뒤 위치추적 전자장치를 부착하고 보호관찰을 받고 있던 甲이 乙을 강간하였고, 그로부터 13일 후 丙을 강간하려다 살해하였는데, 丙의 유족들이 경찰관과 보호관찰관의 위법한 직무수행을 이유로 국가를 상대로 손해배상을 구한 사안에서, 경찰관과 보호관찰관의 직무수행이 객관적 정당성을 결여하지 않아 위법하지 않다고 본 원심판단에 법리오해의 잘못이 있다고 한 사례

다수의 성폭력범죄로 여러 차례 처벌을 받은 뒤 위치추적 전자장치를 부착하고 보호관찰을 받고 있던 甲이 乙을 강간하였고, 그로부터 13일 후 丙을 강간하려다 살해하였는데, 丙의 유족들이 경찰관과 보호관찰관의 위법한 직무수행을 이유로 국가를 상대로 손해배상을 구한 사안에서, 직전 범행의 수사를 담당하던 경찰관이 직전 범행의 특수성과 위험성을 고려하지 않은 채 통상적인 조치만 하였을 뿐 전자장치 위치정보를 수사에 활용하지 않은 것과 보호관찰관이 甲의 높은 재범의 위험성과 반사회성을 인식하였음에도 적극적 대면조치 등 이를 억제할 실질적인 조치를 하지않은 것은 범죄를 예방하고 재범을 억지하여 사회를 방위하기 위해서 이들에게 부여된 권한과 직무를 목적과 취지에 맞게 수행하지 않았거나 소홀히 수행하였던 것이고, 이는 국민의 생명 · 신체에 관하여 절박하고 중대한 위험상태가 발생할 우려가 있어 그 위험 배제에 나서지 않으면 이를 보호할 수 없는 상황에서 그러한 위험을 배제할 공무원의 작위의무를 위반한 것으로 인정될 여지가 있으며, 위와 같은 경찰관과 보호관찰관의 직무상 의무 위반은 丙의 사망 사이에서 상당인과관계를 인정할 여지가 큰데도, 경찰관과 보호관찰관의 직무수행이 객관적 정당성을 결여하지 않아 위법하지 않다고 본 원심판단에 법리오해의 잘못이 있다(대판 2022.7.14. 2017다290538).

9 수용자 1인당 $2m^2$ 미만 과밀수용 국가배상 사건

[1] 수용자가 하나의 거실에 다른 수용자들과 함께 수용되어 거실 중 화장실을 제외한 부분의 1인당 수용면적이 인간으로서의 기본적인 욕구에 따른 일상생활조차 어렵게 할 만큼 협소한 경우, 수용자의 인간으로서의 존엄과 가치를 침해하는 것인지 여부(원칙적 적극)

구치소 등 교정시설에 수용된 후 출소한 甲 등이 혼거실 등에 과밀수용되어 정신적, 육체적 고통을 겪었다고 주장하며 국가를 상대로 위자료 지급을 구한 사안에서, 수용자 1인당 도면상 면적이 $2m^2$ 미만인 거실에 수용되었는지를 위법성 판단의 기준으로 삼아 甲 등에 대한 국가배상책임을 인정한 원심판단을 수긍한 사례이다.

[2] 수용자가 하나의 거실에 다른 수용자들과 함께 수용되어 거실 중 화장실을 제외한 부분의 1인당 수용면적이 인간으로서의 기본적인 욕구에 따른 일상생활조차 어렵게 할 만큼 협소하다면, 그러한 과밀수용 상태가 예상할 수 없었던 일시적인 수용률의 폭증에 따라 교정기관이 부득이 거실 내 수용 인원수를 조정하기 위하여 합리적이고 필요한 정도로 단기간 내에 이루어졌다는 등의 특별한 사정이 없는 한, 그 자체로 수용자의 인간으로서의 존엄과 가치를 침해한다고 봄이 타당하다.

[3] 구치소 등 교정시설에 수용된 후 출소한 甲 등이 혼거실 등에 과밀수용되어 정신적, 육체적 고통을 겪었다고 주장하며 국가를 상대로 위자료 지급을 구한 사안에서, 수면은 인간의 생명 유지를 위한 필수적 행위 중 하나인 점, 관계 법령상 수용자에게 제공되는 일반 매트리스의 면적은 약 $1.4m^2$인데, 이는 수용자 1인당 수면에 필요한 최소한의 면적으로 볼 수 있는 점, 교정시설에 설치된 거실의 도면상 면적은 벽, 기둥의 중심선으로 둘러싸인 수평투영면적을 의미하는데, 벽, 기둥 외의 실제 내부 면적 중 사물함이나 싱크대 등이 설치된 공간을 제외하고 수용자가 실제 사용할 수 있는 면적은 그보다 좁을 수밖에 없는 점 등을 고려하면, 수용자 1인당 도면상 면적이 $2m^2$ 미만인 거실에 수용되었는지를 위법성 판단의 기준으로 삼아 甲 등에 대한 국가배상책임을 인정한 원심판단을 수긍할 수 있다(대판 2022.7.14. 2017다266771).

10 2014 수능 세계지리 출제오류 사건

법령에 따라 국가가 시행과 관리를 담당하는 시험에서 시험문항의 출제나 정답결정에 대한 오류 등의 위법을 이유로 시험출제에 관여한 공무원이나 시험위원의 고의 또는 과실에 따른 국가배상책임을 인정하기 위한 요건 및 판단 기준

법령에 따라 국가가 시행과 관리를 담당하는 시험에서 시험문항의 출제나 정답결정에 대한 오류 등의 위법을 이유로 시험출제에 관여한 공무원이나 시험위원의 고의 또는 과실에 따른 국가배상책임을 인정하기 위해서는, 해당 시험이 응시자에 대하여 일정한 수준을 갖추었는지를 평가하여 특정한 자격을 부여하는 사회적 제도로서 공익성을 가지고 있는지 여부, 국가기관이나 소속 공무원이 시험문제의 출제, 정답결정 등의 결정을 위하여 외부의 전문 시험위원을 법령에서 정한 요건과 절차에 따라 적정하게 위촉하였는지 여부, 위촉된 시험위원들이 최대한 주관적 판단의 여지를 배제하고 객관적 입장에서 해당 과목의 시험을 출제하였으며 시험위원들 사이에 출제된 문제와 정답의 결정과정에 다른 의견은 없었는지 여부, 시험문항의 출제나 정답결정에 대한 오류가 사후적으로 정정되었고 응시자들에게 국가기관이나 소속 공무원이 그에 따른 적절한 구제조치를 하였는지 여부 등의 여러 사정을 종합하여 시험출제에 관여한 공무원이나 시험위원이 객관적 주의의무를 소홀히 하여 시험문항의 출제나 정답결정에 대한 오류 등에 따른 행정처분이 객관적 정당성을 상실하였다고 판단되어야 한다(대판 2022.4.28. 2017다233061).

11 형사피고사건에서 무죄확정판결을 선고받은 원고가 검사의 구속기소행위 및 문서송부요구 거절행위가 위법하다고 주장하며 국가배상을 구하는 사건

[1] 검사의 구속기소행위에 대한 국가배상책임 인정여부(소극)

원고가 제출한 증거들만으로는 원고를 구속 기소한 검사의 판단이 경험칙이나 논리칙상 도저히 합리성을 긍정할 수 없는 정도에 이르렀다고 인정하기 부족하다고 보아 검사의 구속기소행위를 원인으로 한 국가배상청구를 받아들이지 않는다.

[2] 검사의 문서송부요구행위 거절에 대한 국가배상책임 인정여부(적극)

검사는 이 사건 수첩의 기재 내용 등을 토대로 공소사실을 특정하였고 원고 등의 필체와 위 수첩의 기재 내용을 비교 · 분석한 대검 문서감정 결과에 따라 원고를 범인으로 특정하였으므로, 위 수첩 원본과 이에 대한 법원의 필적 감정은 원고의 무죄를 뒷받침할 수 있거나 적어도 법관의 유 · 무죄에 대한 심증을 달리할 만한 상당한 가능성이 있는 중요 증거이거나 중요 증거가 될 수 있었던 점, 이 사건 수첩의 사본이 이미 검사의 증거로 신청되어 있었으므로, 검사에게 국가안보, 증인보호의 필요성, 증거인멸의 염려, 수사에 장애를 가져올 것으로 예상되는 구체적 사유 등 검사가 위 수첩 원본을 송부하지 아니할 상당한 이유가 있다고 볼 만한 사유가 없는 점 등에 비추어 보면, 법원이 위 수첩 원본에 대한 문서송부요구를 한 이상 검사로서는 당연히 법원의 요구에 응하였어야 함에도 이를 거절함으로써 직무상 의무를 위반하였다고 판단하여 국가배상책임을 인정한 원심의 결론이 타당하다고 보아 피고의 상고를 기각한다(대판 2022.9.16. 2022다236781).

12 주민등록사무를 담당하는 공무원이 개명으로 인한 주민등록상 성명정정을 본적지 관할관청에 통보하지 아니한 직무상 의무위배행위와 甲과 같은 이름으로 개명허가를 받은 듯이 호적등본을 위조하여 주민등록상 성명을 위법하게 정정한 乙이 甲의 부동산에 관하여 불법적으로 근저당권설정등기를 경료함으로써 甲이 입은 손해 사이에는 상당인과관계가 있는지 여부(적극)

주민등록사무를 담당하는 공무원이 개명으로 인한 주민등록상 성명정정을 본적지 관할관청에 통보하지 아니한 직무상 의무위배행위와 甲과 같은 이름으로 개명허가를 받은 듯이 호적등본을 위조하여 주민등록상 성명을 위법하게 정정한 乙이 甲의 부동산에 관하여 불법적으로 근저당권설정등기를 경료함으로써 甲이 입은 손해 사이에는 상당인과관계가 있다(대판 2003.4.25. 2001다59842).

13 **법령의 위임에도 불구하고 보건복지부장관이 치과전문의제도의 실시를 위하여 필요한 시행규칙의 개정 등 절차를 마련하지 않은 입법부작위가 위헌이라는 헌법재판소 결정의 기속력에 따라, 보건복지부장관이 사실상 전공의 수련과정을 수료한 치과의사들에게 그 수련경력에 대한 기득권을 인정하는 경과조치를 행정입법으로 제정하지 않았다면 입법부작위에 의한 국가배상책임이 성립하는지 여부(소극)**

헌법재판소는 1998.7.16. 법령의 위임에 따라 치과전문의제도의 실시를 위한 구체적 조치를 마련할 보건복지부장관의 행정입법 의무가 있음에도, 20년 이상이 경과하도록 제도적 조치를 취하지 아니하여 전공의 수련과정을 사실상 마친 사람들의 기본권을 침해한다는 이유로, 보건복지부장관이 구 의료법 제55조 및 구 전문의 규정 제17조의 위임에 따라 치과전문의자격시험제도를 실시할 수 있는 절차를 마련하지 아니하는 입법부작위는 위헌임을 확인하는 결정(헌재 1998.7.16. 96헌마246, 이하 '이 사건 위헌결정'이라고 한다)을 하였다. 즉 이 사건 위헌결정은 보건복지부장관에게 구 의료법 및 구 전문의 규정의 위임에 따라 치과의사전문의 자격시험제도를 실시하기 위하여 필요한 시행규칙의 개정 등 절차를 마련하여야 할 헌법상 입법의무가 부과되어 있다고 판시하였을 뿐, 사실상 전공의 수련과정을 수료한 치과의사들에게 그 수련경력에 대한 기득권을 인정하는 경과조치를 마련하지 아니한 보건복지부장관의 행정입법부작위가 위헌 · 위법하다고까지 판시한 것은 아니다. 따라서 이 사건 위헌결정의 기속력이 곧바로 위와 같은 경과조치 마련에 대하여까지 미친다고는 볼 수 없다(대판 2018.6.15. 2017다249769).

5. 타인에게 손해를 입힌 때의 인과관계

(1) 타인의 범위

① 타인이란 가해자인 공무원과 그의 가해행위에 관여한 자 이외의 모든 사람을 말한다. 따라서 자연인 · 법인, 사인 · 공무원을 불문한다.

② 다만, 헌법 및 국가배상법에서는 군인 · 군무원 · 경찰공무원 · 예비군이 직무집행과 관련한 손해를 입은 경우 다른 법령의 규정에 의해 군인연금 · 유족연금 등에 의한 보상을 받을 수 있는 때에는 국가배상법과 민법의 규정에 의한 국가배상청구를 할 수 없다고 규정하고 있다(이중배상금지).

(2) 손해

손해란 피해자가 입은 모든 불이익을 의미한다(단, 반사적 이익의 침해는 포함되지 않는다). 따라서 **재산적 손해 · 비재산적 손해**(생명 · 신체 · 정신적 손해)와 **적극적 손해 · 소극적 손해** 모두 포함된다.

핵심 OX

01 피해자가 받은 손해에는 적극적 손해와 소극적 손해는 포함되지만, 위자료는 포함되지 않는다는 것이 판례의 입장이다. 09. 지방9급 ( )

01 X

관련판례

1 [1] **불법행위로 인하여 피해자가 제3자에 대하여 채무를 부담하게 된 경우, 그 채무액 상당의 손해배상을 구하기 위한 요건 및 이때 현실적으로 손해가 발생하였는지 판단하는 방법**
불법행위를 이유로 배상하여야 할 손해는 현실로 입은 확실한 손해에 한하므로, 불법행위로 인하여 피해자가 제3자에 대하여 채무를 부담하게 된 경우 채권자가 채무자에게 그 채무액 상당의 손해배상을 구하기 위해서는 채무의 부담이 현실적 · 확정적이어서 실제로 변제하여야 할 성질의 것이어야 하고, 현실적으로 손해가 발생하였는지는 사회통념에 비추어 객관적이고 합리적으로 판단하여야 한다.

[2] 甲이 소유하던 구분건물의 대지지분이 등기공무원의 과실로 실제 지분보다 많은 지분으로 등기부에 잘못 기재되어 있는 상태에서 乙이 부동산임의경매절차를 통해 위 구분건물을 낙찰받아 소유권이전등기를 마친 다음 이를 다시 丙 주식회사에 매도하여 丙 회사 명의의 소유권이전등기가 이루어졌는데, 그 후 丙 회사가 乙에게 '구분건물의 대지지분이 등기부 기재와 다르므로 등기부 기재대로 부족지분을 취득하여 이전해 달라'는 취지의 내용증명을 보내자, 乙이 등기공무원의 과실로 구분건물의 대지지분이 잘못 기재되는 바람에 실제 취득하지 못한 부족지분에 상응하는 만큼 매매대금을 과다 지급하는 손해를 입었다며 국가를 상대로 손해배상을 구한 사안에서, 국가 소속 등기공무원의 과실로 등기부에 대지지분이 잘못 기재되는 바람에 乙이 실제로 취득하지 못한 부족지분에 상응하는 만큼 매매대금을 과다 지급하였지만, 이후 丙 회사에 등기부 기재대로 대지지분이 존재하는 것을 전제로 구분건물을 매도하고 자신이 지급한 매수대금 이상의 매매대금을 수령한 이상, 최종매수인인 丙 회사가 국가의 불법행위로 매매대금이 초과 지급된 현실적인 손해를 입었다고 보아야 하고, 중간매도인인 乙은 丙 회사로부터 담보책임을 추궁당해 손해배상금을 지급하였거나 丙 회사에 대하여 손해배상의 지급을 명하는 판결을 받는 등으로 丙 회사에 대해 현실적 · 확정적으로 실제 변제하여야 할 성질의 채무를 부담하는 등 특별한 사정이 없는 한 위와 같이 매매대금을 과다 지급하였다거나 丙 회사로부터 부족지분의 이전을 요구받았다는 사정만으로 현실적으로 손해를 입었다고 볼 수 없고, 국가의 손해배상책임을 인정할 수 없다(대판 2019.8.14. 2016다217833).

2 **국가배상법 제2조 제1항에 따른 국가배상책임이 성립하기 위해서 공무원의 위법한 직무집행으로 타인의 권리 · 이익이 침해되어 구체적 손해가 발생하여야 하는지 여부(적극)**

[1] 甲 도지사가 도에서 설치 · 운영하는 乙 지방의료원을 폐업하겠다는 결정을 발표하고 그에 따라 폐업을 위한 일련의 조치가 이루어진 후 乙 지방의료원을 해산한다는 내용의 조례를 공포하고 乙 지방의료원의 청산절차가 마쳐진 사안에서, 지방의료원의 설립 · 통합 · 해산은 지방자치단체의 조례로 결정할 사항이므로, 도가 설치 · 운영하는 乙 지방의료원의 폐업 · 해산은 도의 조례로 결정할 사항인 점 등을 종합하면, 甲 도지사의 <u>폐업결정은 행정청이 행하는 구체적 사실에 관한 법집행으로서의 공권력 행사로서 입원환자들과 소속 직원들의 권리 · 의무에 직접 영향을 미치는 것이므로 항고소송의 대상</u>에 해당하지만, 폐업결정 후 乙 지방의료원을 해산한다는 내용의 조례가 제정 · 시행되었고 조례가 무효라고 볼 사정도 없어 乙 지방의료원을 폐업 전의 상태로 되돌리는 원상회복은 불가능하므로 법원이 폐업결정을 취소하더라도 단지 폐업결정이 위법함을 확인하는 의미밖에 없고, 폐업결정의 취소로 회복할 수 있는 다른 권리나 이익이 남아있다고 보기도 어려우므로, 甲 도지사의 폐업결정이 법적으로 권한 없는 자에 의하여 이루어진 것으로서 위법하더라도 취소를 구할 소의 이익을 인정하기 어렵다.

[2] 국가배상법 제2조 제1항은 "국가나 지방자치단체는 공무원 또는 공무를 위탁받은 사인(이하 '공무원'이라고 한다)이 직무를 집행하면서 고의 또는 과실로 법령을 위반하여 타인에게 손해를 입히거나, 자동차손해배상 보장법에 따라 손해배상의 책임이 있을 때에는 이 법에 따라 그 손해를 배상하여야 한다."라고 규정하고 있다. 따라서 국가배상책임이 성립하기 위해서는 공무원의 직무집행이 위법하다는 점만으로는 부족하고, 그로 인해 타인의 권리 · 이익이 침해되어 구체적 손해가 발생하여야 한다. "진주의료원은 피고 경상남도가 설치 · 운영하는 지방의료원으로서 그 폐업은 피고 경상남도의 조례로 결정할 사항임에도 피고 경상남도의 도지사인 피고 3이 이 사건 조례가 공포된 2013.7.1. 전에 이 사건 폐업결정을 하고 그에 따라 폐업을 위한 일련의 조치가 이루어졌음은 앞서 살펴 본 바와 같다. 이 사건 조례가 공포된 2013.7.1. 이후에는 진주의료원의 폐업상태가 이 사건 조례의 효력에 의하여 정당화된다고 할 것이지만, 그 전에 행해진 이 사건 폐업결정은 법적으로 권한 없는 자에 의하여 이루어진 것이어서 위법하며, 그 집행과정에서 입원환자들에게 행해진 퇴원 · 전원 회유 · 종용 등의 조치도 위법한 이 사건 폐업결정에 근거한 것이므로 역시 위법하다고 할 것이다. 그러나 원심이 채택하여 조사한 증거에 비추어 살펴보면, 원고 1, 원고 2, 원고 3이 손해라고 주장하는 입원환자 등의 생명과 건강에 대한 어떤 구체적인 손상이나 침해가 있었다고 인정할 증거가 없으므로, 원고 1, 원고 2, 원고 3에게 손해가 발생하였다고 보기 어렵고, 따라서 피고 3이나 그가 소속된 피고 경상남도의 불법행위책임이 성립한다고 볼 수 없다(대판 2016.8.30. 2015두60617).

(3) 상당인과관계

공무원의 직무행위와 손해의 발생 사이에는 **상당인과관계**가 있어야 한다. 상당인과관계의 판단기준은 경험칙에 의하여 판단하게 된다.

관련판례

1 우편집배원이 압류 및 전부명령 결정 정본을 특별송달함에 있어 부적법한 송달을 하고도 적법한 송달을 한 것처럼 보고서를 작성하였으나 압류 및 전부의 효력이 발생하지 않아 집행채권자가 피압류채권을 전부받지 못한 경우, 국가가 집행채권자의 손해에 대하여 배상책임을 부담하는지 여부(적극)

우편집배원이 압류 및 전부명령 결정 정본을 특별송달하는 과정에서 민사소송법을 위반하여 부적법한 송달을 하고도 적법한 송달을 한 것처럼 우편송달보고서를 작성하여 압류 및 전부의 효력이 발생한 것과 같은 외관을 형성시켰으나, 실제로는 압류 및 전부의 효력이 발생하지 아니하여 집행채권자로 하여금 피압류채권을 전부받지 못하게 함으로써 손해를 입게 한 경우에는, 우편집배원의 위와 같은 직무상 의무위반과 집행채권자의 손해 사이에는 상당인과관계가 있다고 봄이 상당하고, 국가는 국가배상법에 의하여 그 손해에 대하여 배상할 책임이 있다(대판 2009.7.23. 2006다87798).

2 구청 세무과 소속 공무원 甲이 乙에게 무허가건물 세입자들에 대한 시영아파트 입주권 매매행위를 한 경우 외형상 직무범위 내의 행위라고 볼 수 있는지 여부(소극)❶

구청공무원 甲이 주택정비계장으로 부임하기 이전에 그의 처 등과 공모하여 乙에게 무허가 건물철거 세입자들에 대한 시영아파트 입주권 매매행위를 한 경우, 이는 甲이 개인적으로 저지른 행위에 불과하고 당시 근무하던 세무과에서 수행하던 지방세 부과, 징수 등 본래의 직무와는 관련이 없는 행위로서 외형상으로도 직무범위 내에 속하는 행위라고 볼 수 없고, 甲이 그 후 주택정비계장으로 부임하여 乙의 문의에 의하여

핵심 OX

01 도지사에 의한 지방의료원의 폐업결정과 관련하여 국가배상책임이 성립하기 위하여서는 공무원의 직무집행이 위법하다는 점만으로는 부족하고 그로 인하여 타인의 권리 · 이익이 침해되어 구체적 손해가 발생하여야 한다. 19. 국회8급 ( )

핵심 OX

02 우편집배원이 압류 및 전부명령 결정 정본을 특별송달함에 있어 부적법한 송달을 하고도 적법한 송달을 한 것처럼 보고서를 작성하여 압류 및 전부의 효력이 발생하지 않아 집행채권자가 피압류채권을 전부 받지 못한 경우 우편집배원의 직무상 의무위반과 집행채권자의 손해 사이에는 상당인과관계가 있다. 19. 국회8급 ( )

❶
- 인사과 공무원의 공무원증 위조: 외형상 직무집행성 O
- 세무과 공무원의 시영아파트 입주권 매매행위: 외형상 직무집행성 X

01 O 02 O

주택정비계 사무실에 허위로 작성하여 비치해 놓은 입주신청 및 명의변경 접수대장을 이용하여 세입자들이 정당한 입주권 부여 대상자인 양 허위로 확인하여 주거나, 명의변경 신청서류를 접수하여 입주자 명의가 적법하게 변경된 것인 양 허위로 확인하여 주었다 하더라도, 이는 이미 불법행위가 종료되어 乙 등의 손해가 발생된 이후의 범행관여에 불과한 것이어서 그 손해와 甲의 사후적 범행관여 사이에 상당인과관계를 인정하기 어렵다(대판 1993.1.15. 92다8514).

3 외교관계에 관한 비엔나협약의 적용에 의하여 외국 대사관저에 대한 강제집행을 하지 못함으로써 발생한 손해에 대하여 국가가 손실보상책임이나 손해배상책임을 지는지 여부(소극)

외교관계에 관한 비엔나협약이 대사관저에 대한 명도집행뿐만 아니라 공관 내의 재산에 대한 강제집행을 직접적으로 금하고 있다고 하더라도, 협약규정 자체가 직접적으로 외국 대사관과 어떠한 법률행위를 강제하는 등으로 국민의 재산권을 침해하는 것은 아니고, 협약규정의 적용을 받는 외국 대사관과 어떠한 법률행위를 할 것인지의 여부는 전적으로 국민의 자유의사에 맡겨져 있다고 할 것이므로 협약규정의 적용에 의하여 어떠한 손해가 발생하였다고 하여 그것이 국가의 공권력 행사로 말미암은 것이라고 볼 수 없고, 나아가 외국 대사관이 사전에 승소판결에 기한 강제집행을 거부할 의사를 명시적으로 표시하였으므로 손해가 집행관의 강제집행거부를 직접적인 원인으로 하여 발생한 것이라고 볼 수 없으므로 손실보상의 대상이 되지 아니하고, 또한 국가가 보상입법을 하지 아니하였다거나 집행관이 협약의 관계규정을 내세워 강제집행을 거부하였다고 하여 이로써 불법행위가 되는 것은 아니다(대판 1997.4.25. 96다16940).

4 유흥주점 여종업원 질식사 사건

[1] 공무원에게 부과된 직무상 의무의 내용이 단순히 공공일반의 이익을 위한 것이거나 행정기관 내부의 질서를 규율하기 위한 것이 아니고 전적으로 또는 부수적으로 사회구성원 개인의 안전과 이익을 보호하기 위하여 설정된 것이라면, 공무원이 그와 같은 직무상 의무를 위반함으로 인하여 피해자가 입은 손해에 대하여는 상당인과관계가 인정되는 범위 내에서 국가가 배상책임을 지는 것이고, 이때 상당인과관계의 유무를 판단함에 있어서는 일반적인 결과 발생의 개연성은 물론 직무상 의무를 부과하는 법령 기타 행동규범의 목적이나 가해행위의 태양 및 피해의 정도 등을 종합적으로 고려하여야 하며, 이는 지방자치단체와 그 소속 공무원에 대하여도 마찬가지이다.

[2] 유흥주점에 감금된 채 윤락을 강요받으며 생활하던 여종업원들이 유흥주점에 화재가 났을 때 미처 피신하지 못하고 유독가스에 질식해 사망한 사안에서, 지방자치단체의 담당 공무원이 위 유흥주점의 용도변경, 무허가 영업 및 시설기준에 위배된 개축에 대하여 시정명령 등 식품위생법상 취하여야 할 조치를 게을리 한 직무상 의무위반행위와 위 종업원들의 사망 사이에 상당인과관계가 존재하지 않는다.

[3] 구 소방법은 화재를 예방 · 경계 · 진압하고 재난 · 재해 및 그 밖의 위급한 상황에서의 구조 · 구급활동을 통하여 국민의 생명 · 신체 및 재산을 보호함으로써 공공의 안녕질서의 유지와 복리증진에 이바지함을 목적으로 하여 제정된 법으로서, 소방법의 규정들은 단순히 전체로서의 공공일반의 안전을 도모하기 위한 것에서 더 나아가 국민 개개인의 인명과 재화의 안전보장을 목적으로 하여 둔 것이므로, 소방공무원이 소방법 규정에서 정하여진 직무상의 의무를 게을리 한 경우 그 의무위반이 직무에 충실한 보통 일반의 공무원을 표준으로 할 때 객관적 정당성을 상실하였다고 인정될 정도에 이른 경우에는 국가배상법 제2조에서 말하는 위법의

핵심 OX

03 유흥주점의 화재로 여종업원들이 사망한 경우, 담당공무원의 유흥주점의 용도변경, 무허가 영업 및 시설기준에 위배된 개축에 대하여 시정명령 등 식품위생법상 취하여야 할 조치를 게을리한 직무상 의무위반행위와 여종업원들의 사망 사이에는 상당인과관계과 존재하지 아니한다. 14. 지방9급 ( )

04 소방공무원들이 다중이용업소인 주점의 비상구와 피난시설 등에 대한 점검을 소홀히 함으로써 주점의 피난통로 등에 중대한 피난 장애요인이 있음을 발견하지 못하여 업주들에 대한 적절한 지도 · 감독을 하지 아니한 경우 직무상 의무 위반과 주점 손님들의 사망사이에 상당인과관계가 인정된다. 19. 서울9급(6월) ( )

03 ○ **04** ○

요건을 충족하게 된다. 그리고 소방공무원의 행정권한행사가 관계 법률의 규정 형식상 소방공무원의 재량에 맡겨져 있다고 하더라도 소방공무원에게 그러한 권한을 부여한 취지와 목적에 비추어 볼 때, 구체적인 상황 아래에서 소방공무원이 그 권한을 행사하지 않은 것이 현저하게 합리성을 잃어 사회적 타당성이 없는 경우에는 소방공무원의 직무상 의무를 위반한 것으로서 위법하게 된다.

[4] 유흥주점에 감금된 채 윤락을 강요받으며 생활하던 여종업원들이 유흥주점에 화재가 났을 때 미처 피신하지 못하고 유독가스에 질식해 사망한 사안에서, 소방공무원이 위 유흥주점에 대하여 화재 발생 전 실시한 소방점검 등에서 구 소방법상 방염 규정 위반에 대한 시정조치 및 화재 발생시 대피에 장애가 되는 잠금장치의 제거 등 시정조치를 명하지 않은 직무상 의무위반은 현저히 불합리한 경우에 해당하여 위법하고, 이러한 직무상 의무 위반과 위 사망의 결과 사이에 상당인과관계가 존재한다(대판 2008.4.10. 2005다48994).

5 군산 윤락업소 화재 사건으로 사망한 윤락녀의 유족들이 국가를 상대로 제기한 손해배상청구 사건에서, 경찰관의 직무상 의무위반행위를 이유로 국가에게 위자료의 지급책임을 인정한 사례

[1] 경찰은 범죄의 예방, 진압 및 수사와 함께 국민의 생명 · 신체 및 재산의 보호 등과 기타 공공의 안녕과 질서유지도 직무로 하고 있고, 그 직무의 원활한 수행을 위하여 경찰관 직무집행법, 형사소송법 등 관계 법령에 의하여 여러 가지 권한이 부여되어 있으므로, 구체적인 직무를 수행하는 경찰관으로서는 제반 상황에 대응하여 자신에게 부여된 여러 가지 권한을 적절하게 행사하여 필요한 조치를 취할 수 있는 것이고, 그러한 권한은 일반적으로 경찰관의 전문적 판단에 기한 합리적인 재량에 위임되어 있는 것이나, 경찰관에게 권한을 부여한 취지와 목적에 비추어 볼 때 구체적인 사정에 따라 경찰관이 그 권한을 행사하여 필요한 조치를 취하지 아니하는 것이 현저하게 불합리하다고 인정되는 경우에는 그러한 권한의 불행사는 직무상의 의무를 위반한 것이 되어 위법하게 된다.

[2] 윤락녀들이 윤락업소에 감금된 채로 윤락을 강요받으면서 생활하고 있음을 쉽게 알 수 있는 상황이었음에도, 경찰관이 이러한 감금 및 윤락강요행위를 제지하거나 윤락업주들을 체포 · 수사하는 등 필요한 조치를 취하지 아니하고, 오히려 업주들로부터 뇌물을 수수하며 그와 같은 행위를 방치한 것은 경찰관의 직무상 의무에 위반하여 위법하므로 국가는 이로 인한 정신적 고통에 대하여 위자료를 지급할 의무가 있다(대판 2004.9.23. 2003다49009).

6 주점에서 발생한 화재로 사망한 甲 등의 유족들이 乙 광역시를 상대로 손해배상을 구한 사안에서, 소방공무원들이 업주들에 대하여 적절한 지도 · 감독을 하지 않는 등 직무상 의무를 위반하였고, 소방공무원들의 직무상 의무 위반과 甲 등의 사망 사이에 상당인과관계가 인정된다고 한 사례

주점에서 발생한 화재로 사망한 甲 등의 유족들이 乙 광역시를 상대로 손해배상을 구한 사안에서, 소방공무원들이 소방검사에서 비상구 중 1개가 폐쇄되고 그곳으로 대피하도록 유도하는 피난구유도등, 피난안내도 등과 일치하지 아니하게 됨으로써 화재시 피난에 혼란과 장애를 유발할 수 있는 상태임을 발견하지 못하여 업주들에 대한 시정명령이나 행정지도, 소방안전교육 등 적절한 지도 · 감독을 하지 아니한 것은 구체적인 소방검사 방법 등이 소방공무원의 재량에 맡겨져 있음을 감안하더라도 현저하게 합리성을 잃어 사회적 타당성이 없는 경우에 해당하고, 다른 비상구 중 1개와 그곳으로 연결된 통로가 사실상 폐쇄된 사실을 발견하지 못한 것도 주점에 설치된 피난통로 등에 대한 전반적인 점검을 소홀히 한 직무상 의무 위반의 연장선에 있어 위법성을 인정할 수 있고, 소방공무원들이 업주들에 대하여 필요한 지도 · 감독을 제대로

핵심 OX

01 소방공무원의 권한 행사가 관계 법률의 규정에 의하여 소방공무원의 재량이 맡겨져 있으면 구체적인 상황에서 소방공무원이 권한을 행사하지 아니한 것이 현저하게 합리성을 잃어 사회적 타당성이 없는 경우에도 직무상 의무를 위반하여 위법하게 되는 것은 아니다.
19. 국회8급 ( )

01 X

수행하였더라면 화재 당시 손님들에 대한 대피조치가 보다 신속히 이루어지고 피난통로 안내가 적절히 이루어지는 등으로 甲 등이 대피할 수 있었을 것이고, 甲 등이 대피방향을 찾지 못하다가 복도를 따라 급속히 퍼진 유독가스와 연기로 인하여 단시간에 사망하게 되는 결과는 피할 수 있었을 것인 점 등 화재 당시의 구체적 상황과 甲 등의 사망 경위 등에 비추어 소방공무원들의 직무상 의무 위반과 甲 등의 사망 사이에 상당인과관계가 인정된다(대판 2016.8.25. 2014다225083).

7 개별공시지가 산정업무 담당공무원 등이 부담하는 직무상 의무의 내용 및 그 담당공무원 등이 직무상 의무에 위반하여 현저하게 불합리한 개별공시지가가 결정되도록 함으로써 국민 개개인의 재산권을 침해한 경우, 그 담당공무원 등이 속한 지방자치단체가 손해배상책임을 지는지 여부(적극)

개별공시지가는 개발부담금의 부과, 토지 관련 조세부과 등 다른법령이 정하는 목적을 위해 지가를 산정하는 경우에 그 산정기준이 되는 관계로 납세자인 국민 등의 재산상 권리의무에 직접적인 영향을 미치게되므로, 개별공시지가 산정업무를 담당하는 공무원으로서는 당해 토지의 실제 이용상황 등 토지특성을 정확하게 조사하고 당해 토지와 토지이용상황이 유사한 비교표준지를 선정하여 그 특성을 비교하는 등 법령 및 '개별공시지가의 조사 · 산정 지침'에서 정한 기준과 방법에 의하여 개별공시지가를 산정하고, 산정지가의 검증을 의뢰받은 감정평가업자나 시 · 군 · 구 부동산평가위원회로서는 위 산정지가 또는 검증지가가 위와 같은 기준과 방법에 의하여 제대로 산정된 것인지 여부를 검증, 심의함으로써 적정한 개별공시지가가 결정 · 공시되도록 조치할 직무상의 의무가 있고, 이러한 직무상 의무는 단순히 공공일반의 이익을 위한 것이거나 행정기관 내부의 질서를 규율하기 위한 것이 아니고 전적으로 또는 부수적으로 국민 개개인의 재산권 보장을 목적으로 하여 규정된 것이라고 봄이 상당하다. 따라서 개별공시지가 산정업무 담당공무원 등이 그 직무상 의무에 위반하여 현저하게 불합리한 개별공시지가가 결정되도록 함으로써 국민 개개인의 재산권을 침해한 경우에는 그 손해에 대하여 상당인과관계 있는 범위 내에서 그 담당공무원 등이 소속된 지방자치단체가 배상책임을 지게 된다(대판 2010.7.22. 2010다13527).

8 담당공무원 등의 개별공시지가 산정에 관한 직무상 위반행위와 위 손해 사이에 상당인과관계가 있다고 보기 어렵다고 한 사례

개별공시지가 산정업무 담당공무원 등이 잘못 산정 · 공시한 개별공시지가를 신뢰한 나머지 토지의 담보가치가 충분하다고 믿고 그 토지에 관하여 근저당권설정등기를 경료한 후 물품을 추가로 공급함으로써 손해를 입었음을 이유로 그 담당공무원이 속한 지방자치단체에 손해배상을 구한 사안에서, 그 담당공무원 등의 개별공시지가 산정에 관한 직무상 위반행위와 위 손해 사이에 상당인과관계가 있다고 보기 어렵다(대판 2010.7.22. 2010다13527).

9 군인 등의 복무 중 자살로 인한 사망과 직무수행 사이에 상당인과관계를 인정할 수 있는 경우 및 이때 상당인과관계를 인정하기 위하여 고려할 사항

군인 등이 직무상 과로나 스트레스로 우울증 등 질병이 발생하거나 직무상 과로나 스트레스가 우울증 등 질병의 주된 발생원인과 겹쳐서 질병이 유발 또는 악화되고, 그러한 질병으로 정상적인 인식능력이나 행위선택능력, 정신적 억제력이 현저히 저하되어 합리적인 판단을 기대할 수 없을 정도의 상황에서 자살에 이르게 된 것이라고 추단할 수 있는 때에는 직무수행과 사망 사이에 상당인과관계를 인정할 수 있다. 그리고 이와 같은 상당인과관계를 인정하기 위하여는 자살자가 담당한 직무의 내용 · 성질 · 업무의 양과 강도, 우울증 등 질병의 발병 경위 및 일반적인 증상, 자살자의 연령, 신체적 · 심리적 상황 및 자살자를 에워싸고 있는 주위상황, 자살에 이르게 된 경위 등 제반 사정을 종합적으로 고려하여야 한다(대판 2020.2.13. 2017두47885).

핵심 OX

02 개별공시지가 산정업무 담당공무원 등이 그 직무상 의무에 위반하여 현저하게 불합리한 개별공시지가가 결정되도록 함으로써 甲의 재산권을 침해한 경우 상당인과관계가 인정되는 범위에서 그 손해에 대하여 그 담당공무원 등이 속한 지방자치단체가 배상책임을 지게 된다. 19. 국가7급 ( )

03 공무원에게 부과된 직무상 의무의 내용이 공공 일반의 이익을 위한 것이거나 행정기관의 내부질서를 규율하기 위한 경우에도 공무원이 그 직무상 의무를 위반하여 피해자가 입은 손해에 대하여서는 상당인과관계가 인정되는 범위 내에서 국가가 배상책임을 진다. 19 · 12. 국회8급, 15. 국가9급 ( )

04 공무원이 직무상 의무를 위반함으로 인하여 피해자가 입은 손해에 대하여는 상당인과관계가 인정되는 범위 내에서 국가가 배상책임을 지는 것이고 이때 상당인과관계의 유무를 판단함에 있어서는 일반적인 결과 발생의 개연성은 물론 직무상 의무를 부과하는 법령 기타 행동규범의 목적, 그 수행하는 직무의 목적 내지 기능으로부터 예견가능한 행위 후의 사정, 가해행위의 태양 및 피해의 정도 등을 종합적으로 고려하여야 한다. 12. 사복 ( )

02 ○ 03 × 04 ○

10 금융위원회의 설치 등에 관한 법률의 입법 취지에 비추어 볼 때 피고 금융감독원 및 그 직원들의 위법한 직무집행과 해당 저축은행의 후순위사채에 투자한 원고들이 입은 손해 사이에 상당인과관계가 인정되는지 여부(소극)

금융위원회의 설치 등에 관한 법률의 입법 취지 등에 비추어 볼 때, 피고 금융감독원에 금융기관에 대한 검사 · 감독의무를 부과한 법령의 목적이 금융상품에 투자한 투자자 개인의 이익을 직접 보호하기 위한 것이라고 할 수 없으므로, 피고 금융감독원 및 그 직원들의 위법한 직무집행과 부산2저축은행의 후순위사채에 투자한 원고들이 입은 손해 사이에 상당인과관계가 있다고 보기 어렵다고 판단하였다(대판 2015.12.23. 2015다210194).

11 음주운전으로 적발된 주취운전자가 도로 밖으로 차량을 이동하겠다며 단속 경찰관으로부터 보관 중이던 차량열쇠를 반환받아 몰래 차량을 운전하여 가던 중 사고를 일으킨 경우, 국가배상책임을 인정할 수 있는지 여부(소극)

경찰관의 주취운전자에 대한 권한 행사가 관계 법률의 규정 형식상 경찰관의 재량에 맡겨져있다고 하더라도, 그러한 권한을 행사하지 아니한 것이 구체적인 상황하에서 현저하게 합리성을 잃어 사회적 타당성이 없는 경우에는 경찰관의 직무상 의무를 위배한 것으로서 위법하게 된다. 음주운전으로 적발된 주취운전자가 도로 밖으로 차량을 이동하겠다며 단속 경찰관으로부터 보관 중이던 차량열쇠를 반환받아 몰래 차량을 운전하여 가던 중 사고를 일으킨 경우, 국가배상책임을 인정한다(대판 1998.5.8. 97다54482).

핵심 OX

01 음주운전으로 적발된 주취운전자가 도로 밖으로 차량을 이동하겠다며 단속 경찰관으로부터 보관 중이던 차량열쇠를 반환받아 몰래 차량을 운전하여 가던 중 사고를 일으킨 경우, 국가배상책임이 인정되지 않는다. 24. 국가9급 (　)

01 X

판례정리 탈영 관련 판례 비교

국가배상 긍정	국가배상 부정
• 군행형법 등이 경계감호를 위하여 관련 공무원에게 각종 직무상의 의무를 부과하고 있는 것은, 일차적으로는 교도소의 내부질서를 유지하기 위한 것이라 할 것이지만, 부수적으로는 그 수용자들이 탈주한 경우에 그 도주과정에서 일어날 수 있는 2차적 범죄행위로부터 일반 국민을 보호하고자 하는 목적도 있다고 할 것이므로, 국가공무원들이 위와 같은 직무상의 의무를 위반한 결과 수용자들이 탈주함으로써 일반 국민에게 손해를 입히는 사건이 발생하였다면, 국가는 그로 인하여 피해자들이 입은 손해를 배상할 책임이 있다(대판 2003.2.14. 2002다62678). • 일병이 수류탄을 절취하여 탈영하였음에도 휴가간 것으로 관계서류를 허위작성하여 탈영사실을 은폐하는 등 상관들이 탄약고관리 및 병력관리를 소홀히 한 과실이 있으므로, 탈영병이 불심검문을 받자 위 수류탄을 폭발시켜 마침 그 곳을 지나가던 국민이 실명케 된 사건에 대해 국가는 손해배상책임이 있다(대판 1981.7.28. 80다3201). • 위병근무 중 탈영한 하사가 총기난사행위를 한 사건과 관련 지휘관이 그 탈영병이 문제사병임을 알고 있었음에도 지휘관으로서 선도와 사고방지에 노력하는 등의 병력관리에 소홀하는 등의 과실이 인정된다면 탈영병의 총기난사행위로 인한 피해는 지휘관의 병력관리	군병원에 입원 중이던 사병들이 탈영하여 강도살인행위를 한 경우에 있어 병원의 일직사령과 당직 군의관이 사병들의 탈영을 방지하지 못한 당직의무를 해태한 과실이 있을지라도, 이는 탈영병들의 강도살인행위와 상당인과관계가 있다고까지는 볼 수 없으므로 일직사령 등의 과실을 원인으로 하여 국가에게 배상책임을 인정하기 위하여는, 사병들이 강도의 모의를 하고 탈영하여 강도 또는 강도살인행위를 할 것이라는 특별한 사정을 알았거나 알 수 있었다는 사실이 인정되어야 한다(대판 1988.12.27. 87다카2293).

소홀과 지휘관 및 위병소 근무자들의 군무집행을 함에 있어서 법령에 규정된 의무를 다하지 아니한 과실로 인한 것으로 인정할 수 있다(대판 1985.7.9. 84다카1115).

관련판례

1 한센병을 앓은 적이 있는 甲 등이 국가가 한센병 환자의 치료 및 격리수용을 위하여 운영·통제해 온 국립 소록도병원 등에 입원해 있다가 위 병원 등에 소속된 의사 등으로부터 정관절제수술 또는 임신중절수술을 받았음을 이유로 국가를 상대로 손해배상을 구한 사안에서, 국가배상책임을 인정한 사건

한센병을 앓은 적이 있는 甲 등이 국가가 한센병 환자의 치료 및 격리수용을 위하여 운영·통제해 온 국립 소록도병원 등에 입원해 있다가 위 병원 등에 소속된 의사 등으로부터 정관절제수술 또는 임신중절수술을 받았음을 이유로 국가를 상대로 손해배상을 구한 사안에서, 의사 등이 한센인인 甲 등에 대하여 시행한 정관 절제수술과 임신중절수술은 법률상 근거가 없거나 적법 요건을 갖추었다고 볼 수 없는 점, 수술이 행해진 시점에서 의학적으로 밝혀진 한센병의 유전위험성과 전염위험성, 치료가능성 등을 고려해 볼 때 한센병 예방이라는 보건정책목적을 고려하더라도 수단의 적정성이나 피해의 최소성을 인정하기 어려운 점, 甲 등이 수술에 동의 내지 승낙하였다 할지라도, 甲 등은 한센병이 유전되는지, 자녀에게 감염될 가능성이 어느 정도인지, 치료가 가능한지 등에 관하여 충분히 설명을 받지 못한 상태에서 한센인에 대한 사회적 편견과 차별, 열악한 사회·교육·경제적 여건 등으로 어쩔 수 없이 동의 내지 승낙한 것으로 보일 뿐 자유롭고 진정한 의사에 기한 것으로 볼 수 없는 점 등을 종합해 보면, 국가는 소속 의사 등이 행한 위와 같은 행위로 甲 등이 입은 손해에 대하여 국가배상책임을 부담한다(대판 2017.2.15. 2014다230535).

2 대통령긴급조치(긴급조치 제9호)의 발령·적용·집행으로 강제수사를 받거나 유죄판결을 선고받고 복역함으로써 개별 국민이 입은 손해에 대하여 국가배상책임이 인정되는지 여부(적극)

보통 일반의 공무원을 표준으로 공무원이 직무를 집행하면서 객관적 주의의무를 소홀히 하고 그로 말미암아 그 직무행위가 객관적 정당성을 잃었다고 볼 수 있는 때에 국가배상법 제2조가 정한 국가배상책임이 성립할 수 있다. 공무원의 직무행위가 객관적 정당성을 잃었는지는 행위의 양태와 목적, 피해자의 관여 여부와 정도, 침해된 이익의 종류와 손해의 정도 등 여러 사정을 종합하여 판단하되, 손해의 전보책임을 국가가 부담할 만한 실질적 이유가 있는지도 살펴보아야 한다.

구 국가안전과 공공질서의 수호를 위한 대통령긴급조치(1975.5.13. 대통령긴급조치 제9호, 이하 '긴급조치 제9호'라고 한다)는 위헌·무효임이 명백하고 긴급조치 제9호 발령으로 인한 국민의 기본권 침해는 그에 따른 강제수사와 공소제기, 유죄판결의 선고를 통하여 현실화되었다. 이러한 경우 긴급조치 제9호의 발령부터 적용·집행에 이르는 일련의 국가작용은, 전체적으로 보아 공무원이 직무를 집행하면서 객관적 주의의무를 소홀히 하여 그 직무행위가 객관적 정당성을 상실한 것으로서 위법하다고 평가되고, 긴급조치 제9호의 적용·집행으로 강제수사를 받거나 유죄판결을 선고받고 복역함으로써 개별 국민이 입은 손해에 대해서는 국가배상책임이 인정될 수 있다(대판 2022.8.30. 2018다212610).

핵심 OX

02 교육공무원 성과상여금 지급지침에서 기간제 교원을 성과상여금 지급대상에서 제외하여도 이에 대해 국가배상책임이 있다고 할 수 없다.
18. 서울9급 (　)

02 ○

3 대통령긴급조치 제1호, 제4호

[1] 대통령긴급조치 제1호, 제4호의 발령 · 적용 · 집행으로 강제수사를 받거나 유죄판결을 선고받고 복역함으로써 개별 국민이 입은 손해에 대하여 국가배상책임이 인정되는지 여부(적극)

대통령긴급조치 제1호, 제4호는 위헌 · 무효임이 명백하고 긴급조치 제1호, 제4호 발령으로 인한 국민의 기본권 침해는 그에 따른 강제수사와 공소제기, 유죄판결의 선고를 통하여 현실화되었다. 이러한 경우 긴급조치 제1호, 제4호의 발령부터 적용 · 집행에 이르는 일련의 국가작용은 전체적으로 보아 공무원이 직무를 집행하면서 객관적 주의의무를 소홀히 하여 그 직무행위가 객관적 정당성을 상실한 것으로서 위법하다고 평가되고, 긴급조치 제1호, 제4호의 적용 · 집행으로 강제수사를 받거나 유죄판결을 선고받고 복역함으로써 개별 국민이 입은 손해에 대해서는 국가배상책임이 인정될 수 있다.

[2] 진실 · 화해를 위한 과거사정리 기본법 제2조 제1항 제3호의 '민간인 집단 희생사건', 같은 항 제4호의 '중대한 인권침해사건 · 조작의혹사건'에서 공무원의 위법한 직무집행으로 입은 손해에 대한 국가배상청구권에 민법 제766조 제2항에 따른 장기소멸시효가 적용되는지 여부(소극)

헌법재판소는 2018.8.30. 민법 제166조 제1항, 제766조 제2항 중 '진실 · 화해를 위한 과거사정리 기본법' 제2조 제1항 제3호의 '민간인 집단 희생사건', 같은 항 제4호의 '중대한 인권침해사건 · 조작의혹사건'에 적용되는 부분은 헌법에 위반된다는 결정을 선고하였다. 따라서 과거사정리법상 '민간인 집단 희생사건', '중대한 인권침해사건 · 조작의혹사건'에서 공무원의 위법한 직무집행으로 입은 손해에 대한 국가배상청구권에 대해서는 민법 제766조 제2항에 따른 장기소멸시효가 적용되지 않는다.

[3] 국가배상청구권에 관한 3년의 단기시효기간은 민법 제766조 제1항에서 정한 '손해 및 가해자를 안 날'에 더하여 민법 제166조 제1항에서 정한 '권리를 행사할 수 있는 때'가 도래하여야 시효가 진행하는지 여부(적극)

국가배상청구권에 관한 3년의 단기시효기간 기산에는 민법 제766조 제1항 외에 소멸시효의 기산점에 관한 일반규정인 민법 제166조 제1항이 적용된다. 따라서 3년의 단기시효기간은 그 '손해 및 가해자를 안 날'에 더하여 그 '권리를 행사할 수 있는 때'가 도래하여야 비로소 시효가 진행한다.

[4] 대통령긴급조치 제1호 및 제4호 위반 혐의로 영장 없이 체포되어 구속되었다가 기소되지 않은 채 구속취소로 석방된 甲이 구 민주화운동 관련자 명예회복 및 보상 등에 관한 법률상 민주화운동 관련자 인정결정을 받아 보상금 지급결정에 동의하고 보상금을 수령한 후 국가를 상대로 긴급조치 제1호 및 제4호에 근거한 수사 등이 불법행위에 해당한다며 국가배상을 구한 사안에서, 제반 사정을 종합하면 소 제기 당시까지도 甲이 국가를 상대로 긴급조치 제1호, 제4호에 기한 일련의 국가작용으로 인한 불법행위로 발생한 권리를 행사할 수 없는 장애사유가 있어 소멸시효가 완성되지 않았다고 보는 것이 타당하다고 한 사례

대통령긴급조치 제1호 및 제4호 위반 혐의로 영장 없이 체포되어 구속되었다가 기소되지 않은 채 구속취소로 석방된 甲이 구 민주화운동 관련자 명예회복 및 보상 등에 관한 법률상 민주화운동 관련자 인정결정을 받아 보상금 지급결정에 동의하고 보상금을 수령한 후 국가를 상대로 긴급조치 제1호 및 제4호에 근거한 수사 등이 불법행위에 해당한다며 국가배상을 구한 사안에서, 甲이 긴급조치 제1호, 제4호 위반 혐의로 체포되어 구속되었다가 구속취소로 석방되고 그 이후 자신에 대한 형사처분이 재심대상이 아니어서 형사재심절차를 거치지 아니한 채 국가배상청구에 이르게 된 경위, 긴급조치에 대한 사법적 심사가 이루어진 시기,

긴급조치 제1호, 제4호에 대한 위헌 · 무효 판단 이후에도 불법행위에 대한 국가배상청구를 원칙적으로 부정했던 대법원 판례의 존재, 민주화운동과 관련한 보상금 등 지급결정 동의에 재판상 화해의 효력을 인정하던 구 민주화보상법 제18조 제2항과 이에 대한 헌법재판소의 위헌 결정 등 제반 사정을 종합하면, 소 제기 당시까지도 甲이 국가를 상대로 긴급조치 제1호, 제4호에 기한 일련의 국가작용으로 인한 불법행위로 발생한 권리를 행사할 수 없는 장애사유가 있어 소멸시효가 완성되지 않았다고 보는 것이 타당하다(대판 2023.1.12. 2021다201184).

4 부마민주항쟁관련자의 명예회복 및 보상등에 관한 법률 제32조 제2항에 따라 보상금 등 지급결정에 동의함으로써 성립하는 재판상 화해의 대상에 부마민주항쟁과 관련하여 입은 피해 중 '정신적 손해' 부분이 포함되는지 여부(소극)

부마항쟁보상법 제32조 제2항은 "신청인이 제28조에 따라 이 법에 따른 보상금 등의 지급결정에 동의한 때에는 부마민주항쟁과 관련하여 입은 피해에 대하여 민사소송법에 따른 재판상 화해가 성립된 것으로 본다."라고 규정하고 있다(이하 '화해간주조항'이라 한다). 화해간주조항은 관련자와 그 유족이 위원회의 지급결정에 동의하여 적절한 보상을 받은 경우 보상금 등 지급절차를 신속하게 이행 · 종결시킴으로써 이들을 신속히 구제하고 보상금 등 지급결정에 안정성을 부여하기 위하여 도입된 것으로서 화해간주조항에서 규정하는 '피해'란 적법한 행위로 발생한 손실과 위법한 행위로 발생한 손해를 모두 포함하는 포괄적인 개념에 해당한다. 그런데 앞서 본 바와 같이 부마항쟁보상법과 그 시행령이 규정하는 보상금 등에는 정신적 손해배상에 상응하는 항목이 존재하지 아니하고, 위원회가 보상금 등을 산정함에 있어 정신적 손해를 고려할 수 있다는 규정도 확인되지 아니한다. 따라서 보상금 등의 지급만으로 정신적 손해에 대한 적절한 배상이 이루어졌다고 보기 어렵다. 정신적 손해에 대해 적절한 배상이 이루어지지 않은 상태에서 화해간주조항에 따라 정신적 손해를 포함한 피해 일체에 대해 재판상 화해가 성립한 것으로 간주한다면, 적극적 · 소극적 손실이나 손해의 보상 또는 배상에 상응하는 보상금 등 지급결정에 동의하였다는 사정만으로 정신적 손해에 대한 국가배상청구를 제한하는 것으로서 국가배상청구권에 대한 과도한 제한에 해당한다. 나아가 적절한 손실보상과 손해배상을 전제로 한 관련자의 신속한 구제와 지급결정에 대한 안정성 부여라는 공익에도 부합하지 아니한다. 따라서 화해간주조항에 따라 보상금등 지급결정에 동의함으로써 성립하는 재판상 화해의 대상에 부마민주항쟁과 관련하여 입은 피해 중 '정신적 손해' 부분은 포함되지 아니한다고 해석함이 타당하다(대판 2023.9.21. 2023다230476).

관련판례

1 대한변호사협회는 등록거부사유가 없음에도 변호사등록을 지연한 것이 불법행위인지 여부(적극)

甲이 선고유예 판결의 확정으로 변호사등록이 취소되었다가 선고유예기간이 경과한 후 대한변호사협회에 변호사 등록신청을 하였는데, 협회장 乙이 등록심사위원회에 甲에 대한 변호사등록 거부 안건을 회부하여 소정의 심사과정을 거쳐 대한변호사협회가 甲의 변호사등록을 마쳤고, 이에 甲이 대한변호사협회 및 협회장 乙을 상대로 변호사 등록거부사유가 없음에도 위법하게 등록심사위원회에 회부되어 변호사등록이 2개월간 지연되었음을 이유로 손해배상을 구한 사안에서, 대한변호사협회는 등록신청인이 변호사법 제8조 제1항 각 호에서 정한 등록거부사유에 해당하는 경우에만 변호사 등록을 거부할 수 있고, 그 외 다른 사유를 내세워 변호사등록을 거부하거나 지연하는 것은 허용될 수 없는데, 甲의 선고유예 판결에 따른 결격사유 이외에 변호사법이 규정한 다른 등록거부사유가 있는지 여부를 짧은 시간 안에 명백하게 확인할 수 있었음에도 그러한 확인절차를 거치지 않은 채 단순한 의심만으로 변호사등록 거부 안건을 등록심사위원회에 회부하고, 여죄 유무를 추궁한다며 등록심사기간을 지연시킨 것에 관하여 협회장 乙 및 등록심사위원회 위원들의 과실이 인정되므로, 대한변호사협회는 이들이 속한 행정주체의 지위에서 배상책임을 부담하여야 하고, 甲에게 변호사등록이 위법하게 지연됨으로 인하여 얻지 못한 수입 상당액의 손해를 배상할 의무가 있는 반면, 乙은 대한변호사협회의 장(長)으로서 국가로부터 위탁받은 공행정사무인 '변호사등록에 관한 사무'를 수행하는 범위 내에서 국가배상법 제2조에서 정한 공무원에 해당하므로 경과실 공무원의 면책 법리에 따라 甲에 대한 배상책임을 부담하지 않는다(대판 2021.1.28. 2019다260197).

2 수사기관이 고의 또는 과실로 위 직무상 의무를 위반하여 피의자신문조서를 작성함으로써 피의자의 방어권이 실질적으로 침해된 경우, 국가배상책임이 성립하는지 여부(적극)

수사기관은 수사 등 직무를 수행할 때에 헌법과 법률에 따라 국민의 인권을 존중하고 공정하게 하여야 하며 실체적 진실을 발견하기 위하여 노력하여야 할 법규상 또는 조리상의 의무가 있고, 특히 피의자가 소년 등 사회적 약자인 경우에는 수사과정에서 방어권 행사에 불이익이 발생하지 않도록 더욱 세심하게 배려할 직무상 의무가 있다. 따라서 경찰관은 피의자의 진술을 조서화하는 과정에서 조서의 객관성을 유지하여야 하고, 고의 또는 과실로 위 직무상 의무를 위반하여 피의자신문조서를 작성함으로써 피의자의 방어권이 실질적으로 침해되었다고 인정된다면, 국가는 그로 인하여 피의자가 입은 손해를 배상하여야 한다(대판 2020.4.29. 2015다224797).

3 손해배상책임의 내용

1. 배상기준

국가배상법 제3조【배상기준】 ① 제2조 제1항을 적용할 때 타인을 사망하게 한 경우(타인의 신체에 해를 입혀 그로 인하여 사망하게 한 경우를 포함한다) 피해자의 상속인(이하 '유족'이라 한다)에게 다음 각 호의 기준에 따라 배상한다.

1. 사망 당시(신체에 해를 입고 그로 인하여 사망한 경우에는 신체에 해를 입은 당시를 말한다)의 월급액이나 월실수입액(月實收入額) 또는 평균임금에 장래의 취업가능기간을 곱한 금액의 유족배상(遺族賠償)

2. 대통령령으로 정하는 장례비
② 제2조 제1항을 적용할 때 타인의 신체에 해를 입힌 경우에는 피해자에게 다음 각 호의 기준에 따라 배상한다.
1. 필요한 요양을 하거나 이를 대신할 요양비
2. 제1호의 요양으로 인하여 월급액이나 월실수입액 또는 평균임금의 수입에 손실이 있는 경우에는 요양기간 중 그 손실액의 휴업배상(休業賠償)
3. 피해자가 완치 후 신체에 장해(障害)가 있는 경우에는 그 장해로 인한 노동력 상실 정도에 따라 피해를 입은 당시의 월급액이나 월실수입액 또는 평균임금에 장래의 취업가능기간을 곱한 금액의 장해배상(障害賠償)
③ 제2조 제1항을 적용할 때 타인의 물건을 멸실·훼손한 경우에는 피해자에게 다음 각 호의 기준에 따라 배상한다.
1. 피해를 입은 당시의 그 물건의 교환가액 또는 필요한 수리를 하거나 이를 대신할 수리비
2. 제1호의 수리로 인하여 수입에 손실이 있는 경우에는 수리기간 중 그 손실액의 휴업배상
④ 생명·신체에 대한 침해와 물건의 멸실·훼손으로 인한 손해 외의 손해는 불법행위와 상당한 인과관계가 있는 범위에서 배상한다.
⑤ 사망하거나 신체의 해를 입은 피해자의 직계존속·직계비속 및 배우자, 신체의 해나 그 밖의 해를 입은 피해자에게는 대통령령으로 정하는 기준 내에서 피해자의 사회적 지위, 과실의 정도, 생계 상태, 손해배상액 등을 고려하여 그 정신적 고통에 대한 위자료를 배상하여야 한다.

(1) 배상액과 그 범위

배상액은 가해행위와 상당인과관계에 있는 모든 손해를 배상하여야 하며, 생명·신체에 대한 피해를 입은 자와 유족은 정신적 고통에 대한 위자료도 청구할 수 있다.

관련판례

1 재산권 침해에 대한 위자료

국가배상법 제3조 제5항에 생명, 신체에 대한 침해로 인한 위자료의 지급을 규정하였을 뿐이고 재산권 침해에 대한 위자료의 지급에 관하여 명시한 규정을 두지 아니하였으나 같은 법조 제4항의 규정이 재산권 침해로 인한 위자료의 지급의무를 배제하는 것이라고 볼 수는 없다(대판 1990.12.21. 90다6033).

2 불법행위에 의하여 재산권이 침해된 경우 그로 인한 정신적 손해에 대한 위자료

일반적으로 타인의 불법행위로 인하여 재산권이 침해된 경우에는 그 재산적 손해의 배상에 의하여 정신적 고통도 회복된다고 보아야 하지만, 재산상의 손해 이외에 명예나 신용의 훼손 등으로 재산적 손해의 배상만으로는 회복할 수 없는 정신적 손해가 있는 경우에는 그로 인한 정신적 고통에 대하여 위자료를 지급하여야 한다(대판 1997.2.14. 96다36159).

(2) 과실상계

공무원의 위법한 행위로 인하여 손해가 발생하였을 때, 피해자의 과실이 손해의 발생 또는 손해의 확대에 기여한 경우 손해의 공평분담을 위하여 피해자와 손해배상금을 산정할 때 피해자의 **과실을 참작**하게 된다. **과실상계**는 국가배상법에는 명문의 규정이 없으나 국가배상법 시행령 제21조 제1항에는 규정을 두고 있다.

핵심 OX

01 국가배상책임의 대상이 되는 손해에는 재산상의 손해는 물론 정신상의 손해도 포함된다. 15. 교행, 06. 관세사 ( )

01 ○

(3) 이익공제(손익상계)

국가배상법 제3조의2 【공제액】 ① 제2조 제1항을 적용할 때 피해자가 손해를 입은 동시에 이익을 얻은 경우에는 손해배상액에서 그 이익에 상당하는 금액을 빼야 한다.
② 제3조 제1항의 유족배상과 같은 조 제2항의 장해배상 및 장래에 필요한 요양비 등을 한꺼번에 신청하는 경우에는 중간이자를 빼야 한다.
③ 제2항의 중간이자를 빼는 방식은 대통령령으로 정한다.

피해자가 손해를 입은 동시에 이익을 얻은 경우에는 **손해배상액**에서 그 **이익에 상당하는** 금액을 **공제**하여야 한다(제3조의2 제1항).

(4) 중간이자공제

국가배상법상 유족배상과 장해배상 및 장래에 필요한 요양비 등을 일시에 신청하는 경우에는 중간이자를 공제하여야 한다. 중간이자공제방식은 대통령령으로 정한다(제3조의2 제3항). 이에 따라 국가배상법 시행령(제6조 제3항)에 단할인법(호프만식)에 의한 중간이자공제를 규정하고 있다.

(5) 생명 · 신체의 침해에 대한 특례(제3조)

국가배상법 제3조는 생명 · 신체의 침해에 대한 손해배상의 기준을 정하고 있는데, 이 규정의 법적 성질에 관해서는 견해의 대립이 있다.

① **한정액설:** 제3조의 규정을 배상액의 '상한'을 규정한 제한규정으로 보는 견해이다.

② **기준액설:** 제3조의 규정은 **단순한 배상기준**에 불과하며, 구체적 사안에서 배상액을 증감하는 것이 가능하다는 견해이다. 이는 통설 · 판례의 입장이다(대판 1970.3.10. 69다1772).

(6) 압류 · 양도의 금지(국가배상법 제4조)

국가배상법 제4조 【양도 등 금지】 생명 · 신체의 침해로 인한 국가배상을 받을 권리는 양도하거나 압류하지 못한다.

생명 · 신체의 침해로 인한 손해배상청구권은 이를 양도하거나 압류하지 못한다. 그러나 **재산권의 침해**로 인한 손해배상청구권은 **양도 · 압류가 가능**하다.

2. 배상책임자

(1) 배상책임자의 의미

배상책임자는 공무원이 소속된 **국가** 또는 **지방자치단체**이다.❶

(2) 가해행위를 한 공무원의 선임 · 감독자와 비용부담자가 다른 경우의 책임

가해행위를 한 공무원의 '선임 · 감독자'와 봉급 · 급여 그 밖의 '비용부담자'가 동일하지 않을 때에는, 그 **비용을 부담하는 자도 배상책임**을 지며(국가배상법 제6조 제1항), 피해자는 **선택적**으로 **배상청구권을 행사**할 수 있다. 이 경우에 손해를 배상한 자는 내부관계에서 그 손해를 배상할 책임이 있는 자에게 구상할 수 있다(동법 제6조 제2항).

핵심 OX

01 피해자가 손해를 입은 동시에 이익을 얻은 경우 이를 공제할 수 없으며 이것은 국가배상법이 가지는 생계보장적 성격에서 타당하다. 08. 국가7급 ( )

02 피해자가 손해를 입은 동시에 이익을 얻은 경우에는 손해배상액에서 그 이익에 상당하는 금액을 빼야 한다. 15. 사복 ( )

핵심 OX

03 국가배상법이 정하는 배상기준의 성격에 대하여 판례는 한정액설을 취함으로써 국가배상법이 정하는 배상금액 이상의 배상을 인정하지 아니한다. 08. 국가7급 ( )

핵심 OX

04 생명 · 신체의 침해로 인한 국가배상을 받을 권리는 양도하거나 압류하지 못한다. 13. 국가9급, 11. 국가7급 ( )

05 국가배상법은 헌법과 달리 국가배상책임의 주체를 국가 또는 공공단체로 규정하고 있다. 15. 사복 변형 ( )

06 공무원의 선임 · 감독을 맡은 자와 봉급 · 급여 기타의 비용을 부담하는 자가 동일하지 아니할 때에는 그 비용을 부담하는 자도 당해 공무원의 불법행위에 대하여 배상책임을 진다. 14. 사복, 07. 서울9급 ( )

❶ **배상책임자 규정**
· 헌법: 국가 · 공공단체
· 국가배상법: 국가 · 지자체

01 X **02** O **03** X **04** O **05** X **06** O

(3) 기관위임사무에 있어서 선임·감독자와 비용부담자가 다른 경우의 책임

기관위임사무는 위임자의 비용과 책임에 의하여 수임자가 사무를 처리하는 것이므로, 손해배상책임은 원칙적으로 **위임자**인 국가 또는 공공단체에게 있다. 다만, **수임자**가 담당 공무원의 봉급 등 비용을 부담하는 경우에는 수임자인 지방자치단체에 대해서도 **선택적**으로 **손해배상을 청구**할 수 있다.

3. 구상권

(1) 공무원에 대한 구상(국가배상법 제2조 제2항)

공무원에게 **고의** 또는 **중대한 과실**이 있으면 국가나 지방자치단체는 그 **공무원에게 구상**할 수 있다.

관련판례

1 공무원이 직무수행 중 불법행위로 타인에게 손해를 입힌 경우, 피해자에게 손해를 직접 배상한 경과실이 있는 공무원이 국가에 대하여 구상권을 취득하는지 여부(원칙적 적극)

공무원이 직무수행 중 불법행위로 타인에게 손해를 입힌 경우에 국가 등이 국가배상책임을 부담하는 외에 공무원 개인도 고의 또는 중과실이 있는 경우에는 불법행위로 인한 손해배상책임을 지고, 공무원에게 경과실이 있을 뿐인 경우에는 공무원 개인은 손해배상책임을 부담하지 아니한다. 이처럼 경과실이 있는 공무원이 피해자에 대하여 손해배상책임을 부담하지 아니함에도 피해자에게 손해를 배상하였다면 그것은 채무자 아닌 사람이 타인의 채무를 변제한 경우에 해당하고, 이는 민법 제469조의 '제3자의 변제' 또는 민법 제744조의 '도의관념에 적합한 비채변제'에 해당하여 피해자는 공무원에 대하여 이를 반환할 의무가 없고, 그에 따라 피해자의 국가에 대한 손해배상청구권이 소멸하여 국가는 자신의 출연 없이 채무를 면하게 되므로, 피해자에게 손해를 직접 배상한 경과실이 있는 공무원은 특별한 사정이 없는 한 국가에 대하여 국가의 피해자에 대한 손해배상책임의 범위 내에서 공무원이 변제한 금액에 관하여 구상권을 취득한다고 봄이 타당하다(대판 2014.8.20. 2012다54478).

2 공중보건의인 甲에게 치료를 받던 乙이 사망하자 乙의 유족들이 甲 등을 상대로 손해배상청구의 소를 제기하였고, 甲의 의료과실이 인정된다는 이유로 甲 등의 손해배상책임을 인정한 판결이 확정되어 甲이 乙의 유족들에게 판결금 채무를 지급한 사안에서, 직무 수행 중 경과실로 타인에게 손해를 입힌 甲은 국가에 대하여 구상권을 취득한다고 한 사례

甲은 공무원으로서 직무 수행 중 경과실로 타인에게 손해를 입힌 것이어서 乙과 유족들에 대하여 손해배상책임을 부담하지 아니함에도 乙의 유족들에 대한 패소판결에 따라 그들에게 손해를 배상한 것이고, 이는 민법 제744조의 도의관념에 적합한 비채변제에 해당하여 乙과 유족들의 국가에 대한 손해배상청구권은 소멸하고 국가는 자신의 출연 없이 채무를 면하였으므로, 甲은 국가에 대하여 변제금액에 관하여 구상권을 취득한다(대판 2014.8.20. 2012다54478).

핵심 OX

07 피해자에게 손해를 직접 배상한 경과실이 있는 공무원은 특별한 사정이 없는 한, 국가의 피해자에 대한 손해배상책임의 범위 내에서 자신이 변제한 금액에 관하여 국가에 대한 구상권을 취득한다. 19. 국가9급 ( )

08 피해자에게 손해를 직접 배상한 경과실이 있는 공무원이 국가에 대하여 국가의 손해배상책임의 범위 내에서 자신이 변제한 금액에 관하여 구상권을 행사하는 것은 권리남용으로 허용되지 아니한다. 15. 지방9급·서울7급, 14. 사복 ( )

09 가해공무원에 대한 국가의 구상권의 범위는 가해공무원의 직무내용, 불법행위의 상황 등 제반 사정을 고려하여 판단하여야 한다. 05. 부산9급( )

07 ○ 08 × 09 ○

(2) 구상권의 성질

① **대위책임설:** 부당이득반환청구권

② **자기책임설:** 채무불이행과 유사한 책임

(3) 공무원의 선임·감독자와 비용부담자가 다른 경우(제6조 제2항)

비용을 부담하는 자가 배상을 한 때에는 내부관계에서 그 손해를 배상할 책임이 있는 자에게 구상할 수 있다.

4. 배상청구권의 소멸시효

국가배상법은 소멸시효에 관해 명문으로 규정하고 있지 않는 결과 민법에 따라 손해 및 가해자를 안 날로부터 **3년**이 경과하면 청구권이 소멸된다(국가배상법 제8조, 민법 제766조 제1항). 헌법재판소는 국가배상에 민법의 소멸시효를 적용하도록 한 것은 위헌이 아니라는 입장이다(헌재 1997.2.20. 96헌바24). **배상심의회**에의 **지급신청**은 **시효중단사유**에 해당한다.

관련판례

1 수사과정에서 불법구금이나 고문을 당한 사람이 공판절차에서 유죄 확정판결을 받고 수사관들을 직권남용, 감금 등 혐의로 고소하였으나 검찰에서 '혐의 없음' 결정을 받은 경우, 재심절차에서 무죄판결이 확정될 때까지는 국가를 상대로 불법구금이나 고문을 원인으로 한 손해배상청구를 할 것을 기대할 수 없는 장애사유가 있었다고 보아야 하는지 여부(적극)

수사과정에서 불법구금이나 고문을 당한 사람이 그에 이은 공판절차에서 유죄 확정판결을 받고 수사관들을 직권남용, 감금 등 혐의로 고소하였으나 검찰에서 '혐의 없음' 결정까지 받았다가 나중에 재심절차에서 범죄의 증명이 없는 때에 해당한다는 이유로 형사소송법 제325조 후단에 따라 무죄판결을 선고받은 경우, 이러한 무죄판결이 확정될 때까지는 국가를 상대로 불법구금이나 고문을 원인으로 한 손해배상청구를 할 것을 기대할 수 없는 장애사유가 있었다고 보아야 한다. 이처럼 불법구금이나 고문을 당하고 공판절차에서 유죄 확정판결을 받았으며 수사관들을 직권남용, 감금 등 혐의로 고소하였으나 '혐의 없음' 결정까지 받은 경우에는 재심절차에서 무죄판결이 확정될 때까지 국가배상책임을 청구할 것을 기대하기 어렵고, 채무자인 국가가 그 원인을 제공하였다고 볼 수 있기 때문이다(대판 2019.1.31. 2016다258148).

2 1949년 공비소탕작전을 수행하던 군인들이 문경군 석달마을 주민들을 무차별 사살한 이른바 '문경학살 사건'희생자들의 유족들이 국가를 상대로 손해배상을 구한 사안에서, 국가가 소멸시효완성을 주장하여 채무이행을 거절하는 것은 현저히 부당하여 신의성실 원칙에 반하는 것으로서 허용될 수 없다고 한 사례(문경학살 사건)

[1] 채무자의 소멸시효에 기한 항변권의 행사도 우리 민법의 대원칙인 신의성실 원칙과 권리남용금지 원칙의 지배를 받는 것이어서, 채무자가 시효완성 전에 채권자의 권리행사나 시효중단을 불가능 또는 현저히 곤란하게 하였거나, 그러한 조치가 불필요하다고 믿게 하는 행동을 하였거나, 객관적으로 채권자가 권리를 행사할 수 없는 장애사유가 있었거나, 일단 시효완성 후에 채무자가 시효를 원용하지 아니할 것 같은 태도를 보여 권리자로 하여금 그와 같이 신뢰하게 하였거나,

핵심 OX

01 국가배상청구권은 피해자나 그 법정대리인이 그 손해 및 가해자를 안 날로부터 3년간 이를 행사하지 아니하면 시효로 인하여 소멸한다.
18. 서울7급, 15. 사복, 11. 국회8급, 08. 국가7급 ( )

02 국가배상청구에 있어서 채권자가 동일한 목적을 달성하기 위하여 복수의 채권을 갖고 있는 경우 어느 하나의 청구권을 행사하는 것이 다른 채권에 대한 소멸시효 중단의 효력이 있다고 할 수 없다.
08. 지방7급 ( )

03 배상청구권의 시효와 관련하여 '가해자를 안다는 것'은 피해자나 그 법정대리인이 가해 공무원의 불법행위가 그 직무를 집행함에 있어서 행해진 것이라는 사실까지 인식함을 요구하지 않는다.
17. 국가7급 ( )

01 ○ **02** ○ **03** X

채권자 보호의 필요성이 크고 같은 조건의 다른 채권자가 채무의 변제를 수령하는 등의 사정이 있어 채무이행의 거절을 인정함이 현저히 부당하거나 불공평하게 되는 등의 특별한 사정이 있는 경우에는 채무자가 소멸시효 완성을 주장하는 것이 신의성실 원칙에 반하여 권리남용으로서 허용될 수 없다.

[2] 1949년 공비소탕작전을 수행하던 군인들이 전투능력은 물론 공비 협력 활동을 할 가능성이 거의 없는 어린이, 노약자, 부녀자들을 포함한 문경군 석달마을 주민들을 무차별 사살한 이른바 '문경학살 사건' 희생자들의 유족들이 국가를 상대로 손해배상을 구한 사안에서, 공비 소탕작전이 진행되는 상황에서 군인이 저지른 민간인 학살행위는 객관적으로 외부에서 알기 어려워 희생자들의 유족이라도 국가에 의하여 진상이 규명되기 전에는 국가 등을 상대로 손해배상을 청구한다는 것은 기대하기 어려운 점, 문경학살 사건에 대하여 진실 · 화해를 위한 과거사정리위원회에 의한 진실규명결정이 이루어지기 전까지 가해자가 소속된 국가가 진상을 규명한 적이 없었고, 오히려 사건 초기 국군을 가장한 공비에 의한 학살 사건으로 진상을 은폐 · 조작하였던 점, 유족들의 진상규명을 위한 노력만으로 진실이 밝혀지지 않은 상태에서 유족들이 손해배상청구권을 행사할 수 없는 장애사유가 해소되었다고 볼 수 없는 점, 전쟁이나 내란 등에 의하여 조성된 위난의 시기에 개인에게 국가기관이 조직을 통하여 집단적으로 자행하거나 또는 국가권력의 비호나 묵인하에 조직적으로 자행된 기본권 침해에 대한 구제는 통상의 법절차에 의해서는 사실상 달성하기 어려운 점 등에 비추어 위 과거사정리위원회의 진실규명결정이 있었던 때까지는 객관적으로 유족들이 권리를 행사할 수 없는 장애사유가 있었다고 보아야 하고, 여기에 어떠한 경우에도 적법한 절차 없이 국가가 보호의무를 지는 국민의 생명을 박탈할 수는 없다는 점을 더하여 보면, 진실을 은폐하고 진상규명을 위한 노력조차 게을리 한 국가가 이제 와서 뒤늦게 문경학살 사건의 유족들이 위 과거사정리위원회의 진실규명결정에 따라 진실을 알게 된 다음 제기한 손해배상청구의 소에 대하여 미리 소를 제기하지 못한 것을 탓하는 취지로 소멸시효완성의 항변을 하여 채무이행을 거절하는 것은 현저히 부당하여 신의칙에 반하는 것으로서 허용될 수 없다(대판 2011.9.8. 2009다66969).

3 공무원의 불법행위에 따른 국가배상청구권의 소멸시효기간이 지났으나 국가가 소멸시효완성을 주장하는 것이 신의성실의 원칙에 반하는 권리남용으로 허용될 수 없어 배상책임을 이행한 경우, 국가가 공무원에게 구상권을 행사할 수 있는지 여부(원칙적 소극)

공무원의 불법행위로 손해를 입은 피해자의 국가배상청구권의 소멸시효기간이 지났으나 국가가 소멸시효완성을 주장하는 것이 신의성실의 원칙에 반하는 권리남용으로 허용될 수 없어 배상책임을 이행한 경우에는, 소멸시효완성 주장이 권리남용에 해당하게 된 원인행위와 관련하여 공무원이 원인이 되는 행위를 적극적으로 주도하였다는 등의 특별한 사정이 없는 한, 국가가 공무원에게 구상권을 행사하는 것은 신의칙상 허용되지 않는다(대판 2016.6.10. 2015다217843).

핵심 OX

04 국가배상청구권의 소멸시효기간이 지났으나 국가가 소멸시효완성을 주장하는 것이 신의성실의 원칙에 반하는 권리남용으로 허용될 수 없어 배상책임을 이행한 경우에는, 그 소멸시효완성 주장이 권리남용에 해당하게 된 원인행위와 관련하여 해당 공무원이 그 원인이 되는 행위를 적극적으로 주도하였다는 등의 특별한 사정이 없는 한, 국가가 해당공무원에게 구상권을 행사하는 것은 신의칙상 허용되지 않는다. 19. 서울9급(6월) ( )

04 O

4 자녀가 세월호 사고로 사망하였는데, 사망사실을 뒤늦게 알게 된 모친이 국가를 상대로 손해배상을 구한 사건

[1] 국가배상법 제2조 제1항 본문 전단규정에 따른 배상청구권은 금전의 급부를 목적으로 하는 국가에 대한 권리로서 국가재정법 제96조 제2항, 제1항이 적용되므로 이를 5년간 행사하지 아니할 때에는 시효로 인하여 소멸한다. 소멸시효는 객관적으로 권리가 발생하여 그 권리를 행사할 수 있는 때로부터 진행하고 그 권리를 행사할 수 없는 동안은 진행하지 않으나, '권리를 행사할 수 없는' 경우란 권리행사에 법률상의 장애사유가 있는 경우를 의미하고 사실상 권리의 존재나 권리행사가능성을 알지 못하였고 알지 못함에 과실이 없다고 하여도 이에 해당하지 않는다.

[2] 어떤 권리의 소멸시효기간이 얼마나 되는지에 관한 주장은 단순한 법률상의 주장에 불과하여 변론주의의 적용대상이 되지 않으므로 법원이 직권으로 판단할 수 있다.

[3] 甲의 모친인 乙이 협의이혼 후 甲의 부친이 친권을 행사하였고, 甲은 세월호 사고로 사망하였는데, 그 후 甲의 사망사실을 뒤늦게 알게 된 乙이 국가를 상대로 손해배상을 구한 사안에서, 乙 고유의 위자료채권은 금전의 급부를 목적으로 하는 국가에 대한 권리이므로 국가재정법에 따른 5년의 소멸시효기간이 적용되고, 권리의 행사에 법률상의 장애사유가 없는 한 그 권리를 행사할 수 있는 때로부터 진행하므로, 세월호 사고 당시 해양경찰서 소속 공무원에 대한 업무상 과실치사죄의 유죄판결이 확정된 날로부터 기산하더라도 소멸시효기간이 경과하였다고 볼 여지가 크며, 한편 甲의 일실수입 및 위자료채권은 상속재산에 속한 권리로서 상속인이 확정된 때로부터 6월간 소멸시효가 정지되는데, 乙에 대하여 상속의 효과가 확정된 때는 乙이 甲의 사망사실을 알게 된 날 이후이고, 그로부터 6월의 소멸시효정지기간이 지나기 전에 乙이 소를 제기하였으므로, 甲의 일실수입 및 위자료채권에 대한 乙의 상속분은 소멸시효가 완성되지 않았다(대판 2023.12.14. 2023다248903).

5. 손해배상의 청구절차

(1) 행정절차에 의한 손해배상청구

국가배상법 제9조 【소송과 배상신청의 관계】 이 법에 따른 손해배상의 소송은 배상심의회에 배상신청을 하지 아니하고도 제기할 수 있다.

① **임의적 결정전치주의(국가배상법 제9조):** 과거에는 국가배상을 청구하기 위해서는 국가배상심의회의 결정을 거친 후에만 국가배상소송을 제기할 수 있는 필수적 전치주의를 채택하였으나, 2000년 12월 국가배상법의 개정으로 임의적 전치주의로 전환하였다. 따라서 배상심의회의 결정절차는 당사자의 선택에 맡겨져 있다.

관련판례

국가배상심의위원회의 결정이 행정처분인지 여부(소극)
국가배상법 제9조 본문의 규정에서 말하는 배상심의회의 위 결정을 거치는 것은 위 민사상의 손해배상청구를 하기 전의 전치요건에 불과하다고 할 것이므로 위 배상심의회의 결정은 이를 행정처분이라고 할 수 없어 행정소송의 대상이 아니다(대판 1981.2.10. 80누317).

② **배상심의회**

㉠ 배상심의회는 피해자의 배상신청에 대하여 심의·결정하는 기관으로서 **합의제 행정관청**이다.

㉡ 배상심의회는 법무부에 본부심의회, 국방부에 특별심의회(군인 또는 군무원이 타인에게 가한 손해의 배상결정을 심의)를 두며, 이들 아래에는 각각 지구심의회를 둔다. 본부심의회·특별심의회·지구심의회는 법무부장관의 지휘를 받는다.

③ **배상금지급 신청·결정의 재심**

㉠ 배상금을 지급받으려는 자는 그 주소지·소재지 또는 배상원인 발생지를 관할하는 지구심의회에 대하여 배상금 지급신청을 하여야 한다(국가배상법 제12조 제1항).

㉡ 배상심의회는 배상금 지급신청을 받은 때부터 **4주일 이내**에 배상금의 지급결정·기각결정 또는 각하결정을 하고(동법 제13조 제1항), 그 결정을 한 날부터 **1주일 이내**에 그 결정정본을 신청인에게 송달하여야 한다(동법 제14조 제1항).

㉢ 지구심의회의 회의를 소집할 시간적 여유가 없거나 그 밖의 부득이한 사유가 있으면 지구심의회의 위원장은 직권으로 사전지급을 결정할 수 있다. 이 경우 위원장은 지구심의회에 그 사실을 보고하고 추인을 받아야 하며, 지구심의회의 추인을 받지 못하면 그 결정은 효력을 상실한다(동법 제13조 제4항).

㉣ 지구심의회에서 배상신청이 기각(일부기각된 경우를 포함) 또는 각하된 신청인은 결정정본이 송달된 날로부터 **2주일 이내**에 그 심의회를 거쳐 본부심의회나 특별심의회에 **재심을 신청**할 수 있다(동법 제15조의2 제1항).

핵심 OX

01 국가배상소송은 배상심의회에 배상신청을 하지 아니하고도 제기할 수 있다.
15. 사복·국회8급, 13. 경특, 08. 선관위9급 ( )

핵심 OX

02 국가배상청구소송을 제기하기 전에 반드시 국가배상심의회의 결정을 거쳐야 하는 것은 아니므로 국가배상심의회의 결정이 어떠한 처분성을 갖는다고 할 수 없다.
15. 국회8급 ( )

03 군인 또는 군무원이 타인에게 가한 손해에 대한 배상신청사건을 심의하기 위하여 국방부에 두는 특별심의회는 법무부장관의 지휘를 받지 않는다. 08. 선관위9급 ( )

핵심 OX

04 국가배상법상 배상신청인은 배상심의회의 배상결정에 불복할 경우 결정자체에 대해 항고소송으로 다툴 수 있다는 것이 판례의 입장이다.
06. 국가7급 ( )

01 ○ **02** ○ **03** X **04** X

핵심 OX

01 국가배상법상 배상신청인은 배상심의회의 배상결정에 동의하여 배상금을 수령한 이후에도 손해배상소송을 제기하여 배상금의 증액을 청구할 수 있다. 06. 국가7급 ( )

④ 배상결정의 효력

㉠ 배상심의회의 결정은 신청인이 동의함으로써 효력이 발생한다. 구 국가배상법 제16조는 배상심의회의 결정에 대하여 신청인이 동의하거나 지방자치단체가 배상금을 지급한 때에는 민사소송법상의 재판상 화해가 성립한 것으로 본다는 규정이 있었으나, 과잉금지원칙과 재판청구권침해를 이유로 헌법재판소에 의하여 **위헌결정**이 내려졌다(헌재 1995.5.25. 91헌가7).

㉡ 현재는 신청인이 배상결정에 동의하거나 지방자치단체가 배상금을 지급한 때에도 **국가배상**을 **제기**할 수 있도록 국가배상법이 개정되었다.

구분	내용	위헌 여부	개정 여부
제9조 (필수적 전치주의)	이 법에 의한 손해배상의 소송은 배상심의회의 배상금지급 또는 기각의 결정을 거친 후에 한하여 이를 제기할 수 있다.	합헌 결정	개정
제16조 (배상결정효력)	심의회의 배상결정은 신청인이 동의하거나 지방자치단체가 배상금을 지급한 때에는 민사소송법의 규정에 의한 재판상의 화해가 성립된 것으로 본다.	위헌 결정	삭제

핵심 OX

02 국가배상책임을 공법적 책임으로 보는 견해는 국가배상청구소송은 당사자소송으로 제기되어야 한다고 보나, 재판실무에서는 민사소송으로 다루고 있다. 15. 서울9급 ( )

(2) 사법절차에 의한 손해배상청구

① **일반절차:** 국가배상소송을 제기하는 경우에 어떠한 절차에 의할 것인가에 대하여 다수설은 국가배상법을 공법으로 보고 이에 대한 쟁송은 공법상 당사자소송에 의하여야 한다고 하나, 판례는 국가배상법을 **사법**으로 보고 **민사소송**에 의하여야 한다는 입장이다.

② **특별절차:** 행정소송과 관련된 국가배상청구소송은 **행정소송에 병합**하여 제기할 수 있다(행정소송법 제10조 제2항). 이는 심리의 모순·중복을 피하려는 소송경제의 요구에 따른 것이다.

③ **가집행 선고문제:** 구 소송촉진 등에 관한 특례법 제6조 제1항은 국가를 상대로 한 재산권에 관한 소송에서는 국가를 상대로 가집행 선고를 할 수 없다고 규정하고 있었으나, 이에 대해서 헌법재판소는 평등원칙에 위배된다는 것을 이유로 **위헌결정**을 하였다(헌재 1989.1.25. 88헌가7). 따라서 이제는 국가를 상대로 하는 손해배상청구소송에서 **가집행을 선고**할 수 있게 개정되었다.

관련판례

소송촉진 등에 관한 특례법 제6조 제1항 중 단서 부분(국가를 상대로 하는 재산권의 청구에 관하여는 가집행의 선고를 할 수 없다)은 재산권과 신속한 재판을 받을 권리의 보장에 있어서 합리적 이유 없이 소송당사자를 차별하여 국가를 우대하고 있는 것이므로 헌법 제11조 제1항에 위반된다(헌재 1989.1.25. 88헌가7).

01 ○ 02 ○

판례연구 국가배상청구

1. 기본 판례

국가배상법상 제3조의 기준은 배상액의 기준을 제시하는 것에 불과하다.

> 국가배상법 제3조 제1항과 제3항의 손해배상기준은 배상심의회의 배상금지급기준을 정함에 있어서의 하나의 기준을 정한 것에 지나지 아니하고, 이로써 배상액의 상한을 제한한 것으로 볼 수는 없다(대판 1970.1.29. 69다1203).

2. 관련 판례

① 공무원에 고의 · 중과실이 있는 경우 선택적 청구가 가능하나, 경과실에 그치는 경우 선택적 청구가 불가하다.

② 기관위임사무의 경우 하위 지방자치단체 소속 공무원이 위임사무처리에 있어 고의 또는 과실로 타인에게 손해를 가하였더라도 상위 지방자치단체는 여전히 그 사무귀속 주체로서 손해배상책임을 진다.

③ 공무원이 직무상 자동차를 운전하다가 사고를 일으켜 다른 사람에게 손해를 입힌 경우에는 그 사고가 자동차를 운전한 공무원의 경과실에 의한 것인지 중과실 또는 고의에 의한 것인지를 가리지 않고, 그 공무원이 자동차손해배상 보장법 제3조 소정의 '자기를 위하여 자동차를 운행하는 자'에 해당하는 한 자동차손해배상 보장법상의 손해배상책임을 부담한다.

④ 기관위임사무의 경우 내부적 비용부담자인 국가와 대외적 비용부담자인 지방자치단체 모두 손해배상책임이 있다.

⑤ 영조물의 설치 · 관리의 비용을 실질적으로 부담하는 비용부담자와 단지 그 소속 공무원에게 봉급만을 지급하고 있는 자가 있는 경우, 손해배상의 궁극적인 책임은 설치 · 관리의 비용을 실질적으로 부담하는 비용부담자에게 있다.

제3절 국가배상법 제5조

1 영조물의 설치 · 관리의 하자로 인한 손해배상책임

1. 서설

국가배상법 제2조는 공무원의 고의 · 과실에 대한 손해배상을 규정하고 있고, 국가배상법 제5조는 **영조물의 설치 · 관리의 하자**로 인한 **손해배상**을 규정하고 있다.

> **국가배상법 제5조 【공공시설 등의 하자로 인한 책임】** ① 도로 · 하천, 그 밖의 공공의 영조물의 설치나 관리에 하자가 있기 때문에 타인에게 손해를 발생하게 하였을 때에는 국가나 지방자차단체는 그 손해를 배상하여야 한다. 이 경우 제2조 제1항 단서, 제3조 및 제3조의2를 준용한다.
> ② 제1항을 적용할 때 손해의 원인에 대하여 책임을 질 자가 따로 있으면 국가나 지방자치단체는 그 자에게 구상할 수 있다.

핵심 OX

01 영조물의 설치·관리상의 하자로 인한 배상책임은 무과실책임이고, 국가는 영조물의 설치·관리상의 하자로 인하여 타인에게 손해를 가한 경우에 그 손해방지에 필요한 주의를 해태하지 아니하였다 하여 면책을 주장할 수 없다. 19. 국회8급 ( )

02 국가 또는 지방자치단체가 관리하지만 사인의 소유에 속하는 공물에 대하여는 국가배상법 제5조가 적용되지 아니한다. 17. 지방7급, 14. 국가7급 ( )

03 '공공의 영조물'이라 함은 강학상 공물을 뜻하므로 국가 또는 지방자치단체가 사실상의 관리를 하고 있는 유체물은 포함되지 않는다. 18. 변호사, 17. 국가9급 ( )

04 국가배상법 제5조 제1항의 '공공의 영조물'이란 국가 또는 지방자치단체에 의하여 공공의 목적에 공여된 유체물 내지 물적 설비로서 국가 또는 지방자치단체가 소유권, 임차권 그 밖의 권한에 기하여 관리하고 있는 경우를 말하는 것으로, 그러한 권원 없이 사실상 관리하고 있는 경우는 포함되지 않는다. 17. 지방7급, 16. 국가9급, 14. 사복 ( )

05 관할 행정청이 관련 법령에 따라 사업실시계획을 인가·고시함으로써 공원시설의 종류·위치 및 범위 등이 구체적으로 확정되거나 도시계획사업 시행으로 도시공원이 실제로 설치된 국유 토지는 행정재산에 해당한다. 18. 국가7급 ( )

06 일반 공중이 사용하는 공공용물 외에 행정주체가 직접 사용하는 공용물이나 하천과 같은 자연공물도 국가배상법 제5조의 '공공의 영조물'에 포함된다. 17. 지방9급 ( )

07 영조물의 설치·관리의 하자라 함은 공공의 영조물이 일반적으로 갖추어야 할 안전성을 결한 상태를 말한다. 09. 국가7급 ( )

01 ○ 02 X 03 X 04 X 05 ○ 06 ○ 07 ○

(1) 영조물책임의 성질(무과실책임)

국가배상법 제5조는 영조물 자체의 설치·관리에 하자가 있다면 이를 담당하는 공무원의 **고의·과실 유무를 불문**하고, 국가는 피해자에게 배상하여야 하는 **무과실책임**을 규정한 것이다.

(2) 민법 제758조와의 비교

국가배상법 제5조는 민법 제758조와 같이 무과실책임을 규정하고 있으나 점유자의 **면책규정**을 두지 않으며, 그 대상이 **공작물**에 한정하지 않는다는 점에 차이가 있다.

2. 영조물책임의 성립요건

(1) 공공의 영조물 ⇨ 공물(公物)

① 국가배상법상 공공영조물은 행정주체가 직접 행정목적에 제공하는 유체물, 즉 학문상의 '공물'을 의미하며, 민법의 공작물보다는 넓은 개념이다.

② 따라서 공공영조물은 물건의 집합체인 공공시설[예 도로, 하천, 항만, 상·하수도, 관공서청사, 국·공립학교 교사(校舍)]와 인공공물(예 도로, 공원), 자연공물(예 하천, 해변)을 포함하며, 공작물에 한하지 않고 자동차, 항공기, 동물(예 경찰견, 경찰마) 등의 동산도 포함된다. 국가의 소유물에 한정하지 않고, 국가 또는 지방자치단체가 소유권·임차권 그 밖의 권한에 기하여 관리하고 있는 경우뿐만 아니라 **사실상의 관리**를 하고 있는 경우도 포함한다(대판 1995.1.24. 94다45302).

③ 국·공유재산 중 일반재산(구 잡종재산)은 공물이 아니므로 공공영조물에서 제외되며, 따라서 일반재산에 의한 손해배상은 **민법**에 의한다(예 국유림, 국유미개간지, 폐차처분한 관용차 등).

판례정리 영조물책임 부정사례

구분	내용
사물(私物)	잡종재산(현 일반재산) 등
예정공물	시(市) 명의의 종합운동장 예정부지나 그 지상의 자동차 경주를 위한 안전시설(대판 1995.1.24. 94다45302)
형체적 요소를 갖추지 못한 경우	공사 중이며 아직 완성되지 않아 일반 공중의 이용에 제공되지 않는 옹벽
공용지정을 갖추지 못한 경우	사실상 군민통행에 제공되고 있던 도로이더라도 …

(2) 설치 또는 관리의 하자

① **하자의 의의**: 영조물의 설치·관리의 하자란 영조물이 통상적으로 갖추어야 할 **안전성을 결여**한 상태를 말하며, 이러한 안전성의 결여는 그것이 설치 당시부터 존재하는 하자이든 관리과정에서의 하자이든 묻지 않는다.

② **설치·관리의 하자의 판단기준**

㉠ **객관설(통설·판례)**: 영조물의 설치·관리의 하자 유무를 영조물이 통상 갖추어야 할 물적 안전성을 결여하였는지의 여부에 따라 판단하는 것을 말한다. 따라서 영조물의 설치·관리의 하자의 유무는 객관적으로 판단되어야 하므로 하자 발생에 있어서 관리자의 고의·과실은 문제되지 않는다.

객관설에 의할 때 하자의 존부는 개별적 · 구체적으로 판단하며, **불가항력**은 **면책사유**로 인정된다.

㉡ **주관설(의무위반설)**: 영조물의 설치 · 관리의 하자를 관리자의 영조물에 대한 주의의무위반(안전확보의무위반 또는 사고방지의무위반)에 기인한다고 본다. 영조물의 설치 · 관리의 하자책임을 **관리자의 주관적**인 **귀책사유**가 있어야 한다고 보고 있어 피해자 구제측면에서는 불리하다는 비판이 있다.

㉢ **절충설**: 영조물 자체의 객관적인 하자뿐만 아니라, 설치 · 관리자의 주관적인 고의 · 과실만 있어도 족하다는 입장이다. 절충설이 하자의 범위를 가장 넓게 본다.

㉣ **판례**: 영조물의 설치 · 관리의 하자에 대하여 기본적으로 **객관설의 입장**을 취하고 있다고 보나, 사안에 따라 **예견가능성 또는 회피가능성** 등의 **주관적 요건을 고려**하여 주관설의 입장을 취한 판례도 있다.

판례정리 **영조물의 설치 · 관리의 하자**

구분	내용
인정	• 다른 자연적 사실이나 제3자의 행위 또는 피해자의 행위와 경합하여 손해가 발생한 경우도 설치 · 관리의 하자 인정(대판 1994.11.22. 94다32924) • 매향리사격장 소음, 김포공항 소음 • 서로 모순되는 신호가 들어오는 신호등 오작동 • 폭설로 고속도로 이용 차량의 장기간 고립 • 여의도광장의 허술한 시설에 따른 차량진입으로 인한 인신사고
부정	• 서울시가 마련한 시설기준에 부합한 빗물펌프장 시설 • 교차로 진행방향 신호기의 정지신호가 단선으로 소등된 상태에서 그대로 진행하다 다른 방향의 진행신호에 따라 교차로에 진입한 차량과 충돌한 경우 • 반대차선 진행차량의 바퀴에 튕겨 나온 쇠파이프에 맞아 사망 • 고3 학생이 학교건물의 3층 난간을 넘어 들어가 흡연하던 중 실족하여 사망 • 일반재산, 공사 중이며 아직 완성되지 않아 일반 공중의 이용에 제공되지 않는 옹벽(대판 1998.10.23. 98다17381) • 노선인정 기타 공용개시가 없었지만 사실상 군민의 통행에 제공되고 있던 도로(대판 1981.7.7. 80다2478)

관련판례

서울특별시 영등포구가 여의도광장에서 차량진입으로 일어난 인신사고에 관하여 국가배상법 제6조 소정 비용부담자로서의 손해배상책임이 있는지 여부(적극)
여의도광장의 관리는 광장의 관리에 관한 별도의 법령이나 규정이 없으므로 서울특별시는 여의도광장을 도로법 제2조 제2항의 규정을 적용하여 관리하고 있으며, 그 관리사무 중 일부를 영등포구청장에게 권한위임하고 있어, 여의도광장의 관리청이 본래 서울특별시장이라 하더라도 그 관리사무의 일부가 영등포구청장에게 위임되었다면, 그 위임된 관리사무에 관한 한 여의도광장의 관리청은 영등포구청장이 되고, 같은 법 제56조에 의하면 도로에 관한 비용은 건설부장관이 관리하는 도로 이외의 도로에 관한 것은 관리청이 속하는 지방자치단체의 부담으로 하도록 되어 있어 여의도광장의 관리비용부담자는 그 위임된 관리사무에 관한 한 관리를 위임받은 영등포구청장이 속한 영등포구가 되므로, 영등포구는 여의도광장에서 차량진입으로 일어난 인신사고에 관하여 국가배상법 제6조 소정의 비용부담자로서의 손해배상책임이 있다(대판 1995.2.24. 94다57671).

핵심 OX

08 판례는 영조물의 결함이 영조물의 설치 또는 관리자의 관리행위가 미칠 수 없는 상황 아래에 있는 경우 그 하자를 인정할 수 없다고 보고 있다. 10. 지방9급 ( )

09 공항에서 발생하는 소음 등으로 인근주민들이 피해를 입었다면 수인한도를 넘는지 여부를 불문하고 도로의 경우와 같이 '공공의 영조물'에 관한 일반적인 설치 · 관리상의 하자에 대한 판단방법에 따라 국가책임이 인정된다. 18. 변호사 ( )

10 고등학교 3학년 학생이 교사의 단속을 피해 담배를 피우기 위하여 3층 건물 화장실 밖의 학생들이 출입할 수 없는 난간을 지나다가 실족하여 사망한 경우, 그러한 이례적 상황을 영조물 설치 · 관리자가 예견할 수 있었다고 보기 어려우므로 당해 영조물이 통상적으로 갖추어야 할 안전성을 결여한 상태라고 볼 수 없다. ( )

11 甲의 공장에서 배출된 물질 때문에 피해를 입은 주민이 A시장의 부작위를 원인으로 하여 국가배상을 청구한 경우에 국가배상 책임이 인정되기 위해서는 A시장의 작위의무 위반이 인정되면 충분하고, A시장이 그와 같은 결과를 예견하여 그 결과를 회피하기 위한 조치를 취할 수 있는 가능성까지 인정되어야 하는 것은 아니다. 17. 국가9급 ( )

08 ○ 09 X 10 ○ 11 X

핵심 OX

01 영조물이 공공의 목적에 이용됨에 있어 그 이용상태 및 정도가 일정한 한도를 초과하여 제3자에게 사회통념상 수인할 것이 기대되는 한도를 넘는 피해를 입히는 경우는 손실보상의 대상으로 논의 될 수 있을 뿐, 국가배상법 제5조 제1항의 '영조물의 설치 또는 관리의 하자'에 해당될 수 없다. 11. 사복 ( )

02 A가 운전하던 트럭의 앞바퀴가 고속도로상에 떨어져 있는 타이어에 걸려 중앙분리대를 넘어가 맞은편에서 오던 트럭과 충돌하여 부상을 입었다. 그런데 위 타이어가 사고지점 고속도로상에 떨어진 것은 사고가 발생하기 10분 내지 15분 전이었다. A는 국가배상책임을 물을 수 없다. 11. 사복 ( )

03 서울특별시가 점유·관리하는 도로에 대하여 행정권한 위임조례에 따라 보도 관리 등을 위임 받은 관할 자치구청장 甲으로부터 도급받은 A 주식회사가 공사를 진행하면서 남은 자갈더미를 그대로 방치하여 오토바이를 타고 이곳을 지나가던 乙이 넘어져 상해를 입은 경우 서울특별시는 국가배상법 제5조 제1항에서 정한 설치·관리상의 하자로 인한 국가배상책임을 부담하지 아니한다. 19. 국회8급 ( )

04 관리청이 하천법 등 관련규정에 의해 책정한 하천정비기본계획 등에 따라 개수를 완료한 하천 또는 아직 개수 중이라 하더라도 개수를 완료한 부분에 있어서는, 위 하천정비기본계획 등에서 정한 계획홍수량 및 계획홍수위를 충족하여 하천이 관리되고 있다면 당초부터 계획홍수량 및 계획홍수위를 잘못 책정하였다거나 그 후 이를 시급히 변경해야 할 사정이 생겼음에도 불구하고 이를 해태하였다는 등의 특별한 사정이 없는 한, 그 하천은 용도에 따라 통상 갖추어야 할 안전성을 갖추고 있다고 보아야 한다. 12. 사복 ( )

01 X **02** O **03** X **04** O

관련판례

1 국가배상법 제5조 제1항에 정한 '영조물의 설치 또는 관리의 하자'의 의미 및 그 판단 기준

[1] 국가배상법 제5조 제1항 소정의 영조물의 설치 또는 관리의 하자라 함은 영조물이 그 용도에 따라 통상 갖추어야 할 안전성을 갖추지 못한 상태에 있음을 말하는 것으로서, 영조물이 완전무결한 상태에 있지 아니하고 그 기능상 어떠한 결함이 있다는 것만으로 영조물의 설치 또는 관리에 하자가 있다고 할 수 없는 것이고, 위와 같은 안전성의 구비 여부를 판단함에 있어서는 당해 영조물의 용도, 그 설치장소의 현황 및 이용 상황 등 제반 사정을 종합적으로 고려하여 설치·관리자가 그 영조물의 위험성에 비례하여 사회통념상 일반적으로 요구되는 정도의 방호조치의무를 다하였는지 여부를 그 기준으로 삼아야 할 것이며, 객관적으로 보아 시간적·장소적으로 영조물의 기능상 결함으로 인한 손해발생의 예견가능성과 회피가능성이 없는 경우, 즉 그 영조물의 결함이 영조물의 설치·관리자의 관리행위가 미칠 수 없는 상황 아래에 있는 경우에는 영조물의 설치·관리상의 하자를 인정할 수 없다.

[2] 교차로의 진행방향 신호기의 정지신호가 단선으로 소등되어 있는 상태에서 그대로 진행하다가 다른 방향의 진행신호에 따라 교차로에 진입한 차량과 충돌한 경우, 신호기의 적색신호가 소등된 기능상 결함이 있었다는 사정만으로 신호기의 설치 또는 관리상의 하자를 인정할 수 없다(대판 2000.2.25. 99다54004).

2 [1] 공작물인 도로의 설치보존상의 하자는 도로의 위치 등 장소적인 조건, 도로의 구조, 교통량, 사고시에 있어서의 교통사정 등 도로의 이용상황과 그 본래의 이용목적 등 제반 사정과 물적 결함의 위치, 형상 등을 종합적으로 고려하여 사회통념에 따라 구체적으로 판단하여야 할 것인바 ... 당해 도로의 구조, 장소적 환경과 이용상황 등 제반 사정을 종합하여 그와 같은 결함을 제거하여 원상으로 복구할 수 있는데도 이를 방치한 것인지 여부를 개별적, 구체적으로 심리하여 하자의 유무를 판단하여야 할 것이다.

[2] 다시 말하자면 도로의 안전상의 결함이 객관적으로 보아 시간적, 장소적으로 피고의 관리행위가 미칠 수 없는 상황 아래에 있는 경우에는 관리상의 하자를 인정할 수 없는 것이다.

[3] 사고발생의 원인이 된 타이어가 사고지점 고속도로 상에 떨어진 것은 위 이강래가 사고지점을 통과한 후로서 사고시로부터 10분 내지 15분 밖에 경과되지 아니한 것으로 인정된다. 원심판결에는 도로의 설치 및 보존의 하자에 관한 법리를 오해하였거나 심리미진의 위법이 있다고 아니할 수 없다(대판 1992.9.14. 92다3243).

3 보행자 신호기가 고장난 횡단보도상에서 교통사고가 발생한 사안에서, 적색 등의 전구가 단선되어 있었던 위 보행자 신호기는 그 용도에 따라 통상 갖추어야 할 안전성을 갖추지 못한 관리상의 하자가 있어 지방자치단체의 배상책임이 인정된다(대판 2007.10.26. 2005다51235).

4 관리청이 하천법 등 관련 규정과 하천시설기준에 의해 책정한 하천정비기본계획 등에 따라 개수를 완료한 하천이 위 기본계획 등에서 정한 계획홍수량 등을 충족하여 관리되고 있는 경우, 안전성을 인정할 수 있는지 여부(원칙적 적극)

관리청이 하천법 등 관련 규정과 하천시설기준에 의해 책정한 하천정비기본계획 등에 따라 개수를 완료한 하천 또는 아직 개수 중이라 하더라도 개수를 완료한 부분의 경우에는, 위 하천정비기본계획 등에서 정한 계획홍수량 및 계획홍수위를 충족하여 하천이 관리되고 있다면 당초부터 계획홍수량 및 계획홍수위를 잘못 책정하였다거나 그 후 이를 시급히 변경해야 할 사정이 생겼음에도 불구하고 이를 게을리 하였다는 등의 특별한 사정이 없는 한, 그 하천은 용도에 따라 통상 갖추어야 할 안전성을 갖추고 있다고 봄이 타당하다(대판 2016.7.27. 2014다205829).

5 '영조물 설치 · 관리상의 하자'의 의미 및 영조물이 도로인 경우 도로설치관리상의 하자 판단기준

[1] '영조물 설치 · 관리상의 하자'는 공공의 목적에 공여된 영조물이 그 용도에 따라 통상 갖추어야 할 안전성을 갖추지 못한 상태에 있음을 말한다. 그리고 위와 같은 안전성의 구비 여부는 영조물의 설치자 또는 관리자가 그 영조물의 위험성에 비례하여 사회통념상 일반적으로 요구되는 정도의 방호조치의무를 다하였는지를 기준으로 판단하여야 하고, 아울러 그 설치자 또는 관리자의 재정적 · 인적 · 물적 제약 등도 고려하여야 한다. 따라서, 영조물인 도로의 경우도 그 설치 및 관리에 있어 완전 무결한 상태를 유지할 정도의 고도의 안전성을 갖추지 아니하였다고 하여 하자가 있다고 단정할 수는 없고, 그것을 이용하는 자의 상식적이고 질서있는 이용방법을 기대한 상대적인 안전성을 갖추는 것으로 족하다.

[2] 甲이 차량을 운전하여 지방도 편도 1차로를 진행하던 중 커브길에서 중앙선을 침범하여 반대편 도로를 벗어나 도로 옆 계곡으로 떨어져 동승자인 乙이 사망한 사안에서, 좌로 굽은 도로에서 운전자가 무리하게 앞지르기를 시도하여 중앙선을 침범하여 반대편 도로로 미끄러질 경우까지 대비하여 도로관리자인 지방자치단체가 차량용 방호울타리를 설치하지 않았다고 하여 도로에 통상 갖추어야 할 안전성이 결여된 설치 · 관리상의 하자가 있다고 보기 어려운데도, 이와 달리 본 원심판결에 법리오해의 위법이 있다(대판 2013.10.24. 2013다208074).

③ **하자의 입증책임**[1]: 하자의 입증책임은 원칙적으로 원고인 피해자가 입증해야 한다. 다만 피해자 보호를 위해 일응추정의 법리가 적용될 수 있다.

④ **손해의 발생 및 인과관계**: 영조물의 설치 · 관리의 하자와 손해발생간에는 상당인과관계가 있어야 한다. 자연현상이나 제3자의 행위 또는 피해자의 행위가 그 손해의 원인에 가세한 경우에도 인과관계가 인정될 것인가에 대해서 판례는 이러한 경우에도 인과관계를 인정한다(대판 1994.11.22. 94다32924).

(3) 타인에게 손해가 발생

① 타인에는 자연인 · 법인을 모두 포함한다. 공무원도 피해자가 될 수 있으나, 군인 · 경찰공무원 등은 특례규정이 있다(국가배상법 제5조, 제2조 제1항 단서).

② 손해는 재산적 · 정신적 손해와 적극적 · 소극적 손해를 불문한다.

③ 영조물의 하자와 손해의 발생 사이에는 상당인과관계가 있어야 한다.

핵심 OX

05 영조물이 안전성을 갖추었는지 여부는 영조물의 설치자 또는 관리자가 그 영조물의 위험성에 비례하여 사회통념상 일반적으로 요구되는 정도의 방호조치의무를 다하였는지를 기준으로 판단하여야 하고, 그 설치자 또는 관리자의 재정적 · 인적 · 물적 제약등은 고려하지 않는다. 23. 국가7급 ( )

[1] 계획홍수위: 100년 빈도의 최대 강우량
⇨ 100년 미만의 경우 통상 갖추어야 할 안전성 인정 X

핵심 OX

06 고속도로의 관리상 하자가 인정되더라도 고속도로의 관리상 하자를 판단할 때 고속도로의 점유관리자가 손해의 방지에 필요한 주의의무를 해태하였다는 주장 · 입증책임은 피해자에게 있다. 17. 지방9급 ( )

07 강설에 대처하기 위하여 완벽한 방법으로 도로 자체에 융설설비를 갖추는 것은 현대의 과학기술 수준이나 재정사정에 비추어 사실상 불가능하다고 할 것이므로, 고속도로의 관리자에게 도로의 구조, 기상예보 등을 고려하여 사전에 충분한 인적 · 물적 설비를 갖추어 강설시 신속한 제설작업을 하고 필요한 경우 제때에 교통통제 조치를 취할 관리의무가 있다고 할 수 없다. 14. 국가7급 ( )

05 X **06** X **07** X

(4) 영조물책임의 면책사유

① 불가항력

㉠ 영조물이 통상의 안정성을 갖추고 있음에도 불구하고 천재지변 등과 같은 불가항력에 의하여 하자가 발생한 경우에는 국가배상책임은 인정되지 않는다는 것이 통설 · 판례의 입장이다.

㉡ 다만, 천재지변에 의한 행위일지라도 공무원의 과실 또는 영조물의 하자가 경합하여 그러한 사고가 발생하였다면 국가배상책임이 인정된다는 것이 판례의 입장이다(대판 1993.6.8. 93다11678).

㉢ 고속도로의 관리상 하자가 인정되는 이상 고속도로의 점유관리자는 그 하자가 불가항력에 의한 것이거나 손해의 방지에 필요한 주의를 해태하지 아니하였다는 점을 주장 · 입증하여야 비로소 그 책임을 면할 수 있다(대판 2008.3.13. 2007다29287 · 29294).

불가항력 인정	불가항력 부정
600년 ~ 1,000년 발생빈도 강우량은 불가항력적인 재해 인정 (대판 2003.10.23. 2001다48057)	• 50년 빈도의 최대강우량 • 약 308.5mm 집중호우로 국도변 산비탈이 무너져 차량의 통행을 방해함으로써 일어난 교통사고에 대하여, 매년 비가 많이 오는 장마철을 겪고 있는 우리나라와 같은 기후의 여건하에서 위와 같은 집중호우가 내렸다고 하여 전혀 예측할 수 없는 천재지변이라고 보기는 어렵다(대판 1993.6.8. 93다11678).

② **재정적 제약(예산부족)**: 국가 등의 재정적 제약은 국가배상에 있어서 참작사유는 될지언정 면책사유가 되지는 않는다고 한다(대판 1967.2.21. 66다1723).

면책사유 부정	면책사유의 인정여지를 보여 준 판례
재정사항은 배상액 산정에 참작사유에는 해당할지언정, 면책사유에는 해당되지 않음(대판 1967.2.21. 66다1723)	도로의 설치 · 관리상의 하자는 도로의 위치 등 장소적인 조건, 도로의 구조, 교통량, 사고시에 있어서의 교통사정 등 도로의 이용 상황과 본래의 이용목적 등 제반 사정과 물적 결함의 위치, 형상 등을 종합적으로 고려하여 사회통념에 따라 구체적으로 판단하여야 하는바, **특히 강설은 기본적 환경의 하나인 자연현상으로서 그것이 도로교통의 안전을 해치는 위험성의 정도나 그 시기를 예측하기 어렵고 통상 광범위한 지역에 걸쳐 일시에 나타나고 일정한 시간을 경과하면 소멸되는 일과성을 띠는 경우가 많은 점에 비하여**, 이로 인하여 발생되는 도로상의 위험에 대처하기 위한 완벽한 방법으로서 도로 자체에 융설 설비를 갖추는 것은 **현대의 과학기술의 수준이나 재정사정에 비추어 사실상 불가능하고**, 가능한 방법으로 인위적으로 제설작업을 하거나 제설제를 살포하는등의 방법을 택할 수밖에 없는데, 그러한 경우에 있어서도 적설지대에 속하는 지역의 도로라든가 최저속도의 제한이 있는 고속도로 등 특수 목적을 갖고 있는 도로가 아닌 **일반 보통의 도로까지도 도로관리자에게 완전한 인적, 물적 설비를 갖추고 제설작업을 하여 도로통행상의 위험을 즉시 배제하여 그 안전성을 확보하도록 하는 관리의무를 부과하는 것은 도로의 안전성의 성질에 비추어 적당하지 않고**, 오히려 그러한 경우의 도로통행의 안전성은 그와 같은 위험에 대면하여 도로를 이용하는 통행자 개개인의 책임으로 확보하여야 한다(대판 2000.4.25. 99다54998).❶

핵심 OX

01 편도 2차로 도로의 1차로 상에 교통사고의 원인이 될 수 있는 크기의 돌멩이가 방치되어 있었고 이로 인하여 사고가 발생하였다면, 도로의 점유 · 관리자의 관리 가능성과 무관하게 이는 도로 관리 · 보존상의 하자에 해당한다. 18. 변호사 ( )

02 가변차로에 설치된 2개의 신호등에서 서로 모순된 신호가 들어오는 오작동이 발생하였고 그 고장이 현재의 기술수준상 부득이하다는 사정만으로 영조물의 하자가 면책되는 것은 아니다. 10. 지방9급 ( )

핵심 OX

03 판례는 예산부족은 절대적인 면책사유가 된다고 보고 있다. 11. 지방9급 ( )

04 영조물의 하자 유무는 객관적 견지에서 본 안전성의 문제이며, 국가의 예산 부족으로 인해 영조물의 설치 · 관리에 하자가 생긴 경우에도 국가는 면책될 수 없다. 17. 지방9급 ( )

05 집중호우로 제방도로가 유실되면서 그곳을 걸어가던 보행자가 강물에 휩쓸려 익사한 경우, 사고 당일의 집중호우가 50년 빈도의 최대강우량에 해당한다는 사실만으로도 국가배상법 제5조상의 영조물의 설치 또는 관리의 하자로 인한 손해배상책임에서의 면책사유인 불가항력에 해당한다. 15. 사복, 12. 국회8급 ( )

❶ '강설'로 인한 도로의 위험
· 고속도로: 도로통행상 위험 즉시 배제할 관리의무 인정 O
· 일반도로: 위와 같은 의무 인정 X

01 X **02** O **03** X **04** O **05** X

2 손해배상책임의 내용

1. 배상책임의 범위

(1) 국가 등은 영조물의 설치·관리상의 하자와 상당인과관계에 있는 **모든 손해**를 배상하여야 한다. 이 경우 손해는 **재산적·정신적·적극적·소극적 손해**를 모두 포함한다.

(2) 국가배상법은 공무원의 직무상 불법행위로 인한 경우에만 위자료배상을 규정하고 있지만(제3조 제5항), 영조물의 설치·관리상의 하자로 인해 손해가 발생한 경우에도 피해자의 위자료청구권이 인정된다는 것이 판례의 입장이다(대판 1990.11.13. 90다카25604).

(3) 국가배상법상의 배상기준에 관한 규정(제3조), 군인 등에 대한 특례규정(제2조 제1항 단서) 등은 영조물하자의 경우에도 적용된다(제5조 제1항 후단).

2. 배상책임자

국가배상법 제6조 【비용부담자 등의 책임】 ① 제2조·제3조 및 제5조에 따라 국가나 지방자치단체가 손해를 배상할 책임이 있는 경우에 공무원의 선임·감독 또는 영조물의 설치·관리를 맡은 자와 공무원의 봉급·급여, 그 밖의 비용 또는 영조물의 설치·관리 비용을 부담하는 자가 동일하지 아니하면 그 비용을 부담하는 자도 손해를 배상하여야 한다.
② 제1항의 경우에 손해를 배상한 자는 내부관계에서 그 손해를 배상할 책임이 있는 자에게 구상할 수 있다.

(1) 배상책임자는 **국가**나 **지방자치단체**이다. 이 경우 **영조물의 설치·관리자**와 **비용부담자**가 **동일하지 아니**하면 그 비용부담자도 배상책임이 있으므로 피해자는 양자에 대하여 **선택적으로 배상을 청구**할 수 있다(국가배상법 제9조 제1항). 한편 손해를 배상한 비용부담자는 내부관계에서 그 손해를 배상할 책임이 있는 자(설치·관리자)에게 구상할 수 있다(동법 제6조 제2항).

(2) 설치·관리자의 책임과 비용부담자의 책임은 부진정연대채무의 관계에 있게 된다.

관련판례

지방자치단체장이 설치하여 관할 지방경찰청장에게 관리 권한이 위임된 교통신호기의 고장으로 인하여 교통사고가 발생한 경우, 지방자치단체뿐만 아니라 국가도 손해배상책임을 지는지 여부(적극)

지방자치단체장이 교통신호기를 설치하여 그 관리 권한이 도로교통법 제71조의2 제1항의 규정에 의하여 관할 지방경찰청장에게 위임되어 지방자치단체 소속공무원과 지방경찰청 소속공무원이 합동 근무하는 교통종합관제센터에서 그 관리업무를 담당하던 중 위 신호기가 고장난 채 방치되어 교통사고가 발생한 경우, 국가배상법 제2조 또는 제5조에 의한 배상책임을 부담하는 것은 지방경찰청장이 소속된 국가가 아니라, 그 권한을 위임한 지방자치단체장이 소속된 지방자치단체라고 할 것이나, 한편 국가배상법 제6조 제1항은 같은 법 제2조, 제3조 및 제5조의 규정에 의하여 국가 또는 지방자치단체가 손해를 배상할 책임이 있는 경우에 공무원의 선임·감독 또는 영조물의 설치·관리를 맡은 자와 공무원의 봉급·급여 기타의 비용 또는 영조물의 설치·관리의 비용을 부담하는 자가

핵심 OX

06 영조물의 설치·관리 하자로 인한 손해배상의 경우 피해자의 위자료 청구는 포함되지 않는다. 08. 국회8급 ( )

핵심 OX

07 국가배상법의 규정에 의하면 영조물의 설치·관리를 맡은 자와 영조물의 설치·관리비용을 부담하는 자가 동일하지 아니한 경우에는 영조물의 설치·관리비용을 부담하는 자가 우선적으로 손해를 배상하여야 한다. 14. 국가7급 ( )

08 지방자치단체장이 설치하여 관할 지방경찰청장에게 관리권한이 위임된 교통신호기가 고장에 의한 교통사고가 발생한 경우 해당 지방자치단체뿐만 아니라 국가도 손해배상책임을 진다. 15. 경특1차, 13. 국가9급 ( )

09 영조물의 설치관리자와 비용부담자가 다른 경우 피해자는 선택하여 손해배상을 청구할 수 있다. 14. 서울7급 ( )

10 시·도 경찰청장 또는 경찰서장이 지방자치단체의 장으로부터 권한을 위탁받아 설치·관리하는 신호기의 하자로 인해 손해가 발생한 경우 국가배상법 제5조 소정의 배상책임의 귀속주체는 국가뿐이다. 23. 지방9급 ( )

06 X 07 X 08 O 09 O 10 X

동일하지 아니한 경우에는 그 비용을 부담하는 자도 손해를 배상하여야 한다고 규정하고 있으므로 교통신호기를 관리하는 지방경찰청장 산하 경찰관들에 대한 봉급을 부담하는 국가도 국가배상법 제6조 제1항에 의한 배상책임을 부담한다(대판 1999.6.25. 99다11120).

(3) 비용부담자의 의미

국가배상법 제6조 제1항의 비용부담자는 실질적 비용부담자와 형식적 비용부담자를 모두 포함한다는 병합설이 통설·판례이다.

(4) 관리주체와 비용부담주체 사이의 최종적 책임의 분담(종국적 배상책임자)

공무원의 선임·감독 또는 영조물의 설치·관리를 맡은 자와 비용부담자 사이에서 누가 종국적인 비용부담자인가에 대해서는 견해가 대립한다.

① **사무관리자설:** 사무를 관리하는 자가 속하는 행정주체가 최종적인 책임을 부담한다는 견해이다. 손해배상을 포함하여 사무수행에 따르는 모든 비용을 **사무의 귀속주체**가 최종적으로 부담하여야 한다는 것을 근거로 삼고 있다.

② **비용부담자설:** 사무 또는 영조물의 관리비용에는 손해배상금도 포함되는 것으로 보고 **사무의 비용을 부담하는 자**가 최종적인 책임자가 된다는 견해이다.

③ **기여도설:** 손해발생에 기여한 정도에 따라 최종적인 비용부담자가 결정되어야 한다는 견해이다. 기여자가 다수인인 경우에는 각자가 책임이 병존하므로 **기여도에 따라 분담**하여 최종적으로 비용을 부담하여야 한다는 견해이다.

④ **판례:** 판례의 주류적 입장은 사무관리자설이나, 최근 기여도설을 취한 판례도 있다.

설치관리자설에 따른 판례 (사무의 귀속주체이자 실질적 비용부담자인 지방자치단체)	이 사건 교통신호기의 관리사무는 **안산시가 안산경찰서장에게 그 권한을 기관위임한 사무로서** 안산경찰서장 소속 경찰공무원들은 안산시의 사무를 처리하는 지위에 있으므로, 안산시가 그 사무에 관하여 선임·감독자에 해당하고, 그 교통신호기 시설은 지방자치법 제132조 단서의 규정에 따라 원고의 비용으로 설치·관리되고 있으므로, 그 신호기의 설치·관리의 비용을 실질적으로 부담하는 비용부담자의 지위도 아울러 지니고 있는 반면, 대한민국은 단지 그 소속 경찰공무원에게 봉급만을 지급하고 있을 뿐이므로, **안산시와 대한민국 사이에서 이 사건 손해배상의 궁극적인 책임은 전적으로 안산시에게 있다고 봄이 상당하다**(대판 2001.9.25. 2001다41865).❶
기여도설·종합설에 따른 것으로 판단되는 판례	원래 광역시가 점유·관리하던 일반국도 중 일부구간의 포장공사를 국가가 대행하여 광역시에 도로의 관리를 이관하기 전에 교통사고가 발생한 경우, 광역시는 그 도로의 점유자 및 관리자, 비용 등의 부담자로서의 책임이 있고, 국가는 그 도로의 점유자 및 관리자, 관리사무귀속자, 포장공사비용부담자로서의 책임이 있다고 할 것이며, 이와 같이 **광역시와 국가 모두가 도로의 점유자 및 관리자, 비용부담자로서의 책임을 중첩적으로 지는 경우에는**, 광역시와 국가 모두가 국가배상법 제6조 제2항 소정의 궁극적으로 손해를 배상할 책임이 있는 자라고 할 것이고, 결국 광역시와 국가의 내부적인 부담 부분은, 그 도로의 인계·인수경위, 사고의 발생경위, 광역시와 국가의 그 도로에 관한 분담비용 등 **제반사정을 종합하여 결정함이 상당하다**(대판 1998.7.10. 96다42819).

❶ 교통신호기
· 사무귀속자: 지자체
· 비용부담자: 국가
⇨ 피해자는 지자체 또는 국가에 대하여 선택적으로 배상청구 가능

핵심 OX

01 광역시와 국가 모두가 도로의 점유자 및 관리자, 비용부담자로서의 책임을 중첩적으로 지는 경우 국가만이 국가배상법에 따라 궁극적으로 손해를 배상할 책임이 있는 자가 된다. 18. 국회8급 ( )

02 영조물의 하자로 인한 손해의 원인에 대하여 책임을 질자가 따로 있을 때에는 국가 또는 지방자치단체는 그 자에 대하여 구상할 수 있다. 09. 국가7급 ( )

03 도로·하천, 그 밖의 공공의 영조물의 설치나 관리에 하자가 있기 때문에 타인에게 손해를 발생하게 하였을 때에는 국가나 지방자치단체는 그 손해를 배상하여야 하며, 손해의 원인에 대하여 책임을 질 자가 따로 있으면 국가나 지방자치단체는 그 자에게 구상할 수 있다. 14. 경특2차, 11. 사복 ( )

01 X 02 O 03 O

3. 구상권(내부관계)

(1) 국가나 지방자치단체가 배상한 경우에 손해의 원인에 대하여 **책임질 자**(예 부실건축공사의 수급인, 영조물을 파손한 자, 관리소홀로 하자를 야기한 공무원)**가 따로 있을 때**에는 국가 등은 그 자에게 **구상권을 행사**할 수 있다(국가배상법 제5조 제2항).

(2) 공무원에게 구상권을 행사하는 경우에는 국가배상법 제2조와 같이 **고의·중과실**이 있는 경우에 가능하다고 할 것이다.

핵심정리 국가업무가 안산시에 위임된 경우 소송상의 피고(병합설)

피고	근거	의미
국가	제2조	설치관리자
국가	제6조	실질적 비용부담자
안산시	제6조	형식적 비용부담자

관련판례

지방자치단체의 장이 기관위임된 국가행정사무를 처리하는 경우, 그에 소요되는 경비의 실질적·궁극적 부담자는 국가라고 하더라도 당해 지방자치단체는 국가로부터 내부적으로 교부된 금원으로 사무에 필요한 경비를 대외적으로 지출하는 자이므로 이러한 경우 지방자치단체는 국가배상법 제6조 제1항 소정의 비용부담자로서 공무원의 불법행위로 인한 손해를 배상할 책임이 있다(대판 2000.5.12. 99다70600).

4. 준용규정

생명·신체의 침해로 인한 배상기준과 국가배상청구의 양도·압류금지, 소멸시효, 군인 등에 대한 특례, 외국인의 상호보증주의와 손해배상청구절차 등은 공무원의 직무상 불법행위의 경우와 같다.

5. 국가배상법 제2조와 제5조의 경합

영조물의 설치·관리의 하자(제5조)와 공무원의 위법한 직무집행행위(제2조)가 경합하여 발생한 경우에는 피해자는 그 어느 규정에 의해서도 배상을 청구할 수 있다(예 경찰차의 하자와 운전한 경찰관의 과실이 경합하여 사고가 발생한 경우).

판례연구 국가배상법 제2조 요건(고의 또는 과실)

1. 기본 판례

국가배상법상 공공의 영조물은 강학상 공물을 뜻한다.

> 국가배상법 제5조 제1항 소정의 '공공의 영조물'이라 함은 국가 또는 지방자치단체에 의하여 특정 공공의 목적에 공여된 유체물 내지 물적 설비를 지칭하며, 특정 공공의 목적에 공여된 물이라 함은 일반 공중의 자유로운 사용에 직접적으로 제공되는 공공용물에 한하지 아니하고, 행정주체 자신의 사용에 제공되는 공용물도 포함하며 국가 또는 지방자치단체가 소유권, 임차권 그 밖의 권한에 기하여 관리하고 있는 경우뿐만 아니라 사실상 관리를 하고 있는 경우도 포함된다(대판 1995.1.24. 94다45302).

핵심 OX

04 다른 자연적 사실이나 제3자의 행위 또는 피해자의 행위와 경합하여 손해가 발생하였더라도 영조물의 설치·관리상의 하자가 공동원인의 하나가 된 이상 그 손해는 영조물의 설치·관리상의 하자에 의하여 발생한 것이라고 보아야 한다.
09. 국가7급, 08. 국가9급 ( )

04 ○

핵심 OX

01 소음 등의 공해로 인한 법적 쟁송이 제기되거나 그 피해에 대한 보상이 실시되는 등 피해지역임이 구체적으로 드러나고 이러한 사실이 그 지역에 널리 알려진 이후에 이주하여 오는 경우에는 위와 같은 위험에의 접근에 따른 가해자의 면책 여부를 보다 적극적으로 인정할 여지가 있다. 17. 지방9급 ( )

01 ○

2. 관련 판례

① 일반 공중의 이용에 제공되지 않고 있었던 이상 국가배상법 제5조 제1항 소정의 영조물에 해당한다고 할 수 없다.

② 국유 일반재산(잡종재산)은 국가배상법상 영조물에 해당하지 않는다.

③ 국가 또는 지방자치단체가 소유권, 임차권 그 밖의 권한에 기하여 관리하고 있는 경우뿐만 아니라 사실상 관리를 하고 있는 경우도 포함된다.

④ 영조물의 결함이 영조물의 설치관리자의 관리행위가 미칠 수 없는 상황 아래에 있는 경우에는 영조물의 설치·관리상의 하자를 인정할 수 없다.

⑤ 매향리 사격장에서 발생하는 소음 등으로 지역 주민들이 입은 피해는 사회통념상 참을 수 있는 정도를 넘는 것으로서 사격장의 설치 또는 관리에 하자가 있다.

⑥ 김포공항에서 발생하는 소음 등으로 인근주민들이 입은 피해는 사회통념상 수인한도를 넘는 것으로서 김포공항의 설치·관리에 하자가 있다.

⑦ 고속도로 관리상의 하자는 점유관리자가 손해방지의 필요한 주의를 해태하지 않았다는 것을 입증하여야 면책된다.

⑧ 자연현상이나 제3자의 행위가 그 손해의 원인으로 경합하는 경우에도 그 하자와 손해발생 사이에 상당인과관계가 있는 한 국가 등의 배상책임은 인정된다.

판례연구 국가배상법 제2조 요건(고의 또는 과실)

1. 기본 판례

집중호우가 50년 빈도의 최대강우량에 해당한다는 사실만으로 불가항력에 기인한 것으로 면책되지 않는다.

> 집중호우로 제방도로가 유실되면서 보행자가 강물에 휩쓸려 익사한 경우, 사고당일의 집중호우가 50년 빈도의 최대강우량에 해당한다는 사실만으로 불가항력에 기인한 것으로 볼 수 없으므로 설치·관리상의 하자를 인정해야 한다(대판 2000.5.26. 99다53247).

2. 관련 판례

① 예산부족과 같은 재정적 사유는 안전성을 요구하는데 대한 정도 문제로서 참작사유에는 해당할지언정 안전성을 결정지을 절대적 요건은 아니다.

② 고속도로의 관리자가 고립구간의 교통정체를 충분히 예견할 수 있었음에도 교통제한 및 운행정지 등 필요한 조치를 충실히 이행하지 아니하였으므로 관리상 하자가 있다.

③ 100년 발생빈도의 강우량을 기준으로 책정된 계획홍수위를 초과하여 600년 또는 1,000년 발생빈도의 강우량에 의한 하천의 범람은 예측가능성 및 회피가능성이 없는 불가항력적인 재해로서 그 영조물의 관리청에 책임을 물을 수 없다.

④ 겨울철 산간지역에 위치한 도로에 생긴 빙판을 그대로 방치하고 도로상황에 대한 경고나 위험표지판을 설치하지 않았다는 사정만으로 도로관리상의 하자가 있다고 볼 수 없다.

⑤ 영조물의 설치 또는 관리상의 하자가 공동원인의 하나가 되는 이상, 그 손해는 영조물의 설치 또는 관리상의 하자에 의하여 발생한 것이라고 해석함이 상당하다.

⑥ 영조물이 완전무결한 상태에 있지 아니하고 그 기능상 어떠한 결함이 있다는 것만으로 영조물의 설치 또는 관리에 하자가 있다고 할 수 없는 것이고, 설치 관리자가 그 영조물의 위험성에 비례하여 사회통념상 일반적으로 요구되는 정도의 방호조치의무를 다하였는지 여부를 그 기준으로 삼아야 한다.

⑦ 신호등 오작동에 관해 현재 기술수준상 부득이 하다는 사정만으로 영조물의 하자가 면책되는 것은 아니다.

⑧ 보행자 신호기가 고장난 횡단보도 상에서 교통사고가 발생한 사안에서, 적색등의 전구가 단선되어 있었던 위 보행자 신호기는 그 용도에 따라 통상 갖추어야 할 안전성을 갖추지 못한 관리상의 하자가 있어 지방자치단체의 배상책임이 인정된다.

⑨ 교차로의 진행방향 신호기의 정지신호가 단선으로 소등되어 있는 상태에서 그대로 진행하다가 다른 방향의 진행신호에 따라 교차로에 진입한 차량과 충돌한 경우, 신호기의 적색신호가 소등된 기능상 결함이 있었다는 사정만으로 신호기의 설치 또는 관리상의 하자를 인정할 수 없다.

⑩ 甲 등이 원동기장치자전거를 운전하던 중 'ㅏ' 형태의 교차로에서 유턴하기 위해 신호를 기다리게 되었고, 위 교차로 신호등에는 유턴 지시표지 및 그에 관한 보조표지로서 '좌회전 시, 보행신호 시 / 소형 승용, 이륜에 한함'이라는 표지가 설치되어 있었으나, 실제 좌회전 신호 및 좌회전할 수 있는 길은 없었는데, 甲이 위 신호등이 녹색에서 적색으로 변경되어 유턴을 하다가 맞은편 도로에서 직진 및 좌회전 신호에 따라 직진 중이던 차량과 충돌하는 사고가 발생하자, 甲 등이 위 교차로의 도로관리청이자 보조표지의 설치 · 관리주체인 지방자치단체를 상대로 손해배상을 구한 사안에서, 위 표지에 위 신호등의 신호체계 및 위 교차로의 도로구조와 맞지 않는 부분이 있더라도 거기에 통상 갖추어야 할 안전성이 결여된 설치 · 관리상의 하자가 있다고 보기 어렵다(대판 2022.7.28. 2022다225910).

제4절 이중배상금지

1 개설

1. 의의

군인 · 군무원 · 경찰공무원 또는 예비군대원이 전투 · 훈련 등 직무집행과 관련하여 전사 · 순직하거나 공상을 입은 경우에 본인이나 그 유족이 **다른 법령에 따라** 재해보상금 · 유족연금 · 상이연금 등의 **보상을 지급받을 수 있을 때**에는 국가배상법 및 민법에 따른 **손해배상을 청구할 수 없다**(국가배상법 제2조 제1항 단서).

2. 인정취지

이 규정은 위험성이 높은 직무에 종사하는 자에 대하여는 사회보장적 위험부담으로서 국가보상제도를 별도로 마련함으로써 그것과 경합되는 국가배상청구를 배제하려는 것이다. 이에 대해서 사회보장적 국가보상과 불법행위책임인 국가배상은 성질이 다르므로 모두 인정하여도 이중배상이 아니라는 반론이 있다.

3. 연혁

(1) 이중배상금지규정

이중배상금지규정은 1967년 국가배상법의 개정으로 처음 규정되었으나, 1971년 대법원의 위헌판결을 받게 되자(대판 1971.6.22. 70다1010 전합), 1972년 유신헌법에 명문으로 규정하여 위헌시비를 봉쇄하여 지금까지 이어오고 있다. 한편 헌법재판소는 국가배상법 제2조 제1항 단서의 예비군 부분에 대하여 합헌결정을 한 바 있다(헌재 1996.6.13. 94헌바20).

핵심 OX

02 경찰공무원이 전투 · 훈련 등 직무집행과 관련하여 전사 · 순직하거나 공상을 입은 경우에 본인이나 그 유족이 다른 법령에 따라 재해보상금이나 유족연금 등의 보상을 지급받은 때에는 국가배상법 및 민법에 따른 손해배상을 청구할 수 없다. 19. 국회8급 ( )

02 ○

핵심 OX

01 공익근무요원은 국가배상법상 손해배상청구가 제한되는 군인 · 군무원 · 경찰공무원 또는 향토예비군대원에 해당한다고 할 수 없다. 19. 서울7급, 18. 지방7급, 10. 국가7급 ( )

02 현역병으로 입영한 후 군사교육을 마치고 경비교도로 전임되어 근무하는 자는 국가배상법 제2조 제1항 단서 소정의 군인 등에 해당하므로 국가배상청구권 행사에 제한을 받는다. 15. 경특1차, 09. 국회8급 ( )

❶ 숙직실이 이례적인 경우

핵심 OX

03 직무집행과 관련하여 공상을 입은 군인이 먼저 국가배상법에 따라 손해배상금을 지급받았다면 국가유공자 등 예우 및 지원에 관한 법률 이 정한 보상금 등 보훈급여금의 지급을 청구하는 것은 이중배상금지원칙에 따라 인정되지 아니한다. 22. 국가7급 ( )

01 O 02 X 03 X

(2) 이중배상금지 관련 개정내용

2005.7.13. 개정된 국가배상법의 이중배상금지규정은 군인 · 군무원 · 경찰공무원 · 예비군 등이 전투 · 훈련의 경우에만 국가나 지방자치단체를 상대로 한 손해배상청구소송을 제한하여, 전투 · 훈련 외의 **일반직무**로 인한 순직 · 공상의 경우에는 **손해배상이 가능**하도록 개정되었다.

2 성립요건

국가배상법 제2조 제1항 후문	부정	긍정
군인 · 군무원 · 경찰공무원 또는 예비군대원이	• 공익근무요원 • 경비교도대원	• 현역 • 전투경찰
전투 · 훈련 등 직무 집행과 관련하여 전사 · 순직하거나 공상을 입은 경우에	숙직실에서 근무하다가 연탄가스중독으로 사망한 경찰공무원❶	적의 포탄에 의해 피해를 받은 군인
본인이나 그 유족이 다른 법령에 따라 재해보상금 · 유족연금 · 상이연금 등의 보상을 지급받을 수 있을 때에는	실제로 다른 법령에 의하여 보상지급을 받지 못한 경우	다른 법령에 의한 보상금 청구권이 시효로 소멸한 경우

관련판례

1 공상을 입은 군인·경찰공무원 등이 별도의 국가보상을 받을 수 없는 경우, 국가배상법 제2조 제1항 단서의 적용 여부(소극)

군인 또는 경찰공무원으로서 교육훈련 또는 직무수행 중 상이를 입고 전역 또는 퇴직한 자라고 하더라도 국가유공자예우 등에 관한 법률 및 군인연금법상 재해보상 등을 받을 수 있는 장애등급에도 해당하지 않는 것으로 판명된 자는 위 각 법에 의한 적용대상에서 제외되고, 따라서 그러한 자는 국가배상법 제2조 제1항 단서의 적용을 받지 않아 국가배상을 청구할 수 있다(대판 1997.2.14. 96다28066).

2 직무집행과 관련하여 공상을 입은 군인 등이 먼저 국가배상법에 따라 손해배상금을 지급받은 다음 보훈보상대상자 지원에 관한 법률이 정한 보상금 등 보훈급여금의 지급을 청구하는 경우, 국가배상법에 따라 손해배상을 받았다는 이유로 그 지급을 거부할 수 있는지 여부(소극)

[1] 국가배상법 제2조 제1항 단서는 헌법 제29조 제2항에 근거를 둔 규정이고, 보훈보상대상자 지원에 관한 법률(이하 '보훈보상자법'이라 한다)이 정한 보상에 관한 규정은 국가배상법 제2조 제1항 단서가 정한 '다른 법령'에 해당하므로, 보훈보상자법에서 정한 보훈보상대상자 요건에 해당하여 보상금 등 보훈급여금을 지급받을 수 있는 경우는 보훈보상자법에 따라 '보상을 지급받을 수 있을 때'에 해당한다. 따라서 군인 · 군무원 · 경찰공무원 또는 향토예비군대원이 전투 · 훈련 등 직무집행과 관련하여 공상을 입는 등의 이유로 보훈보상자법이 정한 보훈보상대상자 요건에 해당하여 보상금 등 보훈급여금을 지급받을 수 있을 때에는 국가배상법 제2조 제1항 단서에 따라 국가를 상대로 국가배상을 청구할 수 없다.

[2] 전투 · 훈련 등 직무집행과 관련하여 공상을 입은 군인 · 군무원 · 경찰공무원 또는 향토예비군대원이 먼저 국가배상법에 따라 손해배상금을 지급받은 다음 보훈보상대상자 지원에 관한 법률(이하 '보훈보상자법'이라 한다)이 정한 보상금 등 보훈급여금의 지급을 청구하는 경우, 국가배상법 제2조 제1항 단서가 명시적으로 "다른 법령에 따라 보상을 지급받을 수 있을 때에는 국가배상법 등에 따른 손해배상을 청구할 수 없다."고 규정하고 있는 것과 달리 보훈보상자법은 국가배상법에 따른 손해배상금을 지급받은 자를 보상금 등 보훈급여금의 지급대상에서 제외하는 규정을 두고 있지 않은 점, 국가배상법 제2조 제1항 단서의 입법 취지 및 보훈보상자법이 정한 보상과 국가배상법이 정한 손해배상의 목적과 산정방식의 차이 등을 고려하면 국가배상법 제2조 제1항 단서가 보훈보상자법 등에 의한 보상을 받을 수 있는 경우 국가배상법에 따른 손해배상청구를 하지 못한다는 것을 넘어 국가배상법상 손해배상금을 받은 경우 보훈보상자법상 보상금 등 보훈급여금의 지급을 금지하는 것으로 해석하기는 어려운 점 등에 비추어, 국가보훈처장은 국가배상법에 따라 손해배상을 받았다는 사정을 들어 보상금 등 보훈급여금의 지급을 거부할 수 없다(대판 2017.2.3. 2015두60075).❷

3 다른 공무원의 불법행위로 사망한 공무원에 대한 국가 또는 지방자치단체의 손해배상액에서 공무원연금법에 의하여 지급된 유족보상금의 공제가부(적극)

공무원이 공무집행 중 다른 공무원의 불법행위로 인하여 사망한 경우, 사망한 공무원의 유족들이 국가배상법에 의하여 국가 또는 지방자치단체로부터 사망한 공무원의 소극적 손해에 대한 손해배상금을 지급받았다면 공무원연금관리공단 등은 그 유족들에게 같은 종류의 급여인 유족보상금에서 그 상당액을 공제한 잔액만을 지급하면 되고, 그 유족들이 공무원 연금관리공단등으로부터 공무원연금법 소정의 유족보상금을 지급받았다면 국가 또는 지방자치단체는 그 유족들에게 사망한 공무원의 소극적 손해액에서 유족들이 지급받은 유족보상금 상당액을 공제한 잔액만을 지급하면 된다(대판 1998.11.19. 97다36873).

4 군 복무 중 사망한 군인 등의 유족이 국가배상법에 따른 손해배상금을 지급받은 경우 군인연금법 제1조에서 정한 사망보상금을 지급받을 수 있는지 여부(소극)

다른 법령에 따라 지급받은 급여와의 조정에 관한 조항을 두고 있지 아니한 보훈보상대상자지원에 관한 법률과 달리, 군인연금법 제41조 제1항은 "다른 법령에 따라 국가나 지방자치단체의 부담으로 이 법에 따른 급여와 같은 종류의 급여를 받은 사람에게는 그 급여금에 상당하는 금액에 대하여는 이 법에 따른 급여를 지급하지 아니한다."라고 명시적으로 규정하고 있다. 나아가 군인연금법이 정하고 있는 급여 중 사망보상금(군인연금법 제31조)은 일실손해의 보전을 위한 것으로 불법행위로 인한 소극적 손해배상과 같은 종류의 급여라고 봄이 타당하다. 따라서 피고에게 군인연금법 제41조 제1항에 따라 원고가 받은 손해배상금 상당 금액에 대하여는 사망보상금을 지급할 의무가 존재하지 아니한다(대판 2018.7.20. 2018두36691).

5 군 복무 중 사망한 망인의 유족이 국가배상을 받은 경우, 국가가 사망보상금에서 정신적 손해배상금 상당액까지 공제할 수 있는지 여부(소극)

군인연금법이 정하고 있는 급여 중 사망보상금은 일실손해의 보전을 위한 것으로 불법행위로 인한 소극적 손해배상과 같은 종류의 급여이므로, 군 복무 중 사망한 망인의 유족이 국가 배상을 받은 경우 피고는 사망보상금에서 소극적 손해배상금 상당액을 공제할 수 있을뿐, 이를 넘어 정신적 손해배상금 상당액까지 공제할 수는 없다(대판 2022.3.31. 2019두36711).

❷
- 「보훈보상대상자 지원에 관한 법률」은 이중배상금지 규정이 없음
- 「국가배상법」에 따라 배상을 받은 이후 「보훈보상자법」에 따른 보훈급여금 지급을 청구하는 경우, 당해 청구를 막을 만한 법적 근거가 없음

⇨ 「국가배상법」에 따른 배상을 받은 이후에도 「보훈보상자법」에 따른 보훈급여금 지급청구 가능하나, 그 역순은 「국가배상법」상 이중배상금지규정 때문에 불가능함

핵심 OX

04 군 복무 중 사망한 군인등의 유족이 국가배상법에 따른 손해배상금을 지급받은 경우 그 손해배상금 상당 금액에 대해서는 군인연금법에서 정한 사망보상금을 지급받을 수 없다. 23. 지방9급 ( )

05 군 복무 중 사망한 군인 등의 유족인 원고가 국가배상법에 따른 손해배상금을 지급받은 경우, 국가는 군인연금법 소정의 사망보상금을 지급함에 있어 원고가 받은 손해배상금 상당 금액을 공제할 수 없다. 24. 국가9급 ( )

04 ○ 05 X

3 효과

국가배상법 및 민법에 따른 손해배상을 청구할 수 없다.

4 공동불법행위자인 경우 적용 여부

민간인과 직무집행 중인 군인 등의 공동불법행위로 인하여 직무집행 중인 다른 군인 등이 피해를 입은 경우, 민간인의 피해군인 등에 대한 손해배상의 범위와 그 배상 이후 국가에 대한 구상권 행사 여부에 대하여 헌법재판소와 대법원은 견해의 차이가 있다.

1. 헌법재판소 - 이중배상금지특례 적용 부정

민간인이 피해군인에 대하여 배상한 후 **국가**에 대하여 **구상권을 허용**하지 **않는다면 위헌**이라는 입장이다.

2. 대법원 - 이중배상금지특례 적용 인정

종래 대법원은 이 경우에도 이중배상금지를 획일적으로 적용하였으나, 최근에 판례를 변경하여 부진정연대채무의 일반적인 경우와 달리 민간인은 자신의 부담부분에 한하여 피해군인에게 배상하고, **국가**에 대해서는 **구상할 수 없다**는 입장이다.

구분	헌법재판소	대법원
이중배상금지특례	부정	긍정(단, 부진정연대채무 적용 부정)
가해 민간인	충분한 구제	충분한 구제
피해자	충분한 구제	불충분한 구제

헌법재판소	대법원
국가배상법 제2조 제1항 단서 중 군인에 관련되는 부분을, 일반국민이 직무집행 중인 군인과의 공동불법행위로 직무집행 중인 다른 군인에게 공상을 입혀 그 피해자에게 공동의 불법행위로 인한 손해를 배상한 다음 공동불법행위자인 **군인의 부담 부분에 관하여 국가에 대하여 구상권을 행사하는 것을 허용하지 않는다고 해석한다면 … 헌법에 위반**된다(헌재 1994.12.29. 93헌바21).	피해자인 군인은 국가에 대해서는 배상청구를 할 수 없지만, 민간인에 대해서는 배상청구를 할 수 있다. 다만, 민간인에 대해서는 배상청구를 할 수 있지만 발생한 손해의 전부에 대한 배상청구를 할 수 있는 것은 아니고, **민간인의 부담 부분에 한하여 배상청구할 수 있을 뿐이다**(대판 2001.2.15. 96다42420 전합).

관련판례

1 국가배상법 제2조 제1항 단서 중 군인에 관련되는 부분의 위헌 여부(적극) [한정위헌]

국가배상법 제2조 제1항 단서 중 군인에 관련되는 부분을, 일반국민이 직무집행 중인 군인과의 공동불법행위로 직무집행 중인 다른 군인에게 공상을 입혀 그 피해자에게 공동의 불법행위로 인한 손해를 배상한 다음 공동불법행위자인 군인의 부담부분에 관하여 국가에 대하여 구상권을 행사하는 것을 허용하지 않는다고 해석한다면, 이는 위 단서 규정의 헌법상 근거규정인 헌법 제29조가 구상권의 행사를 배제하지 아니하는데도 이를 배제하는 것으로 해석하는 것으로서 합리적인 이유 없이 일반국민을 국가에 대하여 지나치게 차별하는 경우에 해당하므로 헌법 제11조, 제29조에 위반되며, 또한 국가에 대한 구상권은 헌법 제23조 제1항에 의하여 보장되는 재산권이고 위와같은 해석은 그러한 재산권의 제한에 해당하며 재산권의 제한은 헌법 제37조 제2항에 의한 기본권제한의 한계 내에서만 가능한데, 위와 같은 해석은 헌법 제37조 제2항에 의하여 기본권을 제한할 때 요구되는 비례의 원칙에 위배하여 일반국민의 재산권을 과잉제한하는 경우에 해당하여 헌법 제23조 제1항 및 제37조 제2항에도 위반된다(헌재 1994.12.29. 93헌바21).

2 민간인과 직무집행중인 군인 등의 공동불법행위로 인하여 직무집행중인 다른 군인 등이 피해를 입은 경우, 민간인의 피해 군인 등에 대한 손해배상의 범위 및 민간인이 피해 군인 등에게 자신의 귀책부분을 넘어서 배상한 경우 국가 등에게 구상권을 행사할 수 있는지 여부(소극)

헌법 제29조 제2항, 국가배상법 제2조 제1항 단서의 입법 취지를 관철하기 위하여는, 국가배상법 제2조 제1항 단서가 적용되는 공무원의 직무상 불법행위로 인하여 직무집행과 관련하여 피해를 입은 군인 등에 대하여 위 불법행위에 관련된 일반국민(법인을 포함한다. 이하 '민간인'이라 한다)이 공동불법행위책임, 사용자책임, 자동차운행자책임 등에 의하여 그 손해를 자신의 귀책부분을 넘어서 배상한 경우에도, 국가 등은 피해 군인 등에 대한 국가배상책임을 면할 뿐만 아니라, 나아가 민간인에 대한 국가의 귀책비율에 따른 구상의무도 부담하지 않는다고 하여야 할 것이다. … 공동불법행위자 등이 부진정연대채무자로서 각자 피해자의 손해 전부를 배상할 의무를 부담하는 공동불법행위의 일반적인 경우와 달리 예외적으로 민간인은 피해 군인 등에 대하여 그 손해 중 국가 등이 민간인에 대한 구상의무를 부담한다면 그 내부적인 관계에서 부담하여야 할 부분을 제외한 나머지 자신의 부담부분에 한하여 손해배상의무를 부담하고, 한편 국가 등에 대하여는 그 귀책부분의 구상을 청구할 수 없다고 해석함이 상당하다 할 것이고, 이러한 해석이 손해의 공평 · 타당한 부담을 그 지도원리로 하는 손해배상제도의 이상에도 맞는다 할 것이다(대판 2001.2.15. 96다42420 전합).❶

관련판례

경찰공무원 낙석사건

[1] 경찰공무원이 낙석사고 현장 주변 교통정리를 위하여 사고현장 부근으로 순찰차를 운전하고 가다가 산에서 떨어진 대형 낙석이 순찰차를 덮쳐 사망한 사안에서, 사망이 지방자치단체의 도로에 관한 설치·관리상 하자로 인하여 발생하였다고 본 원심판단을 정당하다고 한 사례

우선 원심은 경찰공무원인 소외인이 낙석사고가 일어난 지점 주변의 교통 정리를 위하여 순찰차를 운전하여 그 사고현장 부근으로 가다가 산에서 떨어진 소형 차량 크기의 낙석이 순찰차를 덮침으로써 사망하였는데, 그 판시의 사정에 비추어 그 사망은

핵심 OX

01 헌법재판소는 국가배상법 제2조 제1항 단서를, 일반국민이 직무집행 중인 군인과의 공동불법행위로 직무집행 중인 다른 군인에게 공상을 입혀 그 피해자에게 공동의 불법행위로 인한 손해를 배상한 다음 공동불법행위자인 군인의 부담부분에 관하여 국가에 대하여 구상권을 행사하는 것을 허용하지 아니한다고 해석하는 한 헌법에 위반된다고 판단하였다. 18. 변호사 ( )

02 대법원은 공무원의 직무상 불법행위로 인하여 직무집행과 관련하여 피해를 입은 군인 등에 대하여 그 불법행위와 관련하여 공동불법행위 책임을 지는 일반국민은 자신의 귀책부분을 초과하는 부분까지도 손해배상의무를 부담하며, 이를 전부 배상한 경우 다른 공동불법행위자인 군인의 부담부분에 관하여 국가를 상대로 구상권을 행사할 수 있다고 판단하였다. 18. 변호사 · 국가9급, 10. 국가7급 ( )

❶ 민간인과 군인의 공동불법행위로 인하여 군인이 피해를 입은 경우 부담 부분
- 대법
  - 국가는 이미 그 군인에 대하여 배상을 한 이후이기에 이중배상금지규정상 더 이상 배상할 수 없음
  - 만약 민간인이 자신의 부담부분을 넘어 피해군인에게 배상해주었다고 하더라도 그 초과부분에 대하여 국가는 이중배상금지규정상 구상의무를 부담할 수 없음.

  ⇨ 민간인은 피해 군인에 대하여 자신의 귀책부분만큼만 배상해주면 되는 것이고, 그 이상 배상해주었다 하더라도 국가에 구상을 청구할 수 없음
- 현재: 대법과 같이 국가에 대한 구상권을 제한하는 것은 위헌

01 ○ 02 X

지방자치단체인 피고의 이 사건 도로에 관한 설치 · 관리상의 하자로 인하여 발생하였다고 판단하였다.

[2] 경찰공무원이 낙석사고 현장 주변 교통정리를 위하여 사고현장 부근으로 이동하던 중 대형 낙석이 순찰차를 덮쳐 사망하자, 도로를 관리하는 지방자치단체가 국가배상법 제2조 제1항 단서에 따른 면책을 주장한 사안에서, 경찰공무원 등이 '전투 · 훈련 등 직무집행과 관련하여' 순직 등을 한 경우 같은 법 및 민법에 의한 손해배상책임을 청구할 수 없다고 정한 국가배상법 제2조 제1항 단서의 면책조항은 구 국가배상법 제2조 제1항 단서의 면책조항과 마찬가지로 전투·훈련 또는 이에 준하는 직무집행뿐만 아니라 '일반 직무집행'에 관하여도 국가나 지방자치단체의 배상책임을 제한하는 것이라고 해석하여, 위 면책 주장을 받아들인 원심판단을 정당하다고 한 사례

나아가 국가배상법(2005.7.13. 법률 제7584호로 개정된 것) 제2조 제1항 단서(이하 '이 사건 면책조항'이라고 한다)에 의하여 피고가 같은 법 및 민법에 의한 손해배상책임에서 면제된다는 피고의 주장에 대하여, 원심은 헌법 제29조 제2항의 규정, 구 국가배상법(2005.7.13. 법률 제7584호로 개정되기 전의 것) 제2조 제1항 단서(이하 '종전 면책조항'이라고 한다)의 규정 및 그 합헌 여부나 의미에 대한 대법원과 헌법재판소의 판단(특히 대판 2001.2.15. 96다42420 등은 전투 · 훈련 또는 이에 준하는 직무집행뿐만 아니라 일반의 직무집행에 관하여도 종전 면책조항의 적용을 긍정하였다), 종전 면책조항의 이 사건 면책조항으로의 개정 경과, 그리고 '국가유공자 등 예우 및 지원에 관한 법률' 제9조에 의하여 소외인의 부모인 원고들에게 지급되는 보훈급여금의 내용 등을 살펴본 다음, ① 종전 면책조항에 대하여 대법원과 헌법재판소가 헌법 제29조 제2항과 실질적으로 내용을 같이하는 규정이라고 해석하여 왔는데, 이 사건 면책조항은 '전투 · 훈련 등 직무집행'이라고 규정하여 헌법 제29조 제2항과 동일한 표현으로 개정이 이루어졌으므로 그 개정에도 불구하고 그 실질적 내용은 동일한 것으로 보이는 점, ② 이 사건 면책조항이 종전의 '전투 · 훈련 기타'에서 '전투 · 훈련 등'으로 개정되었는데 통상적으로 '기타'와 '등'은 같은 의미로 이해되고 이 경우에 다르게 볼 특수한 사정이 엿보이지 않는 점, ③ 위 개정 과정에서 국가 등의 면책을 종전보다 제한하려는 내용의 당초 개정안이 헌법의 규정에 반한다는 등의 이유로 이 사건 면책조항으로 수정이 이루어져 국회를 통과한 점, ④ 이 사건 면책조항은 군인연금법이나 '국가유공자 등 예우에 관한 법률' 등의 특별법에 의한 보상을 지급받을 수 있는 경우에 한하여 국가나 지방자치단체의 배상책임을 제한하는데, '국가유공자 등 예우에 관한 법률'에 의한 보훈급여금 등은 사회보장적 성격을 가질 뿐만 아니라 국가를 위한 공헌이나 희생에 대한 응분의 예우를 베푸는 것으로서, 불법행위로 인한 손해를 전보하는 데 목적이 있는 손해배상제도와는 그 취지나 목적을 달리하지만, 실질적으로는 사고를 당한 피해자 또는 유족의 금전적 손실을 메꾼다는 점에서 배상과 유사한 기능을 수행하는 측면이 있음을 부인할 수 없다는 사정 등을 고려하면 이 사건 면책조항이 국민의 기본권을 과도하게 침해한다고도 할 수 없다는 점 등을 종합하여, 이 사건 면책조항은 종전 면책조항과 마찬가지로 전투 · 훈련 또는 이에 준하는 직무집행뿐만 아니라 일반 직무집행에 관하여도 국가나 지방자치단체의 배상책임을 제한하는 것이라고 해석하였다. 그리하여 원심은 피고의 위 면책 주장을 받아들여 원고들의 이 사건 청구를 기각하였다(대판 2011.3.10. 2010다85942).

핵심 OX

01 경찰공무원이 낙석사고 현장 부근으로 이동하던 중 대형 낙석이 순찰차를 덮쳐 사망한 사안에서 국가배상법의 이중배상 금지 규정에 따른 면책조항은 전투 · 훈련 또는 이에 준하는 직무집행뿐만 아니라 일반 직무집행에 관하여도 국가나 지방자치단체의 배상책임을 제한하는 것으로 해석하여야 한다.
19. 국회8급 (   )

01 ○

판례연구 국가배상법 제2조 요건(고의 또는 과실)

1. 기본 판례

이중배상금지에 관한 국가배상법 조항은 헌법에 위반되지 않는다.

> 헌법 및 헌법재판소법의 관계규정에 비추어 볼 때 위헌심사의 대상이 되는 법률은 국회의 의결을 거친 이른바 형식적 의미의 법률을 의미하는 것이므로, 헌법의 개별규정 자체는 헌법소원에 의한 위헌심사의 대상이 아니고, … 이념적 · 논리적으로는 헌법규범 상호간의 우열을 인정할 수 있다 하더라도, 헌법의 어느 특정규정이 다른 규정의 효력을 전면적으로 부인할 수 있을 정도의 개별적 헌법규정 상호간에 효력상의 차등을 의미하는 것이라고는 볼 수 없으므로, **헌법의 개별규정에 대한 위헌심사는 허용될 수 없다.** … 국가배상법 제2조 제1항 단서는 헌법 제29조 제1항에 의하여 보장되는 국가배상청구권을 헌법 내재적으로 제한하는 헌법 제29조 제2항에 직접 근거하고, 실질적으로 그 내용을 같이 하는 것이므로 **헌법에 위반되지 아니한다**(헌재 2000.2.22. 2000헌마38).

2. 관련 판례

① 공익근무요원은 이중배상이 배제되는 군인에 해당하지 않는다.
② 경비교도로 임용된 자는 국가배상법 소정의 군인 또는 경찰공무원에 해당하지 않는다.
③ 전투경찰순경으로 임용된 자도 경찰공무원에 해당한다.
④ 다른 법률에 의한 보상청구권이 시효완성된 경우라도 이중배상금지의 다른 법령에 의하여 보상을 받을 수 있는 경우에 해당하므로 별도로 국가배상청구는 부정된다.
⑤ 경찰공무원이 구 공무원연금법의 규정에 의하여 장해보상을 지급받는 것은 국가배상법 제2조 제1항 단서 소정의 '다른 법령의 규정'에 의한 재해보상을 지급받은 것에 해당하지 아니한다.
⑥ 이중배상금지가 적용되는 직무집행에는 전투 · 훈련 또는 이에 준하는 직무집행뿐만 아니라 일반 직무집행에 관하여도 국가나 지방자치단체의 배상책임을 제한하는 것이라고 해석된다.
⑦ 민간인과 군인이 공동불법행위를 한 경우 민간인은 자신의 책임에 대해서만 배상책임이 있고 그 이상의 배상에 대해서는 국가에 대해 구상권을 행사할 수 없다는 것이 대법원의 입장이다.

제2장 행정상 손실보상

제1절 손실보상

1 서설

1. 의의

행정상 손실보상이란 공공필요에 의한 적법한 공권력 행사로 인하여 발생한 개인의 재산상의 특별한 희생에 대하여 사유재산권의 보장과 공평부담의 견지에서 행정주체가 행하는 금전적 보상을 말한다.

2. 특징

(1) 공권력 행사로 인한 손실보상

공행정작용으로 인한 손실의 보상이라는 점에서 사법적 성질을 가지는 공공용지의 임의매수 등과는 구별된다.

(2) 적법행위로 인한 손실보상

적법한 공행정작용을 요한다는 점에서 위법한 공권력의 행사의 경우에 행해지는 손해배상과는 구별된다. 그러나 행정상 손해배상제도는 과실의 객관화 · 위험책임의 등장으로 그 배상범위가 확대되는 경향으로 손해배상과 손실보상은 단일화되어 가고 있는 것이 현실이다.

(3) 재산상의 손실전보

손실보상은 **사람의 생명**이나 **신체에 대한 침해의 보상은 포함되지 않는다**는 점에서 형사보상 및 명예회복에 관한 법률에 의한 보상과 구별된다.

(4) 특별한 희생에 대한 조절적 보상

특별한 희생을 요한다는 점에서 재산권 자체에 내재되어 손실보상의 문제가 발생하지 않는 사회적 제약과는 구별된다.

관련판례

도로법 제4조 본문[도로를 구성하는 부지, 옹벽, 그 밖의 시설물에 대해서는 사권(私權)을 행사할 수 없다. 다만, 소유권을 이전하거나 저당권을 설정하는 경우에는 사권을 행사할 수 있다]이 도로부지 소유자의 토지인도청구 등 사권의 행사를 제한한 심판대상조항이 청구인의 재산권을 침해하는지 여부(소극)

[1] 심판대상조항은 토지소유자의 도로부지 인도청구 등의 사권행사를 제한함으로써 도로개설행위에 의하여 제한된 재산권의 내용을 규정하는 조항이므로, 헌법 제23조 제1항 및 제2항에 규정한 재산권의 내용과 한계 조항에 해당한다.

핵심 OX

01 행정상 손실보상은 원칙적으로 적법한 공권력행사로 인한 손해의 전보제도로서 위법한 공권력행사로 인한 침해에 대한 보상인 국가배상제도와는 다르다. 14. 서울7급 ( )

02 손실보상은 적법한 공권력의 행사로 인한 손해의 전보제도이다. 05. 서울9급 ( )

핵심 OX

03 손실보상청구권을 발생시키는 침해는 재산권이나 신체에 대한 것이어야 한다. 14. 서울7급 ( )

04 손실보상은 원칙적으로 재산 · 생명 · 신체의 침해에 대한 보상이다. 05. 서울9급 ( )

05 손실보상은 공공필요에 의한 행정작용에 의하여 사인에게 발생한 특별한 희생에 대한 전보이므로 재산권 침해로 인한 손실이 특별한 희생에 해당하여야 한다. 17. 국가9급(10월) ( )

01 ○ 02 ○ 03 X 04 X 05 ○

[2] 심판대상조항은 도로를 개발한 목적을 달성하기 위하여 도로부지 소유자의 사권행사를 제한하는 것으로 입법목적의 정당성이 인정되고, 도로관리청이 도로를 개설함에 있어 토지소유자와 사용협의를 마쳤는지를 불문하고 도로를 구성하는 부지와 옹벽, 기타 물건에 대한 토지소유자의 인도청구 등의 사권 행사를 제한하는 것은 입법목적을 달성하기 위한 적절한 수단이다. 도로부지의 소유자는 토지를 처분할 수 있을 뿐 아니라 사용 · 수익하지 못한 손해에 대하여 도로관리청을 상대로 부당이득반환청구를 할 수 있으므로 심판대상조항은 재산권을 최소한도로 제한하고 있으며, 도로의 개설 및 유지를 통한 국토의 효율적인 이용과 공중의 원활한 통행이라는 공익이 도로부지의 점유 · 사용권능이라는 사익에 비해 중대한 점은 사법상 권원 없이 개설된 도로의 경우에도 동일하다 할 것이므로 법익의 균형성도 갖추었다. 따라서 심판대상조항은 과잉금지원칙을 위반하여 재산권을 침해한다고 볼 수 없다(헌재 2013.10.24. 2012헌바376).

3. 성질

손실보상청구권의 성질에 대하여 공권설(다수설)과 사권설(판례)이 대립하고 있으나, 판례는 사권으로 보고 손실보상에 관한 소송을 민사소송으로 하여야 한다고 판시하고 있다.

(1) 원칙 – 사권설(판례)≠공권설(다수설)

권력적 사실행위와 같은 것을 매개로 하는 경우에는 사권으로 본다.

관련판례

공익상의 필요에 의한 면허어업제한 등으로 인한 수산업법 제81조 소정의 손실보상청구권의 법적 성질(사권) 및 그 손실보상청구 소송이 민사소송인지 여부(적극)
어업면허에 대한 처분 등이 행정처분에 해당한다 하여도 이로 인한 손실보상청구권은 공법상의 권리가 아니라 사법상의 권리이다. … 수산업법 소정의 요건에 해당한다고 하여 손실보상을 청구하려는 자는 행정관청이 그 보상청구를 거부하거나 보상금액을 결정한 경우라 해도 이에 대해서는 행정소송을 제기할 것이 아니라 면허어업에 대한 처분을 한 행정관청이 속한 권리주체인 지방자치단체를 상대로 **민사소송**으로 직접 손실보상지급청구를 하여야 한다(대판 1996.7.26. 94누13848).

(2) 예외

법령에서 직접 권리가 발생하는 경우에는 공권으로 본다.

관련판례

1 구 공유수면매립법 시행 당시 공유수면매립사업으로 인한 관행어업권자의 손실보상청구권 행사방법(=행정소송)
공유수면매립사업으로 인하여 관행어업권을 상실하게 된 자는 구 공유수면매립법 제6조 제2호가 정한 입어자로서 같은 법 제16조 제1항의 공유수면에 대하여 권리를 가진 자에 해당하므로 그가 매립사업으로 인하여 취득한 손실보상청구권은 직접 같은 법 조항에 근거하여 발생한 것이라 할 것이어서, 공유수면매립사업법 제16조 제2항 · 제3항이 정한 재정과 그에 대한 **행정소송**의 방법에 의하여 권리를 주장하여야 할 것이고 민사소송의 방법으로는 그 손실보상청구권을 행사할 수 없다(대판 2001.6.29. 99다56468).

핵심 OX

06 손실보상청구권의 법적 성질에 대해서는 공권설과 사권설의 대립이 있다. 14. 서울9급 ( )

07 판례에 따르면 손실보상의 원인이 공법적이라면 손실의 내용이 사권이라 하더라도 그 손실보상청구권을 공법상 권리로 본다. 14. 서울7급 변형, 13. 국가7급 ( )

08 손실보상청구권의 성질에 관하여 대법원은 전통적으로 사권설의 입장에서 민사소송으로 다루어 왔으나, 최근에는 당사자소송으로 보는 판례도 나타나고 있다. 11. 국가9급 ( )

09 구 공익사업을 위한 토지 등의 취득 및 보상에 관한 법률의 관련 규정에 의하여 취득하는 어업피해에 관한 손실보상청구권은 민사소송의 방법으로 행사할 수는 없고 재결절차를 거치지 않은 채 곧바로 사업시행자를 상대로 손실보상을 청구하는 것도 허용되지 않는다. 19. 국회8급 ( )

06 ○ 07 X 08 ○ 09 ○

핵심 OX

01 손실보상청구권이 공법상 권리인 경우 손실보상금의 지급을 구하거나 손실보상청구권의 확인을 구하는 손실보상관계소송은 판례상 당사자소송이다. 14. 국회8급 ( )

02 판례는 구 하천법상 하천구역 편입토지에 대한 손실보상청구를 공법상의 권리라고 보아 항고소송에 의하여야 한다고 보고 있다. 19. 국회8급, 14. 서울7급, 11. 지방9급 ( )

핵심 OX

03 손실보상의 이론적 근거로서 특별희생설에 의하면, 공공복지와 개인의 권리 사이에 충돌이 있는 경우에는 개인의 권리가 우선한다. 17. 국가9급 ( )

04 헌법 제23조 제3항에서 보상은 법률로써 하되 정당한 보상을 지급하여야 한다고 하여 구체적인 보상액의 산출기준은 법률에 유보하고 있다. 18. 지방교행, 14. 서울9급 ( )

05 재산권의 수용·사용·제한은 법률로써 하여야 하고, 이 '법률'에 법률종속명령이나 조례는 포함되지 아니한다. 11. 사복 ( )

06 헌법 제23조 제3항을 불가분조항으로 볼 경우, 보상규정을 두지 아니한 수용법률은 헌법위반이 된다. 17. 지방9급 ( )

01 ○ 02 X 03 X 04 ○ 05 ○ 06 ○

2 하천법 부칙 제2조의 규정에 의한 보상청구권의 소멸시효가 만료된 하천구역 편입토지 보상에 관한 특별조치법 제2조 제1항에서 정하고 있는 손실보상청구권의 법적 성질과 그 쟁송 절차(=행정소송), 소송의 형태(=행정소송법 제3조 제2호의 당사자소송)

위 각 규정들에 의한 손실보상청구권은 하천법 본칙이 원래부터 규정하고 있던 하천구역에의 편입에 의한 손실보상청구권과 하등 다를 바가 없는 것이어서 공법상의 권리임이 분명하므로 그에 관한 쟁송도 행정소송절차에 의하여야 한다. … 위 규정들에 의한 손실보상금의 지급을 구하거나 손실보상청구권의 확인을 구하는 소송은 행정소송법 제3조 제2호 소정의 **당사자소송**에 의하여야 한다(대판 2006.5.18. 2004다6207 전합).

2 보상근거

1. 이론적 근거

행정상 손실보상의 이론적 근거에 대해서는 기득권설·은혜설·공평부담설 등이 있으나, 사유재산에 가하여진 특별한 희생은 국민 전체의 부담으로 전보하는 것이 재산권 보장의 원칙과 공평의 원칙에 합당하다는 특별희생설이 통설이다.

2. 실정법적 근거

(1) 헌법상 근거

헌법 제23조 ① 모든 국민의 재산권은 보장된다. 그 내용과 한계는 법률로 정한다.
② 재산권의 행사는 공공복리에 적합하도록 하여야 한다.
③ 공공필요에 의한 재산권의 수용·사용 또는 제한 및 그에 대한 보상은 법률로써 하되, 정당한 보상을 지급하여야 한다.

(2) 법률상 근거

행정상 손실보상에 관해서는 손해배상과는 달리 일반법이 없고, 각 개별법(공익사업을 위한 토지 등의 취득 및 보상에 관한 법률, 도로법, 하천법, 국토의 계획 및 이용에 관한 법률)에 근거를 두고 있다.

3. 보상규정 흠결의 경우

(1) 불가분조항

공공필요에 의한 재산권 침해를 하는 경우 그 **침해하는 규정**과 함께 **보상규정**이 **동일한 법률**에 같이 규정되어야 한다는 것이 불가분조항의 의미이다. 따라서 개별법률이 재산권의 침해를 허용하면서 보상에 관한 규정을 두고 있지 않다면 이는 위헌이 된다. 헌법 제23조 제3항이 불가분조항인가에 대해서는 견해의 대립이 있다.

(2) 개별법령에서 손실보상규정이 흠결된 경우의 문제

손실보상에 관한 일반법이 없는 현실에서 개별법률이 국민의 재산권에 대한 공용침해를 규정하면서 그에 대한 보상규정을 두고 있지 않은 경우 개인은 헌법규정만으로 보상을 청구할 수 있는가에 대해서 견해의 대립이 있다.

① **방침규정설(프로그램규정설)**[1]: 헌법 제23조 제3항은 단순한 입법의 방침을 규정한 것에 불과하므로 법률에 보상규정이 없는 경우 헌법 제23조 제3항을 근거로 해서 보상을 청구할 수 없고, 헌법을 구체화한 개별법률의 제정이 있어야만 보상을 청구할 수 있다는 입장이다.

② **국민에 대한 직접효력설**: 손실보상의 규정이 없더라도 직접 헌법규정을 근거로 손실보상을 청구할 수 있다는 견해로서 헌법학계의 다수설이다. 그러나 우리 헌법은 손실보상은 법률에 의한 보상을 규정하고 있다는 점을 간과한다는 비판이 있다.

③ **유추적용설(수용유사침해설)**: 법률에 보상규정이 없는 경우에는 헌법 제23조 제1항(재산권 보장), 제11조(평등원칙)를 근거로 헌법 제23조 제1항 및 관계규정의 **유추적용**을 통하여 **보상을 청구**할 수 있다는 견해이다. 이는 독일에서 발전된 수용유사침해이론을 도입하여 이를 손실보상의 문제로 해결하려는 것이다.

④ **위헌무효설(입법자에 대한 직접효력설)**: 공용침해를 규정하면서 보상규정을 두지 아니한 법률은 위헌·무효의 법률이며, 그에 근거한 재산권 침해는 위법한 행정작용이므로 개인은 손해배상을 청구할 수 있다는 입장이다.

⑤ **입법부작위 위헌설**: 공용침해를 규정하는 법률이 보상규정을 두지 않은 경우 손실보상을 규정하지 않은 **입법부작위가 위헌**이라는 입장이다.

⑥ **판례**

㉠ **대법원**: 판례의 입장은 일관되어 있지 않다. 직접적인 관련 규정이 없는 경우 **유추해석**을 통해 **손실보상을 인정**하기도 하고, 법률에 보상규정이 없는 경우 손실보상 대신 **불법행위**에 따른 **손해배상을 인정**하는 경우도 있다.

㉡ **헌법재판소**: 보상입법을 하지 않은 입법부작위가 위헌이라고 본다.

관련판례

1 하천법(1971.1.19. 법률 제2292호로 개정된 것)상 국유화된 제외지의 소유자에 대한 손실보상의 유무

하천법 제2조 제1항 제2호, 제3조에 의하면 제외지는 하천구역에 속하는 토지로서 법률의 규정에 의하여 당연히 그 소유권이 국가에 귀속된다고 할 것인바 한편 동법에서는 위 법의 시행으로 인하여 국유화가 된 제외지의 소유자에 대하여 그 손실을 보상한다는 직접적인 보상규정을 둔 바가 없으나 동법 제74조의 손실보상요건에 관한 규정은 보상사유를 제한적으로 열거한 것이라기 보다는 예시적로 열거하고 있으므로 국유로 된 제외지의 소유자에 대하여는 위 법조를 유추적용하여 관리청은 그 손실을 보상하여야 한다(대판 1987.7.21. 84누126).

2 위탁판매수수료 수입 상실에 대하여 공공용지의 취득 및 손실보상에 관한 특례법 시행규칙을 유추적용하여 손실보상을 하여야 하는지 여부(적극)

수산업협동조합이 수산물 위탁판매장을 운영하면서 위탁판매 수수료를 지급받아 왔고, 그 운영에 대하여는 구 수산자원보호령 제21조 제1항에 의하여 그 대상지역에서의 독점적 지위가 부여되어 있었는데, 공유수면매립사업의 시행으로 그 사업대상지역에서 어업활동을 하던 조합원들의 조업이 불가능하게 되어 일부 위탁판매장에서의 위탁판매사업을 중단하게 된 경우, 그로 인해 수산업협동조합이 상실하게 된 위탁판매수수료 수입은 사업시행자의 매립사업으로 인한 직접적인 영업손실이 아니고 간접적인 영업손실이라고

---

[1]
- 대법: 보상규정 없는 경우, 다른 법률 유추적용하여 보상
- 헌재: 보상규정 없는 경우, 당해 법률은 위헌. 입법자는 당해 법률에 보상규정을 입법하고 피해자 등은 입법을 기다려 권리를 행사함

핵심 OX

07 헌법 제23조 제3항을 국민에 대한 직접적인 효력이 있는 규정으로 보는 견해는 동조항의 재산권의 수용·사용·제한규정과 보상규정을 불가분조항으로 본다. 17. 국가9급 ( )

08 대법원은 헌법 제23조 제3항의 규정에도 불구하고 보상에 관한 구체적 사항이 법률로써 정해져 있지 아니한 때에는 손실보상을 인정할 수 없다고 한다. 14. 국회8급 ( )

09 헌법재판소는 공용침해로 인한 특별한 손해에 대한 보상규정이 없는 경우에 관련 보상규정을 유추적용하여 보상하려는 경향이 있다. 18. 서울9급 ( )

핵심 OX

10 수산업협동조합이 관계법령에 의하여 대상지역에서의 독점적 지위가 부여되어 있던 위탁판매사업을 공유수면매립으로 인해 중단하게 되어 입은 위탁판매수수료 수입손실에 대하여 판례는 보상을 인정한 바 있다. 06. 국회8급 ( )

07 X 08 X 09 X 10 O

하더라도 피침해자인 수산업협동조합이 공공의 이익을 위하여 당연히 수인하여야 할 재산권에 대한 제한의 범위를 넘어 수산업협동조합의 위탁판매사업으로 얻고 있는 영업상의 재산이익을 본질적으로 침해하는 특별한 희생에 해당하고, 사업시행자는 공유수면매립면허 고시 당시 그 매립사업으로 인하여 위와 같은 영업손실이 발생한다는 것을 상당히 확실하게 예측할 수 있었고 그 손실의 범위도 구체적으로 확정할 수 있으므로, 위 위탁판매수수료 수입손실은 헌법 제23조 제3항에 규정한 손실보상의 대상이 되고, 그 손실에 관하여 구 공유수면매립법 또는 그 밖의 법령에 직접적인 보상규정이 없더라도 공공용지의 취득 및 손실보상에 관한 특례법 시행규칙상의 각 규정을 유추적용하여 그에 관한 보상을 인정하는 것이 타당하다(대판 1999.10.8. 99다27231).

3 군정법령에 따른 보상절차가 이루어지지 않은 단계에서 조선철도의통일폐지법률에 의하여 군정법령을 폐지하고 그 보상에 관하여 아무런 입법조치를 취하지 않은 것이 위헌인지 여부(적극)

우리 헌법은 제헌 이래 현재까지 일관하여 재산의 수용, 사용 또는 제한에 대한 보상금을 지급하도록 규정하면서 이를 법률이 정하도록 위임함으로써 국가에게 명시적으로 수용 등의 경우 그 보상에 관한 입법의무를 부과하여 왔는바, 해방 후 사설철도회사의 전 재산을 수용하면서 그 보상절차를 규정한 군정법령 제75호에 따른 보상절차가 이루어지지 않은 단계에서 조선철도의 통일폐지법률에 의하여 위 군정법령이 폐지됨으로써 대한민국의 법령에 의한 수용은 있었으나 그에 대한 보상을 실시할 수 있는 절차를 규정하는 법률이 없는 상태가 현재까지 계속되고 있으므로, 대한민국은 위 군정법령에 근거한 수용에 대하여 보상에 관한 법률을 제정하여야 하는 입법자의 헌법상 명시된 입법의무가 발생하였으며, 위 폐지법률이 시행된 지 30년이 지나도록 입법자가 전혀 아무런 입법조치를 취하지 않고 있는 것은 입법재량의 한계를 넘는 입법의무불이행으로서 보상청구권이 확정된 자의 헌법상 보장된 재산권을 침해하는 것이므로 위헌이다(헌재 1994.12.29. 89헌마2).

4 물건 또는 권리 등에 대한 손실보상액 산정의 기준이나 방법에 관하여 구체적으로 정하고 있는 법령의 규정이 없는 경우, 그 성질상 유사한 물건 또는 권리 등에 대한 관련 법령상의 손실보상액 산정의 기준이나 방법에 관한 규정을 유추적용할 수 있는지 여부(적극)

甲 주식회사가 한탄강 일대 토지에 수력발전용 댐을 건설하고 한탄강 하천수에 대한 사용허가를 받아 하천수를 이용하여 소수력발전사업을 영위하였는데, 한탄강 홍수조절지댐 건설사업 등의 시행자인 한국수자원공사가 댐 건설에 필요한 위 토지 등을 수용하면서 지장물과 영업손실에 대하여는 보상을 하고 甲 회사의 하천수 사용권에 대하여는 별도로 보상금을 지급하지 않자 甲회사가 재결을 거쳐 하천수 사용권에 대한 별도의 보상금을 산정하여 지급해 달라는 취지로 보상금증액소송을 제기한 사안에서, 공익사업을 위한 토지 등의 취득 및 보상에 관한 법률(이하 '토지보상법'이라 한다) 및 그 시행령 · 시행규칙에 '물의 사용에 관한 권리'의 평가에 관한 규정이 없고, 하천법 제50조에 의한 하천수 사용권과 면허어업의 성질상 유사성, 면허어업의 손실액 산정 방법과 환원율 등에 비추어 볼 때, 甲 회사의 하천수 사용권에 대한 '물의 사용에 관한 권리'로서의 정당한 보상금액은 토지보상법 시행규칙 제44조(어업권의 평가 등) 제1항이 준용하는 수산업법 시행령 제69조 [별표 4](어업보상에 대한 손실액의 산출방법 · 산출기준 등) 중 어업권이 취소되거나 어업면허의 유효기간 연장이 허가되지 않은 경우의 손실보상액 산정 방법과 기준을 유추적용하여 산정하는 것이 타당하다(대판 2018.12.27. 2014두11601).

핵심 OX

01 甲은 개발제한구역 내 소재한, 지목은 대지이나 건축되지 아니한 토지(나대지)의 소유자이다. 甲은 당해 토지가 개발제한구역으로 지정됨으로써 건축을 할 수 없게 되어 사용 및 수익이 불가능하게 되었다. 위 사례의 경우 대법원의 판례이론에 의할 경우 법률에 손실보상에 관한 규정이 없는 때에도 관련 법률의 유추해석 등을 통하여 甲에게 손실보상이 주어질 수 있다.
13. 서울7급 ( )

02 영업손실에 관한 보상에 있어서 영업의 휴업과 폐지를 구별하는 기준은 당해 영업을 다른 장소로 이전하는 것이 가능한지 여부에 달려있다.
06. 지방7급 변형 ( )

01 ○ 02 ○

제2절 손실보상청구권의 요건

1 공공필요

수용 · 사용 · 제한 등 국민의 재산권에 대한 침해행위는 공공필요가 있는 경우에만 허용된다. 오늘날 공공필요의 개념은 점차 확대되는 경향에 있으며, 특정한 공익사업을 위한 경우뿐만 아니라 널리 공공목적을 위한 경우까지도 포함된다. 공공필요의 개념은 '존속보장'과 관련하여 중요한 의미를 갖는다.

관련판례

1 공공필요의 의미

[1] 헌법 제23조 제3항의 '공공필요'의 의미

헌법 제23조 제3항에서 규정하고 있는 '공공필요'는 '국민의 재산권을 그 의사에 반하여 강제적으로라도 취득해야 할 공익적 필요성'으로서, '공공필요'의 개념은 '공익성'과 '필요성'이라는 요소로 구성되어 있는바, '공익성'의 정도를 판단함에 있어서는 공용수용을 허용하고 있는 개별법의 입법목적, 사업내용, 사업이 입법목적에 이바지 하는 정도는 물론, 특히 그 사업이 대중을 상대로 하는 영업인 경우에는 그 사업 시설에 대한 대중의 이용 · 접근가능성도 아울러 고려하여야 한다. 그리고 '필요성'이 인정되기 위해서는 공용수용을 통하여 달성하려는 공익과 그로 인하여 재산권을 침해당하는 사인의 이익 사이의 형량에서 사인의 재산권 침해를 정당화할 정도의 공익의 우월성이 인정되어야 하며, 사업시행자가 사인인 경우에는 그 사업 시행으로 획득할 수 있는 공익이 현저히 해태되지 않도록 보장하는 제도적 규율도 갖추어져 있어야 한다.

[2] 헌법 제23조 제3항의 '공공필요'가 헌법 제37조 제2항의 '공공복리'보다 좁은 개념

오늘날 공익사업의 범위가 확대되는 경향에 대응하여 재산권의 존속보장과의 조화를 위해서는, '공공필요'의 요건에 관하여, 공익성은 추상적인 공익 일반 또는 국가의 이익 이상의 중대한 공익을 요구하므로 기본권 일반의 제한사유인 '공공복리'보다 좁게 보는 것이 타당하다(헌재 2014.10.30. 2011헌바129 · 172).

2 **행정기관이 개발촉진지구 지역개발사업으로 실시계획을 승인하고 이를 고시하기만 하면 고급골프장 사업과 같이 공익성이 낮은 사업에 대해서까지도 시행자인 민간개발자에게 수용권한을 부여하는 구 '지역균형개발 및 지방중소기업 육성에 관한 법률 제19조 제1항 등이 헌법 제23조 제3항에 위배되는지 여부(적극)**

헌법 제23조 제3항에서 규정하고 있는 '공공필요'는 '국민의 재산권을 그 의사에 반하여 강제적으로라도 취득해야 할 공익적 필요성'으로서, '공공필요'의 개념은 '공익성'과 '필요성'이라는 요소로 구성되어 있는바, '공익성'의 정도를 판단함에 있어서는 공용수용을 허용하고 있는 개별법의 입법목적, 사업내용, 사업이 입법목적에 이바지 하는 정도는 물론, 특히 그 사업이 대중을 상대로 하는 영업인 경우에는 그 사업 시설에 대한 대중의 이용 · 접근가능성도 아울러 고려하여야 한다. 그리고 '필요성'이 인정되기 위해서는 공용수용을 통하여 달성하려는 공익과 그로 인하여 재산권을 침해당하는 사인의 이익 사이의 형량에서 사인의 재산권침해를 정당화할 정도의 공익의 우월성이 인정되어야 하며, 사업시행자가 사인인 경우에는 그 사업 시행으로 획득할 수 있는 공익이 현저히 해태되지 않도록 보장하는 제도적 규율도 갖추어져 있어야 한다. 그런데 이 사건에서 문제된 지구개발사업의 하나인 '관광휴양지 조성사업' 중에는

핵심 OX

03 순수 국고목적의 작용이라 하더라도 공공필요성이 인정된다는 것이 일치된 견해이다. 09. 관세사 ( )

04 공공필요를 이유로 하는 재산권의 수용 등은 행정기관 이외에 사인을 위해서도 인정할 수 있다. 09. 관세사 ( )

05 헌법재판소는 헌법 제23조 제3항의 '공공필요'는 '국민의 재산권을 그 의사에 반하여 강제적으로라도 취득해야 할 공익적 필요성'을 의미하고, 이 요건 중 공익성은 기본권 일반의 제한사유인 '공공복리'보다 좁은 것으로 보고 있다. 17. 국가9급 ( )

03 X 04 O 05 O

고급골프장, 고급리조트 등(이하 '고급골프장 등'이라 한다)의 사업과 같이 입법목적에 대한 기여도가 낮을 뿐만 아니라, 대중의 이용 · 접근가능성이 작아 공익성이 낮은 사업도 있다. 또한 고급골프장 등 사업은 그 특성상 사업 운영 과정에서 발생하는 지방세수 확보와 지역경제 활성화는 부수적인 공익일 뿐이고, 이 정도의 공익이 그 사업으로 인하여 강제수용 당하는 주민들의 기본권침해를 정당화할 정도로 우월하다고 볼 수는 없다. 따라서 이 사건 법률조항은 공익적 필요성이 인정되기 어려운 민간개발자의 지구개발사업을 위해서까지 공공수용이 허용될 수 있는 가능성을 열어두고 있어 헌법 제23조 제3항에 위반된다(헌재 2014.10.30. 2011헌바129 · 172).

2 재산권

1. 의미

재산이라 함은 법률상 보호되는 일체의 재산적 가치 있는 권리를 말한다. 따라서 **사법상의 권리**(물권, 채권, 무체재산권)뿐만 아니라 **공법상의 권리**도 포함된다. 그러나 재산권은 현존하는 구체적인 이익이어야 하므로 토지의 지가상승과 같은 **'기대이익'은 포함되지 않는다.**

관련판례

1 토지의 문화적·학술적 가치가 토지수용법상 손실보상의 대상이 될 수 있는지 여부(소극)

문화적 · 학술적 가치는 특별한 사정이 없는 한 그 토지의 부동산으로서의 경제적 · 재산적 가치를 높여 주는 것이 아니어서 구 토지수용법 제51조 소정의 손실보상의 대상이 될 수 없으므로 토지가 철새 도래지로서 자연 문화적인 학술가치를 지녔다 하더라도 손실보상의 대상이 될 수 없다(대판 1989.9.12. 88누11216).

2 지장물인 건물은 적법한 건축허가를 받아 건축된 건물만이 손실보상의 대상이 되는지 여부(소극)

토지수용법상의 사업인정 고시 이전에 건축되고 공공사업용지 내의 토지에 정착한 지장물인 건물은 통상 적법한 건축허가를 받았는지 여부에 관계없이 손실보상의 대상이 되나, 주거용 건물이 아닌 위법 건축물의 경우에는 관계 법령의 입법 취지와 그 법령에 위반된 행위에 대한 비난가능성과 위법성의 정도, 합법화될 가능성, 사회통념상 거래 객체가 되는지 여부 등을 종합하여 구체적 · 개별적으로 판단한 결과 그 위법의 정도가 관계 법령의 규정이나 사회통념상 용인할 수 없을 정도로 크고 객관적으로도 합법화될 가능성이 거의 없어 거래의 객체도 되지 아니하는 경우에는 예외적으로 수용보상 대상이 되지 아니한다(대판 2001.4.13. 2000두6411).

3 '물의 사용에 관한 권리'에 대한 권리가 손실보상의 대상이 되는지 여부(적극)

하천법 제50조에 의한 하천수 사용권은 하천법 제33조에 의한 하천의 점용허가에 따라 해당 하천을 점용할 수 있는 권리와 마찬가지로 특허에 의한 공물사용권의 일종으로서, 양도가 가능하고 이에 대한 민사집행법상의 집행 역시 가능한 독립된 재산적 가치가 있는 구체적인 권리라고 보아야 한다. 따라서 하천법 제50조에 의한 하천수 사용권은 공익사업을 위한 토지 등의 취득 및 보상에 관한 법률 제76조 제1항이 손실보상의 대상으로 규정하고 있는 '물의 사용에 관한 권리'에 해당한다(대판 2018.12.27. 2014두11601).

핵심 OX

01 손실보상은 재산권침해에 대한 보상이며, 여기서 재산권침해란 재산적 가치가 있는 공권을 제외한 모든 사권(私權)의 침해를 의미한다. 14. 국회8급 ( )

02 손실보상청구권을 공권으로 보게 되면 손실보상청구권을 발생시키는 침해의 대상이 되는 재산권에는 공법상의 권리만이 포함될 뿐 사법상의 권리는 포함되지 않는다. 17. 국가9급 ( )

03 기대이익은 재산권의 보호대상에 포함되지 않는다. 11. 지방9급 ( )

04 손실보상이 이루어지는 재산권에는 지가상승에 대한 기대이익이나 영업이익의 가능성이 포함되지 아니한다. 11. 사복 ( )

05 구 토지수용법 제51조는 영업을 하기 위하여 투자한 비용이나 그 영업을 통하여 얻을 것으로 기대되는 이익에 대한 손실보상의 근거규정이 될 수 없고, 그 보상의 기준과 방법 등에 관한 규정이 없어도 이러한 손실은 그 보상의 대상이 된다. 11. 경특 ( )

06 문화적 · 학술적 가치는 특별한 사정이 없는 한 손실보상의 대상이 되지 않는다. 11. 지방7급 ( )

07 지장물인 건물은 적법한 건축허가를 받아 건축된 건물이 아니면 손실보상의 대상이 되지 않는다. 15. 경특1차, 11. 지방7급 ( )

08 하천법 제50조에 따른 하천수 사용권은 공익사업을 위한 토지 등의 취득 및 보상에 관한 법률 이 손실보상의 대상으로 규정하고 있는 '물의 사용에 관한 권리'에 해당한다. 21. 국가7급 ( )

09 구 하천법에 의한 하천수사용권은 공익사업을 위한 토지 등의 취득 및 보상에 관한 법률이 손실보상의 대상으로 규정하고 있는 '물의 사용에 관한 권리'에 해당한다. 23. 지방9급 ( )

01 X 02 X 03 O 04 O 05 X 06 O 07 X 08 O 09 O

2. 적법한 공행정작용에 의한 침해

재산권의 침해는 **적법한 것**이어야 한다는 점에서 손해배상과 다르다. 여기서 침해라 함은 재산권의 수용·사용·제한뿐만 아니라 **재산가치를 감소**시키는 공행정작용을 포함한다.

3. 침해의 직접성

개인의 재산권에 대한 침해가 **공권력주체**에 의하여 **직접적으로 의도된 것**이어야 한다. 따라서 이러한 침해의 직접성은 공용침해와 수용적 침해를 구별하는 기준이 된다. 따라서 공권력 발동에 의한 침해가 간접적·결과적으로 야기된 경우에는 직접적인 보상의 원인이 되지 않는다.

4. 특별한 희생

손실보상이 인정되기 위해서는 재산권에 대한 공권적 침해로 인하여 **사회적 제약을 넘는 특별한 희생**이 발생하여야 한다. 일반적으로 특별한 희생이란 사회적 제약을 넘어서는 손실이라고 표현된다. 보상을 요하는 특별한 희생과 보상을 요하지 않는 사회적 제약을 구별하는 기준에 대해서는 견해의 대립이 있다.

(1) 학설

① **형식적 기준설(개별행위설)**: 재산권에 대한 침해행위가 일반적인지 개별적인지의 여부에 따라 특별한 희생과 사회적 제약을 구별하는 견해로서 특정인이나 한정된 범위 내의 상대방에 대한 침해만을 특별한 희생으로 보며, 침해행위가 일반적인 경우에는 특별한 희생으로 보지 않는 견해이다. 독일 연방최고법원의 기본적인 입장이라고 볼 수 있다.

② **실질적 기준설**: 침해행위를 피해자의 수가 아니라 침해행위의 성질을 기준으로 침해행위가 재산권 등의 본질적 내용을 침해했는지 여부에 따라 특별한 희생과 사회적 제약을 구별하는 견해이다.

㉠ **보호가치설**: 역사, 일반적 사상, 언어의 관용, 법률의 취지 등에 비추어 보호할 만한 가치가 있는 재산권에 대해서만 특별한 희생으로 인정하려는 견해이다.

㉡ **목적위배설(기능설)**: 재산권에 대한 침해가 재산권의 본래의 기능 또는 목적에 위배되는지의 여부를 기준으로 하는 견해이다. 이에 의하면, 택지가 개발제한구역으로 지정되어 건축을 못하게 된 경우나 농지가 도로로 지정되어 종래의 이용목적대로 사용하지 못하게 된 경우에는 특별한 희생에 해당한다.

㉢ **수인한도설**: 침해행위의 본질성과 강도에 따라 재산권의 배타적 지배를 침해하는 경우에는 수인한도를 넘어서는 것으로 특별한 희생에 해당한다는 견해이다.

㉣ **사적 효용설**: 헌법이 보장하는 사유재산제도의 본질을 사적 효용성에서 구하고, 피해자의 주관적 이용목적인 사적 효용성을 침해하는 경우에는 특별한 희생에 해당한다는 견해이다.

㉤ **사회적 비용설**: 사회적 비용을 고려하여 손실보상 여부를 결정하는 견해로서 개인의 특별한 희생에 대한 손실보상을 실시하기 위해 소요되는 비용을 상회하는 시점을 보상실시를 필요로 하는 기점으로 보려는 견해이다.

핵심 OX

10 손실보상이 인정되기 위하여 재산권에 대한 침해가 현실적으로 발생하여야 하는 것은 아니다.
12. 국가9급 ( )

11 공유수면 매립면허의 고시가 있는 경우 그 사업이 시행되므로, 그로 인하여 곧바로 손실이 발생한다고 할 수 있고 실질적이고 현실적인 피해가 발생할 때를 기다릴 필요 없이 손실보상청구권이 발생한다.
14. 국회8급 ( )

12 공유수면 매립면허의 고시가 있다고 하여 반드시 그 사업이 시행되고 그로 인하여 손실이 발생한다고 할 수 없고, 매립면허 고시 이후 매립공사가 실행되어 어업권자에게 실질적이고 현실적인 피해가 발생한 경우에만 공유수면 관리 및 매립에 관한 법률에서 정하는 손실보상청구권이 발생한다.
19. 지방9급·변호사 ( )

10 X **11** X **12** O

㉥ **상황구속성설:** 이는 주로 토지의 이용제한과 관련하여 당해 토지가 놓여 있는 상황이나 위치에 가장 상응하게 이용되어야 할 사회적 제약 내지 상황적 구속을 받는다는 견해이다. 개발제한구역지정에 대하여 헌법재판소는 당해 토지가 놓여 있는 객관적 상황 등을 종합적으로 고려하여 판단하여야 한다는 입장을 취하면서 이러한 견해를 뒷받침하고 있다(헌재 1998.12.24. 89헌마214 · 90헌바16 · 97헌바78).

③ **결론(복수기준설):** 재산권에 대한 특별한 희생의 판단기준은 형식적 기준설과 실질적 기준설을 종합적으로 고려하여 판단하여야 한다. 그러나 특별한 희생에 대한 일반적인 기준을 정하는 것은 곤란하므로 **구체적인 사안에 따라 결정**될 수밖에 없을 것이다.

(2) 판례

① **공공용물에 대한 일반사용으로 인한 불이익:** 일반희생

관련판례

1 공공용물에 대한 일반사용을 하지 못하게 됨으로써 입게 되는 불이익은 손실보상의 대상이 아니다.

일반공중의 이용에 제공되는 공공용물에 대하여 특허 또는 허가를 받지 않고 하는 일반사용은 다른 개인의 자유이용과 국가 또는 지방자치단체 등의 공공목적을 위한 개발 또는 관리 · 보존행위를 방해하지 않는 범위 내에서만 허용된다 할 것이므로, 공공용물에 관하여 적법한 개발행위 등이 이루어짐으로 말미암아 이에 대한 일정범위의 사람들의 일반사용이 종전에 비하여 제한받게 되었다 하더라도 특별한 사정이 없는 한 그로 인한 불이익은 손실보상의 대상이 되는 특별한 손실에 해당한다고 할 수 없다.

2 어선어업자들의 백사장 등에 대한 사용이 관행어업권에 기한 것으로 볼 수 없다.

관행어업권은 일정한 공유수면에 대한 공동어업권설정 이전부터 어업의 면허 없이 그 공유수면에서 오랫동안 계속 수산동식물을 포획 또는 채취하여 옴으로써 그것이 대다수 사람들에게 일반적으로 시인될 정도에 이른 경우에 인정되는 권리로서 이는 어디까지나 수산동식물이 서식하는 공유수면에 대하여 성립하고, 허가어업에 필요한 어선의 정박 또는 어구의 수리 · 보관을 위한 육상의 장소에는 성립할 여지가 없으므로, 어선어업자들의 백사장 등에 대한 사용은 공공용물의 일반사용에 의한 것일 뿐 관행어업권에 기한 것으로 볼 수 없다(대판 2002.2.26. 99다35300).

② **개발제한구역 안의 행위제한**

㉠ **대법원의 입장:** 구 도시계획법 제21조에 따른 개발제한구역 안의 행위제한을 보상을 요하는 특별한 희생으로 보지 않는다(∵ 일반희생).

관련판례

구 도시계획법 제21조의 규정에 의하여 개발제한구역 안에 있는 토지의 소유자는 재산상의 권리행사에 많은 제한을 받게 되고, 그 한도 내에서 일반토지소유자에 비하여 불이익을 받게 됨은 명백하지만, '도시의 무질서한 확산을 방지하고 도시주변의 자연환경을 보전하여 도시민의 건전한 생활환경을 확보하기 위하여 또는

핵심 OX

01 공공용물에 관하여 적법한 개발행위 등이 이루어져 일정범위의 사람들의 일반사용이 종전에 비하여 제한받게 되었다 하더라도 특별한 사정이 없는 한 이는 특별한 손실에 해당한다고 할 수 없다. 18. 서울9급, 12. 지방7급 ( )

02 지방자치단체의 공공용물에 대한 적법한 개발행위로 인해, 당해 공공용물에 대한 일정범위의 사람들의 일반사용이 제한받게 되어 입게 된 불이익은 원칙적으로 손실보상의 대상이 된다. 16. 지방7급 ( )

01 ○ 02 X

국방부장관의 요청이 있어 보안상 도시의 개발을 제한할 필요가 있다고 인정되는 때'에 한하여 가하여지는 위와 같은 제한으로 인한 토지소유자의 불이익은 공공의 복리를 위하여 감수하지 아니하면 안 될 정도의 것이라고 인정되므로, 이에 대하여 손실보상의 규정을 두지 아니하였다 하여 구 도시계획법 제21조의 규정을 헌법 제23조 제3항, 제11조 제1항 및 제37조 제2항에 위배되는 것이라고 볼 수 없다. 따라서 이 사건 토지가 구 도시계획법에 의하여 개발제한구역으로 지정되었다고 하더라도 헌법 제23조 제3항에 근거하여 손실보상을 청구할 수 없다(대판 1996.6.28. 94다54511).

ⓛ **헌법재판소의 입장:** 구 도시계획법 제21조에 대하여 헌법불합치결정을 하였다(헌재 1998.12.24. 89헌마214 · 90헌바16 · 97헌바78).❶

판례정리 개발제한구역 지정과 손실보상❷

원칙	개발제한구역의 지정으로 인한 개발가능성의 소멸과 그에 따른 지가의 하락이나 지가상승률의 상대적 감소는 토지소유자가 감수해야 하는 사회적 제약의 범주에 속한다.
예외	개발제한구역의 지정으로 인하여 예외적으로 토지를 종래의 목적으로 사용할 수 없거나(예 나대지의 경우) 또는 법률상으로 허용된 토지이용의 방법이 없기 때문에 실질적으로 토지의 사용 · 수익권이 폐지된 경우(예 농지오염 · 수로차단과 같은 사정변경으로 인한 용도폐지의 경우)에는 사회적 제약의 한계를 넘는 것이므로 보상규정을 두어야 한다(헌재 1998.12.24. 89헌마214 · 90헌바16 · 97헌바78).

관련판례

간척사업의 시행으로 종래의 관행어업권자에게 구 공유수면매립법에서 정하는 손실보상청구권이 인정되기 위해서는 매립면허고시 후 매립공사가 실행되어 관행어업권자에게 실질적이고 현실적인 피해가 발생해야 하는지 여부(적극)

구 공유수면매립법 제17조가 "매립의 면허를 받은 자는 제16조 제1항의 규정에 의한 보상이나 시설을 한 후가 아니면 그 보상을 받을 권리를 가진 자에게 손실을 미칠 공사에 착수할 수 없다. 다만, 그 권리를 가진 자의 동의를 받았을 때에는 예외로 한다."고 규정하고 있으나, 손실보상은 공공필요에 의한 행정작용에 의하여 사인에게 발생한 특별한 희생에 대한 전보라는 점에서 그 사인에게 특별한 희생이 발생하여야 하는 것은 당연히 요구되는 것이고, 공유수면 매립면허의 고시가 있다고 하여 반드시 그 사업이 시행되고 그로 인하여 손실이 발생한다고 할 수 없으므로, 매립면허 고시 이후 매립공사가 실행되어 관행어업권자에게 실질적이고 현실적인 피해가 발생한 경우에만 공유수면매립법에서 정하는 손실보상청구권이 발생하였다고 할 것이다(대판 2010.12 9. 2007두6571).

핵심 OX

03 개발제한구역의 지정으로 인한 지가의 하락은 토지소유자가 수인해야 하는 사회적 제약의 한계를 넘는 것으로, 아무런 보상없이 이를 감수하도록 하고 있는 한, 헌법에 위반된다. 12. 국가7급 ( )

04 나대지의 경우 개발제한구역으로 지정되면 종래의 목적으로 사용할 수 있는 방법이 없기 때문에, 이를 무보상의 사회적 제약으로 본다면 재산권에 대한 지나친 제약이라고 할 수 있어 보상을 요하는 공공침해로 보아야 한다. ( )

05 헌법재판소는 산업입지 및 개발에 관한 법률에서 민간기업에게 산업단지개발사업에 필요한 토지 등을 수용할 수 있도록 규정한 조항이 헌법 제23조 제3항에 위반되지 않는다고 판시하였다. 14. 사복 ( )

06 우리 헌법상 수용의 주체를 국가로 한정하고 있지 않으므로 민간기업도 수용의 주체가 될 수 있다. 19. 서울9급(2월) · 변호사 ( )

07 헌법재판소는 재산권의 제한이 특별한 희생에 해당하는 경우에 보상규정을 두지 않는 것은 위헌이라고 하면서도 단순위헌이 아닌 헌법불합치결정을 하였다. 11. 국가9급 ( )

❶
단순위헌결정의 경우 법률이 없어져버려 법률의 공백 발생의 위험이 있기 때문에 헌법불합치결정을 하게 됨

❷
· 개발제한구역 지정 = 무보상의 사회적 제약
· 개발제한구역 + 나대지 = 요보상의 공공침해

03 X 04 O 05 O 06 O 07 O

제3절 손실보상의 기준과 내용

1 손실보상의 기준

1. 정당한 보상

헌법 제23조 제3항은 손실보상에 대하여 '정당한 보상'을 하도록 규정하고 있다. 이러한 정당한 보상의 의미에 대해서는 견해의 대립이 있다.

2. 학설

(1) 완전보상설

손실보상의 기준은 피침해재산이 가지는 재산적 가치를 **완전하게 보상**하여야 한다는 견해이다. 이는 다시 영업상의 손실 등 부대적 손실에 대한 보상도 필요하다는 견해와 피침해재산이 가지는 객관적 가치만의 보상을 요하고 부대적 손실은 보상에 포함되지 않는다는 견해로 나뉘어져 있다. 완전보상설은 미국 연방수정헌법 제5조의 정당한 보상조항의 해석을 중심으로 주로 미국에서 발전되어 왔다.

(2) 상당보상설

손실보상은 재산권의 사회적 구속성 등에 비추어 **사회국가원리에 따라 적정한 보상**이면 족하다는 설이다. 이는 다시 사회통념에 비추어 객관적으로 타당하면 완전보상을 하회할 수 있다고 보는 견해와 완전보상을 원칙으로 하지만 합리적인 이유가 있는 경우에는 완전보상을 상회하거나 하회할 수 있다고 보는 견해로 나뉜다.

3. 현행 헌법상의 보상기준

현행 헌법 제23조 제3항은 **정당한 보상**을 보상하도록 규정하고 있는바, 제3공화국 헌법에서도 같은 규정을 하였다. 이러한 정당한 보상에 대하여 **완전한 보상을 의미**한다는 것이 통설과 판례의 입장이다. 다만, 헌법재판소는 공익사업을 위한 토지 등의 취득 및 보상에 관한 법률 제70조의 개발이익배제에 대하여 합헌으로 보고 있으며, 대법원도 개발이익은 수용대상토지의 수용당시의 객관적 가치에 포함되지 아니하는 것으로 보고 있다(단, 자연적인 지가상승분은 포함한다).

관련판례

개발이익이 완전보상의 범위에 포함되는지 여부(소극)

헌법 제23조 제3항에서 규정한 '정당한 보상'이란 원칙적으로 피수용재산의 객관적인 재산가치를 완전하게 보상하여야 한다는 완전보상을 뜻하는 것이지만, 공익사업의 시행으로 인한 개발이익은 완전보상의 범위에 포함되는 피수용지의 객관적 가치 내지 피수용자의 손실이라고는 볼 수 없다(대판 2001.9.25. 2000두2426).

핵심 OX

01 헌법 제23조 제3항의 정당한 보상이란 원칙적으로 피수용재산의 객관적인 재산가치를 완전하게 보상하는 것이어야 한다는 완전보상을 뜻한다. 19. 서울9급(2월) ( )

02 공익사업시행으로 인한 개발이익은 완전보상의 범위에 포함되는 피수용토지의 객관적 가치 내지 피수용자의 손실에 해당한다. 21. 국가7급 ( )

01 ○ 02 X

4. 구체적인 보상기준(공익사업을 위한 토지 등의 취득 및 보상에 관한 법률)

(1) 공용수용의 경우

① **시가보상의 원칙**: 보상액의 산정은 **협의**에 의한 경우에는 **협의성립 당시**의 가격을, **재결**에 의한 경우에는 **수용 또는 사용의 재결 당시**의 가격을 기준으로 한다(제67조 제1항).

② 공시지가에 의한 개발이익 공제

㉠ 공익사업을 위한 토지 등의 취득 및 보상에 관한 법률은 보상액의 산정은 지가공시제에 따른 **공시지가를 기준**으로 하여 당해 공익사업시행과 무관한 통상적인 지가 변동률을 참작한 금액으로 하도록 하고 있다(제70조 제1항). 이 경우 공시지가는 **사업인정고시일 전의 시점**을 공시기준일로 하는 공시지가로서, 당해 토지의 협의성립 또는 재결 당시 공시된 공시지가 중 당해 사업인정고시일에 가장 가까운 시점에 공시된 것으로 한다(제70조 제3항).

㉡ 대법원과 헌법재판소는 공익사업으로 인한 손실보상액 산정에 있어서 **개발이익을 배제**하는 것은 헌법상 정당보상의 원리에 위반되지 않는다고 본다.

③ **개발이익 환수**: 개발사업의 시행 또는 토지이용계획의 변경 기타 사회·경제적 요인에 의하여 정상 지가상승분을 초과하여 개발사업을 시행하는 자 또는 토지소유자에게 귀속되는 토지가액의 증가분을 개발이익이라고 한다. 이러한 **개발이익을 환수**하는 방법으로는 **개발부담금**(개발이익 환수에 관한 법률), **양도소득세**, 토지초과이득세(폐지) 등이 있다.

(2) 공용사용의 경우(제71조 제1항)

협의 또는 재결에 의하여 사용하는 토지에 대하여는 그 토지와 인근 유사토지의 지료·임대료·사용방법·사용기간 및 그 토지의 가격 등을 참작하여 평가한 **적정가격으로 보상**하여야 한다.

(3) 공용제한의 경우

공용제한도 헌법상 공용침해 한 형태이므로 **손실보상의 대상**이 되지만 공용제한의 경우 보상규정을 두지 않는 경우가 많다. 이때 어떤 기준에 의해 보상액을 산정하여야 하는가에 대한 견해가 대립한다.

① **상당인과관계설**: 공용제한행위와 상당한 인과관계가 있는 모든 손실은 보상되어야 한다는 견해이다. 이는 보상범위가 가장 확대되는 견해로서 토지의 이용제한으로 인하여 필요하게 된 지출 및 장래에 누릴 수 있는 이익의 상실도 보상하게 된다. 이 설은 손실보상의 산정이 소유자의 주관적인 사정에 의하여 산정될 수 있으므로 객관적인 보상이 어렵다는 비판이 있게 된다.

② **지가하락설**: 토지이용제한에 의해 초래되는 토지이용가치의 저하가 지가하락으로 나타난다고 보고 그 지가하락분을 보상하여야 한다는 견해이다.

③ **적극적 손해전보설**: 공용제한으로 토지소유자가 현실적으로 예상하지 않았던 지출을 하지 않을 수 없는 경우에 한하여 그 적극적이고 현실적인 지출만을 보상하면 된다는 견해이다.

④ **판례**: 판례는 공용제한에 의하여 제한되는 데 따른 손실보상은 **제한 당시**의 **지료 상당액을 기준**으로 함이 상당하다는 입장이다.

핵심 OX

03 공익사업을 위한 토지 등의 취득 및 보상에 관한 법률상 보상액의 산정은 협의에 의한 경우에는 협의성립 당시의 가격을, 재결에 의한 경우에는 수용 또는 사용의 재결 당시의 가격을 기준으로 한다. 14. 사복 ( )

04 토지수용보상액 산정시 당해 공공사업의 시행을 직접 목적으로 하는 계획의 승인·고시로 인한 가격변동을 고려하여야 한다. 08. 지방7급 ( )

05 공시지가에 의한 보상은 헌법상 정당보상의 원칙에 위배되지 아니한다. 12. 지방7급 ( )

06 문화재보호구역의 확대지정이 공공사업인 택지개발사업의 시행을 직접 목적으로 하여 가하여진 것이 아님이 명백한 이상, 문화재보호구역의 확대지정이 당해 공공사업의 시행 이후에 행해진 경우라 하더라도, 공공사업지구에 포함된 토지에 대한 수용보상액은 문화재보호구역의 확대지정에 의한 공법상 제한을 받지 아니한 것으로 보고 평가하여야 한다. 18. 지방7급 ( )

03 ○ **04** X **05** ○ **06** X

관련판례

제외지로 편입된 토지에 대한 손실보상의 기준(=제외지 편입 당시의 현황에 따른 지료 상당액)

준용하천의 제외지와 같은 하천구역에 편입된 토지의 소유자가 그로 인하여 받게 되는 그 사용수익권에 관한 제한내용과 헌법상 정당보상의 원칙 등에 비추어 볼 때, 준용하천의 제외지로 편입됨에 따른 같은 법 제74조 제1항의 손실보상은 원칙적으로 공용제한에 의하여 토지 소유자로서 사용수익이 제한되는 데 따른 손실보상으로서 제외지 편입 당시의 현황에 따른 지료 상당액을 기준으로 함이 상당하다(대판 2003.4.25. 2001두1369).

2 손실보상의 내용

1. 재산권 보상

재산권 보상은 개별적 · 구체적인 재산손실에 대한 **대가성**을 갖는 보상을 의미한다. 따라서 재산권 그 자체의 상실은 물론 재산권 상실에 부대하는 경제적 손실인 실비변상적 보상, 일실손실보상을 그 내용으로 한다.

2. 보상내용의 역사적 변천

손실보상의 역사는 대인적 보상 ⇨ 대물적 보상 ⇨ 생활보상의 순으로 변천되어 왔다.

(1) 대인적 보상

재산권에 대한 보상이 토지 등 **수용목적물**의 **객관적 가치**를 기준으로 하지 아니 하고, 피수용자의 수용목적물에 대한 주관적 가치를 기준으로 이루어지는 보상을 말한다.

(2) 대물적 보상

① **의의:** 재산권에 대한 보상이 수용목적물에 대한 피수용자의 주관적 가치를 기준으로 하지 아니하고, **객관적인 시장가치**를 보상의 기준으로 하는 것을 말한다.

② **배경:** 대인적 보상은 피수용자의 수용목적물에 대한 주관적 가치를 기준으로 보상이 행하여지기 때문에 보상의 기준이 일정하지 아니하고 보상액이 상승한다는 비판으로 수용의 대상과 보상의 대상이 일치하는 대물적 보상이 등장하였다.

(3) 생활보상

① **의의:** 재산권 침해로 인하여 생활근거를 상실하게 되는 피수용자 등에 대하여 생존배려적인 측면에서 생활재건에 필요한 정도의 보상을 해 주는 것을 말한다. 이는 재산권의 객관적 가치의 보상만으로는 전보되지 않는 **생활근거의 상실**에 대한 **보상**을 말한다.

② **배경:** 오늘날 댐건설, 공업단지 등 대규모 공공사업이 시행되는 결과 수용되는 토지소유자는 기본적인 삶의 터전을 상실하는 문제가 발생하여(예 수몰민) 이에 따라 생활 기반의 확보를 위한 생활보상이 등장하게 되었다.

핵심 OX

01 광업권 · 어업권 및 물 등의 사용에 관한 권리에 대하여는 투자비용, 예상수익 및 거래가격 등을 고려하여 평가한 적정가격으로 보상하여야 한다. 11. 지방7급 ( )

01 ○

③ 범위

㉠ **협의의 생활보상:** 피수용자가 현재 생활하며 누렸던 생활이익의 상실 중 재산권보상으로 메워지지 않는 손실에 대한 보상을 말한다. 여기에는 재산권 보상에 해당하는 영업손실이나 이전비 등은 제외되고, **생활재건조치**나 **간접손실보상**만이 포함된다고 한다.

㉡ **광의의 생활보상(다수설·판례):** 피수용자가 종전에 누렸던 생활수준으로 해 주는 보상을 말하며, 재산권뿐만 아니라 생활권도 포함시킨다. 광의의 생활보상에는 협의의 생활보상 이외에도 **영업손실**이나 **이전** 등과 같은 **부대적 손실도 포함**된다고 본다. 판례는 이주대책을 생활보상에 포함시켜 광의설을 취하고 있다.

④ 법적 근거

㉠ **헌법적 근거:** 생활보상도 헌법 제23조 제3항의 '정당한 보상'의 범위에 포함된다는 견해, 생활보상은 헌법 제34조 제1항의 인간다운 생활할 권리에 근거하여 인정된다는 견해, 헌법 제23조 제3항과 제34조 제1항에 동시에 근거하여 인정된다는 견해가 대립하고 있다. **헌법재판소**는 생활보상의 하나인 **이주대책**은 헌법 제23조 제3항에서 말하는 정당한 보상에 해당하지 않는다고 하였고, **생활대책**도 헌법 제23조 제3항의 정당한 보상에 포함되지 않는다는 입장이다. 그러나 **대법원은 생활대책이** 헌법 제23조 제3항에 따른 **정당한 보상에 포함**된다는 입장이다.

관련판례

1 헌법재판소: 생활대책이 헌법 제23조 제3항의 정당한 보상에 포함되는지 여부(소극)

생활대책은 정당한 보상에 포함되는 것이라기보다는 정당한 보상에 부가하여 이주자들에게 종전의 생활상태를 회복시키기 위한 생활보상의 일환으로서 국가의 정책적인 배려에 의하여 마련된 제도이다. 그러므로 생활보상의 한 형태로서 청구인들이 주장하는 바와 같은 생활대책을 실시할 것인지 여부는 입법자의 입법정책적 재량의 영역에 속한다고 볼 것이다(헌재 2013.7.25. 2012헌바71).

2 대법원: 생활대책이 헌법 제23조 제3항의 정당한 보상에 포함되는지 여부(적극)

공익사업을 위한 토지 등의 취득 및 보상에 관한 법률은 제78조 제1항에서 "사업시행자는 공익사업의 시행으로 인하여 주거용 건축물을 제공함에 따라 생활의 근거를 상실하게 되는 자(이하 '이주대책대상자'라 한다)를 위하여 대통령령으로 정하는 바에 따라 이주대책을 수립·실시하거나 이주정착금을 지급하여야 한다."고 규정하고 있을 뿐, 생활대책용지의 공급과 같이 공익사업 시행 이전과 같은 경제수준을 유지할 수 있도록 하는 내용의 생활대책에 관한 분명한 근거 규정을 두고 있지는 않으나, 사업시행자 스스로 공익사업의 원활한 시행을 위하여 필요하다고 인정함으로써 생활대책을 수립·실시할 수 있도록 하는 내부규정을 두고 있고 내부규정에 따라 생활대책대상자 선정기준을 마련하여 생활대책을 수립·실시하는 경우에는, 이러한 생활대책 역시 "공공필요에 의한 재산권의 수용·사용 또는 제한 및 그에 대한 보상은 법률로써

핵심 OX

02 생활보상은 피수용자가 종전과 같은 생활을 유지할 수 있도록 실질적으로 보장하는 보상을 말한다. 15. 국회8급 ( )

02 ○

하되, 정당한 보상을 지급하여야 한다."라고 규정하고 있는 헌법 제23조 제3항에 따른 정당한 보상에 포함되는 것으로 보아야 한다. 따라서 이러한 생활대책대상자 선정기준에 해당하는 자는 사업시행자에게 생활대책대상자 선정 여부의 확인 · 결정을 신청할 수 있는 권리를 가지는 것이어서, 만일 사업시행자가 그러한 자를 생활대책대상자에서 제외하거나 선정을 거부하면, 이러한 생활대책대상자 선정기준에 해당하는 자는 사업시행자를 상대로 항고소송을 제기할 수 있다고 보는 것이 타당하다(대판 2011.10.13. 2008두17905).

㉡ **법률적 근거**: 현행법상 생활보상에 관하여 일반적 또는 직접적으로 규정하고 있지는 않으나, 공익사업을 위한 토지 등의 취득 및 보상에 관한 법률(이하 '토지보상법'이라 한다)의 시행령 · 시행규칙에 규정되어 있다.

⑤ **생활보상의 특색**

㉠ 대인적 보상은 주관적 성격이 강한 반면, 생활보상은 보상의 기준이 정해져 있기 때문에 객관적 성격이 강하다.

㉡ 대물적 보상은 수용대상과 보상대상이 일치되는 것을 원칙으로 하지만, 생활보상은 보상의 대상이 대물적 보상보다는 확대된다.

㉢ 생활보상은 피수용자에게 수용이 없었던 것과 같은 생활상태를 확보하려는 **원상회복적 보상**이다.

㉣ 생활보상은 보상의 역사에서 **최종단계의 보상**이다.

⑥ **생활보상의 내용**

㉠ **총체적 가치 보상**: 주거의 총체적 가치의 보상이다.

㉡ **생활재건조치**: 사업시행자가 피수용자의 생활재건을 위하여 보상금이 가장 유효하게 사용될 수 있도록 마련한 각종 조치를 말하며, 피수용자에게 직접 지급하는 보상이 아니다. **이주대책의 수립**(토지보상법 제78조), 직업훈련, 고용 또는 고용알선, 각종 상담, 보상금에 대한 **조세감면조치** 등을 생활재건조치의 내용으로 들 수 있다.

㉢ **이주대책**: 공익사업 시행에 따라 주거용 건물이 공익사업을 위하여 제공됨에 따라 생활의 근거가 상실되는 대상자에게 종전의 생활상태가 유지될 수 있도록 다른 지역으로 이주시키는 제도를 말한다. 이러한 이주대책을 수용이 없었던 상태로 원상회복시켜 줌으로써 인간다운 생활을 보장하기 위한 것이다.

관련판례

1 공공용지의 취득 및 손실보상에 관한 특례법 소정의 이주대책의 제도적 취지

구 공공용지의 취득 및 손실보상에 관한 특례법상의 이주대책은 공공사업의 시행에 필요한 토지 등을 제공함으로 인하여 생활의 근거를 상실하게 되는 이주자들을 위하여 사업시행자가 기본적인 생활시설이 포함된 택지를 조성하거나 그 지상에 주택을 건설하여 이주자들에게 이를 그 투입비용 원가만의 부담하에 개별 공급하는 것으로서, 그 본래의 취지에 있어 이주자들에 대하여 종전의 생활상태를 원상으로 회복시키면서 동시에 인간다운 생활을 보장하여 주기 위한 이른바 생활보상의 일환으로 국가의 적극적이고 정책적인 배려에 의하여 마련된 제도이다(대판 1994.5.24. 92다35783 전합).

2 이주대책 실시 여부는 입법자의 재량인지 여부(적극)

이주대책은 헌법 제23조 제3항에 규정된 정당한 보상에 포함되는 것이라기보다는 이에 부가하여 이주자들에게 종전의 생활상태를 회복시키기 위한 생활보상의 일환으로서 국가의 정책적인 배려에 의하여 마련된 제도라고 볼 것이다. 따라서 이주대책의 실시 여부는 입법자의 입법정책적 재량의 영역에 속하므로 공익사업을 위한 토지 등의 취득 및 보상에 관한 법률 시행령 제40조 제3항 제3호가 이주대책의 대상자에서 세입자를 제외하고 있는 것이 세입자의 재산권을 침해하는 것이라 볼 수 없다(헌재 2006.2.23. 2004헌마19).

3 사업시행자가 이주대책기준을 정하여 이주대책대상자 가운데 이주대책을 수립 · 실시하여야 할 자를 선정하여 그들에게 공급할 택지 등을 정하는 데 재량을 가지는지 여부(적극)

사업시행자는 이주대책기준을 정하여 이주대책대상자 중에서 이주대책을 수립 · 실시하여야 할 자를 선정하여 그들에게 공급할 택지 또는 주택의 내용이나 수량을 정할 수 있고, 이를 정하는 데 재량을 가지므로, 이를 위해 사업시행자가 설정한 기준은 그것이 객관적으로 합리적이 아니라거나 타당하지 않다고 볼 만한 다른 특별한 사정이 없는 한 존중되어야 한다(대판 2009.3.12. 2008두12610).

㉣ **정신적 보상:** 공용수용의 경우 고향을 떠나 생소한 곳으로 이주함으로써 생활변화에 대한 불안감, 정신적 고통 등에 대하여 정신적 보상이 예상되나, 이에 대한 보상을 규정한 법률은 아직 없다.

관련판례

「공공용지의 취득 및 손실보상에 관한 특례법」상의 이주대책에 의한 택지 또는 아파트 수분양권의 법적 성질과 발생시점

「공공용지의 취득 및 손실보상에 관한 특례법」에서 사업시행자에게 이주대책을 수립 · 실시할 의무를 부과하고 있다고 하여 그 규정 자체만에 의하여 이주자에게 사업시행자가 수립한 이주대책상의 택지분양권이나 아파트 입주권 등을 분양받을 수 있는 구체적인 권리(수분양권)가 직접 발생하는 것이라고는 볼 수 없고, 사업시행자가 이주대책에 관한 구체적인 계획을 수립하여 이를 이주자에게 통지하거나 공고한 후 이주자가 수분양권을 취득하기를 희망하여 이주대책에 정한 절차에 따라 사업시행자에게 이주대책 대상자 선정신청을 하고 사업시행자가 그 신청을 받아들여 이주대책 대상자로 확인 · 결정을 하여야만 비로소 구체적인 수분양권이 발생하게 된다(대판 1995.6.30. 94다14407).

핵심 OX

01 헌법재판소는 이주대책이 이주자들에게 종전의 생활상태를 회복시켜 주려는 생활보상의 일환으로서 헌법 제23조 제3항에 규정된 정당한 보상에 포함되는 것으로 볼 수 없기에 재산권의 영역이 아닌 입법재량의 영역에 속한다고 보고 있다. 17. 국가9급(10월) 변형 ( )

02 이주대책은 이른바 생활보상에 해당하는 것으로서 헌법 제23조 제3항이 규정하는 손실보상의 한 형태로 보아야 하므로, 법률이 사업시행자에게 이주대책의 수립 · 실시의무를 부과하였다면 이로부터 사업시행자가 수립한 이주대책상의 택지분양권 등의 구체적 권리가 이주자에게 직접 발생한다. 19. 국가7급 ( )

01 O **02** X

핵심 OX

01 간접적 영업손실은 특별한 희생이 될 수 없다.
19. 서울9급(2월)·변호사 ( )

02 공공사업의 시행으로 인하여 사업지구 밖에서 수산제조업에 대한 간접손실이 발생하리라는 것을 쉽게 예견할 수 있고 그 손실의 범위도 구체적으로 특정할 수 있는 경우라면, 그 손실의 보상에 관하여 구 공공용지의 취득 및 손실보상에 관한 특례법 시행규칙의 간접보상규정을 유추적용할 수 있다. 15. 국회8급 ( )

01 X **02** O

3. 간접손실보상(사업손실보상)

토지·건물 등이 공공사업에 제공된 것은 아니나 사업지 밖에 위치하여 당해 사업으로 인하여 손실을 받게 된 경우에 그 손실에 대한 보상을 말한다. 과거에는 직접적인 공용침해인 수용손실의 경우에만 보상을 인정하였으나, 간접적인 손실도 공익사업이 원인이 되어 특별한 희생이 발생한 것이라면 확장된 손실보상에 의하여 보상을 인정하려는 보상이다. 판례는 간접손실도 헌법 제23조 제3항에서 규정한 손실보상이 대상이 된다는 입장이다.

관련판례

1 간접손실이 헌법 제23조 제3항에서 규정한 손실보상이 대상되는지 여부(적극)
공공사업의 시행 결과 그 공공사업의 시행이 기업지 밖에 미치는 간접손실에 관하여 그 피해자와 사업시행자 사이에 협의가 이루어지지 아니하고 그 보상에 관한 명문의 근거 법령이 없는 경우라고 하더라도, 헌법 제23조 제3항은 "공공필요에 의한 재산권의 수용·사용 또는 제한 및 그에 대한 보상은 법률로써 하되, 정당한 보상을 지급하여야 한다."라고 규정하고 있고, 이에 따라 국민의 재산권을 침해하는 행위 그 자체는 반드시 형식적 법률에 근거하여야 하며, 토지수용법 등의 개별 법률에서 공익사업에 필요한 재산권 침해의 근거와 아울러 그로 인한 손실보상 규정을 두고 있는 점, 공공용지의 취득 및 손실보상에 관한 특례법 제3조 제1항은 "공공사업을 위한 토지 등의 취득 또는 사용으로 인하여 토지 등의 소유자가 입은 손실은 사업시행자가 이를 보상하여야 한다."라고 규정하고, 같은 법 시행규칙 제23조의2 내지 7에서 공공사업시행지구 밖에 위치한 영업과 공작물 등에 대한 간접손실에 대하여도 일정한 조건하에서 이를 보상하도록 규정하고 있는 점에 비추어, 공공사업의 시행으로 인하여 그러한 손실이 발생하리라는 것을 쉽게 예견할 수 있고 그 손실의 범위도 구체적으로 이를 특정할 수 있는 경우라면 그 손실의 보상에 관하여 공공용지의 취득 및 손실보상에 관한 특례법 시행규칙의 관련 규정 등을 유추적용할 수 있다고 해석함이 상당하다(대판 1999.10.8. 99다27231).

2 국가가 진정한 소유자가 아닌 자를 하천 편입 당시의 소유자로 보아 손실보상금을 지급한 경우, 진정한 소유자에 대한 손실보상금 지급의무를 면하는지 여부(소극)
국가가 원인무효의 소유권보존등기 또는 소유권이전등기의 등기명의인으로 기재되어 있는 자 등 진정한 소유자가 아닌 자를 하천 편입 당시의 소유자로 보아 그 등기명의인에게 손실보상금을 지급하였다면, 설령 그 과정에서 국가가 그 등기명의인을 하천 편입 당시 소유자라고 믿은 데에 과실이 없다고 하더라도, 국가가 민법 제470조에 따라 진정한 소유자에 대한 손실보상금 지급의무를 면한다고 볼 수 없다(대판 2016.8.24. 2015두3010).

제4절 손실보상의 절차와 불복

1 손실보상의 절차

1. 보상방법

(1) 금전보상

손실보상은 특별한 경우를 제외하고는 **현금보상**을 **원칙**으로 한다(제63조). 다만, 예외적으로 현물보상·매수보상·채권보상 등이 있다.

(2) 현물보상

도시개발사업의 시행 후에 **환지처분**을 하거나, 도시재개발사업의 경우 종전의 토지·건물의 소유자 등에 대하여 대지 또는 건축시설을 등을 분양하는 **환권처분**이 현물보상의 예이다.

(3) 매수보상

건축물 등의 이전이 어렵거나 그 이전으로 인하여 건축물 등을 종래의 목적대로 사용할 수 없게 된 경우 등에 당해 물건의 가격으로 보상하게 하는 경우(제75조 제1항)와 동일한 토지소유자에 속하는 일단의 토지의 일부가 협의에 의하여 매수되거나 수용됨으로 인하여 잔여지를 종래의 목적에 사용하는 것이 현저히 곤란할 때에는 당해 토지소유자는 사업시행자에게 일단의 토지의 전부를 매수하여 줄 것을 청구할 수 있는 경우가 있다(제74조 제1항). 판례는 잔여지매수청구권의 법적 성질에 대해 형성권으로 보고 있다. 매수보상은 일종의 **금전보상의 변형**이라 할 수 있다.

(4) 채권보상

① **임의적 채권보상(사업시행자가 선택)**: 사업시행자가 국가, 지방자치단체, 그 밖에 대통령령으로 정하는 공공기관의 운영에 관한 법률에 따라 지정·고시된 공공기관 및 공공단체인 경우로서 토지소유자나 관계인이 원하는 경우, 사업인정을 받은 사업의 경우에는 대통령령으로 정하는 부재부동산 소유자의 토지에 대한 보상금이 대통령령으로 정하는 일정 금액(1억원)을 초과하는 경우로서 그 초과하는 금액에 대하여 보상하는 경우에 해당되는 경우에는 제1항 본문에도 불구하고 해당 사업시행자가 발행하는 채권으로 지급할 수 있다(토지보상법 제63조 제7항).

② **의무적 채권보상(투기우려 지역)**: 토지투기가 우려되는 지역으로서 대통령령으로 정하는 지역에서 택지개발사업, 산업단지개발사업, 대규모 개발사업으로서 대통령령으로 정하는 사업을 시행하는 자 중 대통령령으로 정하는 공공기관의 운영에 관한 법률에 따라 지정·고시된 공공기관 및 공공단체는 부재부동산 소유자의 토지에 대한 보상금 중 대통령령으로 정하는 1억원 이상의 일정 금액을 초과하는 부분에 대하여는 해당 사업시행자가 발행하는 채권으로 지급하여야 한다.

2. 보상주체(제61조)

공익사업에 필요한 토지 등의 취득 또는 사용으로 인하여 토지소유자 또는 관계인이 입은 손실은 **사업시행자**가 이를 보상하여야 한다.

핵심 OX

03 손실보상은 금전(현금)보상을 원칙으로 하고 채권보상은 인정되지 않는다. 12. 국가7급 ( )

핵심 OX

04 공익사업에 필요한 토지 등의 취득 또는 사용으로 인하여 토지소유자나 관계인이 입은 손실은 사업시행자가 보상하여야 한다. 13. 국가9급 ( )

03 X **04** O

3. 지급방법(제62조 ~ 제65조)

선불·개별불·일시불을 원칙으로 하고, 예외적으로 후불·일괄불·분할불로 지급할 수 있다.

4. 사업시행이익과의 상계금지(제66조)

사업시행자는 동일한 토지소유자에 속하는 일단의 토지의 일부를 취득 또는 사용하는 경우 당해 공익사업의 시행으로 인하여 잔여지의 가격이 증가하거나 그 밖의 **이익이 발생한 때**에도 그 이익을 그 취득 또는 사용으로 인한 **손실과 상계할 수 없다.**

핵심정리 행정상 손실보상

사업시행자 보상	공익사업에 필요한 토지 등의 취득 또는 사용으로 인하여 토지소유자 또는 관계인이 입은 손실은 **사업시행자**가 이를 보상하여야 한다(제61조).
사전보상	사업시행자는 당해 공익사업을 위한 **공사에 착수하기 전**에 토지소유자 및 관계인에 대하여 보상액의 전액을 지급하여야 한다(제62조).
현금보상	손실보상은 다른 법률에 특별한 규정이 있는 경우를 제외하고는 **현금으로 지급**하여야 한다(제63조 제1항 본문).
개인별 보상	손실보상은 토지소유자 또는 관계인에게 **개인별로** 행하여야 한다. 다만, 개인별로 보상액을 산정할 수 없는 때에는 그러하지 아니하다(제64조).
일괄보상	사업시행자는 동일한 사업지역 안에 보상시기를 달리하는 동일인 소유의 토지 등이 수개 있는 경우 토지소유자 또는 관계인의 요구가 있는 때에는 **일괄하여 보상금을 지급**하도록 하여야 한다(제65조).

2 토지보상법상의 손실보상액 결정방법 및 불복절차

1. 손실보상액 결정방법

(1) 당사자간의 협의(제16조)

토지보상법상 보상액 등을 수용절차에 의하지 않는 경우 사업시행자와 토지소유자 및 관계인의 협의와 계약체결에 의하여 결정한다. **당사자간의 협의**의 법적 성격에 관하여 공법상 계약으로 보는 것이 다수설의 입장이나, 판례는 **사법상 계약**으로 보고 있다(대판 2013.8.22. 2012다3517).

(2) 관할 토지수용위원회의 재결

① **재결의 신청**: 수용절차상의의 협의가 성립되지 아니하거나 협의를 할 수 없는 때에는 사업시행자는 사업인정고시가 있은 날부터 **1년 이내**에 대통령령이 정하는 바에 따라 **관할 토지수용위원회**에 **재결을 신청**할 수 있다(제28조 제1항).

② **재결신청의 청구**: 사업인정고시가 있은 후 협의가 성립되지 아니한 때에는 **토지소유자 및 관계인**은 대통령령이 정하는 바에 따라 서면으로 **사업시행자**에게 **재결신청**을 할 것을 청구할 수 있다(제30조 제1항).

핵심 OX

01 사업시행자는 동일한 소유자에게 속하는 일단의 토지의 일부를 취득하거나 사용하는 경우 해당 공익사업의 시행으로 인하여 잔여지의 가격이 증가하거나 그 밖의 이익이 발생한 경우에도 그 이익을 그 취득 또는 사용으로 인한 손실과 상계할 수 없다. 13. 국가9급 ( )

02 공익사업을 위한 토지 등의 취득 및 보상에 관한 법률상 손실보상은 원칙적으로 토지 등의 현물로 보상하여야 하고, 현금으로 지급하는 것은 다른 법률에 특별한 규정이 있는 경우에 예외적으로 허용된다. 17. 국가9급 (10월) ( )

03 손실보상의 지급에서는 개인별 보상의 원칙이 적용된다. 12. 국가9급 ( )

04 사업시행자는 동일한 사업지역에 보상시기를 달리하는 동일인 소유의 토지 등이 여러 개 있는 경우 토지소유자나 관계인이 요구할 때에는 한꺼번에 보상금을 지급하도록 하여야 한다. 13. 국가9급 ( )

05 공익사업을 시행하는 경우에는 사전보상이 원칙이나, 천재지변시의 토지사용의 경우에는 사업시행자가 후급할 수 있고 이때의 지연이자는 부담하지 않는다. 08. 지방9급 ( )

06 협의가 성립되지 아니하거나 협의를 할 수 없을 때에는 사업시행자는 사업인정고시가 된 날부터 1년 이내에 대통령령으로 정하는 바에 따라 관할 토지수용위원회에 재결을 신청할 수 있다. 19. 국회8급 ( )

07 사업인정고시가 된 후 협의가 성립되지 아니하였을 때에는 토지소유자와 관계인은 대통령령으로 정하는 바에 따라 서면으로 사업시행자에게 재결을 신청할 것을 청구할 수 있다. 19. 국회8급 ( )

01 ○ 02 X 03 ○ 04 ○ 05 X 06 ○ 07 ○

③ **재결신청의 기간**: 사업시행자는 토지소유자 및 관계인의 청구를 받은 때에는 그 청구가 있은 날부터 **60일 이내**에 대통령령이 정하는 바에 따라 관할 **토지수용위원회**에 **재결을 신청**하여야 한다(제30조 제2항).

④ **열람**: 토지수용위원회는 재결신청서를 접수한 때에는 대통령령이 정하는 바에 따라 지체 없이 이를 공고하고 공고한 날부터 **14일 이상** 관계서류의 사본을 일반이 열람할 수 있도록 하여야 한다(제31조 제1항).

⑤ **화해의 권고**: 토지수용위원회는 그 재결이 있기 전에는 그 위원 3인으로 구성되는 **소위원회**로 하여금 사업시행자 · 토지소유자 및 관계인에게 **화해를 권고**하도록 할 수 있다(제33조 제1항).

⑥ **재결**: 토지수용위원회의 재결은 **서면**으로 한다(제34조 제1항).

⑦ **재결서**: 재결서에는 주문 및 그 이유와 재결의 일자를 기재하고, 위원장 및 회의에 참석한 위원이 이에 기명날인한 후 그 정본을 사업시행자 · 토지소유자 및 관계인에게 송달하여야 한다(제34조 제2항).

⑧ **재결의 유탈**: 토지수용위원회가 신청의 일부에 대한 **재결을 빠뜨린 때**에는 그 빠뜨린 부분의 신청은 계속하여 **당해 토지수용위원회에 계속**된다(제37조).

(3) 수용 또는 사용의 효과

① 보상금의 지급 또는 공탁(제40조)

㉠ 사업시행자는 수용 또는 사용의 **개시일까지** 관할 토지수용위원회가 재결한 **보상금을 지급**하여야 한다.

㉡ 사업시행자는 다음에 해당하는 때에는 수용 또는 사용의 개시일까지 수용 또는 사용하고자 하는 토지 등의 소재지의 공탁소에 **보상금을 공탁**할 수 있다.

ⓐ 보상금을 받을 자가 그 **수령을 거부**하거나 보상금을 **수령할 수 없는 때**

ⓑ 사업시행자의 과실 없이 **보상금을 받을 자를 알 수 없는 때**

ⓒ 관할 토지수용위원회가 재결한 보상금에 대하여 **사업시행자의 불복**이 있는 때

ⓓ 압류 또는 가압류에 의하여 **보상금의 지급이 금지된 때**

② **시급을 요하는 토지의 사용에 대한 보상(제41조)**: 시급을 요하는 토지를 사용하는 경우 토지수용위원회의 재결이 있기 전에 **토지소유자 또는 관계인의 청구가 있는 때**에는 사업시행자는 자기가 산정한 보상금을 토지소유자 또는 관계인에게 지급하여야 한다.

③ **재결의 실효(제42조)**: 사업시행자가 수용 또는 사용의 개시일까지 관할 토지수용위원회가 재결한 **보상금을 지급 또는 공탁하지 아니한 때**에는 당해 토지수용위원회의 **재결은 그 효력을 상실**한다.

④ **토지 또는 물건의 인도 등(제43조)**: 토지소유자 및 관계인 그 밖에 토지소유자나 관계인에 포함되지 않는 자로서 수용 또는 사용할 토지나 그 토지에 있는 물건에 관하여 권리를 가진 자는 수용 또는 사용의 개시일까지 당해 토지나 물건을 사업시행자에게 인도하거나 이전하여야 한다.

⑤ **인도 또는 이전의 대행(제44조)**: 특별자치도지사 · 시장 · 군수 또는 구청장은 일정한 경우에 해당하는 때에는 사업시행자의 청구에 의하여 토지나 물건의 인도 또는 이전을 대행하여야 한다.

⑥ **권리의 취득 · 소멸 및 제한(제45조)**

㉠ 사업시행자는 **수용의 개시일**에 토지나 물건의 **소유권을 취득**하며, 그 토지나 물건에 관한 다른 권리는 이와 동시에 소멸한다.

㉡ 사업시행자는 **사용의 개시일**에 토지나 물건의 **사용권을 취득**하며, 그 토지나 물건에 관한 다른 권리는 사용의 기간 중에는 이를 행사하지 못한다.

⑦ **위험부담(제46조)**: 토지수용위원회의 재결이 있은 후 수용 또는 사용할 토지나 물건이 토지소유자 또는 관계인의 고의나 과실 없이 **멸실** 또는 **훼손**된 경우 그로 인한 손실은 **사업시행자의 부담**으로 한다.

⑧ **담보물권과 보상금(제47조)**: 담보물권의 목적물이 수용 또는 사용된 경우 당해 담보물권은 그 목적물의 수용 또는 사용으로 인하여 채무자가 받을 보상금에 대하여 행사할 수 있다. 다만 그 지급 전에 이를 압류하여야 한다.

⑨ **반환 및 원상회복의 의무(제48조)**: 사업시행자는 토지나 물건의 **사용기간이 만료된 때** 또는 사업의 폐지 · 변경 그 밖의 사유로 인하여 **사용할 필요가 없게 된 때**에는 지체 없이 당해 토지나 물건을 토지나 물건의 소유자 또는 그 승계인에게 **반환**하여야 한다.

관련판례

1 공익사업시행자가 사업시행에 방해가 되는 지장물에 관하여 공익사업을 위한 토지 등의 취득 및 보상에 관한 법률 제75조 제1항 단서 제2호에 따라 이전에 소요되는 실제 비용에 못 미치는 물건의 가격으로 보상한 경우, 사업시행자가 해당 물건의 소유권을 취득하는지 여부(원칙적 소극)

공익사업을 위한 토지 등의 취득 및 보상에 관한 법률 시행규칙 제33조 제4항, 제36조 제1항 등 관계 법령의 내용에 비추어 보면, 사업시행자가 사업시행에 방해가 되는 지장물에 관하여 법 제75조 제1항 단서 제2호에 따라 이전에 소요되는 실제 비용에 못 미치는 물건의 가격으로 보상한 경우, 사업시행자로서는 물건을 취득하는 제3호와 달리 수용 절차를 거치지 아니한 이상 보상만으로 물건의 소유권까지 취득한다고 볼 수 없다(대판 2022.11.17. 2022다253243).

2 영업손실보상청구를 위해서는 반드시 사업인정이나 수용이 전제되어야 하는지 여부(소극)

사업인정고시는 수용재결절차로 나아가 강제적인 방식으로 토지소유자나 관계인의 권리를 취득 · 보상하기 위한 절차적 요건에 지나지 않고 영업손실보상의 요건이 아니다. 토지보상법령도 반드시 사업인정이나 수용이 전제되어야 영업손실 보상의무가 발생한다고 규정하고 있지 않다(대판 2021.11.11. 2018다204022).

3 공익사업을 위한 토지 등의 취득 및 보상에 관한 법률에 의한 보상을 하면서 손실보상금에 관한 당사자 간의 합의가 성립한 경우, 그 합의 내용이 같은 법에서 정하는 손실보상 기준에 맞지 않는다는 이유로 그 기준에 따른 손실보상금 청구를 추가로 할 수 있는지 여부(원칙적 소극)

공익사업을 위한 토지 등의 취득 및 보상에 관한 법률(이하 '공익사업법'이라고 한다)에 의한 보상합의는 공공기관이 사경제주체로서 행하는 사법상 계약의 실질을 가지는 것으로서, 당사자간의 합의로 같은 법 소정의 손실보상의 기준에 의하지 아니한 손실보상금을 정할 수 있으며, 이와 같이 같은 법이 정하는 기준에 따르지 아니하고 손실보상액에 관한 합의를 하였다고 하더라도 그 합의가 착오

핵심 OX

01 손실보상금에 관한 당사자간의 합의가 성립하면, 그 합의내용이 토지보상법에서 정하는 손실보상 기준에 맞지 않는다고 하더라도 합의가 적법하게 취소되는 등의 특별한 사정이 없는 한 추가로 토지보상법상 기준에 따른 손실보상금 청구를 할 수 없다. 18. 국가7급 (   )

01 ○

등을 이유로 적법하게 취소되지 않는 한 유효하다. 따라서 공익사업법에 의한 보상을 하면서 손실보상금에 관한 당사자간의 합의가 성립하면 그 합의 내용대로 구속력이 있고, 손실보상금에 관한 합의 내용이 공익사업법에서 정하는 손실보상 기준에 맞지 않는다고 하더라도 합의가 적법하게 취소되는 등의 특별한 사정이 없는 한 추가로 공익사업법상 기준에 따른 손실보상금 청구를 할 수는 없다(대판 2013.8.22. 2012다3517).

4 토지수용위원회의 수용재결이 있은 후라고 하더라도 토지소유자와 사업시행자가 다시 협의하여 토지 등의 취득 · 사용 및 그에 대한 보상에 관하여 임의로 계약을 체결할 수 있는지 여부(적극)

공익사업을 위한 토지 등의 취득 및 보상에 관한 법률(이하 '토지보상법'이라 한다)은 사업시행자로 하여금 우선 협의취득 절차를 거치도록 하고, 협의가 성립되지 않거나 협의를 할 수 없을 때에 수용재결취득 절차를 밟도록 예정하고 있기는 하다. 그렇지만 일단 토지수용위원회가 수용재결을 하였더라도 사업시행자로서는 수용 또는 사용의 개시일까지 토지수용위원회가 재결한 보상금을 지급 또는 공탁하지 아니함으로써 재결의 효력을 상실시킬 수 있는 점, 토지소유자 등은 수용재결에 대하여 이의를 신청하거나 행정소송을 제기하여 보상금의 적정 여부를 다툴 수 있는데, 그 절차에서 사업시행자와 보상금액에 관하여 임의로 합의할 수 있는 점, 공익사업의 효율적인 수행을 통하여 공공복리를 증진시키고, 재산권을 적정하게 보호하려는 토지보상법의 입법 목적(제1조)에 비추어 보더라도 수용재결이 있은 후에 사법상 계약의 실질을 가지는 협의취득 절차를 금지해야 할 별다른 필요성을 찾기 어려운 점 등을 종합해 보면, 토지수용위원회의 수용재결이 있은 후라고 하더라도 토지소유자 등과 사업시행자가 다시 협의하여 토지 등의 취득이나 사용 및 그에 대한 보상에 관하여 임의로 계약을 체결할 수 있다고 보아야 한다(대판 2017.4.13. 2016두64241).

5 하나의 수용재결에서 여러 가지의 토지, 물건, 권리 또는 영업의 손실의 보상에 관하여 심리·판단이 이루어졌을 때, 여러 보상항목들 중 일부에 관해서만 개별적으로 불복할 수 있는지 여부(적극)

하나의 재결에서 피보상자별로 여러 가지의 토지, 물건, 권리 또는 영업(이처럼 손실보상 대상에 해당하는지, 나아가 그 보상금액이 얼마인지를 심리 · 판단하는 기초단위를 이하 '보상항목'이라고 한다)의 손실에 관하여 심리 · 판단이 이루어졌을 때, 피보상자 또는 사업시행자가 반드시 재결 전부에 관하여 불복하여야 하는 것은 아니며, 여러 보상항목들 중 일부에 관해서만 불복하는 경우에는 그 부분에 관해서만 개별적으로 불복의 사유를 주장하여 행정소송을 제기할 수 있다. 이러한 보상금 증감소송에서 법원의 심판범위는 하나의 재결 내에서 소송 당사자가 구체적으로 불복신청을 한 보상항목들로 제한된다(대판 2018.5.15. 2017두41221).

핵심 OX

02 토지수용위원회의 수용재결이 있은 후라고 하더라도 토지소유자와 사업시행자가 다시 협의하여 토지 등의 취득 · 사용 및 그에 대한 보상에 관하여 임의로 계약을 체결할 수 있다. 18. 국가7급, 14. 국회8급 ( )

핵심 OX

03 하나의 수용재결에서 여러 가지의 토지, 물건, 권리 또는 영업의 손실의 보상에 관하여 심리 · 판단이 이루어졌을 때, 피보상자는 재결 전부에 관하여 불복하여야 하고 여러 보상항목들 중 일부에 관해서만 개별적으로 불복할 수는 없다. 18. 국가7급 ( )

02 O **03** X

2. 손실보상액 결정에 대한 불복절차

(1) 행정심판의 제기

① 이의신청

㉠ **중앙**토지수용위원회의 재결에 대하여 이의가 있는 자는 **중앙**토지수용위원회에 이의를 신청할 수 있다(제83조 제1항).

㉡ **지방**토지수용위원회의 재결에 대하여 이의가 있는 자는 당해 지방토지수용위원회를 거쳐 **중앙**토지수용위원회에 이의를 신청할 수 있다(제83조 제2항).

② **이의신청에 대한 재결:** 중앙토지수용위원회는 지방토지수용위원회 또는 중앙토지수용위원회의 재결에 불복하여 제기한 이의신청에 있어 원재결이 위법 또는 부당하다고 인정하는 때에는 그 **원재결의 전부 또는 일부**를 **취소**하거나 **손실보상액을 변경**할 수 있다(제84조 제1항). 토지수용위원회는 사업시행자, 토지소유자 또는 관계인이 신청한 범위에서 재결하는 것이 원칙이지만, 손실보상에 대한 재결의 경우에는 증액재결을 할 수 있다(제50조 제2항).

(2) 행정소송의 제기

① 수용재결 또는 이의재결에 대한 불복에는 '수용'자체를 다투는 경우와 '보상액'을 다투는 경우가 있다. 불복이 **수용 자체**를 다투는 경우에는 재결에 대하여 **취소소송**을 제기하고, **보상금의 증감을 청구**하는 것인 때에는 형식적 **당사자소송**을 제기하여야 한다.

㉠ **수용 자체를 다투는 경우(항고소송):** 사업시행자 · 토지소유자 또는 관계인은 재결에 대하여 불복이 있는 때에는 재결서를 받은 날부터 **90일 이내**, 이의신청(학문상 특별행정심판)을 거친 때에는 이의신청에 대한 재결서를 받은 날부터 **60일 이내**에 각각 행정소송을 제기할 수 있다(제85조 제1항). 이 때 행정소송법 제20조에 규정된 제소기간 규정이 적용되지 않으며, 원처분주의에 따라 항고소송의 대상은 이의재결이 아니라 수용재결이다.

㉡ **보상금의 증감청구를 하는 경우(형식적 당사자소송):** 제기하고자 하는 행정소송이 보상금의 증감에 관한 소송인 경우 당해 소송을 제기하는 자가 토지소유자 또는 관계인인 때에는 사업시행자를, 사업시행자인 때에는 토지소유자 또는 관계인을 각각 피고로 한다(제85조 제2항).

② **집행부정지원칙:** 이의신청이나 행정소송의 제기는 사업의 진행 및 토지의 수용 또는 사용을 정지시키지 아니한다(제88조).

(3) 환매권(제91조 제1항)

공익사업의 폐지 · 변경 또는 그 밖의 사유로 취득한 토지의 전부 또는 일부가 필요 없게 된 경우 토지의 협의취득일 또는 수용의개시일(이하 이조에서 '취득일'이라 한다) 당시의 토지소유자 또는 그 포괄승계인(이하 '환매권자'라 한다)은 다음 각 호의 구분에 따른 날부터 10년 이내에 그 토지에 대하여 받은 보상금에 상당하는 금액을 사업시행자에게 지급하고 그 토지를 환매할 수 있다.

① **사업의 폐지 · 변경으로 취득한 토지의 전부 또는 일부가 필요 없게 된 경우:** 관계법률에 따라 사업이 폐지 · 변경된 날 또는 제24조에 따른 사업의 폐지 · 변경고시가 있는 날

핵심 OX

01 중앙토지수용위원회의 재결에 이의가 있는 자는 중앙토지수용위원회에, 지방토지수용위원회의 재결에 이의가 있는 자는 해당 지방통지수용위원회를 거쳐 중앙토지수용위원회에 이의를 신청할 수 있다. 15 · 13. 국회8급 ( )

02 사업시행자, 토지소유자 또는 관계인은 토지수용위원회의 재결에 불복할 때에는 재결서를 받은 날부터 60일 이내에 행정소송을 제기할 수 있다. 11. 지방7급 ( )

03 사업시행자, 토지소유자 또는 관계인은 토지수용위원회의 수용재결에 불복할 때에는 재결서를 받은 날부터 60일 이내에, 이의신청을 거쳤을 때에는 이의신청에 대한 재결서를 받은 날부터 30일 이내에 각각 행정소송을 제기할 수 있다. 17. 지방7급 ( )

04 중앙토지수용위원회의 이의재결에 대한 행정소송은 재결서를 받은 날부터 30일 이내에 제기해야 한다. 18. 지방교행 ( )

05 형식적 당사자소송인 보상금의 증감에 관한 소송을 제기하는 경우 그 소송을 제기하는 자가 토지소유자일 때에는 사업시행자와 토지수용위원회를, 사업시행자일 때에는 토지소유자와 토지수용위원회를 각각 피고로 한다. 17. 지방7급 ( )

06 보상금 증감에 관한 행정소송의 경우 그 소송을 제기하는 자가 토지소유자 또는 관계인일 때에는 사업시행자를, 사업시행자일 때에는 토지소유자 또는 관계인을 각각 피고로 한다. 11. 지방7급 ( )

07 행정소송의 제기는 사업의 진행 및 토지의 수용 또는 사용을 정지시킨다. 14. 국회8급 ( )

08 공익사업을 위한 토지 등의 취득 및 보상에 관한 법률에 의한 수용재결에 대해 취소소송으로 다투는 경우에 행정소송법 제20조의 제소기간 규정이 적용되지 않는다. 23. 국회8급 ( )

01 O 02 X 03 X 04 X 05 X 06 O 07 X 08 O

② 그 밖의 사유로 취득한 토지의 전부 또는 일부가 필요 없게 된 경우: 사업완료일

관련판례

1 환매권의 발생기간을 제한하고 있는 '공익사업을 위한 토지 등의 취득 및 보상에 관한 법률'제91조 제1항 중 '토지의 협의취득일 또는 수용의 개시일부터 10년 이내에' 부분이 재산권을 침해하는지 여부(적극)

[1] 이 사건 법률조항의 환매권 발생기간 '10년'을 예외 없이 유지하게 되면 토지수용 등의 원인이 된 공익사업의 폐지 등으로 공공필요가 소멸하였음에도 단지 10년이 경과하였다는 사정만으로 환매권이 배제되는 결과가 초래될 수 있다. 다른 나라의 입법례에 비추어 보아도 발생기간을 제한하지 않거나 더 길게 규정하면서 행사기간 제한 또는 토지에 현저한 변경이 있을 때 환매거절권을 부여하는 등 보다 덜 침해적인 방법으로 입법목적을 달성하고 있다. 이 사건 법률조항은 침해의 최소성 원칙에 어긋난다.

[2] 이 사건 법률조항으로 제한되는 사익은 헌법상 재산권인 환매권의 발생 제한이고, 이 사건 법률조항으로 환매권이 발생하지 않는 경우에는 환매권 통지의무도 발생하지 않기 때문에 환매권 상실에 따른 손해배상도 받지 못하게 되므로, 사익 제한 정도가 상당히 크다. 그런데 10년 전후로 토지가 필요 없게 되는 것은 취득한 토지가 공익목적으로 실제 사용되지 못한 경우가 대부분이고, 토지보상법은 부동산등기부상 협의취득이나 토지수용의 등기원인 기재가 있는 경우 환매권의 대항력을 인정하고 있어 공익사업에 참여하는 이해관계인들은 환매권이 발생할 수 있음을 충분히 알 수 있다. 토지보상법은 이미 환매대금증감소송을 인정하여 당해 공익사업에 따른 개발이익이 원소유자에게 귀속되는 것을 차단하고 있다. 이 사건 법률조항이 추구하고자 하는 공익은 원소유자의 사익침해 정도를 정당화할 정도로 크다고 보기 어려우므로, 법익의 균형성을 충족하지 못한다. 결국 이 사건 법률조항은 헌법 제37조 제2항에 반하여 재산권을 침해한다(헌재 2020.11.26. 2019헌바131).

2 환매권을 인정하는 대상으로 토지만을 규정하고 있는 공익사업을 위한 토지등의 취득 및 보상에 관한 법률 제91조 제1항이 구 건물소유자의 재산권을 침해하는지 여부(소극)

토지의 경우에는 공익사업이 폐지 · 변경되더라도 기본적으로 형상의 변경이 없는 반면, 건물은 그 경우 통상철거되거나 그렇지 않더라도 형상의 변경이 있게 되며, 토지에 대해서는 보상이 이루어지더라도 수용당한 소유자에게 감정상의 손실등이 남아있게 되나, 건물의 경우 정당한 보상이 주어졌다면 그러한 손실이 남아있는 경우는 드물다. 따라서 토지에 대해서는 그 존속가치를 보장해주기 위해 공익사업의 폐지 · 변경 등으로 토지가 불필요하게 된 경우 환매권이 인정되어야 할 것이나, 건물에 대해서는 그 존속가치를 보장하기 위하여 환매권을 인정하여야 할 필요성이 없거나 매우 적다. 입법자가 건물에 대한 환매권을 부인한 것은 헌법적 한계 내에 있는 입법재량권의 행사이므로 재산권을 침해하는 것이라 볼 수 없다(헌재 2005.5.26. 2004헌가10).

핵심 OX

09 사업시행자가 환매권의 존부에 관한 확인을 구하는 소송은 민사소송이다. 18. 서울7급 ( )

10 환매제도는 재산권보장, 원소유자의 보호 및 공평의 원칙에 바탕을 두기에, 환매의 목적물은 토지소유권에 한하지 않고, 토지 이외의 물건이나 토지소유권 이외의 권리 역시 환매의 대상이 될 수 있다. 18. 지방7급 ( )

09 O **10** X

관련판례

1 구 공익사업을 위한 토지 등의 취득 및 보상에 관한 법률 제74조 제1항에 의한 잔여지 수용청구를 받아들이지 않은 토지수용위원회의 재결에 대하여 토지소유자가 불복하여 제기하는 소송의 성질 및 그 상대방

구 공익사업을 위한 토지 등의 취득 및 보상에 관한 법률(2007.10.17. 법률 제8665호로 개정되기 전의 것) 제74조 제1항에 규정되어 있는 잔여지 수용청구권은 손실보상의 일환으로 토지소유자에게 부여되는 권리로서 그 요건을 구비한 때에는 잔여지를 수용하는 토지수용위원회의 재결이 없더라도 그 청구에 의하여 수용의 효과가 발생하는 형성권적 성질을 가지므로, 잔여지 수용청구를 받아들이지 않은 토지수용위원회의 재결에 대하여 토지소유자가 불복하여 제기하는 소송은 위 법 제85조 제2항에 규정되어 있는 '보상금의 증감에 관한 소송'에 해당하여 사업시행자를 피고로 하여야 한다(대판 2010.8.19. 2008두822).

2 구 공익사업을 위한 토지 등의 취득 및 보상에 관한 법률 제74조 제1항의 잔여지 수용청구권 행사기간의 법적 성질(=제척기간) 및 잔여지 수용청구 의사표시의 상대방(=관할 토지수용위원회)

[1] 구 공익사업을 위한 토지 등의 취득 및 보상에 관한 법률 제74조 제1항에 규정되어 있는 잔여지 수용청구권은 손실보상의 일환으로 토지소유자에게 부여되는 권리로서 그 요건을 구비한 때에는 잔여지를 수용하는 토지수용위원회의 재결이 없더라도 그 청구에 의하여 수용의 효과가 발생하는 형성권적 성질을 가지므로, 잔여지 수용청구를 받아들이지 않은 토지수용위원회의 재결에 대하여 토지소유자가 불복하여 제기하는 소송은 위 법 제85조 제2항에 규정되어 있는 '보상금의 증감에 관한 소송'에 해당하여 사업시행자를 피고로 하여야 한다.

[2] 구 공익사업을 위한 토지 등의 취득 및 보상에 관한 법률 제74조 제1항에 의하면, 잔여지 수용청구는 사업시행자와 사이에 매수에 관한 협의가 성립되지 아니한 경우 일단의 토지의 일부에 대한 관할 토지수용위원회의 수용재결이 있기 전까지 관할 토지수용위원회에 하여야 하고, 잔여지 수용청구권의 행사기간은 제척기간으로서, 토지소유자가 그 행사기간 내에 잔여지 수용청구권을 행사하지 아니하면 그 권리가 소멸한다. 또한 위 조항의 문언 내용 등에 비추어 볼 때, 잔여지 수용청구의 의사표시는 관할 토지수용위원회에 하여야 하는 것으로서, 관할 토지수용위원회가 사업시행자에게 잔여지 수용청구의 의사표시를 수령할 권한을 부여하였다고 인정할 만한 사정이 없는 한, 사업시행자에게 한 잔여지 매수청구의 의사표시를 관할 토지수용위원회에 한 잔여지 수용청구의 의사표시로 볼 수는 없다.

[3] 토지소유자가 자신의 토지에 숙박시설을 신축하기 위해 부지를 조성하던 중 그 토지의 일부가 익산-장수간 고속도로 건설공사에 편입되자 사업시행자에게 부지조성비용 등의 보상을 청구한 사안에서, 잔여지에 지출된 부지조성비용은 그 토지의 가치를 증대시킨 한도 내에서 잔여지의 감소로 인한 손실보상액을 산정할 때 반영되는 것일 뿐, 별도의 보상대상이 아니므로, 잔여지에 지출된 부지조성비용이 별도의 보상대상으로 인정되지 않는다면 토지소유자에게 잔여지의 가격 감소로 인한 손실보상을 구하는 취지인지 여부에 관하여 의견을 진술할 기회를 부여하고 그 당부를 심리 · 판단하였어야 함에도, 이러한 조치를 취하지 않은 원심판결에 석명의무를 다하지 않아 심리를 제대로 하지 않은 위법이 있다(대판 2010.8.19. 2008두822).

핵심 OX

01 공익사업을 위한 토지 등의 취득 및 보상에 관한 법률에 의한 잔여지 수용청구를 받아들이지 않은 토지수용위원회의 재결에 대하여 토지소유자가 불복하여 제기하는 소송은 항고소송에 해당한다. 19. 지방9급, 15. 국회8급 ( )

02 사업인정고시가 된 후 사업시행자가 토지를 사용하는 기간이 3년 이상인 경우 토지소유자는 토지수용위원회에 토지의 수용을 청구할 수 있고, 토지수용위원회가 이를 받아들이지 않는 재결을 한 경우에는 사업시행자를 피고로 하여 토지보상법상 보상금의 증감에 관한 소송을 제기할 수 있다. 18. 국가7급 ( )

핵심 OX

03 사업시행자에게 한 잔여지매수청구의 의사표시는 일반적으로 관할 토지수용위원회에 한 잔여지수용청구의 의사표시로 볼 수 있다. 19. 국회8급, 서울7급 ( )

04 잔여지 수용 청구가 있으면 그 잔여지에 있는 물건에 대한 권리를 가진 자는 사업시행자에게 그 권리의 존속을 주장할 수 없게 된다. 19. 서울7급 ( )

05 토지소유자는 사업시행자에게 잔여지 매수청구를 할 수 있는데, 이 매수청구는 토지수용위원회의 잔여지 수용재결 전 또는 후에 할 수 있다. 19. 서울7급 ( )

06 甲이 乙에게 국토의 계획 및 이용에 관한 법령에 따라 자신의 대지에 대한 매수를 청구하더라도 매매의 효과가 바로 발생하는 것은 아니다. 19. 변호사 ( )

01 X 02 O 03 X 04 X 05 X 06 O

3 주택재개발사업 정비구역 안에 있는 주거용 건축물에 거주하던 세입자 甲이 주거이전비를 받을 수 있는 권리를 포기한다는 취지의 주거이전비 포기각서를 제출하고 사업시행자가 제공한 임대아파트에 입주한 다음 별도로 주거이전비를 청구한 사안에서, 위 포기각서의 내용은 강행규정에 반하여 무효라고 한 사례

주택재개발사업 정비구역 안에 있는 주거용 건축물에 거주하던 세입자 甲이 주거이전비를 받을 수 있는 권리를 포기한다는 취지의 '이주단지 입주에 따른 주거이전비 포기각서'를 제출한 후 사업시행자가 제공한 임대아파트에 입주한 다음 별도로 주거이전비를 청구한 사안에서, 사업시행자는 주택재개발 사업으로 철거되는 주택에 거주하던 甲에게 임시수용시설 제공 또는 주택자금 융자알선 등 임시수용에 상응하는 조치를 취할 의무를 부담하는 한편, 甲이 공익사업을 위한 토지 등의 취득 및 보상에 관한 법률 시행규칙(이하 '공익사업법 시행규칙'이라 한다) 제54조 제2항에 규정된 주거이전비 지급요건에 해당하는 세입자인 경우, 임시수용시설인 임대아파트에 거주하게 하는 것과 별도로 주거이전비를 지급할 의무가 있고, 甲이 임대아파트에 입주하면서 주거이전비를 포기하는 취지의 포기각서를 제출하였다 하더라도, 포기각서의 내용은 강행규정인 공익사업법 시행규칙 제54조 제2항에 위배되어 무효이다(대판 2011.7.14. 2011두3685).

4 구 공익사업을 위한 토지 등의 취득 및 보상에 관한 법령에 따라 주거용 건축물의 세입자가 주거이전비 보상을 소구하는 경우 그 소송의 형태

구 공익사업을 위한 토지 등의 취득 및 보상에 관한 법률(2007.10.17. 법률 제8665호로 개정되기 전의 것) 제78조 제5항 · 제7항, 같은 법 시행규칙 제54조 제2항 본문 · 제3항의 각 조문을 종합하여 보면, 세입자의 주거이전비 보상청구권은 그 요건을 충족하는 경우에 당연히 발생하는 것이므로, 주거이전비 보상청구소송은 행정소송법 제3조 제2호에 규정된 당사자소송에 의하여야 한다. 다만, 구 도시 및 주거환경정비법(2007.12.21. 법률 제8785호로 개정되기 전의 것) 제40조 제1항에 의하여 준용되는 구 공익사업을 위한 토지 등의 취득 및 보상에 관한 법률 제2조, 제50조, 제78조, 제85조 등의 각 조문을 종합하여 보면, 세입자의 주거이전비 보상에 관하여 재결이 이루어진 다음 세입자가 보상금의 증감 부분을 다투는 경우에는 같은 법 제85조 제2항에 규정된 행정소송에 따라, 보상금의 증감 이외의 부분을 다투는 경우에는 같은 조 제1항에 규정된 행정소송에 따라 권리구제를 받을 수 있다(대판 2008.5.29. 2007다8129).

5 사업시행자가 사업인정을 받은 후 그 사업이 공용수용을 할 만한 공익성을 상실하거나 사업인정에 관련된 자들의 이익이 현저히 비례의 원칙에 어긋나게 된 경우 또는 사업시행자가 해당 공익사업을 수행할 의사나 능력을 상실한 경우, 그 사업인정에 터잡아 수용권을 행사할 수 있는지 여부(소극)

공용수용은 헌법상의 재산권 보장의 요청상 불가피한 최소한에 그쳐야 한다는 헌법 제23조의 근본취지에 비추어 볼 때, 사업시행자가 사업인정을 받은 후 그 사업이 공용수용을 할 만한 공익성을 상실하거나 사업인정에 관련된 자들의 이익이 현저히 비례의 원칙에 어긋나게 된 경우 또는 사업시행자가 해당 공익사업을 수행할 의사나 능력을 상실하였음에도 여전히 그 사업인정에 기하여 수용권을 행사하는 것은 수용권의 공익 목적에 반하는 수용권의 남용에 해당하여 허용되지 않는다(대판 2011.1.27. 2009두1051).

6 어떤 보상항목이 공익사업을 위한 토지등의 취득 및 보상에 관한 법령상 손실보상 대상에 해당함에도 관할 토지수용위원회가 사실을 오인하거나 법리를 오해함으로써 손실보상 대상에 해당하지 않는다고 잘못된 내용의 재결을 한 경우, 피보상자가 제기할 소송(보상금증감소송)

어떤 보상항목이 공익사업을 위한 토지등의 취득 및 보상에 관한 법령상 손실보상 대상에 해당함에도 관할 토지수용위원회가 사실을 오인하거나 법리를 오해함으로써 손실보상 대상에 해당하지 않는다고 잘못된 내용의 재결을 한 경우에는, 피보상자는 관할 토지수용위원회를 상대로 그 재결에 대한 취소소송을 제기할 것이 아니라, 사업시행자를 상대로 구 공익사업을 위한 토지등의 취득 및 보상에 관한 법률 제85조 제2항에 따른 보상금증감소송을 제기하여야 한다(대판 2018.7.20. 2015두4044).

7 토지소유자등의 사업시행자에 대한 손실보상금 채권에 관하여 압류 및 추심명령이 있는 경우, 채무자인 토지소유자등이 보상금의 증액을 구하는 소를 제기하고 그 소송을 수행할 당사자 적격을 상실하는지 여부(소극)

토지소유자등이 토지보상법 제85조 제2항에 따라 보상금증액청구의 소를 제기한 경우, 그 손실보상금 채권에 관하여 압류 및 추심명령이 있다고 하더라도 추심채권자가 그 절차에 참여할 자격을 취득하는 것은 아니므로, 보상금증액청구의 소를 제기한 토지소유자등의 지위에 영향을 미친다고 볼 수 없다. 따라서 보상금증액청구의 소의 청구채권에 관하여 압류 및 추심명령이 있더라도 토지소유자등이 그 소송을 수행할 당사자적격을 상실한다고 볼 것은 아니다(대판 2022.11.24. 2018두67).

판례연구 손실보상(1)

1. 기본 판례

사회적 제약의 범위를 넘는 가혹한 부담이 발생하는 경우 보상규정을 두지 않은 것은 위헌적이지만 보상의 구체적 기준과 방법은 입법자가 정할 사항이므로 헌법불합치결정을 한다.

개발제한구역의 지정으로 말미암아 일부 토지소유자에게 사회적 제약의 범위를 넘는 가혹한 부담이 발생하는 예외적인 경우에 대하여 **보상규정을 두지 않은 것에 위헌성이 있는 것**이고, 보상의 구체적 기준과 방법은 헌법재판소가 결정할 성질의 것이 아니라 **광범위한 입법형성권을 가진 입법자가 입법정책적으로 정할 사항**이므로, 입법자가 보상입법을 마련함으로써 위헌적인 상태를 제거할 때까지 위 조항을 형식적으로 존속케 하기 위하여 헌법불합치결정을 하는 것인 바, 입법자는 되도록 빠른 시일 내에 보상입법을 하여 위헌적 상태를 제거할 의무가 있고, 행정청은 보상입법이 마련되기 전에는 새로 개발제한구역을 지정하여서는 아니되며, 토지소유자는 보상입법을 기다려 그에 따른 권리행사를 할 수 있을 뿐 개발제한구역의 지정이나 그에 따른 토지재산권의 제한 그 자체의 효력을 다투거나 위 조항에 위반하여 행한 자신들의 행위의 정당성을 주장할 수는 없다(헌재 1998.12.24. 89헌마214 · 90헌바16 · 97헌바78).

2. 관련 판례

① 어업면허에 대한 처분 등이 행정처분에 해당된다 하여도 이로 인한 손실은 사법상의 권리인 어업권에 대한 손실을 본질적 내용으로 하고 있는 것으로서 그 보상청구권은 공법상의 권리가 아니라 사법상의 권리이다.

② 하천법상 인정되는 손실보상청구권은 공법상 권리이므로 그에 관한 분쟁은 행정소송에 의한다.

③ 토지가 철새 도래지로서 자연 문화적인 학술가치를 지녔다 하더라도 손실보상의 대상이 될 수 없다.

핵심 OX

01 어떤 보상항목이 손실보상 대상에 해당함에도 관할 토지수용위원회가 사실을 오인하거나 법리를 오해함으로써 손실보상 대상에 해당하지 않는다고 잘못된 내용의 재결을 한 경우에는, 피보상자는 관할 토지수용위원회를 상대로 재결취소소송을 제기하여야 한다. 24. 국가9급, 23. 지방9급 ( )

02 우리 헌법재판소는 손실보상규정이 없어 손실보상을 할 수 없으나 수인한도를 넘는 침해가 있는 경우에는 침해를 야기한 행위가 위법하므로 그에 대한 항고소송을 제기할 수 있다고 한다. 18. 국회8급 ( )

03 손실보상은 당해 재산권 자체에 내재하는 사회적인 제약에 해당하는 경우에는 인정되지 않는다. 05. 서울9급 ( )

04 민법상 재산권에 대한 상린관계에서의 제한은 재산권의 사회적 제약을 넘는 것이므로 손실보상의 대상이 된다. 06. 국회8급 ( )

01 X **02** X **03** O **04** X

④ 종래의 지목과 토지현황에 의한 이용방법에 따른 토지의 사용도 할 수 없거나 실질적으로 사용 · 수익을 전혀 할 수 없는 예외적인 경우에도 아무런 보상없이 이를 감수하도록 하고 있는 한, 비례의 원칙에 위반된다.
⑤ 영업의 폐지로 볼 것인지 아니면 영업의 휴업으로 볼 것인지를 구별하는 기준은 당해 영업을 그 영업소 소재지 안의 다른 장소로 이전하는 것이 가능한지의 여부에 달려 있다.
⑥ 재결절차에서 정한 보상액과 행정소송절차에서 정한 보상금액의 차액이 수용시기에 지급되지 않은 이상 지연손해금이 당연히 발생한다.
⑦ 주거이전비보상청구권은 공법상의 권리이고 그 보상에 관한 분쟁은 행정소송에 의한다.
⑧ 이주대책은 생활보상의 일환으로 국가의 정책적 배려에 의해 마련된 제도이다.

판례연구 손실보상(2)

1. 기본 판례

헌법상 정당한 보상은 완전보상이지만 개발이익은 포함되지 않는다.

> 헌법 제23조 제3항에서 규정한 '정당한 보상'이란 완전보상을 뜻하는 것이지만, 공익사업의 시행으로 인한 개발이익은 완전보상의 범위에 포함되는 피수용토지의 객관적 가치 내지 피수용자의 손실이라고는 볼 수 없다(헌재 1990.6.25. 89헌마107).

2. 관련 판례

① 토지수용으로 인한 손실보상액의 산정을 공시지가를 기준으로 하되 개발이익을 배제하도록 규정한 것은 헌법에 위반되지 않는다.
② 개발제한구역의 설정으로 인한 지가의 하락은 토지소유자가 감수해야 하는 사회적 제약의 범주에 속한다.
③ 개발이익은 완전보상의 범위에 포함되는 피수용토지의 객관적 가치 내지 피수용자의 손실이라고는 볼 수 없다.
④ 당해 공공사업과는 관계없는 다른 사업의 시행으로 인한 개발이익은 이를 배제하지 아니한 가격으로 평가하여야 한다.
⑤ 보상은 수용 또는 사용의 대상이 되는 물건별로 하는 것이 아니라 피보상자 개인별로 행하여지는 것이다.
⑥ 피보상자는 수용 대상물건 중 전부 또는 일부에 관하여 불복이 있는 경우 그 불복의 사유를 주장하여 행정소송을 제기할 수 있다.
⑦ 입법자가 이주대책 대상자에서 세입자를 제외하고 있는 법령이 세입자의 평등권 침해는 아니다.
⑧ 사업시행자는 특별공급주택의 수량, 특별공급대상자의 선정 등에 있어서 재량을 가진다.
⑨ 잔여지수용청구권은 그 요건을 구비한 때에는 토지수용위원회의 특별한 조치를 기다릴 것 없이 청구에 의하여 수용의 효과가 발생하는 형성권적 성질을 가진다.

핵심 OX

05 재결절차에서 정한 보상액과 행정소송절차에서 정한 보상금액의 차액이 수용시기에 지급되지 않은 이상 지연손해금이 당연히 발생한다고 보았다. 11. 국회9급 ( )

06 헌법재판소는 공익사업의 시행으로 인한 개발이익은 완전보상의 범위에 포함되는 피수용 토지의 객관적 가치 내지 피수용자의 손실이라고 본다. 17. 국가9급(10월), 14. 서울7급, 13 · 12. 국가9급, 08. 지방7급 ( )

05 ○ 06 X

제3장 행정상 손실보상제도의 흠결과 보충

제1절 행정상 손실보상제도의 흠결과 보충

1 서설

현행 손해전보제도는 '위법 · 유책'한 불법행위에 대해서는 국가배상이, '적법 · 무책'한 공권력의 침해에 대해서는 손실보상이 인정된다. 그러나 법률이 재산권에 대한 공적 침해를 규정하면서 보상규정을 두지 않은 '위법 · 무책'한 침해(수용유사침해)에 대한 피해자의 구제와 적법한 공권력 행사에 의한 비의욕적 부수적 결과로의 침해(수용적 침해)에 대한 구제, 그리고 비재산적 법익에 대한 침해(예 예방접종사고 등)에 대한 구제가 문제된다.

2 수용유사적 침해이론

1. 의의(위법 · 무책한 재산권에 대한 제약)

타인의 재산권에 대한 위법한 공용침해의 경우로서, 공용침해의 모든 요건을 갖추고 있으나 **보상에 관한 요건을 결하고 있는 침해**의 경우를 말한다. 즉 공용침해를 허용하는 법률은 그로 인해 발생하는 특별한 희생에 대하여 보상규정을 두어야 함에도 불구하고 이를 결하고 있는 결과 개인의 재산권이 침해된 경우이다(예 구 도시계획법상 개발제한구역지정으로 인하여 재산권을 제한하고 있음에도 불구하고 아무런 보상규정을 두지 않은 경우).

핵심 OX

01 수용유사의 침해란 타인의 재산권에 대한 위법한 공용침해를 말하고, 수용적 침해란 적법한 행정작용의 비정형적 · 비의욕적인 부수적 결과로서 타인의 재산권에 수용적 영향을 가하는 침해를 말한다. 03. 국가7급 (　)

01 ○

2. 필요성

개별법령 중에는 공용침해에 대한 규정은 있으나, 그로 인한 손실에 대한 특별한 희생이 발생한 경우에도 보상규정을 두지 않는 경우가 많은데, 이에 대하여 헌법상 재산권 보장규정과 평등의 원칙 등 **보상규정을 유추적용**하는 **수용유사침해법리를 적용**하면 **손실보상을 인정**할 수 있는 이점이 있다.

3. 기타 손해전보와의 구별

(1) 수용유사침해는 위법한 공용침해라는 점에서 적법한 공용침해에 대한 보상인 본래의 공용침해와 구별된다.

(2) 공용침해로 야기된 손실의 조절적 보상인 점에서 위법 · 유책에 대한 상당인과관계에 대한 배상인 국가배상과 구별된다.

4. 성립요건

(1) 재산권에 대한 공권적 침해가 있어야 한다.

(2) 위법한 공용침해가 있어야 한다. 여기서의 위법은 국가배상법상의 위법과는 달리 보상규정이 결여되었다는 의미에서의 위헌인 위법을 말한다. 따라서 수용유사침해는 위헌인 위법 · 무책의 경우가 된다.

(3) 재산권자에게 특별한 희생이 가해졌어야 한다.

5. 자갈채취판결의 영향

(1) 초기의 독일 연방통상법원은 적법한 재산권제약행위에 대해 손실보상을 해야 한다면 당연히 위법한 재산권제약행위에 대해서도 손실보상을 하여야 한다고 하여 수용유사침해법리를 통하여 손실보상을 인정하였다.

(2) 이후 자갈채취판결(1981.7.15.)에서는 손실보상이 인정되기 위해서는 당해 법률에 근거가 있어야 하며, 보상규정이 결여된 위법 · 무책한 침해는 헌법을 위반한 위헌이며 이에 따른 행정작용도 위법하게 된다고 판시하고, 이러한 경우에는 먼저 행정쟁송(취소소송)을 제기하여 구제를 강구하여야 하고, 직접 보상을 청구할 수 없으므로 당사자는 손실보상청구소송과 취소소송을 선택할 권리는 인정되지 않으며, 취소소송기간을 도과한 경우에는 구제방법이 없게 된다는 취지로 수용유사침해에 대한 보상을 제약하는 판결을 하였다.

(3) 현재는 본(Bonn) 기본법상의 손실보상규정이 아니라, 프로이센 일반국법에 근거를 둔 관습법상의 희생보상청구권에서 그 근거를 찾고 있다.

6. 우리나라에서의 인정문제

(1) 학설

수용유사침해이론은 적법한 재산권제약행위에 대해 손실보상을 해야 한다면 당연히 위법한 재산권제약행위에 대해서도 손실보상이 인정되어야 한다는 논리에 근거를 두고 있다. 우리나라에서는 수용유사침해이론을 부정하는 견해(직접효력설, 위헌무효설)와 헌법 제23조 제1항(재산권 보장), 헌법 제11조(평등의 원칙) 및 기타 규정을 유추적용하여 인정하자는 견해(유추적용설)가 대립하고 있다.

(2) 판례

'문화방송주식사건'에서 고등법원은 수용유사침해이론을 명시적으로 수용하였으나, 대법원은 동 이론의 수용 여부에 대하여 명시적 판단을 유보하였다.

관련판례

국군보안사령부 정보처장이 언론통폐합조치의 일환으로 사인 소유의 방송사 주식을 강압적으로 국가에 증여하게 한 것이 수용유사행위에 해당되지 않는다고 한 사례
수용유사적 침해이론은 국가 기타 공권력의 주체가 위법하게 공권력을 행사하여 국민의 재산권을 침해하였고 그 효과가 실제에 있어서 수용과 다름없을 때에는 적법한 수용이 있는 것과 마찬가지로 국민이 그로 인한 손실의 보상을 청구할 수 있다는 것인데, 우리 법제하에서 그와 같은 이론을 채택할 수 있는 것인가는 별론으로 하더라도, 1980년

핵심 OX

02 대법원의 판례는 개발제한구역지정으로 인한 재산권제한을 수용유사침해로 보아 손실보상을 인정하고 있다. 03. 국가7급 ( )

02 X

6월 말경의 비상계엄 당시 국군보안사령부 정보처장이 언론통폐합조치의 일환으로 MBC주식을 강압적으로 국가에 증여하게 한 것은 수용유사행위에 해당되지 않는다(대판 1993.10.26. 93다6409).

7. 재산권의 사회적 제약과 공용수용의 구별기준(경계이론과 분리이론)

(1) 의의

헌법 제23조 제1항 · 제2항(재산권의 내용과 한계, 사회적 제약)과 헌법 제23조 제3항(공용침해)을 구분하는 기준이 무엇인가에 대하여 독일 판례상 발전된 경계이론과 분리이론의 대립이 있다.

(2) 경계이론

경계이론이란 헌법 제23조 제1항 · 제2항(재산권의 내용과 한계, 사회적 제약)의 규정과 헌법 제23조 제3항(공용침해)을 연속선상에서 파악하는 견해로서, 재산권의 내용규정인 사회적 제약이나 공용침해 모두 재산권에 대한 제한을 의미하나, 사회적 제약은 침해의 정도가 적어서 보상없이 감수해야 하는 반면, 공용침해는 사회적 제약의 범주를 넘어선 것으로서 보상을 필요로 한다는 것이다. 즉, 사회적 제약을 벗어나는 재산권의 제약은 보상규정의 유무를 불문하고 보상이 되어야 한다는 이론이다.

(3) 분리이론-독일의 자갈채취판결과 개발제한구역에 관한 우리 헌법재판소의 입장

① 분리이론은 재산권의 내용과 한계 및 사회적 제약과 공용침해를 헌법적으로 다른 독립된 제도로 보고 '재산권 제한의 강도'가 아니라 '입법의 형식과 목적'에 따라 양자를 구별하는 견해이다.

② **사회적 제약**은 입법자의 입법내용 규정에 따른 구체적인 결과로서 보상규정이 없는 일반적 · 추상적으로 재산권의 권리와 의무를 확정하는 내용규정으로 **재산권능의 축소**인 데 반해, **공용침해**는 국가가 공적 과제를 수행하기 위해 의도적으로 이미 형성된 개별적 · 구체적인 재산권적 지위를 박탈하는 것을 의미하므로 **보상이 필요한 수용규정**이 되는 것이고 중간영역인 위법한 수용 등은 인정하지 않게 된다.

③ 분리이론은 중간영역인 위법한 수용 등을 인정하지 않으므로 수용을 박탈할 목적으로 의도된 침해로 이해하여 과거 연방최고법원에 의하여 확대된 수용개념을 다시 원래의 고전적인 수용개념인 협의의 개념으로 축소하였다.

④ 사회적 제약과 공용침해는 별개의 제도이므로 그 위헌성 심사와 기준도 각각 다르다. **사회적 제약규정**은 원칙적으로 보상의무가 없지만, 예외적으로 사회적 제약규정이 헌법상의 한계(비례 · 평등 · 신뢰보호의 원칙)를 일탈하여 위헌문제를 야기한다면 공용침해로 전환되는 것이 아니므로 위헌 · 무효가 된 내용규정에 근거한 그 **처분을 취소하는 쟁송취소를 제기**하여야 하며, 이 경우 취소소송과 보상 사이에 선택권이 인정되지 않는다.

핵심 OX

01 분리이론과 경계이론은 재산권의 내용 · 한계설정과 공용침해를 보다 합리적으로 구분하려는 이론이다. 18. 지방교행 (　)

02 정비기반시설과 그 부지의 소유 · 관리 · 유지관계를 정한 도시 및 주거환경정비법 제65조 제2항의 전단에 따른 정비기반시설의 소유권 귀속은 헌법 제23조 제3항의 수용에 해당한다. 14. 지방9급 (　)

03 헌법 제23조 제1항의 규정이 재산권의 존속을 보호하는 것이라면 제23조 제3항의 수용제도를 통해 존속보장은 가치보장으로 변하게 된다. 17. 지방9급 (　)

04 분리이론은 재산권의 존속보장보다는 가치보장을 강화하려는 입장에서 접근하는 견해이다. 15. 국회8급 · 변호사 (　)

01 ○ 02 X 03 ○ 04 X

⑤ **재산권 제한의 유형**

㉠ 보상이 필요없는 사회적 제약규정

㉡ 보상이 필요한 사회적 제약규정

㉢ 보상을 요하는 공용수용

⑥ 분리이론은 독일 연방헌법재판소(BVerfGE)가 채택한 견해이다.

⑦ 자갈채취판결 이후 독일 연방최고법원은 더 이상 독일 본기본법상의 공용침해에 대한 보상규정에서 찾지 않고 종래의 프로이센 일반국법상의 희생보상사상으로 복귀하였다.

⑧ **우리 헌법재판소의 분리이론의 수용:** 도시계획법(현 국토의 계획 및 이용에 관한 법률) 제21조에 의한 재산권의 제한은 개발제한구역으로 지정된 토지를 원칙적으로 지정 당시의 지목과 토지현황에 의한 이용방법에 따라 사용할 수 있는 한, 재산권에 내재하는 사회적 제약을 비례의 원칙에 합치하게 합헌적으로 구체화한 것이라고 할 것이나, 종래의 지목과 토지현황에 의한 이용방법에 따른 토지의 사용도 할 수 없거나 실질적으로 사용·수익을 전혀 할 수 없는 예외적인 경우에도 아무런 보상없이 이를 감수하도록 하고 있는 한, 비례의 원칙에 위반되어 당해 토지소유자의 재산권을 과도하게 침해하는 것으로서 헌법에 위반된다(헌재 1998.12.24. 89헌마214·90헌바16·97헌바78).

핵심정리 **경계이론과 분리이론 요약**

구분	헌법 제23조	경계이론 / 제3항의 경계로서의 의미	분리이론(헌재) / 전혀 별개(입법의 형식과 그 목적에 따라 구분)
내용규정	• 모든 국민의 재산권은 보장된다. 그 내용과 한계는 법률로 정한다. • 재산권의 행사는 공공복리에 적합하도록 하여야 한다.	특별희생에의 해당 여부를 결정짓는 경계	보상규정 없이 단순히 일반적·추상적으로 재산권의 권리와 의무를 확정하는 경우
수용규정	공공필요에 의한 재산권의 수용·사용 또는 제한 및 그에 대한 보상은 법률로써 하되, 정당한 보상을 지급하여야 한다.		보상규정을 두고 그 입법의 목적이 '공적 과제의 수행을 위한 의도적 재산권 박탈'의 경우

관련판례

구 도시계획법 제4조 ⇨ 헌법불합치결정(헌재 1999.10.21. 97헌바26): 존속보장 ⇨ 분리이론

[1] 도시계획시설결정제도 그 자체는 합헌인데 그 시행과정에서 도시계획시설결정의 장기적인 시행지연으로 말미암아 토지소유자에게 발생하는 사회적 제약의 범위를 넘는 가혹한 부담(∵비례원칙 위반)에 대하여 보상규정을 두지 않은 것에 위헌성이 있다.

[2] 이 경우 위헌성 해소방법에는 금전적 보상규정을 두거나, 도시계획시설결정의 해제, 토지매수청구권, 수용청구권 등의 여러 가지가 있을 수 있다.

3 수용적 침해이론

1. 의의

수용적 침해란 적법한 행정작용의 비정형적 · 비의욕적인 부수적 결과로서 타인의 재산권에 가하게 되는 침해를 말한다(예 지하철공사가 장기화됨으로써 인근 상점이 장기간 영업을 하지 못하게 되는 경우, 도시관리계획이 방치됨으로써 계획구역 내의 토지 · 건물의 소유자들이 불이익을 입는 경우 등).

2. 공용수용 · 수용유사침해와의 구별

공용수용은 특별한 희생을 예측할 수 있으나 수용적 침해는 **예측할 수 없는 특별한 희생**이 발생한다는 점에서 양자는 구별되며, 수용유사침해는 위법한 침해이나 수용적 침해는 **적법한 침해**라는 점에 차이가 있다.

3. 간접손실보상과의 관계

수용적 침해가 적법한 행정작용의 결과 발생이 의도되지 않은 침해라고 한다면 간접손실보상은 공익사업의 사업시행자 밖의 재산권자에게 가해지는 손실로 정의할 수 있다. 따라서 간접손실은 수용적 침해의 일부에 해당한다고 볼 수 있다. 즉, 수용적 침해가 간접손실보상보다 더 넓은 개념에 해당한다.

4. 요건

(1) 공행정작용으로 인한 **의도되지 않은 재산권의 침해**가 있을 것

(2) 비의도적인 침해이지만, **적법한 공권력 행사**에 의한 재산권의 침해일 것

(3) 수용적 침해로 발생한 손실이 **수인한도를 넘는 특별한 희생**일 것

5. 우리나라에서의 적용문제

(1) 학설

독일의 수용적 침해이론을 적용하여 보상이 가능하다는 견해, 헌법 제23조 제3항을 직접 확대적용하여 보상청구가 가능하다는 견해, 입법론적으로 해결이 가능하다는 견해 등의 대립이 있다.

(2) 판례

수용적 침해에 대한 명시적인 판례는 존재하지 않는다.

4 희생보상청구권(비재산적 법익침해에 대한 구제)

1. 개설

(1) 의의

희생보상이란 생명 · 신체 · 명예 등과 같은 비재산적 법익의 침해에 대한 보상을 말한다. 수용침해에 대한 보상은 재산권 침해시의 문제이나, **생명 · 신체 · 명예 · 자유에 대한 침해**시 헌법상 법치국가 · 기본권보장 · 사회국가법리에 부합하기 위해 인정된 제도이다.

(2) 구체적 사례

① 예방접종 후 특이체질로 인해 사망한 경우

② 국가기관의 검정을 받은 약품을 복용하여 뜻밖의 질병에 걸린 경우

③ 범인을 향해 발사한 총탄이 범인을 관통하여 옆 사람에게 상해를 입힌 경우

④ 화재현장에서 진화작업에 동원된 사람이 부상 또는 사망한 경우

2. 법적 근거 및 성립요건

(1) 법적 근거

독일에서는 헌법적 효력을 가지는 프로이센 일반국법 제74조, 제75조에 근거를 둔 관습법으로 이해한다.

(2) 성립요건

비재산권에 대한 침해라는 점을 제외하고는 손실보상의 요건을 갖추어야 한다.

① 행정주체의 공권력의 행사

② 공공의 필요에 의한 적법한 침해

③ 비재산권에 대한 침해의 발생

④ 침해의 내용이 특별한 희생에 해당할 것

⑤ 소극적 요건으로서 희생보상청구권을 내용으로 하는 보상규정이 존재하지 않을 것[1]

[1] 희생보상청구권은 관습법상의 제도이므로 실정법상의 규정이 존재한다면 그에 따라 보상을 받으면 됨

3. 보상의 범위

(1) 범위

희생침해로 인하여 발생하는 보상청구권은 **비재산적 법익**(예 생명, 신체 등)**의 침해로 인한 재산적 손해**(예 치료비, 소득상실분 등)**만을 포함**하고, 정신적 손해(예 위자료 등)는 포함하지 않는다는 것이 독일 판례의 입장이다.

(2) 사법상 일반원칙 적용

보상액 산정에 있어서 과실상계 등의 사법상 일반원칙이 적용되어 관계인의 귀책사유는 보상범위에 반영된다.

4. 희생유사침해

독일의 이론과 판례는 수용유사침해를 인정한 것과 같이 위법한 행정작용의 경우에까지 희생보상청구권을 인정하고 있다.

5. 우리나라의 경우

비재산적 법익에 대한 침해에 대하여 보상법률이 있으면 그 법률에 따라 해결하게 된다(예 소방기본법 제24조, 구 산림법 제102조의3, 감염병의 예방 및 관리에 관한 법률 제71조 등). 명문의 규정이 없는 경우에는 독일과 달리 실정법과 판례가 일반적인 제도로서 희생보상청구권을 인정하고 있지 않기 때문에 구제받기가 곤란할 것이다.

제2절 행정상 결과제거청구권

1 개설

1. 의의

행정상 결과제거청구권이란 행정작용의 결과로서 남아 있는 위법한 상태로 인하여 자신이 법률상의 이익을 침해받고 있는 자가 행정주체에 대하여 그 **위법상태를 제거**하여 **원상회복**하여 줄 것을 청구하는 권리를 말한다. 예컨대, 개인의 토지에 시(市)가 쓰레기를 방치한 경우, 토지수용재결이 취소됐음에도 사업시행자가 토지를 반환하지 않는 경우 등이 있다. 행정상 결과제거청구권은 민법상 소유물방해제거청구권과 유사하다고 볼 수 있다(민법 제214조).

2. 필요성

행정상 결과제거청구권은 기존의 권리구제제도인 행정상 손해전보제도나 행정쟁송제도를 통해서 당사자의 권익구제가 충분하지 못하거나 목적달성이 어려운 경우에 이를 보완하기 위하여 인정되는 제도이다(예 위법한 재산압류처분이 취소되었음에도 행정청이 압류물건을 반환하지 않는 경우 등).

3. 손해배상청구권과 결과제거청구권의 비교

구분	손해배상청구권	결과제거청구권
요건	고의 · 과실이 요구되는 유책한 행위	고의 · 과실 불요 (위법상태 존속만으로도 가능, 위법 · 무책)
내용	금전상의 전보청구	위법상태의 제거를 구하는 원상회복청구
성질	채권적 청구권	물권적 청구권 (반드시 물권적 청구권에 한정하지 않음)
관계	결과제거청구로 원상회복되었어도 부가적인 손해가 있으면 별도로 손해배상청구 가능	

2 성질

1. 물권적 청구권인지의 여부

(1) 손해배상청구권은 채권적 청구권이고, 결과제거청구권은 정당한 권원 없는 행위로 말미암아 사인의 지배권이 침해된 경우에 성립한다고 하여 물권적 청구권이라고 보는 견해가 있다.

(2) 그러나 명예훼손과 같은 비재산적 법익의 침해를 제거하기 위한 경우에도 인정될 수 있다는 점에서 물권적 청구권에 한정하는 것은 타당하지 않다.

2. 공권인지의 여부

결과제거청구권을 소송으로 제기하는 경우 행정소송으로 제기할 것인가 민사소송으로 제기할 것인가에 대하여 공권설과 사권설이 대립하고 있다.

(1) 공권설(다수설)

결과제거청구권은 행정주체의 공행정작용으로 인하여 야기된 위법상태의 제거를 위하여 인정된다는 점에서 **공권**이라는 것이다(**당사자소송**의 대상).

(2) 사권설(소수설 · 판례)

결과제거청구권은 권원 없는 행위로 야기된 침해상태를 제거하는 것으로 사인 상호간에 있어서의 동일한 법률관계의 경우와 같이 취급될 수 있으므로 **사권**이라고 한다(**민사소송**의 대상).

관련판례

공중의 편의를 위한 상수도시설을 대지소유자가 소유권에 기하여 철거를 요구하는 것이 권리남용에 해당하는지 여부(소극)

대지소유자가 그 소유권에 기하여 그 대지의 불법점유자인 시에 대하여 권원 없이 그 대지의 지하에 매설한 상수도관의 철거를 구하는 경우에 공익사업으로서 공중의 편의를 위하여 매설한 상수도관을 철거할 수 없다거나 이를 이설할 만한 마땅한 다른 장소가 없다는 이유만으로써는 대지소유자의 위 철거청구가 오로지 타인을 해하기 위한 것으로서 권리남용에 해당한다고 할 수는 없다(대판 1987.7.7. 85다카1383).

3. 원상회복성

결과제거청구권은 손해배상이나 손실보상의 청구가 아닌 **원상회복을 청구하는 권리**이다.

3 법적 근거

1. 독일

독일에서는 행정의 법률적합성의 원칙, 자유권적 기본권 규정 및 민법의 방해제거청구권의 유추와 관습법 등에서 근거를 찾고 있다.

2. 우리나라

우리나라도 독일과 같이 헌법상 법치행정의 원리, 기본권 규정, 민법상의 방해제거청구권, 행정소송법상 취소판결의 기속력규정 등에서 근거를 찾을 수 있다.

4 성립요건

1. 행정주체의 공행정작용으로 인한 침해

행정주체의 **공행정작용으로 인한 침해**가 있어야 한다. 여기서의 공행정작용은 법적 행위는 물론 사실행위도 포함하며 또한 권력작용뿐만 아니라 관리작용, 즉 비권력작용도 포함한다. 그러나 침해행위가 국고작용 등 사법적 행위인 때에는 사법상 원상회복 · 방해제거청구권(민법 제213조, 제214조)에 의하게 된다.

핵심 OX

01 공법상 결과제거청구권은 공행정작용으로 인하여 야기된 위법한 상태를 제거하여 그 원상회복을 목적으로 하는 권리이다. 10. 지방7급 ( )

02 타인의 법률상 이익을 침해하는 것뿐만 아니라, 사실상의 이익을 침해하는 경우에도 결과제거청구권이 성립한다. 05. 서울9급 ( )

2. 법률상 이익을 침해할 것

공행정작용으로 인하여 야기된 결과적 상태가 타인의 **권리 또는 법률상 이익을 침해**하고 있어야 한다. 따라서 보호가치가 없는 사실상 이익은 제외된다. 여기서의 법률상의 이익에는 재산적인 것뿐만 아니라 명예나 평판 등과 같은 **정신적인 것도 포함**된다(예 공직자가 공석에서 명예훼손 발언을 한 경우 명예를 훼손당한 자의 철회요구).

3. 관계이익의 보호가치성이 있을 것

침해된 이익은 **보호받을 가치**가 있어야 하며, 불법적 소유 · 점유시에는 보호받지 못한다(예 경찰이 불법주차한 자동차를 다른 곳으로 옮겨 놓은 경우처럼 보호받을 가치가 없는 경우에는 동청구권이 부정됨).

4. 위법상태의 존재

위법상태의 존재 여부는 **사실심 변론종결시를 기준**으로 판단한다. 여기서의 위법상태는 처음부터 발생할 수 있고, 기간의 경과 · 해제조건의 성취 등과 같이 사후에 발생할 수도 있다.

5. 위법한 침해상태의 계속성

위법한 침해상태가 계속되고 있어야 한다. 침해상태가 계속 존재하지 않을 때에는 손해배상이나 손실보상만이 문제된다. 예컨대 타인의 물건을 불법으로 압류하였다가 반환한 경우에는 손해배상만이 문제된다.

핵심 OX

03 공법상 결과제거청구는 가해행위의 위법 및 가해자의 고의 또는 과실을 요건으로 한다. 10. 지방7급 ( )

6. 결과제거의 가능성 · 허용성 · 기대가능성(수인가능성)

위법상태를 제거하여 **원상회복이 사실상 가능**하고 **법적으로 허용**되어야 하며 청구권의 상대방에게 있어 기대가능한 것이어야 하고 그렇지 않은 경우에는 손해전보만이 고려된다. 침해자의 고의 · 과실(주관적 요건)은 그 요건이 아니다.

관련판례

적법한 사용권을 취득함이 없이 타인의 토지를 도로부지로 편입하여 도로로 사용하는 경우와 토지소유자의 사권행사의 제한

도로를 구성하는 부지에 대하여는 사권(私權)을 행사할 수 없으므로 그 부지의 소유자는 불법행위를 원인으로 하여 손해배상을 청구함은 별론으로 하고 그 부지에 관하여 그 소유권을 행사하여 인도를 청구할 수 없다(대판 1968.10.22. 68다1317).

01 ○ 02 X 03 X

5 내용과 범위

1. 원상회복의 청구

결과제거청구권은 위법상태의 제거를 청구하는 원상회복청구이고, 금전적 청구는 아니지만 원상회복을 통하여 충분히 구제되지 않은 경우에는 별도로 **손해배상청구**가 **가능**하다.

2. 직접적인 결과의 제거

결과제거청구권은 공행정작용으로 야기된 **직접적인 결과의 제거**를 그 내용으로 하며, 간접적인 결과, 특히 제3자의 개입으로 생긴 결과의 제거를 청구할 수 없다. 예컨대 건축허가와 같은 제3자효 행정행위(복효적 행정행위)에 의하여 법률상 이익을 침해받은 자가 취소소송에서 승소한 경우 결과제거청구권을 통해서 건축허가에 의하여 건축된 건물의 제거를 청구할 수는 없다. 또한 행정청에 의한 특정 주택에의 무주택자의 위법한 입주결정의 경우에 있어 그 입주자가 주택을 손상한 경우에도, 주택의 소유자는 당해 입주자의 축출을 요구할 수 있음에 그치고, 손상된 주택의 원상회복을 청구할 수는 없다.

3. 과실상계의 문제

위법한 상태의 발생에 대하여 피해자에게도 과실이 있는 경우 민법상의 **과실상계에 관한 규정이 준용**되어 정도에 따라서는 결과제거청구권이 수축되거나 상실될 수도 있다.

4. 사후에 합법화된 경우

위법한 상태의 원인이 된 행위가 사후에 합법화된 경우에는 결과제거청구권은 인정되지 않는다(예 위법하게 편입된 토지가 다시 적법하게 수용된 경우).

6 쟁송절차

이는 결과제거청구권의 성질론으로 귀결된다. 결과제거청구권을 공권으로 보면 쟁송절차는 당사자소송에 의하게 되나, 사권으로 보는 경우에는 민사소송에 의하게 된다. 다수설은 공권으로 보나, **판례는 사권**으로 보고 있다.

핵심 OX

04 공법상 결과제거청구에 있어서 위법한 상태는 적법한 행정작용의 효력의 상실에 의해 사후적으로 발생할 수도 있다. 10. 지방7급 (　)

04 ○

학습 점검 문제

01 국가배상에 대한 내용으로 가장 옳지 않은 것은? (다툼이 있는 경우 판례에 의함)

① 소방공무원들이 다중이용업소인 주점의 비상구와 피난시설 등에 대한 점검을 소홀히 함으로써 주점의 피난통로 등에 중대한 피난 장애요인이 있음을 발견하지 못하여 업주들에 대한 적절한 지도·감독을 하지 아니한 경우 직무상 의무 위반과 주점 손님들의 사망사이에 상당인과관계가 인정된다.

② 일본 국가배상법이 국가배상청구권의 발생요건 및 상호보증에 관하여 우리나라 국가배상법과 동일한 내용을 규정하고 있는 점 등에 비추어 우리나라와 일본 사이에 우리나라 국가배상법 제7조가 정하는 상호보증이 있다.

③ 국가배상청구권의 소멸시효 기간이 지났으나 국가가 소멸시효 완성을 주장하는 것이 신의성실의 원칙에 반하는 권리남용으로 허용될 수 없어 배상책임을 이행한 경우에는, 그 소멸시효 완성 주장이 권리남용에 해당하게 된 원인행위와 관련하여 해당 공무원이 그 원인이 되는 행위를 적극적으로 주도하였다는 등의 특별한 사정이 없는 한, 국가가 해당공무원에게 구상권을 행사하는 것은 신의칙상 허용되지 않는다.

④ 전투훈련 등 직무집행과 관련하여 공상을 입은 군인 등이 먼저 국가배상법에 따라 손해배상금을 지급받은 다음 보훈보상대상자 지원에 관한 법률이 정한 보상금 등 보훈급여금의 지급을 청구하는 경우, 보훈지청장은 국가배상법에 따라 손해배상을 받았다는 사정을 들어 지급을 거부할 수 있다.

02 국가배상에 대한 내용으로 옳은 것만을 〈보기〉에서 모두 고르면? (다툼이 있는 경우 판례에 의함)

〈보기〉

ㄱ. 공무원에게 부과된 직무상 의무의 내용이 공공 일반의 이익을 위한 것이거나 행정기관의 내부질서를 규율하기 위한 경우에도 공무원이 그 직무상 의무를 위반하여 피해자가 입은 손해에 대하여서는 상당인과관계가 인정되는 범위 내에서 국가가 배상책임을 진다.

ㄴ. 서울특별시가 점유·관리하는 도로에 대하여 행정권한 위임조례에 따라 보도 관리 등을 위임 받은 관할 자치구청장 甲으로부터 도급받은 A 주식회사가 공사를 진행하면서 남은 자갈더미를 그대로 방치하여 오토바이를 타고 이곳을 지나가던 乙이 넘어져 상해를 입은 경우 서울특별시는 국가배상법 제5조 제1항에서 정한 설치·관리상의 하자로 인한 국가배상책임을 부담하지 아니한다.

ㄷ. 도지사에 의한 지방의료원의 폐업결정과 관련하여 국가배상책임이 성립하기 위하여서는 공무원의 직무집행이 위법하다는 점만으로는 부족하고 그로 인하여 타인의 권리·이익이 침해되어 구체적 손해가 발생하여야 한다.

ㄹ. 소방공무원의 권한 행사가 관계 법률의 규정에 의하여 소방공무원의 재량이 맡겨져 있으면 구체적인 상황에서 소방공무원이 권한을 행사하지 아니한 것이 현저하게 합리성을 잃어 사회적 타당성이 없는 경우에도 직무상 의무를 위반하여 위법하게 되는 것은 아니다.

① ㄱ　　② ㄷ

③ ㄱ, ㄷ　　④ ㄴ, ㄷ

03 국가배상제도에 대한 내용으로 옳지 않은 것은? (다툼이 있는 경우 판례에 의함)

① 국가배상법은 외국인이 피해자인 경우에는 해당 국가와 상호 보증이 있는 때에만 국가배상법이 적용된다고 규정하고 있다.

② 국가나 지방자치단체가 공무원의 위법한 직무집행으로 발생한 손해를 배상한 경우에 공무원에게 고의 또는 중과실이 있으면 국가나 지방자치단체는 그 공무원에게 구상권을 행사할 수 있다.

③ 국가나 지방자치단체가 배상책임을 지는 외에 공무원 개인도 고의 또는 중과실이 있는 경우에는 피해자에 대하여 불법행위로 인한 손해배상책임을 진다.

④ 공무원이 직무를 집행하면서 고의 또는 과실로 위법하게 타인에게 손해를 가하였어도 국가나 지방자치단체가 그 공무원의 선임 및 감독에 상당한 주의를 하였다면 국가나 지방자치단체는 국가배상책임을 면한다.

정답 및 해설

01 국가배상법 제2조 제1항 단서가 명시적으로 '다른 법령에 따라 보상을 지급받을 수 있을 때에는 국가배상법 등에 따른 손해배상을 청구할 수 없다'고 규정하고 있는 것과 달리 보훈보상자법은 국가배상법에 따른 손해배상금을 지급받은 자를 보상금 등 보훈급여금의 지급대상에서 제외하는 규정을 두고 있지 않은 점 등에 비추어, 국가보훈처장은 국가배상법에 따라 손해배상을 받았다는 사정을 들어 보상금 등 보훈급여금의 지급을 거부할 수 없다(대판 2017.2.3. 2015두60075).

02 옳은 것은 ㄷ이다.

ㄷ. 진주의료원은 피고 경상남도가 설치·운영하는 지방의료원으로서 그 폐업은 피고 경상남도의 조례로 결정할 사항임에도 피고 경상남도의 도지사인 피고 3이 이 사건 조례가 공포된 2013.7.1. 전에 이 사건 폐업결정을 하고 그에 따라 폐업을 위한 일련의 조치가 이루어졌음은 앞서 살펴 본 바와 같다. 이 사건 조례가 공포된 2013.7.1. 이후에는 진주의료원의 폐업상태가 이 사건 조례의 효력에 의하여 정당화된다고 할 것이지만, 그 전에 행해진 이 사건 폐업결정은 법적으로 권한 없는 자에 의하여 이루어진 것이어서 위법하며, 그 집행과정에서 입원환자들에게 행해진 퇴원·전원 회유·종용 등의 조치도 위법한 이 사건 폐업결정에 근거한 것이므로 역시 위법하다고 할 것이다. 원심이 채택하여 조사한 증거에 비추어 살펴보면, 원고 1, 원고 2, 원고 3이 손해라고 주장하는 입원환자 등의 생명과 건강에 대한 어떤 구체적인 손상이나 침해가 있었다고 인정할 증거가 없으므로, 원고 1, 원고 2, 원고 3에게 손해가 발생하였다고 보기 어렵고, 따라서 피고 3이나 그가 소속된 피고 경상남도의 불법행위책임이 성립한다고 볼 수 없다(대판 2016.8.30. 2015두60617).

| 선지분석 |

ㄱ. 공무원이 고의 또는 과실로 그에게 부과된 직무상 의무를 위반하였을 경우라고 하더라도 국가는 그러한 직무상의 의무 위반과 피해자가 입은 손해 사이에 상당인과관계가 인정되는 범위 내에서만 배상책임을 지는 것이고, 이 경우 상당인과관계가 인정되기 위하여는 공무원에게 부과된 직무상 의무의 내용이 단순히 공공 일반의 이익을 위한 것이거나 행정기관 내부의 질서를 규율하기 위한 것이 아니고 전적으로 또는 부수적으로 사회구성원 개인의 안전과 이익을 보호하기 위하여 설정된 것이어야 한다(대판 2010.9.9. 2008다77795).

ㄴ. 서울특별시가 점유·관리하는 도로에 대하여 '서울특별시 도로 등 주요시설물 관리에 관한 조례'에 따라 보도 관리 등의 위임을 받은 관할 자치구청장으로부터 도로에 접한 보도의 가로수 생육환경 개선공사를 도급받은 甲 주식회사가 공사를 진행하면서 사용하고 남은 자갈더미를 그대로 도로에 적치해 두었고, 乙이 오토바이를 운전하다가 도로에 적치되어 있던 공사용 자갈더미를 발견하지 못하고 그대로 진행하는 바람에 중심을 잃고 넘어지면서 상해를 입은 사안에서, 서울특별시에 국가배상법 제5조 제1항에서 정한 설치·관리상의 하자가 없다고 본 원심판단에 법리오해의 잘못이 있다(대판 2017.9.21. 2017다223538).

ㄹ. 소방공무원이 구 소방시설법과 다중이용업소법 규정에 정하여진 직무상 의무를 게을리한 경우 의무 위반이 직무에 충실한 보통 일반의 공무원을 표준으로 객관적 정당성을 상실하였다고 인정될 정도에 이른 때는 국가배상법 제2조 제1항에 정한 위법의 요건을 충족하게 된다. 그리고 소방공무원의 행정권한 행사가 관계 법률의 규정 형식상 소방공무원의 재량에 맡겨져 있더라도 소방공무원에게 그러한 권한을 부여한 취지와 목적에 비추어 볼 때 구체적인 상황 아래에서 소방공무원이 권한을 행사하지 아니한 것이 현저하게 합리성을 잃어 사회적 타당성이 없는 경우에는 소방공무원의 직무상 의무를 위반한 것으로서 위법하게 된다(대판 2016.8.25. 2014다225083).

03 민법은 사용자의 면책규정이 있으나, 국가배상법에는 이러한 면책규정이 없다.

정답 01 ④ 02 ② 03 ④

04 **영조물의 설치 · 관리상 하자책임에 대한 내용으로 옳지 않은 것은? (다툼이 있는 경우 판례에 의함)**

① 일반 공중이 사용하는 공공용물 외에 행정주체가 직접 사용하는 공용물이나 하천과 같은 자연공물도 국가배상법 제5조의 '공공의 영조물'에 포함된다.

② 영조물의 하자 유무는 객관적 견지에서 본 안전성의 문제이며, 국가의 예산 부족으로 인해 영조물의 설치 · 관리에 하자가 생긴 경우에도 국가는 면책될 수 없다.

③ 고속도로의 관리상 하자가 인정되더라도 고속도로의 관리상 하자를 판단할 때 고속도로의 점유관리자가 손해의 방지에 필요한 주의의무를 해태하였다는 주장 · 입증책임은 피해자에게 있다.

④ 소음 등의 공해로 인한 법적 쟁송이 제기되거나 그 피해에 대한 보상이 실시되는 등 피해지역임이 구체적으로 드러나고 이러한 사실이 그 지역에 널리 알려진 이후에 이주하여 오는 경우에는 위와 같은 위험에의 접근에 따른 가해자의 면책 여부를 보다 적극적으로 인정할 여지가 있다.

05 **손실보상에 대한 내용으로 옳은 것은? (다툼이 있는 경우 판례에 의함)**

① 공익사업을 위한 토지 등의 취득 및 보상에 관한 법률에 의한 잔여지 수용청구를 받아들이지 않은 토지수용위원회의 재결에 대하여 토지소유자가 불복하여 제기하는 소송은 항고소송에 해당한다.

② 공익사업을 위한 토지 등의 취득 및 보상에 관한 법률에 따른 사업폐지 등에 대한 보상청구권은 사법상 권리로서 그에 관한 소송은 민사소송절차에 의하여야 한다.

③ 공익사업을 위한 토지 등의 취득 및 보상에 관한 법률에 의한 보상합의는 공공기관이 사경제주체로서 행하는 사법상 계약의 실질을 가진다.

④ 공유수면매립면허의 고시가 있는 경우 그 사업이 시행되고 그로 인하여 직접 손실이 발생한다고 할 수 있으므로, 관행어업권자는 공유수면매립면허의 고시를 이유로 손실보상을 청구할 수 있다.

04 고속도로의 관리상 하자가 인정되는 이상 고속도로의 점유관리자는 그 하자가 불가항력에 의한 것이거나 손해의 방지에 필요한 주의를 해태하지 아니하였다는 점을 주장·입증하여야 비로소 그 책임을 면할 수 있다(대판 2008.3.13. 2007다29287).

| 선지분석 |

① 국가배상법 제5조의 '영조물'에는 자연공물도 포함되므로 민법 제758조의 공작물보다 범위가 넓다. 관리청이 하천법 등 관련 규정에 의해 책정한 하천정비기본계획 등에 따라 개수를 완료한 하천 또는 아직 개수중이라 하더라도 개수를 완료한 부분에 있어서는, 위 하천정비기본계획 등에서 정한 계획홍수량 및 계획홍수위를 충족하여 하천이 관리되고 있다면 당초부터 계획홍수량 또는 계획홍수위를 잘못 책정하였다거나 그 후 이를 시급히 변경해야 할 사정이 생겼음에도 불구하고 이를 해태하였다는 등의 특별한 사정이 없는 한, 그 하천은 용도에 따라 통상 갖추어야 할 안전성을 갖추고 있다고 보아야 한다(대판 2007.9.21. 2005다65678).

② 영조물 설치의 하자라 함은 영조물의 축조에 불완전한 점이 있어 이 때문에 영조물 자체가 통상 갖추어야 할 완전성을 갖추지 못한 상태에 있음을 말한다고 할 것인바, 그 하자 유무는 객관적 견지에서 본 안전성의 문제이고 그 설치자의 재정사정이나 영조물의 사용목적에 의한 사정은 안전성을 요구하는데 대한 정도 문제로서 참작사유에는 해당할지언정 안전성을 결정지을 절대적 요건에는 해당하지 아니한다 할 것이다(대판 1967.2.21. 66다1723).

④ 소음 등을 포함한 공해 등의 위험지역으로 이주하여 들어가서 거주하는 경우와 같이 위험의 존재를 인식하면서 그로 인한 피해를 용인하며 접근한 것으로 볼 수 있는 경우에, 그 피해가 직접 생명이나 신체에 관련된 것이 아니라 정신적 고통이나 생활방해의 정도에 그치고 그 침해행위에 고도의 공공성이 인정되는 때에는, 위험에 접근한 후 실제로 입은 피해 정도가 위험에 접근할 당시에 인식하고 있었던 위험의 정도를 초과하는 것이거나 위험에 접근한 후에 그 위험이 특별히 증대하였다는 등의 특별한 사정이 없는 한 가해자의 면책을 인정하여야 하는 경우도 있다. 특히 소음 등의 공해로 인한 법적 쟁송이 제기되거나 그 피해에 대한 보상이 실시되는 등 피해지역임이 구체적으로 드러나고 또한 이러한 사실이 그 지역에 널리 알려진 이후에 이주하여 오는 경우에는 위와 같은 위험에의 접근에 따른 가해자의 면책 여부를 보다 적극적으로 인정할 여지가 있다. 다만 일반인이 공해 등의 위험지역으로 이주하여 거주하는 경우라고 하더라도 위험에 접근할 당시에 그러한 위험이 존재하는 사실을 정확하게 알 수 없는 경우가 많고, 그 밖에 위험에 접근하게 된 경위와 동기 등의 여러 가지 사정을 종합하여 그와 같은 위험의 존재를 인식하면서도 위험으로 인한 피해를 용인하면서 접근하였다고 볼 수 없는 경우에는 손해배상액의 산정에 있어 형평의 원칙상 과실상계에 준하여 감액사유로 고려하여야 한다(대판 2010.11.25. 2007다74560).

05 공공용지의 취득 및 손실보상에 관한 특례법에 의한 협의취득 또는 보상합의는 공공기관이 사경제주체로서 행하는 사법상 매매 내지 사법상 계약의 실질을 가지는 것으로서, 당사자 간의 합의로 같은 법 소정의 손실보상의 요건을 완화하는 약정을 할 수 있고, 그와 같은 당사자 간의 합의로 같은 법 소정의 손실보상의 기준에 의하지 아니한 매매대금을 정할 수 있다(대판 1999.3.23. 98다48866).

| 선지분석 |

① 공익사업을 위한 토지 등의 취득 및 보상에 관한 법률(이하 '토지보상법'이라고 한다) 제72조는 사업인정고시가 된 후 '토지를 사용하는 기간이 3년 이상인 때(제1호)' 등의 경우 당해 토지소유자는 사업시행자에게 그 토지의 매수를 청구하거나 관할 토지수용위원회에 그 토지의 수용을 청구할 수 있도록 정하고 있다. 위 규정의 문언, 연혁 및 취지 등에 비추어 보면, 위 규정이 정한 수용청구권은 토지보상법 제74조 제1항이 정한 잔여지 수용청구권과 같이 손실보상의 일환으로 토지소유자에게 부여되는 권리로서 그 청구에 의하여 수용효과가 생기는 형성권의 성질을 지니므로, 토지소유자의 토지수용청구를 받아들이지 아니한 토지수용위원회의 재결에 대하여 토지소유자가 불복하여 제기하는 소송은 토지보상법 제85조 제2항에 규정되어 있는 '보상금의 증감에 관한 소송'에 해당하고, 그 피고는 토지수용위원회가 아니라 사업시행자로 하여야 한다(대판 2015.4.9. 2014두46669).

② 구 공익사업을 위한 토지 등의 취득 및 보상에 관한 법률 제79조 제2항, 공익사업을 위한 토지 등의 취득 및 보상에 관한 법률 시행규칙 제57조에 따른 사업폐지 등에 대한 보상청구권은 공익사업의 시행 등 적법한 공권력의 행사에 의한 재산상 특별한 희생에 대하여 전체적인 공평부담의 견지에서 공익사업의 주체가 손해를 보상하여 주는 손실보상의 일종으로 공법상 권리임이 분명하므로 그에 관한 쟁송은 민사소송이 아닌 행정소송절차에 의하여야 한다(대판 2012.10.11. 2010다23210).

④ 구 공유수면매립법의 규정에 의한 보상이나 시설을 한 후가 아니면 그 보상을 받을 권리를 가진 자에게 손실을 미칠 공사에 착수할 수 없다. 다만, 그 권리를 가진 자의 동의를 받았을 때에는 예외로 한다."고 규정하고 있으나, 손실보상은 공공필요에 의한 행정작용에 의하여 사인에게 발생한 특별한 희생에 대한 전보라는 점에서 그 사인에게 특별한 희생이 발생하여야 하는 것은 당연히 요구되는 것이고, 공유수면 매립면허의 고시가 있다고 하여 반드시 그 사업이 시행되고 그로 인하여 손실이 발생한다고 할 수 없으므로, 매립면허 고시 이후 매립공사가 실행되어 관행어업권자에게 실질적이고 현실적인 피해가 발생한 경우에만 공유수면매립법에서 정하는 손실보상청구권이 발생하였다고 할 것이다(대판 2010.12 9. 2007두6571).

정답 04 ③ 05 ③

06 행정상 손실보상에 대한 내용으로 가장 옳은 것은? (다툼이 있는 경우 판례에 의함)

① 헌법재판소는 공용침해로 인한 특별한 손해에 대한 보상규정이 없는 경우에 관련 보상규정을 유추적용하여 보상하려는 경향이 있다.

② 공공용물에 관하여 적법한 개발행위 등이 이루어져 일정범위의 사람들의 일반사용이 종전에 비하여 제한받게 되었다 하더라도 특별한 사정이 없는 한 이는 특별한 손실에 해당한다고 할 수 없다.

③ 공익사업의 시행으로 토석채취허가를 연장받지 못한 경우 그로 인한 손실은 적법한 공권력의 행사로 가하여진 재산상의 특별한 희생으로서 손실보상의 대상이 된다.

④ 개발제한구역 지정으로 인한 지가의 하락은 원칙적으로 토지소유자가 감수해야 하는 사회적 제약의 범주에 속하나, 지가의 하락이 20% 이상으로 과도한 경우에는 특별한 희생에 해당한다.

정답 및 해설

06 일반공중의 이용에 제공되는 공공용물에 대하여 특허 또는 허가를 받지 않고 하는 일반사용은, 다른 개인의 자유이용과 국가 또는 지방자치단체 등의 공공목적을 위한 개발 또는 관리·보존행위를 방해하지 않는 범위 내에서만 허용된다 할 것이므로, 공공용물에 관하여 적법한 개발행위 등이 이루어짐으로 말미암아 이에 대한 일정 범위의 사람들의 일반사용이 종전에 비하여 제한받게 되었다 하더라도 특별한 사정이 없는 한 그로 인한 불이익은 손실보상의 대상이 되는 특별한 손실에 해당한다고 할 수 없다(대판 2002.2.26. 99다35300).

| 선지분석 |

① 도시계획법 제21조에 의한 재산권의 제한은 개발제한구역으로 지정된 토지를 원칙적으로 지정 당시의 지목과 토지현황에 의한 이용방법에 따라 사용할 수 있는 한, 재산권에 내재하는 사회적 제약을 비례의 원칙에 합치하게 합헌적으로 구체화한 것이라고 할 것이나, 종래의 지목과 토지현황에 의한 이용방법에 따른 토지의 사용도 할 수 없거나 실질적으로 사용·수익을 전혀 할 수 없는 예외적인 경우에도 아무런 보상 없이 이를 감수하도록 하고 있는 한, 비례의 원칙에 위반되어 해당 토지소유자의 재산권을 과도하게 침해하는 것으로서 헌법에 위반된다(헌재 1998.12.24. 89헌마214·90헌바16·97헌바78). 유추적용설은 대법원의 입장이다.

③ 공익사업의 시행으로 토석채취허가를 연장받지 못한 경우 그로 인한 손실과 공익사업 사이에 상당인과관계의 인정 여부 및 그 손실이 적법한 공권력의 행사로 가하여진 재산상의 특별한 희생으로서 손실보상의 대상이 되는지 여부에 대해 부정한 사안이다(대판 2009.6.23. 2009두2672).

④ 개발제한구역의 지정으로 개발가능성의 소멸과 그에 따른 지가의 하락이나 지가상승률의 상대적 감소는 토지소유자가 감수해야 하는 재산권에 내재하는 사회적 제약이므로 보상규정을 두지 않았더라도 합헌이라고 본다(헌재 1998.12.24. 89헌마214·90헌바16·97헌바78).

정답 06 ②

MEMO

제6편

행정쟁송

제1장 행정심판

제1절 행정심판의 개관

1 의의와 구별개념

1. 의의

(1) 행정심판은 '위법 또는 부당한 처분 기타 공권력의 행사 · 불행사 등으로 인하여 권리나 이익을 침해당한 자가 행정의 적정한 운영을 꾀하는 절차'를 말한다(행정심판법 제1조).

(2) 행정심판에 대해서는 **일반법**으로서 헌법 제107조 제3항에 근거한 **행정심판법**이 제정되어 있다. 그러나 다른 법률에 특칙이 존재하는 경우에는 그 범위 안에서 행정심판법의 적용이 배제된다. 개별법률에서는 행정심판에 대하여 이의신청 · 심사청구 · 심판청구 등의 용어를 혼용하여 사용하고 있다(예 공익사업을 위한 토지 등의 취득 및 보상에 관한 법률상 중앙토지수용위원회에 대한 이의신청은 특별행정심판의 성질을 가짐).

2. 구별개념

(1) 이의신청과의 구별

행정심판과 이의신청은 그 심판기관과 대상이 다르다. 즉, ① 행정심판은 원칙적으로 처분청의 직근 상급행정청에 해당하는 **행정심판위원회에 제기**하는 쟁송이지만, 이의신청은 처분청 자체에 제기하는 쟁송이다. ② 행정심판은 원칙적으로 모든 **위법 또는 부당한 처분**에 대하여 **인정**되지만, 이의신청은 각 개별법에서 정하고 있는 처분에 대해서만 인정된다. ③ 동일한 처분에 대하여 행정심판과 이의신청이 함께 인정되는 경우에는 보통 이의신청이 전심, 행정심판이 후심으로 이루어지나 양자 중 하나만 허용되는 경우도 있다.

행정기본법 제36조 【처분에 대한 이의신청】 ① 행정청의 처분(행정심판법 제3조에 따라 같은 법에 따른 행정심판의 대상이 되는 처분을 말한다. 이하 이 조에서 같다)에 이의가 있는 당사자는 처분을 받은 날부터 30일 이내에 해당 행정청에 이의신청을 할 수 있다.
② 행정청은 제1항에 따른 이의신청을 받으면 그 신청을 받은 날부터 14일 이내에 그 이의신청에 대한 결과를 신청인에게 통지하여야 한다. 다만, 부득이한 사유로 14일 이내에 통지할 수 없는 경우에는 그 기간을 만료일 다음 날부터 기산하여 10일의 범위에서 한 차례 연장할 수 있으며, 연장 사유를 신청인에게 통지하여야 한다.
③ 제1항에 따라 이의신청을 한 경우에도 그 이의신청과 관계없이 행정심판법에 따른 행정심판 또는 행정소송법에 따른 행정소송을 제기할 수 있다.

④ 이의신청에 대한 결과를 통지받은 후 행정심판 또는 행정소송을 제기하려는 자는 그 결과를 통지받은 날(제2항에 따른 통지기간 내에 결과를 통지받지 못한 경우에는 같은 항에 따른 통지기간이 만료되는 날의 다음 날을 말한다)부터 90일 이내에 행정심판 또는 행정소송을 제기할 수 있다.
⑤ 다른 법률에서 이의신청과 이에 준하는 절차에 대하여 정하고 있는 경우에도 그 법률에서 규정하지 아니한 사항에 관하여는 이 조에서 정하는 바에 따른다.
⑥ 제1항부터 제5항까지에서 규정한 사항 외에 이의신청의 방법 및 절차 등에 관한 사항은 대통령령으로 정한다.
⑦ 다음 각 호의 어느 하나에 해당하는 사항에 관하여는 이 조를 적용하지 아니한다.
1. 공무원 인사 관계 법령에 따른 징계 등 처분에 관한 사항
2. 국가인권위원회법 제30조에 따른 진정에 대한 국가인권위원회의 결정
3. 노동위원회법 제2조의2에 따라 노동위원회의 의결을 거쳐 행하는 사항
4. 형사, 행형 및 보안처분 관계 법령에 따라 행하는 사항
5. 외국인의 출입국 · 난민인정 · 귀화 · 국적회복에 관한 사항
6. 과태료 부과 및 징수에 관한 사항

(2) 청원과의 구별

청원도 행정청에 대하여 자기반성을 촉구하고, 피해의 구제를 도모하기 위한 제도라는 점에서 행정심판과 공통성을 갖는다. 그러나 행정심판은 기본적으로 **권리구제**를 위한 쟁송제도이지만, 청원은 쟁송수단이라기보다는 국정에 대한 국민의 정치적 의사표시를 보장하기 위한 제도라는 점에서 양자는 그 본질적인 기능면에서 차이를 갖는다.

(3) 진정과의 구별

① 진정도 행정청에 대하여 자기반성을 촉구하고, 피해의 구제를 도모하기 위한 제도라는 점에서 공통성을 갖는다. 그러나 진정은 법정의 형식과 절차가 아니라 행정청에 대하여 일정한 희망을 진술하는 행위로서, 법적 구속력이나 효과를 발생시키지 않는 사실행위이다.

② 진정은 행정기관의 회답이 별다른 법적 의미를 가지지 못한다는 점에서 행정심판과 구별된다. 다만, 진정이라는 표제를 사용하고 있더라도 그 내용이 일정한 행정행위의 시정을 구하는 것이면 **행정심판**으로 보아야 한다(대결 1955.4.25. 4287행상23).

(4) 직권재심사와의 구별

직권재심사도 행정작용에 대한 통제수단이라는 점에서 행정심판과 공통성을 갖는다. 그러나 ① 직권재심사는 특별한 법적 근거가 없어도 가능하고 기간의 제약도 받지 않지만, 행정심판은 행정심판법에 의해 여러 가지 **법적 제한**과 **기간의 제약**을 받으며, ② 직권재심사는 행정청 스스로의 판단에 따라 개시되고 불가변력이 발생한 행위에 대해서는 원칙적으로 허용되지 않지만, 행정심판은 개인의 이의제기에 의하여 절차가 개시되고 불가변력이 발생한 처분도 그 대상이 된다는 점에서 양자의 차이가 있다.

(5) 국민고충처리와의 구별

국민고충처리제도는 국무총리 소속하에 설치된 국민권익위원회가 행정과 관련된 국민의 고충민원에 대하여 상담·조사 및 처리를 하는 제도이다. 행정심판과는 제기권자·제기기간·대상·절차 및 법적 효과에 있어서 차이가 있다. 한편 **국민고충처리절차**는 행정소송의 전치절차로서 요구되는 행정심판청구에 해당하는 것으로 볼 수 없다는 것이 판례의 태도이다(대판 1995.9.29. 95누5332).

(6) 행정소송과의 구별

① **공통점**: 행정심판과 행정소송의 공통점으로는 ㉠ 권리구제수단으로서의 성질을 갖는 점, ㉡ 일정한 요건을 갖춘 당사자의 신청을 전제로 하여 절차가 개시된다는 점, ㉢ 양 당사자가 대등한 입장에서는 대심구조의 형식을 취하고 있다는 점, ㉣ 쟁송사항이 쟁송제기자와 구별되는 제3자적 기관에 의하여 판정된다는 점, ㉤ 적법한 쟁송의 제기가 있는 한 판정기관은 이를 심리할 의무가 있다는 점, ㉥ 청구(소)의 변경이 인정되고, 처분의 집행부정지원칙이 채택되고 있는 점, ㉦ 심리절차에 있어서 불이익변경금지의 원칙이 적용된다는 점, ㉧ 사정재결·사정판결이 인정된다는 점, ㉨ 쟁송에 이해관계인의 참여가 인정된다는 점, ㉩ 쟁송의 최종적 판단인 재결·판결에 일정한 효력(확정력·기속력 등)이 부여된다는 점 등이다.

② **차이점**: 그러나 ㉠ 행정심판과 행정소송에 있어서 행정심판은 **약식쟁송**이지만, 행정소송은 정식쟁송이라는 점, ㉡ 행정심판은 행정소송보다 **행정통제적 측면**이 강하다는 점에서 차이가 있다. 이러한 기본적인 차이에서 구체적으로 판정기관·쟁송사항·쟁송종류·쟁송절차 및 심리절차 등에 차이가 있다. 행정심판과 행정소송의 관계는 종래 행정심판을 거치지 않으면 행정소송을 제기할 수 없도록 하는 행정심판전치주의를 취하고 있었으나, **임의적 전치주의**(1998년 3월 1일부터)로 바뀌었다.

2 존재이유와 문제점

1. 존재이유

(1) 행정의 자기통제

행정심판은 행정법관계에 대한 법적 분쟁에 대하여 행정청 스스로가 판정기관이 됨으로써 행정의 자기통제 내지 행정감독의 기회를 부여하는 데 있다. 이는 행정작용에 대한 제1차적 통제권은 행정의 자율에 맡기는 것이 합리적이라는 것을 의미한다. 따라서 행정심판은 법적인 문제를 야기하는 **'위법'**한 처분뿐 아니라 합목적성의 문제만을 야기하는 **'부당'**한 처분도 그 대상에 포함하게 된다.

(2) 사법기능을 보충

현대 산업사회의 새로운 기술·경제적인 문제에 대해 일반법원은 그 전문성이 부족하고 소송에 있어서도 경제적으로 그 분쟁해결에 많은 시간과 비용이 드는 것이 보통이다.

핵심 OX

01 사안(事案)의 전문성과 특수성을 살리기 위하여 특히 필요한 경우 외에는 행정심판법에 따른 행정심판을 갈음하는 특별한 행정불복절차나 행정심판법에 따른 행정심판절차에 대한 특례를 다른 법률로 정할 수 없다. 15. 사복, 13. 국회8급 ( )

02 행정심판법상 위법한 처분·부작위뿐만 아니라 부당한 처분·부작위에 대해서도 다툴 수 있다. 12. 지방7급 ( )

01 ○ **02** ○

그러므로 이러한 보완책으로 행정쟁송의 전 단계에서라도 **전문적·기술적 문제**의 처리에 적합하게 조직된 행정기관으로 하여금 그 분쟁을 심판하도록 할 필요가 있다.

(3) 행정능률의 보장

사법절차에 의한 행정상의 분쟁심판은 심리와 절차가 공정하고 신중하게 이루어지므로 개인의 권리구제에 충실할 수 있다. 그러나 상당한 시일을 요하기 때문에 행정능률에 배치되는 일이 발생한다. 따라서 오늘날과 같이 신속을 요하는 행정의 수행을 위해서는 사법절차에 앞서 **신속·간편**한 행정심판을 인정함으로써 행정법관계에 관한 분쟁의 신속한 해결을 도모할 필요가 있다.

2. 현행 행정심판제도의 문제점

(1) 심판기관의 객관성 보장

행정심판법은 **행정심판위원회**라는 다수로 구성된 기관에 의해 객관적 공정성을 도모하고 있다. 그러나 이러한 행정심판위원회도 결국은 동일한 행정부 내의 상급기관이라는 점에서 객관적 공정성 확보에 문제를 안고 있다. 따라서 행정심판절차의 사법화를 도모하는 관점에서 본다면 행정심판위원회를 객관적인 공정성이 보장되는 제3의 기관으로 하는 것이 바람직하다는 지적이 있다.

(2) 청구인적격의 엄격성

행정쟁송에 있어 행정심판의 경우에는 **'적법성 및 합목적성'**이 심판대상이 된다. 이에 대하여 행정소송의 경우에는 '적법성'만이 그 심판대상이 된다. 그럼에도 불구하고 행정심판의 청구인적격을 행정소송의 원고적격과 같이 '법률상 이익'이 있는 자로 한정함으로써, 실제로 행정심판을 통한 행정구제의 기회를 제한하는 결과를 가져올 우려가 매우 크다고 지적하는 입장이 있다.

(3) 청구인의 자료요구권

헌법은 행정심판에 **사법절차**가 준용되도록 하고 있다(제107조 제3항). 따라서 행정심판의 심리절차에서도 당사자는 대등한 입장에 선다는 대심구조를 이루어 진행하는 것이 필요하다. 이에 따라 당사자 쌍방의 '무기대등의 원칙'을 실현하기 위해서는 청구인에게 처분행정청인 피청구인의 수중에 집중되어 있는 자료요구권을 인정할 필요가 있는 것이다. 그러나 현행 행정심판법은 청구인의 **자료요구권**을 인정하지 않고 있다.

(4) 사정재결

행정심판법은 청구인의 주장이 이유가 있더라도 이를 적용하는 것이 현저히 공공복리에 반하는 경우에는 그 심판청구를 기각하는 재결을 할 수 있는데 이를 **사정재결**이라 한다. 이러한 사정재결은 공익의 확보를 위하여 예외적으로 인정되는 조정수단이라 하더라도 권리구제를 위한 행정심판제도에서 지나치게 공익을 강조하는 조치로 지적된다.

핵심 OX

03 행정심판의 경우에는 사정재결이 인정되지 않는다. 12. 사복 ( )

03 X

3 종류

행정심판법은 행정심판을 **취소심판, 무효등확인심판, 의무이행심판**의 세 가지로 구분하고 있다.

1. 취소심판❶

(1) 의의

취소심판은 행정청의 위법 또는 부당한 공권력 행사나 거부 그 밖에 이에 준하는 행정작용으로 인하여 권익을 침해당한 자가 그 **취소 또는 변경**을 구하는 행정심판이다. 취소심판은 **공정력** 있는 처분의 효력을 다투는 것이다. 그러므로 일정한 기간 내에 심판청구를 제기하여야 한다. 행정심판법은 행정심판 중 가장 대표적 유형인 취소심판을 중심으로 각 절차적 규정을 마련하고 있다.

(2) 성질

취소심판의 성질에 대해서는 ① 형성적 쟁송으로 보는 견해와, ② 확인적 쟁송으로 보는 견해로 나뉘어 있으나, **형성적 쟁송**으로 보는 견해가 통설이다.

(3) 재결❷

① **의의:** 재결이란 행정심판의 청구에 대하여 심리의 결과를 판단하는 행위를 말한다. 재결은 특정한 처분이나 부작위 등에 관한 분쟁의 제기인 심판청구를 전제로 한 것일 뿐만 아니라 판단의 작용이란 점에서 법원의 판결과 성질이 비슷하다. 그러므로 재결은 **준사법적**(準司法的) 행정행위라고 할 수 있다.

② **종류:** 취소심판의 청구가 적법하지 않거나 이유 없다고 인정한 때에는 당해 심판청구를 **각하** 또는 **기각**하는 재결을 한다. 이는 다른 유형의 행정심판과 같다. 그러나 심판청구가 이유 있다고 인정한 때에는 그 심판청구를 **인용**하는 재결로써 그 심판청구의 대상이 된 처분을 **취소·변경**하거나, 처분청에게 변경을 할 것을 명할 수도 있다.❸ 다만, 심판청구가 이유 있다고 인정하는 경우에도 이를 인용하는 것이 현저히 공익에 적합하지 않다고 인정할 때에는, 그 심판청구를 기각하는 **사정재결**을 할 수 있다.

2. 무효등확인심판

(1) 의의

① 무효등확인심판은 행정청의 처분의 **효력** 유무 또는 **존재** 여부에 대한 확인을 구하는 행정심판이다. 무효등확인심판은 실제로 처분이 무효인지 취소할 수 있는 것인지를 식별한다는 것이 어렵고, 처분으로서의 외형이 존재하거나 존재하는 것처럼 오인됨으로써 행정청에 의하여 집행될 우려도 있으며, 또한 반대로 유효하게 존재하는 처분을 무효 또는 부존재라 하여 그것을 부인함으로써 상대방의 법률상의 이익을 침해할 수도 있기 때문이다.

② 무효등확인심판에는 취소심판에 인정되는 **청구기간제한**과 **사정재결**의 규정이 적용되지 않는다.

핵심 OX

01 행정심판법에서 규정한 행정심판의 종류로는 행정소송법상 항고소송에 대응하는 취소심판, 무효등확인심판, 의무이행심판과 당사자소송에 대응하는 당사자심판이 있다. 17. 국가9급(10월) ( )

❶
- 행정심판: 취소심판, 무효등확인심판, 의무이행심판
- 행정소송: 취소소송, 무효등확인소송, 부작위위법확인소송

❷
- 취소심판의 인용재결: 취소재결, 변경재결, 변경명령재결 / 취소명령재결 X
- 의무이행심판의 인용재결: 이행재결, 이행명령재결

핵심 OX

02 행정심판법은 취소심판의 인용재결의 종류로 취소재결, 변경재결, 취소명령재결, 변경명령재결에 관한 규정을 두고 있다. 14. 국회8급 ( )

03 처분의 취소 또는 변경을 구하는 취소심판의 경우에 변경의 의미는 소극적 변경뿐만 아니라 적극적 변경까지 포함한다. 15. 국회8급 ( )

❸
'취소명령재결'은 법개정(2010.1.25.)을 통해 삭제

핵심 OX

04 무효등확인심판에는 심판청구기간의 제한이 없다. 13. 서울7급 ( )

01 X **02** X **03** O **04** O

(2) 성질

① 형성적 쟁송으로 보는 견해와 ② 확인적 쟁송으로 보는 견해 등이 있으나, ③ 무효등확인심판은 실질적으로 확인적 쟁송이나 형식적으로는 처분의 효력 유무 등을 직접 소송의 대상으로 한다는 점에서 형성적 쟁송으로서의 성질도 갖는 것으로 보는 **준형성적** 쟁송설이 통설이다.

(3) 재결❹

무효등확인심판에 있어서 심판청구가 이유있다고 인정하는 경우에는 심판청구의 대상이 된 처분의 **유효·무효** 또는 **존재·부존재**를 확인하는 재결을 한다. 이때의 확인재결은 그 대상인 처분의 성질상 사인간의 법률관계를 확인의 대상으로 하는 것과는 달리 당해 행정심판의 당사자는 물론 **제3자**에게도 그 효력이 미친다고 할 것이다. 판례도 같은 입장이다.

❹
- 의무이행심판 대상: 거부처분, 부작위
- 거부처분: 제기기간 O
- 부작위: 제기기간 X

⇨ '부작위'는 행정청이 작위를 하지 않는 한 계속되므로 제기기간 규정 적용 X

3. 의무이행심판

(1) 의의

① 의무이행심판은 '행정청의 **위법** 또는 **부당**한 거부처분이나 **부작위**에 대하여 일정한 처분을 하도록 하는 행정심판'이다. 행정심판법은 소극적인 행정작용으로 인한 국민의 권익침해에 대한 구제수단으로서 의무이행심판을 규정하고 있다.

② 의무이행심판 중에서 **'부작위'**에 대한 의무이행심판은 청구기간의 제한을 받지 않는다. 그러나 **'거부처분'**에 대한 의무이행심판은 청구기간의 제한을 받는다.

(2) 성질

의무이행심판은 행정청에 대하여 일정한 처분을 할 것을 명하는 재결을 구하는 행정심판이므로 이행쟁송의 성질을 가진다. 의무이행심판은 당사자의 신청에 대하여 피청구인이 일정한 처분을 해야 할 법률상 의무의 이행기가 도래하여 현실화된 경우, 그 이행의무의 존재를 주장하는 행정심판인 현재의 이행쟁송만이 가능하고 장래의 이행쟁송은 허용되지 않는다.

(3) 재결

행정심판위원회는 심판청구가 이유 있다고 인정할 때에는 지체 없이 신청에 따른 처분을 하거나 처분청에 처분할 것을 명하는 재결을 하여야 한다. 이행재결의 경우에는 행정청은 지체 없이 그 재결의 취지에 따라 원신청에 대한 처분을 하여야 한다.

핵심 OX

05 행정청의 위법 · 부당한 부작위에 대해서는 의무이행심판을 제기할 수 있다. 15. 서울7급 ( )

06 정보공개청구의 거부에 대해서는 의무이행심판을 제기할 수 없다. 18. 서울7급 ( )

07 행정심판법 제27조의 심판기간은 무효등확인심판청구와 부작위에 대한 의무이행심판청구에 적용한다. 10. 서울9급 ( )

08 거부에 대한 의무이행심판에는 청구기간의 제한과 사정재결, 집행정지규정이 적용되지 않는다. 19 · 13. 서울7급 ( )

09 당사자의 신청에 대한 행정청의 부당한 거부처분에 대하여 일정한 처분을 하도록 하는 행정심판의 청구는 현행법상 허용되고 있다. 19. 국가9급 ( )

4 대상

1. 개괄주의와 열기주의

행정심판의 대상이란 행정심판을 청구할 수 있는 사항을 말한다. 행정심판의 대상을 어떻게 정할 것인가는 입법정책의 문제에 속한다. 행정심판사항의 규정방법에는 개괄주의와 열기주의가 있다. ① **개괄주의**는 법률상 예외가 인정된 사항을 제외하고는 일반적으로 모든 사항에 대하여 행정심판을 인정하는 제도를 말하고, ② **열기주의**는 특정한 사항에 대해서만 행정심판을 인정하는 제도를 말한다.

05 O 06 X 07 X 08 X 09 O

2. 행정심판법의 개괄주의

(1) 개괄주의의 채택

행정심판법 제3조 제1항은 "행정청의 처분 또는 부작위에 대하여 다른 법률에 특별한 규정이 있는 경우를 제외하고는 이 법에 의하여 행정심판을 청구할 수 있다."라고 규정하여, 모든 처분 또는 부작위에 대하여 행정심판을 제기할 수 있는 **개괄주의**를 채택하고 있다. 다만, **대통령의 처분과 부작위**는 대통령이 행정부의 수반인 점을 감안하여 다른 법률에 특별한 규정이 있는 경우를 제외하고는 행정심판의 실익이 없다고 보아 직접 행정심판을 제기할 수 없도록 하였다(행정심판법 제3조 제2항).❶

(2) 행정심판의 대상으로서 '처분 또는 부작위'

① **의의:** 행정심판법에서 말하는 '처분'은 '행정청이 행하는 구체적 사실에 관한 법집행으로서의 공권력의 행사 또는 그 거부 그 밖에 이에 준하는 행정작용'을 말하고, '부작위'라 함은 '행정청이 당사자의 신청에 대하여 상당한 기간 내에 일정한 처분을 하여야 할 법률상 의무가 있음에도 불구하고 이를 하지 않는 것'을 말한다. 행정심판의 대상인 처분 또는 부작위는 행정소송의 대상이 되는 처분 또는 부작위와 동일하므로 처분에 대해서는 취소소송에서 그리고 부작위에 대해서는 부작위위법확인소송에서와 동일하다.

② **입법과오설:** 행정청의 부작위를 행정심판의 대상으로 하는 것은 행정청이 법령에 근거한 개인의 신청을 방치하거나 그 처리를 지연시킴으로써 개인이 불이익을 받게 되는 경우에 사무처리를 촉진하고 그 부작위로 인한 개인의 권리 · 이익의 침해를 구제하려는 것이다. 그러나 행정심판법이 '위법한 부작위'에 대해서만 행정심판을 제기할 수 있게 함으로써 결과적으로 '부당한 부작위에 대한 행정심판'을 부인한 것으로 되어 행정심판법의 청구인적격에 관한 규정과 함께 중대한 입법상 과오라는 지적이 있다. 행정심판은 행정소송과는 달리 부당한 처분도 그 대상이 되기 때문이라는 것이다. 다만, 다수설은 부당한 부작위도 어차피 소송의 대상이 된다는 점에서는 차이가 없다고 보아 입법상의 과오가 아니라고 본다.

(3) 대상이 되는 처분이 아닌 경우

원처분에 대한 형성적 취소재결이 확정된 후, 처분청이 다시 원처분을 취소한 경우에 원처분을 취소한 처분(직권취소)은 항고소송의 대상이 되는 처분이 아니다.

관련판례

원처분에 대한 형성적 취소재결이 확정된 후 처분청이 다시 원처분을 취소한 경우, 위 처분이 항고소송의 대상이 되는 처분인지 여부(소극)

당해 의약품제조품목허가처분취소재결은 보건복지부장관이 재결청의 지위에서 스스로 제약회사에 대한 위 의약품제조품목허가처분을 취소한 이른바 형성재결임이 명백하므로, 위 회사에 대한 의약품제조품목허가처분은 당해 취소재결에 의하여 당연히 취소 · 소멸되었고, 그 이후에 다시 위 허가처분을 취소한 당해 처분은 당해 취소재결의 당사자가 아니어서 그 재결이 있었음을 모르고 있는 위 회사에게 위 허가처분이 취소 · 소멸되었음을 확인하여 알려주는 의미의 사실 또는 관념의 통지에 불과할 뿐 위 허가처분을 취소 · 소멸시키는 새로운 형성적 행위가 아니므로 항고소송의 대상이 되는 처분이라고 할 수 없다(대판 1998.4.24. 97누17131).

핵심 OX

01 대통령의 처분 또는 부작위에 대하여는 다른 법률에서 행정심판을 청구할 수 있도록 정한 경우 외에는 행정심판을 청구할 수 없다.
19. 국가9급 · 서울7급, 18 · 13. 국회8급, 14. 경특1차 ( )

❶
행정심판은 원칙적으로 처분청의 직근 상급행정청에 해당하는 행정심판위원회에 제기하는 것
- 대통령은 상급 행정청이 없음
- 대통령의 처분은 법률의 규정이 없는 한 행정심판 불가

01 ○

제2절 행정심판의 당사자 등

1 행정심판의 당사자

행정심판도 쟁송이므로 기본적으로 두 당사자가 대립되는 이해관계에 있다. 행정심판법은 헌법 제107조 제3항의 취지에 따라 행정심판절차의 사법화를 도모하기 위하여 대심구조를 취함을 원칙으로 하고 있다. 그러므로 행정심판의 절차는 청구인과 피청구인을 당사자로 하여 이들이 어느 정도 대등한 지위에서 심리를 진행한다.

1. 청구인

(1) 의의

행정심판의 청구인은 심판청구의 대상인 처분 또는 부작위에 불복하여 그의 취소 또는 변경 등을 구하는 **심판청구를 제기하는 자**를 말한다. 청구인은 처분의 상대방 또는 제3자에 관계없이 **자연인** 또는 **법인**이어야 한다. 그러나 법인격 없는 사단 또는 재단으로서 대표자나 관리인이 있을 때에는 그 이름으로 청구인이 될 수 있다.

(2) 청구인적격(제13조)

① 취소심판의 청구인적격

㉠ **법률상 이익**: '처분의 취소 또는 변경을 구할 **법률상 이익'이 있는 자**가 청구인적격을 가진다. 이때 '법률상 이익'이 의미하는 것에 대해 ⓐ 권리구제설, ⓑ 법률상 이익구제설, ⓒ 보호가치 있는 이익구제설, ⓓ 적법성보장설 등이 있으나, **법률상 이익구제설**이 통설·판례의 입장이다.

㉡ **처분의 효과가 소멸된 때(심판청구이익)**: 행정심판법은 '처분의 효과가 기간의 경과, 처분의 집행 그 밖의 사유로 인하여 소멸된 뒤에도 그 처분의 취소로 회복되는 법률상 이익이 있는 자'의 청구인적격을 인정하였다. 따라서 처분의 효과 자체는 이미 소멸되었어도, 그 처분의 취소로 인해 회복되는 법률상 이익이 있는 경우에는 청구인적격이 인정된다. 다만, 그러한 청구인적격의 인정은 특별한 경우에 해당하는 것이므로 **청구인**이 **주장·입증**하여야 한다.

② **무효등확인심판의 청구인적격**: 무효등확인심판청구는 처분의 효력 유무 또는 존재 여부에 대한 '확인을 구할 법률상 이익'이 있는 자가 제기할 수 있다.

③ **의무이행심판의 청구인적격**: 의무이행심판은 행정청의 거부처분 또는 부작위에 대하여 '일정한 처분을 구할 법률상 이익'이 있는 자가 청구인적격을 갖는다. 이때의 법률상의 이익이 인정되기 위해서는 청구인이 권리로써 일정한 내용의 행정작용을 신청할 수 있는 것이 관계법규에 의해 보장되어야 한다. 그러나 이 경우에도 개인은 행정청에 대하여 특정처분을 구할 수 있는 것은 아니다. 그 신청의 대상행위가 **기속행위**인 때에는 특정한 처분을 구할 **권리가 인정**되지만, **재량행위**인 경우에는 행정기관의 **재량권이 0으로 수축**되는 경우 이외에는 단지 어떠한 내용이든 하자 없는 재량행위를 행하여 줄 것을 청구할 수 정도의 권리에 그치기 때문이다(무하자재량행사청구권).

핵심 OX

02 행정심판법은 취소심판의 청구인 적격으로 자연인 또는 법인을 규정하고 있으므로 법인격 없는 사단·재단은 그 대표자나 관리인이 정하여져 있더라도 그 이름으로 행정심판을 청구할 수 없다. 18. 국가9급 변형 ( )

03 행정심판의 경우 여러 명의 청구인이 공동으로 심판청구를 할 때에는 청구인들 중에서 3명 이하의 선정대표자를 선정할 수 없다. 12. 사복 ( )

04 행정심판절차에서 청구인들이 '당사자 아닌 자'를 선정대표자로 선정한 행위는 무효이다. 08. 국회8급 ( )

핵심 OX

05 의무이행심판은 처분을 신청한 자로서 행정청의 거부처분 또는 부작위에 대하여 일정한 처분을 구할 법률상 이익이 있는 자가 청구할 수 있다. 15. 경특1차, 10. 국회8급 ( )

02 X 03 X 04 O 05 O

④ **청구인적격에 대한 입법상 과오 여부:** 행정심판법은 행정심판의 청구인적격을 행정소송의 원고적격과 동일하게 '법률상 이익'이 있는 자에게만 인정하고 있다. 이것이 입법상 과오가 아닌지에 대하여 견해가 나뉘어 있다.

㉠ **입법과오설**

ⓐ 행정심판은 위법한 처분뿐만 아니라 부당한 처분을 대상으로 하여 제기할 수 있다. 그러므로 반사적 이익이 침해받은 경우에도 행정심판을 제기할 수 있다. 따라서 반사적 이익을 배제하고 '법률상 이익이 있는 자'에게만 행정심판의 청구인적격을 인정하고 있는 것은 모순이다.

ⓑ 부당한 처분에 대한 취소심판이 제기되기 위해서는 부당한 처분의 취소나 변경을 구할 법률상 이익이 있는 자로 한정되며, 이는 곧 권리가 침해된 자를 의미하는 것이 된다. 그러므로 권리의 침해가 존재하는 경우에는 위법차원의 문제에 해당하는 것이고, 위법이 아닌 부당한 처분에 의하여 권리가 침해되는 경우에는 존재할 수 없다.

ⓒ 외국의 입법례에서도 행정소송에 있어서는 원고적격에 관한 규정을 두면서도 행정심판의 청구인적격에 관하여는 아무런 규정을 두지 않음으로써 행정소송의 원고적격과 행정심판의 청구인적격 사이에 차이를 두고 있다.

㉡ **입법비과오설**

ⓐ 침해의 형태와 대상은 개념상 구분된다. 즉, 위법 또는 부당한 행위라는 것은 침해의 형태의 문제이고, 법률상 이익의 침해는 침해대상의 문제로 법률상 이익은 위법한 행위에 의해서도, 부당한 행위에 의해서도 그리고 합목적적이고 적법한 행위에 의해서도 침해될 수 있다.

ⓑ 위법 · 부당 여부는 본안심리의 결과 내려지는 법원의 최종적 평가(out-put)차원의 문제이고, 법률상 이익의 존재 여부에 관한 청구인적격의 문제는 본안심리로 들어가기 위한 현관(in-put)차원의 문제, 즉 행정심판제기요건의 문제로 양자는 차원을 달리한다.

ⓒ 행정심판은 위법 · 부당의 통제이고, 행정소송은 위법의 통제라고 하는 고전적인 공식이 오늘날에는 그 타당성이 의문시될 정도로 흔들리고 있어 위법성과 부당성의 구별의 가능성 내지 의의가 크지 않다.

(3) 청구인의 지위승계(제16조)

① **당연승계**

㉠ 행정심판을 제기한 후에 자연인인 청구인이 사망한 때에는, 그 상속인이나 법령에 의하여 당해 처분에 관계되는 **권리** 또는 **이익**을 승계한 자가 그 청구인의 지위를 승계한다.

㉡ 법인 또는 법인격 없는 사단이나 재단인 청구인이 다른 법인 등과 합병한 때에는 합병에 의하여 존속하거나 설립된 법인 등이 그 청구인의 지위를 승계한다. 이 경우 청구인의 지위를 승계한 자는 그 사유를 증명하는 서면을 첨부하여 **관계행정심판위원회에 신고**하여야 한다.

핵심 OX

01 행정심판의 대상과 관련되는 권리나 이익을 양수한 특정승계인은 행정심판위원회의 허가를 받아 청구인의 지위를 승계할 수 있다. 18. 국가9급 ( )

01 ○

② **허가승계:** 행정심판이 제기된 뒤에 당해 심판청구의 대상인 처분에 관계되는 권리 또는 이익을 받은 자는 관계행정심판위원회의 허가를 받아 청구인의 지위를 승계할 수 있다.

관련판례

1 근로자가 부당해고 구제신청을 할 당시 이미 정년에 이르거나 근로계약기간 만료, 폐업 등의 사유로 근로계약관계가 종료하여 근로자의 지위에서 벗어난 경우, 노동위원회의 구제명령을 받을 이익이 소멸하였는지 여부(적극)

근로자가 부당해고 구제신청을 할 당시 이미 정년에 이르거나 근로계약기간 만료, 폐업 등의 사유로 근로계약관계가 종료하여 근로자의 지위에서 벗어난 경우에는 노동위원회의 구제명령을 받을 이익이 소멸하였다고 보는 것이 타당하다(대판 2022.7.14. 2020두54852).

2 행정청이나 재결청에 행정심판청구인을 청구인적격이 있는 자로 변경할 것을 요구할 보정명령의무가 있는지 여부(소극) 및 행정심판절차에서 임의적인 청구인 변경의 허용 여부(소극)

청구인적격이 없는 자의 명의로 제기된 행정심판청구에 대하여 행정청이나 재결청(현 행정심판위원회)에게 행정심판청구인을 청구인적격이 있는 자로 변경할 것을 요구하는 보정을 명할 의무가 없고, 행정심판절차에서 임의적인 청구인의 변경은 원칙적으로 허용되지 아니한다(대판 1999.10.8. 98두10073).

2. 피청구인(제17조)

피청구인은 심판청구를 제기받은 당사자를 말한다.

(1) 피청구인적격

행정심판의 피청구인은 당해 심판청구의 대상인 처분을 한 **처분청** 또는 부작위를 한 **부작위청**이 된다. 그러나 처분이나 부작위가 있은 후 그에 관한 권한이 다른 행정청에 이전되거나 승계된 경우에는 새로이 그 권한을 양수하거나 승계한 행정청이 피청구인이 된다. 행정청은 국가나 지방자치단체의 기관이므로 원칙적으로 국가나 지방자치단체 등이 피청구인이 되어야 하지만, 행정소송과 마찬가지로 소송기술상의 편의에서 행정청을 피청구인으로 한 것이다.

(2) 피청구인의 경정

청구인이 피청구인(행정청)을 잘못 지정한 경우 또는 행정심판이 제기된 후에 당해 처분이나 부작위에 관한 권한이 다른 행정청에 승계된 경우에는 행정심판위원회는 당사자의 **신청** 또는 **직권**에 의하여 결정으로써 피청구인을 바꿀 수 있다. 행정심판위원회가 피청구인을 바꾸는 결정을 하면 그 결정정본을 원래의 당사자 쌍방과 새로운 피청구인에게 송달하여야 한다. 피청구인의 변경결정이 있으면 종전의 피청구인에 대한 심판청구는 취소되고, 당초부터 새로운 피청구인을 상대로 한 심판청구가 제기된 것으로 본다.

핵심 OX

02 심판청구의 대상과 관계되는 권한이 다른 행정청에 승계된 경우에는 권한을 승계한 행정청을 피청구인으로 하여야 한다. 15. 경특1차 ( )

03 행정심판은 피청구인의 경정이 있으면 심판청구는 피청구인의 경정시에 제기된 것으로 본다. 18. 서울7급, 04. 관세사 ( )

04 행정심판의 제기에 있어서 청구인이 피청구인을 잘못 지정한 경우에 행정심판위원회는 직권으로 또는 당사자의 신청에 의하여 결정으로써 피청구인을 경정할 수 있다. 15. 경특1차 ( )

05 행정심판위원회는 피청구인을 경정하는 결정을 하면 결정서 부본을 당사자(종전의 피청구인과 새로운 피청구인을 포함한다)에게 송달하여야 한다. 15. 경특1차 ( )

02 ○ 03 X 04 ○ 05 X

2 행정심판의 관계인

1. 참가인(제20조 ~ 제22조)

(1) 의의

참가인이란 계속 진행 중인 행정심판절차에 당사자 이외에 자기의 권리와 이익을 보호하기 위해 참가하는 제3자를 말한다. 이때 참가인으로 참가할 수 있는 자는 심판결과에 대하여 **이해관계가 있는 제3자** 또는 **행정청**이다. 따라서 '이해관계가 있는 제3자'란 당해 처분 자체에 대하여 이해관계가 있는 자뿐만 아니라, 재결내용에 따라서 불이익을 받게 될 자도 포함되며, 심판청구에 참가할 수 있는 행정청은 당해 처분이나 부작위에 대한 관계행정청을 말한다.

(2) 참가의 방법

① **이해관계자의 신청에 의한 참가:** 이는 행정심판의 결과에 대하여 이해관계가 있는 제3자 또는 행정청이 행정심판위원회의 허가를 받아 그 사건에 참가하는 것을 말한다. 그 신청을 받은 행정심판위원회는 **허가** 여부를 결정하여야 한다.

② **행정심판위원회의 요구에 의한 참가:** 이해관계인의 신청이 없는 경우에도 관계 행정심판위원회는 **직권**으로 이해관계인에 대하여 당해 심판청구에 참가할 것을 요구할 수 있다. 이때 그 요구를 받은 이해관계인은 당연히 참가인이 되는 것이 아니라 참가 여부를 스스로 결정할 수 있으며, 그 참가 여부의 의사를 관계행정심판위원회에 통지하여야 한다.

2. 대리인(제18조)

심판청구의 당사자인 청구인이나 피청구인은 대리인을 선임하여 당해 심판청구에 관한 행위를 할 수 있다. 청구인이 대리인으로 선임할 수 있는 자는 법률의 규정에 의한 대리인 이외에 청구인의 **배우자·직계존비속** 또는 **형제자매**, 청구인인 **법인의 임원** 또는 **직원**, **변호사**, 행정심판위원회로부터 허가를 받은 자 등이다. 그리고 피청구인인 행정청은 그 **소속직원**이나 **변호사** 또는 행정심판위원회의 허가를 받은 자를 대리인으로 선임할 수 있다. 청구인이 경제적 능력으로 인해 대리인을 선임할 수 없는 경우에는 위원회에 국선대리인을 선임하여 줄 것을 신청할 수 있다(행정심판법 제18조의2 제1항).

핵심 OX

01 행정심판결과에 이해관계가 있는 제3자나 행정청은 신청에 의한 행정심판위원회의 허가에 따라 행정심판에 참가할 수 있으나, 행정심판위원회가 직권으로 심판에 참가할 것을 요구할 수는 없다. 19. 국회8급 ( )

02 행정심판위원회는 필요하다고 인정하면 그 심판결과에 이해관계가 있는 제3자에게 그 사건 심판에 참가할 것을 요구할 수 있으며, 이 요구를 받은 제3자는 지체 없이 참가 여부를 위원회에 통지하여야 한다. 15. 국회8급 ( )

03 행정심판 청구인이 경제적 능력으로 인해 대리인을 선임할 수 없는 경우에는 행정심판위원회에 국선대리인을 선임하여 줄 것을 신청할 수 있다. 19. 국가9급 ( )

01 X **02** O **03** O

제3절 행정심판위원회

1 서설

1. 행정심판기관이란 행정심판의 청구를 **수리**하여 이를 **심리 · 재결**할 수 있는 권한을 가진 행정기관을 말한다. 행정심판기관을 어떻게 설치할 것인가는 행정조직과 행정심판제도의 취지를 감안하여 결정할 문제이다. 행정심판법은 종래 행정심판의 객관적인 공정성을 도모함으로써 행정심판의 권리구제제도로서의 실효성을 확보하기 위하여 심리 · 의결기능과 재결기능을 분리시켜, 심리 · 의결기능은 행정심판위원회에 부여하고, 재결기능은 재결청에 부여하는 이원적 구조이었으나, 2008.2.29. 법개정을 통하여 '재결청'제도를 폐지하고, 행정상 분쟁의 신속한 해결이라는 점에서 '행정심판위원회'가 **심리와 의결** 및 **재결기능**을 통합하여 행사하도록 일원화하였다.

2. 나아가 최근 행정심판법 개정(2010.1.25.)을 통해 ① 국무총리행정심판위원회의 명칭을 '중앙행정심판위원회'로 변경함(제4조 제3항 등)과 더불어 ② 행정심판위원회의 회의 정원 및 위촉위원의 비중을 확대(제7조 제5항)하였으며, ③ 행정심판의 공정성과 독립성을 담보하기 위하여 행정심판위원회 위원의 결격사유를 신설하고(제9조 제4항), 나아가 ④ 청구인의 신속한 권리구제를 위하여 심판청구사건 중 자동차운전면허행정처분과 관련한 사건은 4명의 위원으로 구성하는 소위원회에서 심리 · 의결할 수 있도록 하는 등(제8조 제6항) 행정심판위원회와 관련된 세부적 문제점을 시정하였다.

> **핵심 OX**
>
> 04 행정심판법은 권리구제의 실효성을 확보하기 위해서 심리 · 의결기능과 재결기능을 분리시키고 있다. 09. 국가9급 (　)

2 행정심판위원회

1. 법적 지위

행정심판위원회는 행정심판청구를 심리 · 재결하는 기관으로 **합의제 행정청**의 지위를 갖는다. 행정심판위원회는 소속기관으로부터 **직무상 독립**된 행정청이다. 따라서 행정심판위원회의 심리 · 재결에 관하여는 소속관청이라도 지휘 · 감독을 할 수 없다.

> **핵심 OX**
>
> 05 행정심판의 청구를 심리 · 재결하기 위하여 행정심판위원회를 둔다. 11. 국가7급, 08. 지방9급 (　)

2. 종류

행정심판위원회는 중앙행정심판위원회, 처분청 소속 행정심판위원회, 시 · 도행정심판위원회가 있다.

(1) 직근 상급기관 소속 행정심판위원회(제6조 제4항)

대통령령으로 정하는 국가행정기관 소속 특별지방행정기관의 장의 처분 또는 부작위에 대한 심판청구에 대하여는 해당 행정청의 직근 상급행정기관에 두는 행정심판위원회에서 심리 · 재결한다.

04 X 05 O

핵심 OX

01 시 · 도행정심판위원회와 중앙행정심판위원회는 모두 행정심판의 심리권한과 재결권한을 가진다.
18. 지방교행 ( )

02 종로구청장의 처분이나 부작위에 대한 행정심판청구는 서울특별시 행정심판위원회에서 심리 · 재결하여야 한다.
19. 서울9급(6월), 15. 지방9급 · 서울7급 ( )

03 국회사무총장의 부작위에 대한 심의기관과 재결기관은 각각 국회사무총장 소속의 행정심판위원회이다.
08. 국회8급 ( )

04 법원행정처장의 부당한 처분에 대해서는 중앙행정심판위원회에 행정심판을 제기할 수 있다.
15. 서울7급 ( )

05 국가인권위원회의 처분 또는 부작위에 대한 행정심판의 청구는 국민권익위원회에 두는 중앙행정심판위원회에서 심리 · 재결한다.
18. 국회8급 ( )

(2) 시 · 도행정심판위원회(제6조 제3항)

① 시 · 도 소속 행정청, ② 시 · 도의 관할구역에 있는 시 · 군 · 자치구의 장, 소속 행정청 또는 시 · 군 · 자치구의 의회, ③ 시 · 도의 관할구역에 있는 둘 이상의 지방자치단체 · 공공법인 등이 공동으로 설립한 행정청의 처분 또는 부작위에 대한 심판청구에 대하여는 시 · 도지사 소속으로 두는 행정심판위원회에서 심리 · 재결한다.

(3) 해당 행정청소속 행정심판위원회(제6조 제1항) - 독립기관

① 감사원, 국가정보원장, 그 밖에 대통령령으로 정하는 대통령 소속기관의 장, ② 국회사무총장 · 법원행정처장 · 헌법재판소사무처장 및 중앙선거관리위원회사무총장, ③ 국가인권위원회, 그 밖에 지위 · 성격의 독립성과 특수성 등이 인정되어 대통령령으로 정하는 행정청 또는 그 소속 행정청의 처분 또는 부작위에 대한 심판청구를 심리 · 재결하기 위하여 해당 행정청 소속으로 행정심판위원회를 둔다. 이는 해당 행정청의 **업무상 독립성**을 보장하기 위함이다.

(4) 중앙행정심판위원회(제6조 제2항)

① 제1항에서 규정한 독립기관인 행정청 외의 **국가기관의 장** 또는 그 소속 행정청, ② **특별시장 · 광역시장** · 특별자치시장 · 도지사 · 특별자치도지사(교육감 포함) 또는 **특별시 · 광역시** · 특별자치시 · 도 · 특별자치도의 **의회**(의회 소속 모든 행정청 포함), ③ 지방자치법에 따른 지방자치단체조합 등 관계 법률에 따라 국가 · 지방자치단체 · 공공법인 등이 공동으로 설립한 행정청(제3항 제3호에 해당하는 행정청은 제외)의 처분 또는 부작위에 대한 심판청구에 대하여는 부패방지 및 국민권익위원회의 설치와 운영에 관한 법률에 따른 국민권익위원회에 두는 **중앙행정심판위원회**에서 심리 · 재결한다.

핵심 OX

06 예외적으로 당해 지방자치단체의 조례에서 시 · 도 행정심판위원회의 위원장을 공무원이 아닌 위원으로 정한 경우에 그는 상임으로 직무를 수행한다. 18. 지방교행 ( )

3. 구성

(1) 일반행정심판위원회(제7조)

① 일반행정심판위원회는 위원장 1명을 포함한 **50명 이내**의 위원으로 구성하며, 해당 행정심판위원회가 소속된 행정청이 ㉠ 변호사 자격을 취득한 후 5년 이상의 실무 경험이 있는 사람, ㉡ 대학에서 조교수 이상으로 재직하거나 재직하였던 사람, ㉢ 행정기관의 4급 이상 공무원이었거나 고위공무원단에 속하는 공무원이었던 사람, ㉣ 박사학위를 취득한 후 해당 분야에서 5년 이상 근무한 경험이 있는 사람, ㉤ 그 밖에 행정심판과 관련된 분야의 지식과 경험이 풍부한 사람 중에서 성별을 고려하여 위촉하거나 그 소속 공무원 중에서 지명한다.

② 행정심판위원회의 **회의**는 위원장과 위원장이 회의마다 지정하는 **8명의 위원**으로 구성하며, 구성원 과반수의 출석과 출석위원 과반수의 찬성으로 의결한다.

(2) 중앙행정심판위원회(제8조)

① 중앙행정심판위원회는 위원장 1명을 포함한 **70명 이내**의 위원으로 구성하되, 위원 중 상임위원은 4명 이내로 하며, **회의**는 위원장, 상임위원 및 위원장이 회의마다 지정하는 비상임위원을 포함하여 총 **9명**으로 구성한다.

② 위원회는 구성원 과반수의 출석과 출석위원 과반수의 찬성으로 의결한다.

01 ○ 02 ○ 03 ○ 04 X 05 X 06 X

행정심판법 제8조 【중앙행정심판위원회의 구성】 ① 중앙행정심판위원회는 위원장 1명을 포함하여 70명 이내의 위원으로 구성하되, 위원 중 상임위원은 4명 이내로 한다.

② 중앙행정심판위원회의 위원장은 국민권익위원회의 부위원장 중 1명이 되며, 위원장이 없거나 부득이한 사유로 직무를 수행할 수 없거나 위원장이 필요하다고 인정하는 경우에는 상임위원(상임으로 재직한 기간이 긴 위원 순서로, 재직기간이 같은 경우에는 연장자 순서로 한다)이 위원장의 직무를 대행한다.

③ 중앙행정심판위원회의 상임위원은 일반직공무원으로서 국가공무원법 제26조의5에 따른 임기제공무원으로 임명하되, 3급 이상 공무원 또는 고위공무원단에 속하는 일반직공무원으로 3년 이상 근무한 사람이나 그 밖에 행정심판에 관한 지식과 경험이 풍부한 사람 중에서 중앙행정심판위원회 위원장의 제청으로 국무총리를 거쳐 대통령이 임명한다.

④ 중앙행정심판위원회의 비상임위원은 제7조 제4항 각 호의 어느 하나에 해당하는 사람 중에서 중앙행정심판위원회 위원장의 제청으로 국무총리가 성별을 고려하여 위촉한다.

⑤ 중앙행정심판위원회의 회의(제6항에 따른 소위원회 회의는 제외한다)는 위원장, 상임위원 및 위원장이 회의마다 지정하는 비상임위원을 포함하여 총 9명으로 구성한다.

⑥ 중앙행정심판위원회는 심판청구사건(이하 "사건"이라 한다) 중 도로교통법에 따른 자동차운전면허 행정처분에 관한 사건(소위원회가 중앙행정심판위원회에서 심리 · 의결하도록 결정한 사건은 제외한다)을 심리 · 의결하게 하기 위하여 4명의 위원으로 구성하는 소위원회를 둘 수 있다.

⑦ 중앙행정심판위원회 및 소위원회는 각각 제5항 및 제6항에 따른 구성원 과반수의 출석과 출석위원 과반수의 찬성으로 의결한다.

⑧ 중앙행정심판위원회는 위원장이 지정하는 사건을 미리 검토하도록 필요한 경우에는 전문위원회를 둘 수 있다.

⑨ 중앙행정심판위원회, 소위원회 및 전문위원회의 조직과 운영 등에 필요한 사항은 대통령령으로 정한다.

4. 위원의 임기 및 신분보장 등

행정심판법 제9조 【위원의 임기 및 신분보장 등】 ① 제7조 제4항에 따라 지명된 위원은 그 직에 재직하는 동안 재임한다.

② 제8조 제3항에 따라 임명된 중앙행정심판위원회 상임위원의 임기는 3년으로 하며, 1차에 한하여 연임할 수 있다.

③ 제7조 제4항 및 제8조 제4항에 따라 위촉된 위원의 임기는 2년으로 하되, 2차에 한하여 연임할 수 있다. 다만, 제6조 제1항 제2호에 규정된 기관에 두는 행정심판위원회의 위촉위원의 경우에는 각각 국회규칙, 대법원규칙, 헌법재판소규칙 또는 중앙선거관리위원회규칙으로 정하는 바에 따른다.

④ 다음 각 호의 어느 하나에 해당하는 사람은 제6조에 따른 행정심판위원회(이하 "위원회"라 한다)의 위원이 될 수 없으며, 위원이 이에 해당하게 된 때에는 당연히 퇴직한다.

1. 대한민국 국민이 아닌 사람
2. 국가공무원법 제33조 각 호의 어느 하나에 해당하는 사람

⑤ 제7조 제4항 및 제8조 제4항에 따라 위촉된 위원은 금고(禁錮) 이상의 형을 선고받거나 부득이한 사유로 장기간 직무를 수행할 수 없게 되는 경우 외에는 임기 중 그의 의사와 다르게 해촉(解囑)되지 아니한다.

핵심 OX

07 중앙행정심판위원회는 위원장 1명을 포함하여 50명 이내의 위원으로 구성하되 위원 중 상임위원은 5명 이내로 한다. 19 · 10. 국회8급 ( )

08 중앙행정심판위원회의 위원장은 국민권익위원회의 부위원장 중 1명이 된다. 19. 국회8급 ( )

09 중앙행정심판위원회의 회의는 소위원회 회의를 제외하고 위원장, 상임위원 및 위원장이 회의마다 지정하는 비상임위원을 포함하여 총 7명으로 구성한다. 19. 국회8급 ( )

10 중앙행정심판위원회의 위원장은 법제처장이 되고 유고시에는 법제처 차장이 그 직무를 대행한다. 18. 지방교행 ( )

11 중앙행정심판위원회의 상임위원은 별정직 국가공무원으로 임명하며, 중앙행정심판위원회 위원장의 제청으로 국무총리를 거쳐 대통령이 임명한다. 16. 국회8급 ( )

12 중앙행정심판위원회의 상임위원은 행정심판에 관한 지식과 경험이 풍부한 사람 중에서 중앙행정심판위원회 위원장의 제청으로 국무총리를 거쳐 대통령이 임명할 수 있다. 19. 국회8급, 11. 지방9급 ( )

13 중앙행정심판위원회의 비상임위원은 변호사 자격을 취득한 후 3년 이상의 실무 경험이 있는 사람 중에서 중앙행정심판위원회 위원장의 제청으로 국무총리가 성별을 고려하여 위촉할 수 있다. 19. 국회8급 ( )

07 X 08 O 09 X 10 X 11 X 12 O 13 X

5. 위원 등의 제척 · 기피 · 회피(제10조)

행정심판법은 위원에 대한 제척 · 기피 · 회피제도를 두고 있다. 이는 행정심판청구사건에 대한 위원회의 심리 · 재결의 공정성을 담보하기 위한 것이다. 이 제도는 위원회의 심리 · 재결에 관여하는 위원 아닌 직원에게도 준용하도록 하고 있다.

(1) 제척

① **의의**: 제척이란 위원 등이 **당사자** 또는 **사건의 내용**과 **특수관계**가 있는 경우에 그 사건에 관하여 그 직무집행을 할 수 없도록 하는 것을 말한다.

② **제척사유**: 제척사유로는 ㉠ 위원 또는 그 배우자나 그 배우자이었던 자가 당해 사건의 당사자가 되거나 당해 사건에 관하여 공동권리자 또는 의무자의 관계에 있는 경우, ㉡ 위원이 당해 사건의 당사자와 친족관계에 있거나 있었던 경우, ㉢ 위원이 당해 사건에 관하여 증언이나 감정을 한 경우, ㉣ 위원이 당해 사건에 관하여 당사자나 대리인으로서 관여하거나 관여하였던 경우, ㉤ 위원이 당해 사건의 대상이 된 처분이나 부작위에 관여한 경우 등이다.

③ **효과**: 제척사유가 있는 위원이 관여한 심리 · 재결은 본질적인 절차상의 하자가 있으므로 **무효**가 된다. 제척의 효과는 당사자의 주장 여부나 행정심판위원회의 결정 여부에 관계없이 법률상 당연히 발생한다.

(2) 기피

① **의의**: 기피란 위원에게 제척사유 이외에 심리 · 재결에 공정을 기대하기 어려운 사정이 있는 경우에 **당사자의 신청**과 **위원장의 결정**에 의하여 직무집행으로부터 배제되는 것을 말한다.

② **의결의 공정을 기대하기 어려운 사정**: 이때에 '위원에게 심리 · 의결의 공정을 기대하기 어려운 사정'이란 통상인의 판단으로써 위원과 사건과의 관계에서 편파적이고 불공정한 심리 · 의결을 하지 않을까 하는 염려를 일으킬 수 있는 객관적 사정을 의미하므로, 주관적인 의혹만으로는 기피사유에 해당하지 않는다.

(3) 회피

회피란 위원 스스로가 사건에 관하여 제척 또는 기피의 사유가 있다고 인정하여 자발적으로 심리 · 재결을 피하는 것을 말한다. 이 경우 회피하고자 하는 위원은 위원장에게 그 사유를 소명하여야 한다.

6. 권한

행정심판위원회의 권한으로 중심적인 것은 심판청구사건에 대하여 **심리**하고 **재결**하는 권한이다. 그 밖에 심리권에 부수된 권한도 갖는다.

(1) 심리권

행정심판위원회는 심판청구사건에 대한 심리권과 재결권을 가진다. 심리는 각 심판청구사건을 단위로 하는 것이 원칙이다. 그러나 필요하다고 인정할 때에는 서로 관련되는 내용의 심판청구를 **병합**하여 심리하거나 병합된 심판청구를 **분리**하여 심리할 수 있다. 이는 심리의 능률성과 합리성을 확보하기 위한 것이다.

핵심 OX

01 행정심판에 있어서 사건의 심리 · 의결에 관한 사무에 관여하는 직원에게는 행정심판법 제10조의 위원의 제척 · 기피 · 회피가 적용되지 않는다. 15. 지방9급 ( )

02 행정심판위원회의 위원에 대한 기피신청은 그 사유를 소명한 문서로 하여야 한다. 15. 서울7급 ( )

03 행정심판위원회는 심판청구사건에 대하여 심리권과 재결권을 가진다. 13. 국회9급 ( )

01 X 02 O 03 O

(2) 심리권에 부수된 권한

행정심판위원회는 심판청구사건에 대한 심리권을 효율적으로 행사하기 위해 여러 부수적인 권한을 갖는다. 이러한 부수적 권한으로는 ① 대표자선정권고권(제15조 제2항), ② 청구인의 지위승계허가권(제16조 제5항), ③ 피청구인 경정권(제17조 제2항), ④ 대리인선임허가권(제18조 제1항 제5호), ⑤ 심판참가허가 및 요구권(제20조 제5항, 제21조 제1항), ⑥ 청구의 변경허가권(제29조 제6항), ⑦ 보정요구권 및 직권보정권(제32조 제1항), ⑧ 증거조사권(제36조 제1항) 등이 있다.

(3) 재결권

행정심판위원회는 심판청구사건에 대한 심리를 마치면 그 심판청구에 대하여 **재결**할 권한을 갖는다. 행정심판위원회의 재결사항은 ① 심판청구에 대한 재결에 관한 것이 주된 것이나, 그 밖에 ② 심판청구의 대상인 처분의 **집행정지결정**에 관한 것과 ③ **사정재결**에 관한 것이 있다.

(4) 시정조치요청권(제59조)

중앙행정심판위원회는 심판청구를 심리·재결함에 있어 처분 또는 부작위의 근거가 되는 명령 등이 법령에 근거가 없거나 상위법령에 위배되거나 국민에게 과도한 부담을 주는 등 현저하게 불합리하다고 인정된 경우에는, 관계행정기관에 대하여 개정·폐지 등 적절한 **시정조치**를 요청할 수 있으며, 이러한 요청을 받은 관계 행정기관은 정당한 사유가 없는 한 이에 따라야 한다.

제4절 행정심판의 청구

1 제기요건

1. 청구인

심판청구의 청구인이 될 수 있는 것은 당해 심판청구에 대하여 '법률상 이익'이 있는 자이다. 청구인은 당해 심판청구의 대상인 처분이나 부작위의 상대방 또는 제3자에 관계없이 자연인 또는 법인을 모두 포함한다.

2. 심판청구의 대상

행정심판은 심판청구사항인 행정청의 모든 **위법** 또는 **부당한 처분**이나 **부작위**를 대상으로 제기하여야 한다.

3. 심판청구기간(제27조)

행정심판의 청구는 소정의 **청구기간** 내에 제기하여야 한다. 심판청구기간에 관한 문제는 **취소심판청구**와 **거부처분에 대한 의무이행심판청구**에만 해당된다. 무효등확인심판과 부작위에 대한 의무이행심판은 그 성질에 비추어 청구기간의 제한이 배제되기 때문이다.

핵심 OX

04 중앙행정심판위원회는 심판청구를 심리·재결할 때에 처분 또는 부작위의 근거가 되는 명령 등이 법령에 근거가 없거나 상위법령에 위배되거나 국민에게 과도한 부담을 주는 등 크게 불합리하면 관계 행정기관에 그 명령 등의 개정·폐지 등 적절한 시정조치를 요청할 수 있다. 14. 경특2차, 13. 국회9급 ( )

05 법인이 아닌 사단 또는 재단으로서 대표자나 관리인이 정하여져 있는 경우에는 그 사단이나 재단의 이름으로 심판청구를 할 수 있다. 15. 서울9급 ( )

06 부작위에 대한 의무이행심판에는 심판청구에 기간상의 제한이 있다. 13. 서울7급 ( )

07 소극적 처분과 부작위에 대한 의무이행심판은 처분이 있음을 알게 된 날부터 90일 이내에 청구하여야 한다. 19. 국회8급 ( )

08 행정심판은 원칙적으로 처분이 있음을 알게 된 날부터 90일 이내에 제기하여야 하며, 이 기간을 불변기간이다. 07. 관세사 ( )

09 고시 또는 공고에 의하여 행정처분을 하는 경우에는 고시 또는 공고의 효력발생일을 처분이 있는 날로 보아 그 날로부터 180일 이내에 행정심판을 청구할 수 있다. 18. 서울7급, 15. 국회8급 ( )

04 ○ 05 ○ 06 X 07 X 08 ○ 09 X

행정심판법이 처분을 다투는 심판청구에 기간의 제한을 두는 것은 처분은 그 상대방뿐만 아니라 일반대중과 이해관계가 크기 때문에 처분의 효과 등 **법률관계**를 가능한 한 빨리 **안정**시키는 데 있다.

(1) 원칙적인 심판청구기간

① 심판청구는 원칙적으로 처분이 있음을 안 날로부터 **90일** 이내, 처분이 있은 날로부터 **180일** 이내에 제기하여야 한다. **90일은 불변기간**으로서 직권조사사항이다. 이들 두 기간 중 어느 하나라도 기간이 지나면 심판청구를 제기하지 못한다.

② '처분이 있음을 안 날'이란 당사자가 통지 · 공고 기타의 방법에 의하여 당해 처분이 있었다는 사실을 '현실적으로' 안 날을 의미한다. 처분을 서면으로 하는 경우에는 그 서면이 **상대방에게 도달한 날**, 공시송달의 경우에는 서면이 **도달한 것으로 간주되는 날**을 말한다. 또한 '처분이 있은 날'이란 처분이 처분으로서 효력을 발생한 날을 말한다.

관련판례

1 행정심판법 제18조 제1항 소정의 심판청구기간 기산점인 '처분이 있음을 안 날'의 의미

행정심판법 제18조 제1항 소정의 심판청구기간 기산점인 '처분이 있음을 안 날'이라 함은 당사자가 통지 · 공고 기타의 방법에 의하여 당해 처분이 있었다는 사실을 현실적으로 안 날을 의미하고, 추상적으로 알 수 있었던 날을 의미하는 것은 아니지만, 처분에 관한 서류가 당사자의 주소지에 송달되는 등 사회통념상 처분이 있음을 당사자가 알 수 있는 상태에 놓여 진 때에는 반증이 없는 한 그 처분이 있음을 알았다고 추정할 수 있다.

① 아르바이트 직원이 납부고지서를 수령한 경우 납부의무자는 그 때 부과처분이 있음을 알았다고 추정할 수 있다(대판 1999.12.28. 99두9742).

② 아파트 경비원이 과징금 부과처분의 납부고지서를 수령한 날이 그 납부의무자가 '부과처분이 있음을 안 날'은 아니다(대판 2002.8.27. 2002두3850).

2 고시 또는 공고에 의하여 행정처분을 하는 경우, 행정심판청구기간의 기산일(= 고시 또는 공고의 효력발생일)

통상 고시 또는 공고에 의하여 행정처분을 하는 경우에는 그 처분의 상대방이 불특정 다수인이고, 그 처분의 효력이 불특정 다수인에게 일률적으로 적용되는 것이므로, 그에 대한 행정심판청구기간도 그 행정처분에 이해관계를 갖는 자가 고시 또는 공고가 있었다는 사실을 현실적으로 알았는지 여부에 관계없이 고시가 효력을 발생하는 날인 고시 또는 공고가 있은 후 5일이 경과한 날에 행정처분이 있음을 알았다고 보아야 한다(대판 2000.9.8. 99두11257).

(2) 예외적인 심판청구기간

① **불가항력에 의한 경우**: 청구인이 천재 · 지변 · 전쟁 · 사변 그 밖에 불가항력으로 인하여 90일의 기간 내에 심판청구를 할 수 없었을 때에는, 그 사유가 소멸한 날로부터 **14일** 이내에(**국외**는 **30일** 이내) 심판청구를 할 수 있고 이는 **불변기간**이다.

② **정당한 사유가 있는 경우**: 정당한 사유가 있으면 처분이 있은 날로부터 180일을 경과한 뒤에도 심판청구를 제기할 수 있다. 이때의 '정당한 사유'는 처분이 있은 날로부터 **180일** 이내에 심판청구를 하지 못한 **객관적 사유**를 말하며, 이는 앞서 논한 불가항력보다 넓은 개념이다.

핵심 OX

01 부재시 등기우편물을 수령하여 전달해 온 주거지 아파트 경비원은 수령권한을 위임받은 것으로 볼 수 있으므로, 경비원이 처분서를 수령하였다면 적법한 송달이 있는 것으로 보게 된다. 10. 국회8급 ( )

핵심 OX

02 행정심판은 처분이 있었던 날부터 180일이 지나면 청구하지 못한다. 다만, 정당한 사유가 있는 경우에는 그러하지 아니하다. 14. 경특1차 ( )

01 ○ 02 ○

(3) 복효적 행정행위의 심판청구기간

① 복효적 행정행위에 있어서 처분의 직접상대방이 아닌 **제3자**가 행정심판을 제기한 경우에도 심판제기기간은 원칙적으로 처분이 있음을 안 날로부터 **90일** 이내, 처분이 있은 날로부터 **180일** 이내로 한다. 따라서 제3자가 처분이 있었음을 안 경우에는 90일의 기간제한이 적용된다.

② 그러나 현행법은 처분을 제3자에게 통지하도록 규정하고 있지 않기 때문에 통상적인 경우에는 제3자가 처분이 있었음을 알 수 없다. 따라서 이 경우 행정심판제기기간은 '처분이 있은 날로부터 180일 이내'가 기준이 된다.

관련판례

행정처분의 상대방이 아닌 제3자가 당해 처분이 있음을 알았거나 쉽게 알 수 있는 경우(행정심판의 청구기간)

행정처분의 상대방이 아닌 제3자는 일반적으로 처분이 있는 것을 바로 알 수 있는 처지에 있지 아니하므로 처분이 있은 날로부터 180일이 경과하더라도 특별한 사유가 없는 한 정당한 사유가 있는 것으로 보아 심판청구가 가능하다고 할 것이나, 그 '제3자'가 어떤 경위로든 행정처분이 있음을 알았거나 쉽게 알 수 있는 등 행정심판법 제18조 제1항 소정의 심판청구기간 내에 심판청구가 가능하였다는 사정이 있는 경우, 그 때로부터 60일(현 90일) 이내에 행정심판을 청구하여야 한다(대판 1997.9.12. 96누14661).

(4) 심판청구기간의 불고지 등의 경우

행정청이 심판청구기간을 처분이 있음을 안 날로부터 90일보다 긴 기간으로 **잘못 알린 경우**에는, 그 잘못 알린 기간 내에 심판청구가 있으면 그 심판청구는 **90일** 내에 제기된 것으로 본다. 다만, 행정청이 심판청구기간을 **알리지 않은 경우**에는 처분이 있은 날로부터 **180일** 이내에 심판청구를 하여야 한다.

(5) 특별법상의 심판청구기간

한편 국세기본법 등 많은 **개별법**에서는 심판청구기간에 관하여 특례를 규정하고 있으며, 이러한 경우에는 **특례규정**이 일반법인 행징심판법에 우선한나.

관련판례

과세관청이 조세처분을 하면서 행정심판청구기간을 고지하지 않은 경우, 구 국세기본법 제56조 제1항에 의하여 행정심판법 제18조 제6항이 배제되어 구 국세기본법 제61조 제1항 소정의 심사청구기간이 적용되는지 여부(적극)

구 국세기본법 제61조 제1항은 심사청구는 당해 처분이 있는 것을 안 날(처분의 통지를 받은 때에는 그 받은 날)로부터 60일 내에 하여야 한다고 규정하고 있으니, 과세관청이 조세처분을 하면서 행정심판 청구기간을 고지하지 않았다 하더라도 그 심사청구기간은 당해 처분이 있은 것을 안 날로부터 60일 내라 할 것이고, 행정심판법 제18조 제6항 · 제3항 본문에 의하여 행정청이 행정심판청구기간을 알리지 아니한 때에는 180일 내에 심판청구를 할 수 있다 하더라도, 구 국세기본법 제56조 제1항이 조세처분에 대하여는 행정심판법의 규정을 적용하지 아니한다고 규정하고 있으므로, 그 심판청구기간을 처분이 있은 날로부터 180일 내라고 볼 수는 없다(대판 2001.11.13. 2000두536).

핵심 OX

03 행정처분의 직접 상대방이 아닌 제3자는 특별한 사정이 없는 한 180일 기간 적용을 배제할 정당한 사유가 있는 경우에 해당한다고 보아 180일이 경과한 뒤에도 심판청구를 제기할 수 있다고 함이 대법원 판례의 태도이다. 10. 국회8급 ( )

04 행정청이 심판청구기간을 알리지 아니한 경우에는 청구인은 언제든지 심판청구를 할 수 있다. 19. 서울7급(10월) ( )

05 행정청이 행정심판청구기간 등을 고지하지 아니하였다고 하여도 처분의 상대방이 처분이 있었다는 사실을 알았을 경우에는 처분이 있은 날로부터 90일 이내에 심판청구를 하여야 한다. 15. 지방9급 ( )

06 행정청이 처분을 할 때에 처분의 상대방에게 심판청구 기간을 알리지 아니한 경우에는 처분이 있었던 날부터 180일까지가 취소심판이나 의무이행심판의 청구기간이 된다. 19. 서울9급(6월) ( )

07 다른 법률에서 특별행정심판이나 행정심판법에 따른 행정심판절차에 대한 특례를 정한 경우에도 그 법률에서 규정하지 아니한 사항에 대해서는 행정심판법에서 정하는 바에 따른다. 13. 국회8급 ( )

03 ○ 04 X 05 X 06 ○ 07 ○

❶
「행정심판법」은 행정심판에 관한 '일반법'
⇨ 만약 특별법에 규정 없는 경우, 일반법 적용

핵심 OX

01 행정심판청구는 서면으로 하여야 한다. 09. 국가9급 ( )

02 행정심판청구는 엄격한 형식을 요하지 않는 서면행위로 해석된다. 18 · 15. 서울9급, 15. 지방9급, 12. 사복 ( )

핵심 OX

03 그 표제가 행정심판청구서가 아닌 '진정서'라는 제목의 서면만을 제출했다고 하더라도 그 실질이 행정심판청구인 경우, 당해 문서를 행정처분에 대한 행정심판청구로 보는 것이 가능하다. ( )

01 ○ **02** ○ **03** ○

4. 심판청구의 방식(제28조)❶

(1) 서면주의

행정심판청구는 일정한 사항을 기재한 **서면(심판청구서)**으로 하여야 한다(동조 제1항). 다만, 최근 개정을 통해 **전자정보처리조직**을 통한 심판청구도 가능하다(제52조).

행정심판법 제28조 【심판청구의 방식】 ① 심판청구는 서면으로 하여야 한다.
② 처분에 대한 심판청구의 경우에는 심판청구서에 다음 각 호의 사항이 포함되어야 한다.
1. 청구인의 이름과 주소 또는 사무소(주소 또는 사무소 외의 장소에서 송달받기를 원하면 송달장소를 추가로 적어야 한다)
2. 피청구인과 위원회
3. 심판청구의 대상이 되는 처분의 내용
4. 처분이 있음을 알게 된 날
5. 심판청구의 취지와 이유
6. 피청구인의 행정심판 고지 유무와 그 내용
③ 부작위에 대한 심판청구의 경우에는 제2항 제1호 · 제2호 · 제5호의 사항과 그 부작위의 전제가 되는 신청의 내용과 날짜를 적어야 한다.
④ 청구인이 법인이거나 제14조에 따른 청구인 능력이 있는 법인이 아닌 사단 또는 재단이거나 행정심판이 선정대표자나 대리인에 의하여 청구되는 것일 때에는 제2항 또는 제3항의 사항과 함께 그 대표자 · 관리인 · 선정대표자 또는 대리인의 이름과 주소를 적어야 한다.
⑤ 심판청구서에는 청구인 · 대표자 · 관리인 · 선정대표자 또는 대리인이 서명하거나 날인하여야 한다.

관련판례

'진정서'라는 제목의 서면 제출이 행정심판청구로 볼 수 있다고 한 사례
비록 제목이 '진정서'로 되어 있고, 재결청의 표시, 심판청구의 취지 및 이유, 처분을 한 행정청의 고지의 유무 및 그 내용 등 행정심판법 제19조 제2항 소정의 사항들을 구분하여 기재하고 있지 아니하여 행정심판청구서로서의 형식을 다 갖추고 있다고 볼 수는 없으나, 피청구인인 처분청과 청구인의 이름과 주소가 기재되어 있고, 청구인의 기명이 되어 있으며, 문서의 기재 내용에 의하여 심판청구의 대상이 되는 행정처분의 내용과 심판청구의 취지 및 이유, 처분이 있은 것을 안 날을 알 수 있는 경우, 위 문서에 기재되어 있지 않은 재결청, 처분을 한 행정청의 고지의 유무 등의 내용과 날인 등의 불비한 점은 보정이 가능하므로 위 문서를 행정처분에 대한 행정심판청구로 보는 것이 옳다(대판 2000.6.9. 98두2621).

(2) 기재사항

처분에 대한 심판청구의 경우에는 ① 청구인의 이름 및 주소, ② 피청구인인 행정청과 행정심판위원회, ③ 심판청구의 대상이 되는 처분의 내용, ④ 처분이 있는 것을 안 날, ⑤ 심판청구의 취지 및 이유, ⑥ 처분을 한 행정청의 고지 유무 및 그 내용을 기재하여야 한다. 심판청구서의 기재사항 등에 결함이 있는 경우에는 행정심판위원회는 상당한 기간을 정하여 그 **보정을 요구**하거나 **직권으로 보정**할 수 있다(제32조 제1항).

5. 심판청구의 제출절차(제23조 ~ 제26조)

(1) 제출기관

심판청구서는 행정심판위원회 또는 피청구인인 행정청에 제출하여야 한다. 종래에는 심판청구는 반드시 피청구인인 행정청을 거쳐서 제기하는 처분청 경유주의를 채택하였다. 그러나 현행 행정심판법은 행정심판위원회에 **직접 제기**하거나 피청구인인 **처분청을 경유**하여 제기할 수 있도록 개정하였다. 이는 청구인의 편의를 도모하고 처분청으로부터 심판청구취소의 압력을 받을 우려를 방지하기 위한 것이다.

(2) 경유청(처분청)의 처리

① **청구내용의 인용**: 심판청구가 이유 있다고 인정할 때에는 심판청구의 취지에 따르는 처분이나 확인을 하고 지체 없이 이를 행정심판위원회와 청구인에게 통지하여야 한다.

② **행정심판위원회에의 송부**: 피청구인인 행정청이 경유청으로서 심판청구서를 접수한 때에는 그 접수일로부터 **10일 내**에 행정심판위원회에 송부하여야 한다. 답변서에는 처분 또는 부작위의 근거와 이유를 명시하고 심판청구의 취지와 이유에 대응하는 답변을 기재하여야 하며, 다른 당사자의 수에 따른 답변서 부본을 첨부하여야 한다.

(3) 행정심판위원회의 접수 및 처리

행정심판위원회가 심판청구서를 직접 받은 경우에는 지체 없이 피청구인에게 심판청구서 부본을 보내야 하며, 나아가 피청구인으로부터 답변서가 제출된 경우 답변서 부본을 청구인에게 송달하여야 한다.

6. 전자정보처리조직을 통한 심판청구(제52조)

(1) 의의

이 법에 따른 행정심판절차를 밟는 자는 심판청구서와 그 밖의 서류를 전자문서화하고 이를 정보통신망을 이용하여 위원회에서 지정 · 운영하는 전자정보처리조직(행정심판절차에 필요한 전자문서를 작성 · 제출 · 송달할 수 있도록 하는 하드웨어, 소프트웨어, 데이터베이스, 네트워크, 보안요소 등을 결합하여 구축한 정보처리능력을 갖춘 전자적 장치)을 통하여 제출할 수 있다.

(2) 심판청구

① 제출된 전자문서는 이 법에 따라 제출된 것으로 보며, 부본을 제출할 의무는 면제된다.

② 제출된 전자문서는 그 문서를 제출한 사람이 정보통신망을 통하여 전자정보처리조직에서 제공하는 **접수번호를 확인**하였을 때에 전자정보처리조직에 기록된 내용으로 접수된 것으로 본다.

③ 전자정보처리조직을 통하여 접수된 심판청구의 경우 심판청구기간을 계산할 때에는 **접수가 되었을 때** 행정심판이 청구된 것으로 본다.

④ 위원회는 전자정보처리조직을 통하여 행정심판절차를 밟으려는 자에게 본인임을 확인할 수 있는 전자서명 등을 요구할 수 있으며, 전자서명 등을 한 자는 이 법에 따른 서명 또는 날인을 한 것으로 본다.

핵심 OX

04 행정심판을 청구하려는 자는 행정심판위원회뿐만 아니라 피청구인인 행정청에도 행정심판청구서를 제출할 수 있으나 행정소송을 제기하려는 자는 법원에 소장을 제출하여야 한다. 18. 국가9급 ( )

핵심 OX

05 심판청구서를 받은 행정청은 그 심판청구가 이유 있다고 인정할 때에는 심판청구의 취지에 따라 처분을 취소 · 변경 또는 확인을 하거나 신청에 따른 처분을 할 수 있고, 이를 청구인에게 알리고 행정심판위원회에 그 증명서류를 제출하여야 한다. 11. 지방9급 ( )

04 ○ **05** ○

(3) 송달 등

① 피청구인 또는 위원회는 전자정보처리조직을 통해 행정심판을 청구하거나 심판참가를 한 자에게 전자정보처리조직과 그와 연계된 정보통신망을 이용하여 재결서나 이 법에 따른 각종 서류를 송달할 수 있다. 다만, 청구인이나 참가인이 동의하지 아니하는 경우에는 그러하지 아니하다.

② 서류의 송달은 청구인이 전자문서를 확인한 때에 전자정보처리조직에 기록된 내용으로 도달한 것으로 본다. 다만, 그 등재사실을 통지한 날부터 2주 이내(재결서 외의 서류는 7일 이내)에 확인하지 아니하였을 때에는 등재사실을 통지한 날부터 **2주**가 지난 날(재결서 외의 서류는 **7일**이 지난 날)에 도달한 것으로 본다.

2 심판청구의 변경 및 취하

1. 심판청구의 변경(제29조)

(1) 의의

심판청구의 변경이란 심판청구의 계속 중에 청구인이 당초에 청구한 심판사항을 변경하는 것을 말한다. 이는 당사자간의 분쟁해결의 편의를 도모하기 위한 것이다.

(2) 종류

① **청구의 변경:** 청구인은 청구의 기초에 변경이 없는 범위에서 청구의 취지나 이유를 변경할 수 있다. 여기에서 청구의 기초에 변경이 없는 범위란 청구한 '사건의 동일성'을 깨뜨리지 않는 범위를 말한다.

② **처분변경으로 인한 청구변경:** 행정심판이 청구된 후에 피청구인이 **새로운 처분**을 하거나 심판청구의 대상인 **처분을 변경**한 경우에는 청구인은 새로운 처분이나 변경된 처분에 맞추어 청구의 취지나 이유를 변경할 수 있다.

(3) 요건

① 신·구 청구 사이에 청구의 기초에 변경이 없는 범위 내에서 하여야 하고, 심판청구의 대상인 처분이 변경된 때에는 변경된 처분에 맞추어 심판청구를 변경하여야 한다.

② 심판청구가 **계속 중**이고, 행정심판위원회의 **의결 전**이어야 한다.

③ 신 청구의 심리를 위하여 심판청구를 현저하게 지연시키지 않아야 한다.

(4) 절차

청구의 변경은 **서면**으로 신청하여야 하며, 그 부본을 피청구인과 참가인에게 송달하여야 한다. 위원회는 기간을 정하여 피청구인과 참가인에게 청구변경 신청에 대한 의견을 제출하도록 할 수 있으며, 피청구인과 참가인이 그 기간에 의견을 제출하지 아니하면 **의견이 없는 것**으로 본다. 위원회는 청구변경 신청에 대하여 허가할 것인지 여부를 결정하고, 지체 없이 신청인에게는 결정서 정본[❶]을, 당사자 및 참가인에게는 결정서 등본을 송달하여야 한다. 신청인은 송달을 받은 날부터 **7일 이내**에 위원회에 **이의신청**을 할 수 있다.

핵심 OX

01 행정심판청구 후 피청구인의 행정청이 새로운 처분을 하거나 대상인 처분을 변경한 때에는 청구인은 새로운 처분이나 변경된 처분에 맞추어 청구의 취지 또는 이유를 변경할 수 있다. 15. 지방9급, 08. 국회8급 ( )

❶ 문서 관련 용어
- 원본(原本): 최초로 작성된 문서 그 자체
- 부본(복본): 또 하나의 원본으로 원본과 똑같이 만들어 참고로 보관하는 서류
- 정본: 원본의 전부를 복사하고 정본임을 작성자가 인증한 서면으로서 원본에 대신하여 그와 동일한 법적 효력을 갖는 문서
- 사본: 복사한 문서(등본과 초본을 포함하는 개념)
- 등본: 원본을 전부 완전하게 복사한 문서
- 초본: 원본의 일부를 복사한 문서

01 ○

(5) 효과

청구의 변경결정이 있으면 처음 행정심판이 청구되었을 때부터 변경된 청구의 취지나 이유로 행정심판이 청구된 것으로 본다.

2. 심판청구의 취하(제42조)

청구인과 참가인은 심판청구에 대한 재결이 있을 때까지, 서면으로 각각 심판청구 또는 참가신청을 취하할 수 있다.

3 행정심판청구의 효과

1. 주관적 효과(행정심판위원회에 대한 효과)

심판청구가 제기되면 행정심판위원회는 심판을 **심리 · 재결**할 **의무**가 있다.

2. 객관적 효과(처분에 대한 효과)

(1) 집행부정지의 원칙(제30조 제1항)

행정심판법은 행정소송법과 마찬가지로 "행정심판의 청구가 문제된 처분의 효력이나 그 집행 또는 절차의 속행에 영향을 주지 아니한다."라고 규정하고 있다. 이를 '**집행부정지의 원칙**'이라 한다.

(2) 집행정지(제30조 제2항 ~ 제7항)

① **의의**: 행정심판법은 집행부정지의 원칙을 채택하고 있으나 예외적으로 **집행정지 제도**를 두고 있다.

② **집행정지결정의 요건**: 행정심판위원회는 당해 처분이나 그 집행 또는 절차의 속행으로 인하여 당사자에게 생길 수 있는 중대한 손해를 예방하기 위하여 긴급한 필요가 있다고 인정할 때에는 **당사자의 신청** 또는 **직권**에 의하여 처분의 효력이나 그 집행 또는 절차의 속행의 전부 또는 일부의 정지를 결정할 수 있다.

㉠ **적극적 요건**: 집행정지대상인 **처분의 존재**, **심판청구의 계속**, **중대한 손해** 발생의 가능성, **긴급**하다고 인정되어야 한다.

㉡ **소극적 요건**: 처분의 집행정지는 공공복리에 중대한 영향을 미칠 우려가 있는 경우에는 허용되지 않는다.

③ **집행정지결정의 절차**

㉠ 집행정지는 당사자의 **신청**이나 **직권**에 의하여 행정심판위원회의 결정으로 이루어진다.

㉡ 그러나 행정심판위원회의 심리 · 결정을 기다려서는 중대한 손해가 발생할 우려가 있다고 인정될 때에는 위원회의 위원장은 직권으로 심리 · 결정에 갈음하는 결정을 할 수 있다.

④ **집행정지결정의 내용과 효력**

㉠ **내용 및 대상**: 집행정지결정의 내용은 처분의 효력이나 그 집행 또는 절차의 속행의 전부 또는 일부의 정지이다.

핵심 OX

02 행정심판청구는 처분의 효력이나 그 집행 또는 절차의 속행에 영향을 주지 않는다. 17. 국가9급(10월) ( )

핵심 OX

03 행정심판위원회는 당사자의 신청 또는 직권에 의하여 집행정지결정을 할 수 있다.
13. 국회9급, 09. 국가9급 ( )

02 ○ 03 ○

ⓐ **처분의 효력정지**: 처분의 **효력**을 잠시 **정지**시킴으로써, 이후부터 **처분 자체**가 **존재하지 않은 상태**에 두는 것을 말한다. 다만, '처분의 효력정지'는 처분의 집행 또는 절차의 속행을 정지함으로써 집행정지의 목적을 달성할 수 있는 경우에는 허용되지 않는다.

ⓑ **처분의 집행정지**: 강제퇴거명령에 집행정지결정이 이루어지면 강제퇴거를 시킬 수 없는 경우와 같이 처분의 **집행**을 **정지**시킴으로써 **처분의 내용이 실현되지 않는 상태**로 두는 것을 말한다.

ⓒ **절차의 집행정지**: 당해 처분이 유효함을 전제로 하여 법률관계가 이어질 경우에 그 전제가 되는 처분의 효력을 박탈하여 후속되는 법률관계의 진행을 정지시키는 것을 말한다.

㉡ 집행정지결정의 효력

ⓐ **형성력**: 처분의 효력정지는 처분의 여러 구속력을 우선 정지시킴으로써 당해 처분이 없던 것과 같은 상태를 실현시키는 것이므로 그 범위 내에서 **형성력**을 가지는 것으로 볼 수 있다.

ⓑ **대인적 효력**: 집행정지결정은 당사자뿐만 아니라 **관계행정청**과 **제3자**에게도 효력을 미친다.

ⓒ **시간적 효력**: 집행정지결정의 효력은 당해 결정의 **주문에 정해진 시기**까지 존속한다.

⑤ **집행정지결정의 취소**: 집행정지결정을 한 후에 집행정지가 공공복리에 중대한 영향을 미치거나 그 정지사유가 없어진 때에는 행정심판위원회는 당사자의 신청 또는 직권에 의하여 집행정지결정을 취소할 수 있다.

(3) 임시처분(제31조)

① **의의와 제도적 취지**: 개정 전 행정심판법에서는 의무이행심판을 인정하면서도 임시지위를 정하는 임시구제절차는 인정하고 있지 않아 의무이행심판에 의한 권리구제의 실효성이 제약되는 문제점이 있었다. 이에 개정 행정심판법(2010.1.25.)은 소송에서의 가처분에 해당하는 **임시처분**을 인정하고 있다.

② 임시처분의 요건

㉠ 적극적 요건

ⓐ 행정심판**청구**가 **계속**될 것

ⓑ 처분 또는 부작위가 **위법 · 부당**하다고 상당히 의심되는 경우일 것

ⓒ 처분 또는 부작위 때문에 당사자가 받을 우려가 있는 중대한 불이익이나 당사자에게 생길 급박한 위험을 막기 위하여 임시지위를 정하여야 할 필요가 있는 경우일 것

㉡ **소극적 요건**: 공공복리에 중대한 영향을 미칠 우려가 없을 것

③ **보충성**: 임시처분은 집행정지로 목적을 달성할 수 있는 경우에는 허용되지 아니한다. 따라서 임시처분은 집행정지로 구제되지 않는 **거부처분**과 부작위에 대해서만 적용된다.

④ **집행정지에 관한 규정 적용**: 임시처분의 절차 및 효력, 임시처분결정의 취소에 대해서는 집행정지에 관한 규정이 적용된다.

핵심 OX

01 행정심판위원회는 심판청구된 행정청의 부작위가 위법 · 부당하다고 상당히 의심되는 경우로서 당사자가 받을 우려가 있는 중대한 불이익이나 당사자에게 생길 급박한 위험을 막기 위하여 임시지위를 정할 필요가 있는 경우 직권 또는 당사자의 신청에 의하여 임시처분을 결정할 수 있다.
18. 국가7급 · 국가9급 · 서울9급, 13. 국회9급 (   )

02 행정심판위원회는 임시처분을 결정한 후에 임시처분이 공공복리에 중대한 영향을 미치는 경우에는 직권으로 또는 당사자의 신청에 의하여 이 결정을 취소할 수 있다.
19. 지방9급 (   )

03 임시처분은 집행정지와 보충성 관계가 없고, 행정심판위원회는 집행정지로 목적을 달성할 수 있는 경우에도 임시처분결정을 할 수 있다.
14. 지방9급 (   )

01 ○ **02** ○ **03** X

제5절 행정심판의 심리, 재결

1 행정심판의 심리

행정심판의 심리는 행정심판위원회의 권한에 속한다. 행정심판법은 심리절차의 객관적인 공정성을 보장하기 위하여 양 당사자로 대치시킨 다음, 이들이 각각 공격 · 방어의 방법으로 의견진술과 증거 등을 제출하게 하고, 행정심판위원회가 제3자적 입장에서 심리를 진행함으로써 '심리절차의 사법화'를 도모하고 있다.

1. 내용

(1) 요건심리

이는 행정심판을 제기하는데 **필요한 요건**을 **충족**하고 있는가에 관한 심리를 말한다. '형식적 심리'또는 '본안전 심리'라고도 한다. 그 심리사항으로는 행정심판의 대상인 처분 또는 부작위의 존재 여부 · 권한 있는 행정심판위원회에의 제기 여부 · 필요한 절차의 경유 여부 · 심판청구기간의 준수 여부 및 심판청구기재사항의 구비 여부 등이 있다. 요건심리의 결과, 요건을 갖추지 않으면 부적법한 것으로 인정되어 이를 **각하**한다. 그러나 요건을 충족하고 있지 않지만, 보정이 가능한 것이면 **보정**을 **명**하거나 보정할 사항이 경미한 경우에는 **직권**으로 **보정**할 수 있다. 요건심리는 **재결 전**까지는 언제라도 가능하다.

(2) 본안심리

이는 심판청구인의 청구가 옳은 것인지 그른 것인지에 관하여 심리하는 것을 말한다. '실질적 심리'라고도 한다. 본안심리는 요건심리의 결과 심판청구를 적법한 것으로 수리한 것을 전제로 당해 심판청구의 취지를 **인용**할 것인지 아니면 **기각**할 것인지를 판단하기 위한 심리이다.

2. 범위

(1) 불고불리 및 불이익변경금지(제47조)

행정심판의 심리 · 재결에 불고불리의 원칙 및 불이익변경금지의 원칙이 적용되는가의 여부에 대해 행정심판법은 행정심판의 행정구제적 기능을 살리기 위하여 행정심판의 재결에 이 원칙들의 적용을 인정하였다. 따라서 행정심판위원회는 심판청구의 대상인 처분 또는 부작위 외의 사항에 대해서는 재결을 하지 못하며, 심판청구의 대상인 처분보다 청구인에게 불이익한 재결을 하지 못한다. 이 원칙들은 재결의 범위에 관하여 규정되어 있으나, 심리에 있어서도 적용된다고 본다.

(2) 법률문제와 사실문제

행정심판의 심리에 있어서, 심판청구의 대상인 처분이나 부작위에 관한 **적법 · 위법**의 판단인 법률문제뿐만 아니라 재량행위에 있어서의 **당 · 부당**의 문제를 포함한 사실문제에 대하여도 심리할 수 있다. 따라서 행정심판은 당 · 부당의 문제까지 심리할 수 있다는 점에서 행정소송보다 국민의 권리구제에 더 효과적이다.

핵심 OX

04 행정심판과 행정소송 양자는 행정권에 대한 국민의 권리구제 기능을 한다는 점에서는 공통되지만, 행정소송이 제3자 기관인 법원에 의해 심판되므로 낭사자가 청구한 범위 내에서만 심리 · 판단하는데 대하여, 행정심판은 행정조직 내에서 자기통제 기능을 겸하기 때문에 심판청구의 대상이 되는 처분 또는 부작위 외의 사항에 대하여도 재결할 수 있다. 15. 서울9급, 10. 국가9급 ( )

05 행정심판위원회는 필요하다고 판단하는 경우에는 심판청구의 대상이 되는 처분보다 청구인에게 불리한 재결을 할 수 있다. 18. 지방교행, 13. 지방9급, 09. 국가9급 ( )

06 행정심판위원회는 법원과 달리 심판청구의 대상이 위법에 이르지 않더라도 처분에 대하여 취소 또는 변경의 재결을 할 수 있다. ( )

04 X 05 X 06 O

3. 절차

(1) 심리절차의 기본원칙

① **대심주의**: 대심주의는 서로 대립되는 당사자 쌍방에게 대등한 공격·방어방법을 제출할 수 있는 기회를 보장하는 제도를 말한다. 행정심판법은 행정심판절차에 사법절차가 준용되어야 한다는 헌법 제107조 제3항의 취지에 따라 심판청구의 당사자를 청구인과 피청구인의 대립관계로 정립한 다음, 서로 **대등한 입장**에서 **공격·방어방법을 제출**할 수 있게 하고, 행정심판위원회가 제3자적 입장에서 심리를 진행하도록 하는 대심주의를 채택하고 있다.

② **직권심리주의**: 행정심판법은 당사자주의를 원칙으로 하면서도, 심판청구의 심리를 위하여 필요하다고 인정되는 경우에는 심리기관인 행정심판위원회로 하여금 당사자가 **주장하지 않은 사실**에 대해서도 심리하고, 증거조사를 할 수 있도록 하고 있다.

행정심판법 39조【직권심리】 위원회는 필요하면 당사자가 주장하지 아니한 사실에 대하여도 심리할 수 있다.

관련판례

행정심판에 있어서 재결청이 행정처분의 위법·부당 여부를 재결 당시까지 제출된 모든 자료를 종합하여 판단할 수 있는지 여부(적극)

행정심판에 있어서 행정처분의 위법·부당 여부는 원칙적으로 처분시를 기준으로 판단하여야 할 것이나, 재결청은 처분 당시 존재하였거나 행정청에 제출되었던 자료뿐만 아니라, 재결 당시까지 제출된 모든 자료를 종합하여 처분 당시 존재하였던 객관적 사실을 확정하고 그 사실에 기초하여 처분의 위법·부당 여부를 판단할 수 있다(대판 2001.7.27. 99두5092).

③ **서면심리주의와 구술심리주의(제40조)**: 행정심판의 심리방식에는 **서면심리주의**와 **구술심리주의**가 있다. 행정심판법은 "행정심판의 심리는 구술심리와 서면심리로 한다. 다만, 당사자가 구술심리를 신청한 때에는 서면심리만으로 결정할 수 있다고 인정되는 경우 외에는 구술심리를 하여야 한다."라고 규정하고 있다. 이 규정의 의미에 대하여 ㉠ 구술심리가 서면심리의 보충적인 것이라는 견해(서면심리우선설: 다수설)와, ㉡ 구술심리가 서면심리에 우선하는 것이라는 견해(구술심리우선설)가 대립된다.

④ **비공개주의(다수설)**: 행정심판법에는 이에 관한 명문의 규정은 없으나 서면심리주의·직권심리주의 등을 채택한 동법의 구조로 보아 **비공개주의**를 원칙으로 한다. 물론 행정심판위원회가 필요하다고 인정할 때에는 공개를 결정할 수 있다.

(2) 당사자의 절차적 권리

① **당사자**: 당사자는 ㉠ 행정심판위원회의 위원 또는 직원에 대한 **기피신청권**(제10조 제2항), ㉡ 구술심리신청권(제40조 제1항), ㉢ 심판청구서나 답변서 또는 참가신청서를 제출한 후에, 이미 제출한 주장사실을 보충하거나 상대방의 주장을 반박하기 위하여 보충서면을 제출할 수 있는 **보충서면제출권**(제33조), ㉣ 심판청구서·답변서 또는 참가신청서 등에 그의 주장을 뒷받침하기 위하여 필요한 증거서류나 증거물을 제출할 수 있는 **물적증거제출권**(제34조), ㉤ 당해 심판청구

핵심 OX

01 행정심판위원회는 당사자가 주장하지 아니한 사실에 대하여 심리할 수 없다. 19·16. 지방9급 ( )

[02-03] 음식점을 운영하는 甲은 미성년자인 乙에게 음주를 제공한 사실이 적발되어, 관련법령에 따라 A자치구의 구청장인 丙으로부터 영업정지 2개월의 처분을 받았다. 이에 甲은 A자치구를 관할로 하는 B광역시 산하의 행정심판위원회(이하 'C'라 한다)에 행정심판을 제기하고자 한다. 19. 서울9급(2월)

02 C는 필요하면 甲이 주장하지 아니한 사실에 대해서도 심리할 수 있다. ( )

03 甲은 丙의 영업정지처분에 대하여 C에 취소심판청구 및 집행정지 신청을 할 수 있다. ( )

04 행정심판에 있어서 행정처분의 위법·부당 여부는 원칙적으로 처분시를 기준으로 판단하여야 할 것이나, 재결 당시까지 제출된 모든 자료를 종합하여 처분 당시 존재하였던 객관적 사실을 확정하고 그 사실에 기초하여 처분의 위법·부당 여부를 판단할 수 있다. 15. 지방9급 ( )

05 행정심판법에 명문규정은 없으나, 법의 전체적 구조상 비공개심리주의를 채택하고 있다고 볼 수 있다. 06. 국가9급 ( )

06 당사자가 구술심리를 신청하면 당사자주의에 의하여 구술심리를 하여야 하고 서면심리를 할 수는 없다. 08. 지방9급, 06. 국가9급 ( )

01 X 02 O 03 O 04 O 05 O 06 X

사건의 심리에 있어서 자기의 주장을 뒷받침하기 위하여 필요하다고 인정할 때에는 위원회에 본인·참고인신문, 검증·감정 또는 증거자료의 제출요구 등 증거조사를 신청할 수 있는 **증거조사신청권**(제36조) 등을 가진다.

② **심판참가인(제20조~제22조)**: 심판참가인은 관련 서류를 송달받는 등 **당사자에 준하는** 절차적 권리를 가진다.

③ **이의신청권**: 종래에는 위원회의 절차적 사항에 대한 결정에 대하여는 당사자가 다툴 방법이 없었다. 이에 개정을 통해 절차적 사항에 대한 행정심판위원회의 결정에 대해 이의신청제도를 도입하였다(2010.1.25. 개정). 따라서 ㉠ 지위승계의 불허가(제16조 제8항), ㉡ 피청구인의 변경불허가(제17조 제6항), ㉢ 참가신청의 불허가(제20조 제6항) 및 ㉣ 청구변경의 불허가(제29조 제7항) 등에 대해서는 행정심판위원회에 **이의신청**을 할 수 있다.

(3) 심리의 병합과 분리(제37조)

행정심판법은 행정심판사건에 대한 심리의 신속성과 경제성을 도모하기 위해 심리의 병합과 분리를 인정하고 있다. ① 행정심판위원회는 필요하다고 인정할 때에는 관련된 심판청구를 **병합**하여 심리할 수 있고, ② 행정심판위원회는 필요하다고 인정할 때에는 병합된 관련청구를 **분리**하여 심리할 수 있다.

관련판례

항고소송에서 행정청이 처분의 근거 사유를 추가하거나 변경하기 위한 요건인 '기본적 사실관계의 동일성'유무의 판단 방법 및 이러한 법리가 행정심판 단계에서도 적용되는지 여부(적극)

행정처분의 취소를 구하는 항고소송에서 처분청은 당초 처분의 근거로 삼은 사유와 기본적 사실관계가 동일성이 있다고 인정되는 한도 내에서만 다른 사유를 추가 또는 변경할 수 있고, 이러한 기본적 사실관계의 동일성 유무는 처분사유를 법률적으로 평가하기 이전의 구체적 사실에 착안하여 그 기초인 사회적 사실관계가 기본적인 점에서 동일한지에 따라 결정되므로, 추가 또는 변경된 사유가 처분 당시에 이미 존재하고 있었다거나 당사자가 그 사실을 알고 있었다고 하여 당초의 처분사유와 동일성이 있다고 할 수 없다. 그리고 이러한 법리는 행정심판 단계에서도 그대로 적용된다(대판 2014.5.16. 2013두26118).

2 행정심판의 재결

1. 의의

(1) 재결은 행정심판청구사건에 대하여 행정심판위원회가 심리·의결한 내용에 따라 행하는 **종국적 판단**인 **의사표시**를 말한다.

(2) 재결은 행정법상 법률관계에 관한 분쟁에 대하여 행정심판위원회가 일정한 절차를 거쳐서 판단·확정하는 행위이므로 **확인행위**로서의 성질을 가진다. 또한 심판청구를 전제로 한 것일 뿐만 아니라 판단의 작용이라는 점에서 판결과 성질이 비슷하므로 **준사법적**(準司法的)행정행위에 해당한다고 볼 수 있다. 재결도 하나의 처분이므로 **재결** 자체에 **고유한 위법**이 있는 경우에는 **취소소송의 대상**이 된다.

핵심 OX

07 행정청은 당초 처분사유와 기본적 사실관계가 동일하지 아니한 처분사유를 행정소송 계속 중에는 추가·변경할 수 없으나 행정심판 단계에서는 추가·변경할 수 있다. 17. 지방7급 ( )

08 행정심판에서는 항고소송에서와 달리 처분청이 당초 처분의 근거로 삼은 사유와 기본적 사실관계가 동일성이 인정되지 않는 다른 사유를 처분사유로 추가하거나 변경할 수 있다. 18. 국가9급 ( )

07 X 08 X

2. 절차와 형식

(1) 재결기간(제45조)

① 재결은 행정심판위원회 또는 피청구인인 행정청이 심판청구서를 받은 날로부터 **60일 이내**에 한다. 부득이한 사정이 있는 때에는 1차에 한하여 **30일**을 넘지 아니하는 범위 안에서 결정으로써 **연장**할 수 있다(동조 제1항). 위의 재결기간에는 심판청구가 부적합하여 보정을 명하는 경우의 보정기간은 산입하지 않는다(제32조 제5항). 위원장은 재결기간을 연장할 경우에는 재결기간이 끝나기 7일 전까지 당사자에게 알려야 한다(제45조 제2항).

② 행정심판법이 재결기간을 명문으로 규정한 것은 행정법관계의 조속한 확정과 신속한 심리 · 재결을 도모하기 위한 것이다. 그러나 이러한 재결기간은 **예시규정**으로 본다. 따라서 기간이 경과한 후에 재결이 이루어지더라도 효력을 갖는다.

(2) 재결의 방식(제46조 제1항)

재결은 서면으로 한다. 재결서에는 사건번호와 사건명, 당사자 · 대표자 또는 대리인의 이름과 주소, 청구의 취지 · 이유, 재결의 날짜를 기재하고 기명 · 날인하여야 한다. 또한 재결서에 기재하는 이유에는 주문내용이 정당함을 인정할 수 있는 정도로 판단을 표시하여야 한다.

(3) 재결의 범위

① **불고불리 및 불이익변경금지의 원칙**: 행정심판법은 불고불리의 원칙과 불이익변경금지의 원칙을 명문화하여 행정심판의 권리구제의 기능을 높였다. 행정심판위원회는 심판청구의 대상이 되는 처분 또는 부작위 이외의 사항에 대해서는 재결할 수 없으며, 심판청구의 대상이 되는 처분보다 청구인에게 불이익한 재결을 할 수 없다.

② **재량문제에 대한 판단**: 행정심판은 **위법**한 처분이나 부작위뿐만 아니라 **부당**한 처분이나 부작위도 그 대상이 된다. 따라서 행정심판위원회는 재량행위와 관련하여 재량의 일탈 · 남용 등과 같은 재량권 행사의 **위법** 여부뿐만 아니라 재량한계 내에서의 재량권 행사의 **당부**에 대해서도 판단할 수 있다.

(4) 재결의 송달

① **재결의 송달과 효력발생(제48조)**: 행정심판위원회가 재결을 한 때에는 지체 없이 당사자에게 재결서의 **정본을 송달**하여야 한다. 재결은 청구인에게 재결서의 정본의 송달이 있는 경우 그 효력이 발생한다. 또한 참가인에게는 재결서의 등본을 지체 없이 송달하여야 한다. 한편 행정심판이 처분의 상대방 이외의 제3자에 의해 제기된 경우에 신청에 따른 처분이 절차의 위법 또는 부당을 이유로 재결로써 취소된 경우에도 행정심판위원회는 지체 없이 그 재결서의 등본을 상대방에게 송달하여야 한다.

② **공고(제49조 제4항 · 제5항)**: 법령의 규정에 따라 공고하거나 고시한 처분이 재결로써 취소되거나 변경되면 처분을 한 행정청은 지체 없이 그 처분이 취소 또는 변경되었다는 것을 공고하거나 고시하여야 한다. 법령의 규정에 따라 처분의 상대방 외의 이해관계인에게 통지된 처분이 재결로써 취소되거나 변경되면 처분을 한 행정청은 지체 없이 그 이해관계인에게 그 처분이 취소 또는 변경되었다는 것을 알려야 한다.

핵심 OX

01 재결은 피청구인 또는 위원회가 심판청구서를 받은 날부터 60일 이내에 하여야 한다. 다만, 부득이한 사정이 있는 경우에는 위원장이 직권으로 30일을 연장할 수 있다. 19. 서울9급(2월), 11. 국회8급, 08. 지방9급 (   )

핵심 OX

02 재결은 서면으로 하며 재결서에 적는 이유에는 주문 내용이 정당하다는 것을 인정할 수 있는 정도의 판단을 표시하여야 한다. 19. 국회8급 (   )

03 행정심판위원회는 심판청구의 대상이 되는 처분 또는 부작위 외의 사항에 대하여도 재결할 수 있다. 15. 사복 (   )

핵심 OX

04 행정심판위원회로부터 재결서의 정본을 송달받은 행정청은 청구인 및 참가인에게 재결서의 등본을 송달하여야 한다. 11. 지방9급 (   )

05 처분의 상대방이 아닌 제3자가 심판청구를 한 경우 위원회는 재결서의 등본을 지체 없이 피청구인을 거쳐 처분의 상대방에게 송달하여야 한다. 19. 국회8급 (   )

01 ○ 02 ○ 03 X 04 X 05 ○

3. 종류

행정심판법 제43조【재결의 구분】 ① 위원회는 심판청구가 적법하지 아니하면 그 심판청구를 각하(却下)한다.
② 위원회는 심판청구가 이유가 없다고 인정하면 그 심판청구를 기각(棄却)한다.
③ 위원회는 취소심판의 청구가 이유가 있다고 인정하면 처분을 취소 또는 다른 처분으로 변경하거나 처분을 다른 처분으로 변경할 것을 피청구인에게 명한다.
④ 위원회는 무효등확인심판의 청구가 이유가 있다고 인정하면 처분의 효력 유무 또는 처분의 존재 여부를 확인한다.
⑤ 위원회는 의무이행심판의 청구가 이유가 있다고 인정하면 지체 없이 신청에 따른 처분을 하거나 처분을 할 것을 피청구인에게 명한다.

제43조의2【조정】 ① 위원회는 당사자의 권리 및 권한의 범위에서 당사자의 동의를 받아 심판청구의 신속하고 공정한 해결을 위하여 조정을 할 수 있다. 다만, 그 조정이 공공복리에 적합하지 아니하거나 해당 처분의 성질에 반하는 경우에는 그러하지 아니하다.
② 위원회는 제1항의 조정을 함에 있어서 심판청구된 사건의 법적·사실적 상태와 당사자 및 이해관계자의 이익 등 모든 사정을 참작하고, 조정의 이유와 취지를 설명하여야 한다.
③ 조정은 당사자가 합의한 사항을 조정서에 기재한 후 당사자가 서명 또는 날인하고 위원회가 이를 확인함으로써 성립한다.

(1) 각하재결

각하재결은 요건심리의 결과 심판청구의 제기요건을 결여한 부적법한 심판청구라 하여 본안에 대한 **심리를 거절**하는 재결이다. '요건재결'이라고도 한다. 청구인적격이 없는 자가 심판청구를 제기한 경우가 그 예에 해당한다.

(2) 기각재결

① 이는 본안심리의 결과, 그 심판청구가 이유 없다고 인정하여 청구를 배척하고 원처분을 지지하는 재결을 말한다.

② 기각재결은 원처분을 시인하는 것일 뿐 그 효력을 확정하거나 강화하는 것은 아니므로, 기각재결이 있은 후에도 **처분청**은 직권으로 **원래의 처분을 취소·변경** 할 수 있다.

(3) 사정재결(제44조)

① **의의:** 심판청구에 대한 심리의 결과, 그 청구가 이유 있다고 인정되는 경우에도 그 처분을 취소·변경하는 것이 현저히 **공공복리**에 어긋난다고 인정하는 때에는 그 심판청구를 기각하는 재결을 할 수 있다. 이 경우의 재결을 **'사정재결'**이라 한다.

② 요건

㉠ 심판청구가 이유 있다고 인정됨에도 불구하고, 당해 행정심판청구를 인용하는 것이 현저히 공공복리에 적합하지 않다고 인정되는 경우여야 한다.

㉡ 행정심판위원회가 사정재결을 하는 경우에는 **재결의 주문**에 그 '처분이나 부작위가 **위법** 또는 **부당**한 것'임을 **명시**하여야 한다. 이는 사정재결을 하더라도 위법 또는 부당한 처분이 적법처분으로 전환되는 것은 아니라는 것을 명백히 하기 위한 것이다. 동시에 원래의 처분에 대하여 행정소송을 제기하거나 국가배상청구소송을 제기하는 경우에 의미를 갖게 된다.

핵심 OX

06 기각재결이 있은 후에는 처분청은 직권으로 당해 처분을 취소할 수 없다. 13. 지방9급, 07. 대구9급 ( )

07 행정심판위원회는 사정재결을 함에 있어서 청구인에 대하여 상당한 구제방법을 취하거나 피청구인에게 상당한 구제방법을 취할 것을 명할 수 있으나, 재결주문에 그 처분 등이 위법 또는 부당함을 명시할 필요는 없다. 15. 국회8급 ( )

08 행정심판위원회는 무효확인심판의 청구가 이유가 있더라도 이를 인용하는 것이 공공복리에 크게 위배된다고 인정하면 그 청구를 기각하는 재결을 할 수 있다. 18. 국회8급, 15. 사복 ( )

09 행정심판법에는 행정소송법의 경우와는 달리 사정재결의 규정이 없다. 17. 국가9급(10월), 14. 국회8급 ( )

06 X 07 X 08 X 09 X

③ **구제방법:** 사정재결을 하는 경우에 행정심판위원회는 직접 청구인에 대하여 상당한 구제방법을 취하거나 피청구인인 행정청으로 하여금 상당한 구제방법을 취할 것을 명할 수 있다. 이때의 '명할 수 있다'는 것은 '명하여야 한다'는 취지로 본다. 따라서 행정심판위원회는 재결의 하나로 손해배상 · 제해시설의 설치 기타의 구제방법을 직접 강구할 수도 있고, 일정한 구제방법을 취하도록 처분청이나 부작위청에 명할 수도 있다.

④ **적용범위:** 사정재결의 경우 **취소심판 · 의무이행심판**에서만 인정이 되고, 무효등확인심판에서는 적용이 되지 않는다.

(4) 인용재결

① **취소 · 변경재결**

㉠ **의의:** 이는 취소심판의 청구가 이유 있다고 인정하여, 당해 처분을 취소 또는 변경하거나 피청구인인 처분청에 대하여 다른 처분으로 변경을 명하는 내용의 재결이다.

㉡ **성질:** 따라서 취소 · 변경재결에는 **처분취소재결 · 처분변경재결**과 **처분변경명령재결**이 있다. 이 중에서 처분취소재결 · 처분변경재결은 형성적 재결이고, 처분변경명령재결은 이행적 재결에 해당한다.

> **관련판례**
>
> **행정심판위원회가 직접 처분을 하기 위한 요건**
>
> 재결청(현 행정심판위원회)이 직접 처분을 하기 위하여는 처분의 이행을 명하는 재결이 있었음에도 당해 행정청이 아무런 처분을 하지 아니하였어야 하므로, 당해 행정청이 어떠한 처분을 하였다면 그 처분이 재결의 내용에 따르지 아니하였다고 하더라도 재결청이 직접 처분을 할 수는 없다(대판 2002.7.23. 2000두9151).

㉢ **내용:** 처분을 취소하는 재결은 당해 처분의 **전부취소**를 내용으로 하는 경우와 **일부취소**에 관한 것이다. 한편 변경재결은 단순히 소극적인 일부취소재결을 의미하는 것이 아니라 처분내용의 적극적 변경, 즉 원래의 처분을 대신하여 다른 처분으로서의 변경(예 면허취소처분을 면허정지처분으로 변경)을 의미하는 것이다. 이러한 해석은 '취소'와 함께 '변경'을 따로 인정함과 아울러 의무이행재결을 인정하고 있는 행정심판법의 취지에 근거한 것이다.

② **확인재결:** 이는 무효등확인심판의 청구가 이유 있다고 인정하여, 당해 처분의 **효력 유무** 또는 **존재 여부**를 **확인**하는 재결이다. 이러한 확인재결에는 처분무효확인재결 · 처분유효확인재결 · 처분존재확인재결 · 처분부존재확인재결 · 처분실효확인재결 등이 있다.

③ **이행재결:** 이는 의무이행심판청구가 이유 있다고 인정할 때에 행정심판위원회가 신청에 따른 처분을 직접 하거나(처분재결: 형성재결), 행정청(부작위청)에 이를 하도록 명하는 재결(처분명령재결: 이행재결)을 말한다. 한편 통설은 '신청에 따른 처분'은 반드시 청구인의 신청 내용대로의 처분이라고 해석하지 않는다.

핵심 OX

01 취소심판에서는 스스로 처분을 취소하거나 다른 처분으로 변경할 수 없다. 13. 서울7급, 12. 지방7급 ( )

02 행정심판위원회는 甲의 취소심판청구가 이유 있다고 인정하면 2개월의 영업정지처분을 1개월의 영업정지처분으로 변경하는 재결을 할 수 있다. 19. 서울9급(2월) ( )

03 취소심판의 인용재결에는 취소재결, 취소명령재결, 변경재결, 변경명령재결이 있다. 19. 서울7급, 14. 지방9급 · 국회8급 ( )

04 행정심판에서는 변경재결과 같이 원처분을 적극적으로 변경하는 것도 가능하다. 15. 서울9급 ( )

05 위원회는 의무이행심판의 청구가 이유가 있다고 인정하면 지체 없이 신청에 따른 처분을 하거나 처분을 할 것을 피청구인에게 명한다. 19. 국회8급, 10. 국가9급 ( )

06 재결에 의하여 취소되는 처분이 당사자의 신청을 거부하는 것을 내용으로 하는 경우라도 그 처분을 한 행정청이 재결의 취지에 따라 다시 이전의 신청에 대한 처분을 하여야 할 의무는 없다. 18. 서울7급 ( )

01 X **02** O **03** X **04** O **05** O **06** X

4. 효력

행정심판법 제49조 【재결의 기속력 등】 ① 심판청구를 인용하는 재결은 피청구인과 그 밖의 관계 행정청을 기속(羈束)한다.

② 재결에 의하여 취소되거나 무효 또는 부존재로 확인되는 처분이 당사자의 신청을 거부하는 것을 내용으로 하는 경우에는 그 처분을 한 행정청은 재결의 취지에 따라 다시 이전의 신청에 대한 처분을 하여야 한다.

③ 당사자의 신청을 거부하거나 부작위로 방치한 처분의 이행을 명하는 재결이 있으면 행정청은 지체 없이 이전의 신청에 대하여 재결의 취지에 따라 처분을 하여야 한다.

④ 신청에 따른 처분이 절차의 위법 또는 부당을 이유로 재결로써 취소된 경우에는 제2항을 준용한다.

⑤ 법령의 규정에 따라 공고하거나 고시한 처분이 재결로써 취소되거나 변경되면 처분을 한 행정청은 지체 없이 그 처분이 취소 또는 변경되었다는 것을 공고하거나 고시하여야 한다.

⑥ 법령의 규정에 따라 처분의 상대방 외의 이해관계인에게 통지된 처분이 재결로써 취소되거나 변경되면 처분을 한 행정청은 지체 없이 그 이해관계인에게 그 처분이 취소 또는 변경되었다는 것을 알려야 한다.

제50조 【위원회의 직접 처분】 ① 위원회는 피청구인이 제49조 제3항에도 불구하고 처분을 하지 아니하는 경우에는 당사자가 신청하면 기간을 정하여 서면으로 시정을 명하고 그 기간에 이행하지 아니하면 직접 처분을 할 수 있다. 다만, 그 처분의 성질이나 그 밖의 불가피한 사유로 위원회가 직접 처분을 할 수 없는 경우에는 그러하지 아니하다.

② 위원회는 제1항 본문에 따라 직접 처분을 하였을 때에는 그 사실을 해당 행정청에 통보하여야 하며, 그 통보를 받은 행정청은 위원회가 한 처분을 자기가 한 처분으로 보아 관계 법령에 따라 관리 · 감독 등 필요한 조치를 하여야 한다.

제50조의2 【위원회의 간접강제】 ① 위원회는 피청구인이 제49조 제2항(제49조 제4항에서 준용하는 경우를 포함한다) 또는 제3항에 따른 처분을 하지 아니하면 청구인의 신청에 의하여 결정으로 상당한 기간을 정하고 피청구인이 그 기간 내에 이행하지 아니하는 경우에는 그 지연기간에 따라 일정한 배상을 하도록 명하거나 즉시 배상을 할 것을 명할 수 있다.

② 위원회는 사정의 변경이 있는 경우에는 당사자의 신청에 의하여 제1항에 따른 결정의 내용을 변경할 수 있다.

③ 위원회는 제1항 또는 제2항에 따른 결정을 하기 전에 신청 상대방의 의견을 들어야 한다.

④ 청구인은 제1항 또는 제2항에 따른 결정에 불복하는 경우 그 결정에 대하여 행정소송을 제기할 수 있다.

⑤ 제1항 또는 제2항에 따른 결정의 효력은 피청구인인 행정청이 소속된 국가 · 지방자치단체 또는 공공단체에 미치며, 결정서 정본은 제4항에 따른 소송제기와 관계없이 민사집행법에 따른 강제집행에 관하여는 집행권원과 같은 효력을 가진다. 이 경우 집행문은 위원장의 명에 따라 위원회가 소속된 행정청 소속 공무원이 부여한다.

⑥ 간접강제 결정에 기초한 강제집행에 관하여 이 법에 특별한 규정이 없는 사항에 대하여는 민사집행법의 규정을 준용한다. 다만, 민사집행법 제33조(집행문부여의 소), 제34조(집행문부여 등에 관한 이의신청), 제44조(청구에 관한 이의의 소) 및 제45조(집행문부여에 대한 이의의 소)에서 관할 법원은 피청구인의 소재지를 관할하는 행정법원으로 한다.

핵심 OX

07 행정심판에서 행정심판위원회는 행정청의 부작위가 위법, 부당하다고 판단되면 직접 처분을 할 수 있으나 행정소송에서 법원은 행정청의 부작위가 위법한 경우에만 직접 처분을 할 수 있다. 18. 국가9급, 14. 국회8급 ( )

08 행정심판위원회는 피청구인이 거부처분의 취소재결에도 불구하고 처분을 하지 아니하는 경우에는 당사자가 신청하면 기간을 정하여 서면으로 시정을 명하고, 그 기간에 이행하지 아니하면 직접 처분을 할 수 있다. 18. 지방7급 ( )

09 행정심판위원회가 직접 처분을 한 경우에는 그 사실을 해당 행정청에 통보하여야 하며, 통보를 받은 행정청은 행정심판위원회가 한 처분을 자기가 한 처분으로 보아 관계 법령에 따라 관리 · 감독 등 필요한 조치를 하여야 한다. 15. 국회8급, 14. 지방9급 ( )

10 행정심판위원회는 피청구인이 의무이행재결의 취지에 따른 처분을 하지 아니하면 청구인의 신청에 의하여 결정으로 상당한 기간을 정하고 피청구인이 그 기간 내에 이행하지 아니하는 경우에는 그 지연기간에 따라 일정한 배상을 하도록 명하거나 즉시 배상을 할 것을 명할 수 있다. 18. 국가7급, 14. 지방9급 ( )

11 청구인은 행정심판위원회의 간접강제 결정에 불복하는 경우 그 결정에 대하여 행정소송을 제기할 수 있다. 19. 지방9급 ( )

12 행정심판 청구인은 행정심판위원회의 간접강제 결정에 불복하는 경우 그 결정에 대하여 행정소송을 제기할 수 없다. 18. 서울7급 ( )

07 X 08 X 09 O 10 O 11 O 12 X

재결은 행정심판위원회가 청구인에게 지체 없이 **재결서**의 **정본을 송달한 때**에 그 효력이 생긴다. 재결의 효력은 당해 심판청구의 대상인 처분이나 부작위에 대하여 발생한다. 재결은 행정행위의 하나로 행정행위가 일반적으로 갖는 효력이 인정되는 이외에도 행정심판법이 인정한 기속력을 갖는다.

(1) 인용재결의 효력

① 형성력

㉠ 형성력은 기존의 **법률관계에 변동**을 가져오는 효력을 말한다. 처분을 취소하는 내용의 재결이 있으면, 처분의 효력은 처분청의 별도의 행위를 기다릴 것 없이 처분시에 소급하여 소멸되고, 변경재결에 의하여 원래의 처분이 취소되고 이를 대신하는 별도의 처분이 이루어진 뒤에도 새로운 처분의 효력을 즉시 발생하게 되는 것은 모두 재결의 형성력의 효과인 것이다.

㉡ 판례도 "형성적 재결이 있은 경우에는 그 대상이 된 행정처분은 재결 자체에 의하여 당연히 취소되어 소멸된다."라고 한다(대판 1999.12.16. 98두18619 전합).

㉢ 형성력에 의한 법률관계는 **제3자**에게도 미친다. 그러므로 형성력은 '대세적 효력'이다.

㉣ 한편 행정심판법은 행정심판위원회가 스스로 취소·변경하거나 처분청에게 변경을 명령할 수 있다고 규정하고 있다. 그리고 형성력은 전자의 경우에만 발생한다고 본다. 한편 행정심판위원회가 처분청에 처분변경명령재결을 한 경우에는 당해 재결은 형성력이 아니라 기속력이 발생한다.

② 기속력

㉠ **의의:** 재결은 피청구인인 **행정청**과 그 밖의 **관계행정청**을 **기속**한다. 재결의 기속력은 이와 같이 피청구인인 행정청이나 관계행정청으로 하여금 재결의 취지에 따라 행동할 의무를 발생시키는 효력을 말한다.

㉡ **내용**

반복금지의무 (부작위의무)	청구인용재결이 있게 되면 관계행정청은 그 재결을 준수하여야 한다. 그러므로 그 재결에 저촉되는 행위를 할 수 없다. 즉, 관계행정청은 당해 재결의 내용에 모순되는 내용의 동일한 처분을 **동일한 사실관계**하에서 반복할 수 없다는 것이다.
재처분의무 (적극적 의무)	• 당사자의 신청을 거부하거나 부작위로 방치한 처분의 '이행을 명하는 재결'이 있는 경우에는 행정청은 지체 없이 그 재결의 취지에 따라 다시 이전의 신청에 대한 처분을 하여야 한다. 이때 **기속행위** 또는 **0으로 수축**되는 **재량행위**의 경우에는 **신청한 대로** 처분을 하여야 한다. 그러나 일반적으로 **재량행위**의 경우에는 청구인이 신청한 대로 처분할 필요는 없고, 다시 **하자 없는** 내용의 **재량행위**를 발령하는 것이 그 내용이 된다. • 만약 당해 행정청이 처분을 하지 않은 경우에는 행정심판위원회가 당사자의 신청에 따라 기간을 정하여 서면으로 시정을 명하고, 그 기간 내에 이행하지 않은 경우에는 직접 당해 처분을 할 수 있다.
결과제거의무	법령에 명문규정은 없으나, 재결에 의하여 처분이 **취소**되거나 **무효**로 확인된 경우에는 행정청은 위법·부당으로 판정된 처분에 의해 야기된 상태를 제거해야 할 의무가 있다고 본다.

핵심 OX

01 형성력을 가지는 취소재결이 있는 경우 그 대상이 된 행정처분은 재결 자체에 의해 당연취소되어 소멸한다. 12. 사복 ( )

02 재결의 형성력은 행정심판위원회가 직접처분의 취소·변경 등을 하지 않은 처분의 변경명령재결 또는 의무이행명령재결의 경우에 발생한다. 12. 국회8급 ( )

03 인용재결에 대하여 처분청은 행정소송으로 불복할 수 있다. 06. 관세사 ( )

04 행정심판 재결의 기속력은 인용재결뿐만 아니라 각하재결과 기각재결에도 인정되는 효력이다. 19. 서울9급(6월), 18. 서울9급, 13. 지방9급 ( )

05 행정심판은 취소재결의 경우 기판력과 기속력이 인정된다. 18. 서울7급 ( )

06 행정청은 시정명령으로 과거의 위반행위에 대한 중지는 물론 가까운 장래에 반복될 우려가 있는 동일한 유형의 행위의 반복금지까지 명할 수 있다. 18. 지방교행 ( )

07 취소재결의 기속력으로서 재처분의무가 없으므로 현행법상 거부처분에 불복할 때에는 취소심판보다 의무이행심판이 더 효과적이다. 19. 서울7급 ( )

08 당사자의 신청을 거부하는 처분에 대한 취소심판에서 인용재결이 내려진 경우, 의무이행심판과 달리 행정청은 재처분 의무를 지지 않는다. 19. 지방9급 ( )

01 ○ 02 X 03 X 04 X 05 X 06 ○
07 X 08 X

그 밖의 의무	처분 중에는 법령에 의하여 공고가 요구되는 것이 있다. 즉 일정한 처분이 재결에 의하여 취소 또는 변경된 때에는 처분청은 당해 처분이 취소 또는 변경되었다는 취지를 공고하여야 한다. 또한 법령의 규정에 의하여 처분의 상대방 이외의 이해관계인에게 통지된 처분이 재결로써 취소 또는 변경된 때에는 처분을 한 행정청은 지체 없이 그 이해관계인에게 그 처분이 취소 또는 변경되었음을 통지하여야 한다.

③ **기속력의 범위:** 기속력이 미치는 주관적 범위는 피청구인인 행정청뿐만 아니라 그 밖의 모든 관계행정청이다. 여기서 '관계행정청'은 처분청과 일련의 상·하관계가 있는 행정청과 당해 처분과 관계있는 행정청을 말한다. 한편 기속력의 객관적 범위는 재결의 주문 및 그 전제가 되는 요건사실의 인정과 효력의 판단에만 미치고, 이와 직접 관계없는 다른 처분에는 영향을 주지 않는다(대판 1998.2.27. 96누13972).

관련판례

재결이 확정된 경우, 처분의 기초가 되는 사실관계나 법률적 판단이 확정되고 당사자들이나 법원이 이에 기속되어 모순되는 주장이나 판단을 할 수 없는지 여부(소극)
행정심판의 재결은 피청구인인 행정청을 기속하는 효력을 가지므로 재결청이 취소심판의 청구가 이유 있다고 인정하여 처분청에 처분을 취소할 것을 명하면 처분청으로서는 재결의 취지에 따라 처분을 취소하여야 하지만, 나아가 재결에 판결에서와 같은 기판력이 인정되는 것은 아니어서 재결이 확정된 경우에도 처분의 기초가 된 사실관계나 법률적 판단이 확정되고 당사자들이나 법원이 이에 기속되어 모순되는 주장이나 판단을 할 수 없게 되는 것은 아니다(대판 2015.11.27. 2013다6759).

(2) 재결의 일반적 효력(불가쟁력과 불가변력)

① **불가쟁력:** 재결에 대하여는 다시 심판청구를 제기하지 못한다. 다만, 재결자체에 고유한 위법이 있는 경우에는 행정소송의 제기가 가능하지만, 그 경우에도 **제소기간**이 **경과**하면 더 이상 그 효력을 다툴 수 없게 된다. 이를 재결의 '불가쟁력'이라 한다.

② **불가변력:** 재결은 다른 일반 행정행위와는 달리 쟁송절차에 의해 이루어진 판단행위이므로, 분쟁을 종국적으로 해결하는 효과를 가져야 한다. 따라서 재결이 일단 이루어진 경우에는 설령 그것이 위법 또는 부당하다고 생각되는 때에도 오산·오기 기타 이와 유사한 형식상의 오류가 있는 경우를 제외하고는 행정심판위원회가 **스스로** 그 재결을 **취소·변경할 수 없는 효력**이 발생하게 된다. 이를 재결의 **'불가변력'**또는 **'자박력'**이라 한다.

5. 재결에 대한 불복

(1) 재심판청구의 금지(제51조)

행정심판법은 심판청구에 대한 재결이 있는 경우에는 당해 재결 및 동일한 처분 또는 부작위에 대하여는 다시 심판청구를 하지 못하도록 하여 행정심판의 단계를 단일화하였다. 따라서 재결에 **불복**이 있는 경우에는 **행정소송**에 의한다. 다만, 각 개별법에서 다단계의 행정심판이 인정되는 경우에는 그에 의한다.

핵심 OX

09 법령의 규정에 의하여 공고한 처분이 재결로써 취소된 때에는 처분청은 지체 없이 그 처분이 취소되었음을 공고하여야 한다.
10. 국가9급 ( )

10 재결의 기속력은 재결의 주문 및 그 전제가 된 요건사실의 인정과 판단, 즉 처분 등의 구체적 위법사유에 관한 판단에만 미친다.
15. 지방9급 ( )

11 재결의 기속력은 당해 처분에 관한 재결주문 및 그 전제가 된 요건사실의 인정과 판단에만 미친다.
14. 경특 ( )

12 행정심판의 재결이 확정되면 피청구인인 행정청을 기속하는 효력이 있고 그 처분의 기초가 된 사실관계나 법률적 판단이 확정되므로 이후 당사자 및 법원은 이에 모순되는 주장이나 판단을 할 수 없다.
18. 국가9급 ( )

13 재결의 효력으로서 행정청에 대한 불가변력이 인정되나, 불가쟁력은 인정되지 않는다. 08. 지방9급 ( )

14 처분의 불가쟁력이 발생하였고 그 이후에 행정청이 당해 처분에 대해 행정심판청구를 할 수 있다고 잘못 알렸다면, 그 처분의 취소소송의 제소기간은 행정심판의 재결서를 받은 날부터 기산한다.
17. 지방9급 ( )

15 행정심판의 재결에 고유한 위법이 있는 경우에는 재결에 대하여 다시 행정심판을 청구할 수 있다.
17. 국회8급 ( )

16 시·도 행정심판위원회의 기각 재결이 내려진 경우 청구인은 중앙행정심판위원회에 그 재결에 대하여 다시 행정심판을 청구할 수 있다.
16. 지방9급 ( )

09 ○ 10 ○ 11 ○ 12 X 13 X 14 X 15 X 16 X

(2) 행정소송의 제기(제19조)

행정심판의 재결에 대하여 불복하는 경우에는 행정소송을 제기할 수 있다. 이 경우 행정소송의 대상은 **원처분**을 대상으로 하여야 하고, **재결취소소송**은 재결 자체에 **고유한 위법**이 있는 경우에 한하여 소송제기가 가능하다.

(3) 처분청의 불복가능성

인용재결에 대하여 피청구인인 처분청이 행정소송을 제기할 수 있는가에 대하여 재결은 피청구인인 행정청과 그 밖의 관계행정청을 구속한다고 규정하고 있으므로 **처분청**은 **인용재결**에 대하여 불복할 수는 없다는 것이 판례이다(대판 1998.5.8. 97누15432).

관련판례

행정심판청구를 인용하는 재결이 행정청을 기속하도록 규정한 행정심판법 제49조 제1항이 평등원칙에 위배되는지 여부(소극)

이 사건 법률조항은 행정청의 자율적 통제와 국민 권리의 신속한 구제라는 행정심판의 취지에 맞게 행정청으로 하여금 행정심판을 통하여 스스로 내부적 판단을 종결시키고자 하는 것으로서 그 합리성이 인정되고, 반면 국민이 행정청의 행위를 법원에서 다툴 수 없도록 한다면 재판받을 권리를 제한하는 것이 되므로 국민은 행정심판의 재결에도 불구하고 행정소송을 제기할 수 있도록 한 것일 뿐이므로, 평등원칙에 위배되지 아니한다(헌재 2014.6.26. 2013헌바122).

제6절 고지제도

1 서설

1. 의의

고지제도란 '행정청이 처분을 함에 있어서 그 상대방에게 당해 처분에 대하여 행정심판을 제기할 경우 필요한 사항을 아울러 고지할 의무를 지우는 제도'를 말한다. 고지제도는 직접적으로는 관계인에게 행정심판을 제기하는 것에 대한 지식과 정보를 제공함으로써 행정심판청구의 기회를 보장하고 행정의 신중·적정화를 도모하기 위한 제도로서 의미가 클 뿐만 아니라, 행정심판제도의 활성화에도 이바지하는 기능을 갖는다.[1]

2. 성질

고지는 **사실행위**이다. 이는 행정청의 일정한 개념이나 의사를 알리는 것이 아니라 기존 법규의 내용을 구체적으로 알리는 **비권력적 사실행위**로서, 그 자체로서는 아무런 법적 효과도 수반하지 않는다. 그러나 행정심판법상의 고지에 관한 규정은 강행규정이나 의무규정의 성질을 갖는다고 보는 것이 일반적인 견해이다. 그 결과 당사자로부터 행정심판에 관련된 사항에 대한 **고지요청**을 받은 경우, 이를 **거부하는 행위**는 거부처분으로서 행정행위의 성질을 갖는다고 보아 **행정쟁송의 대상**이 된다고 한다.

[1] 입법례
우리 현행법상 고지제도를 규정하고 있는 법령으로는 행정심판법 제58조 이외에도 행정절차법 제26조, 공공기관의 정보공개에 관한 법률 제13조 제4항 등이 있음

핵심 OX

01 고지에 관해서는 행정심판법 외에도 규정이 있다. 06. 경기9급 ( )

02 고지제도에서 말하는 처분은 행정심판법에 의한 처분에 한하고 행정심판법 이외의 다른 법령에 의한 심판청구의 대상이 되는 처분은 포함하지 않는다는 것이 통설이다. 04. 국회8급 ( )

03 고지는 행정심판법에 규정된 심판청구에 필요한 사항을 구체적으로 알려주는 비권력적 사실행위로 고지 자체는 아무런 법적 효과를 발생하지 않는다. 04. 국회8급 ( )

01 ○ 02 X 03 ○

관련판례

고지의무를 이행하지 아니한 경우 대상 행정처분에 하자가 수반되는지 여부(소극)
고지절차에 관한 규정은 행정처분의 상대방이 그 처분에 대한 행정심판의 절차를 밟는 데 있어 편의를 제공하려는데 있으며 처분청이 위 규정에 따른 고지의무를 이행하지 아니하였다고 하더라도 경우에 따라서는 행정심판의 제기기간이 연장될 수 있는 것에 그치고 이로 인하여 심판의 대상이 되는 행정처분에 어떤 하자가 수반된다고 할 수 없다(대판 1987.11.24. 87누529).

2 종류

1. 직권에 의한 고지(행정심판법 제58조 제1항)

행정청이 **처분**을 **서면**으로 하는 경우에는 그 **상대방**에게 처분에 관하여 행정심판을 제기할 수 있는지의 여부, 행정심판을 청구하는 경우의 심판청구절차 및 청구기간을 알려야 한다.

(1) 고지의 주체와 상대방

고지의 주체는 국가나 지방자치단체의 행정청이며, 고지의 상대방은 처분의 직접 상대방이 된다. 다만 이때의 행정청에는 법령에 의하여 행정권한의 위임 또는 위탁을 받은 행정기관, 공공단체 및 그 기관 또는 사인도 포함된다.

(2) 고지의 대상

고지의 대상은 '서면'에 의한 처분이다. 따라서 '구술'에 의한 처분은 고지의 대상이 아니다. 한편 여기에서 말하는 고지의 대상이 되는 처분은 행정심판법상의 심판청구의 대상이 되는 처분에 국한되는 것이 아니라, 다른 법률에 의한 행정심판의 대상이 되는 서면에 의한 처분도 포함된다는 것이 일반적인 견해이다.

(3) 고지의 내용

고지의무의 내용이 되는 고지사항은 ① 처분에 관하여 **행정심판을 제기할 수 있는지**의 여부, ② **심판청구절차** 및 **심판청구기간**이다.

(4) 고지의 방법 및 시기

고지의 방법과 시기에 대하여 명문의 규정이 없으나, 처분서면과 함께 **처분시**에 **서면**으로 하는 것이 원칙이다. 다만, 처분시에는 없었던 고지가 처분 후에 비로소 이루어진 경우에는 불고지의 하자가 치유되어 그 고지의 효과에는 영향이 없다고 본다.

2. 청구에 의한 고지(제58조 제2항)

처분의 **이해관계인**이 **고지를 요청**하면 당해 행정청은 지체 없이 이를 고지하여야 한다.

(1) 고지의 청구권자

고지의 청구권자는 당해 **처분의 이해관계인**이다. 이때의 이해관계인은 당해 처분에 의하여 직접 자기의 법률상의 이익이 침해되었다고 주장하는 제3자가 보통이지만, 처분의 상대방으로서 고지를 받아야 함에도 불구하고 고지를 받지 못한 자도 포함된다. 고지를 청구한 자는 당해 처분에 대하여 이해관계가 있음을 밝혀야 한다.

핵심 OX

04 행정청이 처분을 하면서 고지의무를 이행하지 않은 경우 또는 잘못 고지한 경우 당해 처분은 위법하다.
12. 국회8급 ( )

04 X

(2) 고지의 대상

청구에 의한 고지의 대상은 직권에 의한 경우와 달리, 서면에 의한 처분에 한정되지 않고 모든 처분이 그 대상이 될 수 있다.

(3) 고지의 내용

고지의 내용은 ① 당해 처분이 **행정심판의 대상**이 되는 처분인지의 여부, ② **소관 행정심판위원회** 및 **심판청구기간**이다.

(4) 고지의 방법 및 시기

고지의 방법에는 특별한 제한이 없으나, 고지의 청구권자가 **서면**에 의한 고지를 요구한 때에는 반드시 **서면의 방법**으로 고지하여야 한다. 따라서 고지를 요구받은 행정청은 **지체 없이** 고지하여야 한다. '지체 없이'란 사회통념상 인정될 수 있는 범위 내에서의 신속한 시간의 범위를 말한 것으로 해석된다.

핵심 OX

01 신청에 의하여 고지하는 경우 해당 처분이 행정심판의 대상이 되는 처분인지에 대하여 고지하여야 한다. 11. 국회8급 (   )

3 불고지·오고지의 효과

행정청이 고지를 하지 않거나(**불고지**) 잘못 고지한 경우(**오고지**)에는 고지의무를 위반한 것이 되며, **행정심판법상** 일정한 **효과**가 **발생**하게 된다.

1. 불고지의 효과

(1) 제출기관(제23조)

행정청이 고지를 하지 아니하여 청구인이 심판청구서를 소정의 행정기관 이외의 **다른 행정기관**에 **제출**한 때에는, 당해 행정기관은 그 심판청구서를 지체 없이 정당한 권한 있는 행정청에 보내고 그 사실을 청구인에게 통지하여야 한다. 이 경우에 심판청구기간을 계산함에 있어서는 최초의 행정기관에 심판청구서가 제출된 때에 심판청구가 제기된 것으로 본다.

(2) 청구기간(제27조 제6항)

행정청이 **심판청구기간**을 **알리지 않은 경우**에는 처분이 있은 날로부터 **180일** 이내에 심판청구를 하면 된다. 이 경우에는 청구인이 처분이 있는 것을 알았는지의 여부 및 심판청구기간에 관하여 알고 있었는지의 여부는 문제되지 않는다.

2. 오고지의 효과

(1) 제출기관(제23조 제2항·제3항)

고지를 한 행정청이 잘못 고지하여, 청구인이 그 고지에 따라 심판청구서를 **다른 행정기관**에 잘못 **제출**한 때에는 앞서의 불고지의 경우와 같이 그 심판청구서를 접수한 행정기관은 그 심판청구서를 지체 없이 정당한 권한 있는 행정청에 보내고, 그 사실을 청구인에게 통지하여야 한다.

01 ○

(2) 청구기간

원래 심판청구는 처분이 있음을 안 날로부터 90일 이내에 제기하여야 한다. 그러나 행정청이 심판청구기간을 **90일보다 긴 기간**으로 **잘못 알린 경우**에는 그 **고지된** 청구기간 내에 심판청구가 있으면, 설령 법정의 청구기간이 경과한 후에 제기된 것이라도 적법한 기간 내에 심판청구가 있는 것으로 본다.

> **관련판례**
>
> **행정심판청구기간에 관한 행정심판법 제18조 제5항의 규정이 행정소송 제기에도 당연히 적용되는지 여부(소극)**
> 행정청이 법정심판청구기간보다 긴 기간으로 잘못 알린 경우에 그 잘못 알린 기간 내에 심판청구가 있으면 그 심판청구는 법정심판청구기간 내에 제기된 것으로 본다는 취지의 행정심판법 제18조 제5항의 규정은 행정심판제기에 관하여 적용되는 규정이지, 행정소송제기에도 당연히 적용되는 규정이라고 할 수는 없다(대판 2001.5.8. 2000두6916).

제7절 행정심판에 대한 특례절차

1 서설

일반적 심판절차로서의 행정심판법상의 행정심판에 대하여 광범위한 행정분야에서 특례규정을 두고 있다. 이에 대하여 종래 행정심판법 제4조 제1항에서는 "행정심판에 관하여는 사안의 전문성과 특수성을 살리기 위하여 특히 필요한 경우가 아니면 청구인에게 불리한 내용으로 이 법에 대한 특례를 다른 법률로 정할 수 없다."라고 하여 특별절차의 남설금지조항을 두고 있음에도 불구하고 행정의 다양한 분야에서 특례절차가 광범위하게 인정되고 있어 문제점으로 지적되고 있었다. 이에 개정(2010.1.25.)을 통해 동조 제3항에서 "관계 행정기관의 장이 특별행정심판 또는 이 법에 따른 행정심판 절차에 대한 특례를 신설하거나 변경하는 법령을 제정 · 개정할 때에는 미리 '**중앙행정심판위원회**'와 **협의**하여야 한다."라고 규정하여 일정한 제약을 두고 있다.

2 내용

현재 행정심판법에 대한 특례를 인정하고 있는 법률은 60여 개에 달하고 있다. 이를 형식적 관점에서 분류하면 대체로 다음과 같다.

1. 특별행정심판절차

이에 해당하는 것으로는 공무원인사소청(국가공무원법, 지방공무원법, 교육공무원법 등), 조세심판(국세기본법), 심사청구(감사원법), 특허심판(특허법) 등이 있다.

핵심 OX

02 행정심판에서는 행정청이 상대방에게 심판청구기간을 법정심판청구기간보다 긴 기간으로 잘못 알린 경우에 그 잘못 알린 기간 내에 심판청구가 있으면 그 심판청구는 법정심판청구기간 내에 제기된 것으로 보나 행정소송에서는 그렇지 않다. 18. 국가9급, 10. 서울9급 (   )

03 행정절차법은 행정청이 처분을 하는 때에는 당사자에게 제소기간을 알려야 한다고 규정하고 있으나 제소기간을 알리지 아니하거나, 알렸지만 잘못 알린 경우에 관하여는 아무런 규정이 없다. 10. 국회9급 (   )

04 개별법률에서 정한 심판청구기간이 행정심판법이 정한 심판청구기간보다 짧은 경우, 행정청이 행정처분을 하면서 그 개별법률상 심판청구기간을 고지하지 아니하였다면 그 개별법률에서 정한 심판청구기간 내에 한하여 심판청구가 가능하다. 15. 서울9급 (   )

05 특별행정심판 또는 행정심판법에 따른 행정심판절차에 대한 특례를 신설하거나 변경하는 법령을 제정 · 개정할 때 중앙행정심판위원회와 사전에 협의하여야 하는 것은 아니다. 18 · 13. 국회8급 (   )

02 ○ 03 ○ 04 X 05 X

2. 약식절차(이의신청)

토지거래불허가처분에 대한 이의신청(국토의 계획 및 이용에 관한 법률 제120조), 지방자치단체의 사용료 등의 부과처분에 대한 이의신청(지방자치법 제140조) 등이 이에 해당한다.

판례연구 행정심판

1. 기본 판례

처분의 취소를 구하는 취지의 진정서를 행정심판청구로 보아야 한다.

> 진정서에는 처분청과 청구인의 이름 및 주소가 기재되어 있고, 청구인의 기명날인이 되어 있으며 그 진정서의 기재내용에 의하여 심판청구의 대상이 되는 행정처분의 내용과 심판청구의 취지 및 이유를 알 수 있고, 거기에 기재되어 있지 않은 재결청, 처분이 있는 것을 안 날, 처분을 한 행정청의 고지의 유무 및 그 내용 등의 불비한 점은 어느 것이나 그 보정이 가능한 것이므로, 처분청에 제출한 처분의 취소를 구하는 취지의 진정서를 행정심판청구로 보아야 한다(대판 1995.9.5. 94누16250).

2. 관련 판례

① 행정심판의 취지는 행정청의 재심사기회를 주어 행정권의 자주성을 보장하는 데에도 있다.
② 행정심판절차에서 임의적인 청구인의 변경은 원칙적으로 허용되지 않는다.
③ '처분이 있음을 안 날'이라 함은 당사자가 당해 처분이 있었다는 사실을 현실적으로 안 날을 의미하고, 추상적으로 알 수 있었던 날을 의미하는 것은 아니다.
④ 그 처분의 상대방이 불특정 다수인인 경우 고시 또는 공고가 있었다는 사실을 현실적으로 알았는지 여부에 관계없이 고시가 효력을 발생하는 날에 행정처분이 있음을 알았다고 보아야 한다.
⑤ 특정인에 대한 행정처분을 주소불명 등의 이유로 송달할 수 없어 공고한 경우에는, 상대방이 당해 처분이 있었다는 사실을 현실적으로 안 날에 그 처분이 있음을 알았다고 보아야 한다.
⑥ 제3자가 심판을 청구하는 경우 특별한 사정이 없다면 기간경과 후에도 심판청구를 제기할 수 있다.
⑦ 그 처분의 취소나 변경을 구하는 서면이 제출되었을 때에는 그 표제와 제출기관의 여하를 불문하고 이를 행정심판청구로 볼 수 있다.
⑧ 재결의 취지에 따르지 않은 동일한 처분은 위법하다.
⑨ 재결에 적시된 위법사유를 시정·보완한 처분은 재결의 기속력에 반하지 않는다.
⑩ 당해 행정청이 어떠한 처분을 하였다면 그 처분이 재결의 내용을 따르지 아니하였다고 하더라도 재결청이 직접 처분을 할 수는 없다.
⑪ 재결의 기속력은 당해 처분에 관하여 재결주문 및 그 전제가 된 요건사실의 인정과 판단에만 미치고 이와 직접 관계가 없는 다른 처분에 대하여는 미치지 아니한다.
⑫ 고지는 비권력적 사실행위이므로 행정청이 고지의무를 이행하지 않아도 당해 처분 자체의 효력에는 아무런 영향을 미치지 않는다.
⑬ 당사자가 행정처분시나 그 이후 행정청으로부터 행정심판 제기기간에 관하여 법정 심판청구기간보다 긴 기간으로 잘못 통지받아 행정소송법상 법정 제소기간을 도과하였다고 하더라도, 그것이 당사자가 책임질 수 없는 사유로 인한 것이라고 할 수는 없다.

제2장 취소소송

제1절 취소소송 일반론, 당사자

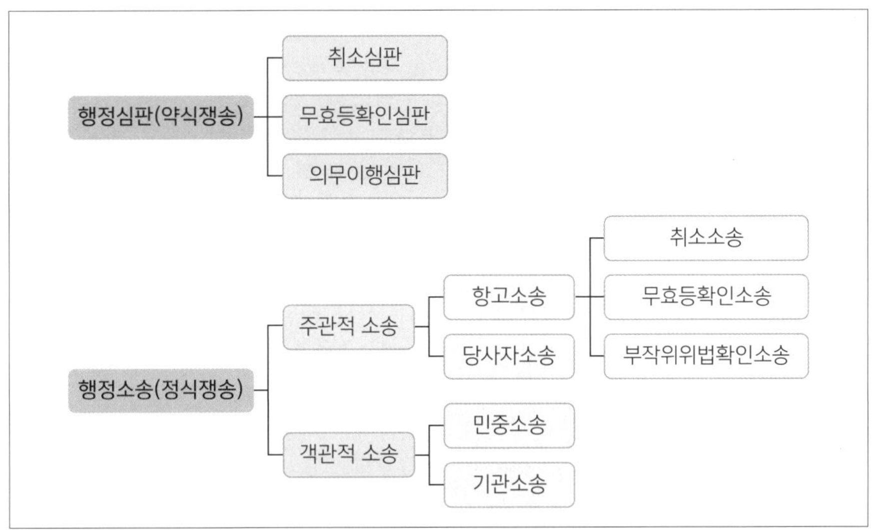

행정쟁송의 분류

1 행정쟁송

1. 개념

(1) 광의의 행정쟁송

행정상의 법률관계에 관한 일정기관의 **심리·판단절차**를 말하며, 심판기관이 행정청인지 법원인지 또는 그 심판절차가 정식절차인지 약식절차인지를 불문하며, **행정심판**과 **행정소송**이 해당된다.

(2) 협의의 행정쟁송

일반법원과는 계통을 달리하는 행정조직 내의 특별기관이 행정상의 법률관계에 관한 쟁송을 판결하는 절차를 말한다. 여기서 행정상 법률관계에 대한 행정기관의 분쟁의 심판을 행정심판이라고 한다.

2. 기능

(1) 권리구제

행정쟁송은 위법·부당한 행정작용으로부터 국민의 권익을 구제하는 수단으로서 기능한다.

(2) 행정통제

행정쟁송은 법치행정을 실현하기 위한 행정의 법적 통제기능을 수행한다.

(3) 양 기능과의 관계

대륙법계에서는 행정통제기능이, 영미법계에서는 권리구제기능이 강조되었으나, 오늘날에는 대부분의 국가에서 개인의 권리구제가 주된 기능이고 행정통제는 부수적 기능을 갖는다는 것이 지배적이다.

3. 종류

핵심 OX

01 행정소송법 제3조에서는 행정소송을 취소소송, 당사자소송, 민중소송, 기관소송으로 구분한다. 12. 지방9급 ( )

02 당사자소송이란 행정청의 처분 등을 원인으로 하는 법률관계에 관한 소송, 그 밖에 공법상의 법률관계에 관한 소송으로서 그 법률관계의 한쪽 당사자를 피고로 하는 소송을 말한다. 13 · 12. 지방9급 ( )

03 당사자소송은 개인의 권익구제를 주된 목적으로 하는 주관적 소송이다. 13. 지방9급, 09. 세무사 ( )

01 X 02 O 03 O

행정소송법 제3조 【행정소송의 종류】 행정소송은 다음의 네 가지로 구분한다.

1. 항고소송: 행정청의 처분 등이나 부작위에 대하여 제기하는 소송
2. 당사자소송: 행정청의 처분 등을 원인으로 하는 법률관계에 관한 소송 그 밖에 공법상의 법률관계에 관한 소송으로서 그 법률관계의 한쪽 당사자를 피고로 하는 소송
3. 민중소송: 국가 또는 공공단체의 기관이 법률에 위반되는 행위를 한 때에 직접 자기의 법률상 이익과 관계없이 그 시정을 구하기 위하여 제기하는 소송
4. 기관소송: 국가 또는 공공단체의 기관 상호간에 있어서의 권한의 존부 또는 그 행사에 관한 다툼이 있을 때에 이에 대하여 제기하는 소송. 다만, 헌법재판소법 제2조의 규정에 의하여 헌법재판소의 관장사항으로 되는 소송은 제외한다.

(1) 쟁송성질에 의한 분류

① **항고쟁송**: 이미 발생한 행정행위의 위법 · 부당을 주장함으로써 취소나 변경을 구하는 쟁송을 말한다. 항고쟁송은 행정청의 **처분**이 **존재**해야 하므로 언제나 복심적 쟁송이 된다(예 취소쟁송, 무효등확인쟁송 등).

② **당사자쟁송**: **대등한 당사자** 사이에 법률상의 분쟁이 있는 경우 그 분쟁의 해결을 구하는 쟁송을 말한다. 당사자쟁송은 제1차적 행정작용이 쟁송의 형식으로 이루어지므로, 언제나 그 제1심은 시심적 쟁송에 해당한다(예 손실보상청구소송, 봉급청구소송, 토지수용재결에 대한 소송).

(2) 쟁송목적에 의한 분류

① **주관적 쟁송**: 쟁송당사자 **개인의 권익구제를 직접 목적**으로 하는 행정쟁송을 말하며, 행정쟁송은 주관적 쟁송을 원칙으로 한다(예 항고쟁송, 당사자쟁송).

② **객관적 쟁송**: 개인의 권익보호가 아닌 행정법규의 **객관적인 적법성**의 유지 또는 **공익의 보호**를 직접 목적으로 하는 행정쟁송을 말한다. 객관적 쟁송에서는 권리 · 이익의 침해를 소의 제기요건으로 하지 않기 때문에 직접적 이해관계인 외의 자에게도 제소권이 부여된다(예 민중쟁송, 기관쟁송).

㉠ **민중쟁송**: 행정법규의 위법한 적용을 시정하기 위하여 **일반대중**에게 제소권이 부여되는 행정쟁송을 말한다(예 선거소송).

㉡ **기관쟁송**: **국가** 또는 **지방자치단체의 기관 상호간**에 있어서 권한의 다툼이 있을 때 이에 대하여 제기하는 쟁송을 말한다. 기관쟁송은 주로 지방자치단체의 기관 상호간의 영역에서 인정된다(예 지방자치단체의 장이 지방의회를 피고로 대법원에 제기하는 소송).

(3) 쟁송단계에 의한 분류

① **시심적 쟁송:** 법률관계의 형성 또는 존부에 관한 제1차적 행정작용이 쟁송의 형식으로 행하여지는 경우의 쟁송을 말한다(예 당사자쟁송).

② **복심적 쟁송:** 이미 행하여진 행정기관의 행정행위에 대하여 그 행정행위의 하자를 이유로 재심사를 구하는 경우의 쟁송을 말한다(예 항고쟁송).

(4) 분쟁 존재의 전제 여부에 의한 분류

① **실질적 쟁송:** 위법·부당한 행정행위로 **권익이 침해**되어 사후적으로 **분쟁**을 **해결**하기 위한 절차로서의 쟁송을 말한다(예 행정심판, 행정소송).

② **형식적 쟁송:** 분쟁의 존재를 전제로 하지 아니하고 널리 행정처분의 적법·타당·공정을 기하기 위한 절차로서의 쟁송을 말한다(예 행정절차).

(5) 심판기관에 의한 분류

① **행정심판: 행정기관**이 행정처분의 위법·부당을 심판하는 행정쟁송절차를 말한다.

② **행정소송: 일반법원**이 행정처분의 위법을 심판하는 행정쟁송절차를 말한다.

(6) 쟁송절차에 의한 분류

① **정식쟁송:** 분쟁의 공정한 해결을 위하여 당사자에게 **구술변론의 권리**를 보장하고, 심판기관의 독립성을 보장하는 쟁송형태이다(예 행정소송).

② **약식쟁송:** 당사자에게 구술변론의 기회나 **심판기관의 독립성**을 보장해 주지 않는 쟁송형태이다(예 행정심판).

핵심정리 행정심판과 행정소송

구분	행정심판	행정소송
근거법률	행정심판법	행정소송법
취지	자율적 통제, 전문성 확보	타율적 통제, 독립성 확보
심판기관	행정심판위원회(행정부)	수소법원(사법부)
성질	약식쟁송	정식쟁송
종류	• 취소심판 • 무효등확인심판 • 의무이행심판	• 취소소송 • 무효등확인소송 • 부작위위법확인소송
심판대상	'위법+부당'한 처분 (예외: 대통령의 처분, 재결)	'위법'한 처분, 재결
거부처분에 대한 쟁송형태	의무이행심판+취소심판	취소소송
의무이행 확보수단	행정심판위원회의 직접처분, 간접강제	간접강제
기간제한	• 처분을 안 날: 90일 [예외: 불가항력(천재·지변 등) - 사유 소멸한 날로부터 14일/30일(국외)] • 처분이 있은 날: 180일 (예외: 정당한 사유)	• 처분을 안 날: 90일 • 처분이 있은 날: 1년 (예외: 정당한 사유)

심리절차	• 구술 + 서면심리 • 비공개원칙(다수설)	• 구술심리 • 공개원칙
적극변경	적극적 변경 가능	소극적 변경만 가능
고지규정	존재	부존재
공통점	• 개괄주의(단, 대통령의 처분 · 부작위/재결: 행정심판 원칙적 불가) • 직권증거조사 가능 • 집행부정지원칙 • 불고불리의 원칙과 불이익변경금지의 원칙 • 사정판결(사정재결)	

2 행정소송

1. 서설

(1) 의의

행정소송이란 행정법규의 해석 · 적용에 관한 소송으로서 법원이 행정법상 법률관계에 관한 분쟁에 대하여 정식재판절차로서 하는 행정쟁송을 말한다.

(2) 특징

행정소송이 민사소송과 구별되는 특징으로는 임의적 행정심판전치주의, 항고소송에서의 피고를 행정주체가 아닌 행정청으로 하는 것, 제소기간의 제한, 직권심리주의 채택, 사정판결의 인정 등이 있다.

2. 기능

(1) 권리구제기능

위법한 행정작용으로 인하여 권리를 침해당한 자는 행정소송을 제기하여 **침해된 권리**를 **구제**받을 수 있는바, 이러한 국민의 권리구제기능이 행정소송의 제1차적 목적이라고 할 수 있다.

(2) 행정통제기능

행정소송은 위법한 행정작용을 시정함으로써 **행정의 적법성**을 **확보**하게 되는데, 이를 행정통제기능, 적법성 보장기능이라고 한다.

(3) 양 기능과의 관계

행정소송의 주된 기능은 개인의 권리구제에 있고, 행정통제기능은 행정소송의 종된 기능이 된다고 할 수 있다.

3. 유형

(1) 행정국가(대륙법계)

일반법원과는 별개로 행정권 내부에 독립된 행정재판소를 설치하여 최종적으로 행정법원이 행정소송을 관장하도록 하는 체계를 말한다.

(2) 사법국가(영미법계)

일반 민 · 형사소송과 같이 원칙적으로 일반법원이 행정소송을 관장하도록 하는 법체계를 말한다.

(3) 우리나라

우리나라는 행정부 내에 행정재판소를 두지 않고, 사법부 내에 행정법원을 설치하여 행정사건을 담당하고 있으므로 영미법계의 사법국가에 속한다.

4. 현행 행정소송(행정소송법)의 특수성 및 문제점

(1) 특수성

① 관할법원의 특수성 - 행정법원의 설치(제9조, 제40조)

㉠ 행정사건을 담당하기 위하여 사법부 소속의 별도 행정법원을 두고 행정소송의 제1심 관할을 행정법원에 전속하도록 하고 있다. 종래 제1심 법원을 고등법원으로 하는 2심제에서 1998.3.1.부터는 제1심 법원을 행정법원으로 하는 3심제로 변경하였다.

㉡ 서울지역에서는 서울지방법원 산하에 설치된 행정법원에서 관할하고, 기타 지역에서는 행정법원이 설치될 때까지 지방법원 본원의 합의부가 행정사건을 관할한다.

② 행정심판전치주의(임의적 전치주의)

㉠ 행정소송의 전심절차로서 행정심판을 거쳐야만 행정소송을 제기할 수 있도록 하는 제도이다.

㉡ 1998.3.1.부터는 행정심판의 전치절차를 **임의절차화**하고 있으며, 예외적으로 **개별법**에서 **필수적**인 **전치주의**가 채택되고 있다.

㉢ 예외적으로 필수적 전치주의가 적용되는 소송은 항고소송 중 취소소송과 부작위위법확인소송뿐이며, 무효등확인소송과 당사자소송은 적용되지 않는다.

③ **처분과 관련된 원상회복 · 부당이득반환 · 손해배상청구 등 관련청구의 병합(제10조):** 민사소송에서의 소의 병합은 동종절차간에만 인정되나, 행정소송에서의 **소의 병합**은 동종절차간에서 뿐만 아니라 **이종절차간**에도 인정된다.

④ **피고적격의 특수성(제13조):** 항고소송에서는 국가 · 공공단체 등 행정주체를 피고로 하지 않고, 그 처분 등을 행한 **행정청**을 **피고**로 인정한다.

⑤ 제3자 및 다른 행정청의 소송참가의 명문화(제16조, 제17조)

⑥ 단기 제소기간의 제한(제20조)

⑦ 처분의 **집행부정지원칙**의 채택(제23조 제1항)

⑧ **행정심판기록 제출명령(제25조, 제44조):** 법원은 당사자의 신청이 있는 때에는 결정으로써 재결을 행한 행정청에 대하여 행정심판에 관한 기록의 제출을 명할 수 있다.

⑨ 당사자가 주장하지 아니한 사실에 대해서도 판단할 수 있는 **직권심리주의** 인정(제26조)

핵심 OX

01 우리나라의 행정법은 전통적으로 대륙법계의 영향을 받아 행정에 특유한 공법으로서의 성격을 강조하고 있으면서도 행정사건은 별도의 행정법원(재판소)이 아닌 사법(司法)법원의 관할에 속한다.
11. 국가9급 ( )

01 ○

⑩ **사정판결의 인정(제28조)**: 사정판결은 항고소송 중 **취소소송**에서만 인정되며, 무효등확인소송 · 부작위위법확인소송 · 당사자소송에서는 인정되지 않는다.
⑪ 취소판결은 당사자뿐만 아니라 제3자에게도 미치는 대세적 효력(제29조)
⑫ 소극적 처분(거부처분 · 부작위)에 대한 판결의 실효성 보장을 위한 **간접강제제도**(제30조, 제34조)
⑬ 제3자의 재심청구(제31조)

(2) 문제점

① 의무이행소송을 채택하지 않고, 부작위위법확인소송을 인정하고 있다.
② 가구제제도로서 집행정지의 요건이 엄격하고, 가처분제도를 채택하지 않았다.
③ 원고에게 심판기록제출명령신청권만을 인정하여 자료제출요구권은 인정하지 않고 있다.
④ 사정판결제도를 인정하고 있어 당사자 보호에 미흡하다.
⑤ 단체소송 내지 집단소송제도를 도입하지 않고 있다.

5. 한계

행정소송법은 행정소송사항에 관하여 **개괄주의**를 채택하고 있으나, 사법기관에 의한 행정사건에 대한 재판이라는 점에서 일정한 한계가 있게 된다. 이에는 사법의 본질에 의한 한계와 권력분립에 따른 한계가 있다.

(1) 사법의 본질에 의한 한계

사법작용은 법률상 쟁송만을 대상으로 하므로 행정소송도 당사자 사이에 구체적인 법적 분쟁이 있는 경우에 당사자의 소제기에 의해 법원이 법을 해석 · 적용하여 분쟁을 해결하는 판단작용이라는 점에서 사법 본질상의 한계를 가지게 된다.

① **구체적 사건성에 따른 한계**

행정소송은 사법작용이므로 권리 · 의무에 관한 당사자간의 구체적인 **법률상 분쟁**의 존재를 전제로 한다.

㉠ **추상적 법령의 효력이나 해석에 관한 분쟁**: 재판은 당사자의 구체적인 권리 · 의무에 관한 분쟁을 전제로 하므로 추상적인 법령의 효력이나 해석은 원칙적으로 행정소송의 대상이 되지 않는다.
㉡ **처분적 법규**: 법규 자체가 행정행위를 기다리지 않고 직접 국민의 **권리 · 의무**에 영향을 미치는 처분적 법규는 항고소송의 대상이 된다.
㉢ **반사적 이익**: 행정소송을 제기하기 위해서는 **법률상 이익**이 있어야 하므로 반사적 이익에 관한 분쟁은 사법심사의 대상이 되지 않는다.
㉣ **객관적 소송**: 객관적 소송은 개인의 구체적인 권리 · 의무에 관계되는 것이 아니므로 법률의 **근거**가 있는 경우에만 제기할 수 있다(열기주의).
㉤ **사실행위**: 법률효과가 발생하지 않는 사실행위는 당사자의 권리나 의무에 직접적인 영향이 없으므로 사실행위는 소송의 대상이 되지 않는다(단, 권력적 사실행위는 행정소송 가능).

핵심 OX

01 법규명령 중 국민의 구체적인 권리 · 의무에 직접적인 변동을 초래하지 않는 것은 행정소송의 대상이 아니다. 09. 지방9급 · 세무사 ( )

02 반사적 이익의 침해는 행정소송의 대상이 되지 아니한다. 09. 국가9급 · 관세사 ( )

03 단순한 사실관계의 존부 등의 문제는 행정소송의 대상이 되지 아니한다. 09. 지방9급 ( )

04 권력적 사실행위도 취소소송의 대상이 될 수 있다는 것이 다수설이다. 09. 세무사 ( )

01 ○ 02 ○ 03 ○ 04 ○

② 법적 해결가능성에 따른 한계

㉠ **통치행위**: 통치행위는 고도의 정치성으로 인하여 사법심사의 대상이 되기에는 부적당하다고 하여 **통치행위 개념**을 **인정**하는 것이 통설 · 판례의 입장이다. 다만, 오늘날 통치행위의 범위는 제한적으로 인정하는 것이 일반적이다.

㉡ 재량행위

ⓐ 재량을 위반한 행위는 원칙적으로 부당에 해당하여 행정심판의 대상은 될 수 있지만, 행정소송의 대상은 될 수 없다.

ⓑ 재량행위를 다투는 소송이 제기되었을 경우에는 요건 심리 후 각하할 것이 아니라, 본안심리에서 **일탈**이나 **남용**이 없는지를 심리하여 청구를 기각하여야 한다는 것이 통설의 입장이다.

> **관련판례**
>
> **법원은 재량권남용 여부를 심리하여 본안에 관한 판단으로서 청구의 인용 여부를 가려야 하는지 여부(적극)**
>
> 재량권의 한계는 명백한 것이 아니므로 법원의 사실인정의 결과 비로소 판단될 수 있는 것이 보통이어서 재량권의 한계 침해를 이유로 하는 항고소송에 대하여 법원은 요건심리 단계에서 각하할 것이 아니라, 일단 본안심리를 하고, 그 결과 재량권의 유월 또는 남용의 문제가 없으면 그 청구를 기각하여야 한다(대판 1991.2.12. 90누5825).

③ **특별권력관계**: 특별권력관계 내부행위에 대해서도 행정소송을 제기할 수 있다.

(2) 권력분립적 한계(무명항고소송)

① 의무이행소송

㉠ **의의**: 당사자의 일정한 신청행위에 대하여 행정청이 거부하거나 부작위로 일관할 경우 행정청에 대하여 신청된 행위를 해주도록 명하는 판결을 청구하는 소송을 말한다.

㉡ **인정 여부**: 입법례로 독일의 경우에는 행정법원법, 영 · 미의 경우에는 행정청에 의무를 부과하는 소송이 인정되고 있으나, 우리나라 행정소송법은 의무이행소송에 대하여 명문규정을 두고 있지 않아 이에 대한 학설의 대립이 있다.

부정설	• 행정소송법 제4조에 규정된 항고소송의 종류를 한정적 · 열기적으로 이해한다. • 행정작용에 관한 1차적 판단권은 행정기관에 있으므로 의무이행소송을 인정하는 것은 권력분립의 원리에 위배된다. • 행정소송법 제4조 제1호의 '변경'을 소극적 변경으로 해석한다.
긍정설	• 행정소송법 제4조에 규정된 항고소송의 종류를 예시적으로 이해한다. • 권력분립을 실질적으로 파악하고, 법원이 행정청의 위법행위를 취소하는 것뿐만 아니라 적극적인 이행판결을 통하여 행위의무의 이행을 명하는 것도 권력분립주의에 반하지 않는다고 본다. • 행정소송법 제4조 제1호의 '변경'을 적극적 변경으로 해석한다.
판례의 입장	판례에서는 부정설의 입장으로 의무이행소송을 인정하지 않는다.

핵심 OX

05 통치행위는 행정소송의 대상에서 제외된다는 것이 우리의 학설과 판례의 경향이다. 09. 국가9급 ( )

06 재량행위의 경우는 재량권의 일탈 또는 남용에 이르지 아니한 때에는 소송의 대상이 되지 못하며, 소송이 제기된 경우 이를 각하하여야 한다. 09. 관세사 ( )

핵심 OX

07 특별권력관계에서의 행위가 행정처분의 성질을 갖더라도 전면적으로 사법심사의 대상이 되지 않는다. 09. 세무사 ( )

핵심 OX

08 대법원 판례는 의무이행소송이나 적극적 형성판결을 구하는 행정소송을 인정하지 아니한다. 09. 관세사 ( )

05 ○ 06 X 07 X 08 ○

관련판례

1 행정소송법상 의무이행소송이나 의무확인소송의 허용 가부(소극)

현행 행정소송법상 의무이행소송이나 의무확인소송은 인정되지 않으며, 행정심판청구를 할 수 있도록 규정하고 있다고 하여 행정소송에서 의무이행청구를 할 수 있는 근거가 되지 못한다(대판 1992.2.11. 91누4126).

2 행정소송법상 이행판결이나 형성판결을 구하는 소송이 허용되는지 여부(소극)

현행 행정소송법상 행정청으로 하여금 일정한 행정처분을 하도록 명하는 이행판결을 구하는 소송이나 법원으로 하여금 행정청이 일정한 행정처분을 행한 것과 같은 효과가 있는 행정처분을 직접 행하도록 하는 형성판결을 구하는 소송은 허용되지 아니한다(대판 1997.9.30. 97누3200).

3 국가보훈처장이 독립운동가 등의 활동상을 잘못 기술하였다는 등의 이유로 그 사실관계의 확인을 구하거나, 국가보훈처장의 서훈추천서의 행사, 불행사가 당연무효 또는 위법임의 확인을 구하는 청구가 항고소송의 대상이 되는지 여부(소극)

국가보훈처장은 이들 독립운동가들의 활동상황을 잘못 알고 국가보훈상의 서훈추천권을 행사함으로써 서훈추천권의 행사가 적정하지 아니하였다는 이유로 이러한 서훈추천권의 행사, 불행사가 당연무효임의 확인, 또는 그 부작위가 위법함의 확인을 구하는 청구는 과거의 역사적 사실관계의 존부나 공법상의 구체적인 법률관계가 아닌 사실관계에 관한 것들을 확인의 대상으로 하는 것이거나, 행정청의 단순한 부작위를 대상으로 하는 것으로서 항고소송의 대상이 되지 아니하는 것이다(대판 1990.11.23. 90누3553).

② 예방적 부작위 청구소송(금지소송)

㉠ **의의:** 행정청이 장래 행할 것으로 예상되는 부담적 처분을 하지 않도록 명하거나 또는 부담적 처분을 하지 말아야 할 작위의무가 있음을 확인하는 판결을 구하는 소송을 말한다.

㉡ **인정 여부:** 학설은 대립하고 있으나, 판례는 의무이행소송과 같은 성질이므로 부정한다.

관련판례

행정청의 부작위를 구하는 청구가 허용되는지 여부(소극)

신축건물의 준공처분을 하여서는 아니된다는 내용의 부작위를 구하는 원고의 예비적 청구는 행정소송에서 허용되지 아니하는 것이므로 부적법하다(대판 1987.3.27. 86누182).

핵심 OX

01 주민들은 규제권한이 있는 A시장에게 甲의 공장에 대해 개선조치를 해줄 것을 요청하였으나, A시장은 상당한 기간이 지나도록 아무런 조치를 취하지 않고 있다. 개선조치를 요청한 주민이 A시장을 상대로 개선조치를 해달라는 행정쟁송을 하고자 할 때 가능한 쟁송 유형으로 의무이행심판은 가능하나 의무이행소송은 허용되지 않는다. 18. 지방9급 ( )

02 판례는 국가보훈처장 등이 발생한 책자 등에서 독립운동가 등의 활동상을 잘못 기술하였다는 등의 이유로 그 사실 관계의 확인을 구하는 것은 항고소송의 대상이 되지 않는다고 한다. 09. 세무사 ( )

핵심 OX

03 신축건물의 준공처분을 하여서는 아니 된다는 내용의 부작위를 청구하는 행정소송은 예외적으로 허용된다. 18. 지방교행, 12. 사복 ( )

04 행정소송법상 행정청이 일정한 처분을 하지 못하도록 그 부작위를 구하는 청구는 허용되지 않는 부적법한 소송이다. 15. 지방9급 ( )

01 ○ 02 ○ 03 X 04 ○

3 행정쟁송의 분류

1. 성질에 의한 분류

(1) 형성의 소

형성의 소는 법률관계의 변동을 일으키는 일정한 법률요건의 존재를 주장하여 **법률관계**를 **발생·변경·소멸**시키는 소송을 말한다. 항고소송 중 취소소송은 행정청의 위법한 처분 등의 취소·변경을 구하는 소송이므로 형성의 소로서의 성질을 갖는다고 보는 것이 일반적이다.

(2) 이행의 소

이행의 소는 피고에 대한 특정한 이행청구권의 존재를 주장하여, 그의 확정과 이에 기한 **이행을 명하는 판결**을 **청구**하는 소이다. 행정소송상 부작위에 대한 의무이행소송과 당사자소송이 여기에 해당하나, 현행법상 의무이행소송을 인정하는 규정은 없고 행정소송 중 당사자소송만 인정된다.

(3) 확인의 소

확인의 소는 특정한 권리 또는 법률관계의 효력 유무 또는 존재 여부를 주장하여 이를 확인하는 판결을 구하는 소이다. 항고소송 중 **무효등확인소송**, **부작위위법확인소송**이나 공법상의 법률관계의 존부를 확인받기 위한 **당사자소송**은 확인의 소에 해당한다.

2. 내용에 의한 분류

(1) 항고소송

① 법정항고소송

㉠ **취소소송**: 행정청의 위법한 처분 등을 취소 또는 변경하는 소송

㉡ **무효등확인소송**: 행정청의 처분 등의 효력 유무나 존재 여부를 확인하는 소송

㉢ **부작위위법확인소송**: 행정청의 부작위가 위법하다는 것을 확인하는 소송

② 무명항고소송

㉠ 의무이행소송

㉡ 예방적 부작위소송(금지소송)

(2) 당사자소송

① 실질적 당사자소송

② 형식적 당사자소송

(3) 민중소송

국가 또는 공공단체의 기관이 법률에 위반되는 행위를 한 때에 직접 자기의 법률상 이익과 관계없이 그 시정을 구하기 위하여 제기하는 소송을 말한다.

(4) 기관소송

국가 또는 공공단체의 기관 상호간에 있어서의 권한의 존부 또는 그 행사에 관한 다툼이 있을 때에 이에 대하여 제기하는 소송을 말한다.

판례연구 행정소송의 한계

1. 기본 판례

의무이행소송이나 적극적 형성판결을 구하는 항고소송은 허용되지 않는다.

> 현행 행정소송법상 행정청으로 하여금 일정한 행정처분을 하도록 명하는 이행판결을 구하는 소송이나 법원으로 하여금 행정청이 일정한 행정처분을 행한 것과 같은 효과가 있는 행정처분을 직접 행하도록 하는 형성판결을 구하는 소송은 허용되지 아니한다(대판 1997.9.30. 97누3200).

2. 관련 판례

① 과거의 역사적 사실관계의 존부나 공법상의 구체적인 법률관계가 아닌 사실관계에 관한 것들을 확인의 대상으로 하는 항고소송은 허용되지 않는다.
② 검사에게 압수물 환부를 이행하라는 청구는 행정청의 부작위에 대하여 일정한 처분을 하도록 하는 의무이행소송으로 현행 행정소송법상 허용되지 아니한다.
③ 그 건축 건물의 준공처분을 하여서는 아니된다는 내용의 부작위를 구하는 청구는 행정소송에서 허용되지 아니하는 것이므로 부적법하다.
④ 국민건강보험공단은 이 사건고시를 적용하여 요양급여비용을 결정하여서는 아니된다는 내용의 청구는 부적법하다.
⑤ 독립기념관 전시관의 해설문, 전시물 중 잘못된 부분을 고쳐 다시 전시 및 배치할 의무가 있음의 확인을 구하는 청구는 작위의무확인소송으로서 항고소송의 대상이 되지 아니한다.

4 취소소송

1. 취소소송 개관

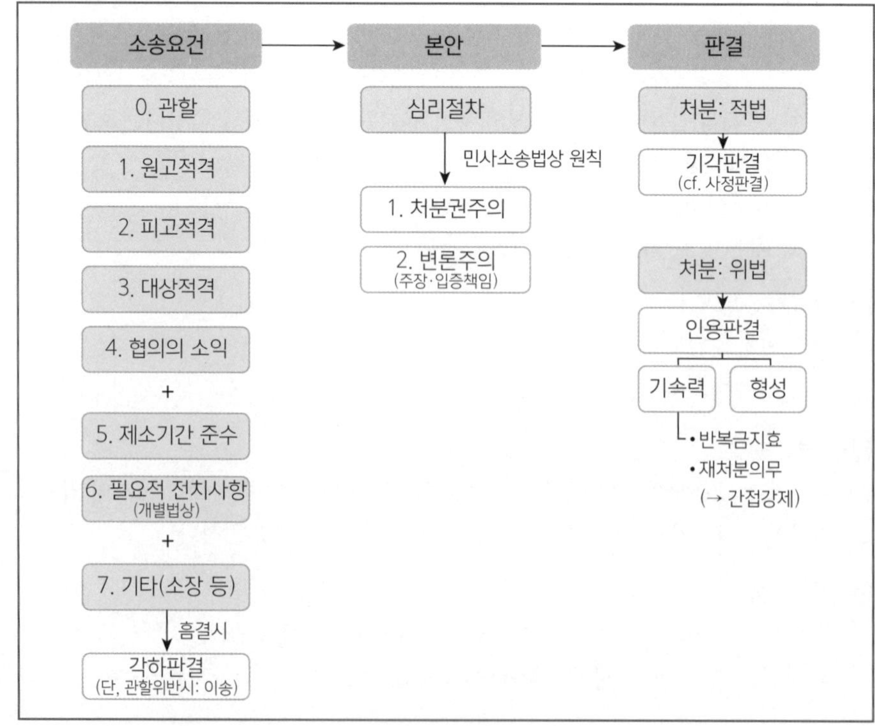

취소소송 순서도

2. 서설

행정소송법 제1조【목적】 이 법은 행정소송절차를 통하여 행정청의 위법한 처분 그 밖에 공권력의 행사·불행사 등으로 인한 국민의 권리 또는 이익의 침해를 구제하고, 공법상의 권리관계 또는 법적용에 관한 다툼을 적정하게 해결함을 목적으로 한다.

제2조【정의】 ① 이 법에서 사용하는 용어의 정의는 다음과 같다.

1. '처분 등'이라 함은 행정청이 행하는 구체적 사실에 관한 법집행으로서의 공권력의 행사 또는 그 거부와 그 밖에 이에 준하는 행정작용(이하 '처분'이라 한다) 및 행정심판에 대한 재결을 말한다.
2. '부작위'라 함은 행정청이 당사자의 신청에 대하여 상당한 기간내에 일정한 처분을 하여야 할 법률상 의무가 있음에도 불구하고 이를 하지 아니하는 것을 말한다.

② 이 법을 적용함에 있어서 행정청에는 법령에 의하여 행정권한의 위임 또는 위탁을 받은 행정기관, 공공단체 및 그 기관 또는 사인이 포함된다.

제4조【항고소송】 항고소송은 다음과 같이 구분한다.

1. 취소소송: 행정청의 위법한 처분 등을 취소 또는 변경하는 소송
2. 무효등확인소송: 행정청의 처분 등의 효력 유무 또는 존재 여부를 확인하는 소송
3. 부작위위법확인소송: 행정청의 부작위가 위법하다는 것을 확인하는 소송

제5조【국외에서의 기간】 이 법에 의한 기간의 계산에 있어서 국외에서의 소송행위 추완에 있어서는 그 기간을 14일에서 30일로, 제3자에 의한 재심청구에 있어서는 그 기간을 30일에서 60일로, 소의 제기에 있어서는 그 기간을 60일에서 90일로 한다.

제8조【법적용례】 ① 행정소송에 대하여는 다른 법률에 특별한 규정이 있는 경우를 제외하고는 이 법이 정하는 바에 의한다.
② 행정소송에 관하여 이 법에 특별한 규정이 없는 사항에 대하여는 법원조직법과 민사소송법 및 민사집행법의 규정을 준용한다.

(1) 의의

① 취소소송이란 행정청의 위법한 처분 등에 대해 **취소**나 **변경**을 구하는 소송으로 항고소송의 중심을 이루는 소송이다. 그리고 여기서의 변경은 소극적 변경(일부취소판결)을 의미한다는 것이 통설·판례이다.

② 재결의 취소·변경은 당해 **재결 자체**에 **고유한 위법**이 있음을 이유로 하는 경우에만 인정된다.

③ 취소소송은 일반적으로 취소원인의 하자 있는 처분이나 재결에 대해서 제기하는 소송인데, '처분의 무효선언을 구하는 의미에서의 취소소송'도 판례상 인정되고 있다.

(2) 성질

취소소송의 성질에 대하여 형성소송설·확인소송설의 대립이 있으나, 취소소송은 위법한 행정청의 처분 등에 대한 취소·변경을 통하여 그 법률관계를 변경 또는 소멸시키는 점에서 **형성소송설**이 통설·판례의 입장이다. 행정소송법은 취소소송의 인용판결에 대하여 대세적 효력을 인정함으로써 형성소송설을 뒷받침하고 있다.

핵심 OX

01 취소소송이란 행정청의 위법한 처분 등을 취소 또는 변경하는 소송을 말한다. 12. 지방9급 ( )

01 ○

3. 재판관할

행정소송법 제7조 【사건의 이송】 민사소송법 제34조 제1항의 규정은 원고의 고의 또는 중대한 과실없이 행정소송이 심급을 달리하는 법원에 잘못 제기된 경우에도 적용한다.

제9조 【재판관할】 ① 취소소송의 제1심 관할법원은 피고의 소재지를 관할하는 행정법원으로 한다.
② 제1항에도 불구하고 다음 각 호의 어느 하나에 해당하는 피고에 대하여 취소소송을 제기하는 경우에는 대법원 소재지를 관할하는 행정법원에 제기할 수 있다.
1. 중앙행정기관, 중앙행정기관의 부속기관과 합의제 행정기관 또는 그 장
2. 국가의 사무를 위임 또는 위탁받은 공공단체 또는 그 장
③ 토지의 수용 기타 부동산 또는 특정의 장소에 관계되는 처분 등에 대한 취소소송은 그 부동산 또는 장소의 소재지를 관할하는 행정법원에 이를 제기할 수 있다.

제10조 【관련청구소송의 이송 및 병합】 ① 취소소송과 다음 각 호의 1에 해당하는 소송이 각각 다른 법원에 계속되고 있는 경우에 관련청구소송이 계속된 법원이 상당하다고 인정하는 때에는 당사자의 신청 또는 직권에 의하여 이를 취소소송이 계속된 법원으로 이송할 수 있다.
1. 당해 처분 등과 관련되는 손해배상 · 부당이득반환 · 원상회복 등 청구소송
2. 당해 처분 등과 관련되는 취소소송
② 취소소송에는 사실심의 변론종결시까지 관련청구소송을 병합하거나 피고 외의 자를 상대로 한 관련청구소송을 취소소송이 계속된 법원에 병합하여 제기할 수 있다.

(1) 심급관할

취소소송은 행정법원 · 고등법원 · 대법원의 **3심제**를 채택하고 있으며, 특허청의 심결에 대한 취소소송의 경우는 예외적으로 특허법원 · 대법원의 2심제를 채택하고 있다. 행정법원이 설치되지 않은 지역에 있어서의 행정사건은 행정법원이 설치될 때까지 해당 지방법원 본원이 관할한다(법원조직법 부칙 제2조).

(2) 사물관할(법원조직법 제7조 제3항)

행정법원의 심판권은 판사 3인으로 구성된 합의부에서 이를 행한다.

(3) 토지관할(행정소송법 제9조)

취소소송의 제1심 관할법원은 **피고의 소재지**를 관할하는 행정법원으로 한다. 다만, 중앙행정기관 또는 그 장이 피고인 경우에는 **대법원 소재지**를 관할하는 행정법원에 제기할 수 있다. 또한 토지의 수용 기타 부동산 또는 특정장소에 관계되는 처분 등에 대한 취소소송은 그 **부동산** 또는 **장소의 소재지**를 관할하는 행정법원에 이를 제기할 수 있다.

(4) 전속관할제의 폐지

현행 행정소송법은 전속관할제를 폐지하고 **임의관할제**를 채택하고 있다. 따라서 합의관할, 변론관할(구 응소관할)이 가능하다.

(5) 관할법원에의 이송

법원은 소송의 전부 또는 일부가 그 관할에 속하지 않는다고 인정할 경우에는 결정으로 **관할법원에 이송**한다(행정소송법 제8조 제2항, 민사소송법 제34조 제1항).

핵심 OX

01 취소소송의 제1심 관할법원은 원고의 소재지를 관할하는 행정법원으로 한다. 15. 서울7급 (　)

02 중앙행정기관의 부속기관과 합의제 행정기관 또는 그 장에 대하여 취소소송을 제기하는 경우에는 대법원소재지를 관할하는 행정법원에 제기할 수 있다. 15. 서울7급 (　)

03 국가의 사무를 위임 또는 위탁받은 공공단체 또는 그 장에 대하여 취소소송을 제기하는 경우에는 대법원 소재지를 관할하는 행정법원에 제기할 수 있다. 15. 서울7급 (　)

04 피고의 소재지가 서울특별시인 취소소송의 제1심 관할법원은 서울행정법원이다. 09. 세무사 (　)

05 경상북도 김천시에 위치한 한국도로공사가 국토교통부장관의 국가사무의 위임을 받아 한 처분에 대한 취소소송은 서울행정법원에 제기할 수 없다. 16. 지방7급 (　)

06 부동산에 관계되는 처분 등에 대한 취소소송은 서울행정법원에서만 제기하여야 한다. 15. 서울7급 10. 국가7급 09. 세무사 (　)

01 X 02 O 03 O 04 O 05 X 06 X

관련판례

1 관할청이 위 이행강제금 부과처분을 하면서 재결청에 행정심판을 청구하거나 관할 행정법원에 행정소송을 할 수 있다고 잘못 안내한 경우, 행정법원의 항고소송 재판관할이 생기는지 여부(소극)

농지법 제62조 제6항, 제7항이 이행강제금 부과처분에 대한 불복절차(비송사건절차법에 따른 재판절차)를 분명하게 규정하고 있으므로, 이와 다른 불복절차를 허용할 수는 없다. 설령 관할청이 이행강제금 부과처분을 하면서 재결청에 행정심판을 청구하거나 관할 행정법원에 행정소송을 할 수 있다고 잘못 안내하거나 관할 행정심판위원회가 각하재결이 아닌 기각재결을 하면서 관할 법원에 행정소송을 할 수 있다고 잘못 안내하였다고 하더라도, 그러한 잘못된 안내로 행정법원의 항고소송 재판관할이 생긴다고 볼 수도 없다(대판 2019.4.11. 2018두42955).

2 원고가 고의 또는 중대한 과실 없이 행정소송으로 제기하여야 할 사건을 민사소송으로 잘못 제기한 경우, 수소법원이 취하여야 할 조치(=관할법원 이송)

원고가 고의 또는 중대한 과실 없이 행정소송으로 제기하여야 할 사건을 민사소송으로 잘못 제기한 경우, 수소법원으로서는 만약 행정소송에 대한 관할도 동시에 가지고 있다면 이를 행정소송으로 심리·판단하여야 하고, 행정소송에 대한 관할을 가지고 있지 아니하다면 당해 소송이 이미 행정소송으로서의 전심절차 및 제소기간을 도과하였거나 행정소송의 대상이 되는 처분 등이 존재하지도 아니한 상태에 있는 등 행정소송으로서의 소송요건을 결하고 있음이 명백하여 행정소송으로 제기되었더라도 어차피 부적법하게 되는 경우가 아닌 이상 이를 부적법한 소라고 하여 각하할 것이 아니라 관할법원에 이송하여야 한다(대판 2017.11.9. 2015다215526).

3 행정사건을 민사사건으로 오해하여 민사소송을 제기한 경우, 수소법원이 취하여야 할 조치 ⇨ 이송❶

행정소송법 제7조는 원고의 고의 또는 중대한 과실 없이 행정소송이 심급을 달리하는 법원에 잘못 제기된 경우에 민사소송법 제31조 제1항을 적용하여 이를 관할 법원에 이송하도록 규정하고 있을 뿐 아니라, 관할 위반의 소를 부적법하다고 하여 각하하는 것보다 관할 법원에 이송하는 것이 당사자의 권리구제나 소송경제의 측면에서 바람직하므로, 원고가 고의 또는 중대한 과실 없이 행정소송으로 제기하여야 할 사건을 민사소송으로 잘못 제기한 경우, 수소법원으로서는 만약 그 행정소송에 대한 관할도 동시에 가지고 있다면 이를 행정소송으로 심리·판단하여야 하고, 그 행정소송에 대한 관할을 가지고 있지 아니하다면 당해 소송이 이미 행정소송으로서의 전심절차 및 제소기간을 도과하였거나 행정소송의 대상이 되는 처분 등이 존재하지도 아니한 상태에 있는 등 행정소송으로서의 소송요건을 결하고 있음이 명백하여 행정소송으로 제기되었더라도 어차피 부적법하게 되는 경우가 아닌 이상 이를 부적법한 소라고 하여 각하할 것이 아니라 관할 법원에 이송하여야 한다(대판 1997.5.30. 95다28960).

(6) 취소소송 외의 관할법원

취소소송의 관할에 관한 규정은 무효등확인소송과 부작위위법확인소송 그리고 당사자소송에도 준용되며, 당사자소송은 국가·공공단체 그 밖의 권리주체를 피고로 하므로 국가나 공공단체가 피고인 경우에는 관계행정청의 소재지를 피고의 소재지로 본다(제38조, 제40조).

핵심 OX

07 농지법상 이행강제금부과처분에 대한 불복은 비송사건절차법에 따른 재판절차뿐만 아니라 행정소송법상 항고소송절차에 따를 수 있다. 23. 지방9급 ( )

핵심 OX

08 원고의 고의 또는 중대한 과실 없이 행정소송이 심급을 달리하는 법원에 잘못 제기된 경우에 수소법원은 관할법원에 이송한다. 14. 국회8급 09. 세무사 ( )

❶ 취소소송의 관할: 피고(행정청) 소재지 관할 법원

- 중앙행정기관의 장이 피고인 경우 대법원 소재지 관할 법원에 제기 '가능' (서울행정법원)
- 어떠한 장소 관련 소송의 경우, 당해 장소 소재지 관할 법원에 제기 '가능'

07 X 08 O

4. 관련청구의 이송과 병합

(1) 제도의 취지

서로 관련되는 수개의 청구를 병합하여 하나의 소송절차에서 통일적으로 심판하는 것을 관련청구소송의 **이송·병합**이라고 한다. 이는 법원의 업무부담의 경감과 심리의 중복을 피하기 위해 인정된다.

(2) 관련청구소송의 범위(제10조 제1항)

① 당해 처분 등과 관련되는 손해배상·부당이득반환·원상회복 등 청구소송

② 당해 처분 등과 관련되는 취소소송

(3) 관련청구소송의 이송

취소소송과 관련청구소송이 각각 다른 법원에 계속되고 있는 경우에 관련청구소송이 계속된 법원이 상당하다고 인정하는 때에는 당사자의 **신청** 또는 **직권**에 의하여 이를 **취소소송이 계속된 법원**으로 이송할 수 있다(제10조 제1항). 이는 다른 항고소송은 물론 당사자소송, 민중소송, 기관소송에도 준용된다(제38조, 제44조, 제46조). 이송의 효과는 이송결정시가 아닌 **처음부터** 이송받은 법원에 계속된 것으로 본다.

(4) 관련청구소송의 병합

취소소송에는 사실심의 변론종결시까지 관련청구소송을 병합하거나 피고 이외의 자를 상대로 한 관련청구소송을 취소소송이 계속된 법원에 병합하여 제기할 수 있다(제10조 제2항). 이러한 규정은 다른 항고소송은 물론 당사자소송에도 준용된다(제38조, 제44조 제2항).

관련판례

행정처분에 대한 무효확인과 취소청구의 선택적 병합 또는 단순 병합의 허용 여부(소극)❶

행정처분에 대한 무효확인과 취소청구는 서로 양립할 수 없는 청구로서 주위적·예비적 청구로서만 병합이 가능하고 선택적 청구로서의 병합이나 단순 병합은 허용되지 아니한다(대판 1999.8.20. 97누6889).

판례연구 관련청구병합

1. 기본 판례

무효확인소송과 취소청구는 주위적·예비적 청구만 병합가능하고 선택적 병합은 허용되지 않는다.

> 행정처분에 대한 무효확인과 취소청구는 서로 양립할 수 없는 청구로서 주위적·예비적 청구로서만 병합이 가능하고 선택적 청구로서의 병합이나 단순병합은 허용되지 아니한다(대판 1999.8.20. 97누6889).

2. 관련 판례

① 동일한 행정처분에 대하여 무효확인의 소를 제기했다가 그 후 그 처분의 취소를 구하는 소를 추가적으로 병합한 경우, 주된 청구인 무효확인의 소가 적법한 제소기간 내에 제기되었다면 추가로 병합된 취소청구의 소도 적법하게 제기된 것으로 볼 수 있다.

핵심 OX

01 관련청구소송의 이송은 그 소송이 계속되어 있는 법원이 당해 소송을 취소소송이 계속되어 있는 법원에 이송하는 것이 상당하다고 인정하는 때에 당사자의 신청 또는 직권에 의하여 할 수 있다. 09. 국가7급 ( )

02 관련청구소송은 이송결정이 확정된 때부터 이송받은 법원에 계속된 것으로 본다. 09. 세무사 ( )

03 이송결정은 이송받은 법원을 기속하며 이송받은 법원은 다른 법원으로 다시 이송하지 못한다. 09. 세무사 ( )

04 관련청구소송의 병합에 있어서는 취소소송의 적법성이 전제되어야 하며, 사실심변론종결 전에 관련청구가 병합되어야 한다. 10. 국회8급 ( )

05 행정처분에 대한 무효확인과 취소청구는 서로 양립할 수 없는 청구로서 주위적·예비적 청구로서만 병합이 가능하고 선택적 청구로서의 병합은 허용되지 않는다. 15. 국가9급, 12. 국회8급, 08. 세무사 ( )

❶
- 취소사유: 중대성 / 무효사유: 중대·명백성
- 취소사유와 무효사유는 서로 다르므로 취소이면서 무효인 처분은 존재할 수 없음

⇨ 무효가 아니라면 취소해 달라는 '주위적·예비적 청구'는 가능하지만 이외 다른 병합은 불가

01 ○ 02 X 03 ○ 04 ○ 05 ○

② 주위적 청구를 인용한 제1심판결에 대해 피고가 항소한 경우 예비적 청구도 이심되며 항소심이 제1심에서 인용되었던 주위적 청구를 배척할 때에는 다음 순위의 예비적 청구에 관하여 심판하여야 한다.
③ 민사소송이 행정소송에 관련청구로 병합되기 위해서는 그 청구의 내용 또는 발생원인이 행정소송의 대상인 처분 등과 법률상 또는 사실상 공통되거나, 그 처분의 효력이나 존부 유무가 선결문제로 되는 등의 관계에 있어야 함이 원칙이다.
④ 부당이득반환청구가 인용되기 위해서는 그 소송절차에서 판결에 의해 당해 처분이 취소되면 충분하고 그 처분의 취소가 확정되어야 하는 것은 아니라고 보아야 한다.
⑤ 취소소송을 제기한 당사자가 당사자소송을 관련 청구로 병합하였으나 위 취소소송이 부적법한 경우 법원은 병합된 청구까지 각하할 것이 아니라 소변경청구가 있었던 것으로 볼 것이다.

5. 원고

(1) 당사자능력

당사자능력이란 **소송의 주체**가 될 수 있는 능력을 말한다. 이는 민사소송법에 의하여 자연인, 법인, 법인격 없는 사단 또는 재단이 당사자가 될 수 있다. 항고소송에서는 민사소송과는 달리 실체법상 권리능력이 없는 **행정청**을 피고로 하고 있다. 국가기관 등은 원칙적으로 원고적격이 없지만, 다른 기관의 처분에 의해 국가기관이 권리를 침해받는 등 중대한 불이익을 받았음에도 그 처분을 다툴 수 있는 방법이 없는 경우에는 예외적으로 항고소송을 제기하는 것이 가능하다는 것이 판례의 입장이다.

관련판례

甲이 국민권익위원회에 부패방지 및 국민권익위원회의 설치와 운영에 관한 법률에 따른 신고와 신분보장조치를 요구하였고, 국민권익위원회가 乙 시·도선거관리위원회 위원장에게 '甲에 대한 중징계요구를 취소하고 향후 신고로 인한 신분상 불이익처분 및 근무조건상의 차별을 하지 말 것을 요구'하는 내용의 조치요구를 한 사안에서, 국가기관인 乙에게 위 조치요구의 취소를 구하는 소를 제기할 당사자능력, 원고적격 및 법률상 이익을 인정한 사례

甲이 국민권익위원회에 부패방지 및 국민권익위원회의 설치와 운영에 관한 법률(이하 '국민권익위원회법'이라 한다)에 따른 신고와 신분보장조치를 요구하였고, 국민권익위원회가 甲의 소속기관 장인 乙 시 · 도선거관리위원회 위원장에게 '甲에 대한 중징계요구를 취소하고 향후 신고로 인한 신분상 불이익처분 및 근무조건상의 차별을 하지 말 것을 요구'하는 내용의 조치요구를 한 사안에서, 국가기관 일방의 조치요구에 불응한 상대방 국가기관에 국민권익위원회법상의 제재규정과 같은 중대한 불이익을 직접적으로 규정한 다른 법령의 사례를 찾아보기 어려운 점, 그럼에도 乙이 국민권익위원회의 조치요구를 다툴 별다른 방법이 없는 점 등에 비추어 보면, 처분성이 인정되는 위 조치요구에 불복하고자 하는 乙로서는 조치요구의 취소를 구하는 항고소송을 제기하는 것이 유효 · 적절한 수단이므로 비록 乙이 국가기관이더라도 당사자능력 및 원고적격을 가진다고 보는 것이 타당하고, 乙이 위 조치요구 후 甲을 파면하였다고 하더라도 조치요구가 곧바로 실효된다고 할 수 없고 乙은 여전히 조치요구를 따라야 할 의무를 부담하므로 乙에게는 위 조치요구의 취소를 구할 법률상 이익도 있다(대판 2013.7.25. 2011두1214).

핵심 OX

06 동일한 행정처분에 대하여 무효확인소송을 제기하였다가 그 후 그 처분에 대한 취소소송을 추가적으로 병합한 경우, 무효확인소송이 취소소송의 제소기간 내에 제기 되었다면 제소기간 도과 후 병합된 취소소송도 적법하게 제기된 것으로 볼 수 있다. 17. 지방7급 ( )

07 취소소송에 당해 처분과 관련되는 부당이득반환청구소송이 병합되어 제기된 경우, 부당이득반환청구가 인용되기 위해서는 그 소송절차에서 판결에 의해 당해 처분이 취소되면 충분하고 그 처분의 취소가 확정되어야 하는 것은 아니다. 18. 국가7급, 15. 서울7급 · 국가9급, 12 · 09. 국회8급 ( )

08 일정한 법규위반사실이 행정처분의 전제사실이 되는 한편 이와 동시에 형사법규의 위반사실이 되는 때, 형사판결이 확정되지 않았음에도 이에 앞서 그 위반사실을 들어 행정처분을 하는 경우는 행정처분을 다투는 사안에서 허용된다. 19. 변호사 ( )

09 자연물인 도롱뇽 또는 그를 포함한 자연 그 자체로서는 소송을 수행할 당사자능력을 인정할 수 없다. 15. 국가9급 ( )

10 법인격 없는 단체도 대표자를 통해서 단체의 이름으로 소를 제기할 수 있다. 07. 세무사 ( )

11 국가는 국토이용계획과 관련된 기관위임사무의 처리에 관하여 지방자치단체의 장을 상대로 취소소송을 제기할 수 있다. 10. 국회8급 ( )

12 국가기관인 시 · 도 선거관리위원회 위원장은 국민권익위원회가 그에게 소속직원에 대한 중징계요구를 취소하라는 등의 조치 요구를 한 것에 대해서 취소소송을 제기할 원고적격을 가진다고 볼 수 없다. 16. 국가9급 ( )

06 ○ 07 ○ 08 ○ 09 ○ 10 ○ 11 X 12 X

(2) 원고적격

행정소송법 제12조 【원고적격】 취소소송은 처분 등의 취소를 구할 법률상 이익이 있는 자가 제기할 수 있다. 처분 등의 효과가 기간의 경과, 처분 등의 집행 그 밖의 사유로 인하여 소멸된 뒤에도 그 처분 등의 취소로 인하여 회복되는 법률상 이익이 있는 자의 경우에는 또한 같다.

① **법률상 이익이 있는 자:** 취소소송은 '행정청의 처분 등의 취소를 구할 **법률상 이익**' 이 있는 자가 제기할 수 있다(제12조). 여기서 법률상 이익은 **반사적 이익**을 **제외**하며, 법률상 이익이 있으면 처분의 직접 상대방 · 제3자 · 자연인 · 법인 모두 원고적격이 인정된다. 법률상 이익에 대해서는 견해의 대립이 있다.

② **학설**

㉠ **권리구제설:** 위법한 처분 등으로 인하여 권리를 침해당한 자만이 원고적격이 있다는 견해이다.

㉡ **법률상 이익구제설(통설 · 판례):** 권리를 침해당한 경우 외에 **법률상 보호이익**을 **침해**당한 경우에도 원고적격이 인정된다는 견해이다. 오늘날 권리의 확대경향에 따라 넓은 의미의 권리개념을 인정하는 점에서 권리구제설과 차이가 있다.

㉢ **보호가치이익구제설:** 법적으로는 반사적 · 사실적 이익에 불과한 것이라도 법이 실질적으로 보호할 가치 있는 이익이면 널리 원고적격을 인정하여야 한다는 견해이다.

㉣ **적법성보장설:** 원고적격을 판단함에 있어 원고가 주장하는 이익의 성질을 기준으로 하는 것이 아니라, 행정처분의 적법성보장에서 찾으려는 견해이다.

③ **판례:** 법률상 이익은 처분의 근거법률에 의하여 보호되는 직접적이고 구체적인 이익을 말한다고 함으로써 법률상 이익구제설을 취하고 있다.

④ **원고적격의 확대화 경향:** 복효적 행정행위의 제3자 · 경원자 · 경업자 등의 이익을 법률상 보호이익으로 평가하여 원고적격을 확대하고 있는 것이 오늘날의 경향이다.

관련판례

1 법인의 주주가 당해 법인에 대한 행정처분의 취소를 구할 원고적격이 있는 경우

일반적으로 법인의 주주는 당해 법인에 대한 행정처분에 관하여 사실상이나 간접적인 이해관계를 가질 뿐이어서 스스로 그 처분의 취소를 구할 원고적격이 없는 것이 원칙이라고 할 것이지만, 그 처분으로 인하여 궁극적으로 주식이 소각되거나 주주의 법인에 대한 권리가 소멸하는 등 주주의 지위에 중대한 영향을 초래하게 되는데도 그 처분의 성질상 당해 법인이 이를 다툴 것을 기대할 수 없고 달리 주주의 지위를 보전할 구제방법이 없는 경우에는 주주도 그 처분에 관하여 직접적이고 구체적인 법률상 이해관계를 가지므로 그 취소를 구할 **원고적격이 있다**(대판 2004.12.23. 2000두2648).

2 소송에서 당사자가 누구인가를 법원이 직권으로 확정하여야 하는지 여부(적극)

[1] 소송에서 당사자가 누구인가는 당사자능력, 당사자적격 등에 관한 문제와 직결되는 중요한 사항이므로, 사건을 심리 · 판단하는 법원으로서는 직권으로 소송당사자가 누구인가를 확정하여 심리를 진행하여야 한다.

핵심 OX

01 취소소송은 처분 등의 취소를 구할 법률상 이익이 있는 자가 제기할 수 있다. 10. 지방9급 ( )

02 취소소송의 원고적격은 처분 등의 취소를 구할 법률상 이익이 있는 자에게 인정되기 때문에, 직접 처분 또는 재결을 받은 상대방 이외의 자에게는 인정되지 아니한다. 12. 지방9급 ( )

03 행정처분의 직접 상대방이 아닌 제3자라도 당해 행정처분의 취소를 구할 법률상의 이익이 있는 경우에는 원고적격이 인정된다. 11. 국가9급 ( )

04 처분의 직접 상대방이 아닌 경우에는 처분의 근거법률에 의하여 보호되는 법률상 이익이 있는 경우에도 원고적격이 인정될 수 없다. 13. 국가9급 ( )

05 법률상 이익의 의미에 관하여 법률상 보호이익설(법률상 이익구제설)은 위법한 처분에 의하여 침해되고 있는 이익이 근거법률에 의하여 보호되고 있는 이익인 경우에는 그러한 이익이 침해된 자에게 당해 처분의 취소를 구할 원고적격이 인정된다고 한다. 11. 국가9급 ( )

06 행정소송법 제12조의 '법률상 이익'에 관해서는 권리구제설, 법률상 보호된 이익구제설, 소송상 보호가치 있는 이익구제설, 적법성 보장설 등이 대립되고 있는데 판례는 이 중 법률상 보호된 이익구제설을 취하고 있는 것으로 이해하는 것이 일반적이다. 13. 국회8급 ( )

01 ○ 02 X 03 ○ 04 X 05 ○ 06 ○

[2] 개인이나 법인이 과세처분에 대하여 심판청구 등을 제기하여 전심절차를 진행하던 중 사망하거나 흡수합병되는 등으로 당사자능력이 소멸하였으나, 전심절차에서 이를 알지 못한 채 사망하거나 합병으로 인해 소멸된 당사자를 청구인으로 표시하여 청구에 관한 결정이 이루어지고, 상속인이나 합병법인이 결정에 불복하여 소를 제기하면서 소장에 착오로 소멸한 당사자를 원고로 기재하였다면, 실제 소를 제기한 당사자는 상속인이나 합병법인이고 다만 그 표시를 잘못한 것에 불과하므로, 법원으로서는 이를 바로잡기 위한 당사자표시정정신청을 받아들인 후 본안에 관하여 심리 · 판단하여야 한다(대판 2016.12.27. 2016두50440).

3 구 건축법 제29조 제1항에서 정한 건축협의의 취소가 처분에 해당하는지 여부(적극) 및 지방자치단체 등이 건축물 소재지 관할 허가권자인 지방자치단체의 장을 상대로 건축협의취소의 취소를 구할 수 있는지 여부(적극)

구 건축법(2011.5.30. 법률 제10755호로 개정되기 전의 것) 제29조 제1항 · 제2항, 제11조 제1항 등의 규정 내용에 의하면, 건축협의의 실질은 지방자치단체 등에 대한 건축허가와 다르지 않으므로, 지방자치단체 등이 건축물을 건축하려는 경우 등에는 미리 건축물의 소재지를 관할하는 허가권자인 지방자치단체의 장과 건축협의를 하지 않으면, 지방자치단체라 하더라도 건축물을 건축할 수 없다. 그리고 구 지방자치법 등 관련 법령을 살펴보아도 지방자치단체의 장이 다른 지방자치단체를 상대로 한 건축협의 취소에 관하여 다툼이 있는 경우에 법적 분쟁을 실효적으로 해결할 구제수단을 찾기도 어렵다.

따라서 건축협의 취소는 상대방이 다른 지방자치단체 등 행정주체라 하더라도 '행정청이 행하는 구체적 사실에 관한 법집행으로서의 공권력 행사'(행정소송법 제2조 제1항 제1호)로서 처분에 해당한다고 볼 수 있고, 지방자치단체인 원고가 이를 다툴 실효적 해결 수단이 없는 이상, 원고는 건축물 소재지 관할 허가권자인 지방자치단체의 장을 상대로 항고소송을 통해 건축협의 취소의 취소를 구할 수 있다(대판 2014.2.27. 2012두22980).

4 구 임대주택법상 임차인대표회의도 임대주택 분양전환승인처분에 대하여 취소소송을 제기할 원고적격이 있는지 여부(적극)

구 임대주택법 제21조 제5항, 제9항, 제34조, 제35조 규정의 내용과 입법 경위 및 취지 등에 비추어 보면, 임차인대표회의도 당해 주택에 거주하는 임차인과 마찬가지로 임대주택의 분양전환과 관련하여 그 승인의 근거 법률인 구 임대주택법에 의하여 보호되는 구체적이고 직접적인 이익이 있다고 봄이 상당하다. 따라서 임차인대표회의는 행정청의 분양전환승인처분이 승인의 요건을 갖추지 못하였음을 주장하여 그 취소소송을 제기할 **원고적격이 있다**고 보아야 한다(대판 2010.5.13. 2009두19168).

5 구 주택법상 입주자나 입주예정자가 사용검사처분의 무효확인 또는 취소를 구할 법률상 이익이 있는지 여부(소극)

[1] 건물의 사용검사처분은 건축허가를 받아 건축된 건물이 건축허가 사항대로 건축행정 목적에 적합한지 여부를 확인하고 사용검사필증을 교부하여 줌으로써 허가받은 사람으로 하여금 건축한 건물을 사용 · 수익할 수 있게 하는 법률효과를 발생시키는 것이다.

[2] 이러한 사용검사처분은 건축물을 사용 · 수익할 수 있게 하는 데 그치므로 건축물에 대하여 사용검사처분이 이루어졌다고 하더라도 그 사정만으로는 건축물에 있는 하자나 건축법 등 관계 법령에 위배되는 사실이 정당화

핵심 OX

07 지방자치단체가 건축물 소재지 관할 허가권자인 지방자치단체의 장을 상대로 건축협의취소의 취소를 구하는 사안에서의 지방자치단체는 행정소송의 원고적격을 가진다. 19. 국회8급 ( )

08 지방자치단체 등이 건축물을 건축하기 위해 건축물 소재지 관할 허가권자인 지방자치단체의 장과 건축협의를 하였는데 허가권자인 지방자치단체의 장이 그 협의를 취소한 경우, 건축협의 취소는 항고소송의 대상인 행정처분에 해당한다. 17. 지방9급 ( )

핵심 OX

09 하자 있는 건축물에 대한 사용검사처분의 무효확인 및 취소를 구하는 구 주택법상 입주자는 원고적격을 가진다. 19. 국회8급, 18. 지방9급 ( )

07 O 08 O 09 X

되지는 아니하며, 또한 건축물에 대한 사용검사처분의 무효확인을 받거나 처분이 취소된다고 하더라도 사용검사 전의 상태로 돌아가 건축물을 사용할 수 없게 되는 것에 그칠 뿐 곧바로 건축물의 하자 상태 등이 제거되거나 보완되는 것도 아니다.

[3] 그리고 입주자나 입주예정자들은 사용검사처분의 무효확인을 받거나 처분을 취소하지 않고도 민사소송 등을 통하여 분양계약에 따른 법률관계 및 하자 등을 주장 · 증명함으로써 사업주체 등으로부터 하자의 제거 · 보완 등에 관한 권리구제를 받을 수 있으므로, 사용검사처분의 무효확인 또는 취소 여부에 의하여 법률적인 지위가 달라진다고 할 수 없으며, 구 주택공급에 관한 규칙(2012.3.30. 국토해양부령 제452호로 개정되기 전의 것)에서 주택공급계약에 관하여 사용검사와 관련된 규정을 두고 있다고 하더라도 달리 볼 것은 아니다. 오히려 주택에 대한 사용검사처분이 있으면, 그에 따라 입주예정자들이 주택에 입주하여 이를 사용할 수 있게 되므로 일반적으로 입주예정자들에게 이익이 되고, 다수의 입주자들이 사용검사권자의 사용검사처분을 신뢰하여 입주를 마치고 제3자에게 주택을 매매 내지 임대하거나 담보로 제공하는 등 사용검사처분을 기초로 다수의 법률관계가 형성되는데, 일부 입주자나 입주예정자가 사업주체와의 개별적 분쟁 등을 이유로 사용검사처분의 무효확인 또는 취소를 구하게 되면, 처분을 신뢰한 다수의 이익에 반하게 되는 상황이 발생할 수 있다.❶

[4] 위와 같은 사정들을 종합하여 볼 때, 구 주택법(2012.1.26. 법률 제11243호로 개정되기 전의 것)상 입주자나 입주예정자는 사용검사처분의 무효확인 또는 취소를 구할 **법률상 이익이 없다**(대판 2015.1.29. 2013두24976).

❶
- 사용검사처분은 입주자에게 유리한 처분
- 당사자에 유리한 처분을 취소해달라는 취소소송은 제기 불가

⇨ 입주자 · 입주예정자가 사용검사처분 무효확인 또는 취소 구할 법률상 이익 X

6 인가·허가 등 수익적 행정처분을 신청한 여러 사람이 서로 경원관계에 있는 경우, 허가 등 처분을 받지 못한 사람이 자신에 대한 거부처분의 취소를 구할 원고적격과 소의 이익이 있는지 여부(원칙적 적극)

인가 · 허가 등 수익적 행정처분을 신청한 여러 사람이 서로 경원관계에 있어서 한 사람에 대한 허가 등 처분이 다른 사람에 대한 불허가 등으로 귀결될 수밖에 없을 때 허가 등 처분을 받지 못한 사람은 신청에 대한 거부처분의 직접 상대방으로서 원칙적으로 자신에 대한 거부처분의 취소를 구할 원고적격이 있고, 취소판결이 확정되는 경우 판결의 직접적인 효과로 경원자에 대한 허가 등 처분이 취소되거나 효력이 소멸되는 것은 아니더라도 행정청은 취소판결의 기속력에 따라 판결에서 확인된 위법사유를 배제한 상태에서 취소판결의 원고와 경원자의 각 신청에 관하여 처분요건의 구비 여부와 우열을 다시 심사하여야 할 의무가 있으며, 재심사 결과 경원자에 대한 수익적 처분이 직권취소되고 취소판결의 원고에게 수익적 처분이 이루어질 가능성을 완전히 배제할 수는 없으므로, 특별한 사정이 없는 한 경원관계에서 허가 등 처분을 받지 못한 사람은 자신에 대한 거부처분의 취소를 구할 **소의 이익이 있다**(대판 2015.10.29. 2013두27517).

핵심 OX

01 경원관계에서 허가처분을 받지 못한 사람은 자신에 대한 거부처분이 취소되더라도, 그 판결의 직접적 효과로 경원자에 대한 허가처분이 취소되거나 효력이 소멸하는 것은 아니므로 자신에 대한 거부처분의 취소를 구할 소의 이익이 없다. 16. 지방7급 ( )

7 사단법인 대한의사협회가 보건복지부 고시인 '건강보험요양급여행위 및 그 상대가치점수 개정'의 취소를 구할 원고적격이 없다고 한 사례

사단법인 대한의사협회는 의료법에 의하여 의사들을 회원으로 하여 설립된 사단법인으로서, 국민건강보험법상 요양급여행위, 요양급여비용의 청구 및 지급과 관련하여 직접적인 법률관계를 갖지 않고 있으므로, 보건복지부 고시인 '건강보험요양급여행위 및 그 상대가치점수 개정'으로 인하여 자신의 법률상 이익을 침해당하였다고 할 수 없다는 이유로 위 고시의 취소를 구할 **원고적격이 없다**(대판 2006.5.25. 2003두11988).

핵심 OX

02 건강보험요양급여행위 및 그 상대가치점수 개정 고시의 취소소송에서 사단법인 대한의사협회는 원고적격이 있다. 12. 국회8급 ( )

01 X **02** X

8 **국방부 민·군 복합형 관광미항(제주해군기지) 사업시행을 위한 해군본부의 요청에 따라 제주특별자치도지사가 절대보존지역이던 서귀포시 강정동 해안변지역에 관하여 절대보존지역을 변경(축소)하고 고시한 사안에서, 절대보존지역의 유지로 지역주민들이 가지는 주거 및 생활환경상 이익이 개별적·직접적·구체적 이익인지 및 원고적격이 있는지 여부(소극)**

원심은 피고의 이 사건 처분이 국방부장관의 제주해군기지 실시계획 승인처분 등을 위한 전제로 행하여진 것이라 하더라도 위 승인처분과는 독립된 별개의 행정처분이므로 행정처분의 적법 여부는 물론이고 행정처분을 다투는 절차 역시 별개로 보아야 한다고 하면서, 원고들에게 이 사건 처분의 근거가 되는 법규 및 관련 법규에 의하여 보호되는 법률상 이익이 있는지 여부에 관하여 ① 절대보전지역의 해제는 소유권에 가한 제한을 해제하는 처분에 해당하는 것으로 그 자체로 인근 주민의 생활환경에 영향을 주는 사업의 시행이나 시설의 설치를 내포하고 있는 것이 아닌 점, ② 구 제주특별자치도 설치 및 국제자유도시 조성을 위한 특별법(2009.10.9. 법률 제9795호로 개정되기 전의 것) 및 구 제주특별자치도 보전지역 관리에 관한 조례(2010.1.6. 조례 제597호로 개정되기 전의 것)에 따라 절대보전지역으로 지정되어 보호되는 대상은 인근 주민의 주거 및 생활환경 등이 아니라 제주의 지하수·생태계·경관 그 자체인 점, ③ 위 조례 제3조 제1항은 절대보전지역의 지정 및 변경에는 주민들의 의견을 듣도록 하고 있으나 보전지역을 축소하는 경우에는 예외로 한다고 규정함으로써 그 절차에서도 절대보전지역 지정으로 인하여 환경상 혜택을 받는 주민들이 아니라 권리의 제한을 받게 되는 주민들을 주된 보호의 대상으로 하고 있는 점 등에 비추어 보면, 이 사건 처분 대상인 서귀포시 강정동 해안변지역 105,295㎡가 절대보전지역으로 유지됨으로써 원고들이 가지는 주거 및 생활환경상 이익은 그 지역의 경관 등이 보호됨으로써 반사적으로 누리는 것일 뿐 근거 법규 또는 관련 법규에 의하여 보호되는 **개별적·직접적·구체적 이익이라고 할 수 없다**고 판단하였다. 나아가 원심은 원고들이 주장하는 헌법상의 생존권, 행복추구권, 환경권만으로는 그 권리의 주체·대상·내용·행사방법 등이 구체적으로 정립되어 있다고 볼 수 없으므로 이에 근거하여 이 사건 처분을 다툴 원고적격이 있다고 할 수도 없다고 판단하였다. 앞서 본 법리와 기록에 비추어 살펴보면, 원심의 위와 같은 판단은 정당한 것으로 수긍할 수 있고, 거기에 상고이유 주장과 같은 행정소송의 원고 적격에 관한 법리오해의 위법 등이 없다(대판 2012.7.5. 2011두13187·13194).

9 **환경부장관이 생태·자연도 1등급으로 지정되었던 지역을 2등급 또는 3등급으로 변경하는 내용의 생태·자연도 수정·보완을 고시하자, 인근 주민이 생태·자연도 등급변경처분의 무효확인을 청구한 사안에서, 주민이 무효확인을 구할 원고적격이 있는지 여부(소극)**

환경부장관이 생태·자연도 1등급으로 지정되었던 지역을 2등급 또는 3등급으로 변경하는 내용의 생태·자연도 수정·보완을 고시하자, 인근 주민 甲이 생태·자연도 등급변경처분의 무효 확인을 청구한 사안에서, 생태·자연도의 작성 및 등급변경의 근거가 되는 구 자연환경보전법(2011.7.28. 법률 제10977호로 개정되기 전의 것) 제34조 제1항 및 그 시행령 제27조 제1항·제2항에 의하면, 생태·자연도는 토지이용 및 개발계획의 수립이나 시행에 활용하여 자연환경을 체계적으로 보전·관리하기 위한 것일 뿐, 1등급 권역의 인근 주민들이 가지는 생활상 이익을 직접적이고 구체적으로 보호하기 위한 것이 아님이 명백하고, 1등급 권역의 인근 주민들이 가지는 이익은 환경보호라는 공공의 이익이 달성됨에 따라 반사적으로 얻게 되는 이익에 불과하므로, 인근 주민에 불과한 甲은 생태·자연도 등급권역을 1등급에서 일부는 2등급으로, 일부는 3등급으로

핵심 OX

03 생태·자연도 1등급으로 지정되었던 지역을 2등급 또는 3등급으로 변경하는 내용의 환경부장관의 결정에 대해 해당 1등급 권역의 인근 주민은 취소소송을 제기할 원고적격이 인정된다. 16. 국가9급 ( )

03 X

변경한 결정의 무효확인을 구할 원고적격이 없다고 본 원심판단을 수긍한 사례이다(대판 2014.2.21. 2011두29052).

10 재단법인 甲 수녀원이, 매립목적을 택지조성에서 조선시설용지로 변경하는 내용의 공유수면매립목적 변경 승인처분으로 인하여 법률상 보호되는 환경상 이익을 침해받았다면서 행정청을 상대로 처분의 무효확인을 구하는 소송을 제기할 원고적격이 있는지 여부(소극)

재단법인 甲 수녀원이, 매립목적을 택지조성에서 조선시설용지로 변경하는 내용의 공유수면매립목적 변경 승인처분으로 인하여 법률상 보호되는 환경상 이익을 침해받았다면서 행정청을 상대로 처분의 무효확인을 구하는 소송을 제기한 사안에서, 공유수면매립목적 변경 승인처분으로 甲 수녀원에 소속된 수녀 등이 쾌적한 환경에서 생활할 수 있는 환경상 이익을 침해받는다고 하더라도 이를 가리켜 곧바로 甲 수녀원의 법률상 이익이 침해된다고 볼 수 없고, 자연인이 아닌 甲 수녀원은 쾌적한 환경에서 생활할 수 있는 이익을 향수할 수 있는 주체가 아니므로 위 처분으로 위와 같은 생활상의 이익이 직접적으로 침해되는 관계에 있다고 볼 수도 없으며, 위 처분으로 환경에 영향을 주어 甲 수녀원이 운영하는 쨈 공장에 직접적이고 구체적인 재산적 피해가 발생한다거나 甲 수녀원이 폐쇄되고 이전해야 하는 등의 피해를 받거나 받을 우려가 있다는 점 등에 관한 증명도 부족하다는 이유로, 甲 수녀원에 처분의 무효확인을 구할 원고적격이 없다(대판 2012.6.28. 2010두2005).

11 도시 및 주거환경정비법상 조합설립추진위원회의 구성에 동의하지 아니한 정비구역 내의 토지 등 소유자가 조합설립추진위원회 설립승인처분의 취소를 구할 원고적격이 인정되는지 여부(적극)

도시 및 주거환경정비법 제13조 제1항 및 제2항의 입법 경위와 취지에 비추어 하나의 정비구역 안에서 복수의 조합설립추진위원회에 대한 승인은 허용되지 않는 점, 조합설립추진위원회가 조합을 설립할 경우 같은 법 제15조 제4항에 의하여 조합설립추진위원회가 행한 업무와 관련된 권리와 의무는 조합이 포괄승계하며, 주택재개발사업의 경우 정비구역 내의 토지 등 소유자는 같은 법 제19조 제1항에 의하여 당연히 그 조합원으로 되는 점 등에 비추어 보면, 조합설립추진위원회의 구성에 동의하지 아니한 정비구역 내의 토지 등 소유자도 조합설립추진위원회 설립승인처분에 대하여 같은 법에 의하여 보호되는 직접적이고 구체적인 이익을 향유하므로 그 설립승인처분의 취소소송을 제기할 원고적격이 있다(대판 2007.1.25. 2006두12289).

12 법령이 특정한 행정기관 등으로 하여금 다른 행정기관을 상대로 제재적 조치를 취할 수 있도록 하면서, 그에 따르지 않으면 그 행정기관에 대하여 과태료를 부과하거나 형사처벌을 할 수 있도록 정하는 경우, 제재적 조치의 상대방인 행정기관 등에게 항고소송 원고로서의 당사자능력과 원고적격을 인정할 수 있는지 여부(적극)

국가기관 등 행정기관(이하 '행정기관 등'이라 한다) 사이에 권한의 존부와 범위에 관하여 다툼이 있는 경우에 이는 통상 내부적 분쟁이라는 성격을 띠고 있어 상급관청의 결정에 따라 해결되거나 법령이 정하는 바에 따라 '기관소송'이나 '권한쟁의심판'으로 다루어진다. 그런데 법령이 특정한 행정기관 등으로 하여금 다른 행정기관을 상대로 제재적 조치를 취할 수 있도록 하면서, 그에 따르지 않으면 그 행정기관에 대하여 과태료를 부과하거나 형사처벌을 할 수 있도록 정하는 경우가 있다. 이러한 경우에는 단순히 국가기관이나 행정기관의 내부적 문제라거나 권한 분장에 관한 분쟁으로만 볼 수 없다. 행정기관의 제재적

핵심 OX

01 재단법인인 甲 수녀원은 소속된 수녀 등이 쾌적한 환경에서 생활할 수 있는 환경상 이익을 침해받는다면 매립목적을 택지조성에서 조선시설용지로 변경하는 내용의 공유수면매립목적 변경 승인처분의 무효확인을 구할 원고적격이 있다.
16. 지방9급 ( )

01 X

조치의 내용에 따라 '구체적 사실에 대한 법집행으로서 공권력의 행사'에 해당할 수 있고, 그러한 조치의 상대방인 행정기관이 입게 될 불이익도 명확하다. 그런데도 그러한 제재적 조치를 기관소송이나 권한쟁의심판을 통하여 다툴 수 없다면, 제재적 조치는 그 성격상 단순히 행정기관 등 내부의 권한 행사에 머무는 것이 아니라 상대방에 대한 공권력 행사로서 항고소송을 통한 주관적 구제대상이 될 수 있다고 보아야 한다. 기관소송 법정주의를 취하면서 제한적으로만 이를 인정하고 있는 현행 법령의 체계에 비추어 보면, 이 경우 항고소송을 통한 구제의 길을 열어주는 것이 법치국가 원리에도 부합한다. 따라서 이러한 권리구제나 권리보호의 필요성이 인정된다면 예외적으로 그 제재적 조치의 상대방인 행정기관 등에게 항고소송 원고로서의 당사자능력과 원고적격을 인정할 수 있다(대판 2018.8.1. 2014두35379).

13 소방청장이 국민권익위원회 조치요구의 취소를 구하는 소송을 제기할 수 있는 지 여부(적극)

국민권익위원회가 소방청장에게 인사와 관련하여 부당한 지시를 한 사실이 인정된다며 이를 취소할 것을 요구하기로 의결하고 그 내용을 통지하자 소방청장이 국민권익위원회 조치요구의 취소를 구하는 소송을 제기한 사안에서, 행정기관인 국민권익위원회가 행정기관의 장에게 일정한 의무를 부과하는 내용의 조치요구를 한 것에 대하여 그 조치요구의 상대방인 행정기관의 장이 다투고자 할 경우에 법률에서 행정기관 사이의 기관소송을 허용하는 규정을 두고 있지 않으므로 이러한 조치요구를 이행할 의무를 부담하는 행정기관의 장으로서는 기관소송으로 조치요구를 다툴 수 없고, 위 조치요구에 관하여 정부 조직내에서 그 처분의 당부에 대한 심사 · 조정을 할 수 있는 다른 방도도 없으며, 국민권익위원회는 헌법 제111조 제1항 제4호에서 정한 '헌법에 의하여 설치된 국가기관'이라고 할 수 없으므로 그에 관한 권한쟁의심판도 할 수 없고, 별도의 법인격이 인정되는 국가기관이 아닌 소방청장은 질서위반행위규제법에 따른 구제를 받을 수도 없는 점, 부패방지 및 국민권익위원회의 설치와 운영에 관한 법률은 소방청장에게 국민권익위원회의 조치요구에 따라야 할 의무를 부담시키는 외에 별도로 그 의무를 이행하지 않을 경우 과태료나 형사처벌까지 정하고 있으므로 위와 같은 조치요구에 불복하고자 하는 '소속기관 등의 장'에게는 조치요구를 다툴 수 있는 소송상의 지위를 인정할 필요가 있는 점에 비추어, 처분성이 인정되는 국민권익위원회의 조치요구에 불복하고자 하는 소방청장으로서는 조치요구의 취소를 구하는 항고소송을 제기하는 것이 유효 · 적절한 수단으로 볼 수 있으므로 소방청장은 예외적으로 당사자능력과 원고적격을 가진다(대판 2018.8.1. 2014두35379).

14 지방법무사회가 법무사의 사무원 채용승인 신청을 거부하여 사무원이 될 수 없게 된 자가 지방법무사회를 상대로 거부처분 취소소송을 제기할 수 있는 지 여부(적극)

지방법무사회가 법무사의 사무원 채용승인 신청을 거부하거나 채용승인을 얻어 채용 중인 사람에 대한 채용승인을 취소하면, 상대방인 법무사로서도 그 사람을 사무원으로 채용할 수 없게 되는 불이익을 입게 될 뿐만 아니라, 그 사람도 법무사 사무원으로 채용되어 근무할 수 없게 되는 불이익을 입게 된다. 법무사규칙 제37조 제4항이 이의신청 절차를 규정한 것은 채용승인을 신청한 법무사뿐만 아니라 사무원이 되려는 사람의 이익도 보호하려는 취지로 볼 수 있다. 따라서 지방법무사회의 사무원 채용승인 거부처분 또는 채용승인 취소처분에 대해서는 처분 상대방인 법무사뿐만 아니라 그 때문에 사무원이 될 수 없게 된 사람도 이를 다툴 원고적격이 인정되어야 한다(대판 2020.4.9. 2015다34444).

핵심 OX

02 소방청장이 처분성이 인정되는 국민권익위원회의 조치요구에 불복하여 조치요구의 취소를 구하는 경우 항고소송의 원고적격이 인정된다. 21. 국가9급 ( )

03 국민권익위원회가 소방청장에게 인사와 관련하여 부당한 지시를 한 사실이 인정된다며 이를 취소할 것을 요구하기로 의결하고 내용을 통지하자 그 국민권익위원회 조치요구의 취소를 구하는 사안에서의 소방청장은 원고적격을 가진다. 19. 국회8급 ( )

핵심 OX

04 지방법무사회가 법무사의 사무원 채용승인 신청을 거부하여 사무원이 될 수 없게 된 자가 지방법무사회를 상대로 거부처분의 취소를 구하는 경우에 항고소송의 원고적격이 인정된다. 21. 국가9급 ( )

02 ○ 03 ○ 04 ○

15 경업자에 대한 행정처분이 경업자에게 불리한 내용인 경우, 기존의 업자가 행정처분의 무효확인 또는 취소를 구할 이익이 있는지 여부(원칙적 소극)

[1] **행정처분의 무효확인 또는 취소소송 계속 중 처분청이 다툼의 대상이 되는 행정처분을 직권으로 취소한 경우, 그 처분을 대상으로 한 항고소송이 적법한지 여부(원칙적 소극) / 이때 처분청의 직권취소에도 예외적으로 그 처분의 취소를 구할 소의 이익이 인정되는 경우**

행정처분의 무효확인 또는 취소를 구하는 소가 제소 당시에는 소의 이익이 있어 적법하였더라도, 소송 계속 중 처분청이 다툼의 대상이 되는 행정처분을 직권으로 취소하면 그 처분은 효력을 상실하여 더 이상 존재하지 않는 것이므로, 존재하지 않는 처분을 대상으로 한 항고소송은 원칙적으로 소의 이익이 소멸하여 부적법하다고 보아야 한다.

[2] **선행처분의 내용을 변경하는 후행처분이 있는 경우, 선행처분의 효력 존속 여부**

선행처분의 주요 부분을 실질적으로 변경하는 내용으로 후행처분을 한 경우에 선행처분은 특별한 사정이 없는 한 효력을 상실하지만, 후행처분이 선행처분의 내용 중 일부만을 소폭 변경하는 정도에 불과한 경우에는 선행처분은 소멸하는 것이 아니라 후행처분에 의하여 변경되지 아니한 범위 내에서는 그대로 존속한다.

[3] **면허나 인허가 등의 수익적 행정처분의 근거가 되는 법률이 해당 업자들 사이의 과당경쟁에 따른 경영의 불합리 방지를 목적으로 하고 있는 경우, 면허나 인허가 등의 수익적 행정처분을 받아 영업을 하고 있는 기존의 업자가 경업자에 대한 면허나 인허가 등의 수익적 행정처분의 무효확인 또는 취소를 구할 이익이 있는지 여부(적극) / 경업자에 대한 행정처분이 경업자에게 불리한 내용인 경우, 기존의 업자가 행정처분의 무효확인 또는 취소를 구할 이익이 있는지 여부(원칙적소극)**

일반적으로 면허나 인허가 등의 수익적 행정처분의 근거가 되는 법률이 해당 업자들 사이의 과당경쟁으로 인한 경영의 불합리를 방지하는 것도 목적으로 하고 있는 경우, 다른 업자에 대한 면허나 인허가 등의 수익적 행정처분에 대하여 미리 같은 종류의 면허나 인허가 등의 수익적 행정처분을 받아 영업을 하고 있는 기존의 업자는 경업자에 대하여 이루어진 면허나 인허가 등 행정처분의 상대방이 아니라고 하더라도 당해 행정처분의 무효확인 또는 취소를 구할 이익이 있다. 그러나 경업자에 대한 행정처분이 경업자에게 불리한 내용이라면 그와 경쟁관계에 있는 기존의 업자에게는 특별한 사정이 없는 한 유리할 것이므로 기존의 업자가 그 행정처분의 무효확인 또는 취소를 구할 이익은 없다고 보아야 한다(대판 2020.4.9. 2019두49953).

판례연구 원고적격(경업자소송)

1. 기본 판례

수익적 처분의 근거법령이 해당 업자들 사이의 과당경쟁으로 인한 경영 불합리를 방지하는 것도 목적으로 하는 경우 원고적격 인정

> 일반적으로 면허나 인 · 허가 등의 수익적 행정처분의 근거가 되는 법률이 해당 업자들 사이의 과당경쟁으로 인한 경영의 불합리를 방지하는 것도 그 목적으로 하고 있는 경우, 다른 업자에 대한 면허나 인 · 허가 등의 수익적 행정처분에 대하여 미리 같은 종류의 면허나 인 · 허가 등의 수익적 행정처분을 받아 영업을 하고 있는 기존의 업자는 경업자에 대하여 이루어진 면허나 인 · 허가 등 행정처분의 상대방이 아니라 하더라도 당해 행정처분의 취소를 구할 당사자 적격이 있다(대판 2002.10.25. 2001두4450).

2. 관련 판례

법률상 이익 인정	• 약종상영업소 이전허가에 대한 기존업자의 취소청구 • 기존 주유소업자가 거리제한으로 얻은 이익 • 기존 담배일반소매업자가 다른 담배일반소매인에 대한 관계에서 거리제한으로 얻은 이익 • 주류제조면허업자의 영업상 이익 • 자동차운송사업의 노선연장인가에 대한 기존업자의 취소청구 • 자동차증차인가에 대한 기존업자의 이익 • 선박운송사업 면허처분에 대한 기존업자의 취소청구 • 시외버스의 시내버스로의 전환을 허용하는 사업계획인가처분에 대한 기존업자의 취소청구 • 광구의 증구에 대한 인접 광업권자의 이익 • 같은 지역 내의 신규광업권 허가처분에 대한 기존업자의 이익 • 수인이 서로 경쟁관계에 있어서 일방에 대한 면허나 인·허가 등의 행정처분이 타방에 대한 불면허·불인가·불허가 등으로 귀결될 수밖에 없는 경우
법률상 이익 부정	• 양곡가공업허가에 의해 양곡가공업자가 누리는 이익 • 석탄가공업허가에 의해 석탄가공업자가 누리는 이익 • 숙박업 구조변경허가처분을 받은 건물의 인근에서 여관을 경영하는 자의 숙박업 구조변경허가처분 • 기존 공중목욕장업자가 거리제한으로 받는 이익 • 무역거래법상의 수입제한·금지조치로 국내생산업체가 받는 이익 • 약사의 한약조제로 인한 기존한의사의 이익 • 유기장영업허가로 인한 기존업자의 이익 • 정화조업허가로 인한 기존업자의 이익 • 담배일반소매인의 구내소매인지정에 대한 이익 • 과징금부과처분취소재결에 대한 동종업자의 법률상 이익 • 경업자에 대한 행정처분이 경업자에게 불리한 내용인 경우 기존업자

판례연구 원고적격(주민소송)

1. 기본 판례

환경영향평가대상지역 내 주민들은 환경상피해가 사실상 추정되나 환경영향평가대상지역 밖의 주민은 추정되지 않고 수인한도를 넘는 환경상 피해를 입증함으로써 원고적격 인정

> 공유수면매립면허처분과 농지개량사업 시행인가처분의 근거 법규 또는 관련 법규가 공유수면매립과 농지개량사업시행으로 인하여 직접적이고 중대한 환경피해를 입으리라고 예상되는 환경영향평가 대상지역 안의 주민들이 전과 비교하여 수인한도를 넘는 환경침해를 받지 아니하고 쾌적한 환경에서 생활할 수 있는 개별적 이익까지도 이를 보호하려는 데에 있다고 할 것이므로, 위 주민들이 공유수면매립면허처분 등과 관련하여 갖고 있는 위와 같은 환경상의 이익은 주민 개개인에 대하여 개별적으로 보호되는 직접적 · 구체적 이익으로서 그들에 대하여는 특단의 사정이 없는 한 환경상의 이익에 대한 침해 또는 침해우려가 있는 것으로 사실상 추정되어 공유수면매립면허처분 등의 무효확인을 구할 원고적격이 인정된다. 한편, 환경영향평가대상지역 밖의 주민이라 할지라도 공유수면매립면허처분 등으로 인하여 그 처분 전과 비교하여 수인한도를 넘는 환경피해를 받거나 받을 우려가 있는 경우에는, 공유수면매립면허처분 등으로 인하여 환경상 이익에 대한 침해 또는 침해우려가 있다는 것을 입증함으로써 그 처분 등의 무효확인을 구할 원고적격을 인정받을 수 있다(대판 2006.3.16. 2006두330).

핵심 OX

01 환경정책기본법 제6조의 규정 내용 등에 비추어 국민에게 구체적인 권리를 부여한 것으로 볼 수 없더라도 환경영향평가대상지역 밖에 거주하는 주민에게 헌법상의 환경권 또는 환경정책기본법에 근거하여 공유수면매립면허처분과 농지개량사업 시행인가처분의 무효확인을 구할 원고적격이 있다. 17. 지방9급 ( )

02 환경영향평가 대상지역 밖의 주민이라 할지라도 사업승인처분의 결과가 수인한도를 넘는 환경피해를 받을 우려가 있는 경우, 그 처분으로 인한 환경상 이익에 대한 침해우려 사실을 입증하면 무효확인소송의 원고적격이 인정된다. 15. 국가7급 ( )

01 X **02** O

2. 관련 판례

법률상 이익 인정	• 연탄공장 설치허가에 대한 인근주민의 취소청구 • LPG충전소 설치허가에 대한 인근주민의 취소청구 • 원자로부지 사전승인처분에 대한 인근주민의 취소청구 • 환경영향평가대상지역 안의 주민의 환경영향평가대상사업에 관한 변경승인 및 허가처분에 대한 취소청구 • 환경영향평가대상지역 밖의 주민의 경우 수인한도를 넘는 환경피해를 받거나 받을 우려가 있다고 증명한 경우 • 환경상 침해를 받으리라고 예상되는 영향권 내의 주민들을 비롯하여 그 영향권 내에서 농작물을 경작하는 등 현실적으로 환경상 이익을 향유하는 사람 • 도로의 용도폐지처분에 대해 개별적 · 구체적이며 직접적인 이해관계를 가진 자의 처분취소청구(통상적으로 도로의 용도폐지를 다툴 법률상 이익은 인정되지 않으나 인접주민의 등의 경우 인정된다) • 일정지역에 공설화장장 설치를 금지함에 의하여 보호되는 부근 주민들의 이익
법률상 이익 부정	• 지역주민들의 상수원보호구역 변경처분의 취소를 구한 제3자인 지역주민 • 문화재로 지정하거나 문화재 보호구역으로 지정하여 지역주민이나 국민 일반 또는 학술연구자가 이를 활용하여 그로 인하여 얻는 이익 • 일반적인 시민생활에서 도로를 이용만 하는 사람의 도로용도폐지를 다툴 이익 • 환경영향평가대상지역 밖의 주민들이 얻는 환경상 이익 • 단지 그 영향권 내의 건물 · 토지를 소유하거나 환경상 이익을 일시적으로 향유하는 데 그치는 사람

6. 소의 이익(권리보호의 필요)

(1) 의의

취소소송은 원고적격 외에도 본안판결을 구하는 것을 정당화시킬 수 있는 구체적 · 현실적 이익 내지 필요성이 있어야 한다. 이를 협의의 소의 이익 또는 권리보호의 필요라고 한다.

(2) 관계 규정

행정소송법 제12조 제2문은 처분 등의 효과가 '기관의 경과', 처분 등의 '집행"그 밖의 사유'로 인하여 소멸된 뒤에도 그 처분 등의 취소로 인하여 회복되는 법률상 이익이 있는 자의 경우에는 취소소송을 제기할 수 있다고 규정하고 있다.

(3) 권리보호의 필요인정 여부

① 처분의 효과가 소멸한 경우

㉠ 처분의 효과가 소멸된 뒤에는 **원칙적**으로 **소의 이익**이 **부인**된다.

㉡ 그러나 처분의 효과가 소멸된 뒤에도 그 처분 등의 취소로 인하여 **회복**되는 법률상 이익이 있는 경우에는 예외적으로 소의 이익이 인정된다. 여기서의 회복되는 법률상 이익에는 부수적인 이익도 포함된다.

② **원상회복이 불가능한 경우**: 처분이 취소되어도 원상회복이 불가능한 경우에는 취소를 구할 **소의 이익이 없다**. 예컨대 특정일로 예정되어 있는 집회 · 시위운동의 불허가처분의 취소소송 중 그 특정기일이 경과한 경우에는 소의 이익이 없다.

핵심 OX

01 행정처분의 취소를 구하는 소에서, 비록 행정처분의 위법을 이유로 취소판결을 받더라도 처분에 의하여 발생한 위법상태를 원상회복시키는 것이 불가능한 경우에는 원칙적으로 취소를 구할 법률상 이익이 없으므로, 수소법원은 소를 각하하여야 한다. 22. 지방9급 ( )

01 ○

③ **기간이 경과한 경우:** 영업정지나 면허정지기간이 경과한 후에는 그 영업정지나 면허정지처분의 취소를 구할 소의 이익이 없음이 원칙이다.

④ 처분 후의 사정변경에 의해 권익침해가 해소된 경우

⑤ **인가처분취소소송에서의 소의 이익:** 기본행위의 무효를 내세워 바로 그에 대한 행정청의 인가처분의 취소 또는 무효확인을 소구할 법률상의 이익이 없다.

⑥ **협의의 소의 이익의 판단기준시: 상고심 종결시**이다(대판 1995.7.14. 95누4087).

판례정리 **권리보호의 필요인정 여부**

구분	부정	긍정
원상회복 불가능	• 건물철거 • 건물완성, 공사완료 • 정년퇴직 • 군 복무완료 • 집회일자 경과	• 후속절차 관련성 있는 경우 • 퇴직·연금상의 불이익 제거의 필요성이 있는 경우
처분의 효과 소멸	기간 경과	가중적 제재처분
기타 사정변경	불합격처분 후 합격한 경우	퇴학처분 후 검정고시 합격
원상회복 불가능	• 위법한 행정처분의 취소를 구하는 소는 비록 그 위법한 처분을 취소한다고 하더라도 원상회복이 불가능한 경우에는 그 취소를 구할 소의 이익이 없다(대판 1996.2.9. 95누14978). • 계고처분에 기한 대집행의 실행이 이미 사실행위로서 완료되었다면 계고처분의 무효확인 또는 취소를 구할 법률상 이익은 없다(대판 1995.7.28. 95누2623). • 건축허가를 받아 건축공사를 완료한 경우 그 허가처분의 취소를 구할 소의 이익은 없다. 나아가 소 제기 후 사실심 변론종결일 전에 건축공사를 완료한 경우에도 마찬가지로 소의 이익은 없다(대판 2007.4.26. 2006두18409). • 공익근무요원 소집해제신청을 거부한 후에 원고가 계속하여 공익근무요원으로 복무함에 따라 복무기간 만료를 이유로 소집해제처분을 한 경우에는 원고가 입게 되는 권리와 이익의 침해는 소집해제처분으로 해소되었으므로 거부처분의 취소를 구할 소의 이익이 없다(대판 2005.5.13. 2004두4369).	도시개발사업공사 등이 완료되고 원상회복이 사회통념상 불가능하게 되었더라도 도시개발사업의 시행에 따른 도시계획변경결정처분과 도시개발구역지정처분 및 도시개발사업실시계획인가처분의 취소를 구할 법률상 이익은 인정된다(대판 2005.9.9. 2003두5402·5419) ⇨후속절차와 관련. cf. 원고적격: 건물건축과정에서 피해를 입은 인접주택 소유자는 신축건물에 대한 사용검사처분의 취소를 구할 법률상 이익이 없다.

핵심 OX

02 협의의 소익은 상고심 계속 중에도 존속해야 한다. 14. 서울7급 ( )

핵심 OX

03 건축허가처분의 취소를 구하는 소를 제기하기 전에 건축공사가 완료된 경우에는 소의 이익이 없으나, 소를 제기한 후 사실심 변론종결일 전에 건축공사가 완료된 경우에는 소의 이익이 있다. 18. 서울7급 ( )

02 O 03 X

처분의 효력 소멸	• 취소되어 더 이상 존재하지 않는 행정처분을 대상으로 한 취소소송은 소의 이익이 없다(대판 2006.9.28. 2004두5317). • 납세자가 감액경정청구 거부처분에 대한 취소소송을 제기한 후 증액경정처분이 이루어져서 그 증액경정처분에 대하여도 취소소송을 제기한 경우에는, 특별한 사정이 없는 한 동일한 납세의무의 확정에 관한 심리의 중복과 판단의 저촉을 피하기 위하여 감액경정청구 거부처분의 취소를 구하는 소는 그 취소를 구할 이익이나 필요가 없어 부적법하다(대판 2005.10.14. 2004두8972).	제재적 행정처분이 그 처분에서 정한 제재기간의 경과로 인하여 그 효과가 소멸되었으나, 부령인 시행규칙 또는 지방자치단체의 규칙의 형식으로 정한 처분기준에서 제재적 행정처분을 받은 것을 가중사유나 전제요건으로 삼아 장래의 제재적 행정처분을 하도록 정하고 있는 경우, 선행처분인 제재적 행정처분을 받은 상대방이 그 처분에서 정한 제재기간이 경과하였다 하더라도 그 처분의 취소를 구할 법률상 이익이 있다(대판 2006.6.22. 2003두1684 전합).
기타 사정변경	사법시험 제1차 시험 불합격처분의 취소를 구하는 소송을 제기하였는데 원심판결이 선고된 이후 새로이 실시된 사법시험 제1차 시험에 합격한 경우에는 소의 이익이 없어 부적법하다(대판 1996.2.23. 95누2685).	부실금융기관에 대한 파산결정이 확정되고 이미 파산절차가 상당부분 진행되고 있다 하더라도 파산종결이 될 때까지는 그 가능성이 매우 적기는 하지만 동의폐지나 강제화의 등의 방법으로 당해 부실금융기관이 영업활동을 재개할 가능성이 여전히 남아 있으므로, 금융감독위원회의 부실금융기관에 대한 영업인가의 취소처분에 대한 취소를 구할 소의 이익이 있다(대판 2006.7.28. 2004두13219).

관련판례

1 위명으로 난민 신청한 사건

[1] 미얀마 국적의 甲이 위명인 '乙'명의의 여권으로 대한민국에 입국한 뒤 乙 명의로 난민 신청을 하였으나 법무부장관이 乙 명의를 사용한 甲을 직접 면담하여 조사한 후 甲에 대하여 난민불인정처분을 한 사안에서, 甲이 처분의 취소를 구할 법률상 이익이 있다고 한 사례

미얀마 국적의 甲이 위명인 '乙'명의의 여권으로 대한민국에 입국한 뒤 乙 명의로 난민 신청을 하였으나 법무부장관이 乙 명의를 사용한 甲을 직접 면담하여 조사한 후 甲에 대하여 난민불인정처분을 한 사안에서, 처분의 상대방은 허무인이 아니라 '乙'이라는 위명을 사용한 甲이라는 이유로, **甲이** 처분의 취소를 구할 **법률상 이익**이 있다.

[2] 처분을 다툴 법률상 이익이 있는지에 관한 당사자의 주장에 관하여 원심법원이 판단하지 않은 것이 판단유탈의 상고이유가 되는지 여부(소극)

해당 처분을 다툴 법률상 이익이 있는지 여부는 직권조사사항으로 이에 관한 당사자의 주장은 직권발동을 촉구하는 의미밖에 없으므로, 원심법원이 이에 관하여 판단하지 않았다고 하여 판단유탈의 상고이유로 삼을 수 없다.

핵심 OX

01 가중요건이 부령인 시행규칙상 처분기준으로 규정되어 있는 경우(예 식품위생법 시행규칙 제89조 [별표 23] 행정처분기준), 처분에서 정한 제재기간이 경과하였다면 그에 따라 선행처분을 받은 상대방은 그 처분의 취소를 구할 법률상 이익이 없다. 17. 지방9급 ( )

핵심 OX

02 미얀마 국적의 甲이 위명(僞名)인 乙 명의의 여권으로 대한민국에 입국한 뒤 乙 명의로 난민 신청을 하였으나 법무부장관이 乙 명의를 사용한 甲을 직접 면담하여 조사한 후 甲에 대하여 난민불인정 처분을 한 사안에서의 그 처분의 취소를 구하는 甲은 행정소송의 원고적격을 가진다. 19. 국회8급 ( )

03 외국 국적의 甲이 위명(僞名)인 乙 명의의 여권으로 대한민국에 입국한 뒤 乙명의로 난민신청을 하였고 법무부장관이 乙명의를 사용한 甲을 직접 면담하여 조사한 후에 甲에 대하여 난민불인정처분을 한 경우, 甲은 난민불인정처분의 취소를 구할 법률상 이익이 없다. 23. 국가7급 ( )

01 X **02** O **03** X

[3] 국적국을 떠난 후 거주국에서 정치적 의견을 표명하여 '박해를 받을 충분한 근거 있는 공포'가 발생한 경우 난민으로 인정될 수 있는지 여부(적극) 및 난민으로 보호받기 위해 박해의 원인을 제공한 경우 달리 볼 것인지 여부(소극)

난민은 국적국을 떠난 후 거주국에서 정치적 의견을 표명하는 것과 같은 행동의 결과로서 '박해를 받을 충분한 근거 있는 공포'가 발생한 경우에도 인정될 수 있고, 난민으로 보호받기 위해 박해의 원인을 제공하였다고 하여 달리 볼 것은 아니다(대판 2017.3.9. 2013두16852).

2 대통령의 한국방송공사 사장 해임사건

[1] 해임처분 무효확인 또는 취소소송 계속 중 임기가 만료되어 해임처분의 무효확인 또는 취소로 지위를 회복할 수 없는데도 해임처분의 무효확인 또는 취소를 구할 법률상 이익이 있는 경우 및 해임권자와 보수지급의무자가 다른 경우에도 동일한 법리가 적용되는지 여부(적극)

해임처분 무효확인 또는 취소소송 계속 중 임기가 만료되어 해임처분의 무효확인 또는 취소로 지위를 회복할 수는 없다고 할지라도, 그 무효확인 또는 취소로 해임처분일부터 임기만료일까지 기간에 대한 보수 지급을 구할 수 있는 경우에는 해임처분의 무효확인 또는 취소를 구할 **법률상 이익**이 있다. 해임권자와 보수지급의무자가 다른 경우에도 마찬가지이다.

[2] 대통령에게 한국방송공사 사장 해임권한이 있는지 여부(적극)

한국방송공사의 설치 · 운영에 관한 사항을 정하고 있는 방송법은 제50조 제2항에서 "사장은 이사회의 제청으로 대통령이 임명한다."라고 규정하고 있는데, 한국방송공사 사장에 대한 해임에 관하여는 명시적 규정을 두고 있지 않다. 그러나 감사원은 한국방송공사에 대한 외부감사를 실시하고(방송법 제63조 제3항), 임용권자 또는 임용제청권자에게 임원 등의 해임을 요구할 수 있는데(감사원법 제32조 제9항) 이는 대통령에게 한국방송공사 사장 해임권한이 있음을 전제로 한 것으로 볼 수 있는 점, 방송법 제정으로 폐지된 구 한국방송공사법(2000.1.12. 법률 제6139호 방송법 부칙 제2조 제3호로 폐지) 제15조 제1항은 대통령이 한국방송공사 사장을 '임면'하도록 규정되어 있었고, 방송법 제정으로 대통령의 해임권을 제한하기 위해 '임명'이라는 용어를 사용하였다면 해임 제한에 관한 규정을 따로 두어 이를 명확히 할 수 있었을 텐데도 방송법에 한국방송공사 사장의 해임 제한 등 신분보장에 관한 규정이 없는 점 등에 비추어, 방송법에서 '임면' 대신 '임명'이라는 용어를 사용한 입법 취지가 대통령의 해임권을 배제하기 위한 것으로 보기 어려운 점 등 방송법의 입법 경과와 연혁, 다른 법률과의 관계, 입법 형식 등을 종합하면, 한국방송공사 사장의 임명권자인 대통령에게 해임권한도 있다고 보는 것이 타당하다.

[3] 감사원이 한국방송공사에 대한 감사를 실시한 결과 사장 甲에게 부실 경영 등 문책사유가 있다는 이유로 한국방송공사 이사회에 甲에 대한 해임제청을 요구하였고, 이사회가 대통령에게 甲의 사장직 해임을 제청함에 따라 대통령이 甲을 한국방송공사 사장직에서 해임한 사안에서, 감사원법 제32조 제9항, 방송법 제44조, 제51조 제1항 등을 해임사유에 관한 근거 법령으로 볼 수 있다고 한 사례

감사원이 한국방송공사에 대한 감사를 실시한 결과 사장 甲에게 부실 경영 등 문책사유가 있다는 이유로 한국방송공사 이사회에 甲에 대한 해임제청을 요구하였고, 이사회가 임시이사회를 개최하여 감사원 해임제청요구에 따른 문책사유와 방송의 공정성 훼손 등의 사유를 들어 甲에 대한 해임제청을 결의하고 대통령에게 甲의 사장직 해임을 제청함에 따라 대통령이 甲을 한국방송공사 사장직에서 해임한 사안에서, 감사원이 한국방송

핵심 OX

04 한국방송공사 사장에 대한 해임처분의 무효확인 또는 취소소송계속 중 임기가 만료되어 그 해임처분의 무효확인 또는 취소로 그 지위를 회복할 수는 없더라도 해임처분일부터 임기만료일까지 기간에 대한 보수지급을 구할 수 있는 경우에는 해임처분의 무효확인 또는 취소를 구할 법률상 이익이 있다. 14. 국가9급 ( )

04 ○

공사를 감사한 결과 감사원법 제32조 제9항을 적용하여 甲에 대한 해임제청을 요구하였고, 한국방송공사의 사장은 공사의 대표자로서 방송의 목적과 공적 책임, 방송의 공정성과 공익성을 실현하는 등 공사의 공적 책임을 실현할 지위에 있고 그 직무수행의 한 요소로서 재정운영을 부실하게 하였다면 이를 해임사유로 삼을 수 있으므로, 감사원법 제32조 제9항, 방송법 제44조, 제51조 제1항 등을 해임사유에 관한 근거 법령으로 볼 수 있다.

[4] **감사원이 한국방송공사에 대한 감사를 실시한 결과 사장 甲에게 부실 경영 등 문책사유가 있다는 이유로 한국방송공사 이사회에 甲에 대한 해임제청을 요구하였고, 이사회가 대통령에게 甲의 사장직 해임을 제청함에 따라 대통령이 甲을 한국방송공사 사장직에서 해임한 사안에서, 대통령의 해임처분에 재량권 일탈·남용의 하자가 존재한다고 하더라도 그것이 중대·명백하지 않고, 행정절차법을 위반한 위법이 있으나 절차나 처분형식의 하자가 중대하고 명백하다고 볼 수 없어 당연무효가 아닌 취소사유에 해당한다고 본 원심판단을 정당하다고 한 사례**
감사원이 한국방송공사에 대한 감사를 실시한 결과 사장 甲에게 부실 경영 등 문책사유가 있다는 이유로 한국방송공사 이사회에 甲에 대한 해임제청을 요구하였고, 이사회가 임시이사회를 개최하여 감사원 해임제청요구에 따른 문책사유와 방송의 공정성 훼손 등의 사유를 들어 甲에 대한 해임제청을 결의하고 대통령에게 甲의 사장직 해임을 제청함에 따라 대통령이 甲을 한국방송공사 사장직에서 해임한 사안에서, 甲에게 한국방송공사의 적자구조 만성화에 대한 경영상 책임이 인정되는 데다 대통령이 감사원의 한국방송공사에 대한 감사에 따른 해임제청 요구 및 한국방송공사 이사회의 해임제청결의에 따라 해임처분을 하게 된 것인 점 등에 비추어 대통령에게 주어진 한국방송공사 사장 해임에 관한 재량권 일탈 · 남용의 하자가 존재한다고 하더라도 그것이 중대 · 명백하지 않아 당연무효사유에 해당하지 않고, 해임처분 과정에서 甲이 처분내용을 사전에 통지받거나 그에 대한 의견제출기회 등을 받지 못했고 해임처분 시 법적 근거 및 구체적 해임사유를 제시받지 못하였으므로 해임처분이 행정절차법에 위배되어 위법하지만, 절차나 처분형식의 하자가 중대하고 명백하다고 볼 수 없어 역시 당연무효가 아닌 **취소사유**에 해당한다고 본 원심판단을 정당하다(대판 2012.2.23. 2011두5001).

3 한국연구재단의 두뇌한국(BK)21 사업 협약 해지 사건

[1] **재단법인 한국연구재단이 甲대학교 총장에게 연구개발비의 부당집행을 이유로 '해양생물유래 고부가식품 · 향장 · 한약 기초소재 개발 인력양성사업에 대한 2단계 두뇌한국(BK)21 사업' 협약을 해지하고 연구팀장 乙에 대한 국가연구개발사업의 3년간 참여제한 등을 명하는 통보를 하자 乙이 통보 취소를 청구한 사안에서, 乙은 위 협약 해지 통보의 효력을 다툴 법률상 이익이 있다고 한 사례**
재단법인 한국연구재단이 甲대학교 총장에게 연구개발비의 부당집행을 이유로 '해양생물유래 고부가식품 · 향장 · 한약 기초소재 개발 인력양성사업에 대한 2단계 두뇌한국(BK)21 사업' 협약을 해지하고 연구팀장 乙에 대한 국가연구개발사업의 3년간 참여제한 등을 명하는 통보를 하자 乙이 통보의 취소를 청구한 사안에서, 학술진흥 및 학자금대출 신용보증 등에 관한 법률 등의 입법 취지 및 규정 내용 등과 아울러 위 법 등 해석상 국가가 두뇌한국(BK)21 사업의 주관연구기관인 대학에 연구개발비를 출연하는 것은 '연구 중심 대학'의 육성은 물론 그와 별도로 대학에 소속된 연구인력의 역량 강화에도 목적이 있다고 보이는 점, 기본적으로 국가연구개발사업에 대한 연구개발비의 지원은 대학에 소속된 일정한 연구단위별로

신청한 연구개발과제에 대한 것이지, 그 소속 대학을 기준으로 한 것은 아닌 점 등 제반 사정에 비추어 보면, 乙은 위 사업에 관한 협약의 해지 통보의 효력을 다툴 법률상 이익이 있다고 한 사례이다.

[2] 재단법인 한국연구재단이 甲대학교 총장에게 연구개발비의 부당집행을 이유로 '해양생물유래 고부가식품 · 향장 · 한약 기초소재 개발 인력양성사업에 대한 2단계 두뇌한국(BK)21 사업' 협약을 해지하고 연구팀장 乙에 대한 대학자체 징계 요구 등을 통보한 사안에서, 乙에 대한 대학자체 징계 요구는 항고소송의 대상이 되는 행정처분에 해당하지 않는다고 한 사례

재단법인 한국연구재단이 甲대학교 총장에게 연구개발비의 부당집행을 이유로 '해양생물유래 고부가식품 · 향장 · 한약 기초소재 개발 인력양성사업에 대한 2단계 두뇌한국(BK)21 사업'협약을 해지하고 연구팀장 乙에 대한 대학자체 징계 요구 등을 통보한 사안에서, 재단법인 한국연구재단이 甲대학교 총장에게 乙에 대한 대학 자체징계를 요구한 것은 **법률상 구속력이 없는 권유 또는 사실상의 통지**로서 乙의 권리, 의무 등 법률상 지위에 직접적인 법률적 변동을 일으키지 않는 행위에 해당하므로, 항고소송의 대상인 행정처분에 해당하지 않는다고 본 원심판단은 정당하다(대판 2014.12.11. 2012두28704).

4 공정거래위원회가 부당한 공동행위에 대한 시정명령 및 과징금 부과와 자진신고 감면 여부를 분리 심리하여 별개로 의결한 다음 과징금 등 처분과 별도의 처분서로 감면기각처분을 한 경우, 처분의 상대방이 각 처분에 대하여 함께 또는 별도로 불복할 수 있는지 여부(적극)

공정거래위원회가 시정명령 및 과징금 부과와 감면 여부를 분리 심리하여 별개로 의결한 다음 과징금 등 처분과 별도의 처분서로 감면기각처분을 하였다면, 원칙적으로 2개의 처분, 즉 과징금 등 처분과 감면기각처분이 각각 성립한 것으로 보아야 하고, 처분의 상대방으로서는 각각의 처분에 대하여 함께 또는 별도로 불복할 수 있다. 그러므로 사업자인 원고가 과징금 등 처분과 감면기각처분의 취소감면기각처분의 취소를 구하는 소를 함께 제기한 경우에도, 특별한 사정이 없는 한 감면기각처분의 취소를 구할 **소의 이익이 인정된다**(대판 2017.1.12. 2016두35199).

5 과징금 등 처분과 감면기각처분의 취소를 구하는 소를 함께 제기한 경우, 감면기각처분의 취소를 구할 소의 이익이 인정되는지 여부(적극)

감면기각처분은 자진신고 사업자의 감면신청에 대한 거부처분의 성격을 가지는 점 등을 종합하면, 공정거래위원회가 시정명령 및 과징금 부과와 감면 여부를 분리 심리하여 별개로 의결한 후 과징금 등 처분과 별도의 처분서로 감면기각처분을 하였다면, 원칙적으로 2개의 처분, 즉 과징금 등 처분과 감면기각처분이 각각 성립한 것이고, 처분의 상대방으로서는 각각의 처분에 대하여 함께 또는 별도로 불복할 수 있다. 따라서 과징금 등 처분과 동시에 감면기각처분의 취소를 구하는 소를 함께 제기했더라도, 특별한 사정이 없는 한 감면기각처분의 취소를 구할 **소의 이익이 부정된다고 볼 수 없다**(대판 2016.12.27. 2016두43282).

6 행정청이 과징금 부과처분을 한 후 부과처분의 하자를 이유로 감액처분을 한 경우, 감액된 부분에 대한 부과처분 취소청구가 적법한지 여부(소극)❶

행정처분을 한 처분청은 처분에 하자가 있는 경우에는 별도의 법적 근거가 없더라도 스스로 이를 취소하거나 변경할 수 있는바, 과징금 부과처분에서 행정청이 납부의무자에 대하여 부과처분을 한 후 부과처분의 하자를 이유로 과징금의

핵심 OX

01 재단법인 한국연구재단이 A대학교 총장에게 연구개발비의 부당집행을 이유로 과학기술기본법령에 따라 '두뇌한국(BK)21 사업' 협약의 해지를 통보한 것은 공법상 계약을 계약당사자의 지위에서 종료시키는 의사표시에 해당한다. ( )

❶
- 감액경정 있었던 경우 취소소송의 대상: 감액되고 남은 원처분
- 증액경정 있었던 경우 취소소송의 대상: 증액경정처분

01 X

액수를 감액하는 경우에 감액처분은 감액된 과징금 부분에 관하여만 법적 효과가 미치는 것으로서 당초 부과처분과 별개 독립의 과징금 부과처분이 아니라 실질은 당초 부과처분의 변경이고, 그에 의하여 과징금의 일부취소라는 납부의 무자에게 유리한 결과를 가져오는 처분이므로 당초 부과처분이 전부 실효되는 것은 아니다. 따라서 감액처분에 의하여 감액된 부분에 대한 부과처분 취소청구는 이미 소멸하고 없는 부분에 대한 것으로서 **소의 이익이 없어** 부적법하다(대판 2017.1.12. 2015두2352).

7 도시재개발법 제34조에 의한 행정청의 관리처분계획 인가처분의 법적 성질 및 관리처분계획의 하자를 이유로 관리처분계획 인가처분의 취소 또는 무효확인을 소구할 법률상 이익이 있는지 여부(소극)❶

도시재개발법 제34조에 의한 행정청의 인가는 주택개량재개발조합의 관리처분계획에 대한 법률상의 효력을 완성시키는 보충행위로서 그 기본 되는 관리처분계획에 하자가 있을 때에는 그에 대한 인가가 있었다 하여도 기본행위인 관리처분계획이 유효한 것으로 될 수 없으며, 다만 그 기본행위가 적법·유효하고 보충행위인 인가처분 자체에만 하자가 있다면 그 인가처분의 무효나 취소를 주장할 수 있다고 할 것이지만, 인가처분에 하자가 없다면 기본행위에 하자가 있다 하더라도 따로 그 기본행위의 하자를 다투는 것은 별론으로 하고 기본행위의 무효를 내세워 바로 그에 대한 행정청의 인가처분의 취소 또는 무효확인을 소구할 **법률상의 이익이 있다고 할 수 없다**(대판 2001.12.11. 2001두7541).

8 제재적 행정처분이 그 처분에서 정한 제재기간의 경과로 인하여 그 효과가 소멸되었으나, 부령인 시행규칙 또는 지방자치단체의 규칙의 형식으로 정한 처분기준에서 제재적 행정처분을 받은 것을 가중사유나 전제요건으로 삼아 장래의 제재적 행정처분을 하도록 정하고 있는 경우, 선행처분인 제재적 행정처분을 받은 상대방이 그 처분에서 정한 제재기간이 경과하였다 하더라도 그 처분의 취소를 구할 법률상 이익이 있는지 여부(한정 적극)❷

제재적 행정처분이 그 처분에서 정한 제재기간의 경과로 인하여 그 효과가 소멸되었으나, 부령인 시행규칙 또는 지방자치단체의 규칙(이하 이들을 '규칙'이라고 한다)의 형식으로 정한 처분기준에서 제재적 행정처분(이하 '선행처분'이라고 한다)을 받은 것을 가중사유나 전제요건으로 삼아 장래의 제재적 행정처분(이하 '후행처분'이라고 한다)을 하도록 정하고 있는 경우, 제재적 행정처분의 가중사유나 전제요건에 관한 규정이 법령이 아니라 규칙의 형식으로 되어 있다고 하더라도, 그러한 규칙이 법령에 근거를 두고 있는 이상 그 법적 성질이 대외적·일반적 구속력을 갖는 법규명령인지 여부와는 상관없이, 관할 행정청이나 담당공무원은 이를 준수할 의무가 있으므로 이들이 그 규칙에 정해진 바에 따라 행정작용을 할 것이 당연히 예견되고, 그 결과 행정작용의 상대방인 국민으로서는 그 규칙의 영향을 받을 수밖에 없다. 따라서 그러한 규칙이 정한 바에 따라 선행처분을 받은 상대방이 그 처분의 존재로 인하여 장래에 받을 불이익, 즉 후행처분의 위험은 구체적이고 현실적인 것이므로, 상대방에게는 선행처분의 취소소송을 통하여 그 불이익을 제거할 필요가 있다. 또한, 나중에 후행처분에 대한 취소소송에서 선행처분의 사실관계나 위법 등을 다툴 수 있는 여지가 남아 있다고 하더라도, 이러한 사정은 후행처분이 이루어지기 전에 이를 방지하기 위하여 직접 선행처분의 위법을 다투는 취소소송을 제기할 필요성을 부정할 이유가 되지 못한다. 그러한 쟁송방법을 막는 것은 여러 가지 불합리한 결과를 초래하여 권리구제의 실효성을 저해할 수 있기 때문이다. 오히려 앞서 본 바와 같이 행정청으로서는 선행처분이 적법함을 전제로 후행처분을 할 것이 당연히

핵심 OX

01 인가처분에 하자가 없다면 기본행위에 하자가 있다 하더라도 기본행위의 무효를 내세워 바로 그에 대한 행정청의 인가처분의 취소 또는 무효확인을 소구할 법률상의 이익이 없다. 22. 국가7급 ( )

02 甲은 식품위생법령상 적합한 시설을 갖추어 유흥주점 영업허가를 받아 업소를 경영하던 중 청소년을 출입시켜 주류를 제공하였음을 이유로 A시장으로부터 영업정지 2개월의 처분을 받았다. 이에 대해 甲은 해당 처분이 사실을 오인한 것임을 들어 다투고자 하였으나, 미처 취소소송을 제기하기 전에 영업정지기간이 도과되어 버렸다(「식품위생법 시행규칙」은 같은 이유로 2차 위반 시 영업정지 3개월의 제재처분을 하도록 규정하고 있다). 甲에 대한 2개월의 영업정지처분은 그 기간의 경과로 이미 효력이 상실되었으므로, 甲에게는 그 처분의 취소를 구할 법률상 이익이 인정되지 아니한다. 19. 변호사 ( )

❶
- 수리: 기본행위의 무효를 이유로 수리처분 곧바로 다투는 것 O
- 인가: 기본행위의 무효를 이유로 인가처분 곧바로 다투는 것 X

❷
- 선행처분이 가중요건이 되어 이후 더 무거운 후행처분 받을 우려 O: 선행처분의 제재기간 경과 이후에도 소송제기 O
- 선행처분이 가중요건이 되어 이후 더 무거운 후행처분을 받을 우려 X: 선행처분 제재기간 경과 이후 소송제기 X

01 O 02 X

예견되므로, 이러한 선행처분으로 인한 불이익을 선행처분 자체에 대한 소송에서 사전에 제거할 수 있도록 해 주는 것이 상대방의 법률상 지위에 대한 불안을 해소하는 데 가장 유효적절한 수단이 된다고 할 것이고, 또한 그 소송을 통하여 선행처분의 사실관계 및 위법 여부가 조속히 확정됨으로써 이와 관련된 장래의 행정작용의 적법성을 보장함과 동시에 국민생활의 안정을 도모할 수 있다. 이상의 여러 사정과 아울러, 국민의 재판청구권을 보장한 헌법 제27조 제1항의 취지와 행정처분으로 인한 권익침해를 효과적으로 구제하려는 행정소송법의 목적 등에 비추어 행정처분의 존재로 인하여 국민의 권익이 실제로 침해되고 있는 경우는 물론이고 권익침해의 구체적 · 현실적 위험이 있는 경우에도 이를 구제하는 소송이 허용되어야 한다는 요청을 고려하면, 규칙이 정한 바에 따라 선행처분을 가중사유 또는 전제요건으로 하는 후행처분을 받을 우려가 현실적으로 존재하는 경우에는, 선행처분을 받은 상대방은 비록 그 처분에서 정한 제재기간이 경과하였다 하더라도 그 처분의 취소소송을 통하여 그러한 불이익을 제거할 권리보호의 필요성이 충분히 인정된다고 할 것이므로, 선행처분의 취소를 구할 **법률상 이익이 있다**고 보아야 한다(대판 2006.6.22. 2003두1684 전합).

9 건축사 업무정지처분을 받은 후 새로운 업무정지처분을 받음이 없이 1년이 경과하여 실제로 가중된 제재처분을 받을 우려가 없게 된 경우, 업무정지처분에서 정한 정지기간이 경과한 후에 업무정지처분의 취소를 구할 법률상 이익이 있는지 여부(소극)

건축사법 제28조 제1항이 건축사 업무정지처분을 연 2회 이상 받고 그 정지기간이 통산하여 12월 이상이 될 경우에는 가중된 제재처분인 건축사사무소 등록취소처분을 받게 되도록 규정하여 건축사에 대한 제재적인 행정처분인 업무정지명령을 더 무거운 제재처분인 사무소등록취소처분의 기준요건으로 규정하고 있으므로, 건축사 업무정지처분을 받은 건축사로서는 위 처분에서 정한 기간이 경과하였다 하더라도 위 처분을 그대로 방치하여 둠으로써 장래 건축사 사무소 등록취소라는 가중된 제재처분을 받을 우려가 있어 건축사로서 업무를 행할 수 있는 법률상 지위에 대한 위험이나 불안을 제거하기 위하여 건축사 업무정지처분의 취소를 구할 이익이 있으나, 업무정지처분을 받은 후 새로운 업무정지처분을 받음이 없이 1년이 경과하여 실제로 가중된 제재처분을 받을 우려가 없어졌다면 위 처분에서 정한 정지기간이 경과한 이상 특별한 사정이 없는 한 그 처분의 취소를 구할 **법률상 이익이 없다**(대판 2000.4.21. 98두10080).

10 甲이 자신 명의로 이전등록된 자동차의 등록을 직권말소한 처분에 대한 취소소송 계속 중에 위 자동차에 관하여 종전과 다른 번호로 乙과 공동소유로 신규등록을 한 사안에서, 위 직권말소 처분의 취소를 구할 소의 이익이 있는지 여부(적극)

甲이 자신 명의로 이전등록된 자동차의 등록을 직권말소한 처분에 대한 취소소송 계속 중에 위 자동차에 관하여 종전과 다른 번호로 乙과 공동소유로 다시 신규등록을 한 사안에서, 신규등록의 내용이 종전 자동차등록번호와 다른 등록번호를 부여받고 소유자도 甲과 乙의 공동소유로 등재되는 등 甲이 주장하는 당초 소유관계와 소유권 변동내용을 반영하지 못한 채 공시하고 있고, 정당하게 이전등록을 마쳤다가 직권말소 처분에 의하여 말소된 乙 소유지분에 관하여 다시 이전등록을 마쳐야 하며 이를 위하여 별도로 취득세 및 등록세를 납부하여야 하는 불이익도 입고 있으므로, 위 직권말소 처분의 취소를 구할 **소의 이익이 있다**고 본 원심판단을 정당하다고 한 사례(대판 2013.5.9. 2010두28748)

핵심 OX

03 건축사 업무정지처분을 받은 후 새로운 업무정지처분을 받음이 없이 1년이 경과하여 실제로 가중된 제재처분을 받을 우려가 없게 된 경우, 그 처분에서 정한 정지기간이 경과한 이상 특별한 사정이 없는 한 업무정지처분의 취소를 구할 법률상 이익이 없다. 17. 지방9급 ( )

03 O

핵심 OX

01 교육부장관이 사학분쟁조정위원회의 심의를 거쳐 이사와 임시이사를 선임한데 대하여 대학 교수협의회와 총학생회는 제3자로서 취소소송을 제기할 법률상 이익을 가진다고 하겠지만, 전국대학노동조합 甲 대학교지부는 그러한 법률상 이익이 인정되지 않는다. 17. 지방9급 변형 ( )

핵심 OX

02 일반면허를 받은 시외버스운송사업자에 대한 사업계획변경 인가처분으로 인하여 노선 및 운행계통의 일부 중복으로 기존에 한정면허를 받은 시외버스운송사업자의 수익감소가 예상된다면, 기존의 한정면허를 받은 시외버스운송사업자는 일반면허 시외버스운송사업자에 대한 사업계획변경 인가처분의 취소를 구할 법률상의 이익이 있다. 19. 국가7급 ( )

01 ○ 02 ○

11 교육부장관이 사학분쟁조정위원회의 심의를 거쳐 甲 대학교를 설치 · 운영하는 乙 학교법인의 이사 8인과 임시이사 1인을 선임한 데 대하여 甲 대학교 교수협의회와 총학생회 등이 이사선임처분의 취소를 구하는 소송을 제기한 사안에서, 甲 대학교 교수협의회와 총학생회는 이사선임처분을 다툴 법률상 이익을 가지지만, 전국대학노동조합 甲 대학교지부는 법률상 이익이 없다고 한 사례

교육부장관이 사학분쟁조정위원회의 심의를 거쳐 甲 대학교를 설치 · 운영하는 을 학교법인의 이사 8인과 임시이사 1인을 선임한 데 대하여 甲 대학교 교수협의회와 총학생회 등이 이사선임처분의 취소를 구하는 소송을 제기한 사안에서, 임시이사제도의 취지, 교직원 · 학생 등의 학교운영에 참여할 기회를 부여하기 위한 개방이사 제도에 관한 법령의 규정 내용과 입법 취지 등을 종합하여 보면, 구 사립학교법과 구 사립학교법 시행령 및 을 법인 정관 규정은 헌법 제31조 제4항에 정한 교육의 자주성과 대학의 자율성에 근거한 甲 대학교 교수협의회와 총학생회의 학교운영참여권을 구체화하여 이를 보호하고 있다고 해석되므로, 甲 대학교 교수협의회와 총학생회는 이사선임처분을 다툴 법률상 이익을 가지지만, 고등교육법령은 교육받을 권리나 학문의 자유를 실현하는 수단으로서 학생회와 교수회와는 달리 학교의 직원으로 구성된 노동조합의 성립을 예정하고 있지 아니하고, 노동조합은 근로자가 주체가 되어 자주적으로 단결하여 근로조건의 유지 · 개선 기타 근로자의 경제적 · 사회적 지위의 향상을 도모하기 위하여 조직된 단체인 점 등을 고려할 때, 학교의 직원으로 구성된 노동조합이 교육받을 권리나 학문의 자유를 실현하는 수단으로서 직접 기능한다고 볼 수는 없으므로, 개방이사에 관한 구 사립학교법과 구 사립학교법 시행령 및 을 법인 정관 규정이 학교직원들로 구성된 전국대학노동조합을 대학교지부의 법률상 이익까지 보호하고 있는 것으로 해석할 수는 없다(대판 2015.7.23. 2012두19496 · 19502).

12 면허나 인허가 등의 수익적 행정처분의 근거가 되는 법률이 해당 업자들 사이의 과당경쟁에 따른 경영의 불합리 방지를 목적으로 하고 있는 경우, 면허나 인허가 등의 수익적 행정처분을 받아 영업을 하고 있는 기존의 업자가 같은 종류의 다른 업자에 대한 면허나 인허가 등의 수익적 행정처분의 취소를 구할 당사자적격이 있는지 여부(적극)

일반적으로 면허나 인허가 등의 수익적 행정처분의 근거가 되는 법률이 해당 업자들 사이의 과당경쟁으로 인한 경영의 불합리를 방지하는 것도 목적으로 하고 있는 경우, 다른 업자에 대한 면허나 인허가 등의 수익적 행정처분에 대하여 미리 같은 종류의 면허나 인허가 등의 수익적 행정처분을 받아 영업을 하고 있는 기존의 업자는 경업자에 대하여 이루어진 면허나 인허가 등 행정처분의 상대방이 아니라 하더라도 당해 행정처분의 취소를 구할 **당사자적격이 있다**(대판 2018.4.26. 2015두53824).

13 한정면허를 받은 시외버스운송사업자가 일반면허를 받은 시외버스운송사업자에 대한 사업계획변경 인가처분으로 수익감소가 예상되는 경우, 일반면허 시외버스운송사업자에 대한 사업계획변경인가처분의 취소를 구할 법률상의 이익이 있는지 여부(적극)

한정면허를 받은 시외버스운송사업자라고 하더라도 다 같이 운행계통을 정하고 여객을 운송하는 노선여객자동차운송사업을 한다는 점에서 일반면허를 받은 시외버스운송사업자와 본질적인 차이가 없으므로, 일반면허를 받은 시외버스운송사업자에 대한 사업계획변경 인가처분으로 인하여 기존에 한정면허를 받은 시외버스운송사업자의 노선 및 운행계통과 일반면허를 받은 시외버스운송사업자의 그것이 일부 중복되게 되고 기존업자의 수익감소가 예상된다면, 기존의 한정면허를 받은 시외버스운송사업자와 일반면허를 받은 시외버스운송사업자는 경업관계에 있는 것으로 보는 것이 타당하고, 따라서 기존의 한정면허를 받은 시외버스운송사업자는 일반면허 시외버스운송사업자에 대한 사업계획변경인가처분의 취소를 구할 **법률상의 이익이 있다**(대판 2018.4.26. 2015두53824).

14 외국인에게 사증발급 거부처분의 취소를 구할 법률상 이익이 인정되는지 여부(소극)

사증발급 거부처분을 다투는 외국인은, 아직 대한민국에 입국하지 않은 상태에서 대한민국에 입국하게 해달라고 주장하는 것으로, 대한민국과의 실질적 관련성 내지 대한민국에서 법적으로 보호가치 있는 이해관계를 형성한 경우는 아니어서, 해당 처분의 취소를 구할 법률상 이익을 인정하여야 할 법정책적 필요성도 크지 않다. … 사증발급의 법적 성질, 출입국관리법의 입법 목적, 사증발급 신청인의 대한민국과의 실질적 관련성, 상호주의원칙 등을 고려하면, 우리 출입국관리법의 해석상 외국인에게는 사증발급 거부처분의 취소를 구할 **법률상 이익이 인정되지 않는다**(대판 2018.5.15. 2014두42506).

15 국내 체류 중인 외국인이 국적법상 귀화불허가처분이나 출입국관리법상 체류자격변경 불허가처분, 강제퇴거명령 등을 다툴 수 있는지 여부(적극)[1]

국적법상 귀화불허가처분이나 출입국관리법상 체류자격변경 불허가처분, 강제퇴거명령 등을 다투는 외국인은 대한민국에 적법하게 입국하여 상당한 기간을 체류한 사람이므로, 이미 대한민국과의 실질적 관련성 내지 대한민국에서 법적으로 보호가치 있는 이해관계를 형성한 경우이어서, 해당 처분의 취소를 구할 **법률상 이익이 인정된다**고 보아야 한다(대판 2018.5.15. 2014두42506).

16 개발제한구역 안에서의 공장설립을 승인한 처분이 위법하다는 이유로 쟁송취소되었으나 그 승인처분에 기초한 공장건축허가처분이 잔존하는 경우, 인근 주민들에게 공장건축허가처분의 취소를 구할 법률상 이익이 있는지 여부(적극)

공장설립승인처분이 있고 난 뒤에 또는 그와 동시에 공장건축허가처분을 하는 것이 허용되므로, 공장설립승인처분이 취소된 경우에는 그 승인처분을 기초로 한 공장건축허가처분 역시 취소되어야 하고, 공장설립승인처분에 근거하여 토지의 형질변경이 이루어진 경우에는 원상회복을 해야 함이 원칙이다. 따라서 개발제한구역 안에서의 공장설립을 승인한 처분이 위법하다는 이유로 쟁송취소되었다고 하더라도 그 승인처분에 기초한 공장건축허가처분이 잔존하는 이상, 공장설립승인처분이 취소되었다는 사정만으로 인근 주민들의 환경상 이익이 침해되는 상태나 침해될 위험이 종료되었다거나 이를 시정할 수 있는 단계가 지나버렸다고 단정할 수는 없고, 인근 주민들은 여전히 공장 건축허가처분의 취소를 구할 **법률상 이익이 있다**고 보아야 한다(대판 2018.7.12. 2015두3485).

17 행정처분의 취소를 구하는 소에서, 비록 행정처분의 위법을 이유로 취소판결을 받더라도 처분에 의하여 발생한 위법상태를 원상회복시키는 것이 불가능한 경우에는 원칙적으로 취소를 구할 법률상 이익이 있는지 여부(소극)

행정처분의 무효확인 또는 취소를 구하는 소에서, 비록 행정처분의 위법을 이유로 무효확인 또는 취소판결을 받더라도 처분에 의하여 발생한 위법상태를 원상으로 회복시키는 것이 불가능한 경우에는 원칙적으로 무효확인 또는 취소를 구할 법률상 이익이 없고, 다만 원상회복이 불가능하더라도 무효확인 또는 취소로써 회복할 수 있는 다른 권리나 이익이 남아 있는 경우 예외적으로 법률상 이익이 인정될 수 있을 뿐이다(대판 2016.6.10. 2013두1638).

[1]
- 이미 한국에 들어와 있는 경우(귀화, 체류, 강제퇴거): 법률상 이익 O
- 아직 한국에 들어오지 않은 경우(사증): 법률상 이익 X

핵심 OX

03 출입국관리법상의 체류자격 및 사증발급의 기준과 절차에 관한 규정들은 대한민국의 출입국 질서와 국경관리라는 공익을 보호하려는 취지로 해석될 뿐이므로, 동법상 체류자격변경 불허가처분, 강제퇴거명령 등을 다투는 외국인에게는 해당 처분의 취소를 구할 법률상 이익이 인정되지 않는다. 19. 국가7급 ( )

04 개발제한구역 안에서의 공장설립을 승인한 처분이 위법하다는 이유로 쟁송취소되었다면, 설령 그 승인처분에 기초한 공장건축허가처분이 잔존하는 경우에도 인근 주민들에게는 공장건축허가처분의 취소를 구할 법률상 이익이 없다. 19. 서울7급 ( )

03 X 04 X

18 **[1] 공공기관에 대하여 정보공개를 청구하였다가 공개거부처분을 받은 청구인은 공개거부처분의 취소를 구할 법률상 이익이 인정되는지 여부(적극)**

국민의 정보공개청구권은 법률상 보호되는 구체적인 권리이므로, 공공기관에 대하여 정보공개를 청구하였다가 공개거부처분을 받은 청구인은 행정소송을 통해 공개거부처분의 취소를 구할 법률상 이익이 인정되고, 그 밖에 추가로 어떤 이익이 있어야 하는 것은 아니다.

[2] 견책의 징계처분을 받은 甲이 사단장에게 징계위원회에 참여한 징계위원의 성명과 직위에 대한 정보공개청구를 하였으나 위 정보가 공공기관의 정보공개에 관한 법률 제9조 제1항 제1호, 제2호, 제5호, 제6호에 해당한다는 이유로 공개를 거부한 사안에서, 징계처분 취소사건에서 甲의 청구를 기각하는 판결이 확정되었더라도, 甲으로서는 여전히 정보공개거부처분의 취소를 구할 법률상 이익이 있다고 한 사례

견책의 징계처분을 받은 甲이 사단장에게 징계위원회에 참여한 징계위원의 성명과 직위에 대한 정보공개청구를 하였으나 위 정보가 공공기관의 정보공개에 관한 법률 제9조 제1항 제1호, 제2호, 제5호, 제6호에 해당한다는 이유로 공개를 거부한 사안에서, 비록 징계처분 취소사건에서 甲의 청구를 기각하는 판결이 확정되었더라도 이러한 사정만으로 위 처분의 취소를 구할 이익이 없어지지 않고, 사단장이 甲의 정보공개청구를 거부한 이상 甲으로서는 여전히 정보공개거부처분의 취소를 구할 법률상 이익이 있으므로, 이와 달리 본 원심판결에 법리오해의 잘못이 있다(대판 2022.5.26. 2022두33439).

19 **자신이 검정신청한 교과서의 과목과 전혀 관계가 없는 과목의 교과용 도서에 대한 합격결정처분에 대하여는 그 취소를 구할 법률상의 이익이 없다고 한 사례**

2종 교과용 도서에 대하여 검정신청을 하였다가 불합격결정처분을 받은 뒤 그 처분이 위법하다 하여 이의취소를 구하면서 위 처분 당시 시행 중이던 구 교과용 도서에 관한 규정 제19조에 "2종 도서의 합격종수는 교과목당 5종류 이내로 한다."고 규정되어 있음을 들어 위 처분과 같은 때에 행하여진 수학, 음악, 미술, 한문, 영어과목의 교과용 도서에 대한 합격결정처분의 취소를 구하고 있으나 원고들은 각 한문, 영어, 음악과목에 관한 교과용 도서에 대하여 검정신청을 하였던 자들이므로 자신들이 검정신청한 교과서의 과목과 전혀 관계가 없는 수학, 미술과목의 교과용 도서에 대한 합격결정처분에 대하여는 그 취소를 구할 법률상의 이익이 없다 할 것이다(대판 1992.4.24. 91누6634).

핵심 OX

01 영어과목의 2종 교과용 도서에 대하여 검정신청을 하였다가 불합격결정처분을 받은 자는 자신들이 검정신청한 교과서의 과목과 전혀 관계가 없는 수학과목의 교과용 도서에 대한 합격결정처분에 대하여 그 취소를 구할 법률상 이익이 없다. 24. 국가9급 (   )

01 O

판례연구 소의 이익

1. 기본 판례

처분의 위법 여부를 다투는 것이 재판에 의해 해결할 만한 실익이 없는 경우 소의 이익이 없다.

> 위법한 행정처분의 취소를 구하는 소는 위법한 처분에 의하여 발생한 위법상태를 배제하여 원상으로 회복시키고, 그 처분으로 침해되거나 방해받은 권리와 이익을 보호 · 구제하고자 하는 소송이므로, 어떤 행정처분의 위법 여부를 다투는 것이 이론적인 의미는 있으나 재판에 의하여 해결할 만한 실제적인 효용 내지 실익이 없는 경우에는 그 취소를 구할 소의 이익이 없다(대판 2000.5.16. 99두7111).

2. 관련 판례

<table>
<tr><th>권리보호의 필요 부정</th><th>권리보호의 필요를 인정</th></tr>
<tr><td>• 영업정지의 기간이 경과한 후 영업정지의 취소
• 환지처분 공고 후 환지예정지지정처분의 취소
• 원자로건설허가처분 후 원자로부지사전승인처분의 취소
• 철거처분완료 후 대집행계고처분의 취소
• 건축공사완료 후 건축허가의 취소
• 건축공사완료 후 준공검사 받은 후 준공처분의 취소
• 공유수면점용허가취소처분취소소송 중 공유수면점용허가기간 만료, 토석채취허가취소처분취소소송중 토석채취허가기간이 만료, 광업권취소처분취소소송 중 존속기간 만료된 경우
• 치과의사국가시험 불합격처분 이후 새로 실시된 국가시험에 합격한 자의 불합격처분의 취소
• 사법시험 제1차 시험 불합격처분 이후에 새로이 실시된 사법시험 제1차 시험에 합격한 자의 그 불합격처분의 취소
• 공익근무요원 소집해제신청을 거부당한 자가 계속하여 공익근무요원으로 복무한 후 복무기간 만료를 이유로 소집해제처분을 받은 후에 계속하여 소집해제신청거부처분을 다툰 경우
• 상등병에서 병장으로의 진급요건을 갖춘 자에 대하여 진급처분을 행하지 아니한 상태에서 예비역편입처분
• 현역병입영대상자로 병역처분을 받은 자가 그 취소소송 중 모병에 응하여 현역병으로 자진입대한 경우
• 보충역편입처분 및 공익근무요원소집처분의 취소를 구하는 소의 계속 중 병역처분변경신청에 따라 제2국민역편입처분으로 병역처분이 변경된 경우
• 허가신청의 반려처분의 취소를 구하는 소의 계속 중 반려처분을 직권 취소하고 위 신청을 재반려하는 경우 당초 반려처분</td><td>• 징계처분을 받은 자의 징계처분 취소청구를 기각하는 판결이 확정된 경우 징계 관련 정보공개거부처분의 취소를 구하는 경우(대판 2022.5.26. 2022두33439)
• 서울대학교 불합격처분의 취소를 구하는 소송계속 중 당해연도의 입학시기가 지난 경우
• 고등학교에서 퇴학처분을 받은 자가 비록 고등학교졸업학력검정고시에 합격한 후 퇴학처분을 다투는 경우
• 일반사면이 있은 후 파면처분의 위법을 주장하여 취소를 구하는 경우(사면으로 공무원지위 회복이 없다)
• 행정처분의 효력기간이 경과한 후라도 그 처분을 받은 전력이 장래 불이익하게 취급되는 것으로 법정 가중요건으로 되어 있는 경우
• 현역병입영대상자로서 현실적으로 입영을 한 자가 입영 이후의 법률관계에 영향을 미치고 있는 현역병입영통지처분 등을 한 관할지방병무청장을 상대로 위법을 주장하여 그 취소를 구하는 경우
• 도시개발사업의 공사 등이 완료되고 원상회복이 사회통념상 불가능하게 된 경우, 도시개발사업의 시행에 따른 도시계획변경결정처분과 도시개발구역지정처분 및 도시개발사업실시계획인가처분의 취소를 구하는 경우
• 유효기간이 경과된 뒤 중앙노동위원회의 중재재심결정 중 임금인상 부분의 취소를 구하는 경우
• 징계처분 후 당연퇴직된 경우라도 파면처분의 취소를 구하는 경우
• 지방의회 의원에 대한 제명의결 취소소송 계속 중 의원의 임기가 만료된 경우(월정수당 등을 구할 이익)
• 공장등록이 취소된 후 그 공장시설물이 철거되었다 하더라도 대도시 안의 공장을 지방으로 이전할 경우 조세특례제한법상의 세액공제 및 소득세 등의 감면혜택이 있고, 공업배치 및 공장설립에 관한 법률상의 간이한 이전절차 및 우선입주의 혜택이 있는 경우</td></tr>
</table>

7. 피고

행정소송법 제13조【피고적격】 ① 취소소송은 다른 법률에 특별한 규정이 없는 한 그 처분등을 행한 행정청을 피고로 한다. 다만 처분 등이 있은 뒤에 그 처분 등에 관계되는 권한이 다른 행정청에 승계된 때에는 이를 승계한 행정청을 피고로 한다.
② 제1항의 규정에 의한 행정청이 없게 된 때에는 그 처분 등에 관한 사무가 귀속되는 국가 또는 공공단체를 피고로 한다.

제14조【피고경정】 ① 원고가 피고를 잘못 지정한 때에는 법원은 원고의 신청에 의하여 결정으로써 피고의 경정을 허가할 수 있다.
② 법원은 제1항의 규정에 의한 결정의 정본을 새로운 피고에게 송달하여야 한다.
③ 제1항의 규정에 의한 신청을 각하하는 결정에 대하여는 즉시항고할 수 있다.
④ 제1항의 규정에 의한 결정이 있은 때에는 새로운 피고에 대한 소송은 처음에 소를 제기한 때에 제기된 것으로 본다.
⑤ 제1항의 규정에 의한 결정이 있은 때에는 종전의 피고에 대한 소송은 취하된 것으로 본다.
⑥ 취소소송이 제기된 후에 제13조 제1항 단서 또는 제13조 제2항에 해당하는 사유가 생긴 때에는 법원은 당사자의 신청 또는 직권에 의하여 피고를 경정한다. 이 경우에는 제4항 및 제5항의 규정을 준용한다.

제15조【공동소송】 수인의 청구 또는 수인에 대한 청구가 처분 등의 취소청구와 관련되는 청구인 경우에 한하여 그 수인은 공동소송인이 될 수 있다.

(1) 피고적격

① **원칙:** 취소소송은 원칙적으로 당해 처분 등을 행한 행정청이 피고가 된다(제13조 제1항). 소송에서의 피고는 본래 권리·의무의 주체인 국가 공공단체가 되어야 하지만, 소송수행상의 편의를 위하여 행정소송법은 **행정청**을 피고로 하고 있다.

② **행정권한의 위임·위탁이 있는 경우:** 행정청의 권한의 위임·위탁이 있는 경우에는 수임청·수탁청 명의로 처분이 행하여지므로 **위임받은 수임청**이나 **수탁청**이 피고가 된다(제2조 제2항).

③ **행정권한의 대리·내부위임이 있는 경우:** 권한의 대리나 내부위임의 경우에는 처분권한이 이전된 것이 아니므로 **피대리청**이나 **원행정청**이 피고가 된다. 이 경우 처분은 피대리청이나 원행정청의 명의로 처분을 하여야 한다. 다만, 내부위임의 경우 내부위임받은 행정기관이 **자신의 명의**로 처분을 행한 경우에는 무효이며, 이 무효확인소송의 피고는 예외적으로 위임을 받은 행정청이 피고가 된다는 것이 판례의 입장이다(대판 1994.8.12. 94누2763).

④ **지방의회·지방자치단체의 장:** 지방의회의원에 대한 **징계의결**에 대해서는 **지방의회**가 피고가 된다. 다만, **처분적 조례**가 항고소송의 대상이 되는 경우에는 지방의회가 아니라 조례의 공포권자인 **지방자치단체의 장**이라는 것이 판례의 입장이다(대판 1996.9.20. 95누8003). 또한 교육에 관한 조례의 경우에도 교육감이 피고가 된다.

⑤ **다른 법률에 특별한 규정이 있는 경우:** 국가공무원에 대한 징계처분 기타 불이익처분의 처분청이 대통령인 경우에는 **소속장관**이 피고가 된다. 대법원장이 행한 처분에 대하여는 **법원행정처장**이 피고가 되고, 국회의장이 행한 처분에 대하여는 **국회사무총장**이 피고가 된다.

핵심 OX

01 피고경정의 신청을 각하한 결정에 대하여는 불복할 수 없다. 08. 지방7급 (   )

핵심 OX

02 권한의 내부위임이 있는 경우 내부수임기관이 착오 등으로 원처분청의 명의가 아닌 자기명의로 처분을 하였다면, 처분권자가 아닌 내부수임기관이 그 처분에 대한 항고소송의 피고가 된다. 20. 국가7급 (   )

03 조례가 처분성을 갖는 경우 항고소송의 대상이 되며 이 경우 피고는 조례를 의결한 지방의회가 된다. 19. 서울7급 (   )

01 X **02** O **03** X

⑥ **합의제 행정관청의 경우:** 합의제 행정관청(공정거래위원회, 금융위원회, 토지수용위원회)의 처분에 대한 피고는 **합의제 행정관청** 자체가 피고가 된다. ⇨ 다만 중앙노동위원회의 처분에 대하여는 **중앙노동위원회 위원장**이 피고가 된다(노동위원회법 제27조).

⑦ **권한의 승계(제13조 제1항 단서):** 처분이 있은 뒤에 처분 등에 관계되는 권한의 승계가 있는 경우에는 이를 **승계한 행정청**이 피고가 된다.

⑧ **기관폐지가 있는 경우(제13조 제2항):** 기관폐지가 있는 경우에는 그 처분 등에 관한 **사무가 귀속하는 국가** 또는 **공공단체**가 피고가 된다.

핵심정리 구체적인 경우의 피고적격

구분	피고
일반 행정청	처분을 행한 당해 행정청(처분청)
권한의 위임 · 위탁의 경우	수임청 · 수탁청
권한의 대리 · 내부위임의 경우	• 원칙적으로 피대리청(내부위임청) • 단, 수임기관이 자신의 명의로 처분을 한 경우에는 수임기관
합의제 행정관청	• 합의제 행정관청 자체가 피고: 토지수용위원회, 공정거래위원회(위원장이 아님) • 단, 중앙노동위원회의 경우 중앙노동위원회위원장
대통령이 행한 처분	소속장관
국회의장, 대법원장	국회사무총장, 법원행정처장
지방의회의 의결에 대한 항고소송	지방의회
처분적 조례에 대한 항고소송	지방자치단체의 장
교육에 관한 조례에 대한 항고소송	시 · 도 교육감
권한의 승계가 있는 경우	승계한 행정청
기관폐지가 있는 경우	사무가 귀속되는 국가, 공공단체(행정주체가 피고가 되는 경우임)

관련판례

1 조례가 항고소송의 대상이 되는 행정처분에 해당되는 경우 및 그 경우 조례무효확인소송의 피고적격(지방자치단체의 장)

지방의회가 의결한 처분적 조례에 대한 피고적격은 **지방자치단체장**에 있다(대판 1996.9.20. 95누8003).

2 대리권을 수여받은 행정청이 대리관계를 밝힘이 없이 자신의 명의로 행정처분을 한 경우, 그 행정처분에 대한 항고소송의 피고적격

대리권을 수여받은 데 불과하여 그 자신의 명의로는 행정처분을 할 권한이 없는 행정청의 경우 대리관계를 밝힘이 없이 그 자신의 명의로 행정처분을 하였다면

핵심 OX

04 합의제행정청의 처분에 대하여는 합의제행정청이 피고가 되므로 부당노동행위에 대한 구제명령 등 중앙노동위원회의 처분에 대한 소송에서는 중앙노동위원회가 피고가 된다. 20. 국가7급 ( )

핵심 OX

05 처분적 조례가 항고소송의 대상이 되는 경우 피고적격은 당해 조례를 제정한 지방의회가 아니라 공포권자인 지방자치단체장에게 있다. 19. 서울7급 변형 ( )

06 대리권을 수여받은 데 불과하여 그 자신의 명의로는 행정처분을 할 권한이 없는 행정청의 경우 대리관계를 밝힘이 없이 그 자신의 명의로 행정처분을 하였다면 그에 대하여는 처분명의자인 당해 행정청이 항고소송의 피고가 되어야 하는 것이 원칙이다. 18. 서울9급 ( )

04 X 05 O 06 O

그에 대하여는 처분명의자인 당해 행정청이 항고소송의 피고가 되어야 하는 것이 원칙이지만, 비록 처분명의자는 물론 그 상대방도 그 행정처분이 피대리청을 대리하여 한 것임을 알고서 이를 받아들인 예외적인 경우에는 피대리청이 피고가 되어야 한다(대결 2006.2.23. 2005부4).

3 처분청과 통지한 자가 다른 경우 처분청이 피고인지 여부(적극)

처분청인 **경상북도지사**가 초지조성허가를 취소한 후 칠곡군수로 하여금 이를 신청인에게 통지하도록 지시하고 그 지시를 받은 칠곡군수가 자신의 이름으로 위 도지사의 초지조성허가의 취소통보를 하였다면 위 초지조성허가취소의 처분청은 어디까지나 위 경상북도지사로서 그가 그 허가취소처분의 취소를 구하는 항고소송에서 피고적격을 가진다 할 것이며, 칠곡군수는 그 산하기관의 자격으로 동지사의 위 취소처분을 통지하였을 뿐 그 처분청이 아니므로 처분청(경상북도지사)이 아닌 칠곡군수를 상대로 한 초지조성허가 취소처분의 취소를 구하는 소는 피고적격을 그르친 부적법한 소이어서 각하하여야 한다(대판 1979.9.11. 79누172).

4 서훈취소 사건

[1] 망인에게 수여된 서훈을 취소하는 경우, 유족이 서훈취소처분의 상대방이 되는지 여부(소극) 및 망인에 대한 서훈취소결정의 효력이 발생하기 위한 요건

헌법 제11조 제3항과 구 상훈법 제2조, 제33조, 제34조, 제39조의 규정 취지에 의하면, 서훈은 서훈대상자의 특별한 공적에 의하여 수여되는 고도의 일신전속적 성격을 가지는 것이다. 나아가 서훈은 단순히 서훈대상자 본인에 대한 수혜적 행위로서의 성격만을 가지는 것이 아니라, 국가에 뚜렷한 공적을 세운 사람에게 영예를 부여함으로써 국민 일반에 대하여 국가와 민족에 대한 자긍심을 높이고 국가적 가치를 통합 · 제시하는 행위의 성격도 있다. 서훈의 이러한 특수성으로 말미암아 상훈법은 일반적인 행정행위와 달리 사망한 사람에 대하여도 그의 공적을 영예의 대상으로 삼아 서훈을 수여할 수 있도록 규정하고 있다. 그러나 그러한 경우에도 서훈은 어디까지나 서훈대상자 본인의 공적과 영예를 기리기 위한 것이므로 비록 유족이라고 하더라도 제3자는 서훈수여처분의 상대방이 될 수 없고, 구 상훈법 제33조, 제34조 등에 따라 망인을 대신하여 단지 사실행위로서 훈장 등을 교부받거나 보관할 수 있는 지위에 있을 뿐이다. 이러한 서훈의 일신전속적 성격은 서훈취소의 경우에도 마찬가지이므로, 망인에게 수여된 서훈의 취소에서도 유족은 그 처분의 상대방이 되는 것이 아니다. 이와 같이 망인에 대한 서훈취소는 유족에 대한 것이 아니므로 유족에 대한 통지에 의해서만 성립하여 효력이 발생한다고 볼 수 없고, 그 결정이 처분권자의 의사에 따라 상당한 방법으로 대외적으로 표시됨으로써 행정행위로서 성립하여 효력이 발생한다고 봄이 타당하다.

[2] 국무회의에서 건국훈장 독립장이 수여된 망인에 대한 서훈취소를 의결하고 대통령이 결재함으로써 서훈취소가 결정된 후 국가보훈처장이 망인의 유족 甲에게 '독립유공자 서훈취소결정 통보'를 하자 甲이 국가보훈처장을 상대로 서훈취소결정의 무효 확인 등의 소를 제기한 사안에서, 위 소는 피고를 잘못 지정하였다고 한 사례

국무회의에서 건국훈장 독립장이 수여된 망인에 대한 서훈취소를 의결하고 **대통령**이 결재함으로써 서훈취소가 결정된 후 국가보훈처장이 망인의 유족 甲에게 '독립유공자 서훈취소결정 통보'를 하자 甲이 국가보훈처장을 상대로 서훈취소결정의 무효 확인 등의 소를 제기한 사안에서, 甲이 서훈취소 처분을 행한 행정청(대통령)이 아니라 국가보훈처장을 상대로 제기한 위 소는 피고를 잘못 지정한 경우에 해당하므로, 법원으로서는 석명권을 행사하여 정당한 피고로 경정하게 하여 소송을 진행해야 함에도 국가보훈처장이 서훈취소처분을 한 것을 전제로 처분의 적법 여부를 판단한 원심판결에 법리오해 등의 잘못이 있다(대판 2014.9.26. 2013두2518).

핵심 OX

01 망인(亡人)에게 수여된 서훈을 취소하는 경우, 그 유족은 서훈취소처분의 상대방이 되지 않는다. 19. 서울7급 ( )

02 서훈은 서훈대상자의 특별한 공적에 의하여 수여되는 고도의 일신전속적 성격을 가지는 것이므로, 망인에게 수여된 서훈이 취소된 경우 그 유족은 서훈취소처분의 상대방이 되지 아니한다. 18. 지방7급, 16. 지방9급 ( )

01 ○ 02 ○

5 지방소득세 소득세분의 취소를 구하는 항고소송의 피고 적격(= 소득세 납세지를 관할하는 시장 · 군수) 및 납세의무자가 세무서장을 상대로 한 소송에서 소득세 부과처분의 취소판결을 받은 경우, 별도로 지방소득세 소득세분 부과처분의 취소를 구하는 소를 제기하여야 하는지 여부(소극)

지방소득세 소득세분의 취소를 구하는 항고소송은 세무서장이 아니라 납세의무자의 소득세 납세지를 관할하는 시장 · 군수를 상대로 하여야 하나, 관련 납세의무자로서는 세무서장을 상대로 한 소송에서 소득세 부과처분의 취소판결을 받으면 족하고 이와 별도로 지방소득세 소득세분 부과처분의 취소를 구하는 소를 제기할 필요도 없다(대판 2016.12.29. 2014두205).

(2) 피고의 경정

① 원고가 피고를 잘못 지정한 경우에는 법원은 원고의 신청에 의하여 결정으로 피고의 경정을 허가할 수 있다(제14조 제1항). 반면에, 행정심판의 경우에는 신청과 위원회의 직권으로도 피청구인을 변경할 수 있다.

② 피고경정의 결정이 있는 때에는 새로운 피고에 대한 소송은 처음 소를 제기한 때에 제기된 것으로 보며, 종전의 피고에 대한 소송은 취하된 것으로 본다(제14조 제4항 · 제5항).

판례연구 피고적격

1. 기본 판례

권한 없이 행정처분을 한 경우에도 실제로 그 처분을 행한 하급행정청을 피고로 하여야 한다.

> 행정처분의 취소 또는 무효확인을 구하는 행정소송은 다른 법률에 특별한 규정이 없는 한 그 처분을 행한 행정청을 피고로 하여야 하며, 행정처분을 행할 적법한 권한있는 상급행정청으로부터 내부위임을 받은데 불과한 하급행정청이 권한없이 행정처분을 한 경우에도 실제로 그 처분을 행한 하급행정청을 피고로 할 것이지 그 상급행정청을 피고로 할 것은 아니다(대판 1989.11.14. 89누4765).

2. 관련 판례

① 권한의 위임이 있는 경우 수임청에 피고적격이 있다.
② 성업공사가 한 그 공매처분에 대한 항고소송은 수임청으로서 실제로 공매를 행한 성업공사를 피고로 하여야 하고, 위임청인 세무서장은 피고적격이 없다.
③ 내부위임의 경우에는 수임관청이 그 위임된 바에 따라 위임관청의 이름으로 권한을 행사하였다면 피고는 위임관청으로 삼아야 한다.
④ 내부위임을 받은데 불과한 하급행정청이 권한 없이 행정처분을 한 경우에도 실제로 그 처분을 행한 하급행정청을 피고로 할 것이지 그 상급행정청을 피고로 할 것은 아니다.
⑤ 조례에 대한 취소소송의 피고는 지방자치단체의 집행기관으로서 조례로서의 효력을 발생시키는 공포권이 있는 지방자치단체의 장이다.
⑥ 검사임용거부처분에 대한 취소소송의 피고는 법무부장관이 된다.
⑦ 행정청의 권한승계가 있는 때라 함은 행정주체의 합병 · 분리 등에 의하여 처분청의 당해 권한이 타 행정청에 승계된 경우뿐만 아니라 처분 등의 상대방인 사인의 지위나 주소의 변경 등에 의하여 변경 전의 처분 등에 관한 행정청의 관할이 이전된 경우 등을 말한다.
⑧ 피고지정이 잘못된 경우, 법원이 석명권을 행사하지 않고 바로 소를 각하한 것은 위법하다.
⑨ 소의 변경시 피고의 경정이 인정되고, 피고경정은 사실심 변론종결시까지 허용된다.

핵심 OX

03 원고가 피고를 잘못 지정한 때에는 법원은 직권으로 피고를 경정하여야 한다. 12. 국회9급, 10. 세무사 ( )

04 피고경정의 결정이 있은 때에는 새로운 피고에 대한 소송은 처음에 소를 제기한 때에 제기된 것으로 본다. 08. 지방7급 ( )

05 행정관청 내부의 사무처리규정인 전결규정에 위반하여 원래의 전결권자가 아닌 보조기관 등이 처분권자인 행정관청의 이름으로 행정처분을 하였다면 그러한 처분은 권한 없는 자에 의하여 행하여진 무효의 처분이다. 18. 변호사 ( )

06 피고경정은 사실심은 물론 상고심에서도 허용된다는 것이 판례의 입장이다. 09. 세무사 ( )

07 소의 변경시에는 피고의 경정이 인정된다. 09. 세무사 ( )

03 X 04 O 05 X 06 X 07 O

8. 소송참가

행정소송법 제16조 【제3자의 소송참가】 ① 법원은 소송의 결과에 따라 권리 또는 이익의 침해를 받을 제3자가 있는 경우에는 당사자 또는 제3자의 신청 또는 직권에 의하여 결정으로써 그 제3자를 소송에 참가시킬 수 있다.
② 법원이 제1항의 규정에 의한 결정을 하고자 할 때에는 미리 당사자 및 제3자의 의견을 들어야 한다.
③ 제1항의 규정에 의한 신청을 한 제3자는 그 신청을 각하한 결정에 대하여 즉시항고할 수 있다.
④ 제1항의 규정에 의하여 소송에 참가한 제3자에 대하여는 민사소송법 제67조의 규정을 준용한다.

제17조 【행정청의 소송참가】 ① 법원은 다른 행정청을 소송에 참가시킬 필요가 있다고 인정할 때에는 당사자 또는 당해 행정청의 신청 또는 직권에 의하여 결정으로써 그 행정청을 소송에 참가시킬 수 있다.
② 법원은 제1항의 규정에 의한 결정을 하고자 할 때에는 당사자 및 당해 행정청의 의견을 들어야 한다.
③ 제1항의 규정에 의하여 소송에 참가한 행정청에 대하여는 민사소송법 제76조의 규정을 준용한다.

핵심 OX

01 취소소송의 제3자 소송참가에 관한 규정은 무효등확인소송, 부작위위법확인소송, 당사자소송에도 준용된다. 12. 국가9급 ( )

(1) 의의

현재 소송계속 중인 타인간의 소송에 제3자가 **자기의 법률상의 이익**을 위하여 참가하는 것을 **제3자의 소송참가**라고 한다. 소송참가는 제3자의 소송참가와 행정청의 소송참가가 있으며, 소송참가에 관한 규정은 취소소송 이외의 다른 항고소송 · 당사자소송에도 준용된다(제38조, 제44조 제1항).

(2) 제3자의 소송참가

① **내용:** 법원은 소송의 결과에 따라 권리 또는 이익을 침해받는 제3자가 있는 경우에는 당사자 또는 제3자의 **신청 또는 직권**에 의하여 결정으로써 그 제3자를 소송에 참가시킬 수 있다(제16조 제1항), 취소판결은 제3자에게도 효력이 미치므로(형성력) 그 제3자의 권리보호를 위해 인정된다.

② **참가인의 지위:** 행정소송법은 소송에 참가한 제3자에 대해서는 민사소송법 제67조의 규정(필수적 공동소송)을 준용하도록 하고 있다(제16조 제4항). 따라서 참가인은 공동소송인에 준하는 지위를 갖지만, 직접적인 소송당사자는 아니므로 **공동소송적 보조참가인**의 지위에 있다고 보는 것이 통설이다. 이에 의하면 참가인은 피참가인의 소송행위와 저촉되는 행위를 할 수 있지만, 소송당사자는 아니므로 소송물을 처분하는 행위(소의 취하 · 포기 · 인낙)는 할 수 없다.

핵심 OX

02 제3자는 판결의 형성력에 의해 권리 또는 이익의 침해를 받을 자를 말하며 판결의 기속력에 의해 권리 또는 이익의 침해를 받는 경우는 포함되지 않는다. 12. 국가9급 ( )

03 제3자의 소송참가는 소송의 결과에 따라 권리 또는 이익의 침해를 받을 제3자에게 인정될 수 있다. 07. 세무사 ( )

04 소송참가인의 지위의 성질에 대해서는 공동소송적 보조참가와 비슷하다는 것이 통설이다. 10. 국회8급 ( )

(3) 행정청의 소송참가

① **내용(제17조 제1항):** 법원은 다른 행정청을 소송에 참가시킬 필요가 있다고 인정할 때에는 당사자 또는 당해 행정청의 **신청 또는 직권**에 의하여 결정으로써 그 행정청을 소송에 참가시킬 수 있다.

01 ○ **02** X **03** ○ **04** ○

② **참가인의 지위**: 법원의 결정으로 소송에 참가한 행정청에 대해서는 민사소송법 제76조의 규정(보조참가인의 소송행위)이 준용된다(제17조 제3항). 따라서 참가 행정청은 **보조참가인**에 준하는 지위를 가지며, 피참가인의 소송행위와 저촉되는 행위를 할 수 없다.

핵심정리 행정소송법상 참가제도

구분	제3자의 소송참가	행정청의 소송참가
참가신청	당사자 또는 제3자의 신청 또는 법원의 직권에 의함	당사자 또는 당해 행정청의 신청 또는 법원의 직권에 의함
참가인의 지위	공동소송적 보조참가인의 지위	보조참가인의 지위
저촉되는 행위 허용 여부	피참가인의 소송행위와 저촉되는 행위를 할 수 있음	피참가인의 소송행위와 저촉되는 행위를 할 수 없음
행정절차법	행정절차법에는 제3자에 대한 행정절차에 참가하는 직접적인 규정은 두고 있지 않음	

9. 소송대리인

(1) 행정소송법에는 소송대리인에 관한 특별한 규정이 없으므로 행정소송의 대리인에 관하여는 민사소송법상의 소송대리인에 관한 규정이 일반적으로 적용된다.

(2) **국가**를 당사자 또는 참가인으로 하는 행정소송에 있어서는 **법무부장관**이 국가를 대표하며, 법무부장관은 법무부의 직원·검사 또는 공익법무관을 지정하여 소송을 수행하게 할 수 있다(국가를 당사자로 하는 소송에 관한 법률 제1조 ~ 제4조).

제2절 소송의 요건(적법요건) 일반론, 처분 등의 존재(대상적격)

1 소송요건

1. 취소소송의 제기요건

(1) 소송요건이란 일반적으로 소송을 제기하여 그 청구의 당부에 관한 법원의 본안에 대한 심판을 받을 수 있는 요건을 말한다.

(2) **형식적 요건과 실질적 요건**

① **형식적 요건**: 소장, 관할법원, 피고적격, 전심절차, 제소기간이 있다.

② **실질적 요건**: 소의 이익(원고적격, 청구대상의 적격, 권리보호의 필요)이 있다.

핵심 OX

05 법원은 다른 행정청을 취소소송에 참가시킬 필요가 있다고 인정할 때에는 당사자 또는 당해 행정청의 신청 또는 직권에 의하여 결정으로써 그 행정청을 소송에 참가시킬 수 있다. 18. 국가7급 ( )

06 행정청의 소송참가는 처분의 효력 유무가 민사소송의 선결문제가 되어 당해 민사소송의 수소법원이 이를 심리·판단하는 경우에도 허용된다. 18. 국가7급 ( )

05 ○ 06 ○

(3) 소송요건 충족 여부

소송요건의 충족 여부는 법원의 **직권조사사항**이다(대판 1977.4.12. 76누268).

(4) 소송요건의 존부판단시기 ⇨ 변론종결시

제소 당시에는 소송요건이 존재하지 않아도 **변론종결시**까지 이를 갖추면 된다.

> **관련판례**
>
> **원고적격이 상고심에서도 존속하여야 하는지 여부(적극)**
> 원고적격은 소송요건의 하나이므로 사실심 변론종결시는 물론 상고심에서도 존속하여야 하고 이를 흠결하면 부적법한 소가 된다(대판 2007.4.12. 2004두7924).

핵심 OX

01 취소소송의 원고적격은 소송요건의 하나이므로 사실심변론종결시는 물론 상고심에서도 존속하여야 하고 이를 흠결하면 부적법한 소가 된다. 15. 사복 (　)

02 취소소송에서 쟁송의 대상이 되는 행정처분의 존부는 소송요건으로서 법원의 직권조사 사항이고 자백의 대상이 될 수 없다. 23. 국가7급 (　)

03 행정소송법상 '처분'이라 함은 행정청이 행하는 구체적 사실에 관한 법집행으로서의 공권력의 행사 또는 그 거부와 그 밖에 이에 준하는 행정작용을 말한다. 13. 국가9급 (　)

04 취소소송의 대상은 행정청의 '처분 등', 즉 처분과 재결이다. 13. 국회9급 (　)

05 항고소송의 대상이 되는 행정처분이라 함은 원칙적으로 행정청의 공법상 행위로서 특정 사항에 대하여 법규에 의한 권리의 설정 또는 의무의 부담을 명하거나 기타 법률상 효과를 발생하게 하는 등으로 일반국민의 권리·의무에 직접영향을 미치는 행위를 가리킨다. 13. 국가9급 (　)

01 ○ 02 ○ 03 ○ 04 ○ 05 ○

2. 소장(訴狀)

취소소송은 소장을 법원에 제출함으로써 개시된다. 소장의 방식에 대해서는 행정소송법에 특별한 규정이 없으므로 민사소송법의 규정이 준용된다.

2 처분 등의 존재

1. 처분

행정소송법 제19조 【취소소송의 대상】 취소소송은 처분 등을 대상으로 한다. 다만, 재결취소소송의 경우에는 재결 자체에 고유한 위법이 있음을 이유로 하는 경우에 한한다.

> **관련판례**
>
> **행정소송에 있어서 행정처분의 존부가 직권조사사항인지 여부(적극)**
> 행정소송에서 쟁송의 대상이 되는 행정처분의 존부는 소송요건으로서 직권조사사항이고, 자백의 대상이 될 수 없는 것이므로, 설사 그 존재를 당사자들이 다투지 아니한다하더라도 그 존부에 관하여 의심이 있는 경우에는 이를 직권으로 밝혀보아야 할 것이고, 사실심에서 변론종결시까지 당사자가 주장하지 않던 직권조사사항에 해당하는 사항을 상고심에서 비로소 주장하는 경우 그 직권조사사항에 해당하는 사항은 상고심의 심판범위에 해당한다(대판 2004.12.24. 2003두15195).

구분	처분성 인정	처분성 부정
행정청이 행하는	-	-
구체적 사실에 관한 법집행으로서	• 처분적 명령·조례 • 행정계획(도시계획관련 결정) • 일반처분(공시지가결정)	아파트 분양지침
공법관계	입찰자격 제한조치	-

권력의 행사	[권력적] • 단수처분 • 국가인권위원회 성희롱결정 · 시정조치권고 • 항공노선 운수권배분처분 • 횡단보도의 설치	[비권력적] 당연퇴직의 통보 [국민의 권리 · 의무에 관련이 없는 내부적 행위] • 운수사업면허대상자 선정행위에서 추첨 • 교육공무원법상 총 · 학장의 임용제청 • 지적봉쇄조치 • 법인세과세표준결정 • 개인택시면허우선순위에 관한 건교부장관의 시달 • 고충심사결정 • 심사청구에 대한 감사원의 결정 및 통지처분 • 행정청의 단순한 사실행위 또는 단순한 부작위 • 국민의 권리에 직접적인 침해를 가져오지 않는 행정입법 • 토지대장의 등재 같은 각종의 등재 · 등록행위 • 교통법규위반에 대한 벌점부과행위 • 공정거래위원회의 고발조치 및 고발의결 • 내신성적산정기준에 관한 시행지침 • 상수원보호구역지정통보 • 행정청간 국유재산이관협정 • 구 건설교통부장관의 기준지가고시 • 택지개발촉진법에 의한 택지공급방법결정 • 택시운송사업용 자동차 증차배정조치 • 성업공사의 공매결정 • 횡단보도의 설치 · 존폐에 관한 결정 • 금융감독위원회의 부실금융기관에 대한 파산신청 • 공업배치 및 공장설립에 관한 법률상 분양대상기업체 선정행위 • 위성망국제등록신청 등
	[특별권력관계] • 징계처분 • 지방의회의장 선거 • 지방의회의장에 대한 불신임의결 • 지방의회의원에 대한 징계의결 • 금융기관임원에 대한 금융감독원장의 문책경고	당해 공무원에 대한 소속장관의 경고
또는 거부와	법규상 · 조리상 신청권 인정시	법규상 · 조리상 신청권 부정시

그 밖에 이에 준하는 행정작용 및 행정심판에 대한 재결	• 형식적 행정행위 인정 여부에 관한 논의(일원설 vs. 이원설) • 재결 자체의 고유한 위법(제19조)	
일반법	-	[특별절차에 의하는 경우] • 통고처분 • 검찰총장의 재항고기각결정 • 검사의 불기소처분 • 검사의 공소 • 형집행정지취소처분

(1) 처분적 조례

관련판례

1 두밀분교폐지에 관한 조례(대판 1996.9.20. 95누8003)

2 보건복지부고시인 약제급여 · 비급여목록 및 급여상한금액표는 다른 집행행위의 매개 없이 그 자체로서 국민건강보험가입자, 국민건강보험공단, 요양기관 등의 법률관계를 직접 규율하는 성격을 가지므로 항고소송의 대상이 되는 행정처분에 해당한다(대판 2006.9.22. 2005두2506).

(2) 권력적 성격

권력적	비권력적
행정규칙에 의한 **'불문경고조치'**가 비록 법률상의 징계처분은 아니지만 위 처분을 받지 아니하였다면 차후 다른 징계처분이나 경고를 받게 될 경우, 징계감경사유로 사용될 수 있었던 표창공적의 사용가능성을 소멸시키는 효과와 1년 동안 인사기록카드에 등재됨으로써 그동안은 장관표창이나 도지사표창 대상자에서 제외시키는 효과 등이 있으므로 **항고소송의 대상이 되는 행정처분에 해당한다**(대판 2002.7.26. 2001두3532).	과거에 법률에 의하여 **당연퇴직된 공무원**이 자신을 복직 또는 재임용시켜 줄 것을 요구하는 신청에 대하여 그와 같은 조치가 불가능하다는 행정청의 거부행위는 당연퇴직의 효과가 계속하여 존재한다는 것을 알려주는 일종의 안내에 불과하므로 당연퇴직된 공무원의 실체상의 권리관계에 직접적인 변동을 일으키는 것으로 볼 수 없고, 당연퇴직의 근거 법률이 헌법재판소의 위헌결정으로 효력을 잃게 되었다고 하더라도 **당연퇴직된 이후 헌법소원 등의 청구기간이 도과한 경우**에는 당연퇴직의 내용과 상반되는 처분을 요구할 수 있는 조리상의 신청권을 인정할 수도 없다고 할 것이어서, 이와 같은 경우 행정청의 복직 또는 재임용거부행위는 **항고소송의 대상이 되는 행정처분에 해당한다고 할 수 없다**(대판 2005.11.25. 2004두12421).

핵심 OX

01 보건복지부 고시인 구 약제급여 · 비급여목록 및 급여상한 금액표는 그 자체로서 국민건강 보험가입자, 국민건강보험공단, 요양기관 등의 법률관계를 직접 규율하는 성격을 가지므로 항고소송의 대상이 되는 행정처분에 해당한다.
18. 국가9급 ( )

02 판례에 의하면, 행정규칙에 의한 불문경고조치는 차후 징계감경사유로 작용할 수 있는 표창대상자에서 제외되는 등의 인사상 불이익을 줄 수 있다하여도 이는 간접적효과에 불과하므로 항고소송의 대상인 행정처분에 해당하지 않는다.
18. 서울7급, 09. 세무사 ( )

01 ○ **02** X

관련판례

1 공무원이 소속 장관으로부터 받은 서면에 의한 경고가 국가공무원법상의 징계처분이나 행정소송의 대상이 되는 행정처분인지 여부(소극)

공무원이 소속 장관으로부터 받은 '직상급자와 다투고 폭언하는 행위 등에 대하여 엄중 경고하니 차후 이러한 사례가 없도록 각별히 유념하기 바람'이라는 내용의 서면에 의한 경고가 공무원의 신분에 영향을 미치는 국가공무원법상의 징계의 종류에 해당하지 아니하고, 근무충실에 관한 권고행위 내지 지도행위로서 그 때문에 공무원으로서의 신분에 불이익을 초래하는 법률상의 효과가 발생하는 것도 아니므로, 경고가 국가공무원법상의 징계처분이나 행정소송의 대상이 되는 행정처분이라고 할 수 없어 그 취소를 구할 법률상의 이익이 없다(대판 1991.11.12. 91누2700).

2 도시 및 주거환경정비법에 따른 이전고시의 법적 성격(공법상 처분)

도시 및 주거환경정비법에 따른 이전고시는 준공인가의 고시로 사업시행이 완료된 이후에 관리처분계획에서 정한 바에 따라 종전의 토지 또는 건축물에 대하여 정비사업으로 조성된 대지 또는 건축물의 위치 및 범위 등을 정하여 소유권을 분양받을 자에게 이전하고 가격의 차액에 상당하는 금액을 청산하거나 대지 또는 건축물을 정하지 않고 금전적으로 청산하는 공법상 처분이다(대판 2016.12.29. 2013다73551).

3 [1] 과세관청이 납세의무자에 대하여 증여세의 과세표준과 세액이 과세표준신고서 제출 당시 이미 자진납부한 금액과 동일하여 별도로 고지할 세액이 없다는 내용의 신고시인결정 통지를 한 경우, 신고시인결정 통지가 항고소송의 대상이 되는 행정처분에 해당하는지 여부(적극)

부과과세방식의 조세에 속하는 증여세에 있어서는 납세의무자가 과세표준신고서를 제출하더라도 그 납세의무는 과세관청이 증여세의 과세표준과 세액을 결정하는 때에 비로소 확정되고, 과세관청이 납세의무자에 대하여 증여세의 과세표준과 세액이 과세표준신고서를 제출할 당시 이미 자진납부한 금액과 동일하므로 별도로 고지할 세액이 없다는 내용의 신고시인결정 통지를 하였다면, 그 신고시인결정 통지는 과세관청의 결정으로서 항고소송의 대상이 되는 행정처분에 해당한다.

[2] 甲이 주소지 관할 세무서장에게 증여세 과세표준 및 세액을 신고·납부하였는데 그 후 상급기관인 지방국세청장이 甲에게 증여세 신고를 시인하는 내용의 신고시인결정 통지를 한 사안에서, 세무서장을 상대로 지방국세청장이 행한 신고시인결정 통지의 취소를 구하는 소는 피고적격이 없는 자를 상대로 한 것이어서 부적합하다고 한 사례

다른 법률에 특별한 규정이 없음에도 피고를 상대로 서울지방국세청장이 행한 신고시인결정 통지의 취소를 구하는 이 사건 소는 피고적격이 없는 자를 상대로 한 것이어서 부적법하다. 따라서 이러한 경우 원심으로서는 석명권을 행사하여 원고로 하여금 피고를 처분청인 서울지방국세청장으로 경정하게 하여 소송을 진행하였어야 한다(대판 2016.8.18. 2015두41562).

4 감차명령이 항고소송의 대상이 되는 처분에 해당하는지 여부(적극)

여객자동차 운수사업법(이하 '여객자동차법'이라 한다) 제85조 제1항 제38호에 의하면, 운송사업자에 대한 면허에 붙인 조건을 위반한 경우 감차 등이 따르는 사업계획변경명령(이하 '감차명령'이라 한다)을 할 수 있는데, 감차명령의 사유가 되는 '면허에 붙인 조건을 위반한 경우'에서 '조건'에는 운송사업자가 준수할 일정한 의무를 정하고 이를 위반할 경우 감차명령을 할 수 있다는 내용의 '부관'도 포함된다. 그리고 부관은 면허 발급 당시에 붙이는 것뿐만 아니라 면허 발급 이후에 붙이는 것도 법률에 명문의 규정이 있거나 변경이 미리 유보되어 있는 경우 또는 상대방의 동의가

핵심 OX

03 택시회사들의 자발적 감차와 그에 따른 감차보상금의 지급 및 자발적 감차 조치의 불이행에 따른 행정청의 직권 감차명령을 내용으로 하는 택시회사들과 행정청 간의 합의는 대등한 당사자 사이에서 체결한 공법상 계약에 해당하므로, 그에 따른 감차명령은 행정청이 우월한 지위에서 행하는 공권력의 행사로 볼 수 없다. 17. 국가7급 ( )

03 X

있는 경우 등에는 특별한 사정이 없는 한 허용된다. 따라서 관할 행정청은 면허 발급 이후에도 운송사업자의 동의하에 여객자동차운송사업의 질서 확립을 위하여 운송사업자가 준수할 의무를 정하고 이를 위반할 경우 감차명령을 할 수 있다는 내용의 면허 조건을 붙일 수 있고, 운송사업자가 조건을 위반하였다면 여객자동차법 제85조 제1항 제38호에 따라 감차명령을 할 수 있으며, 감차명령은 행정소송법 제2조 제1항 제1호가 정한 처분으로서 항고소송의 대상이 된다(대판 2016.11.24. 2016두45028).

5 교육공무원법상 승진후보자 명부에 의한 승진심사 방식으로 행해지는 승진임용에서 승진후보자 명부에 포함되어 있던 후보자를 승진임용인사발령에서 제외하는 행위가 항고소송의 대상인 처분에 해당하는지 여부(적극)

임용권자 등이 자의적인 이유로 승진후보자 명부에 포함된 후보자를 승진임용에서 제외하는 처분을 한 경우에, 이러한 승진임용제외처분을 항고소송의 대상이 되는 처분으로 보지 않는다면, 달리 이에 대하여는 불복하여 침해된 권리 또는 법률상 이익을 구제받을 방법이 없다. 따라서 교육공무원법상 승진후보자 명부에 의한 승진심사 방식으로 행해지는 승진임용에서 승진후보자 명부에 포함되어 있던 후보자를 승진임용인사발령에서 제외하는 행위는 불이익처분으로서 항고소송의 대상인 처분에 해당한다고 보아야 한다(대판 2018.3.27. 2015두47492).

6 공정거래위원회가 부당한 공동행위를 한 사업자에게 과징금 부과처분(선행처분)을 한 뒤, 다시 자진신고 등을 이유로 과징금 감면처분(후행처분)을 한 경우, 선행처분의 취소를 구하는 소가 적법한지 여부(소극)

공정거래위원회가 부당한 공동행위를 행한 사업자로서 구 독점규제 및 공정거래에 관한 법률 제22조의2에서 정한 자진신고자나 조사협조자에 대하여 과징금 부과처분(이하 '선행처분'이라 한다)을 한 뒤, 독점규제 및 공정거래에 관한 법률 시행령 제35조 제3항에 따라 다시 자진신고자 등에 대한 사건을 분리하여 자진신고 등을 이유로 한 과징금 감면처분(이하 '후행처분'이라 한다)을 하였다면, 후행처분은 자진신고 감면까지 포함하여 처분 상대방이 실제로 납부하여야 할 최종적인 과징금액을 결정하는 종국적 처분이고, 선행처분은 이러한 종국적 처분을 예정하고 있는 일종의 잠정적 처분으로서 후행처분이 있을 경우 선행처분은 후행처분에 흡수되어 소멸한다. 따라서 위와 같은 경우에 선행처분의 취소를 구하는 소는 이미 효력을 잃은 처분의 취소를 구하는 것으로 부적법하다(대판 2015.2.12. 2013두987).

7 방산물자 지정취소가 항고소송의 대상이 되는 행정처분에 해당하는지 여부(적극)

방위사업법 제35조 제1항에서 방산업체로 지정되기 위해서는 방산물자를 생산하고자 하는 자이어야 한다고 규정하고 있고, 같은 법 시행령 제42조에서 방산업체의 시설기준에 관하여 방산물자의 생산에 필요한 일반시설 및 특수시설, 품질검사시설, 기술인력 등의 인적, 물적 시설을 갖출 것을 요건으로 하고 있는 점에 비추어, 방산물자 지정이 취소되는 경우 당해 물자에 대한 방산업체 지정도 취소될 수밖에 없다고 보아야 한다. 그렇게 되면 방위사업법에서 규정하는 방산물자 등에 대한 수출지원(제44조)을 받을 수 없을 뿐 아니라 방산업체로서 방위사업법에 따라 누릴 수 있는 각종 지원과 혜택을 상실하게 되고, 국가를 당사자로 하는 계약에 관한 법률 시행령 제26조 제1항 제6호 다목에서 규정한 '방위사업법에 의한 방산물자를 방위산업체로부터 제조 · 구매하는 경우' 수의계약에 의할 수 있는 지위도 상실하게 되므로, 결국 방산물자 지정취소는 당해 방산물자에 대하여 방산업체로 지정되어 이를 생산하는 자의 권리의무에 직접 영향을 미치는 행위로서 항고소송의 대상이 되는 행정처분에 해당한다(대판 2009.12.24. 2009두12853).

핵심 OX

01 교육공무원법에 따라 승진후보자 명부에 포함되어 있던 후보자를 승진심사에 의해 승진임용인사발령에서 제외하는 행위는 항고소송의 대상인 처분으로 보아야 한다. 19. 지방7급 ( )

02 교육공무원법상 승진후보자 명부에 의한 승진심사 방식으로 행해지는 승진임용에서 승진후보자 명부에 포함되어 있던 후보자를 승진임용인사발령에서 제외하는 행위는 항고소송의 대상인 처분에 해당하지 않는다. 19. 국회8급 · 지방9급 ( )

03 공정거래위원회가 부당한 공동행위를 한 사업자에게 과징금 부과처분을 한 뒤 다시 자진신고 등을 이유로 과징금 감면처분을 하였다면, 선행 과징금 부과처분은 일종의 잠정적 처분으로서 후행 과징금 감면처분에 흡수되어 소멸한다. 19. 변호사 ( )

01 ○ 02 X 03 ○

8 **기존의 행정처분을 변경하는 후속처분의 내용이 종전처분의 유효를 전제로 내용 중 일부만을 추가·철회·변경하는 것이고 그 부분이 내용과 성질상 나머지 부분과 불가분적인 것이 아닌 경우, 종전처분이 항고소송의 대상이 되는지 여부(적극)**

기존의 행정처분을 변경하는 내용의 행정처분이 뒤따르는 경우, 후속처분이 종전처분을 완전히 대체하는 것이거나 주요 부분을 실질적으로 변경하는 내용인 경우에는 특별한 사정이 없는 한 종전처분은 효력을 상실하고 후속처분만이 항고소송의 대상이 되지만, 후속처분의 내용이 종전처분의 유효를 전제로 내용 중 일부만을 추가 · 철회 · 변경하는 것이고 추가 · 철회 · 변경된 부분이 내용과 성질상 나머지 부분과 불가분적인 것이 아닌 경우에는, 후속처분에도 불구하고 종전처분이 여전히 항고소송의 대상이 된다. 따라서 종전처분을 변경하는 내용의 후속처분이 있는 경우 법원으로서는, 후속처분의 내용이 종전처분 전체를 대체하거나 주요 부분을 실질적으로 변경하는 것인지, 후속처분에서 추가 · 철회 · 변경된 부분의 내용과 성질상 나머지 부분과 가분적인지 등을 살펴 항고소송의 대상이 되는 행정처분을 확정하여야 한다(대판 2015.11.19. 2015두295 전합).

9 **중소기업기술정보진흥원장이 甲 주식회사와 중소기업 정보화지원사업 지원대상인 사업의 지원에 관한 협약을 체결하였는데, 협약이 甲 회사에 책임이 있는 사업실패로 해지되었다는 이유로 협약에서 정한 대로 지급받은 정부지원금을 반환할 것을 통보한 사안에서, 협약의 해지 및 그에 따른 환수통보는 행정청이 우월한 지위에서 행하는 공권력의 행사로서 행정처분에 해당한다고 볼 수 없다고 한 사례**

중소기업기술정보진흥원장이 甲 주식회사와 중소기업 정보화지원사업 지원대상인 사업의 지원에 관한 협약을 체결하였는데, 협약이 甲 회사에 책임이 있는 사업실패로 해지되었다는 이유로 협약에서 정한 대로 지급받은 정부지원금을 반환할 것을 통보한 사안에서, 중소기업 정보화지원사업에 따른 지원금 출연을 위하여 중소기업청장이 체결하는 협약은 공법상 대등한 당사자 사이의 의사표시의 합치로 성립하는 공법상 계약에 해당하는 점, 구 중소기업 기술혁신 촉진법 제32조 제1항은 제10조가 정한 기술혁신사업과 제11조가 정한 산학협력 지원사업에 관하여 출연한 사업비의 환수에 적용될 수 있을 뿐 이와 근거 규정을 달리하는 중소기업 정보화지원사업에 관하여 출연한 지원금에 대하여는 적용될 수 없고 달리 지원금 환수에 관한 구체적인 법령상 근거가 없는 점 등을 종합하면, 협약의 해지 및 그에 따른 환수통보는 공법상 계약에 따라 행정청이 대등한 당사자의 지위에서 하는 의사표시로 보아야 하고, 이를 행정청이 우월한 지위에서 행하는 공권력의 행사로서 행정처분에 해당한다고 볼 수는 없다(대판 2015.8.27. 2015두41449).

10 **재단법인 한국연구재단이 甲 대학교 총장에게 연구개발비의 부당집행을 이유로 '해양생물유래 고부가식품·향장·한약 기초소재 개발 인력양성사업에 대한 2단계 두뇌한국(BK)21 사업' 협약을 해지하고 연구팀장 乙에 대한 대학자체 징계 요구 등을 통보한 사안에서, 乙에 대한 대학자체 징계 요구가 항고소송의 대상이 되는 행정처분에 해당하는지 여부(소극)❶**

[1] 재단법인 한국연구재단이 甲 대학교 총장에게 연구개발비의 부당집행을 이유로 '해양생물유래 고부가식품 · 향장 · 한약 기초소재 개발 인력양성사업에 대한 2단계 두뇌한국(BK)21 사업' 협약을 해지하고 연구팀장 乙에 대한 국가연구개발사업의 3년간 참여제한 등을 명하는 통보를 하자 乙이 통보의 취소를 청구한 사안에서, 학술진흥 및 학자금대출 신용보증 등에 관한 법률 등의 입법 취지 및 규정 내용 등과 아울러 위 법 등 해석상 국가가 두뇌한국(BK)21 사업의 주관연구기관인 대학에 연구개발비를 출연하는 것은 '연구 중심 대학'의 육성은 물론 그와 별도로 대학에 소속된 연구인력의 역량 강화에도 목적이 있다고 보이는 점,

핵심 OX

04 구 중소기업 기술혁신 촉진법상 중소기업 정보화지원사업의 일환으로 중소기업기술정보진흥원장이 甲 주식회사와 중소기업 정보화지원사업에 관한 협약을 체결한 후 甲 주식회사의 협약 불이행으로 인해 사업실패가 초래된 경우, 중소기업기술진흥원장이 협약에 따라 甲에 대해 행한 협약의 해지 및 지급받은 정부지원금의 환수통보는 행정처분에 해당하지 않는다.
18. 국가9급, 17. 지방9급 ( )

❶
- 중소기업 정보화지원사업 - 처분성 X (공법상 계약): 당사자소송
- BK21 협약해지: 처분성 O / 대학자체 징계요구 - 처분성 X (단순권유에 불과)

04 O

기본적으로 국가연구개발사업에 대한 연구개발비의 지원은 대학에 소속된 일정한 연구단위별로 신청한 연구개발과제에 대한 것이지, 그 소속 대학을 기준으로 한 것은 아닌 점 등 제반 사정에 비추어 보면, 乙은 위 사업에 관한 협약의 해지 통보의 효력을 다툴 법률상 이익이 있다.

[2] 재단법인 한국연구재단이 甲 대학교 총장에게 연구개발비의 부당집행을 이유로 '해양생물유래 고부가식품 · 향장 · 한약 기초소재 개발 인력양성사업에 대한 2단계 두뇌한국(BK)21 사업'협약을 해지하고 연구팀장 乙에 대한 대학자체 징계 요구 등을 통보한 사안에서, 재단법인 한국연구재단이 甲 대학교 총장에게 乙에 대한 대학 자체징계를 요구한 것은 법률상 구속력이 없는 권유 또는 사실상의 통지로서 乙의 권리, 의무 등 법률상 지위에 직접적인 법률적 변동을 일으키지 않는 행위에 해당하므로, 항고소송의 대상인 행정처분에 해당하지 않는다고 본 원심판단은 정당하다(대판 2014.12.11. 2012두28704).

11 한국환경산업기술원장이 환경기술개발사업 협약을 체결한 甲 주식회사 등에게 연차평가 실시 결과 절대평가 60점 미만으로 평가되었다는 이유로 연구개발 중단 조치 및 연구비 집행중지 조치를 한 사안에서, 각 조치가 항고소송의 대상이 되는 행정처분에 해당하는지 여부(적극)

한국환경산업기술원장이 환경기술개발사업 협약을 체결한 甲 주식회사 등에게 연차평가 실시 결과 절대평가 60점 미만으로 평가되었다는 이유로 연구개발 중단 조치 및 연구비 집행중지 조치(이하 '각 조치'라 한다)를 한 사안에서, 각 조치는 甲 회사 등에게 연구개발을 중단하고 이미 지급된 연구비를 더 이상 사용하지 말아야 할 공법상 의무를 부과하는 것이고, 연구개발 중단 조치는 협약의 해약 요건에도 해당하며, 조치가 있은 후에는 주관연구기관이 연구개발을 계속하더라도 그에 사용된 연구비는 환수 또는 반환 대상이 되므로, 각 조치는 甲 회사 등의 권리 · 의무에 직접적인 영향을 미치는 행위로서 항고소송의 대상이 되는 행정처분에 해당한다(대판 2015.12.24. 2015두264).

12 기수 및 조교사 면허 취소가 행정처분인지 여부(소극)

행정소송의 대상이 되는 행정처분이라 함은 행정청 또는 그 소속기관이나 법령에 의하여 행정권한의 위임 또는 위탁을 받은 공공단체 등이 국민의 권리 · 의무에 관계되는 사항에 관하여 직접 효력을 미치는 공권력의 발동으로서 하는 공법상 행위를 말하며, 그것이 상대방의 권리를 제한하는 행위라 하더라도 행정청 또는 그 소속기관이나 권한을 위임받은 공공단체 등의 행위가 아닌 한 이를 행정처분이라고 할 수 없다(대판 2008.1.31. 2005두8269).

13 법무법인의 공정증서 작성행위가 항고소송의 대상이 되는 행정처분인지 여부(소극)

행정소송 제도는 행정청의 위법한 처분, 그 밖에 공권력의 행사 · 불행사 등으로 인한 국민의 권리 또는 이익의 침해를 구제하고 공법상 권리관계 또는 법률 적용에 관한 다툼을 적정하게 해결함을 목적으로 하는 것이므로, 항고소송의 대상이 되는 행정처분에 해당하는지는 행위의 성질 · 효과 이외에 행정소송 제도의 목적이나 사법권에 의한 국민의 권익보호 기능도 충분히 고려하여 합목적적으로 판단해야 한다. 이러한 행정소송 제도의 목적 및 기능 등에 비추어 볼 때, 행정청이 한 행위가 단지 사인간 법률관계의 존부를 공적으로 증명하는 공증행위에 불과하여 그 효력을 둘러싼 분쟁의 해결이 사법원리에 맡겨져 있거나 행위의 근거 법률에서 행정소송 이외의 다른 절차에 의하여 불복할 것을 예정하고 있는 경우에는 항고소송의 대상이 될 수 없다고 보는 것이 타당하다(대판 2012.6.14. 2010두19720).

핵심 OX

01 한국마사회가 조교사 또는 기수의 면허를 부여하거나 취소하는 것은 국가 기타 행정기관으로부터 위탁받은 행정권한의 행사에 해당하므로 처분성이 인정된다.
15. 경특1차 · 국회8급, 14. 사복, 10. 지방9급 ( )

01 X

14 **상표권자인 법인에 대한 청산종결등기가 되었음을 이유로 한 상표권의 말소등록행위가 항고소송의 대상이 될 수 있는지 여부(소극)**

상표원부에 상표권자인 법인에 대한 청산종결등기가 되었음을 이유로 상표권의 말소등록이 이루어졌다고 해도 이는 상표권이 소멸하였음을 확인하는 사실적 · 확인적 행위에 지나지 않고, 말소등록으로 비로소 상표권 소멸의 효력이 발생하는 것이 아니어서, 상표권의 말소등록은 국민의 권리의무에 직접적으로 영향을 미치는 행위라고 할 수 없다.

한편 상표법 제39조 제3항의 위임에 따른 특허권 등의 등록령(이하 '등록령'이라 한다) 제27조는 "말소한 등록의 회복을 신청하는 경우에 등록에 대한 이해관계가 있는 제3자가 있을 때에는 신청서에 그 승낙서나 그에 대항할 수 있는 재판의 등본을 첨부하여야 한다."라고 규정하고 있는데, 상표권 설정등록이 말소된 경우에도 등록령 제27조에 따른 회복등록의 신청이 가능하고, 회복신청이 거부된 경우에는 거부처분에 대한 항고소송이 가능하다.

이러한 점들을 종합하면, 상표권자인 법인에 대한 청산종결등기가 되었음을 이유로 한 상표권의 말소등록행위는 항고소송의 대상이 될 수 없다(대판 2015.10.29. 2014두2362).

15 **과세권자의 원천징수의무자에 대한 납세고지에 대하여 원천납세의무자가 항고소송을 제기할 수 있는지 여부**[1]

원천징수에 있어서 원천납세의무자는 과세권자가 직접 그에게 원천세액을 부과한 경우가 아닌 한 과세권자의 원천징수의무자에 대한 납세고지로 인하여 자기의 원천세납세의무의 존부나 범위에 아무런 영향을 받지 아니하므로 이에 대하여 항고소송을 제기할 수 없다(대판 1994.9.9. 93누22234).

16 **행정청이 공무원에게 연가보상비를 지급하지 아니한 행위가 항고소송의 대상이 되는 행정처분인지 여부(소극)**

공무원의 연가보상비청구권은 공무원이 연가를 실시하지 아니하는 등 법령상 정해진 요건이 충족되면 그 자체만으로 지급기준일 또는 보수지급기관의 장이 정한 지급일에 구체적으로 발생하고 행정청의 지급결정에 의하여 비로소 발생하는 것은 아니라고 할 것이므로, 행정청이 공무원에게 연가보상비를 지급하지 아니한 행위로 인하여 공무원의 연가보상비청구권 등 법률상 지위에 아무런 영향을 미친다고 할 수는 없으므로 행정청의 연가보상비 부지급 행위는 항고소송의 대상이 되는 처분이라고 볼 수 없다(대판 1999.7.23. 97누10857).

17 **검찰총장이 검사에 대하여 하는 '경고조치'가 항고소송의 대상이 되는 처분인지 여부(적극)**

[1] 어떠한 처분의 근거나 법적인 효과가 행정규칙에 규정되어 있다고 하더라도, 그 처분이 행정규칙의 내부적 구속력에 의하여 상대방에게 권리의 설정 또는 의무의 부담을 명하거나 기타 법적인 효과를 발생하게 하는 등으로 그 상대방의 권리 의무에 직접 영향을 미치는 행위라면, 이 경우에도 항고소송의 대상이 되는 행정처분에 해당한다고 보아야 한다.

[2] 검사에 대한 경고조치 관련 규정을 위 법리에 비추어 살펴보면, 검찰총장이 사무검사 및 사건평정을 기초로 대검찰청 자체감사규정 제23조 제3항, 검찰공무원의 범죄 및 비위 처리지침 제4조 제2항 제2호 등에 근거하여 검사에 대하여 하는 '경고조치'는 일정한 서식에 따라 검사에게 개별 통지를 하고 이의신청을 할 수 있으며, 검사가 검찰총장의 경고를 받으면 1년 이상 감찰관리 대상자로 선정되어 특별관리를 받을 수 있고, 경고를 받은 사실이 인사자료로 활용되어 복무평정, 직무성과금 지급, 승진 · 전보인사에서도 불이익을 받게 될 가능성이 높아지며, 향후 다른 징계사유로 징계처분을 받게 될 경우 징계양정에서 불이익을

---

[1]
- 원천징수의무자에 대한 납세고지: '원천징수의무자'에 대한 처분 O, '원천납세의무자'에 대한 처분 X
- 원천납세의무자는 당해 납세고지에 대한 항고소송 제기 불가

핵심 OX

02 행정청이 공무원에게 국가공무원법령상 연가보상비를 지급하지 아니한 행위는 공무원의 연가보상비청구권을 제한하는 행위로서 항고소송의 대상이 되는 처분이다.
19. 지방7급 ( )

03 어떠한 처분이 상대방에게 권리의 설정 또는 의무의 부담을 명하거나 기타 법적인 효과를 발생하게 하는 등으로 그 상대방의 권리 · 의무에 직접 영향을 미치는 행위라도 그 처분의 근거가 행정규칙에 규정되어 있다면, 이 경우에 그 처분은 항고소송의 대상이 되는 행정처분에 해당하지 않는다.
15. 사복, 13. 국가9급 · 지방9급 ( )

02 X 03 X

받게 될 가능성이 높아지므로, 검사의 권리 의무에 영향을 미치는 행위로서 항고소송의 대상이 되는 처분이라고 보아야 한다(대판 2021.2.10. 2020두47564).

18 법무사의 사무원 채용승인 신청에 대하여 소속 지방법무사회가 '채용승인을 거부'하는 조치 또는 일단 채용승인을 하였으나 '채용승인을 취소'하는 조치가 항고소송의 대상인 '처분'에 해당하는지 여부(적극)

법무사의 사무원 채용승인 신청에 대하여 소속 지방법무사회가 '채용승인을 거부'하는 조치 또는 일단 채용승인을 하였으나 법무사규칙 제37조 제6항을 근거로 '채용승인을 취소'하는 조치는 공법인인 지방법무사회가 행하는 구체적 사실에 관한 법집행으로서 공권력의 행사 또는 그 거부에 해당하므로 항고소송의 대상인 '처분'이라고 보아야 한다(대판 2020.4.9. 2015다34444).

19 근로복지공단이 사업주에 대하여 하는 '개별 사업장의 사업종류 변경결정'이 '처분'에 해당하는지 여부(적극)

고용보험 및 산업재해보상보험의 보험료징수 등에 관한 법률(이하 '고용산재보험료징수법'이라 한다) 제11조 제1항 등, 고용보험 및 산업재해보상보험의 보험료징수 등에 관한 법률 시행령 제9조 제3호, 고용보험 및 산업재해보상보험의 보험료징수 등에 관한 법률 시행규칙 제12조 및 근로복지공단이 고용산재보험료징수법령 등에서 위임된 사항과 그 시행을 위하여 필요한 사항을 규정할 목적으로 제정한 '적용 및 부과업무처리 규정'등 관련 규정들의 내용과 체계 등을 살펴보면, 근로복지공단이 사업주에 대하여 하는 '개별 사업장의 사업종류 변경결정'은 행정청이 행하는 구체적 사실에 관한 법집행으로서의 공권력의 행사인 '처분'에 해당한다(대판 2020.4.9. 2019두61137).

20 국방전력발전업무훈령에 따른 연구개발확인서 발급 및 그 거부의 법적 성질(= 행정처분)

국방전력발전업무훈령 제113조의5 제1항에 의한 연구개발확인서 발급은 개발업체가 '업체투자연구개발'방식 또는 '정부 · 업체공동투자연구개발'방식으로 전력지원체계 연구개발사업을 성공적으로 수행하여 군사용 적합판정을 받고 국방규격이 제 · 개정된 경우에 사업관리기관이 개발업체에게 해당 품목의 양산과 관련하여 경쟁입찰에 부치지 않고 수의계약의 방식으로 국방조달계약을 체결할 수 있는 지위(경쟁입찰의 예외사유)가 있음을 인정해 주는 '확인적 행정행위'로서 공권력의 행사인 '처분'에 해당하고, 연구개발확인서 발급 거부는 신청에 따른 처분 발급을 거부하는 '거부처분'에 해당한다(대판 2020.1.16. 2019다264700).

21 법무부장관이 甲의 입국을 금지하는 결정을 하고, 그 정보를 내부전산망인 '출입국관리정보시스템'에 입력하였으나, 甲에게는 통보하지 않은 사안에서, 위 입국금지결정은 항고소송의 대상이 되는 '처분'에 해당하지 않는다고 한 사례

병무청장이 법무부장관에게 '가수 甲이 공연을 위하여 국외여행허가를 받고 출국한 후 미국 시민권을 취득함으로써 사실상 병역의무를 면탈하였으므로 재외동포 자격으로 재입국하고자 하는 경우 국내에서 취업, 가수활동 등 영리활동을 할 수 없도록 하고, 불가능할 경우 입국 자체를 금지해 달라'고 요청함에 따라 법무부장관이 甲의 입국을 금지하는 결정을 하고, 그 정보를 내부전산망인 '출입국관리정보시스템'에 입력하였으나, 甲에게는 통보하지 않은 사안에서, 행정청이 행정의사를 외부에 표시하여 행정청이 자유롭게 취소 · 철회할 수 없는 구속을 받기 전에는 '처분'이 성립하지 않으므로 법무부장관이 출입국관리법 제11조 제1항 제3호 또는 제4호 출입국관리법 시행령 제14조 제1항 · 제2항에 따라 위 입국금지결정을 했다고 해서 '처분'이 성립한다고 볼 수는 없고, 위 입국금지결정은 법무부장관의 의사가 공식적인 방법으로 외부에 표시된 것이 아니라 단지 그 정보를 내부전산망인 '출입국관리정보시스템'에 입력하여 관리한 것에 지나지 않으므로, 위 입국금지결정은 항고소송의 대상이 될 수 있는 '처분'에 해당하지 않는데도, 위 입국금지결정이 처분에 해당하여 공정력과 불가쟁력이 있다고 본 원심판단에 법리를 오해한 잘못이 있다(대판 2019.7.11. 2017두38874).

22 공유재산 및 물품 관리법에 근거하여 공모제안을 받아 이루어지는 민간투자사업 '우선협상대상자 선정행위'나 '우선협상대상자 지위배제행위'에서 '우선협상대상자 지위배제행위'만이 항고소송의 대상인 처분에 해당하는지 여부(소극)

지방자치단체의 장이 공유재산법에 근거하여 기부채납 및 사용 · 수익허가 방식으로 민간투자사업을 추진하는 과정에서 사업시행자를 지정하기 위한 전 단계에서 공모제안을 받아 일정한 심사를 거쳐 우선협상대상자를 선정하는 행위와 이미 선정된 우선협상대상자를 그 지위에서 배제하는 행위는 민간투자사업의 세부내용에 관한 협상을 거쳐 공유재산법에 따른 공유재산의 사용 · 수익허가를 우선적으로 부여받을 수 있는 지위를 설정하거나 또는 이미 설정한 지위를 박탈하는 조치이므로 모두 항고소송의 대상이 되는 행정처분으로 보아야 한다(대판 2020.4.29. 2017두31064).

23 병무청장이 병역법에 따라 병역의무 기피자의 인적사항 등을 인터넷 홈페이지에 게시하는 등의 방법으로 공개한 경우 병무청장의 공개결정을 항고소송의 대상인 처분에 해당하는지 여부(적극)

병무청장이 병역법 제81조의2 제1항에 따라 병역의무 기피자의 인적사항 등을 인터넷 홈페이지에 게시하는 등의 방법으로 공개한 경우 병무청장의 공개결정을 항고소송의 대상이 되는 행정처분으로 보아야 한다(대판 2019.6.27. 2018두49130).

24 공정거래위원회가 구 하도급거래 공정화에 관한 법률 제26조 제2항 후단에 따라 관계 행정기관의 장에게 한 원사업자 또는 수급사업자에 대한 입찰참가자격의 제한을 요청한 결정이 항고소송의 대상이 되는 처분인지 여부(적극)

구 하도급거래 공정화에 관한 법률 제26조 제2항은 입찰참가자격제한 요청의 요건을 구 하도급거래 공정화에 관한 법률 시행령으로 정하는 기준에 따라 부과한 벌점의 누산점수가 일정 기준을 초과하는 경우로 구체화하고, 위 요건을 충족하는 경우 공정거래위원회는 법 제26조 제2항 후단에 따라 관계 행정기관의 장에게 해당 사업자에 대한 입찰참가자격제한 요청 결정을 하게 되며, 이를 요청받은 관계 행정기관의 장은 특별한 사정이 없는 한 그 사업자에 대하여 입찰참가자격을 제한하는 처분을 해야 하므로, 사업자로서는 입찰참가자격제한 요청 결정이 있으면 장차 후속 처분으로 입찰참가자격이 제한될 수 있는 법률상 불이익이 존재한다. 이때 입찰참가자격제한 요청 결정이 있음을 알고 있는 사업자로 하여금 입찰참가자격제한처분에 대하여만 다툴 수 있도록 하는 것보다는 그에 앞서 직접 입찰참가자격제한 요청 결정의 적법성을 다툴 수 있도록 함으로써 분쟁을 조기에 근본적으로 해결하도록 하는 것이 법치행정의 원리에도 부합한다. 따라서 공정거래위원회의 입찰참가자격제한 요청 결정은 항고소송의 대상이 되는 처분에 해당한다(대판 2023.2.2. 2020두48260).

25 선행처분의 내용을 변경하는 후행처분이 있는 경우, 선행처분의 효력 존속 여부

선행처분의 내용 중 일부만을 소폭 변경하는 후행처분이 있는 경우 선행처분도 후행처분에 의하여 변경되지 아니한 범위 내에서 존속하고, 후행처분은 선행처분의 내용 중 일부를 변경하는 범위 내에서 효력을 가지지만, 선행처분의 주요 부분을 실질적으로 변경하는 내용으로 후행처분을 한 경우에는 선행처분은 특별한 사정이 없는 한 그 효력을 상실한다(대판 2022.7.28. 2021두60748).

핵심 OX

01 지방자치단체의 장이 공유재산 및 물품관리법에 근거하여 기부채납 및 사용 · 수익허가방식으로 민간투자사업을 추진하는 과정에서 사업시행자를 지정하기 위한 전 단계에서 공모제안을 받아 일정한 심사를 거쳐 우선 협상대상자를 선정하는 행위는 항고소송의 대상이 되는 행정처분에 해당하지 않는다. 24. 국가9급 ( )

02 병무청장이 구 병역법에 따라 병역의무기피자의 인적사항등을 인터넷 홈페이지에 게시하는 등의 방법으로 공개한 경우 병무청장의 공개결정은 항고소송의 대상이 되는 행정처분이 아니다. 23. 국가7급 ( )

01 X 02 X

26 **표준지공시지가에 대한 불복절차를 밟지 않은 채 재산세 등 부과처분의 취소를 구하는 소송에서 표준지공시지가결정의 위법성을 다투는 것이 허용되는지 여부(원칙적 소극)**

표준지로 선정된 토지의 표준지공시지가를 다투기 위해서는 처분청인 국토교통부장관에게 이의를 신청하거나 국토교통부장관을 상대로 공시지가결정의 취소를 구하는 행정심판이나 행정소송을 제기해야 한다. 그러한 절차를 밟지 않은 채 토지 등에 관한 재산세 등 부과처분의 취소를 구하는 소송에서 표준지공시지가결정의 위법성을 다투는 것은 원칙적으로 허용되지 않는다(대판 2022.5.13. 2018두50147).

27 **[1] 총포 · 화약안전기술협회의 '회비납부통지'가 항고소송의 대상이 되는 '처분'에 해당하는지 여부(적극)**

총포 · 도검 · 화약류 등의 안전관리에 관한 법률 시행령 제78조 제1항 제3호, 제79조 및 총포 · 화약안전기술협회(이하 '협회'라 한다) 정관의 관련 규정의 내용을 위 법리에 비추어 살펴보면, 공법인인 협회가 자신의 공행정활동에 필요한 재원을 마련하기 위하여 회비납부의무자에 대하여 한 '회비납부통지'는 납부의무자의 구체적인 부담금액을 산정 · 고지하는 '부담금 부과처분'으로서 항고소송의 대상이 된다고 보아야 한다.

[2] 확인의 소의 대상인 법률관계의 확인에 '확인의 이익'이 인정되기 위한 요건 / 행정소송법상 장래에 행정청이 일정한 내용의 처분을 할 것 또는 하지 못하도록 할 것을 구하는 소송이 허용되는지 여부(소극)

확인의 소의 대상인 법률관계의 확인이 그 이익이 인정되기 위해서는 법률관계에 따라 제소자의 권리 또는 법적 지위에 현존하는 위험 · 불안이 야기되어야 하고, 그 위험 · 불안을 제거하기 위하여 법률관계를 확인의 대상으로 한 확인판결에 따라 즉시 확정할 필요가 있으며, 그것이 가장 유효적절한 수단이어야 한다. 현행 행정소송법에서는 장래에 행정청이 일정한 내용의 처분을 할 것 또는 하지 못하도록 할 것을 구하는 소송(의무이행소송, 의무확인소송 또는 예방적 금지소송)은 허용되지 않는다.

[3] 산업화약류 제조 · 판매 · 수입업 등을 목적으로 하는 甲 주식회사가 총포 · 화약안전기술협회를 상대로 총포 · 도검 · 화약류 등의 안전관리에 관한 법률 제58조 제2항과 같은 법 시행령 제78조 제1항 제3호에 근거한 회비납부의무의 부존재확인 및 이미 납부한 회비에 대한 부당이득반환을 구한 사안에서, 장래의 회비납부의무의 부존재 확인을 구하는 것은 확인의 이익이 없고, 이미 납부한 회비가 법률상 원인 없는 이득이라고 할 수 없다고 한 사례

행정상대방이 행정청에 이미 납부한 돈이 민법상 부당이득에 해당한다고 주장하면서 그 반환을 청구하는 것은 민사소송절차를 따라야 한다. 그러나 그 돈이 행정처분에 근거하여 납부한 것이라면 행정처분이 취소되거나 당연무효가 아닌 이상 법률상 원인 없는 이득이라고 할 수 없다.

[4] 화약류 안정도시험 대상자가 총포 · 화약안전기술협회로부터 안정도시험을 받지 않는 경우, 경찰청장 또는 지방경찰청장이 일정 기한 내에 안정도시험을 받으라는 검사명령을 할 수 있는지 여부(적극) 및 위 검사명령이 항고소송의 대상이 되는 '처분'에 해당하는지 여부(적극)

총포 · 도검 · 화약류 등의 안전관리에 관한 법률 제32조, 제52조 제2호에 따른 화약류에 대한 안정도시험은 화약류의 자연분해가 시작되면 분해과정에서 발생한 열이 축적되어 온도가 상승하고 그에 따라 자연분해는 더욱 촉진되며 온도가 발화점 이상으로 가열되면 자연폭발을 일으키게 되므로, 화약류의 자연분해나 자연폭발을 방지하여 그로 인한 사고 발생의 위험성을 줄이는 데 그

핵심 OX

01 공법상 재단법인인 총포 · 화약안전기술협회가 자신의 공행정활동에 필요한 재원을 마련하기 위하여 회비납부의무자에 대하여 한 회비납부통지는 처분이다. 24. 국회8급 ( )

01 O

취지가 있다. 위와 같은 관련 규정의 문언과 체계, 화약류 안정도시험 제도의 취지 등을 종합하면, 화약류 안정도시험 대상자가 총포 · 화약안전기술협회로부터 안정도시험을 받지 않는 경우에는 경찰청장 또는 지방경찰청장이 화약류 안정도시험 대상자에 대하여 일정기한 내에 안정도시험을 받으라는 검사명령을 할 수 있으며, 이는 항고소송이 대상이 되는 '처분'이라고 보아야 한다(대판 2021.12.30. 2018다241458).

28 피고 경기도 교육청이 원고 운영 유치원에 대하여 「공공감사에 관한 법률」에 따라 실시된 감사 결과 및 조치사항을 통보하였는데, 원고가 이에 응하지 않자 피고가 원고에게 위 조치사항과 동일한 내용의 시정명령을 내리면서 그 근거법규로 유아교육법 제30조를 명시한 사안에서, 이미 이루어진 감사결과 조치사항과 동일한 내용으로 이루어진 시정명령이 항고소송의 대상이 되는 처분인지 여부(적극)

피고가 원고에게 「공공감사에 관한 법률」 제23조에 따라 감사결과 및 조치사항을 통보한 뒤, 그와 동일한 내용으로 원고에게 시정명령을 내리면서 그 근거법령으로 유아교육법 제30조를 명시하였다면, 비록 위 시정명령이 원고에게 부과하는 의무의 내용은 같을지라도, 「공공감사에 관한 법률」 제23조에 따라 통보된 조치사항을 이행하지 않은 경우와 유아교육법 제30조에 따른 시정명령을 이행하지 않은 경우에 당사자가 입는 불이익이 다르므로, 위 시정명령에 대하여도 처분성을 인정하여 그 불복기회를 부여할 필요성이 있다(대판 2022.9.7. 2022두42365).

29 운전면허 행정처분처리대장상 벌점의 배점이 행정처분인지 여부(소극)

운전면허 행정처분처리대장상 벌점의 배점은 도로교통법규 위반행위를 단속하는 기관이 도로교통법 시행규칙 별표 16의 정하는 바에 의하여 도로교통법규 위반의 경중, 피해의 정도 등에 따라 배정하는 점수를 말하는 것으로 자동차운전면허의 취소, 정지처분의 기초자료로 제공하기 위한 것이고 그 배점 자체만으로는 아직 국민에 대하여 구체적으로 어떤 권리를 제한하거나 의무를 명하는 등 법률적 규제를 하는 효과를 발생하는 요건을 갖춘 것이 아니어서 그 무효확인 또는 취소를 구하는 소송의 대상이 되는 행정처분이라고 할 수 없다(대판 1994.8.12. 94누2190).

30 도시환경정비사업을 직접 시행하려는 토지 등 소유자들이 사업시행인가를 받기 전에 작성한 사업시행계획이 항고소송의 대상이 되는 독립된 행정처분에 해당하는지 여부(소극)

토지 등 소유자들이 직접 시행하는 도시환경정비사업에서 토지 등 소유자에 대한 사업시행인가처분은 단순히 사업시행계획에 대한 보충행위로서의 성질을 가지는 것이 아니라 구 도시정비법상 정비사업을 시행할 수 있는 권한을 가지는 행정주체로서의 지위를 부여하는 일종의 설권적 처분의 성격을 가진다. 도시환경정비사업을 직접 시행하려는 토지 등 소유자들은 시장 · 군수로부터 사업시행인가를 받기 전에는 행정주체로서의 지위를 가지지 못한다. 따라서 그가 작성한 사업시행계획은 인가처분의 요건 중 하나에 불과하고 항고소송의 대상이 되는 독립된 행정처분에 해당하지 아니한다고 할 것이다(대판 2013.6.13. 2011두19994).

31 경찰공무원시험승진후보자명부에 등재된 자가 승진임용되기 전에 감봉 이상의 징계처분을 받은 경우, 임용권자가 당해인을 시험승진후보자명부에서 삭제한 행위가 행정처분이 되는지 여부(소극)

시험승진후보자명부에 등재되어 있던 자가 그 명부에서 삭제됨으로써 승진임용의 대상에서 제외되었다 하더라도, 그와 같은 시험승진후보자명부에서의 삭제행위는 결국 그 명부에 등재된 자에 대한 승진 여부를 결정하기 위한 행정청 내부의 준비과정에 불과하고, 그 자체가 어떠한 권리나 의무를 설정하거나 법률상 이익에 직접적인 변동을 초래하는 별도의 행정처분이 된다고 할 수 없다(대판 1997.11.14. 97누7325).

32 산업단지관리공단이 구 산업집적활성화 및 공장설립에 관한 법률에 따른 변경계약의 취소가 항고소송의 대상이 되는 행정처분에 해당하는지 여부(적극)

구 산업집적활성화 및 공장설립에 관한 법률 규정들에서 알 수 있는 산업단지관리공단의 지위, 입주계약 및 변경계약의 효과, 입주계약 및 변경계약 체결 의무와 그 의무를 불이행한 경우의 형사적 내지 행정적 제재, 입주계약해지의 절차, 해지통보에 수반되는 법적 의무 및 그 의무를 불이행한 경우의 형사적 내지 행정적 제재 등을 종합적으로 고려하면, 입주변경계약 취소는 행정청인 관리권자로부터 관리업무를 위탁받은 산업단지관리공단이 우월적 지위에서 입주기업체들에게 일정한 법률상 효과를 발생하게 하는 것으로서 항고소송의 대상이 되는 행정처분에 해당한다(대판 2017.6.15. 2014두46843).

33 교도소장이 영치품인 티셔츠 사용을 재소자에게 불허한 행위가 항고소송의 대상이 되는 행정처분에 해당하는지 여부(적극)

원고의 긴팔 티셔츠 2개에 대한 사용신청불허처분(이하 '이 사건 처분'이라 한다) 이후 이루어진 원고의 다른 교도소로의 이송이라는 사정에 의하여 원고의 권리와 이익의 침해 등이 해소되지 아니한 점, 원고의 형기가 만료되기까지는 아직 상당한 기간이 남아있을 뿐만 아니라, 진주교도소가 전국 교정시설의 결핵 및 정신질환수형자들을 수용 · 관리하는 의료교도소인 사정을 감안할 때 원고의 진주교도소로의 재이송가능성이 소멸하였다고 단정하기 어려운 점 등을 종합하면, 원고로서는 이 사건 처분의 취소를 구할 이익이 있다(대판 2008.2.14. 2007두13203).

34 코로나바이러스감염증의 예방을 위해 음식점 및 PC방 운영자 등에게 영업시간을 제한하거나 이용자 간 거리를 둘 의무를 부여하는 서울특별시 고시가 처분인지 여부(적극)

심판대상 고시는 관내 음식점 및 PC방의 관리자 · 운영자들에게 일정한 방역수칙을 준수할 의무를 부과하는 것으로서, 피청구인 서울특별시장은 구 감염병예방법 제49조 제1항 제2호에 근거하여 행정처분을 발하려는 의도에서 심판대상고시를 발령한 것이다. 그러므로 심판대상 고시는 항고소송의 대상인 행정처분에 해당한다(헌재 2023.5.25. 2021헌마21).

35 금융기관의 임원에 대한 금융감독원장의 문책경고가 항고소송의 대상이 되는 행정처분인지 여부(적극)

금융기관의 임원에 대한 금융감독원장의 문책경고는 그 상대방에 대한 직업선택의 자유를 직접 제한하는 효과를 발생하게 하는 등 상대방의 권리의무에 직접 영향을 미치는 행위로서 항고소송의 대상이 되는 행정처분에 해당한다(대판 2005.2.17. 2003두14765).

36 금융감독원장이 문책경고장(상당)을 보낸 행위가 행정처분인지 여부(소극)

금융감독원장이 종합금융주식회사의 전 대표이사에게 재직 중 위법 · 부당행위 사례를 첨부하여 금융 관련 법규를 위반하고 신용질서를 심히 문란하게 한 사실이 있다는 내용으로 '문책경고장(상당)'을 보낸 행위가 항고소송의 대상이 되는 행정처분에 해당하지 아니한다(대판 2005.2.17. 2003두10312).

37 공정거래위원회가 구 하도급거래공정화에 관한 법률 제26조 제2항 후단에 따라 관계 행정기관의 장에게 한 원사업자 또는 수급사업자에 대한 입찰참가자격의 제한을 요청한 결정이 항고소송의 대상이 되는 처분인지 여부(적극)

구 하도급거래공정화에 관한 법률 제26조 제2항은 입찰참가자격제한요청의 요건을 구 하도급거래공정화에 관한 법률 시행령으로 정하는 기준에 따라 부과한 벌점의 누산점수가 일정 기준을 초과하는 경우로 구체화하고, 위 요건을 충족하는 경우 공정

핵심 OX

01 교도소장이 영치품인 티셔츠 사용을 재소자에게 불허한 행위는 항고소송의 대상이 되는 행정처분에 해당한다. 23. 지방9급 ( )

핵심 OX

02 코로나바이러스감염증의 예방을 위해 음식점 및 PC방 운영자 등에게 영업시간을 제한하거나 이용자간 거리를 둘 의무를 부여하는 서울특별시 고시는 처분이다. 24. 국회8급 ( )

핵심 OX

03 금융감독원장이 종합금융주식회사의 전 대표이사에게 재직 중 위법 · 부당행위 사례를 첨부하여 금융관련법규를 위반하고 신용질서를 심히 문란하게 한 사실이 있다는 내용으로 '문책경고장(상당)'을 보낸 행위는 처분이다. 24. 국회8급 ( )

01 ○ 02 ○ 03 X

거래위원회는 법 제26조 제2항 후단에 따라 관계 행정기관의 장에게 해당 사업자에 대한 입찰참가자격제한 요청 결정을 하게 되며, 이를 요청받은 관계 행정기관의 장은 특별한 사정이 없는 한 그 사업자에 대하여 입찰참가자격을 제한하는 처분을 해야 하므로, 사업자로서는 입찰참가자격제한 요청 결정이 있으면 장차 후속처분으로 입찰참가자격이 제한될 수 있는 법률상 불이익이 존재한다. 이때 입찰참가자격제한 요청 결정이 있음을 알고 있는 사업자로 하여금 입찰참가자격제한처분에 대하여만 다툴 수 있도록 하는 것보다는 그에 앞서 직접 입찰참가자격제한 요청 결정의 적법성을 다툴 수 있도록 함으로써 분쟁을 조기에 근본적으로 해결하도록 하는 것이 법치행정의 원리에도 부합한다. 따라서 공정거래위원회의 입찰참가자격제한 요청 결정은 항고소송의 대상이 되는 처분에 해당한다(대판 2023.2.2. 2020두48260).

판례연구 대상적격(행정청의 행위 – 행정처분)

1. 기본 판례(대상적격의 판단기준)

행정청의 어떤 행위를 행정처분으로 볼 것이냐의 문제는 추상적, 일반적으로 결정할 수 없고, 구체적인 경우 행정처분은 **행정청이 공권력의 주체로서 행하는 구체적 사실에 관한 법집행으로서 국민의 권리의무에 직접 영향을 미치는 행위**라는 점을 고려하고 행정처분이 그 주체, 내용, 형식, 절차에 있어서 어느 정도 성립 내지 효력요건을 충족하느냐에 따라 개별적으로 결정하여야 할 것이며, 행정청의 어떤 행위가 법적 근거도 없이 객관적으로 국민에게 불이익을 주는 행정처분과 같은 외형을 갖추고 있고, 그 행위의 상대방이 이를 행정처분으로 인식할 정도라면 그로 인하여 파생되는 국민의 불이익 내지 불안감을 제거시켜 주기 위한 구제수단이 필요한 점에 비추어 볼 때 행정청의 행위로 인하여 그 상대방이 입는 불이익 내지 불안이 있는지 여부도 그 당시에 있어서의 법치행정의 원리와 국민의 권리의식 수준 등은 물론 행위에 관련한 당해 행정청의 태도도 고려하여 판단하여야 한다(대판 1992.1.17. 91누1714).

2. 관련 판례

처분성 긍정	처분성 부정
• 지방의회의 지방의원 제명처분 • 지방의회의장에 대한 지방의회의 불신임의결 • 교통안전공단의 분담금납부통지 • 대한주택공사가 시행한 택지개발사업 및 이에 따른 이주대책에 관한 처분 • 성업공사(현 한국자산관리공사)의 공매의 처분	• 군의관의 신체등위판정 • 한국전력공사가 정부투자기관회계규정에 의하여 행한 입찰참가자격 제한하는 내용의 부정당업자제재처분 • 수도권매립지관리공사의 입찰참가자격제한을 내용으로 하는 부정당업자제재처분 • 한국마사회가 조교사 또는 기수의 면허를 부여하거나 취소하는 것 등의 사안에서 행정청의 행위로서의 처분

판례연구 대상적격(구체적 사실에 대한 법집행)

1. 기본 판례(처분법규의 처분성 인정)

조례가 집행행위의 개입 없이도 그 자체로서 직접 국민의 구체적인 권리의무나 법적 이익에 영향을 미치는 등의 법률상 효과를 발생하는 경우 그 조례는 항고소송의 대상이 되는 행정처분에 해당한다(대판 1996.9.20. 95누8003).

2. 관련 판례

처분성 긍정	• 수도법에 의하여 지방자치단체인 수도사업자가 수돗물의 공급을 받는 자에 대하여 하는 수도료의 부과징수 • 처분법규: 집행행위 개입 없이 그 자체 직접 국민의 구체적 권리·의무나 법적 이익에 영향을 미치는 경우(두밀분교폐지조례), 약제급여·비급여목록 및 급여상한금액표(보건복지부 고시) • 국유재산법상 무단점유자에 대한 변상금 부과 • 행정청(서울특별시장, 국방부장관)이 행한 경쟁입찰참가자격 제한처분 • 노동조합규약의 변경보완시정명령 • 국립대학학생에 대한 퇴학처분 • 지방의회의 징계의결 • 지방의회의 의장선거 • 폐기물관리법상의 폐기물처리사업계획의 부적정 통보 • 국가나 지방자치단체에 근무하는 청원경찰에 대한 징계처분 • 행정재산의 사용·수익에 대한 허가 • 공무원연금관리공단의 급여에 관한 결정 • 환지예정지 지정이나 환지처분 • 국가인권위원회 성희롱결정 및 시정조치권고 • 금융기관의 임원에 대한 금융감독원장의 문책경고 • 과세관청의 소득처분에 따른 소득금액변동통지 • 세무조사결정 • 친일반민족행위자재산조사위원회의 재산조사개시결정 • 공정거래위원회가 구 하도급거래 공정화에 관한 법률 제26조 제2항 후단에 따라 관계 행정기관의 장에게 한 원사업자 또는 수급사업자에 대한 입찰참가자격의 제한을 요청한 결정 • 총포·화약안전기술협회의 '회비납부통지' • 화약류 안정도시험 대상자가 총포·화약안전기술협회로부터 안정도시험을 받지 않는 경우, 경찰청장 또는 지방경찰청장이 일정 기한 내에 안정도시험을 받으라는 검사명령 • 경기도 교육청의 이미 이루어진 감사결과 조치사항과 동일한 내용으로 이루어진 시정명령
처분성 부정	• 환지계획 • 소득세원천징수의무자의 원천징수행위 • 대학입시기본계획 내의 내신성적산정지침(일반적·추상적 내부법규) • 공매결정(행정청의 내부적 의사결정) • 공정거래위원회의 회신조치 • 경제기획원장관의 예산편성지침통보 • 위법건축물에 대한 단수·단전화조치에 대한 요청행위 • 위성망국제등록신청 • 검사의 불기소·공소제기 • 각종 공사(한국전력공사, 수도권매립지관리공단)가 한 부정당업자에 대한 입찰참가자격 제한 • 공장입지기준확인 • 서울특별시지하철공사의 임원과 직원에 대한 징계 • 운전면허 행정처분처리대장상의 벌점부과행위 • 군의관의 신체등위판정 • 전문직 공무원계약 해지의 의사표시 • 다른 행정청의 동의는 그 자체 별개의 행정처분이 아님

- 공정거래위원회의 고발
- 결손처분 또는 결손처분의 취소
- 혁신도시입지선정행위
- 도시환경정비사업을 직접 시행하려는 토지 등 소유자들이 사업시행인가를 받기 전에 작성한 사업시행계획
- 경찰공무원시험승진후보자명부에 등재된 자가 승진임용되기 전에 감봉 이상의 징계처분을 받은 경우, 임용권자가 당해인을 시험승진후보자명부에서 삭제한 행위

(3) 거부처분

① 개설

관련판례

1 행정청이 국민의 신청에 대하여 한 거부행위가 항고소송의 대상인 행정처분이 되기 위한 조건

국민의 적극적 행위신청에 대하여 행정청이 그 신청에 따른 행위를 하지 않겠다고 거부한 행위가 항고소송의 대상이 되는 행정처분에 해당하는 것이라고 하려면, ① 그 신청한 행위가 공권력의 행사 또는 이에 준하는 행정작용이어야 하고, ② 그 거부행위가 신청인의 법률관계에 어떤 변동을 일으키는 것이어야 하며, ③ 그 국민에게 그 행위발동을 요구할 법규상 또는 조리상의 신청권이 있어야만 한다(대판 1998.7.10. 96누14036).

2 거부처분의 처분성을 인정하기 위한 전제요건이 되는 신청권의 존부의 의미

거부처분의 처분성을 인정하기 위한 전제요건이 되는 신청권의 존부는 구체적 사건에서 신청인이 누구인가를 고려하지 않고 관계 법규의 해석에 의하여 일반 국민에게 그러한 신청권을 인정하고 있는가를 살펴 추상적으로 결정되는 것이고, 신청인이 그 신청에 따른 단순한 응답을 받을 권리를 넘어서 신청의 인용이라는 만족적 결과를 얻을 권리를 의미하는 것은 아니다. 따라서 국민이 어떤 신청을 한 경우에 그 신청의 근거가 된 조항의 해석상 행정발동에 대한 개인의 신청권을 인정하고 있다고 보여 지면 그 거부행위는 항고소송의 대상이 되는 처분으로 보아야 할 것이고, 구체적으로 그 신청이 인용될 수 있는가 하는 점은 본안에서 판단하여야 할 사항인 것이다(대판 1996.6.11. 95누12460).

3 수익적 행정처분을 구하는 신청에 대한 거부처분이 있은 후 당사자가 새로운 신청을 하는 취지로 다시 신청을 하였으나 행정청이 이를 다시 거절한 경우, 새로운 거부처분인지 여부(적극)

수익적 행정처분을 구하는 신청에 대한 거부처분은 당사자의 신청에 대하여 관할 행정청이 이를 거절하는 의사를 대외적으로 명백히 표시함으로써 성립된다. 거부처분이 있은 후 당사자가 다시 신청을 한 경우에는 신청의 제목 여하에 불구하고 그 내용이 새로운 신청을 하는 취지라면 관할 행정청이 이를 다시 거절하는 것은 새로운 거부처분이라고 보아야 한다. 관계 법령이나 행정청이 사전에 공표한 처분기준에 신청기간을 제한하는 특별한 규정이 없는 이상 재신청을 불허할 법적 근거가 없으며, 설령 신청기간을 제한하는 특별한 규정이 있더라도 재신청이 신청기간을 도과하였는지는 본안에서 재신청에 대한 거부처분이 적법한가를 판단하는 단계에서 고려할 요소이지, 소송요건 심사단계에서 고려할 요소가 아니다(대판 2021.1.14. 2020두50324).

핵심 OX

01 거부행위의 처분성을 인정하기 위한 전제요건이 되는 신청권의 존부는 구체적 사건에서 신청인이 누구인가를 고려하지 말고 관계법규에서 일반 국민에게 그러한 신청권을 인정하고 있는가를 살펴 추상적으로 결정하여야 한다.
19. 서울9급(2월), 15. 교행, 14. 지방9급 ( )

01 O

핵심 OX

01 법률에서 직권취소에 대한 근거를 두고 있는 경우에는 이해관계인이 처분청에 대하여 위법을 이유로 행정행위의 취소를 요구할 신청권을 갖는다고 보아야 한다.
19. 국가7급 ( )

02 판례는 도시계획구역 내 토지 등을 소유하고 있는 주민은 입안권자에게 도시계획입안을 요구할 수 있는 법규상 또는 조리상의 신청권이 있으며, 도시계획입안 신청에 대한 거부행위는 항고소송의 대상이 되는 행정처분에 해당한다고 보았다.
12. 국가7급 ( )

핵심 OX

03 인터넷 포털사이트의 개인정보 유출사고로 주민등록번호가 불법 유출되었음을 이유로 주민등록번호 변경신청을 하였으나 관할 구청장이 이를 거부한 경우, 그 거부행위는 처분에 해당하지 않는다.
19. 국가9급 ( )

04 피해자의 의사와 무관하게 주민등록번호가 유출된 경우라고 하더라도 주민등록번호의 변경을 요구할 신청권은 인정되지 않으므로, 구청장의 주민등록번호 변경신청 거부행위는 항고소송의 대상이 되는 행정처분에 해당하지 않는다.
19. 서울9급(2월) ( )

01 X **02** O **03** X **04** X

② 법규상 · 조리상의 신청권 인정 여부

인정	부정
구 도시계획법은 … 도시계획 입안권자로 하여금 5년마다 관할 도시계획구역 안의 도시계획에 대하여 그 타당성 여부를 전반적으로 재검토하여 정비하여야 할 의무를 지우고, 도시계획입안제안과 관련하여서는 주민이 입안권자에게 도시계획의 입안을 제안할 수 있고, 위 입안제안을 받은 입안권자는 그 처리결과를 제안자에게 통보하도록 규정하고 있는 점 등과 헌법상 개인의 재산권 보장의 취지에 비추어 보면, **도시계획구역 내 토지 등을 소유하고 있는 주민으로서는 입안권자에게 도시계획입안을 요구할 수 있는 법규상 또는 조리상의 신청권이 있다**고 할 것이고, 이러한 신청에 대한 거부행위는 항고소송의 대상이 되는 행정처분에 해당한다(대판 2004.4.28. 2003두1806).	• 교사에 대한 임용권자가 임용지원자를 특별채용하는 경우, **임용지원자는 임용권자에게 자신의 임용을 요구할 법규상 또는 조리상 권리가 없다**(대판 2005.4.15. 2004두11626). • 국세기본법 또는 개별 세법에 경정청구권을 인정하는 명문의 규정이 없는 이상, **조리에 의한 경정청구권을 인정할 수는 없는 것**이고, 이와 같이 세법에 근거하지 아니한 납세의무자의 경정청구에 대하여 과세관청이 이를 거부하는 회신을 하였다고 하더라도 이를 가리켜 항고소송의 대상이 되는 거부처분으로 볼 수 없다(대판 2006.5.11. 2004두7993). • 산림복구설계승인 및 복구준공통보에 대한 이해관계인의 취소신청을 거부한 행위는 항고소송의 대상이 되는 행정처분에 해당하지 않는다(대판 2006.6.30. 2004두701).

관련판례

1 주민등록번호가 유출된 경우에 조리상 주민등록번호의 변경을 요구할 신청권이 있는지 여부(적극)

[1] 국민의 적극적 신청행위에 대하여 행정청이 그 신청에 따른 행위를 하지 않겠다고 거부한 행위가 항고소송의 대상이 되는 행정처분에 해당하기 위해서는, 신청한 행위가 공권력의 행사 또는 이에 준하는 행정작용이어야 하고, 거부행위가 신청인의 법률관계에 어떤 변동을 일으키는 것이어야 하며, 국민에게 행위발동을 요구할 법규상 또는 조리상의 신청권이 있어야 한다.

[2] 甲 등이 인터넷 포털사이트 등의 개인정보 유출사고로 자신들의 주민등록번호 등 개인정보가 불법 유출되자 이를 이유로 관할 구청장에게 주민등록번호를 변경해 줄 것을 신청하였으나 구청장이 "주민등록번호가 불법 유출된 경우 주민등록법상 변경이 허용되지 않는다."는 이유로 주민등록번호 변경을 거부하는 취지의 통지를 한 사안에서, 피해자의 의사와 무관하게 주민등록번호가 불법 유출된 경우 개인의 사생활뿐만 아니라 생명 · 신체에 대한 위해나 재산에 대한 피해를 입을 우려가 있고, 실제 유출된 주민등록번호가 다른 개인정보와 연계되어 각종 광고 마케팅에 이용되거나 사기, 보이스피싱 등의 범죄에 악용되는 등 사회적으로 많은 피해가 발생하고 있는 것이 현실인 점, 반면 주민등록번호가 유출된 경우 그로 인하여 이미 발생하였거나 발생할 수 있는 피해 등을 최소화할 수 있는 충분한 권리구제방법을 찾기 어려운데도 구 주민등록법에서는 주민등록번호 변경에 관한 아무런 규정을 두고 있지 않은 점, 주민등록법령상 주민등록번호 변경에 관한 규정이 없다거나 주민등록번호 변경에 따른 사회적 혼란 등을 이유로 위와 같은 불이익을 피해자가 부득이한 것으로 받아들여야 한다고 보는 것은 피해자의 개인정보자기결정권 등 국민의 기본권 보장의 측면에서 타당하지 않은 점, 주민

등록번호를 관리하는 국가로서는 주민등록번호가 유출된 경우 그로 인한 피해가 최소화되도록 제도를 정비하고 보완해야 할 의무가 있으며, 일률적으로 주민등록번호를 변경할 수 없도록 할 것이 아니라 만약 주민등록번호 변경이 필요한 경우가 있다면 그 변경에 관한 규정을 두어서 이를 허용해야 하는 점 등을 종합하면, 피해자의 의사와 무관하게 주민등록번호가 유출된 경우에는 조리상 주민등록번호의 변경을 요구할 신청권을 인정함이 타당하고, 구청장의 주민등록번호 변경신청 거부행위는 항고소송의 대상이 되는 행정처분에 해당한다(대판 2017.6.15. 2013두2945).

2 출입국관리법이 난민 인정 거부 사유를 서면으로 통지하도록 규정한 취지 및 난민 인정에 관한 신청을 받은 행정청이 법령이 정한 난민 요건과 무관한 다른 사유만을 들어 난민 인정을 거부할 수 있는지 여부(소극)

[1] 구 출입국관리법 제76조의2 제3항 · 제4항 및 구 출입국관리법 시행령 제88조의2에 따르면, 난민 인정에 관한 신청을 받은 행정청은 난민 신청자에 대하여 면접을 하고 사실을 조사하여 이를 토대로 난민 인정 여부를 심사하며, 심사 결과 난민으로 인정하지 아니하는 경우에는 신청자에게 서면으로 사유를 통지하여야 한다. 출입국관리법이 난민 인정 거부 사유를 서면으로 통지하도록 규정한 것은 행정청으로 하여금 난민 요건에 관한 신중한 조사와 판단을 거쳐 정당한 처분을 하도록 하고, 처분의 상대방에게 처분 근거를 제시하여 이에 대한 불복신청에 편의를 제공하며, 나아가 이에 대한 사법심사의 심리범위를 명확하게 하여 이해관계인의 신뢰를 보호하고 절차적 권리를 보장하기 위한 것이다.
구 출입국관리법 제2조 제3호, 제76조의2 제1항 · 제3항 · 제4항, 구 출입국관리법 시행령 제88조의2, 난민의 지위에 관한 협약 제1조, 난민의 지위에 관한 의정서 제1조의 문언, 체계와 입법 취지를 종합하면, 난민 인정에 관한 신청을 받은 행정청은 원칙적으로 법령이 정한 난민 요건에 해당하는지를 심사하여 난민 인정 여부를 결정할 수 있을 뿐이고, 이와 무관한 다른 사유만을 들어 난민 인정을 거부할 수는 없다.

[2] 난민 인정 요건인 '특정 사회집단의 구성원인 신분을 이유로 한 박해'에서 '특정 사회집단'이란 한 집단의 구성원들이 선천적 특성, 바뀔 수 없는 공통적인 역사, 개인의 정체성 및 양심의 핵심을 구성하는 특성 또는 신앙으로서 이를 포기하도록 요구해서는 아니 될 부분을 공유하고 있고, 이들이 사회환경 속에서 다른 집단과 다르다고 인식되고 있는 것을 말한다. 그리고 그 외국인이 받을 '박해'란 생명, 신체 또는 자유에 대한 위협을 비롯하여 인간의 본질적 존엄성에 대한 중대한 침해나 차별을 야기하는 행위를 의미한다.

[3] '여성 할례'(Female genital mutilation)는 의료 목적이 아닌 전통적 · 문화적 · 종교적 이유에서 여성 생식기의 전부 또는 일부를 제거하거나 여성 생식기에 상해를 입히는 행위를 의미한다. 이는 여성의 신체에 대하여 극심한 고통을 수반하는 직접적인 위해를 가하고 인간의 존엄성을 침해하는 행위로서, 특정 사회집단의 구성원이라는 이유로 가해지는 '박해'에 해당한다. 따라서 난민신청인이 국적국으로 송환될 경우 본인의 의사에 반하여 여성 할례를 당하게 될 위험이 있음에도 국적국으로부터 충분한 보호를 기대하기 어렵다는 사정이 인정된다면, 국적국을 벗어났으면서도 박해를 받을 수 있다고 인정할 충분한 근거가 있는 공포로 인하여 국적국의 보호를 받을 수 없는 경우에 해당한다. 그리고 여기에서 '여성 할례를 당하게 될 위험'은 일반적 · 추상적인 위험의 정도를 넘어 난민신청인이 개별적 · 구체적으로 그러한 위험에 노출되어 있는 경우를 의미하고, 여성 할례를 당하게 될 개별적 · 구체

핵심 OX

05 난민인정에 관한 신청을 받은 행정청은 원칙적으로 법령이 정한 난민요건에 해당하는지를 심사하여 난민인정여부를 결정할 수 있을 뿐이고, 법령이 정한 난민요건과 무관한 다른 사유만을 들어 난민인정을 거부할 수는 없다. 24. 국가9급 ( )

05 O

적인 위험이 있다는 점은 난민신청인이 속한 가족적 · 지역적 · 사회적 상황에 관한 객관적인 증거에 의하여 합리적으로 인정되어야 한다(대판 2017.12.5. 2016두42913).

3 건축주가 토지소유자로부터 토지사용승낙서를 받아 토지 위에 건축물을 건축하는 대물적 성질의 건축허가를 받았다가 착공에 앞서 건축주의 귀책사유로 해당 토지를 사용할 권리를 상실한 경우, 토지 소유자가 건축허가의 철회를 신청할 수 있는지 여부(적극) 및 토지 소유자의 신청을 거부한 행위가 항고소송의 대상이 되는지 여부(적극)

건축허가는 대물적 성질을 갖는 것이어서 행정청으로서는 허가를 할 때에 건축주 또는 토지소유자가 누구인지 등 인적 요소에 관하여는 형식적 심사만 한다. 건축주가 토지소유자로부터 토지사용승낙서를 받아 그 토지 위에 건축물을 건축하는 대물적 성질의 건축허가를 받았다가 착공에 앞서 건축주의 귀책사유로 해당 토지를 사용할 권리를 상실한 경우, 건축허가의 존재로 말미암아 토지에 대한 소유권 행사에 지장을 받을 수 있는 토지소유자로서는 건축허가의 철회를 신청할 수 있다고 보아야 한다. 따라서 토지 소유자의 위와 같은 신청을 거부한 행위는 항고소송의 대상이 된다(대판 2017.3.15. 2014두41190).

4 제소기간이 도과하여 불가쟁력이 생긴 행정처분에 대하여 국민에게 그 변경을 구할 신청권이 있는지 여부(소극)

행정청이 국민의 신청에 대하여 한 거부행위가 항고소송의 대상이 되는 행정처분으로 되려면, 행정청의 행위를 요구할 법규상 또는 조리상의 신청권이 국민에게 있어야 하고, 이러한 신청권의 근거 없이 한 국민의 신청을 행정청이 받아들이지 아니한 경우에는 그 거부로 인하여 신청인의 권리나 법적 이익에 어떤 영향을 주는 것이 아니므로 이를 항고소송의 대상이 되는 행정처분이라 할 수 없다. 그리고 제소기간이 이미 도과하여 불가쟁력이 생긴 행정처분에 대하여는 개별 법규에서 그 변경을 요구할 신청권을 규정하고 있거나 관계 법령의 해석상 그러한 신청권이 인정될 수 있는 등 특별한 사정이 없는 한 국민에게 그 행정처분의 변경을 구할 신청권이 있다 할 수 없다(대판 2007.4.26. 2005두11104).

5 과세관청이 구 국세기본법 제45조의2 제2항에 정한 경정청구기간이 도과한 후 제기된 경정청구에 대하여 경정을 거절한 경우, 이를 항고소송의 대상이 되는 거부처분으로 볼 수 있는지 여부(소극)

구 국세기본법 제45조의2 제2항은 '국세의 과세표준 및 세액의 결정을 받은 자는 각 호의 어느 하나에 해당하는 사유가 발생하였을 때에는 그 사유가 발생한 것을 안 날부터 2개월 이내에 경정을 청구할 수 있다'고 규정하고 있는바, 경정청구기간이 도과한 후에 제기된 경정청구는 부적법하여 과세관청이 과세표준 및 세액을 결정 또는 경정하거나 거부처분을 할 의무가 없으므로, 과세관청이 경정을 거절하였다고 하더라도 이를 항고소송의 대상이 되는 거부처분으로 볼 수 없다(대판 2017.8.23. 2017두38812).

6 공공기관이 공개청구의 대상이 된 정보를 청구인이 신청한 공개방법 이외의 방법으로 공개하기로 하는 결정을 한 경우, 정보공개방법에 관한 부분에 대하여 일부 거부처분을 한 것인지 여부(적극) 및 이에 대하여 항고소송으로 다툴 수 있는지 여부(적극)

구 공공기관의 정보공개에 관한 법률은, 정보의 공개를 청구하는 이(이하 '청구인'이라고 한다)가 정보공개방법도 아울러 지정하여 정보공개를 청구할 수 있도록 하고 있고, 전자적 형태의 정보를 전자적으로 공개하여 줄 것을 요청한 경우

핵심 OX

01 건축주가 토지소유자로부터 토지사용승낙서를 받아 그 토지 위에 건축물을 건축하는 건축허가를 받았다가 착공에 앞서 건축주의 귀책사유로 해당 토지를 사용할 권리를 상실한 경우, 토지소유자의 건축허가 철회신청을 거부한 행위는 항고소송의 대상이 된다. 19. 지방9급 ( )

핵심 OX

02 국세기본법에 정한 경정청구기간이 도과한 후 제기된 경정청구에 대하여는 과세관청이 과세표준 및 세액을 결정 또는 경정하거나 거부처분을 할 의무가 없으므로, 과세관청의 경정 거절에 대하여 항고소송을 제기할 수 없다. 19. 지방7급 ( )

03 공공기관이 청구인이 신청한 공개방법 이외의 방법으로 공개하기로 결정하였다면, 이는 정보공개청구 중 정보공개방법에 관한 부분에 대하여 일부 거부처분을 한 것이므로 이에 대해 항고소송으로 다툴 수 있다. 19. 서울7급 ( )

04 정보공개청구에 대하여 행정청이 일부공개 결정을 하는 경우와는 달리 전부공개 결정을 하는 경우에는, 청구인이 지정한 정보공개방법에 의하지 않았다고 하더라도 청구인은 이를 다툴 수 없다. 22. 국가7급 ( )

01 ○ 02 ○ 03 ○ 04 X

에는 공공기관은 원칙적으로 요청에 응할 의무가 있고, 나아가 비전자적 형태의 정보에 관해서도 전자적 형태로 공개하여 줄 것을 요청하면 재량판단에 따라 전자적 형태로 변환하여 공개할 수 있도록 하고 있다. 이는 정보의 효율적 활용을 도모하고 청구인의 편의를 제고함으로써 구 정보공개법의 목적인 국민의 알 권리를 충실하게 보장하려는 것이므로, 청구인에게는 특정한 공개방법을 지정하여 정보공개를 청구할 수 있는 법령상 신청권이 있다. 따라서 공공기관이 공개청구의 대상이 된 정보를 공개는 하되, 청구인이 신청한 공개방법 이외의 방법으로 공개하기로 하는 결정을 하였다면, 이는 정보공개청구 중 정보공개방법에 관한 부분에 대하여 일부 거부처분을 한 것이고, 청구인은 그에 대하여 항고소송으로 다툴 수 있다(대판 2016.11.10. 2016두44674).

판례연구 거부처분(1) - 법규상·조리상 신청권

1. 기본 판례(거부처분의 성립요건)

행정청의 거부행위가 행정처분에 해당되려면, ① 그 신청한 행위가 공권력의 행사 또는 이에 준하는 행정작용이어야 하고, ② 그 거부행위가 신청인의 법률관계에 어떤 변동을 일으키는 것이어야 하며, ③ 그 국민에게 그 행위발동을 요구할 법규상 또는 조리상의 신청권이 있어야 한다(대판 2005.2.25. 2004두4031).

2. 관련 판례

신청권 인정	• 서울교육대학교원의 임용거부시 교육공무원법 제52조에 의한 소청심사청구권 • 임용지원자가 유일한 면접심사 대상자로 선정되는 등 장차 나머지 일부의 심사단계를 거쳐 대학교원으로 임용될 것을 상당한 정도로 기대할 수 있는 지위에 이른 경우 임용신청권 • 공특법상 이주대책대상자선정거부시 거부처분취소청구권 • 조리상 검사임용신청에 대한 응답요구권 • 평생교육법상 학력인정시설의 설치자변경신청에 대한 거부처분 • 일정한 행정처분을 구하는 신청을 할 수 있는 법률상 지위에 있는 자의 국토이용계획변경신청 • 도시계획구역 내 토지 등을 소유하고 있는 주민의 도시계획입안을 요구할 권리 • 문화재보호구역 내 토지소유자의 문화재보호구역지정해제신청
신청권 부정	• 일반주민의 도시계획변경청구권 • 산림훼손용도변경신청권 • 행정규칙에 의한 철거민의 시영아파트 특별분양신청권 • 공립대학교원 임용지원자에게 임용 여부에 대한 응답신청권 • 행정청에 대해 제3자에 대한 건축허가의 취소나 준공검사의 취소 또는 건축물의 철거 등 필요한 조치를 명할 신청권 • 직권취소나 철회를 요구할 신청권

판례연구 거부처분(2)

1. 기본 판례

거부가 신청인의 법률관계에 영향을 미치는 것이 아니라면 항고소송의 대상이 되지 않는다.

> 국민의 법규상 또는 조리상의 신청권에 의한 신청에 대하여 행정청이 이를 거부하는 조치를 취하였다고 할지라도 이로써 신청인의 권리의무나 법률관계에 영향을 미치는 것이 아니라면 행정청이 한 거부의 의사표시는 항고소송의 대상이 되는 거부처분이 될 수 없다(대판 1997.5.9. 96누5933).

2. 관련 판례

① 지방자치단체장이 국유 잡종재산을 대부하여 달라는 신청을 거부한 것은 항고소송의 대상이 되는 행정처분이 아니다.
② 임용기간이 만료된 조교수에 대한 재임용 거부취지의 임용기간만료의 통지는 대학교원의 법률관계에 영향을 주는 것으로 항고소송의 대상이 된다.
③ 건축계획심의반려처분은 건축허가신청에 중대한 지장이 초래되는 점에서 권리의무나 법률관계에 직접 영향을 미치는 행위라 할 것이다.
④ 금강유역환경청장의 상수원 수질보전을 위하여 필요한 지역 내 토지의 매수신청에 대한 거부는 항고소송의 대상되는 처분에 해당한다.
⑤ 당사자가 한 신청에 대하여 거부처분이 있은 후 당사자가 다시 신청을 한 경우 그 내용이 새로운 신청을 하는 취지라면 관할 행정청이 이를 다시 거절한 이상 새로운 거부처분이 있는 것으로 보아야 한다.

2. 재결

(1) 개설

① **문제의 소재:** 원처분과 재결은 모두 행정청의 공권력의 행사로서 항고소송의 대상이 될 수 있으나 양자를 모두 소송의 대상으로 허용할 경우 판결의 모순·저촉이나 소송경제에 반하게 되는 문제가 발생한다. 따라서 일정하게 소송의 대상을 제한할 필요가 있게 된다.

② **의의:** **원처분주의**란 원처분과 재결에 대하여 다같이 소를 제기할 수 있으나, 원처분의 **위법**은 **원처분에 대한 항고소송**에서 주장할 수 있고, **재결에 대한 항고소송**에서는 재결의 **고유한 하자**만을 주장할 수 있도록 하는 제도를 말한다. **재결주의**란 원처분에 대해서는 제소가 허용되지 않고 재결에 대해서만 **행정쟁송의 대상**으로 인정하는 제도를 말한다.

③ **행정소송법의 규정:** 행정소송법 제19조, 제38조는 원처분과 아울러 재결에 대하여도 취소소송이나 무효등확인소송 등의 항고소송을 제기할 수 있도록 하면서 단지 재결에 대한 소송에 있어서는 원처분의 위법을 이유로 할 수 없고 재결 자체에 고유한 위법이 있음을 이유로 하는 경우에 한하도록 하여 **원처분주의**를 채택하고 있다.

(2) 재결 자체의 고유한 위법의 의미

① **주체·절차·형식상의 위법:** 행정심판위원회의 권한 또는 구성에 위법이 있는 경우, 재결의 절차규정을 거치지 아니한 경우, 행정심판법 제35조의 재결의 방식에 위반된 경우 등이 그것이다.

핵심 OX

01 현행 행정소송법은 원처분주의를 채택하고 있으나, 개별법률이 원처분주의에 대한 예외로서 재결주의를 택하는 경우가 있다.
08. 세무사 ( )

01 ○

② 내용상의 위법

㉠ **각하재결:** 심판청구가 부적법하지 않음에도 실체심리를 하지 아니한 채 각하한 경우에는 실체심리를 받을 권리를 박탈당한 것이므로 재결에 고유한 하자가 있다.

> **관련판례**
>
> **적법한 행정심판청구를 각하한 재결은 재결 자체에 고유한 위법이 있는 경우에 해당하는지 여부(적극)**
>
> 행정소송법 제19조에 의하면 행정심판에 대한 재결에 대하여도 그 재결 자체에 고유한 위법이 있음을 이유로 하는 경우에는 항고소송을 제기하여 그 취소를 구할 수 있고, 여기에서 말하는 '재결 자체에 고유한 위법'이란 그 재결자체에 주체, 절차, 형식 또는 내용상의 위법이 있는 경우를 의미하는데, 행정심판청구가 부적법하지 않음에도 각하한 재결은 심판청구인의 실체심리를 받을 권리를 박탈한 것으로서 원처분에 없는 고유한 하자가 있는 경우에 해당하고, 따라서 위 재결은 취소소송의 대상이 된다(대판 2001.7.27. 99두2970).

핵심 OX

02 행정심판청구가 부적법하지 않음에도 각하한 재결은 심판청구인의 실체심리를 받을 권리를 박탈한 것으로서 원처분에 없는 고유한 하자가 있는 경우에 해당하고, 따라서 위 재결은 취소소송의 대상이 된다. 21. 국가7급 ( )

㉡ **기각재결:** 기각재결은 원처분은 정당하다 하여 심판청구를 기각하는 재결이므로 재결 자체의 고유한 위법이 없는 경우이다. 그러나 **사정재결**에 대하여는 공공복리에 대한 잘못된 판단이 문제되는 경우라면 재결 자체에 고유한 위법이 있는 경우이므로 취소대상이 될 수 있다.

㉢ **인용재결:** 청구인은 인용재결에 대해서는 불복할 이유가 없다. 그러나 **제3자효 행정행위**에 있어서 인용재결이 있는 경우 원처분에 의해 이익을 받은 자는 인용재결에 의해 비로소 자신의 법률상 이익이 침해되는 것이므로 재결 자체의 고유한 하자가 있는 경우로 볼 수 있다.

핵심 OX

03 제3자효를 수반하는 행정행위에 대한 행정심판 청구에 있어서, 그 청구를 인용하는 내용의 재결로 인해 비로소 권리이익을 침해받게 되는 자라도 인용재결에 대해서는 항고소송을 제기하지 못한다. 15. 서울7급, 12. 국회8급 ( )

> **관련판례**
>
> **제3자효를 수반하는 행정행위에 대하여 제3자가 행정심판을 제기하여 그 처분이 취소되는 재결이 있자 그 원처분의 상대방이 위 재결에 대한 취소소송을 제기한 경우, 위 소송이 재결에 고유한 하자를 주장하는 것이 되는지 여부(적극)**
>
> 이른바 복효적 행정행위, 특히 제3자효를 수반하는 행정행위에 대한 행정심판청구에 있어서 그 청구를 인용하는 내용의 재결로 인하여 비로소 권리이익을 침해받게 되는 자는 그 인용재결에 대하여 다툴 필요가 있고, 그 인용재결은 원처분과 내용을 달리하는 것이므로 그 인용재결의 취소를 구하는 것은 원처분에는 없는 재결에 고유한 하자를 주장하는 셈이어서 당연히 항고소송의 대상이 된다(대판 1997.12.23. 96누10911).

㉣ **형성재결과 명령재결:** 형성재결의 경우에 행정심판위원회로부터 재결을 통보받은 처분청이 행하는 재결결과의 통보는 사실행위에 불과하며, **형성재결 자체**가 소송의 대상이 된다. 그리고 명령재결의 경우에 **재결**이 소송의 대상인지 **재결에 따른 처분**이 소송의 대상인지 논란이 있으나, 판례는 양자 모두 소의 대상이 된다는 입장이다.

02 ○ 03 X

관련판례

1 형성적 재결의 결과통보가 항고소송의 대상이 되는 행정처분에 해당하는지 여부(소극)

행정심판에 있어서 재결청의 재결 내용이 처분청의 취소를 명하는 것이 아니라 처분청의 처분을 스스로 취소하는 것일 때에는 그 재결의 형성력이 발생하여 당해 행정처분은 별도의 행정처분을 기다릴 것 없이 당연히 취소되어 소멸되는 것이다. 재결청으로부터 "처분청의 공장설립변경신고수리처분을 취소한다."라는 내용의 형성적 재결을 송부받은 처분청이 당해 처분의 상대방에게 재결결과를 통보하면서 공장설립변경신고 수리시 발급한 확인서를 반납하도록 요구한 것은 사실의 통지에 불과하고 항고소송의 대상이 되는 새로운 행정처분이라고 볼 수 없다(대판 1997.5.30. 96누14678).

2 원처분에 대한 형성적 취소재결이 확정된 후 처분청이 다시 원처분을 취소한 경우, 위 처분이 항고소송의 대상이 되는 처분인지 여부(소극)

당해 의약품제조품목허가처분취소재결은 보건복지부장관이 재결청의 지위에서 스스로 제약회사에 대한 위 의약품제조품목허가처분을 취소한 이른바 형성재결임이 명백하므로, 위 회사에 대한 의약품제조품목허가처분은 당해 취소재결에 의하여 당연히 취소 · 소멸되었고, 그 이후에 다시 위 허가처분을 취소한 당해 처분은 당해 취소재결의 당사자가 아니어서 그 재결이 있었음을 모르고 있는 위 회사에게 위 허가처분이 취소 · 소멸되었음을 확인하여 알려주는 의미의 사실 또는 관념의 통지에 불과할 뿐 위 허가처분을 취소 · 소멸시키는 새로운 형성적 행위가 아니므로 항고소송의 대상이 되는 처분이라고 할 수 없다(대판 1998.4.24. 97누17131).

3 재결 취지에 따른 처분청의 취소처분이 위법한 경우 이를 항고소송으로 다툴 수 있는지 여부(적극)

행정심판법 제37조 제1항의 규정에 의하면 재결은 피청구인인 행정청을 기속하는 효력을 가지므로 재결청이 취소심판의 청구가 이유 있다고 인정하여 처분청에게 처분을 취소할 것을 명하면 처분청으로서는 그 재결의 취지에 따라 처분을 취소하여야 하는 것이지만, 그렇다고 하여 그 재결의 취지에 따른 취소처분이 위법할 경우 그 취소처분의 상대방이 이를 항고소송으로 다툴 수 없는 것은 아니다. 또 위와 같은 취소처분의 상대방이 재결 자체의 효력을 다투는 별소를 제기하였고 그 소송에서 판결이 확정되지 아니하였다 하여 재결의 취지에 따른 취소처분의 취소를 구하는 항고소송사건을 심리하는 법원으로서는 그 청구의 당부를 판단할 수 없는 것이라고 할 수도 없다(대판 1993.9.28. 92누15093).

ⓜ **일부인용재결과 수정재결**: 일부인용재결과 수정재결도 원처분주의의 원칙상 재결은 소송의 대상이 되지 못하고 재결에 의하여 일부 취소되고 **남은 원처분**이나 **수정된 원처분**이 소송의 대상이 됨이 원칙이다. 수정재결이 행해진 경우에는 비록 양형은 달라졌지만, 원처분의 본체 내지 기초는 변형된 형태로 남아 있고, 재결로 인하여 당사자의 권리나 이익이 새롭게 침해된 것은 아니기 때문이다. 대법원도 1개월의 감봉처분을 견책처분으로 변경한 소청결정에 대한 취소소송에서 소청결정 자체에 고유한 위법을 주장하는 것으로 볼 수 없다고 하여 위와 같은 입장을 취하고 있다.

핵심 OX

01 소청심사위원회가 해임처분을 정직 2월로 변경한 경우 처분의 상대방은 소청심사위원회를 피고로 하여 정직 2월의 재결에 대한 취소소송을 제기할 수 있다. 19. 국회8급 ( )

02 공무원에 대한 파면처분이 소청절차에서 해임으로 감경된 경우 해당 공무원은 재결주의에 따라 해임으로 감경한 재결을 취소소송의 대상으로 하여야 한다. 08. 세무사 ( )

01 X 02 X

따라서 이와 같은 경우 처분상대방은 징계권자를 항고소송의 피고로 하여 소청결정에 의해 수정되고 남은 원처분인 **견책처분**을 대상으로 항고소송을 제기하여야 한다.

관련판례

소청결정이 재량권남용 또는 일탈로서 위법하다는 주장이 소청결정 취소사유가 되는지 여부(소극)
항고소송은 원칙적으로 당해 처분을 대상으로 하나, 당해 처분에 대한 재결 자체에 고유한 주체, 절차, 형식 또는 내용상의 위법이 있는 경우에 한하여 그 재결을 대상으로 할 수 있다고 해석되므로, 징계혐의자에 대한 감봉 1월의 징계처분을 견책으로 변경한 소청결정 중 그를 견책에 처한 조치는 재량권의 남용 또는 일탈로서 위법하다는 사유는 소청결정 자체에 고유한 위법을 주장하는 것으로 볼 수 없어 소청결정의 취소사유가 될 수 없다(대판 1993.8.24. 93누5673).

(3) 행정소송법 제19조 단서를 위반한 소송의 효과

행정소송법 제19조의 표제가 '취소소송의 대상'이라고 되어 있어 재결 자체에 고유한 위법이 있어야 한다는 것을 소송요건으로 볼 것인지 아니면 본안판단사항으로 볼 것인지에 대해 해석의 여지가 있으나, 통설과 판례는 제19조의 표제와 상관없이 동조 단서를 이유제한의 형식으로 이해하여 소송요건이 아니라 **본안판단사항**으로 보고 있다. 따라서 재결 자체의 고유한 하자 없이 재결에 대해서 항고소송을 제기하면 부적법하다는 이유로 각하판결을 할 것이 아니라 **기각판결**을 하여야 한다. 다만, 재결취소소송의 경우에는 재결 자체에 고유한 위법이 있음을 이유로 하는 경우에 한한다.❶

(4) 원처분주의에 대한 예외

개별법률에서 **재결주의**를 채택(**노동위원회**의 처분에 대한 재심판정, **감사원**의 변상판정에 대한 재심의판정, **특허심판원**의 심결)하고 있다.

관련판례

1 지방노동위원회의 중재회부결정에 대한 불복방법
당사자가 지방노동위원회의 처분에 대하여 불복하기 위하여는 처분 송달일로부터 10일 이내에 중앙노동위원회에 재심을 신청하고 중앙노동위원회의 재심판정서 송달일로부터 15일 이내에 중앙노동위원장을 피고로 하여 재심판정취소의 소를 제기하여야 할 것이다(대판 1995.9.15. 95누6724).

2 감사원의 변상판정에 대한 행정소송 제기 가부
감사원의 변상판정처분에 대하여서는 행정소송을 제기할 수 없고, 재결에 해당하는 재심의 판정에 대하여서만 감사원을 피고로 하여 행정소송을 제기할 수 있다(대판 1984.4.10. 84누91).

핵심 OX

03 징계혐의자에 대한 감봉 1월의 징계처분을 견책으로 변경한 소청결정 중 그를 견책에 처한 조치는 재량권의 남용 또는 일탈로서 위법하다는 사유는 소청결정 자체에 고유한 위법을 주장하는 것으로 볼 수 없어 소청결정의 취소사유가 될 수 없다. 12. 국회8급 ( )

04 행정심판을 청구하여 기각재결을 받은 후 재결 자체에 고유한 위법이 있음을 주장하며 그 기각재결에 대하여 취소소송을 제기한 경우, 수소법원은 심리 결과 재결 자체에 고유한 위법이 없다면 각하판결을 하여야 한다. 19. 국가9급 ( )

❶
- 위법성: 본안판단사항
- 소송제기가 위법: 기각판결

⇨ 재결의 고유한 '위법'이 없음에도 '소송제기' = 기각판결

핵심 OX

05 재결에 해당하는 중앙노동위원회의 재심판정에 대하여는 취소소송을 제기할 수 없고 원처분인 지방노동위원회의 중재회부결정만이 소송의 대상이 된다. 06. 세무사 ( )

06 감사원의 변상판정처분에 대하여서는 행정소송을 제기할 수 없고 그 재결에 해당하는 재심의 판정에 대하여만 감사원을 피고로 하여 행정소송을 제기할 수 있다. 19. 국회8급, 13. 서울7급, 08. 세무사 ( )

03 ○ 04 X 05 X 06 ○

핵심정리 원처분주의 원칙과 그 예외

1. **원칙**: 원처분주의
2. **예외**: 재결(재결 자체의 고유한 위법)
   ① 구체적 검토
      · 주체 · 형식 · 절차상의 위법: 재결
      · 내용상의 위법
        - 각하재결: 재결
        - 기각재결: 원처분(단, 예외 있음)
        - 인용재결(제3자효 행정행위): 재결
        - 일부인용재결/수정재결: 원처분(일부인용된 원처분, 수정된 원처분)
          ⇨ 실익: 피고적격(피고: 원처분청)
   ② 행정소송법 제19조 단서 위반한 소송의 효과: 기각판결(통설, 판례)
   ③ 원처분주의에 대한 예외(노동위원회 재심판정, 감사원 재심의판정)

판례연구 재결의 대상적격

1. 기본 판례

재결자체에 고유한 위법이 있는 경우에 한하여 그 재결을 항고소송의 대상으로 할 수 있다.

> 항고소송은 원칙적으로 당해 처분을 대상으로 하나, 당해 처분에 대한 재결 자체에 고유한 주체, 절차, 형식 또는 내용상의 위법이 있는 경우에 한하여 그 재결을 대상으로 할 수 있다(대판 1993.8.24. 93누5673).

2. 관련 판례

① 적법한 심판청구를 각하한 재결은 재결자체의 고유한 위법이다.
② 수리를 요하지 않는 신고에서 수리는 행정심판의 대상인 처분이 아니므로 각하재결해야 함에도 인용재결한 경우 재결자체에 고유한 위법이다.
③ 원처분의 상대방이 아닌 제3자가 행정심판을 청구하여 재결청이 원처분을 취소하는 형성재결을 한 경우에 그 원처분의 상대방이 이를 다투는 경우 재결자체의 고유한 위법이다.
④ 재결청으로부터 "처분청의 공장설립변경신고수리처분을 취소한다."는 내용의 형성적 재결을 송부받은 처분청이 당해 처분의 상대방에게 재결결과를 통보하는 것은 항고소송의 대상이 되지 않는다.
⑤ 원처분에 대한 형성적 취소재결이 확정된 후 처분청이 다시 원처분을 취소한 경우, 위 처분은 항고소송의 대상이 되는 처분이라 할 수 없다.
⑥ 이행명령재결과 행정청의 처분 모두가 독자적인 항고소송의 대상이 된다.
⑦ 일부취소 또는 적극적 변경재결로 인해 감경되고 남은 원처분을 대상으로 원처분청을 피고로 하여 소송을 제기하여야 한다.
⑧ 예외적으로 재결주의가 적용되는 행정처분이라 하더라도 당해 행정처분이 당연무효인 경우에서 원처분무효확인의 소도 제기할 수 있다.

3. 경정처분(실익: 제소기간의 기산점)

(1) 증액경정처분

당초 처분은 증액경정처분에 흡수되어 독립한 존재가치를 상실하여 당연히 소멸하고, 증액경정처분만이 **소송의 대상**이 된다(대판 1993.12.21. 92누14441).

(2) 감액경정처분

최초 처분의 일부효력을 취소하는 처분으로 소송의 대상은 경정처분으로 인하여 **감액**되고 남아 있는 당초의 처분이다(대판 1991.9.13. 91누391).

관련판례

1 과세관청이 과세처분을 한 뒤에 과세표준과 세액에 오류 또는 탈루가 있음을 발견하여 이를 경정하는 처분을 한 경우❶

① '감액경정'인 때에는 처음의 과세처분에서 결정된 과세표준과 세액의 일부를 취소하는 데에 지나지 않으므로 처음의 과세처분이 감액된 범위 내에서 존속하게 되고 '처음의 과세처분'만이 쟁송의 대상이 되며 경정처분 자체는 쟁송의 대상이 될 수 없는 반면, ② '증액경정'인 때에는 처음의 과세처분에서 결정한 과세표준과 세액을 그대로 두고 증액부분만을 결정하는 것이 아니라 처음의 과세표준과 세액을 포함하여 전체로서 증액된 과세표준과 세액을 다시 결정하는 것이므로 처음의 과세처분은 뒤의 경정처분의 일부로 흡수되어 독립된 존재가치를 상실하여 소멸하고 오직 '경정처분'만이 쟁송의 대상이 된다. 따라서 처음의 과세처분이 불복기간의 경과나 전심절차의 종결로 확정되어 이른바 불가쟁력 또는 불가변력이 발생하였다고 하여도 이러한 확정의 효력은 처음의 처분이 유효하게 존속하는 것을 전제로 한 것이므로 그 뒤의 증액경정처분에 의하여 처음의 과세처분이 위 경정처분에 흡수됨으로써 독립된 존재가치를 상실하고 소멸한 이상 그 불가쟁력이나 불가변력을 인정할 여지가 없고, 따라서 경정처분에 대한 소송절차에서 당사자는 이미 확정된 처음의 과세처분에 의하여 결정된 과세표준과 세액에 대하여도 그 위법 여부를 다툴 수 있다(대판 1984.12.11. 84누225).

2 행정청이 산업재해보상보험법에 의한 보험급여 수급자에 대하여 부당이득 징수결정을 한 후 그 하자를 이유로 징수금 액수를 감액하는 경우, 징수의무자에게 감액처분의 취소를 구할 소의 이익이 있는지 여부(소극) 및 감액처분으로도 아직 취소되지 않고 남은 부분을 다투고자 하는 경우 항고소송의 대상과 제소기간 준수 여부의 판단 기준이 되는 처분(=당초 처분)

행정청이 산업재해보상보험법에 의한 보험급여 수급자에 대하여 부당이득 징수결정을 한 후 징수결정의 하자를 이유로 징수금 액수를 감액하는 경우에 감액처분은 감액된 징수금 부분에 관해서만 법적 효과가 미치는 것으로서 당초 징수결정과 별개 독립의 징수금 결정처분이 아니라 그 실질은 처음 징수결정의 변경이고, 그에 의하여 징수금의 일부취소라는 징수의무자에게 유리한 결과를 가져오는 처분이므로 징수의무자에게는 그 취소를 구할 소의 이익이 없다. 이에 따라 감액처분으로도 아직 취소되지 않고 남아 있는 부분이 위법하다 하여 다투고자 하는 경우, 감액처분을 항고소송의 대상으로 할 수는 없고, 당초 징수결정 중 감액처분에 의하여 취소되지 않고 남은 부분을 항고소송의 대상으로 할 수 있을 뿐이며, 그 결과 제소기간의 준수 여부도 감액처분이 아닌 당초 처분을 기준으로 판단해야 한다(대판 2012.9.27. 2011두27247).

3 국세기본법 제22조의2의 시행 이후 당초 과세처분에 대한 증액경정처분이 있는 경우 항고소송의 심판대상(=증액경정처분) 및 그 항고소송에서 당초 신고나 결정에 대한 위법사유를 함께 주장할 수 있는지 여부(적극)

국세기본법 제22조의2의 시행 이후에도 증액경정처분이 있는 경우, 당초 신고나 결정은 증액경정처분에 흡수됨으로써 독립한 존재가치를 잃게 된다고 보아야 하므로, 원칙적으로는 당초 신고나 결정에 대한 불복기간의 경과 여부 등에 관계없이 증액경정처분만이 항고소송의 심판대상이 되고, 납세의무자는 그 항고소송에서 당초 신고나 결정에 대한 위법사유도 함께 주장할 수 있다고 해석함이 타당하다(대판 2009.5.14. 2006두17390).

❶
- 감액경정: 감액되고 남은 원처분(제소기간 원처분을 기준으로 기산)
- 증액경정: 증액된 당해 경정처분(제소기간 경정처분을 기준으로 기산)

핵심 OX

01 증액경정처분이 있는 경우 당초 신고나 결정은 증액경정처분에 흡수됨으로써 독립된 존재가치를 잃게 된다고 보아야 할 것이므로, 원칙적으로는 당초 신고나 결정에 대한 불복기간의 경과 여부 등에 관계없이 증액경정처분만이 항고소송의 심판대상이 된다. 18. 서울7급 · 지방9급 ( )

02 산업재해보상보험법상 보험급여의 부당이득 징수결정의 하자를 이유로 징수금을 감액하는 경우 감액처분으로도 아직 취소되지 않고 남아 있는 부분이 위법하다 하여 다툴 때에는, 제소기간의 준수 여부는 감액처분을 기준으로 판단해야 한다. 17. 지방9급 ( )

03 행정청이 금전부과처분을 한 후 감액처분을 한 경우에 감액되고 남은 부분이 위법하다고 다투고자 할 때에는 감액처분 자체를 항고소송의 대상으로 삼아야 한다. 17. 국가7급(10월) ( )

04 증액경정처분이 있는 경우, 원칙적으로는 당초 신고나 결정에 대한 불복기간의 경과 여부 등에 관계없이 증액경정처분만이 항고소송의 대상이 되고 납세의무자는 그 항고소송에서 당초 신고나 결정에 대한 위법사유를 주장할 수 없다. 19. 지방7급 ( )

01 ○ 02 X 03 X 04 X

4 당초처분의 절차적 하자가, 존속하는 증액경정처분에 승계되는지 여부(소극)

증액경정처분이 있는 경우 당초처분은 증액경정처분에 흡수되어 소멸하고, 소멸한 당초처분의 절차적 하자는 존속하는 증액경정처분에 승계되지 아니한다(대판 2010.6.24. 2007두16493).

5 국세청장의 심사결정에 따라 과세관청이 감액경정처분을 한 경우, 항고소송의 대상 및 제소기간 기산점

과세표준과 세액을 감액하는 경정처분은 당초의 부과처분과 별개 독립의 과세처분이 아니라 그 실질은 당초의 부과처분의 변경이고, 그에 의하여 세액의 일부 취소라는 납세자에게 유리한 효과를 가져오는 처분이므로, 그 경정처분으로도 아직 취소되지 아니하고 남아 있는 부분이 위법하다 하여 다투는 경우, 항고소송의 대상은 당초의 부과처분 중 경정처분에 의하여 아직 취소되지 않고 남은 부분이고, 그 경정처분이 항고소송의 대상이 되는 것은 아니며, 이 경우 적법한 전심절차를 거쳤는지 여부도 당초 처분을 기준으로 판단하여야 한다(대판 2009.5.28. 2006두16403).

(3) 위법한 처분

항고소송의 대상이 되는 것은 **위법**한 처분에 한하며, 부당한 처분은 행정심판의 대상이 될 수 있을 뿐 행정소송의 대상이 될 수 없다. 그러나 재량권의 **일탈 · 남용**이 있는 경우에는 항고소송의 대상이 될 수 있으므로, 이 경우 법원은 소송을 각하할 것이 아니라 **본안심리**를 한 다음 **인용 · 기각** 여부를 결정하여야 한다.

(4) 부작위

부작위위법확인소송의 대상인 부작위가 성립하기 위해서는 당사자의 신청에 대하여 행정청이 상당한 기간 내에 **일정한 처분**을 하여야 할 **법률상 의무**가 있음에도 불구하고 이를 하지 아니하는 것을 말한다(제2조 제1항 제2호). 법령에서 신청에 대해 일정한 기간이 경과하면 거부처분으로 간주하는 규정을 둔 경우(간주 거부)에는 거부처분에 대한 소송을 제기하여야 하고, 부작위위법확인소송의 대상으로 할 수 없다.

제3절 그 밖의 소송요건, 소의 변경 및 소제기의 효과

1 제소기간

행정소송법 제20조 【제소기간】 ① 취소소송은 처분 등이 있음을 안 날부터 90일 이내에 제기하여야 한다. 다만, 제18조 제1항 단서에 규정한 경우와 그 밖에 행정심판청구를 할 수 있는 경우 또는 행정청이 행정심판청구를 할 수 있다고 잘못 알린 경우에 행정심판청구가 있은 때의 기간은 재결서의 정본을 송달받은 날부터 기산한다.
② 취소소송은 처분 등이 있은 날부터 1년(제1항 단서의 경우는 재결이 있은 날부터 1년)을 경과하면 이를 제기하지 못한다. 다만, 정당한 사유가 있는 때에는 그러하지 아니하다.
③ 제1항의 규정에 의한 기간은 불변기간으로 한다.

1. 취소소송의 제소기간 요건

취소소송은 처분 등이 있음을 안 날(행정심판재결을 거치는 경우에는 재결서의 정본을 송달받은 날)로부터 **90일** 이내에 제기하여야 한다(제20조 제1항). 이 기간은 불변기간이므로 그 **불변기간**의 경과 여부는 법원의 **직권조사사항**이다. 처분이 있음을 안 날이란 당해 처분이 있었다는 사실을 통지 등을 통하여 **현실적으로 안 날**을 의미하고, 그 행정처분의 위법 여부를 판단한 날을 가리키는 것은 아니다(대판 1991.6.28. 90누6521).

(1) 안 날로부터 90일, 있은 날로부터 1년

관련판례

행정소송법 제20조 소정의 제소기간 기산점인 '처분이 있음을 안 날'의 의미
행정소송법 제20조 제2항 소정의 제소기간 기산점인 '처분이 있음을 안 날'이란 통지 · 공고 기타의 방법에 의하여 당해 처분이 있었다는 사실을 현실적으로 안 날을 의미하고 구체적으로 그 행정처분의 위법 여부를 판단한 날을 가리키는 것은 아니다(대판 1991.6.28. 90누6521).

(2) 정당한 사유

관련판례

1 행정소송법 제20조 제2항 소정의 '정당한 사유'의 의미
행정소송법 제20조 제2항 소정의 '정당한 사유'란 불확정 개념으로서 그 존부는 사안에 따라 개별적 · 구체적으로 판단하여야 하나 민사소송법 제160조의 '당사자가 그 책임을 질 수 없는 사유'나 행정심판법 제27조 제2항 소정의 '천재, 지변, 전재, 사변 그 밖에 불가항력적인 사유'보다는 넓은 개념이라고 풀이되므로, 제소기간도과의 원인 등 여러 사정을 종합하여 지연된 제소를 허용하는 것이 사회통념상 상당하다고 할 수 있는가에 의하여 판단하여야 한다(대판 1991.6.28. 90누6521).

2 관보에 고시됨으로써 효력이 발생하는 경우, 그 결정을 통지받지 못하였다는 것이 제소기간을 준수하지 못한 것에 대한 정당한 사유가 될 수 없다고 한 사례

[1] 구 청소년보호법에 따른 청소년유해매체물 결정·고시의 법적 성격 및 그 효력발생의 요건과 시기
구 청소년보호법에 따른 청소년유해매체물 결정 및 고시처분은 당해 유해매체물의 소유자 등 특정인만을 대상으로 한 행정처분이 아니라 일반 불특정 다수인을 상대방으로 하여 일률적으로 표시의무, 포장의무, 청소년에 대한 판매 · 대여 등의 금지의무 등 각종 의무를 발생시키는 행정처분으로서, 정보통신윤리위원회가 특정 인터넷 웹사이트를 청소년유해매체물로 결정하고 청소년보호위원회가 효력발생시기를 명시하여 고시함으로써 그 명시된 시점에 효력이 발생하였다고 봄이 상당하고, 정보통신윤리위원회와 청소년보호위원회가 위 처분이 있었음을 위 웹사이트 운영자에게 제대로 통지하지 아니하였다고 하여 그 효력 자체가 발생하지 아니한 것으로 볼 수는 없다.

[2] 고시 또는 공고에 의하여 행정처분을 하는 경우, 그에 대한 취소소송 제소기간의 기산일(= 고시 또는 공고의 효력발생일)
통상 고시 또는 공고에 의하여 행정처분을 하는 경우에는 그 처분의 상대방이 불특정 다수인이고 그 처분의 효력이 불특정 다수인에게 일률적으로 적용되는 것이므로, 그 행정처분에 이해관계를 갖는 자가 고시 또는 공고가 있었다는 사실을

핵심 OX

01 제소기간의 도과 여부를 법원의 직권조사사항이다. 12. 국회9급 ( )

02 취소소송의 제소기간은 불변기간이다. 13. 지방9급 ( )

03 행정소송법상 제소기간은 처분이 있음을 안 날로부터 90일, 처분이 있은 날로부터 1년이다. 13. 경특, 07. 서울9급 ( )

04 행정처분이 있은 날이라 함은 그 행정처분의 효력이 발생한 날을 의미한다. 18. 서울9급, 12. 국회9급, 09. 세무사 ( )

05 처분 등이 있은 날로부터 1년이 경과하였더라도 정당한 사유가 있는 때에는 취소소송을 제기할 수 있다. 07. 세무사 ( )

06 제소기간의 적용에 있어 '처분이 있음을 안 날'이란 처분의 존재를 현실적으로 안 날을 의미하는 것이 아니라 처분의 위법 여부를 인식한 날을 말한다. 15. 사복 ( )

07 판례는 처분이 있음을 안 날이라 함은 당해 처분이 있었다는 사실을 추상적으로 알 수 있었던 날을 의미한다고 한다. 13. 국회9급, 07. 관세사 ( )

[08-09] 관할 행정청은 2019.4.17. 청소년보호법 의 규정에 따라 불특정 다수인을 상대방으로하여 일률적으로 표시의무, 포장의무, 청소년에 대한 판매 · 대여 등의 의무를 발생시키는 내용의 청소년유해매체물 결정 · 고시를 하였다. 21. 국가7급

08 관할 행정청이 위 결정 · 고시를 함에 있어서 A주식회사에게 이를 통지하지 않았다고 하여 결정 · 고시의 효력 자체가 발생하지 않는 것은 아니다. ( )

09 A주식회사가 위 결정을 통지받지 못하였다는 것은 취소소송의 제소기간을 준수하지 못한 것에 대한 정당한 사유가 될 수 있다. ( )

01 ○ 02 ○ 03 ○ 04 ○ 05 ○ 06 X 07 X 08 ○ 09 X

현실적으로 알았는지 여부에 관계없이 고시가 효력을 발생하는 날 행정처분이 있음을 알았다고 보아야 한다. 인터넷 웹사이트에 대하여 구 청소년보호법에 따른 청소년유해매체물 결정 · 고시처분을 한 사안에서, 위 결정은 이해관계인이 고시가 있었음을 알았는지 여부에 관계없이 관보에 고시됨으로써 효력이 발생하고, 그가 위 결정을 통지받지 못하였다는 것은 제소기간을 준수하지 못한 것에 대한 정당한 사유가 될 수 없다(대판 2007.6.14. 2004두619).

(3) 기준이 되는 처분

관련판례

1 취소소송의 대상 및 제소기간 판단기준이 되는 처분

행정청이 식품위생법령에 따라 영업자에게 행정제재처분을 한 후 그 처분을 영업자에게 유리하게 변경하는 처분을 한 경우, 변경처분에 의하여 당초 처분은 소멸하는 것이 아니고 당초부터 유리하게 변경된 내용의 처분으로 존재하는 것이므로, 변경처분에 의하여 유리하게 변경된 내용의 행정제재가 위법하다 하여 그 취소를 구하는 경우 그 취소소송의 대상은 변경된 내용의 당초 처분이지 변경처분은 아니고, 제소기간의 준수 여부도 변경처분이 아닌 변경된 내용의 당초 처분을 기준으로 판단하여야 한다(대판 2007.4.27. 2004두9302).

2 선행처분의 취소를 구하는 소가 후속처분의 취소를 구하는 소로 교환적으로 변경되었다가 다시 선행처분의 취소를 구하는 소로 변경되고, 후속처분의 취소를 구하는 소에 선행처분의 취소를 구하는 취지가 그대로 남아 있었던 경우, 선행처분의 취소를 구하는 소의 제소기간 준수 여부의 결정 기준시기

행정소송법상 취소소송은 처분 등이 있음을 안 날부터 90일 이내에 제기하여야 하고, 처분 등이 있은 날부터 1년을 경과하면 제기하지 못한다(행정소송법 제20조 제1항, 제2항). 한편 청구취지를 교환적으로 변경하여 종전의 소가 취하되고 새로운 소가 제기된 것으로 보게 되는 경우에 새로운 소에 대한 제소기간의 준수 등은 원칙적으로 소의 변경이 있은 때를 기준으로 하여 판단된다. 그러나 선행처분의 취소를 구하는 소가 그 후속처분의 취소를 구하는 소로 교환적으로 변경되었다가 다시 선행처분의 취소를 구하는 소로 변경된 경우 후속처분의 취소를 구하는 소에 선행처분의 취소를 구하는 취지가 그대로 남아 있었던 것으로 볼 수 있다면 선행처분의 취소를 구하는 소의 제소기간은 최초의 소가 제기된 때를 기준으로 정하여야 한다(대판 2013.7.11. 2011두27544).

3 재결청의 재조사결정에 따른 심사청구기간이나 심판청구기간 또는 행정소송의 제소기간의 기산점(= 후속 처분의 통지를 받은 날)

이의신청 등에 대한 결정의 한 유형으로 실무상 행해지고 있는 재조사결정은 처분청으로 하여금 하나의 과세단위의 전부 또는 일부에 관하여 당해 결정에서 지적된 사항을 재조사하여 그 결과에 따라 과세표준과 세액을 경정하거나 당초 처분을 유지하는 등의 후속 처분을 하도록 하는 형식을 취하고 있다. 이에 따라 재조사결정을 통지받은 이의신청인 등은 그에 따른 후속 처분의 통지를 받은 후에야 비로소 다음 단계의 쟁송절차에서 불복할 대상과 범위를 구체적으로 특정할 수 있게 된다. 이와 같은 재조사결정의 형식과 취지, 그리고 행정심판제도의 자율적 행정통제기능 및 복잡하고 전문적 · 기술적 성격을 갖는 조세법률관계의 특수성 등을 감안하면, 재조사결정은 당해 결정에서 지적된 사항에 관해서는 처분청의 재조사결과를 기다려 그에 따른 후속 처분의 내용을 이의신청 등에 대한 결정의 일부분으로 삼겠다는 의사가 내포된

핵심 OX

01 행정청이 식품위생법령에 따라 영업자에게 행정제재처분을 한 후 당초 처분을 영업자에게 유리하게 변경하는 처분을 한 경우, 취소소송의 대상은 변경된 내용의 당초 처분이지 변경처분은 아니다. 09. 국회8급 ( )

02 청구취지를 변경하여 종전의 소가 취하되고 새로운 소가 제기된 것으로 변경되었다면 새로운 소에 대한 제소기간 준수 여부는 원칙적으로 소의 변경이 있은 때를 기준으로 한다. 17. 지방9급 ( )

핵심 OX

03 심판청구 등에 대한 결정의 한 유형으로 실무상 행해지고 있는 '재조사 결정'은 재결청의 결정에서 지적된 사항에 관하여 처분청의 재조사결과를 기다려 그에 따른 후속 처분의 내용을 심판청구 등에 대한 결정의 일부분으로 삼겠다는 의사가 내포된 변형결정에 해당하므로, 처분청은 재조사 결정의 취지에 따라 재조사를 한 후 그 내용을 보완하는 후속 처분만을 할 수 있고 재조사결정에 따른 행정소송의 제소기간은 이의신청인 등이 후속 처분의 통지를 받은 날부터 기산된다고 보아야 한다. 22. 국가7급 ( )

01 ○ 02 ○ 03 ○

변형결정에 해당한다고 볼 수밖에 없다. 그렇다면 재조사결정은 처분청의 후속 처분에 의하여 그 내용이 보완됨으로써 이의신청 등에 대한 결정으로서의 효력이 발생한다고 할 것이므로, 재조사결정에 따른 심사청구기간이나 심판청구기간 또는 행정소송의 제소기간은 이의신청인 등이 후속 처분의 통지를 받은 날부터 기산된다고 봄이 타당하다(대판 2010.6.25. 2007두12514 전합).

(4) 제소기간 준수 여부 판단

관련판례

1 원고가 행정소송법상 항고소송으로 제기해야 할 사건을 민사소송으로 잘못 제기하여 수소법원이 관할법원에 이송하는 결정을 하고 이송결정이 확정된 후 원고가 항고소송으로 소 변경을 한 경우, 그 항고소송에 대한 제소기간 준수 여부를 판단하는 기준 시기(= 처음 소를 제기한 때)

행정소송법 제8조 제2항은 "행정소송에 관하여 이 법에 특별한 규정이 없는 사항에 대하여는 법원조직법과 민사소송법 및 민사집행법의 규정을 준용한다."라고 규정하고 있고, 민사소송법 제40조 제1항은 "이송결정이 확정된 때에는 소송은 처음부터 이송받은 법원에 계속된 것으로 본다."라고 규정하고 있다. 한편 행정소송법 제21조 제1항, 제4항, 제37조, 제42조, 제14조 제4항은 행정소송 사이의 소 변경이 있는 경우 처음 소를 제기한 때에 변경된 청구에 관한 소송이 제기된 것으로 보도록 규정하고 있다. 이러한 규정 내용 및 취지 등에 비추어 보면, 원고가 행정소송법상 항고소송으로 제기해야 할 사건을 민사소송으로 잘못 제기한 경우에 수소법원이 그 항고소송에 대한 관할을 가지고 있지 아니하여 관할법원에 이송하는 결정을 하였고, 그 이송결정이 확정된 후 원고가 항고소송으로 소 변경을 하였다면, 그 항고소송에 대한 제소기간의 준수 여부는 원칙적으로 처음에 소를 제기한 때를 기준으로 판단하여야 한다(대판 2022.11.17. 2021두44425).

2 동일한 행정처분에 대하여 무효확인의 소를 제기하였다가 그 후 그 처분의 취소를 구하는 소를 추가적으로 병합한 경우, 주된 청구인 무효확인의 소가 적법한 제소기간 내에 제기되었다면 추가로 병합된 취소청구의 소도 적법하게 제기된 것으로 볼 수 있는지 여부(적극)

하자 있는 행정처분을 놓고 이를 무효로 볼 것인지 아니면 단순히 취소할 수 있는 처분으로 볼 것인지는 동일한 사실관계를 토대로 한 법률적 평가의 문제에 불과하고, 행정처분의 무효확인을 구하는 소에는 특단의 사정이 없는 한 그 취소를 구하는 취지도 포함되어 있다고 보아야 하는 점 등에 비추어 볼 때, 동일한 행정처분에 대하여 무효확인의 소를 제기하였다가 그 후 그 처분의 취소를 구하는 소를 추가적으로 병합한 경우, 주된 청구인 무효확인의 소가 적법한 제소기간 내에 제기되었다면 추가로 병합된 취소청구의 소도 적법하게 제기된 것으로 봄이 상당하다(대판 2005.12.23. 2005두3554).

3 행정처분의 무효확인청구를 취소청구로 인용하기 위한 요건

행정처분의 무효확인을 구하는 청구에는 특별한 사정이 없는 한 그 처분의 취소를 구하는 취지까지도 포함되어 있다고 볼 수는 있으나 위와 같은 경우에 취소청구를 인용하려면 먼저 취소를 구하는 항고소송으로서의 제소요건을 구비한 경우에 한한다(대판 1986.9.23. 85누838).

⇨ 즉, 위와 같은 경우 취소청구를 인용하기 위해서는 취소소송의 제소기간 내에 소를 제기해야 하며, 제소기간 위반시 각하 판단한다.

핵심 OX

04 행정처분의 무효확인을 구하는 청구에는 특별한 사정이 없는 한 그 처분의 취소를 구하는 취지까지도 포함되어 있다고 볼 수는 있으나 취소청구를 인용하기 위해서는 취소소송으로서의 제소요건을 구비하여야 한다. 20. 서울7급 ( )

04 ○

핵심 OX

01 처분이 있음을 안 날 기준과 처분이 있은 날 기준이 모두 경과하여야 제소기간이 종료된다.
15. 교행, 12. 국회9급, 09. 세무사 ( )

02 법원은 취소소송의 제소기간을 확장하거나 단축할 수 없으나 주소 또는 거소가 멀리 떨어진 곳에 있는 자를 위하여 부가기간을 정할 수 있다. 13. 지방9급 ( )

03 무효선언을 구하는 의미에서 제기된 취소소송도 제소기간 제한 등의 소송요건을 갖추어야 한다.
12. 지방9급 ( )

01 X **02** O **03** O

2. 제소기간의 성격

취소소송은 처분 등이 있은 날로부터 **1년**(행정심판재결을 거치는 경우에는 재결이 있은 날로부터 1년)을 경과하면 이를 제기하지 못한다. 다만, 정당한 사유가 있는 경우에는 그러하지 아니하다(제20조 제2항). 여기서 1년은 불변기간이 아니며, **정당한 사유**가 있으면 예외가 인정된다. 위 두 기간은 선택적인 것이 아니므로 어느 하나라도 기간이 경과하면 제소하지 못한다.

3. 무효인 처분에 대한 제소기간

무효등확인소송의 경우에는 제소기간의 제한이 없으나, **'무효선언을 구하는 취소소송'**의 경우 제소기간의 **제한규정**이 적용된다는 것이 판례의 입장이다.

2 행정심판과 행정소송의 관계

행정소송법 제18조 【행정심판과의 관계】 ① 취소소송은 법령의 규정에 의하여 당해 처분에 대한 행정심판을 제기할 수 있는 경우에도 이를 거치지 아니하고 제기할 수 있다. 다만 다른 법률에 당해 처분에 대한 행정심판의 재결을 거치지 아니하면 취소소송을 제기할 수 없다는 규정이 있는 때에는 그러하지 아니하다.
② 제1항 단서의 경우에도 다음 각 호의 1에 해당하는 사유가 있는 때에는 행정심판의 재결을 거치지 아니하고 취소소송을 제기할 수 있다.
1. 행정심판청구가 있은 날로부터 60일이 지나도 재결이 없는 때
2. 처분의 집행 또는 절차의 속행으로 생길 중대한 손해를 예방하여야 할 긴급한 필요가 있는 때
3. 법령의 규정에 의한 행정심판기관이 의결 또는 재결을 하지 못할 사유가 있는 때
4. 그 밖의 정당한 사유가 있는 때
③ 제1항 단서의 경우에 다음 각 호의 1에 해당하는 사유가 있는 때에는 행정심판을 제기함이 없이 취소소송을 제기할 수 있다.
1. 동종사건에 관하여 이미 행정심판의 기각재결이 있은 때
2. 서로 내용상 관련되는 처분 또는 같은 목적을 위하여 단계적으로 진행되는 처분 중 어느 하나가 이미 행정심판의 재결을 거친 때
3. 행정청이 사실심의 변론종결후 소송의 대상인 처분을 변경하여 당해 변경된 처분에 관하여 소를 제기하는 때
4. 처분을 행한 행정청이 행정심판을 거칠 필요가 없다고 잘못 알린 때
④ 제2항 및 제3항의 규정에 의한 사유는 이를 소명하여야 한다.

1. 개설

(1) 의의

행정심판전치주의란 행정처분에 대하여 행정심판의 재결을 거치지 아니하면 취소소송을 제기할 수 없도록 하는 것을 말한다.

(2) 장·단점

① **장점**: 행정권 스스로에 의한 시정의 기회를 부여하여 자율성을 확보하고, 시간과 비용을 줄일 수 있으며, 법원의 부담을 경감시켜 준다는 점을 들 수 있다.

② **단점**: 소송에 비하여 공정성을 기대하기 어려우며, 절차가 지연된다는 점을 들 수 있다.

2. 현행 행정소송법의 태도

(1) 임의적 전치주의

현행 행정소송법은 과거(1998.3.1. 이전)와 달리 행정심판에 대하여 **임의적 전치주의**를 원칙으로 하고, 예외적으로 필요적 전치주의를 채택하고 있다.

(2) 다른 법률에서 필요적 전치주의를 채택하고 있는 경우

① **공무원의 징계처분**: 공무원의 징계처분 기타 불리한 처분이나 부작위·**소청심사위원회의 심사·결정**에 대한 행정소송(국가공무원법 제16조 제1항, 지방공무원법 제20조의2)

② **국세[❶]부과처분에 대한 행정소송**: 국세청장에 대한 심사청구 또는 국세심판원에 대한 심판청구와 그 결정 ⇨ 행정소송(국세기본법 제56조 제2항)

③ **관세부과처분에 대한 행정소송**: 심사청구 또는 심판청구와 그 결정 모두 행정소송(관세법 제120조 제2항)

④ **도로교통법에 의한 처분**: 행정심판재결 ⇨ 행정소송(도로교통법 제142조)

⑤ **노동위원회의 명령·결정**: 중앙노동위원회의 재심판정의 재결에 대한 행정소송(노동조합 및 노동관계조정법 제85조 제2항)

> **관련판례**
>
> **행정심판전치주의가 정당화되는 이유 및 교통 관련 행정처분에 대하여 행정심판전치주의를 규정한 것이 위헌인지 여부(소극)**
>
> 첫째, 행정심판절차는 통상의 소송절차에 비하여 간편한 절차를 통하여 시간과 비용을 절약하면서 신속하고 효율적인 권리구제를 꾀할 수 있다는 장점이 있다. 궁극적으로 행정심판은 국민의 이익을 위한 것이고, 사전절차를 통하여 원칙적으로 권리구제가 약화되는 것이 아니라 강화되는 것이다. 둘째, 법원의 입장에서 보더라도, 행정심판전치주의를 취하는 경우에는 행정심판절차에서 심판청구인의 목적이 달성됨으로써 행정소송의 단계에 이르지 아니하는 경우가 많을 뿐 아니라, 그렇지 아니하는 경우에도 행정심판을 거침으로써 사실상·법률상의 쟁점이 많이 정리되기 때문에 행정소송의 심리를 위한 부담이 경감되는 효과가 있다. … 입법자는 행정심판을 임의적 또는 필요적 전치절차로 할 것인가에 관하여 행정심판을 통한 권리구제의 실효성, 행정청에 의한 자기시정의 개연성, 문제되는 행정처분의 특수성 등을 고려하여 구체적으로 형성할 수 있는데, 이 사건 법률조항에서 교통관련 행정처분에 대하여 행정심판 전치주의를 규정한 것은, "교통관련 행정처분이 대량으로 행해지는 것으로서 행정의 통일을 기할 필요가 있고, 처분의 적법성여부에 관한 판단에 있어서 전문성과 기술성이 요구된다."는 행정심판사항의 특수성에 기인하는 것이다. 따라서 이 사건 법률조항에 나타난 입법자의 결정이 차별을 정당화하는 합리적인 이유를 결여하고 있다고 볼 수 없으므로, 평등권에 위반되지 않는다(헌재 2002.10.31. 2001헌바40).

핵심 OX

04 현행 행정소송법은 원칙적으로 임의적 행정심판전치주의를 채택하였다. 09. 세무사 ( )

05 필요적 행정심판전치주의가 적용되는 경우 그 요건을 구비하였는지 여부는 법원의 직권조사사항이다. 15. 국회8급, 14. 사복, 11. 국회9급 ( )

❶ 지방세는 헌법재판소의 위헌결정(헌재 2001.6.28. 2000헌바30)으로 임의절차화

핵심 OX

06 과세관청의 압류처분에 대해서는 심사청구 또는 심판청구 중 하나에 대한 결정을 거친 후 행정소송을 제기하여야 한다. 15. 국가9급 ( )

07 판례에 의하면 둘 이상의 심판절차가 규정된 때에는 특별한 규정이 없는 한 모든 심판절차를 거쳐야 한다. 10. 세무사 ( )

08 운전면허취소처분에 대해서는 행정심판의 필요적 전치주의가 적용된다. 11. 국가7급 ( )

09 도로교통법에 따른 처분에 대해서는 행정심판의 재결을 거치지 아니하면 취소소송을 제기할 수 없다. 13. 국가7급 ( )

04 ○ 05 ○ 06 ○ 07 X 08 ○ 09 ○

3. 행정심판과 행정소송의 관련성

(1) 행정심판의 적법성

예외적으로 필요적 행정심판전치요건을 규정하여 행정심판의 재결을 거치는 경우 그 행정심판은 **적법한 것**이어야 한다. 행정심판이 부적법 각하된 경우에는 전치요건을 충족하였다고 볼 수 없다.

① 청구기간을 도과한 부적법한 행정심판을 행정심판위원회가 적법한 것으로 오인하여 본안에 대한 재결을 하였다 하더라도 전치의 요건을 충족하였다고 할 수 없다(대판 1991.6.25. 90누8091).

② 적법한 심판청구가 **부적법**한 것으로 **각하**된 경우에는 필요적 **행정심판전치요건**을 **충족**한 것으로 본다(대판 1960.11.28. 4291행상96).

핵심 OX

01 기간경과 등의 부적법한 심판제기가 있었고, 행정심판위원회가 각하하지 않고 기각재결을 한 경우는 심판전치의 요건이 구비된 것으로 볼 수 있다. 15. 국회8급 ( )

(2) 인적 관련성

동종사건에 관하여 이미 행정심판의 **기각재결**이 있으면 행정심판을 거치지 않고 행정소송을 제기할 수 있으며, 행정심판의 청구인과 행정소송의 원고는 반드시 동일인일 필요는 없다. 또한 공동소송의 경우에 공동소송인의 1인이 행정심판을 거쳤다면 다른 공동소송인은 행정심판을 거치지 않고 행정소송을 제기할 수 있다(대판 1986.10.14. 83누854).

(3) 물적 관련성

행정심판의 대상인 처분과 행정소송의 대상인 처분은 원칙적으로 동일하여야 한다. 다만, 서로 내용상 관련되는 처분 또는 동일한 목적을 위해 단계적으로 진행되는 처분 중 어느 하나가 이미 행정심판의 재결을 거친 때에는 행정심판을 제기하지 않고 취소소송을 제기할 수 있다(제18조 제3항 제2호).

(4) 주장사유의 관련성

행정심판에서의 청구인의 주장사유와 행정소송에서의 원고의 주장사유가 일치하여야 하는가에 대하여 판례는 전심절차에 있어서의 주장과 행정소송에 있어서의 주장이 전혀 별개의 것이 아닌 한 반드시 일치하여야 하는 것은 아니므로 **전심절차**에 있어서 **주장하지 아니한 사항**도 **행정소송**에서 **주장**할 수 있다고 한다(대판 1984.5.9. 84누116).

핵심 OX

02 원고가 전심절차에서 주장하지 아니한 처분의 위법사유를 소송절차에서 새로이 주장한 경우 다시 그 처분에 대하여 별도의 전심절차를 거쳐야 한다. 15. 국가9급 ( )

(5) 전치절차의 경유 정도

2단계 이상의 행정심판이 인정되고 있는 경우에는 어느 하나의 심판만을 거치면 절차요건은 충족된 것으로 보는 것이 통설 · 판례이다.

(6) 전치요건의 충족시기 ⇨ 사실심 변론종결시

필요적 전치주의의 경우에 행정심판을 제기하여 재결이 있은 후에 행정소송을 제기하여야 하고, 재결 전에 소송을 제기하면 부적법 각하하게 되나, 재결 전에 소송을 제기하였다 하더라도 **각하하기 전**에 **재결**이 있으면 **전치요건**은 **충족**된다고 볼 수 있다.

01 X 02 X

관련판례

1 행정심판을 거치지 않고 소를 제기하였으나 그 뒤 사실심 변론종결 전까지 행정심판 전치의 요건을 갖추었다면 흠이 치유된다(대판 1963.3.9. 63누9).

2 행정심판의 재결이 있기 전에 제기된 취소소송은 부적법하나 소가 각하되기 전에 재결이 있으면 그 흠은 치유된다(대판 1965.6.29. 65누57).

(7) 행정심판의 전치 여부 조사

행정심판전치 여부는 **소송요건**이므로 **직권**으로 조사하여야 한다(대판 1995.12.26. 95누14220).

4. 예외적 행정심판전치주의의 적용범위

(1) 취소소송과 부작위위법확인소송에는 적용되나, **무효등확인소송**과 **당사자소송**에는 적용되지 않는다(제38조, 제44조).

(2) 무효선언을 구하는 의미의 취소소송과 주위적 청구가 무효확인소송이라도 예비적으로 병합된 청구가 취소소송인 경우에는 전치주의가 적용되며(대판 1994.4.29. 93누12626), 주위적 청구가 전심절차를 요하지 않는 당사자소송이라도 병합 제기된 예비적 청구가 취소소송이라면 전치주의가 적용된다(대판 1989.10.27. 89누39).

(3) 취소소송을 제기하는 자가 처분에 직접 **이해관계가 있는 제3자**이더라도 행정심판 전치주의는 **적용**된다(대판 1991.5.28. 90누1359).

5. 예외적 행정심판전치주의에 대한 예외(필요적 전치주의의 완화)

행정심판은 제기하되, 재결을 거치지 않고 행정소송을 제기할 수 있는 경우 (행정소송법 제18조 제2항)	행정심판 자체를 거칠 필요 없이 행정소송을 제기할 수 있는 경우 (행정소송법 제18조 제3항)
• 행정심판청구가 있는 날로부터 60일이 지나도 재결이 없는 때 • 처분의 집행 또는 절차의 속행으로 생길 중대한 손해를 예방하여야 할 긴급한 필요가 있는 때 • 법령의 규정에 의한 행정심판기관이 의결 또는 재결을 하지 못할 사유가 있는 때 • 그 밖의 정당한 사유가 있는 때	• 동종사건에 관하여 이미 행정심판 기각재결이 있은 때 • 서로 내용상 관련되는 처분 또는 같은 목적을 위하여 단계적으로 진행되는 처분 중 어느 하나가 이미 행정심판의 재결을 거친 때 • 행정청이 사실심의 변론종결 후 소송의 대상인 처분을 변경하여 당해 변경된 처분에 관하여 소를 제기하는 때 • 처분을 행한 행정청이 행정심판을 거칠 필요가 없다고 잘못 알린 때

핵심 OX

03 행정심판전치주의가 적용되는 경위에 행정심판을 거치지 않고 소제기를 하였더라도 사실심변론종결 전까지 행정심판을 거친 경우 하자는 치유된 것으로 볼 수 있다. 15. 국회8급, 14. 사복 ( )

핵심 OX

04 행정처분의 상대방에게 행정심판전치주의가 적용되는 경우라도, 제3자가 제기하는 행정소송의 경우 제3자는 행정처분의 존재를 알지 못하고 행정심판에 대한 고지도 받지 못하게 되므로 행정심판전치주의가 적용되지 않는다. 14. 국회8급 ( )

05 필요적 행정심판전치주의가 적용되는 경우 처분의 집행 또는 절차의 속행으로 생길 중대한 손해를 예방하여야 할 긴급한 필요가 있는 때에는 재결을 거치지 아니하고 취소소송을 제기할 수 있으나 이 경우에도 행정심판은 제기하여야 한다. 14. 사복, 13. 국가9급 ( )

06 행정심판을 반드시 거쳐야 하는 경우에도 처분청이 행정심판을 거칠 필요가 없다고 잘못 알린 경우에는 행정심판을 제기하지 않고 취소소송을 제기할 수 있다. 10. 세무사 ( )

07 행정소송법 이외의 법률에 당해 처분에 대한 행정심판의 재결을 거치지 아니하면 취소소송을 제기할 수 없다는 규정이 있는 경우에도 서로 내용상 관련되는 처분 또는 같은 목적을 위하여 단계적으로 진행되는 처분 중 어느 하나가 이미 행정심판의 재결을 거친 때에는 행정심판을 제기함이 없이 취소소송을 제기할 수 있다. 15. 국회8급, 13. 국가9급 ( )

03 ○ **04** X **05** ○ **06** ○ **07** ○

3 소의 변경

행정소송법 제21조【소의 변경】 ① 법원은 취소소송을 당해 처분 등에 관계되는 사무가 귀속하는 국가 또는 공공단체에 대한 당사자소송 또는 취소소송외의 항고소송으로 변경하는 것이 상당하다고 인정할 때에는 청구의 기초에 변경이 없는 한 사실심의 변론종결시까지 원고의 신청에 의하여 결정으로써 소의 변경을 허가할 수 있다.
② 제1항의 규정에 의한 허가를 하는 경우 피고를 달리하게 될 때에는 법원은 새로이 피고로 될 자의 의견을 들어야 한다.
③ 제1항의 규정에 의한 허가결정에 대하여는 즉시항고할 수 있다.
④ 제1항의 규정에 의한 허가결정에 대하여는 제14조 제2항 · 제4항 및 제5항의 규정을 준용한다.

제22조【처분변경으로 인한 소의 변경】 ① 법원은 행정청이 소송의 대상인 처분을 소가 제기된 후 변경한 때에는 원고의 신청에 의하여 결정으로써 청구의 취지 또는 원인의 변경을 허가할 수 있다.
② 제1항의 규정에 의한 신청은 처분의 변경이 있음을 안 날로부터 60일 이내에 하여야 한다.
③ 제1항의 규정에 의하여 변경되는 청구는 제18조 제1항 단서의 규정에 의한 요건을 갖춘 것으로 본다.

제37조【소의 변경】 제21조의 규정은 무효등확인소송이나 부작위위법확인소송을 취소소송 또는 당사자소송으로 변경하는 경우에 준용한다.

핵심 OX

01 법원은 소의 변경의 필요가 있다고 판단될 때에는 원고의 신청이 없더라도 사실심의 변론종결시까지 직권으로 소를 변경할 수 있다. 18. 서울9급, 08. 선관위9급 ( )

02 소의 변경에 따라 피고를 달리하게 될 때에는 새로운 피고의 의견을 청취하지 않아도 된다. 09. 세무사 ( )

1. 개설

(1) 소의 변경이란 소송계속 중에 원고가 심판의 대상인 청구의 일부나 전부를 변경하는 것을 말한다. 따라서 단순한 공격 · 방어방법의 변경은 이에 속하지 않는다.

(2) 소의 변경에는 종래의 청구를 유지하면서 별개의 청구를 추가하는 추가적 변경과 종래의 청구를 철회하고 새로운 청구를 제기하는 교환적 변경이 있다.

2. 소의 종류의 변경(제21조)

(1) 의의

① 행정소송의 원고는 청구의 기초에 변경이 없는 범위 안에서 **당해 소송**의 **사실심 변론종결시까지** 법원의 허가를 받아 당해 소송을 다른 종류의 행정소송으로 변경할 수 있다. 따라서 상고심에서는 소의 종류의 변경이 허용되지 않는다.

② 소의 변경은 항고소송 사이에서 뿐만 아니라 **항고소송**과 **당사자소송 사이**에서도 인정된다.

(2) 인정범위

① 소의 종류의 변경으로 당사자인 피고의 변경을 가져올 수 있으며, 이는 피고의 변경을 인정하지 않는 민사소송에 대한 특칙이라고 볼 수 있다.

② 소의 변경은 교환적 변경에 한하여 인정되며, 추가적 변경은 관련청구의 병합의 방식에 의하는 것이 타당하다.

핵심 OX

03 행정소송법상 소의 종류의 변경의 요건을 갖춘 경우 면직처분취소소송을 공무원보수지급청구소송으로 변경하는 것은 가능하다. 18. 서울9급 ( )

04 행정소송법상 당사자소송을 항고소송으로 변경하는 것은 허용되지 않는다. 18. 서울9급, 08. 선관위9급 ( )

05 행정소송법상 항소심에서도 소의 종류의 변경은 가능하다. 18. 서울9급 ( )

01 X 02 X 03 O 04 X 05 O

(3) 요건

① 행정소송이 계속되고 있을 것
② 사실심 변론종결시까지 **원고의 신청**이 있을 것
③ **청구기초의 변경이 없을 것**
④ 법원이 상당하다고 인정하여 허가결정을 할 것
⑤ 법원이 소의 변경을 허가함에 있어 소의 변경으로 인하여 피고를 달리하게 될 때에는 새로이 피고로 될 자의 의견을 들을 것

(4) 효과

법원의 소변경 허가결정이 있으면 법원은 신소의 피고에게 결정의 정본을 송달하고, 신소는 구소를 처음 제기한 때에 제기된 것으로 보며 변경된 구소는 취하된 것으로 본다.

(5) 불복

법원의 소변경의 허가결정에 대하여는 신·구소의 피고는 즉시항고할 수 있다.

관련판례

항고소송으로 제기하여야 할 사건을 민사소송으로 잘못 제기하였으나 수소법원이 항고소송에 대한 관할도 동시에 가지고 있는 경우, 원고에게 항고소송으로 소를 변경하도록 석명권을 행사하여 행정소송법이 정하는 절차에 따라 심리 · 판단하여야 하는지 여부(적극)

행정소송법상 항고소송으로 제기하여야 할 사건을 민사소송으로 잘못 제기한 경우에 수소법원이 그 항고소송에 대한 관할도 동시에 가지고 있다면, 전심절차를 거치지 않았거나 제소기간을 도과하는 등 항고소송으로서의 소송요건을 갖추지 못했음이 명백하여 항고소송으로 제기되었더라도 어차피 부적법하게 되는 경우가 아닌 이상, 원고로 하여금 항고소송으로 소 변경을 하도록 석명권을 행사하여 행정소송법이 정하는 절차에 따라 심리 · 판단하여야 한다(대판 2020.1.16. 2019다264700).

3. 처분변경으로 인한 소의 변경(제22조)

(1) 의의

행정소송 계속 중 행정청이 당해 소송의 대상인 행정처분을 변경한 때에는 법원은 **원고의 신청**에 의하여 결정으로써 청구의 취지 또는 원인의 변경을 허가할 수 있다.

(2) 인정범위

처분변경으로 인한 소의 변경은 취소소송 · 무효등확인소송 · 당사자소송의 경우에 인정되나, 부작위위법확인소송에는 부작위를 대상으로 하므로 인정되지 않는다.

(3) 절차

처분변경에 의한 소의 변경은 원고가 처분의 변경이 있음을 안 날로부터 **60일** 이내에 변경허가의 신청을 하고, 소가 사실심에 계속되고 변론종결 전이어야 하며 법원의 변경허가결정이 있어야 한다. 이 경우 변경된 청구는 **별도의 행정심판**을 **거칠 필요가 없다.**

핵심 OX

06 법원은 행정청이 소송의 대상인 처분을 소가 제기된 후 변경한 때에는 원고의 신청에 의하여 결정으로써 청구의 취지 또는 원인의 변경을 허가할 수 있다. 14. 국회8급 ( )

07 원고가 당해 처분의 변경이 있음을 안 날로부터 60일 이내에 소변경 신청을 하여야 한다. 06. 세무사 ( )

06 ○ 07 ○

핵심 OX

01 소변경의 허가결정이 있으면 신소는 구소가 제기된 때에 제기된 것으로 보며, 구소는 취하된 것으로 본다. 09. 국회8급 ( )

(4) 효과

법원의 소변경 허가결정이 있으면 법원은 신소의 피고에게 결정의 정본을 송달하고, 신소는 구소를 **처음 제기한 때**에 제기된 것으로 보며 구소는 취하된 것으로 본다.

4 처분사유의 추가·변경

1. 의의

소의 변경은 원고가 소송물을 변경하는 것이나, 처분사유의 추가·변경은 피고가 소송 계속 중에 그 대상처분의 사유를 추가하거나 잘못 제시된 사실상의 근거 또는 법률적 근거를 변경하는 것을 말한다. 처분사유의 **추가**는 당초 처분사유를 그대로 두고 **새로운 사유**를 추가하는 것을 말하고, 처분사유의 변경이란 당초의 처분사유에 **대체**하는 **새로운 사유**를 내세우는 교환적 변경을 의미한다.

핵심 OX

02 판례에 의하면 피고의 방어권 보장을 위해 기본적 사실관계의 동일성이 없더라도 처분사유의 추가·변경을 인정한다. 13. 국가7급 ( )

2. 필요성

처분사유의 추가·변경을 허용하지 않으면 원고가 승소한 이후에 행정청이 제시하지 않은 사유로 다시 처분을 하게 되고, 원고는 이에 대해 다시 소를 제기하는 경우가 발생하여 소송을 반복하게 된다. 하지만 처분사유의 추가·변경을 넓게 허용하면 예상하지 아니한 처분사유를 소송 중에 행정청이 제시함으로써 원고의 공격·방어(소송상의 신뢰보호)에 지장을 초래하게 된다.

3. 구별개념

(1) 이유부기 하자의 치유와 구별

처분사유의 추가·변경은 처분시에 이미 법령상 요구되는 처분사유가 존재하고 있었으나 그것이 내용상 적절한 방법으로 이루어지지 않아 이를 소송 계속 중에 추가·변경하는 것인 반면, 이유부기 하자의 치유는 처분시에 이유부기가 전혀 이루어지지 않았거나 법령상 요구되는 정도로 이루어지지 않은 하자가 있어 이를 사후에 치유하는 것이므로 양자는 구별된다.

핵심 OX

03 처분사유의 추가·변경은 원행위는 그대로 두고 처분의 사유만 추가·변경하는 것이므로 하자 있는 행위를 새로운 행위로 대체하는 행정행위의 전환과는 구분된다. 06. 세무사 ( )

(2) 하자 있는 행위의 전환과의 관계

처분사유의 추가·변경은 행위는 그대로 두고 처분의 이유만을 변경하는 것으로 **처분의 동일성**이 **유지**되는 데 반해, 하자 있는 행정행위의 전환은 종전과는 다른 **새로운 행정행위**로 **대체**된다는 점에서 다르다.

4. 학설(제한적 긍정설: 다수설·판례)

긍정설과 부정설의 대립이 있으나, 기본적 사실관계의 **동일성**이 변경되지 않고 처분의 본질적 내용에 변화를 초래하지 않는 범위 내, 즉 원고의 공격·방어권이 침해되지 않는 한도 내에서 인정해야 한다는 제한적 긍정설이 다수설·판례의 입장이다.

01 ○ 02 X 03 ○

관련판례

1 추가 또는 변경된 사유가 당초의 처분시 이미 존재하고 있었고 당사자도 그 사실을 알고 있었다 하여 당초의 처분사유와 동일성이 있는 것인지 여부(소극)

행정처분의 취소를 구하는 항고소송에 있어서, 처분청은 당초 처분의 근거로 삼은 사유와 기본적 사실관계가 동일성이 있다고 인정되는 한도 내에서만 다른 사유를 추가하거나 변경할 수 있고, 여기서 기본적 사실관계의 동일성 유무는 처분사유를 법률적으로 평가하기 이전의 구체적인 사실에 착안하여 그 기초인 사회적 사실관계가 기본적인 점에서 동일한지 여부에 따라 결정되며 이와 같이 기본적 사실관계와 동일성이 인정되지 않는 별개의 사실을 들어 처분사유로 주장하는 것이 허용되지 않는다고 해석하는 이유는 행정처분의 상대방의 방어권을 보장함으로써 실질적 법치주의를 구현하고 행정처분의 상대방에 대한 신뢰를 보호하고자 함에 그 취지가 있고, 추가 또는 변경된 사유가 당초의 처분시 그 사유를 명기하지 않았을 뿐 처분시에 이미 존재하고 있었고 당사자도 그 사실을 알고 있었다 하여 당초의 처분사유와 동일성이 있는 것이라 할 수 없다(대판 2003.12.11. 2001두8827).

2 甲이 자신은 청소년을 고용한 적이 없다고 주장하면서 제기한 과징금부과처분의 취소소송 계속 중에 A시 시장은 甲이 유통기한이 경과한 식품을 판매한 사실을 처분사유로 추가·변경할 수 있는지 여부(소극)

행정처분의 취소를 구하는 항고소송에 있어서는 실질적 법치주의와 행정처분의 상대방인 국민에 대한 신뢰보호라는 견지에서 처분청은 당초 처분의 근거로 삼은 사유와 기본적 사실관계에 있어서 동일성이 인정되는 한도 내에서만 새로운 처분사유를 추가하거나 변경할 수 있을 뿐 기본적 사실관계와 동일성이 인정되지 않는 별개의 사실을 들어 처분사유로 주장하는 것은 허용되지 아니하며 법원으로서도 당초의 처분사유와 기본적 사실관계의 동일성이 없는 사실은 처분사유로 인정할 수 없는 것이다(대판 1992.8.18. 91누3659).

관련판례

산업재해보상보험법상 심사청구에 관한 절차의 성격(=근로복지공단 내부의 시정절차) 및 그 절차에서 근로복지공단이 당초 처분의 근거로 삼은 사유와 기본적 사실관계의 동일성이 인정되지 않는 사유를 처분사유로 추가·변경할 수 있는지 여부(적극)

산업재해보상보험법 규정의 내용, 형식 및 취지 등에 비추어 보면, 산업재해보상보험법상 심사청구에 관한 절차는 보험급여 등에 관한 처분을 한 근로복지공단으로 하여금 스스로의 심사를 통하여 당해 처분의 적법성과 합목적성을 확보하도록 하는 근로복지공단 내부의 시정절차에 해당한다고 보아야 한다. 따라서 처분청이 스스로 당해 처분의 적법성과 합목적성을 확보하고자 행하는 자신의 내부 시정절차에서는 당초 처분의 근거로 삼은 사유와 기본적 사실관계의 동일성이 인정되지 않는 사유라고 하더라도 이를 처분의 적법성과 합목적성을 뒷받침하는 처분사유로 추가·변경할 수 있다고 보는 것이 타당하다(대판 2012.9.13. 2012두3859).

핵심 OX

04 행정처분의 취소를 구하는 항고소송에서 처분청은 당초 처분의 근거로 삼은 사유와 기본적 사실관계가 동일성이 있다고 인정되는 한도 내에서만 다른 사유를 추가 또는 변경할 수 있다는 법리는 행정심판 단계에서도 그대로 적용된다. 18. 지방7급, 09. 세무사 ( )

05 처분사유의 추가·변경이 인정되기 위한 요건으로서의 기본적 사실관계의 동일성 유무는, 처분사유를 법률적으로 평가하기 이전의 구체적인 사실에 착안하여 그 기초적인 사회적 사실관계가 기본적인 점에서 동일한지 여부에 따라 결정된다. 17. 국가9급 ( )

06 추가 또는 변경된 사유가 당초의 처분시 그 사유가 명기되지 않았을 뿐 처분시에 이미 존재하고 있었고 당사자도 그 사실을 알고 있었다면 당초의 처분사유와 동일성이 인정된다. 13. 국가7급 ( )

04 O 05 O 06 X

핵심 OX

01 군사시설보호구역부의 토지에 주유소를 설치·경영하도록 하기 위한 석유판매업허가를 함에 있어서 관할 부대장의 동의를 얻어야 할 법령상의 근거가 없음에도 그 동의가 없다는 이유로 한 불허가처분에 대한 소송에서 당해 토지가 탄약창에 근접한 지점에 위치하고 있다는 사실을 불허가사유로 추가하는 것은 허용되지 않는다. 13. 국가7급 ( )

핵심 OX

02 토지형질변경 불허가처분의 당초의 처분사유인 국립공원에 인접한 미개발지의 합리적인 이용대책 수립시까지 그 허가를 유보한다는 사유와 그 처분의 취소소송에서 추가하여 주장한 처분사유인 국립공원 주변의 환경·풍치·미관 등을 크게 손상시킬 우려가 있으므로 공공목적상 원형유지의 필요가 있는 곳으로서 형질변경허가가 금지대상이라는 사유는 기본적 사실관계에 있어서 동일성이 인정된다. 11. 사복 ( )

03 외국인 甲이 법무부장관에게 귀화신청을 하였으나 법무부장관이 '품행 미단정'을 불허사유로 국적법상의 요건을 갖추지 못하였다며 신청을 받아들이지 않는 처분을 하였는데, 법무부장관이 甲을 '품행 미단정'이라고 판단한 이유에 대하여 제1심 변론절차에서 자동차관리법 위반죄로 기소유예를 받은 전력 등을 고려하였다고 주장한 후, 제2심 변론절차에서 불법 체류전력 등의 제반사정을 추가로 주장할 수 있다. 19. 서울7급 ( )

01 ○ **02** ○ **03** ○

구분	동일성 인정	동일성 부정
거부처분	[석유판매업(주유소)불허가처분] • 주유소건축예정토지에 도시계획법상 행위제한을 추진하고 있다는 사유 • 토지형질변경허가의 요건을 갖추지 못하였다는 사유 및 도심의 환경보전의 공익상 필요라는 사유 [액화석유가스판매사업불허처분] • 허가기준에 맞지 아니한다는 사유 • 이격거리기준 위배	[석유판매업불허가처분] • 군사보호시설구역 내에 위치하고 있는 관할 군부대장의 동의를 얻지 못하였다는 사유 • 해당 토지가 탄약창에 근접한 지점에 위치하고 있어 공공의 안전과 군사시설의 보호에 허가할 수 없다는 사유 • 본인부담금 수납대장을 비치하지 아니한 사실과 보건복지부장관의 관계서류 제출명령에 위반하였다는 사실은 기본적 사실관계의 동일성이 없다(대판 2001.3.23. 99두6392).
	[정보공개거부처분] • 검찰보존사무규칙상의 신청권자에 해당하지 아니한다는 사유 • 공공기관의 정보공개에 관한 법률상의 비공개대상에 해당한다는 사유	[정보공개청구거부처분] • 정보공개법 제7조 제1항 제4호 및제6호에 해당한다는 사유 • 같은 항 제5호에 해당한다는 사유 [정보비공개결정] • 정보공개법 제7조 제1항 제2호·제4호·제6호에 해당한다는 사유 • 같은 항 제1호에 해당한다는 사유
	[토지형질변경행위허가신청반려처분] • 합리적인 이용대책수립시까지 그 허가를 유보한다는 사유 • 국립공원 주변의 환경·풍치·미관 등을 크게 손상시킬 우려가 있고 공공목적상 원형유지의 필요가 있는 곳으로서 형질변경허가 금지대상이라는 사유 [산림형질변경불허가처분] • 농림지역에의 행위제한이라는 사유 • 자연경관 및 생태계의 교란, 국토 및 자연의 유지와 환경보전 등 중대한 공익상 불가하다는 사유 [정기간행물등록신청거부처분] • 발행주체가 불법단체라는 사유 • 법령 소정의 첨부서류 미제출사유 [폐기물처리업사업계획부적정통보처분] • 인근 농지의 농업경영과 농어촌 생활유지에 피해를 줄 것이 예상되어 농지법상 농지전용이 불가능하다는 사유 • 인근 주민의 생활이나 주변 농업활동에 피해를 줄 것이 예상된다는 사유 [귀화신청거부처분] • 품행미단정을 귀화신청 불허사유 • 자동차관리법 위반죄로 기소유예를 받은 전력 등을 고려하였다고 주장한 후, 제2심 변론절차에서 불법 체류전력 등의 제반사정을 추가로 주장하는 사유	[토석채취허가신청반려처분] • 인근주민들의 동의서를 제출하지 아니하였다는 사유(형식적 사유) • 자연경관이 심히 훼손되는 등 공익에 미치는 영향이 지대하고 사무취급요령 제11조 소정의 제한사유에도 해당된다는 사유(실체적 사유) • 대법원 재판과 별개 사건인 서울중앙지방법원에 진행 중인 재판에 관련된 정보에도 해당한다며 처분사유를 추가로 주장하는 것(대판 2011.11.24. 2009두19021) [광업권설정출원불허가처분] • 산림보전지구·경지지구·자연환경보전지구이어서 공익을 해한다는 사유 • 이미 소외인들에 의하여 광업권설정등록이 필하여져 있어서 새로운 광업권의 설정을 허가할 수 없다는 사유 [온천발견신고수리거부처분] • 규정온도가 미달되어 온천에 해당하지 않는다는 사유 • 온천으로서의 이용가치, 기존의 도시계획 및 공공사업에의 지장 여부에 비추어 수리가 불가피하다는 사유

	[토지등거래계약불허가처분] • 국토이용관리법 제21조의4 제1항 제1호 내지 제5호: 동일성 부정 • 제2호의 각 목: 동일성 인정	[이축불허가처분] • 신청지가 이축을 허가받을 수 있는 범위의 토지에 해당하지 않는다는 사유 • 이미 이축신청권을 포기해 놓고 다른 사람으로 하여금 개발제한구역 안에서 건물을 신축할 수 있도록 하기 위하여 이축신청을 하였다는 사유 [자동차관리사업불허처분] • 기존 공동사업장과의 거리제한규정에 저촉된다는 사유 • 최소 주차용지에 미달한다는 사유
면허 취소	[운송사업면허일부취소처분] • 자동차운수사업법 제26조 위반사유 • 직영운영의 면허조건 위반사유	[종합주류도매업면허취소처분] • 주류면허 지정조건 중 제6호 무자료 주류판매 및 위장거래하였다는 사유 • 지정조건 제2호 무면허판매업자에 대한 주류판매하였다는 사유
세금 관련	[양도소득세부과처분] • 주택용도 이외 부분의 면적이 주택용도부분의 면적보다 커서 비과세요건에 해당하지 않는다는 사유 • 양도인이 다른 주택 1채를 더 소유하고 있어 비과세요건을 갖추지 못하였다는 사유 [법인세부과처분] • 처분 당시의 과표자료 • 법인세 면제세액의 계산에 관한 납세의무자의 신고내용의 오류를 시정하여 정당한 면제세액을 다시 계산하여 당초의 결정세액을 일부 감액하는 감액경정처분	–
제재 처분	–	[감봉처분] • 당구장이 정화구역 외인 것처럼 허위표시를 함으로써 허가처분하였다는 당초의 징계사유 • 정부문서규정에 위반하여 이미 결제된 당구장허가처분서류의 도면에 상사의 결제를 받음이 없이 거리표시를 기입하였다는 비위사실 인정사유 [부정당업자제재처분] • 정당한 이유 없이 계약을 이행하지 않은 사유 • 계약의 이행과 관련하여 관계 공무원에게 뇌물을 주었다는 사유

관련판례

정보공개를 요구받은 공공기관이 구 공공기관의 정보공개에 관한 법률 제9조 제1항 중 몇 호에서 정한 비공개사유에 해당하는지를 주장 · 증명하지 아니한 채 개괄적인 사유만을 들어 공개를 거부할 수 있는지 여부(소극)

행정처분의 취소를 구하는 항고소송에서, 처분청은 당초 처분의 근거로 삼은 사유와 기본적 사실관계가 동일하다고 인정되는 한도 내에서만 다른 사유를 추가 또는 변경할 수 있다. 이러한 기본적 사실관계의 동일성 유무는 처분사유를 법률적으로 평가하기 이전의 구체적 사실에 착안하여, 그 기초인 사회적 사실관계가 기본적인 점에서 동일한지에 따라 결정되므로, 추가 또는 변경된 사유가 처분 당시에 이미 존재하고 있었다거나 당사자가 그 사실을 알고 있었다고 하여 당초의 처분사유와 동일성이 있다고 할 수 없다. 피고가 원고의 정보공개청구에 대하여 별다른 이유를 제시하지 않은 채 이동통신요금과 관련한 총괄원가액수만을 공개한 것은, 이 사건 원가 관련 정보에 대하여 비공개결정을 하면서 비공개이유를 명시하지 않은 경우에 해당하여 위법하다고 판단하면서, 피고가 이 사건 소송에서 비로소 이 사건 원가 관련 정보가 법인의 영업상 비밀에 해당한다는 비공개사유를 주장하는 것은, 그 기본적 사실관계가 동일하다고 볼 수 없는 사유를 추가하는 것이어서 허용될 수 없다(대판 2018.4.12. 2014두5477).❶

5. 허용시기 - 사실심 변론종결시

과세관청은 과세처분 이후는 물론 소송 도중이라도 사실심 변론종결시까지 처분의 동일성이 유지되는 범위 내에서 처분사유를 추가 · 변경할 수 있다(대판 2001.10.30. 2000두5616).

6. 법률관계

만약 기본적 사실관계 동일성을 긍정한다면 원고에게 소 취하의 기회를 부여하게 된다. 또한 소송비용을 피고가 일부 부담하게 된다.

5 소제기의 효과

1. 소제기 효과의 종류

(1) 주관적 효과(법원 및 당사자에 대한 효과)

소의 제기에 의하여 사건은 법원에 계속되며, 법원은 이를 **심리**하고 **판결할 의무**를 진다. 소송계속의 효과는 피고에게 소장의 부본이 송달된 때 발생하고, 또한 당사자는 **동일사건**에 대하여 **다시 소를 제기하지 못한다**(중복제소금지).

(2) 객관적 효과(처분에 대한 효과) - 집행부정지원칙

행정소송법은 소송이 제기된 경우 **집행부정지를 원칙**으로 하고, 예외적으로 집행정지를 인정하고 있다.

핵심 OX

01 이동통신요금 원가 관련 정보공개청구에 대해 행정청이 별다른 이유를 제시하지 아니한 채 통신요금과 관련한 총괄원가액수만을 공개한 후, 정보공개거부처분 취소소송에서 원가 관련 정보가 법인의 영업상 비밀에 해당한다는 비공개사유를 주장하는 것은, 그 기본적 사실관계가 동일하다고 볼 수 있는 사유를 추가하는 것이다. 19. 서울7급 (　)

02 처분사유의 추가 · 변경은 원칙적으로 행정소송의 제기 이후부터 사실심 변론종결시 이전 사이에 문제된다. 13. 국가7급 (　)

❶
당초 이유제시 X ⇨ 이후 처분사유 추가·변경시 기본적 사실관계의 동일성을 비교할 자료가 없음
⇨ 당초 이유제시가 없었던 경우 처분사유 추가·변경 불가

01 X 02 O

2. 취소소송과 가구제

(1) 서설

행정소송법은 소송이 제기된 경우 **집행부정지를 원칙**으로 하고, **예외적**으로 **집행정지**를 인정하고 있다. 예컨대 위법한 대집행을 이유로 행정소송을 제기한 경우 당사자의 소제기에 의하여 당해 처분의 집행이 정지되지 않고 계속되므로, 당사자는 사후에 승소판결을 받더라도 **회복하기 어려운 손해**가 발생하여 승소판결이 당사자에게 도움이 되지 않는 경우가 있다. 이러한 사태를 방지하기 위하여 판결이 확정될 때까지 잠정적으로 원고의 권리를 보전하는 가구제가 필요하게 된다. **가구제제도**로는 **집행정지**와 **가처분**이 있는데, 현행 행정소송법에는 **집행정지제도만**이 **규정**되어 있고 가처분은 규정되지 않아 그 인정 여부가 문제된다.

(2) 집행부정지원칙, 예외적 집행정지(제23조 · 제24조)

행정소송법 제23조 【집행정지】 ① 취소소송의 제기는 처분 등의 효력이나 그 집행 또는 절차의 속행에 영향을 주지 아니한다.
② 취소소송이 제기된 경우에 처분 등이나 그 집행 또는 절차의 속행으로 인하여 생길 회복하기 어려운 손해를 예방하기 위하여 긴급한 필요가 있다고 인정할 때에는 본안이 계속되고 있는 법원은 당사자의 신청 또는 직권에 의하여 처분 등의 효력이나 그 집행 또는 절차의 속행의 전부 또는 일부의 정지(이하 '집행정지'라 한다)를 결정할 수 있다. 다만, 처분의 효력정지는 처분 등의 집행 또는 절차의 속행을 정지함으로써 목적을 달성할 수 있는 경우에는 허용되지 아니한다.
③ 집행정지는 공공복리에 중대한 영향을 미칠 우려가 있을 때에는 허용되지 아니한다.
④ 제2항의 규정에 의한 집행정지의 결정을 신청함에 있어서는 그 이유에 대한 소명이 있어야 한다.
⑤ 제2항의 규정에 의한 집행정지의 결정 또는 기각의 결정에 대하여는 즉시항고할 수 있다. 이 경우 집행정지의 결정에 대한 즉시항고에는 결정의 집행을 정지하는 효력이 없다.
⑥ 제30조 제1항의 규정은 제2항의 규정에 의한 집행정지의 결정에 이를 준용한다.

제24조 【집행정지의 취소】 ① 집행정지의 결정이 확정된 후 집행정지가 공공복리에 중대한 영향을 미치거나 그 정지사유가 없어진 때에는 당사자의 신청 또는 직권에 의하여 결정으로써 집행정지의 결정을 취소할 수 있다.
② 제1항의 규정에 의한 집행정지결정의 취소결정과 이에 대한 불복의 경우에는 제23조 제4항 및 제5항의 규정을 준용한다.

① **집행부정지원칙**: 행정소송법은 "취소소송의 제기는 처분 등의 효력이나 그 집행 또는 절차의 속행에 영향을 주지 아니한다."라고 규정하여 **집행부정지**를 **원칙**으로 하고 있다(제23조 제1항).

② **예외적 집행정지**: 다만, 처분 등이나 그 집행 또는 절차의 속행으로 인하여 생길 **회복**하기 **어려운 손해**를 **예방**하기 위하여 긴급한 필요가 있는 경우에는 법원의 집행정지결정에 의하여 처분의 **효력**이나 **집행** 또는 **절차의 속행을 정지**시킬 수 있다(제23조 제2항).

핵심 OX

03 집행정지의 대상은 처분 등의 효력, 그 집행 또는 절차의 속행이다. 15. 사복, 06. 세무사 ( )

04 집행정지는 본안이 계속되어 있는 법원이 당사자의 신청에 의하여 한다. 처분권주의가 적용되므로 당사자의 신청 없이 직권으로 하지 못한다. 18. 변호사, 12. 국회9급 · 국가9급 ( )

05 행정소송법은 제3자효 행정행위에 있어서 제3자도 집행정지를 신청할 수 있는지에 대해서는 규정하고 있지 않다. 15. 국회8급 ( )

06 제3자효 행정행위에 의해 법률상 이익을 침해받은 제3자는 소송의 제기와 동시에 행정행위의 집행정지를 신청할 수 있다. 14. 국가7급 ( )

07 행정소송법은 처분의 일부에 대한 집행정지도 가능하다고 규정하고 있다. 12. 국가9급 ( )

08 취소소송이 제기되면 처분의 효력이나 그 집행은 정지되지 않으나 절차의 속행은 정지된다. 19. 서울9급(2월), 15. 교행, 14. 사복 ( )

09 행정소송법은 집행부정지원칙을 택하면서도 집행정지의 길을 열어 개인(원고)의 권리보호를 목적으로 하고 있다. 11. 국가9급 ( )

10 집행정지결정은 취소소송에서만 인정되는 것은 아니다. 10. 서울9급 ( )

03 O 04 X 05 O 06 O 07 O 08 X 09 O 10 O

(3) 집행부정지의 근거

집행부정지 원칙의 근거를 행정행위의 공정력 · 자력집행력의 귀결로 보고 행정행위는 적법성을 추정 받음으로 인하여 취소판결이 있을 때까지 집행력이 인정된다고 보는 견해가 있으나, 통설은 남소를 예방하고 행정목적의 원활한 수행을 위한 입법정책의 문제라고 본다.[1]

[1] 프랑스 · 일본은 집행부정지원칙, 독일은 집행정지원칙, 우리나라는 집행부정지원칙을 취소소송과 무효등확인소송에서 인정

(4) 집행정지의 성질

① 본안판결이 확정될 때까지 잠정성 · 긴급성 · 본안소송에의 부종성을 갖는다.

② 집행정지는 사법절차에 의한 구제조치이므로 **사법작용**이다(통설).

③ 집행정지는 상대방에게 적극적 지위를 부여하는 것이 아닌, 효력이나 집행을 정지시키는 **소극적 성질**을 갖는다.

(5) 집행정지의 요건

① 적극적 요건

㉠ **집행정지 대상인 처분의 존재:** 취소뿐만 아니라 무효인 경우에도 외관은 존재하므로 집행정지와 관련하여서는 처분이 존재하는 것으로 볼 수 있으나, **거부처분**이나 **부작위**는 집행정지의 **대상이 될 수 없다**는 것이 통설 · 판례이다. 집행정지는 **취소소송**이나 **무효확인소송**인 경우에만 **허용**되고, 부작위위법확인소송의 경우에는 허용되지 않는다.

관련판례

1 거부처분이 집행정지 대상인지 여부(소극)

허가신청에 대한 거부처분은 그 효력이 정지되더라도 그 처분이 없었던 것과 같은 상태를 만드는 것에 지나지 아니하는 것이고 그 이상으로 행정청에 대하여 어떠한 처분을 명하는 등 적극적인 상태를 만들어 내는 경우를 포함하지 아니하는 것이므로, 교도소장이 접견을 불허한 처분에 대하여 효력정지를 한다 하여도 이로 인하여 위 교도소장에게 접견의 허가를 명하는 것이 되는 것도 아니고 또 당연히 접견이 되는 것도 아니어서 접견허가거부처분에 의하여 생길 회복할 수 없는 손해를 피하는 데 아무런 보탬도 되지 아니하니 접견허가거부처분의 효력을 정지할 필요성이 없다(대결 1991.5.2. 91두15).

2 유효기간 만료 후 허가갱신신청을 거부한 투전기업소갱신허가 불허처분에 대하여 집행정지를 구할 이익이 있는지 여부(소극)

사행행위등규제법 제7조 제2항의 규정에 의하면 사행행위영업허가의 효력은 유효기간 만료 후에도 재허가신청에 대한 불허가처분을 받을 때까지 당초 허가의 효력이 지속된다고 볼 수 없으므로 허가갱신신청을 거부한 불허처분의 효력을 정지하더라도 이로 인하여 유효기간이 만료된 허가의 효력이 회복되거나 행정청에게 허가를 갱신할 의무가 생기는 것도 아니라 할 것이니 투전기업소갱신허가 불허처분의 효력을 정지하더라도 불허처분으로 입게 될 손해를 방지하는 데에 아무런 소용이 없고 따라서 불허처분의 효력정지를 구하는 신청은 이익이 없어 부적법하다(대결 1993.2.10. 92두72).

핵심 OX

01 본안소송이 무효확인소송인 경우에도 집행정지가 가능하다. 18. 서울7급 ( )

02 거부처분에 대해서도 그 효력정지를 구할 이익이 인정된다. 18. 서울7급, 16 · 15. 국가9급 ( )

03 행정행위의 부관 중 독립된 처분으로서의 성질을 갖는 부담에 대해서는 집행정지가 가능하다. 06. 세무사 ( )

04 집행정지결정에 의하여 효력이 정지되는 처분이 당사자의 신청을 거부하는 것을 내용으로 하는 경우에는 그 처분을 행한 행정청은 집행정지결정의 취지에 따라 다시 이전의 신청에 대한 처분을 하여야 한다. 18. 국가7급 ( )

05 접견허가신청에 대한 교도소장의 거부처분은 집행정지의 대상이 된다. 12. 국가9급 ( )

01 ○ 02 X 03 ○ 04 X 05 X

ⓒ **적법한 본안소송이 계속되고 있을 것:** 민사소송법상의 가처분은 본안소송제기 전에도 가능하지만, 집행정지는 **본안소송**이 **적법**하게 **계속**되어 있을 것을 요건으로 한다(소제기와 동시에 집행정지를 신청할 수도 있음). 따라서 본안소송이 취하되면 집행정지결정은 당연히 소멸한다. 판례는 본안청구가 적법하여야 한다는 점도 집행정지의 요건으로 보고 있다.

ⓒ **회복하기 어려운 손해예방의 필요:** 특별한 사정이 없는 한 **금전**으로 **보상할 수 없는 손해**로서, 이는 금전보상이 불능인 경우뿐만 아니라 사회관념상 행정처분을 받은 당사자가 참고 견딜 수 없거나 또는 참고 견디기가 현저히 곤란한 경우의 유형 · 무형의 손해를 일컫는다(대결 1995.11.23. 95두53).

ⓔ **긴급한 필요:** **긴급한 필요**가 있는지 여부는 처분의 성질과 태양 및 내용, 처분상대방이 입는 손해의 성질 · 내용 및 정도, 원상회복 · 금전배상의 방법 및 난이도 등은 물론 본안청구의 승소가능성의 정도 등을 종합적으로 고려하여 구체적 · 개별적으로 판단하여야 한다(대결 2004.5.12. 2003무41).

> **행정심판법 제30조【집행정지】** ② 위원회는 처분, 처분의 집행 또는 절차의 속행 때문에 중대한 손해가 생기는 것을 예방할 필요성이 긴급하다고 인정할 때에는 직권으로 또는 당사자의 신청에 의하여 처분의 효력, 처분의 집행 또는 절차의 속행의 전부 또는 일부의 정지(이하 "집행정지"라 한다)를 결정할 수 있다.

② 소극적 요건

ⓐ **공공복리에 중대한 영향을 미칠 우려가 없을 것(소극적 요건):** 집행정지는 공공복리에 중대한 영향을 미칠 우려가 있는 경우에는 허용되지 않는다(제23조 제3항). 이 경우 공익과 당사자의 사익을 비교 · 형량하여야 하며, 이러한 소극적 요건은 **처분청이 입증**하여야 한다.

ⓒ **본안청구의 이유 유무의 문제:** 본안청구의 이유 유무에 대해서는 본안청구에 이유 있음이 명백하여야 한다는 적극적 견해가 있으나, 판례는 본안에서 승소할 가능성이 전혀 없는데도 집행정지를 신청하는 것은 제도의 취지에 어긋난다고 하여 집행정지를 할 수 없다는 입장이다. 따라서 판례는 본안청구가 이유 없음이 명백하지 아니할 것을 집행정지의 소극적 요건으로 보고 있다.

구분	내용	입증책임
적극적 요건	• 집행정지대상인 처분의 존재 • 적법한 소송의 계속 • 회복하기 어려운 손해발생의 가능성 • 긴급한 필요의 존재	신청인 측
소극적 요건	• 공공복리에 중대한 영향을 미칠 우려가 없을 것 • 명백한 패소가능성이 없을 것(해석상의 요건)	피신청인 측

핵심 OX

06 행정처분의 집행정지를 구하는 신청사건에서는 행정소송법 제23조에서 정한 요건의 존부만이 판단의 대상이 되므로 집행정지사건 자체에 의하여도 신청인의 본안청구가 적법한 것이어야 한다는 것을 집행정지의 요건에 포함시켜서는 아니 된다. 18. 변호사, 16. 국가9급, 14. 경특 · 국가9급, 12. 국회9급 ( )

07 행정소송법 이 집행정지의 요건 중 하나로 '중대한 손해'가 생기는 것을 예방할 필요성에 관하여 규정하고 있는 반면, 행정심판법 은 집행정지의 요건 중 하나로 '회복하기 어려운 손해'를 예방할 필요성에 관하여 규정하고 있다. ( )

08 적법한 본안소송이 법원에 계속되어 있을 것을 요하지만, 본안소송의 제기와 집행정지신청이 동시에 행하여지는 경우도 허용된다. 15. 사복, 08. 선관위9급 ( )

09 본안에 관한 이유 유무는 원칙적으로 집행정지 결정단계에서 판단할 것은 아니므로 집행정지사건 자체에 의하여 신청인의 본안청구가 이유 없음이 명백한 때에도 집행정지를 명할 수 있다. 18. 서울7급, 15. 사복, 12. 국가9급, 04. 국회8급 ( )

10 집행정지의 소극적 요건으로서 '공공복리에 중대한 영향을 미칠 우려'에 대한 주장 · 소명책임은 행정청에게 있다. 15. 변호사 ( )

06 X **07** X **08** O **09** X **10** O

관련판례

행정소송법 제23조 제3항 소정의 집행정지의 소극적 요건인 '공공복리에 중대한 영향을 미칠 우려' 주장 · 소명책임의 소재(=행정청)
공공복리에 중대한 영향을 미칠 우려가 있을 때에는 집행정지결정을 할 수 없다. 그 판단 여부는 개별적 · 구체적으로 관계공익 · 사익을 비교 · 형량하여 상대적으로 판단해야 할 것이되, 이러한 집행정지의 소극적 요건에 대한 입증책임은 처분청에 있다(대결 1999.12.20. 99무42).

(6) 집행정지의 절차

집행정지는 당사자의 **신청**이나 법원의 **직권**에 의하여 본안이 계속된 법원에서 결정한다.

(7) 집행정지결정의 내용

① **처분의 효력정지:** 처분의 구속력 등을 정지함으로써 **처분 자체**를 **존속하지 않는 상태**로 두는 것이다.

② **처분의 집행정지:** 처분의 효력은 유지하면서 처분의 **집행력만 정지**시키는 것이다.

③ **절차의 속행정지:** 처분의 효력은 유지하면서 처분의 **후속절차를 정지**시키는 것이다.

④ **예외:** 처분의 효력정지는 처분 등의 집행 또는 절차의 속행을 정지함으로써 목적을 달성할 수 있는 경우에는 허용되지 아니한다(제23조 제2항 단서). 예컨대 체납처분으로서 압류처분이 있은 경우 당해 압류재산이 공매됨으로 인한 손해를 피하기 위해서는 그 **공매절차**의 진행을 **정지**함으로써 족하고, 압류처분의 효력을 정지할 필요는 없으므로 압류처분의 효력정지는 허용되지 않는다.

(8) 집행정지결정의 효력

① **형성력:** 처분 등의 효력을 정지시켜 행정처분이 존속하지 않았던 상태에 놓이게 되며, 이는 제3자에게도 효력이 있다.

② **기속력:** 집행정지결정은 당해 사건에 관하여 당사자인 **행정청**과 그 밖의 **관계행정청**을 **기속**한다(제23조 제6항, 제30조 제1항). 이에 위반한 처분은 무효이다.

③ **시간적 효력:** 집행정지결정에 특별한 정함이 없는 한 **본안판결**이 **확정될 때**까지 존속한다.

④ **소급효:** 집행정지결정은 **소급하지 않으며** 집행정지결정이 날 때까지의 효력에는 영향이 없다.

(9) 집행정지결정의 취소와 불복

집행정지의 결정이 확정된 후 집행정지가 공공복리에 중대한 영향을 미치거나 그 정지사유가 없어진 때에는 법원은 당사자의 신청 또는 직권에 의하여 결정으로써 집행정지의 결정을 취소할 수 있다. 한편 법원의 집행정지결정이나 기각결정 · 집행정지결정의 취소결정에 대하여는 **즉시항고**할 수 있다. 이 경우 집행정지결정에 대한 즉시항고에는 결정의 집행을 정지하는 효력이 없다.

핵심 OX

01 집행정지의 소극적 요건으로서 '공공복리에 중대한 영향을 미칠 우려가 없을 것'이라고 할때의 공공복리는 그 처분의 집행과 관련된 구체적 · 개별적인 공익을 말하고, 피신청인인 행정청이 공공복리에 중대한 영향을 미칠 우려가 있다는 점을 주장 · 소명하여야 한다.
18. 변호사, 12. 국회9급 · 국가9급 (　)

핵심 OX

02 처분의 효력정지는 처분 등의 집행 또는 절차의 속행을 정지함으로써 목적을 달성할 수 있는 경우에는 허용되지 아니한다.
19. 서울9급(2월), 14. 국가9급, 09. 국회8급 (　)

핵심 OX

03 집행정지결정의 효력은 정지결정의 대상인 처분의 발령시점에 소급하는 것이 원칙이다.
18. 서울7급, 11. 국가9급 (　)

04 집행정지결정이 있더라도 당사자인 행정청과 그 밖의 관계행정청에 대하여 법적 구속력은 발생하지 않는다.
16 · 11. 국가9급, 15. 교행, 09. 국회8급 (　)

05 판례상 집행정지결정이 있게 되면 당해 처분이 효력 있음을 전제로 한 후속행위는 무효가 된다.
08. 세무사 (　)

06 집행정지의 결정에 대하여는 즉시항고할 수 있으며, 이 경우 집행정지의 결정에 대한 즉시항고에는 결정의 집행을 정지하는 효력이 없다.
18. 국가7급 (　)

01 ○ 02 ○ 03 X 04 X 05 ○ 06 ○

관련판례

1 집행정지신청을 기각한 결정에 대하여 행정처분 자체의 적법 여부를 가지고 불복사유로 삼을 수는 있는지 여부(소극)

행정처분의 효력정지나 집행정지를 구하는 신청사건에 있어서는 행정처분자체의 적법 여부를 판단할 것이 아니고 그 행정처분의 효력이나 집행 등을 정지시킬 필요가 있는지의 여부, 즉 행정소송법 제23조 제2항 소정 요건의 존부만이 판단대상이 되는 것이므로 이러한 요건을 결여하였다는 이유로 효력정지신청을 기각한 결정에 대하여 행정처분 자체의 적법 여부를 가지고 불복사유로 할 수 없다(대결 1991.5.2. 91두15).

2 보조금 교부결정 취소처분에 대하여 법원이 효력정지결정을 하면서 주문에서 그 법원에 계속 중인 본안소송의 판결 선고시까지 처분의 효력을 정지한다고 선언하였을 경우, 본안소송의 판결 선고에 의하여 정지결정의 효력은 소멸하고 이와 동시에 당초의 보조금 교부결정 취소처분의 효력이 당연히 되살아나는지 여부(적극)

행정소송법 제23조에 의한 효력정지결정의 효력은 결정주문에서 정한 시기까지 존속하고 그 시기의 도래와 동시에 효력이 당연히 소멸하므로, 보조금 교부결정의 일부를 취소한 행정청의 처분에 대하여 법원이 효력정지결정을 하면서 주문에서 그 법원에 계속 중인 본안소송의 판결 선고시까지 처분의 효력을 정지한다고 선언하였을 경우, 본안소송의 판결 선고에 의하여 정지결정의 효력은 소멸하고 이와 동시에 당초의 보조금 교부결정 취소처분의 효력이 당연히 되살아난다. 따라서 효력정지결정의 효력이 소멸하여 보조금 교부결정 취소처분의 효력이 되살아난 경우, 특별한 사정이 없는 한 행정청으로서는 보조금법 제31조 제1항에 따라 취소처분에 의하여 취소된 부분의 보조사업에 대하여 효력정지기간 동안 교부된 보조금의 반환을 명하여야 한다(대판 2017.7.11. 2013두25498).

핵심 OX

07 보조금 교부결정 취소처분에 대하여 법원이 효력정지결정을 하면서 주문에서 그 법원에 계속 중인 본안소송의 판결 선고시까지 처분의 효력을 정지한다고 선언하였을 경우, 본안소송의 판결 선고에 의하여 정지결정의 효력은 소멸하고 이와 동시에 당초의 보조금 교부결정 취소처분의 효력이 당연히 되살아난다. 18. 국가7급 (   )

핵심정리 **가처분의 인정 여부**

1. 문제의 의의

집행정지제도는 처분의 효력이나 집행을 정지시키는 데 불과하므로 적극적으로 수익처분을 발할 것을 행정청에 명하거나, 상대방에게 임시지위를 부여하기 위하여 민사집행법상 가처분제도를 취소소송에도 준용하는지가 문제된다.

2. 인정 여부

행정소송법에는 가처분에 관한 규정이 존재하지 않으며[1], 학설은 긍정설과 부정설이 대립한다. 원칙적으로 민사집행법상의 가처분규정을 준용할 수는 없으나, 집행정지를 통하여서는 실효적인 권리구제가 되지 않는 경우에는 가처분에 관한 민사집행법의 규정을 준용할 수 있다는 절충설이 다수설이다.

3. 판례

① 판례는 가처분을 인정하게 되면 법원이 행정청을 대신하여 행정행위를 하는 결과가 되므로 이를 인정할 수 없다는 입장이다(대판 1959.11.20. 4292행고2).

② 민사소송법상의 보전처분은 민사판결절차에 의하여 보호받을 수 있는 권리에 관한 것이므로, 민사소송법상의 가처분으로써 행정청의 어떠한 행정행위의 금지를 구하는 것은 허용될 수 없다 할 것이다(대결 1992.7.6. 92마54).

[1] 이에 반해 행정심판법에서는 가처분에 해당하는 '임시처분제도'가 법 개정으로 도입(2010.1.25. 개정, 2010.7.26. 시행)

07 ○

핵심 OX

01 집행정지결정에 의하여 효력이 정지되는 처분이 당사자의 신청을 거부하는 것을 내용으로 하는 경우에는 그 처분을 행한 행정청은 집행정지결정의 취지에 따라 다시 이전의 신청에 대한 처분을 하여야 한다. 18. 국가7급 (   )

01 X

판례연구 재결의 대상적격

1. 기본 판례

거부처분은 효력정지를 구할 소익이 없다.

> 신청에 대한 거부처분의 효력을 정지하더라도 거부처분이 없었던 것과 같은 상태, 즉 거부처분이 있기 전의 신청시의 상태로 되돌아가는 데에 불과하고 행정청에게 신청에 따른 처분을 하여야 할 의무가 생기는 것이 아니므로, **거부처분의 효력정지**는 그 거부처분으로 인하여 신청인에게 생길 손해를 방지하는 데 아무런 보탬이 되지 아니하여 그 **효력정지를 구할 이익이 없다**(대결 1995.6.21. 95두26).

2. 관련 판례

① 집행정지사건 자체에 의하여도 신청인의 본안청구가 적법한 것이어야 한다.
② 본안소송이 취하되어 소송이 계속하지 아니한 경우 집행정지결정의 효력도 소멸한다.
③ 회복하기 어려운 손해란 금전보상이 불가능한 경우뿐만 아니라 금전보상으로는 사회관념상 행정처분을 받은 당사자가 참고 견딜 수 없거나 또는 참고 견디기가 현저히 곤란한 경우의 유형·무형의 손해를 일컫는다.
④ 기업의 손해가 회복하기 어려운 손해에 해당하기 위해서는 사업자체를 계속할 수 없거나 중대한 경영상의 위기를 맞게 될 것으로 보이는 등의 사정이 존재하여야 한다.
⑤ 의원제명처분은 회복하기 어려운 손해에 해당한다.
⑥ 효력정지나 집행정지사건 자체에 의하여도 신청인의 본안 청구가 이유없음이 명백하지 않아야 한다는 것도 효력정지나 집행정지의 요건에 포함시켜야 한다.
⑦ 항고소송에서 민사소송법 중 가처분에 관한 규정이 적용된다고 할 수 없다.

제4절 심리

행정소송법 제25조【행정심판기록의 제출명령】 ① 법원은 당사자의 신청이 있는 때에는 결정으로써 재결을 행한 행정청에 대하여 행정심판에 관한 기록의 제출을 명할 수 있다.
② 제1항의 규정에 의한 제출명령을 받은 행정청은 지체 없이 당해 행정심판에 관한 기록을 법원에 제출하여야 한다.

제26조【직권심리】 법원은 필요하다고 인정할 때에는 직권으로 증거조사를 할 수 있고, 당사자가 주장하지 아니한 사실에 대하여도 판단할 수 있다.

1 의의

소송의 심리란 법원이 판결을 하기 위하여 그 판단의 기초가 되는 소송자료와 증거자료를 수집하는 절차를 말한다. 행정소송의 심리는 민사소송의 심리절차가 준용되어 **변론주의**가 **기본**이 되지만, 행정소송의 특수성으로 인하여 **직권주의**가 **보충**되고 있다.

2 내용 및 범위

1. 내용

(1) 요건심리

① 당해 소송이 **소송요건**(원고적격 · 제소기간 · 처분성)을 갖춘 적법한 것인지의 여부에 대하여 심리하는 것을 말한다. 요건을 갖추지 못한 경우에는 보정을 명하고, 보정할 수 없으면 각하를 하게 된다.

② 소송요건은 **직권조사사항**이며, 이러한 소송요건은 **사실심 변론종결시까지 구비**하면 된다.

(2) 본안심리

소송요건이 구비되면 원고의 청구가 이유 있는지 여부에 대한 **실체적 심리**를 하고, 원고청구가 이유 있는 경우에는 청구**인용**을, 이유 없을 때에는 청구**기각**을 한다.

2. 범위

(1) 불고불리의 원칙과 예외

취소소송에도 민사소송과 마찬가지로 불고불리의 원칙이 적용되므로 원고의 소제기 없이 재판할 수 없고, 원고의 청구범위를 넘어서 재판을 할 수 없다. 다만, 법원은 필요하다고 인정할 때에는 직권으로 증거조사를 할 수 있고, 당사자가 주장하지 아니한 사실에 대하여도 판단할 수 있다고 하여 불고불리의 원칙에 대한 예외를 규정하고 있다(제26조).

(2) 재량행위의 심리

① 재량을 그르친 경우에는 재량권의 **일탈 · 남용**이 아닌 한 **위법**의 문제는 발생하지 않는다.

② 재량권의 일탈 · 남용은 사실인정의 결과 비로소 판단될 수 있으므로 각하할 것이 아니라 **본안심리**를 하여 일탈 · 남용에 해당하는 경우에는 원고의 청구를 인용하고, 단순히 부당에 그친 경우에는 기각하여야 한다.

(3) 법률문제 · 사실문제

① 법원은 소송의 심리에 있어서 당해 소송의 대상이 된 처분이나 재결의 실체, 절차, 법률문제, 사실문제에 관하여 심사권을 갖는다.

② 사실문제와 관련하여 법률요건이 **불확정개념**을 규정한 경우에 법원의 심리에 일정한 한계(행정의 고유 · 전문분야)가 있음을 인정하려는 이론으로서 **판단여지론**이 있다.

핵심 OX

02 행정소송에서 쟁송의 대상이 되는 행정처분의 존부는 자백의 대상이므로 그 존재를 당사자들이 다투지 아니하는 경우, 의심이 있어도 그 존부에 대해 법원이 직권으로 조사할 권한이 없다. 13. 서울7급, 06. 국가7급 ( )

03 행정소송의 대상이 되는 행정처분의 존부는 소송요건으로서 직권조사사항이고, 자백의 대상이 될 수 없는 것이므로, 설사 그 존재를 당사자들이 다투지 아니한다 하더라도 그 존부에 관하여 의심이 있는 경우에는 이를 직권으로 밝혀 보아야 할 것이다. 15. 지방9급 ( )

04 법원은 원고의 청구범위를 넘어서 인용할 수 없다. 10. 세무사 ( )

05 소청심사위원회가 절차상 하자가 있다는 이유로 의원면직처분을 취소하는 결정을 한 후 징계권자가 징계절차에 따라 별도로 당해 공무원에 대하여 징계처분을 하는 경우 국가공무원법에서 정한 불이익변경금지의 원칙이 적용된다. 19. 국회8급 ( )

06 법원은 법률문제뿐만 아니라 사실문제에 대하여도 심리할 수 있다. 10. 세무사 ( )

02 X 03 O 04 O 05 X 06 O

3 절차

1. 심리에 관한 일반원칙

(1) 처분권주의 · 변론주의

(2) 구술심리주의

(3) 공개심리주의

2. 심리에 관한 특별 절차

(1) 처분권주의의 제한

행정소송에서도 **처분권주의**가 적용되나, 소송의 종료에 있어서는 민사소송과 달리 청구의 인낙이나 화해가 허용되지 않는다는 것이 종래의 다수설이다.

(2) 직권심리주의

① 취소소송의 심리에 있어서 변론주의가 원칙적으로 적용되나, 행정소송법은 취소소송의 공익성을 이유로 **직권탐지주의**를 **가미**하고 있다. 즉, "법원이 필요하다고 인정할 때에는 직권으로 증거조사를 할 수 있고 당사자가 주장하지 아니하는 사실에 대하여도 판단할 수 있다."라고 규정하고 있다(제26조).

② 이러한 특례규정에 대해 직권탐지주의설, 변론주의보충설의 대립이 있으나, 당사자가 주장하는 사실에 대한 당사자의 입증활동이 불충분하여 심증을 얻기 어려운 경우에 당사자의 증거신청에 의하지 아니하고 직권으로 증거를 조사할 수 있는 것으로 해석하는 **변론주의보충설**이 다수설 · 판례이다.

관련판례

1 명의신탁등기 과징금 부과처분과 장기미등기 과징금 부과처분 중 어느 하나의 처분사유에 의한 과징금 부과처분에 대하여 당해 처분사유가 아닌 다른 처분사유가 존재한다는 이유로 적법하다고 판단할 수 있는지 여부(원칙적 소극)

명의신탁등기 과징금과 장기미등기 과징금은 위반행위의 태양, 부과 요건, 근거 조항을 달리하므로, 각 과징금 부과처분의 사유는 상호간에 기본적 사실관계의 동일성이 있다고 할 수 없다. 그러므로 그중 어느 하나의 처분사유에 의한 과징금 부과처분에 대하여 당해 처분사유가 아닌 다른 처분사유가 존재한다는 이유로 적법하다고 판단하는 것은 특별한 사정이 없는 한 행정소송법상 직권심사주의의 한계를 넘는 것으로서 허용될 수 없다(대판 2017.5.17. 2016두53050).

2 행정소송에 있어서 직권심리의 범위

행정소송법 제26조가 "법원은 필요하다고 인정할 때에는 직권으로 증거조사를 할 수 있고, 당사자가 주장하지 아니한 사실에 대하여도 판단할 수 있다."라고 규정하고 있지만, 이는 행정소송의 특수성에 연유하는 당사자주의 · 변론주의에 대한 일부 예외규정일 뿐 법원이 아무런 제한없이 당사자가 주장하지 아니한 사실을 판단할 수 있는 것은 아니고, 기록에 현출되어 있는 사항에 관하여서만 직권으로 증거조사를 하고 이를 기초로 하여 판단할 수 있을 따름이고(대판 1991.11.8. 91누2854), 그것도 법원이 필요하다고 인정할 때에 한하여 청구의 범위 내에서 증거조사를 하고 판단할 수 있을 뿐이다(대판 1994.10.11. 94누4820).

핵심 OX

01 소송에 있어서 처분권주의는 사적자치에 근거를 둔 법질서에 뿌리를 두고 있으므로 취소소송에는 적용되지 않는다. 18. 지방9급, 07. 세무사 ( )

핵심 OX

02 법원은 당사자가 별도로 주장하지 않은 사실에 대해서도 일건 기록에 현출되어 있는 사항이라면 직권으로 증거조사를 하고 이를 기초로 판단할 수는 있으나 원고의 청구범위를 벗어난 판단을 할 수는 없다. ( )

01 X 02 O

(3) 행정심판의 기록제출명령

법원은 **당사자의 신청**이 있는 때에는 결정으로써 재결을 행한 행정청에 대하여 행정심판에 관한 기록의 제출을 명할 수 있다.

3. 주장책임과 입증책임

(1) 주장책임

판결에 필요한 주요사실을 당사자가 변론에서 주장하지 않으면 법원이 이를 기초로 판결할 수 없는 것을 말한다. 다만, 행정소송법은 당사자가 주장하지 아니한 사실에 대해서도 판단할 수 있다는 규정을 두어 그 예외를 인정하고 있다(제26조).

(2) 입증책임

소송심리의 최종단계에서 사실의 존부가 확정되지 아니한 경우 불리한 법적 판단을 받게 되는 위험을 말한다. 입증책임의 분배에 대해서는 견해의 대립이 있다.

① **원고책임설**: 행정행위에는 공정력이 있어 처분의 적법성을 추정받으므로 원고에게 처분의 위법사유에 관한 입증책임이 있다는 견해이다(그러나 오늘날 공정력과 입증책임은 무관하다는 것이 통설).

② **피고책임설**: 행정처분은 법치행정원리의 적용을 받으므로 처분의 적법성을 담보할 책임이 있고, 피고인 행정청이 처분의 적법사유에 관하여 입증책임이 있다는 견해이다.

③ **법률요건분류설(다수설·판례)**: 민사소송법의 법률요건분류설을 취소소송에 도입하여 행정청의 **권리행사규정**(~한 때에는 …의 처분을 한다)에 관하여는 권한행사를 주장하는 자가 요건사실에 대한 입증책임을 지며(**적극적 처분**에 대해서는 **행정청**이 입증을, **소극적 처분**에 대해서는 **원고**가 입증책임을 진다), 행정청의 **권한불행사규정**(~한 때에는 …의 처분을 하여서는 아니 된다)에 관하여는 처분권한의 불행사를 주장하는 자가 요건사실에 대한 **입증책임**을 진다(**적극적 처분**에 대하여는 **원고**가, **소극적 처분**에 대하여는 **행정청**이 입증책임을 진다)는 견해이다. 단, **재량행위**의 경우 **남용 여부**에 대해서는 **원고**가 입증책임을 진다.

핵심정리 **법률요건분류설에 의한 입증책임의 분배**

구분	처분	입증책임	예
권한행사규정 (…한 경우에는 …한 처분을 하여야 한다): 권한행사 정당성 주장자가 입증	적극적 처분 (면허정지 처분)	피고 (행정청)	'…한 경우에 해당해서'…하였다.
	소극적 처분 (거부처분)	원고	'…한 경우에 해당함에도'…하지 않았다.
권한불행사규정 (…한 경우에는 …한 처분을 하여서는 아니된다): 권한불행사 정당성 주장자가 입증	소극적 처분 (거부처분)	피고 (행정청)	'…한 경우에 해당해서'…하지 않았다.
	적극적 처분 (과세처분)	원고	'…한 경우에 해당함에도'…하였다.

관련판례

명의신탁에서 조세회피목적이 없었다는 점에 관한 증명책임의 소재(= 명의자)

구 상속세 및 증여세법 제45조의2 제1항은 재산의 실제소유자가 조세회피목적으로 명의만 다른 사람 앞으로 해두는 명의신탁행위를 효과적으로 방지하여 조세정의를 실현하는 데 취지가 있으므로, 명의신탁행위가 조세회피목적이 아닌 다른 목적에서 이루어졌음이 인정되고 그에 부수하여 사소한 조세경감이 생기는 것에 불과하다면 그러한 명의신탁행위에 조세회피목적이 있었다고 보아 증여로 의제할 수 없다. 그러나 위와 같은 입법 취지에 비추어 볼 때 명의신탁의 목적에 조세회피목적이 포함되어 있지 않은 경우에만 증여로 의제할 수 없다고 보아야 하므로, 다른 목적과 아울러 조세회피의 목적도 있었다고 인정되는 경우에는 여전히 증여로 의제된다고 보아야 한다. 이때 조세회피의 목적이 없었다는 점에 관한 증명책임은 이를 주장하는 명의자에게 있다(대판 2017.2.21. 2011두10232).

판례연구 취소소송의 심리

1. 기본 판례

직권증거조사는 변론주의에 대한 예외규정이다.

> 행정소송법 제26조가 규정하는 바는 행정소송의 특수성에서 연유하는 당사자주의, 변론주의에 대한 일부 예외규정일 뿐 법원이 아무런 제한 없이 당사자가 주장하지 아니한 사실을 판단할 수 있는 것은 아니고, 기록상 현출되어 있는 사항에 관하여서만 직권으로 증거조사를 하고 이를 기초로 하여 판단할 수 있을 따름이다(대판 1994.4.26. 92누17402).

2. 관련 판례

① 항고소송의 경우에는 그 특성에 따라 당해 처분의 적법을 주장하는 피고에게 그 적법사유에 대한 입증책임이 있다.
② 재량권의 일탈 · 남용은 원고에게 입증책임이 있다.
③ 행정처분의 당연무효를 주장하여 그 무효확인을 구하는 행정소송에 있어서는 원고에게 그 행정처분이 무효인 사유를 주장 · 입증할 책임이 있다.
④ 행정처분의 적법여부는 처분당시의 사유와 사정을 기준으로 판단하여야 한다.
⑤ 난민 인정 거부처분 후 국적국의 정치적 상황이 변화하였다고 하여 처분의 적법 여부가 달라지지 않는다.

핵심 OX

01 행정처분의 당연무효를 주장하여 그 무효확인을 구하는 행정소송에 있어서는 행정청이 입증책임을 진다는 것이 판례의 입장이다.
19. 변호사, 17. 지방7급, 16. 지방9급, 10. 국가7급 (　)

제5절 판결

행정소송법 제27조 【재량처분의 취소】 행정청의 재량에 속하는 처분이라도 재량권의 한계를 넘거나 그 남용이 있는 때에는 법원은 이를 취소할 수 있다.

제28조 【사정판결】 ① 원고의 청구가 이유 있다고 인정하는 경우에도 처분 등을 취소하는 것이 현저히 공공복리에 적합하지 아니하다고 인정하는 때에는 법원은 원고의 청구를 기각할 수 있다. 이 경우 법원은 그 판결의 주문에서 그 처분 등이 위법함을 명시하여야 한다.

01 X

② 법원이 제1항의 규정에 의한 판결을 함에 있어서는 미리 원고가 그로 인하여 입게 될 손해의 정도와 배상방법 그 밖의 사정을 조사하여야 한다.
③ 원고는 피고인 행정청이 속하는 국가 또는 공공단체를 상대로 손해배상, 제해시설의 설치 그 밖에 적당한 구제방법의 청구를 당해 취소소송 등이 계속된 법원에 병합하여 제기할 수 있다.

제29조【취소판결 등의 효력】 ① 처분 등을 취소하는 확정판결은 제3자에 대하여도 효력이 있다.
② 제1항의 규정은 제23조의 규정에 의한 집행정지의 결정 또는 제24조의 규정에 의한 그 집행정지결정의 취소결정에 준용한다.

제30조【취소판결 등의 기속력】 ① 처분 등을 취소하는 확정판결은 그 사건에 관하여 당사자인 행정청과 그 밖의 관계 행정청을 기속한다.
② 판결에 의하여 취소되는 처분이 당사자의 신청을 거부하는 것을 내용으로 하는 경우에는 그 처분을 행한 행정청은 판결의 취지에 따라 다시 이전의 신청에 대한 처분을 하여야 한다.
③ 제2항의 규정은 신청에 따른 처분이 절차의 위법을 이유로 취소되는 경우에 준용한다.

제34조【거부처분취소판결의 간접강제】 ① 행정청이 제30조 제2항의 규정에 의한 처분을 하지 아니하는 때에는 제1심 수소법원은 당사자의 신청에 의하여 결정으로써 상당한 기간을 정하고 행정청이 그 기간 내에 이행하지 아니하는 때에는 그 지연기간에 따라 일정한 배상을 할 것을 명하거나 즉시 손해배상을 할 것을 명할 수 있다.
② 제33조와 민사집행법 제262조의 규정은 제1항의 경우에 준용한다.

1 의의

취소소송의 판결이란 취소소송의 심리를 통하여 당해 사건에 대한 결과를 판단·선언하는 것을 말한다.

2 위법판단의 기준시

1. 의의

처분이 있은 후에 사실관계의 변경과 법령이 개정·폐지된 경우에 어느 시점을 기준으로 처분의 위법 여부를 판단할 것인가가 문제된다.

2. 취소소송·무효등확인소송

처분시의 법령 및 사실상태를 기준으로 판단한다(대판 1996.12.20. 96누9799).

3. 부작위위법확인소송

판결시(사실심 변론종결시)의 법령 및 사실상태를 기준으로 판단한다(대판 1999.4.9. 98두12437).

핵심 OX

01 법원은 행정처분 당시 행정청이 알고 있었던 자료뿐만 아니라 사실심 변론종결 당시까지 제출된 모든 자료를 종합하여 처분 당시 존재하였던 객관적 사실을 확정하고 그 사실에 기초하여 처분의 위법 여부를 판단할 수 있다. 23. 지방9급 ( )

01 O

관련판례

행정처분의 위법 여부를 판단하는 기준시점이 처분시라는 의미

항고소송에 있어서 행정처분의 위법 여부를 판단하는 기준시점에 대하여 판결시가 아니라 처분시라고 하는 의미는 행정처분이 있을 때의 법령과 사실상태를 기준으로 하여 위법여부를 판단할 것이며 처분 후 법령의 개폐나 사실상태의 변동에 영향을 받지 않는다는 뜻이고 처분 당시 존재하였던 자료나 행정청에 제출되었던 자료만으로 위법여부를 판단한다는 의미는 아니므로, 처분 당시의 사실상태 등에 대한 입증은 사실심 변론종결 당시까지 할 수 있고, 법원은 행정처분 당시 행정청이 알고 있었던 자료뿐만 아니라 사실심 변론종결 당시까지 제출된 모든 자료를 종합하여 처분 당시 존재하였던 객관적 사실을 확정하고 그 사실에 기초하여 처분의 위법 여부를 판단할 수 있다(대판 1993.5.27. 92누19033).

3 종류

1. 중간판결과 종국판결

중간판결은 소송 진행 중에 쟁점이 된 사안에 대한 판결이며, 종국판결은 소송의 전부 또는 일부를 당해 심급에서 종료시키는 판결이다. 종국판결은 소송판결과 본안판결로 구분된다.

2. 소송판결과 본안판결

소송판결은 소송요건이 구비되지 않은 경우에 행하는 각하판결이며, 본안판결은 요건이 구비된 이후 청구의 이유 유무에 대한 판결로서 기각·인용·사정판결이 있다.

3. 인용판결

본안심리결과 원고의 청구가 이유 있다고 인정하여 청구의 전부 또는 일부를 받아들이는 내용의 판결이다.

(1) 형성판결

일정한 법률관계를 형성·변경·소멸시키는 판결로서, 취소소송에서의 법원의 **취소·변경판결**이 이에 해당한다. 여기에서의 변경의 의미에 대해서는 견해의 대립이 있으나, 의무이행소송을 인정하지 않는 행정소송에서는 소극적 변경을 의미한다는 것이 통설·판례의 입장이다.

(2) 확인판결

일정한 법률관계나 법률사실의 존부를 확인하는 판결로서 **무효확인판결**과 **부작위위법확인판결**이 이에 해당한다.

(3) 이행판결

법원이 행정청에 대하여 일정한 행위를 할 것을 명하는 판결로서 항고소송에서는 의무이행소송이 인정되지 않으므로 직접적인 이행판결은 **허용되지 않고**, 다만 거부처분에 대한 취소판결 및 부작위위법확인판결에 대해서는 **재처분의무**와 **간접강제제도**를 인정하고 있으므로 그 한도 내에서 이행판결의 목적을 달성할 수 있을 뿐이다.

4. 일부인용(일부취소)판결

원고의 청구 중 **가분적인 처분**의 **일부**에 대해서만 **위법**이 있는 경우에는 법원은 일부에 대해서 **일부취소판결**을 할 수 있다. **불가분처분**이나 **재량처분**에 하자가 있는 경우에는 일부취소판결을 할 수 없고, **전부취소판결**을 하여야 한다.

이는 불가분처분의 경우 성질상 일부취소가 가능하지 않고, 재량행위의 경우 권력분립의 원칙상 재량권의 일탈·남용이 인정되는 때에 법원이 그 재량처분의 일부를 취소하는 것은 허용될 수 없기 때문이다. 만약 재량행위의 일부를 취소하게 되면 법원이 재량권을 행사하는 결과가 되므로 재량행위의 경우에는 법원이 재량행위 전부를 취소하여 행정청으로 하여금 다시 재량권 범위 내의 적정한 처분을 하도록 하여야 한다. 따라서 영업정지처분에서 정지기간이 과다한 재량권의 행사라 판단된다 하더라도 법원은 당해 영업정지처분 전부를 취소하여야 하고, 일부를 취소하여서는 안 된다.

일부취소판결 부정	일부취소판결 긍정
불가분처분 or 재량행위	가분처분 & 기속행위
• 행정청이 영업정지처분을 함에 있어서 그 정지기간을 어느 정도로 할 것인지는 행정청의 재량권에 속하는 사항인 것이며, 다만 그것이 공익의 원칙이나 평등의 원칙 또는 비례의 원칙 등에 위반하여 재량권의 한계를 벗어난 재량권 남용에 해당하는 경우에만 위법한 처분으로서 사법심사의 대상이 되는 것이나, 법원으로서는 영업정지처분이 재량권 남용이라고 판단될 때에는 위법한 처분으로서 그 처분의 취소를 명할 수 있을뿐이고, 재량권의 한계 내에서 어느 정도가 적정한 영업정지기간인지를 가리는 일은 사법심사의 범위를 벗어난다(대판 1982.9.28. 82누2). • 자동차운수사업 면허조건 등에 위반한 사업자에 대하여 행정청이 행정제재수단으로서 사업정지를 명할 것인지, 과징금을 부과할 것인지, 과징금을 부과키로 하였다면 그 금액은 얼마로 할 것인지 등에 관하여 재량권이 부여되어 있다 할 것이고, 과징금 최고한도액 5,000,000원의 부과처분만으로는 적절치 않다고 여길 경우 사업정지쪽을 택할 수도 있다 할 것이므로 **과징금부과처분이 법이 정한 한도액을 초과하여 위법할 경우 법원으로서는 그 전부를 취소할 수밖에 없고**, 그 한도액을 초과한 부분이나 법원이 적정하다고 인정되는 부분을 초과한 부분만을 취소할 수는 없다(대판 1993.7.27. 93누1077).	• 법원이 행정청의 정보공개거부처분의 위법 여부를 심리한 결과 공개를 거부한 정보에 비공개대상정보에 해당하는 부분과 공개가 가능한 부분이 혼합되어 있고 공개청구의 취지에 어긋나지 아니하는 범위 안에서 두 부분을 분리할 수 있음을 인정할 수 있을 때에는, 정보 중 공개가 가능한 부분을 특정하고 판결의 주문에 행정청의 거부처분 중 공개가 가능한 정보에 관한 부분만을 취소한다고 표시하여야 한다(대판 2003.3.11. 2001두6425). • 과세처분취소소송에 있어 처분의 적법 여부는 정당한 세액을 초과하느냐의 여부에 따라 판단되는 것으로서, 당사자는 사실심 변론종결시까지 객관적인 조세채무액을 뒷받침하는 주장과 자료를 제출할 수 있고, 이러한 자료에 의하여 적법하게 부과될 정당한 세액이 산출되는 때에는 그 정당한 세액을 초과하는 부분만 취소하여야 할 것이고 그 전부를 취소할 것이 아니다(대판 2001.6.12. 99두8930).

5. 기각판결

본안심리결과 **원고의 청구**가 **이유 없다**고 인정하여 그 청구를 배척하는 판결을 말한다.

핵심 OX

02 공개를 거부한 정보에 비공개대상정보에 해당하는 부분과 공개가 가능한 부분이 혼합되어 있는 경우라면 법원은 정보공개거부처분 전부를 취소해야 한다. 10. 국가9급 (　)

03 행정청이 여러 개의 위반행위에 대하여 하나의 제재처분을 하였으나, 위반행위별로 제재처분의 내용을 구분하는 것이 가능하고 여러 개의 위반행위 중 일부의 위반행위에 대한 제재처분 부분만이 위법하다면, 법원은 제재처분 전부를 취소하여서는 아니 된다. 22. 국가7급 (　)

04 개발부담금부과처분에 대한 취소소송에서 당사자가 제출한 자료에 의하여 정당한 부과금액을 산출할 수 없는 경우에도 법원은 증거조사를 통하여 정당한 부과금액을 산출한 후 정당한 부과금액을 초과하는 부분만을 취소하여야 한다. 19. 서울9급(6월) (　)

05 자동차운수사업면허조건을 위반한 甲에 대하여 A행정청이 부과한 과징금부과처분이 법이 정한 한도액을 초과하여 위법한 때, 법원이 그 한도액을 초과한 부분만을 취소하는 경우는 행정처분을 다투는 사안에서 허용된다. 19. 변호사·서울9급(6월), 18. 국가9급, 14. 지방7급·9급 (　)

06 기각판결은 소송요건의 불비를 이유로 본안의 심리를 거부하는 판결이다. 13. 서울7급, 07. 세무사 (　)

02 X　03 O　04 X　05 X　06 X

6. 사정판결(특수한 기각판결: 제28조)

(1) 의의

원고의 청구가 이유 있다고 인정하는 경우에도 처분 등을 취소하는 것이 현저히 **공공복리**에 적합하지 아니하다고 인정하는 경우 법원이 원고의 청구를 **기각**하는 판결을 사정판결이라고 한다.

(2) 사정판결과 법치주의

사정판결은 법치주의의 예외로서 인정되는 것이므로 사정판결의 요건은 엄격해야 하고 공익과 사익을 비교형량하여야 하며, 상대방에게 대상적 **구제조치**가 반드시 마련되어야 한다.

(3) 요건

① **취소소송**일 것(무효등확인소송과 부작위위법확인소송에서는 인정되지 않음)

② 원고의 청구가 **이유 있을 것**

③ 청구인용판결이 **현저히 공공복리**에 **적합하지 않을 것**(비교형량)

④ 당사자의 신청이 없어도 법원은 **직권**으로 사정판결을 할 수 있는가에 대해 판례는 긍정하는 입장이나, 다수설은 부정한다.

> **관련판례**
>
> **행정소송에 있어서 법원이 직권으로 사정판결을 할 수 있는지 여부**
>
> [1] 행정소송법 제26조, 제28조 제1항 전단의 각 규정에 비추어 보면, 법원은 행정소송에 있어서 행정처분이 위법하여 운전자의 청구가 이유 있다고 인정하는 경우에도 그 처분 등을 취소하는 것이 현저히 공공복리에 적합하지 아니하다고 인정하는 때에는 원고의 청구를 기각하는 사정판결을 할 수 있고, 이러한 사정판결을 할 필요가 있다고 인정하는 때에는 당사자의 명백한 주장이 없는 경우에도 일건 기록에 나타난 사실을 기초로 하여 직권으로 사정판결을 할 수 있다.
>
> [2] 재개발조합설립 및 사업시행인가처분이 처분 당시 법정요건인 토지 및 건축물 소유자 총수의 각 3분의 2 이상의 동의를 얻지 못하여 위법하나, 그 후 90% 이상의 소유자가 재개발사업의 속행을 바라고 있어 재개발사업의 공익목적에 비추어 그 처분을 취소하는 것은 현저히 공공복리에 적합하지 아니하다고 인정하여 사정판결을 한 사례(대판 1995.7.28. 95누4629)

(4) 주장 · 입증책임

사정판결의 필요성에 관한 주장 · 입증책임은 피고인 행정청이 부담하여야 할 것이나, 판례는 직권에 의한 사정판결을 인정하고 있다(대판 1995.7.28. 95누4629).

(5) 판단의 기준시

사정판결의 대상인 처분의 위법 여부는 일반원칙에 따라 처분시를 기준으로 판단하지만, 사정판결의 **필요성 여부**는 **판결시**를 기준으로 판단하여야 한다.

(6) 효과

① 사정판결에 의하여 원고청구는 기각된다. 그러나 당해 처분의 위법성이 치유되는 것은 아니므로 법원은 **판결주**문에 처분이 **위법함을 명시**하여야 하며, 그 위법성에 대해서는 **기판력**이 발생한다.

핵심 OX

01 원고의 청구가 이유 있다고 인정하는 경우에도 처분의 무효를 확인하는 것이 현저히 공공복리에 적합하지 아니 하다고 인정하는 때에는 법원은 청구를 기각할 수 있다. 17. 지방7급 ( )

02 취소소송에서 당사자의 명백한 주장이 없는 경우에도 법원은 기록에 나타난 여러 사정을 기초로 직권으로 사정판결을 할 수 있다. 19. 변호사 ( )

핵심 OX

03 사정판결을 하는 경우 처분의 위법성은 변론종결시를 기준으로 판단하여야 한다. 16. 국가9급, 14. 서울7급, 13. 지방7급 ( )

04 사정판결은 처분이 위법함에도 청구가 기각되는 것으로, 이로 인하여 당해 처분은 위법성이 치유되어 적법하게 된다. 13. 서울7급, 09. 지방9급, 05. 서울9급 ( )

05 사정판결의 경우 법원은 판결의 주문에 당해 처분이 위법함을 명시하여야 한다. 13. 서울7급 ( )

06 사정판결의 경우에는 처분의 적법성이 아닌 처분의 위법성에 대하여 기판력이 발생한다. 19. 서울9급(6월) ( )

01 X 02 O 03 X 04 X 05 O 06 O

② **소송비용(제32조)**: 사정판결은 예외적인 판결이므로, 소송비용은 패소자부담의 일반원칙과는 달리 승소한 **피고행정청**이 **부담**한다.

③ 원고는 사정판결로 발생하는 불이익에 대해 피고인 행정청이 속하는 국가 또는 공공단체를 상대로 손해배상, 제해시설의 설치 그 밖에 적당한 구제방법의 청구를 당해 취소소송 등이 계속된 법원에 병합하여 제기할 수 있다. 이에 앞서 법원은 사정판결을 하기 전에 원고가 입게 될 손해의 정도와 배상방법 그 밖의 사정을 미리 조사하여야 한다.

④ 사정판결에 대하여는 **상소**가 **인정**된다.

(7) 적용범위

행정소송법상 **사정판결**은 **취소소송**에 대해서만 적용되며, 무효등확인소송과 부작위위법확인소송에는 적용되지 않는다(대판 1996.3.22. 95누5509). 한편 **사정재결**은 **취소심판**과 **의무이행심판**에서 인정되는 점에서 사정판결과 사정재결의 범위에 차이가 있다.

핵심정리 사정재결과 사정판결의 차이점

사정재결	사정판결
• 행정심판법상 사정재결을 하는 경우에는 구체적인 구제방법을 규정하고 있지는 않음 • 상당한 구제방법을 취할 것을 명하는 것은 행정심판법상 사정재결의 경우에만 규정되어 있음 • 행정심판법상 사정재결은 취소심판과 의무이행심판에서 인정됨	• 행정소송법상 사정판결을 하는 경우에는 손해배상, 제해시설의 설치 등 구체적인 구제방법을 규정하고 있음 • 행정소송법상 사정판결은 취소소송에서만 인정됨

관련판례

행정소송법 제28조에서 정한 사정판결의 요건에 해당하는지 판단하는 방법과 기준 및 사정판결의 요건을 갖추었다고 판단되는 경우, 법원이 취할 조치

행정소송법 제28조에서 정한 사정판결은 행정처분이 위법함에도 불구하고 이를 취소 · 변경하게 되면 그것이 도리어 현저히 공공의 복리에 적합하지 않은 경우에 극히 예외적으로 할 수 있으므로, 그 요건에 해당하는지는 위법 · 부당한 행정처분을 취소 · 변경하여야 할 필요와 취소 · 변경으로 발생할 수 있는 공공복리에 반하는 사태 등을 비교 · 교량하여 엄격하게 판단하되, 처분에 이르기까지의 경과 및 처분 상대방의 관여 정도, 위법사유의 내용과 발생원인 및 전체 처분에서 위법사유가 관련된 부분이 차지하는 비중, 처분을 취소할 경우 예상되는 결과, 특히 처분을 기초로 새로운 법률관계나 사실상태가 형성되어 다수 이해관계인의 신뢰 보호 등 처분의 효력을 존속시킬 공익적 필요성이 있는지 여부 및 정도, 처분의 위법으로 인해 처분 상대방이 입게 된 손해 등 권익 침해의 내용, 행정청의 보완조치 등으로 위법상태의 해소 및 처분 상대방의 피해 전보가 가능한지 여부, 처분 이후 처분청이 위법상태의 해소를 위해 취한 조치 및 적극성의 정도와 처분 상대방의 태도 등 제반 사정을 종합적으로 고려하여야 한다. 나아가 사정판결은 처분이 위법하나 공익상 필요 등을 고려하여 취소하지 아니하는 것일 뿐 처분이 적법하다고 인정하는 것은 아니므로, 사정판결의 요건을 갖추었다고 판단되는 경우 법원으로서는 행정소송법 제28조 제2항에 따라 원고가 입게 될 손해의 정도와 배상방법, 그 밖의 사정에 관하여 심리하여야 하고,

핵심 OX

07 사정판결에서의 소송비용은 패소한 원고가 부담한다. 13. 서울7급 ( )

08 법원이 사정판결을 할 때에는 판결 이전에 원고가 당해 사정판결로 인하여 입게 될 손해의 정도와 배상방법 및 그 밖의 사정을 조사할 수 있다. ( )

09 원고가 사정판결에 불복하면 상고할 수 있다. 08. 관세사 ( )

07 X **08** X **09** O

이 경우 원고는 행정소송법 제28조 제3항에 따라 손해배상, 제해시설의 설치 그 밖에 적당한 구제방법의 청구를 병합하여 제기할 수 있으므로, 당사자가 이를 간과하였음이 분명하다면 적절하게 석명권을 행사하여 그에 관한 의견을 진술할 수 있는 기회를 주어야 한다(대판 2016.7.14. 2015두4167).

판례연구 항고소송의 판결의 종류

1. 기본 판례

무효확인소송에는 사정판결이 인정되지 않는다.

> 행정처분이 위법한 때에는 이를 취소함이 원칙이고 그 위법한 처분을 취소·변경하는 것이 도리어 현저히 공공의 복리에 적합하지 않은 경우에 극히 예외적으로 위법한 행정처분의 취소를 허용하지 않는다는 사정판결을 할 수 있으므로, 사정판결의 적용은 극히 엄격한 요건 아래 제한적으로 하여야 하고, 그 요건인 '현저히 공공복리에 적합하지 아니한가'의 여부를 판단할 때에는 위법·부당한 행정처분을 취소·변경하여야 할 필요와 그 취소·변경으로 발생할 수 있는 공공복리에 반하는 사태 등을 비교·교량하여 그 적용 여부를 판단하여야 한다. 아울러 사정판결을 할 경우 미리 원고가 입게 될 손해의 정도와 구제방법, 그 밖의 사정을 조사하여야 하고, 원고는 피고인 행정청이 속하는 국가 또는 공공단체를 상대로 손해배상 등 적당한 구제방법의 청구를 당해 취소소송 등이 계속된 법원에 청구할 수 있는 점(행정소송법 제28조 제2항·제3항) 등에 비추어 보면, 사정판결제도가 위법한 처분으로 법률상 이익을 침해당한 자의 기본권을 침해하고, 법치행정에 반하는 위헌적인 제도라고 할 것은 아니다(대판 2009.12.10. 2009두8359).

2. 관련 판례

① 당사자의 명백한 주장이 없는 경우에도 일건 기록에 나타난 사실을 기초로 하여 직권으로 사정판결을 할 수 있다.
② 사정판결의 적용은 극히 엄격한 요건 아래 제한적으로 하여야 한다.
③ 무효확인소송에는 사정판결을 할 수 없는 것이다.
④ 사정판결제도가 법치행정에 반하는 위헌적 제도는 아니다.
⑤ 정당한 세액을 초과하는 위법의 부과부분이 있는 경우에는 그 부과처분은 정당하게 인정된 세액을 초과하는 범위에서만 취소의 대상이 된다.
⑥ 당사자가 제출한 자료에 의하여 적법하게 부과될 정당한 부과금액을 산출할 수 없을 경우 부과처분 전부를 취소할 수 밖에 없다.
⑦ 영업정지처분이 재량권 남용이라고 판단될 때에는 그 처분의 취소를 명할 수 있을 따름이고 적정한 영업정지기간을 정하는 것은 허용되지 않는다.
⑧ 재량권을 일탈한 과징금 납부명령에 대해서는 전부를 취소하여야 하고 어느 정도가 적정한 것인지 법원이 판단할 수 없다.

4 효력

1. 인용판결(취소판결)의 효력[1]

(1) 형성력(제3자에 대한 효력)

① **의의**: 판결이 확정되면 판결의 내용에 따라 법률관계의 발생·변경·소멸을 가져오는 효력을 말한다. **취소판결**이 **확정**되면 처분의 효력은 처분청의 별도의 행위 없이 **처분시**에 **소급**하여 그 **효력**이 **소멸**되어 처분이 없었던 것과 같은 상태가 된다.

핵심 OX

01 쟁송취소시 위법처분은 언제나 취소해야 한다. 00. 관세사 ( )

02 사정판결은 행정의 법률적합성 원칙의 예외적 현상이다. 13. 지방7급 ( )

03 사정판결은 소송요건을 충족하지 못한 경우에 행하는 판결이다. 09. 세무사 ( )

04 취소소송에서 당사자의 명백한 주장이 없는 경우에도 법원은 기록에 나타난 여러 사정을 기초로 직권으로 사정판결을 할 수 있다. 19. 변호사, 15. 국가9급, 14. 서울7급, 13. 지방7급 ( )

05 판례는 당연무효의 처분은 존치시킬 효력이 있는 행정행위가 없기 때문에 사정판결을 할 수 없다고 하여 부정적이다. 18. 지방교행, 14. 서울7급, 13. 서울7급 ( )

[1]
- 형성력
- 기속력: 반복금지효+재처분의무(⇨ 간접강제: 집행력)
  - 성질: 특수효력설
  - 위반의 효과: 무효(통설·판례)

핵심 OX

06 형성력은 원고승소판결과 원고패소판결 모두에 인정된다. 15·12. 국회8급, 08. 세무사 ( )

07 행정처분을 취소한다는 확정판결이 있으면 그 취소판결의 형성력에 의하여 당해 행정처분의 취소나 취소통지 등의 별도의 절차를 요하지 아니하고 당연히 취소의 효과가 발생한다. 15. 경특, 10. 세무사 ( )

08 도시 및 주거환경정비법상 주택재개발사업조합의 조합설립인가처분이 법원의 재판에 의하여 취소된 경우 그 조합설립인가처분은 소급하여 효력을 상실한다. 15. 국회8급 ( )

09 형성소송설에 따를 경우 취소판결이 확정되면 당해 처분의 효력은 행정청이 취소하지 않더라도 소급하여 효력을 상실한다. 12. 지방9급 ( )

01 X 02 O 03 X 04 O 05 O 06 X 07 O 08 O 09 O

② **규정 여부:** 행정소송법은 형성력에 관하여 직접적인 규정을 두고 있지 않으나, 취소판결의 제3자효를 규정한 제29조 제1항을 전제하여 한 규정이다. 이러한 형성력은 청구기각판결에는 인정되지 않는다.

③ **효력범위**

㉠ 판결의 형성력은 당해 **소송당사자**뿐만 아니라 그 밖의 **제3자**에 대해서도 미치는데, 이를 대세효 또는 취소판결의 제3자효라고 한다(제29조 제1항). 예컨대 공매처분에 대한 취소판결이 확정되면 그 판결의 효력은 제3자인 매수인(경락인)에게도 미친다. 또한 토지의 수용재결취소소송에서 청구인용판결이 확정되면 판결의 형성력은 원고와 대립관계에 있는 제3자인 사업시행자에게도 미친다.

㉡ 행정소송법은 **제3자의 소송참가**(제16조)❷, **제3자에 의한 재심청구**(제31조)❸를 규정하고 있다.

㉢ 행정소송법은 이러한 취소판결의 **대세적 효력**을 무효등확인소송과 부작위위법확인소송에 준용하고 있다(제38조 제1항 · 제2항).

(2) 기속력(구속력, 행정청에 대한 효력)

① **의의:** 기속력이란 행정청과 관계행정청에게 확정판결의 내용에 따라 행위하여야 할 실체법상 의무를 발생시키는 효력으로서, 행정소송법은 "처분 등을 취소하는 확정판결은 그 사건에 관하여 당사자인 행정청과 그 밖의 관계행정청을 기속한다."라고 규정하고 있다(제30조 제1항). 다만, 이러한 기속력은 청구인용판결에만 인정되고, **청구기각판결**에는 인정되지 아니한다.❹

② **성질:** 기속력의 성질에 대하여 기판력의 일종으로 보는 견해와 실정법이 부여하는 한 효력으로 보는 견해가 있으나, 통설은 특수효력설을 판례는 기판력설을 취하고 있다.

③ **기속력의 범위**

주관적 범위	피고인 행정청과 그 밖에 모든 행정청에 대하여 미친다.
객관적 범위	판결주문 및 그 전제로 된 요건 사실의 인정과 효력의 판단에만 미치며, 간접사실의 판단에는 미치지 않는다.

④ **내용**

㉠ **소극적 효력(반복금지효)**

ⓐ 취소소송에서 청구인용판결이 확정되면 **행정청**은 **동일한 사실관계** 아래서 **동일한 당사자**에 대하여 동일한 내용의 처분 등을 반복하여서는 아니 된다. 다만, 취소판결의 사유가 행정행위의 절차나 형식상의 하자인 경우에는 그 확정판결의 기속력은 취소사유로 된 절차나 형식의 위법에 한하여 미친다 할 것이므로 행정청은 적법한 절차나 형식을 갖추어 다시 동일한 내용의 처분을 하는 것은 가능하다.

ⓑ 반복금지효는 **청구인용판결**에서만 인정되고 청구기각판결에서는 인정되지 않는다. 따라서 청구기각판결이 있어도 행정청은 당해 행정처분을 직권으로 취소할 수 있다.

핵심 OX

10 처분 등의 무효를 확인하는 확정판결은 소송당사자 이외의 제3자에 대하여는 효력이 미치지 않는다.
19. 서울9급(6월) · 국회8급, 15. 서울7급, 14. 국가7급, 10 · 09. 지방9급, 08. 서울7급, 04. 행시 ( )

❷ 행정소송법 제16조 제1항
법원은 소송의 결과에 따라 권리 또는 이익의 침해를 받을 제3자가 있는 경우에는 당사자 또는 제3자의 신청 또는 직권에 의하여 결정으로써 그 제3자를 소송에 참가시킬 수 있음

❸ 행정소송법 제31호 제1항
처분등을 취소하는 판결에 의하여 권리 또는 이익의 침해를 받은 제3자는 자기에게 책임없는 사유로 소송에 참가하지 못함으로써 판결의 결과에 영향을 미칠 공격 또는 방어방법을 제출하지 못한 때에는 이를 이유로 확정된 종국판결에 대하여 재심의 청구를 할 수 있음

❹
· 기속력은 행정청에 의무를 부과하는 것
· 청구인용판결: 행정청 패소 / 청구기각판결: 행정청 승소
⇨ 청구기각판결에는 기속력 인정 X

핵심 OX

11 취소판결의 기속력은 취소청구가 인용된 판결에서 인정되는 것으로서 당사자인 행정청과 그 밖의 관계행정청에 확정판결의 취지에 따라 행동하여야 할 의무를 부과한다. 21. 변호사 ( )

12 청구기각판결의 경우에도 행정청은 그 판결에 저촉되는 행위를 해서는 안된다. 13. 국회8급 ( )

13 취소판결의 기속력에 위반하여 행한 행정청의 행위는 위법하나, 이는 무효사유가 아니라 취소사유에 해당한다.
19. 변호사, 14. 지방7급, 10. 국가9급 ( )

14 취소 확정판결의 기속력은 판결의 주문(主文)에 대해서만 발생하며, 처분의 구체적 위법사유에 대해서는 발생하지 않는다. 21. 국가7급 ( )

10 X **11** O **12** X **13** X **14** X

ⓒ 기속력에 위반된 행정행위는 **위법**한 것으로서 **무효사유**에 해당한다.

관련판례

확정판결을 받은 처분행정청이 그 행정소송을 사실심 변론종결 이전의 사유를 내세워 다시 한 확정판결과 저촉되는 행정처분의 효력(무효)
취소판결이 확정된 경우에 처분행정청이 그 행정소송의 사실심 변론종결 이전의 사유를 내세워 다시 확정판결에 저촉되는 행정처분을 하면, 그 행위는 위법한 것으로서 무효사유에 해당한다(대판 1990.12.11. 90누3560).

ⓛ **적극적 효력(재처분의무)**: 거부처분의 취소를 내용으로 하는 판결이 확정된 경우에는 처분청은 판결의 취지에 따라 다시 **이전의 신청에 대한 처분**을 하여야 한다(제30조 제2항). 이는 신청에 따른 처분이 절차의 위법을 이유로 취소되는 경우에 준용한다(제30조 제3항).

ⓐ **거부처분이 취소된 경우**: 판결에 의하여 취소되는 처분이 당사자의 신청을 거부하는 것을 내용으로 하는 경우에는 그 처분을 할 행정청은 판결의 취지에 따라 다시 이전의 신청에 대한 처분을 하여야 한다. 예컨대 운전면허 신청에 대하여 행정청이 신청자에게 법정의 결격사유가 있다는 이유로 거부했으나, 법원이 결격사유가 없다는 이유로 거부처분을 취소하는 판결을 한 경우 행정청은 신청자에게 별도의 다른 결격사유가 없는 한 운전면허를 허가하여야 한다. 여기서 행정청의 재처분은 당사자의 **신청이 없어도** 당연히 하여야 한다는 것이다. 또한 재처분의 내용은 원고의 신청내용이 아니라 **판결의 취지**에 따라야 한다. 따라서 원래의 거부처분의 이유와 다른 이유로 원고의 신청을 거부할 수도 있다.

ⓑ **거부처분이 절차법상의 위법을 이유로 취소된 경우**: 신청에 따른 처분이 절차의 위법을 이유로 취소되는 경우에도 행정청에 재처분의무가 부과된다(제30조 제3항). 거부처분이 절차상의 위법을 이유로 취소된 경우 행정청은 반드시 원고가 **신청한 내용을 재처분해야 하는 것은 아니므로** 당초의 거부처분과 다른 이유로 거부처분을 할 수 있다.

관련판례

1 거부처분 취소의 확정판결을 받은 행정청이 사실심 변론종결 이후 발생한 새로운 사유를 내세워 다시 이전의 신청에 대하여 거부처분을 한 경우, 행정소송법 제30조 제2항 소정의 재처분에 해당하는지 여부(적극)
행정소송법 제30조 제2항에 의하면, 행정청의 거부처분을 취소하는 판결이 확정된 경우에는 그 처분을 행한 행정청은 판결의 취지에 따라 이전의 신청에 대하여 재처분할 의무가 있고, 이 경우 확정판결의 당사자인 처분 행정청은 그 행정소송의 사실심 변론종결 이후 발생한 새로운 사유를 내세워 다시 이전의 신청에 대하여 거부처분을 할 수 있으며, 그러한 처분도 이 조항에 규정된 재처분에 해당한다(대판 1999.12.28. 98두1895).

핵심 OX

01 취소판결 후에 취소된 처분을 대상으로 하는 처분은 당연히 무효이다. 12. 지방7급 ( )

핵심 OX

02 거부처분 취소판결이 확정된 후 사실심 변론종결 이후에 발생한 새로운 사유를 근거로 다시 거부처분을 하는 것은 기속력에 위반된다. 15. 국가7급 ( )

01 ○ **02** X

2 거부처분 취소의 확정판결을 받은 행정청이 거부처분 후에 법령이 개정·시행된 경우, 새로운 사유로 내세워 다시 거부처분을 한 경우도 행정소송법 제30조 제2항 소정의 재처분에 해당하는지 여부(적극)

행정처분의 적법 여부는 그 행정처분이 행하여 진 때의 법령과 사실을 기준으로 하여 판단하는 것이므로 거부처분 후에 법령이 개정 · 시행된 경우에는 개정된 법령 및 허가기준을 새로운 사유로 들어 다시 이전의 신청에 대한 거부처분을 할 수 있으며 그러한 처분도 행정소송법 제30조 제2항에 규정된 재처분에 해당된다(대판 1998.1.7. 97두22).

ⓒ **거부처분이 실체법상의 위법을 이유로 취소된 경우**: 이러한 경우에는 판결의 취지가 행정청이 상대방의 신청을 인용하지 않는 것이 위법이라는 것이 되므로 사정변경이 없는 한 **신청된 대로** 처분을 하여야 하고, 사실심 변론종결 이전의 사유를 내세워 다시 거부처분을 할 수 없다(대판 2001.3.23. 99두5238).

ⓓ **절차상의 위법을 이유로 신청에 따른 인용처분이 취소된 경우의 재처분의무**: 신청에 따른 인용처분에 의해 권익을 침해당한 제3자의 제소에 의하여 절차에 위법이 있음을 이유로 취소된 경우(예 면허처분에 대하여 경원자인 다른 면허신청자가 면허처분의 절차의 위법을 이유로 취소소송을 제기하여 당해 면허처분이 취소된 경우)에는 **판결의 취지**에 따른 적법한 절차에 의하여 이전의 신청에 대한 처분을 다시 하여야 한다(제30조 제3항).

ⓒ **결과제거의무**: 행정청은 처분의 취소판결이 있게 되면 결과적으로 **위법이 되는 처분**에 의하여 초래된 상태를 **제거할 의무**를 진다. 예컨대 자동차의 압류처분이 취소되면 행정청은 그 자동차를 원고에게 반환할 의무를 진다.

(3) 집행력(간접강제)

① 거부처분에 대한 취소판결 및 부작위위법확인판결이 확정되면 행정청은 기속력에 의하여 재처분의무가 발생한다. 행정청이 이를 이행하지 않은 경우 실효성을 확보하기 위해 행정소송법은 재처분의무가 비대체적 의무라는 점에서 민사집행법의 **간접강제**에 관한 규정을 두고 있다.

② 처분을 행한 행정청이 거부처분취소판결의 취지에 따른 처분을 하지 아니하는 때에는 제1심 수소법원은 당사자의 **신청**에 의하여 결정으로써 상당한 기간을 정하고, 행정청이 그 기간 내에 이행하지 아니하는 때에는 그 지연기간에 따라 **일정한 배상**을 할 것을 명하거나 **즉시 손해배상**을 할 것을 명할 수 있도록 하고 있다(제34조 제1항).

③ 이 제도는 **부작위위법확인소송**에도 준용하고 있다(제38조 제2항).

관련판례

행정소송법 제34조 소정의 간접강제결정에 기한 배상금의 성질 및 확정판결의 취지에 따른 재처분이 간접강제결정에서 정한 의무이행기한이 경과한 후에 이루어진 경우, 간접강제결정에 기한 배상금의 추심이 허용되는지 여부(소극)

행정소송법 제34조 소정의 간접강제결정에 기한 배상금은 거부처분취소판결이 확정된 경우 그 처분을 행한 행정청으로 하여금 확정판결의 취지에 따른 재처분

핵심 OX

03 당사자의 신청을 받아들이지 않은 거부처분이 판결에서 취소된 경우, 그 판결의 취지에 따라 이전의 신청에 대하여 다시 어떠한 처분을 하여야 할지는 처분을 할 때의 법령과 사실을 기준으로 판단하여야 하므로, 행정청은 종전 거부처분 또는 판결 후에 발생한 새로운 사유를 내세워 다시 거부처분을 할 수 있다. 19. 국가7급 ( )

핵심 OX

04 판결에 의하여 취소되거나 무효 또는 부존재로 확인되는 처분이 당사자의 신청을 거부하는 것을 내용으로 하는 경우에는 그 처분을 한 행정청은 판결의 취지에 따라 다시 이전의 신청에 대한 처분을 하여야 한다. 19. 국가7급 ( )

핵심 OX

05 거부처분에 대한 취소의 확정판결이 있음에도 행정청이 아무런 재처분을 하지 않는 경우뿐만 아니라 재처분을 하였더라도 그 재처분이 취소판결의 기속력에 반하는 경우에는 간접강제의 대상이 된다. 16. 국가7급 ( )

06 간접강제결정에 기한 배상금은 확정판결에 따른 재처분의 지연에 대한 제재 또는 손해배상이라는 것이 판례의 입장이다. 13. 국가7급 ( )

07 특별한 사정이 없는 한 간접강제결정에서 정한 의무이행기한이 경과한 후에라도 확정판결의 취지에 따른 재처분의 이행이 있으면 더 이상 배상금의 추심은 허용되지 않는다. 21. 국가7급 ( )

03 ○ 04 ○ 05 ○ 06 X 07 ○

의무의 이행을 확실히 담보하기 위한 것으로서, 이는 확정판결의 취지에 따른 재처분의 지연에 대한 제재나 손해배상이 아니고 재처분의 이행에 관한 심리적 강제수단에 불과한 것으로 보아야 하므로, 특별한 사정이 없는 한 간접강제결정에서 정한 의무이행기한이 경과한 후에라도 확정판결의 취지에 따른 재처분의 이행이 있으면 배상금을 추심함으로써 심리적 강제를 꾀할 목적이 상실되어 처분상대방이 더 이상 배상금을 추심하는 것은 허용되지 않는다(대판 2004.1.15. 2002두2444).

2. 판결의 일반적 효력

(1) 불가변력(자박력, 선고법원에 대한 효력)

법원의 판결이 선고되면 **선고법원** 자신도 이를 **취소·변경할 수 없는** 기속을 받게 되는데, 이를 **자박력** 또는 **불가변력**이라고 한다.

(2) 불가쟁력(형식적 확정력, 당사자에 대한 효력)

상소기간의 경과, 상소권의 포기 등에 의하여 **형식적 확정력**(**불가쟁력**)이 발생한다.

(3) 기판력(실질적 확정력, 법원과 당사자에 대한 효력)

① **의의:** 취소판결이 확정된 이후에는 당사자 및 법원은 기판력이 발생한 사건에 대하여 **다시 소를 제기**하거나 **모순·위배**되는 판결을 해서는 안 되는 효력을 말한다.

② **인정취지:** 행정소송법은 명문의 규정이 없으나, 소송절차의 반복과 모순된 재판의 방지라는 **법적 안정성**을 위해서 인정되는 것이다.

③ **효력범위**

㉠ **주관적 범위(인적 범위):** 취소소송의 기판력은 **당사자** 및 당사자와 동일시 할 수 있는 승계인에게 미치고 제3자에게는 미치지 않는다(제3자에 대한 효력은 형성력에 기인). 다만, 취소소송의 피고는 행정청이므로 행정청을 피고로 하는 취소소송에 있어서의 기판력은 당해 행정청이 속하는 **국가·공공단체**에도 미친다.

㉡ **객관적 범위(물적 범위)**

ⓐ 일반적으로 기판력은 소송물에 관한 판단에만 미치므로 '판결주문'에 표시된 판단에만 미치고, '판결이유'에 설시된 사실인정, 선결적 법률관계, 항변 등에 대해서는 미치지 않는다.

ⓑ 행정처분취소청구를 기각하는 판결이 확정되면 그 처분이 적법하다는 점에 대하여 기판력이 발생하므로 이후 제기된 무효확인소송은 물론 무효임을 전제로 하는 부당이득반환청구도 허용되지 않는다.

㉢ **시간적 범위: 사실심 변론종결시**를 기준으로 발생한다. 따라서 당사자는 이때까지 소송자료를 제출할 수 있고, 종국판결도 이때까지 제출한 자료를 기초로 행하게 된다.

㉣ 기판력은 전소의 확정판결의 후소법원에 대한 구속문제이므로 직권취소와는 무관하다. 따라서 원고청구가 **기각**된 경우에도 **처분청**은 직권취소할 수 있다.

핵심 OX

01 행정처분이나 행정심판 재결이 불복기간의 경과로 인하여 확정될 경우 확정력은 처분으로 인하여 법률상 이익을 침해받은 자가 처분이나 재결의 효력을 더 이상 다툴 수 없다는 의미에서 판결에 있어서와 같은 기판력이 인정된다. 18. 지방7급 ( )

02 행정처분이 불복기간의 경과로 인하여 확정될 경우, 그 확정력은 처분으로 인하여 법률상 이익을 침해받은 자가 처분의 효력을 더 이상 다툴 수 없다는 의미일 뿐 판결에 있어서와 같은 기판력이 인정되는 것은 아니다. 19. 지방9급, 18. 국회8급·서울7급 ( )

03 재결이 확정된 경우에는 처분의 기초가 된 사실관계나 법률적 판단이 확정되고 당사자들이나 법원은 이에 기속되어 모순되는 주장이나 판단을 할 수 없게 된다. 19. 국가7급 ( )

04 기판력과 기속력의 객관적 범위는 판결의 주문과 판결이유 중에 설시된 개개의 위법사유 및 간접사실이다. 21. 국회8급 ( )

05 법원은 행정처분 당시 행정청이 알고 있었던 자료뿐만 아니라 사실심 변론종결 당시까지 제출된 모든 자료를 종합하여 처분 당시 존재하였던 객관적 사실을 확정하고 그 사실에 기초하여 처분의 위법 여부를 판단할 수 있다. 22. 국회8급 ( )

01 X **02** O **03** X **04** X **05** O

관련판례

과세처분 취소소송에서 청구가 기각된 확정판결의 기판력이 과세처분 무효확인 소송에 미치는지 여부(적극)
과세처분 취소청구를 기각하는 판결이 확정되면 그 처분이 적법하다는 점에 관하여 기판력이 생기고, 그 후 원고가 다시 이를 무효라 하여 그 무효확인을 소구할 수는 없다고 할 것이어서 과세처분이 기각된 확정판결의 기판력은 그 과세처분의 무효확인을 구하는 소송에도 미친다(대판 1996.6.25. 95누1880).

핵심정리 기판력과 기속력

구분	기판력	기속력
적용되는 판결	인용판결 및 기각판결	인용판결만
주관적 범위	당사자와 후소법원	관계행정청
시간적 범위	사실심 변론종결시	처분시
객관적 범위	판결주문	판결주문 및 이유 중에 설시된 위법사유

3. 위헌판결의 통보 및 공고

행정소송에 대한 대법원 판결에 의하여 명령 · 규칙이 헌법 또는 법률에 위반된다는 것이 확정된 경우에는 대법원은 지체 없이 그 사유를 **행정안전부장관**에게 통보하여야 하며, 통보받은 행정안전부장관은 지체 없이 이를 **관보에 게재**하여야 한다(제6조).

판례연구 판결의 효력(형성력 · 기판력)

1. 기본 판례

확정판결의 기판력은 그 판결의 주문에 미치고 판결이유에서 설시된 법률관계의 존부까지 미치는 것은 아니다.

전소와 후소의 소송물이 동일하지 아니하여도 전소의 기판력 있는 법률관계가 후소의 선결적 법률관계가 되는 때에는 전소의 판결의 기판력이 후소에 미쳐 후소의 법원은 전에 한 판단과 모순되는 판단을 할 수 없음은 상고이유에서 지적하는 바와 같으나, **확정판결의 기판력은 그 판결의 주문에 포함된 것, 즉 소송물로 주장된 법률관계의 존부에 관한 판단의 결론 그 자체에만 미치는** 것이고 판결이유에서 설시된 그 전제가 되는 법률관계의 존부에까지 미치는 것은 아니다(대판 1999.10.12. 98다32441).

2. 관련 판례

① 확정판결의 기판력에 저촉된 행정처분은 그 하자가 명백하고 중대하여 무효이다.
② 행정처분취소청구를 기각하는 판결이 확정된 경우 원고가 다시 이를 무효라 하여 그 무효확인을 소구할 수 없다.
③ 전소와 후소가 그 소송물을 달리하는 경우에는 전소확정판결의 기판력이 후소에 미치지 않는다.
④ 전소의 주문에 포함된 법률관계가 후소의 선결적 법률관계가 되는 때에는 전소의 판결의 기판력이 후소에 미쳐 후소의 법원은 전에 한 판단과 모순되는 판단을 할 수 없다.

⑤ 기판력은 사실심변론종결시를 기준으로 효력이 발생한다.
⑥ 행정처분을 취소한다는 확정판결이 있으면 당해 행정처분의 별도의 취소를 요하지 않고 당연히 취소의 효과가 발생한다.
⑦ 과세처분을 취소하는 판결이 확정된 후 과세관청의 그 과세처분의 경정처분은 무효이다.
⑧ 취소판결의 제3자효는 소송당사자가 아니었던 제3자라 할지라도 이를 용인하지 않으면 안 된다는 것을 의미한다.

판례연구 판결의 효력(기속력 · 간접강제)

1. 기본 판례

기속력에 반하는 처분은 허용되지 않는다.

행정처분 취소판결이 확정된 경우에 처분행정청이 그 행정소송의 사실심 변론종결이전의 사유를 내세워 다시 확정판결에 저촉되는 행정처분을 하는 것은 확정판결의 기판력에 저촉되어 허용될 수 없다(대판 1982.5.11. 80누104).

2. 관련 판례

① 취소사유가 행정처분의 절차, 방법의 위법으로 인한 것이라면 그 처분 행정청은 그 확정판결의 취지에 따라 그 위법사유를 보완하여 다시 종전의 신청에 대한 거부처분을 할 수 있다.
② 취소소송에서 소송의 대상이 된 거부처분을 실체법상의 위법사유에 기하여 취소하는 판결이 확정된 경우에는 당해 거부처분을 한 행정청은 원칙적으로 신청을 인용하는 처분을 하여야 한다.
③ 거부처분 후에 법령이 개정 · 시행된 경우 개정된 법령에 따른 새로운 사유로 거부처분하는 것은 기속력에 반하지 않는다.
④ 사실심변론종결 이후 새로운 사유를 내세워 다시 거부처분을 하는 것은 기속력에 반하지 않는다.
⑤ 재처분을 하였다 하더라도 그것이 종전 거부처분에 대한 취소의 확정판결의 기속력에 반하는 등으로 당연무효라면 간접강제가 가능하다.
⑥ 무효등확인소송에는 취소소송에서와 같은 간접강제가 허용되지 않는다.
⑦ 간접강제결정에서 정한 의무이행기한이 경과한 후에라도 확정판결의 취지에 따른 재처분의 이행이 있으면 더 이상 배상금을 추심하는 것은 허용되지 않는다.

핵심 OX

01 주택건설사업 승인신청거부처분에 대한 취소의 확정판결이 있은 후 행정청이 재처분을 하였다 하더라도 그 재처분이 종전거부처분에 대한 취소의 확정판결의 기속력에 반하는 경우, 행정소송법상 간접강제 신청에 필요한 요건을 갖춘 것으로 보아야 한다. 18. 지방9급 ( )

02 행정처분에 대하여 무효확인판결이 내려진 경우에는 그 행정처분이 거부처분인 경우에도 행정청에 판결의 취지에 따른 재처분의무가 인정될 뿐 그에 대하여 간접강제까지 허용되는 것은 아니다. 19. 서울9급(2월) ( )

03 거부처분에 대하여 무효확인판결이 확정된 경우, 행정청에 대해 판결의 취지에 따른 재처분의무가 인정될 뿐 그에 대하여 간접강제까지 허용되는 것은 아니다. 19. 지방9급, 10. 세무사 ( )

01 ○ 02 ○ 03 ○

제6절 취소소송의 종료 및 불복

1 취소소송의 종료

1. 종국판결에 의한 종료

2. 당사자의 행위에 의한 종료

(1) 소의 취하

행정소송에도 처분권주의가 지배하므로 **판결이 확정되기 전**까지 취하할 수 있다. 다만 피고가 본안에 대하여 준비서면을 제출하거나 준비절차에서 진술·변론을 한 후에는 피고의 동의가 있어야 한다(행정소송법 제8조 제2항, 민사소송법 제266조 제2항).

관련판례

원고들이 영업정지처분에 대하여 제기한 취소소송 항소심 계속 중 영업정지처분이 과징금 부과처분으로 직권 변경되자, 원고들이 위 과징금 부과처분에 대한 취소소송을 별도로 제기한 뒤 기존의 영업정지처분 취소소송을 취하한 경우, 과징금 부과처분 취소청구의 소가 재소금지의 원칙에 위반되어 부적법한지 여부(소극)

이 사건 전소와 이 사건 소의 소송물이 같다고 볼 수 없고, 이 사건 전소의 소송물인 이 사건 업무정지 처분의 위법성이 이 사건 과징금 부과처분의 위법성을 소송물로 하는 이 사건 소와의 관계에서 항상 선결적 법률관계 또는 전제에 있다고 보기도 어려우므로, 원고들에게 이 사건 업무정지 처분과는 별도로 이 사건 과징금 부과처분의 위법성을 소송절차를 통하여 다툴 기회를 부여할 필요가 있고, 원고들이 이 사건 선행판결 선고 이후 이 사건 전소를 취하하고 이 사건 소를 다시 제기하게 된 경위에 비추어 보더라도, 원고들이 이 사건 소를 제기한 것이 이 사건 전소의 소송절차를 통한 국가나 법원의 노력을 헛수고로 돌아가게 한다거나 소송제도를 남용한 것이라고 보기도 어려워, 이 사건 소의 제기가 민사소송법 제267조 제2항의 취지에 반하는 것으로 볼 수 없고, 오히려 소제기를 필요로 하는 정당한 사정이 있으므로 재소금지 원칙에 위반된다고 할 수 없다고 판단하여, 이와 달리 이 사건 소가 재소금지 원칙에 위반되어 부적법하다고 할 수 없다(대판 2023.3.16. 2023도751).

(2) 청구의 포기·인낙

① **의의:** 청구의 포기는 '원고'가 자신의 청구가 이유 없음을 자인(自認)하는 법원에 대한 일방적 의사표시이며, 청구의 인낙은 '피고'가 원고의 청구가 이유 있음을 자인하는 법원에 대한 일방적 의사표시이다.

② 청구의 포기·인낙이 허용될 것인가에 대하여 견해의 대립이 있으나, 행정소송의 성질상 처분권주의에는 일정한 한계가 있음을 전제로 부정하는 것이 다수설이다.

(3) 소송상 화해

① **의의:** 소송 계속 중 당사자 쌍방이 소송물의 권리관계에 관한 주장을 서로 양보하여 소송을 종료시키기로 하는 합의를 말한다.

② 소송상 화해를 인정할 것인가에 대해 견해의 대립이 있으나, 판례는 귀속재산처리사건에서 **화해**를 **인정**한 예가 있다(대판 1955.9.2. 4287행상59).

2 취소소송의 불복

1. 항소 · 상고

항고소송의 종국판결에 불복하고자 하는 경우에는 고등법원에 항소할 수 있으며, 고등법원의 항소심판결에 불복하는 경우에는 법률심인 대법원에 상고할 수 있다.

2. 제3자의 재심청구(제31조)

행정소송법 제31조 【제3자에 의한 재심청구】 ① 처분 등을 취소하는 판결에 의하여 권리 또는 이익의 침해를 받은 제3자는 자기에게 책임 없는 사유로 소송에 참가하지 못함으로써 판결의 결과에 영향을 미칠 공격 또는 방어방법을 제출하지 못한 때에는 이를 이유로 확정된 종국판결에 대하여 재심의 청구를 할 수 있다.
② 제1항의 규정에 의한 청구는 확정판결이 있음을 안 날로부터 30일 이내, 판결이 확정된 날로부터 1년 이내에 제기하여야 한다.
③ 제2항의 규정에 의한 기간은 불변기간으로 한다.

(1) 요건

처분 등을 취소하는 판결에 의하여 권리 또는 이익의 침해를 받은 **제3자**는 자기에게 **책임없는 사유**로 소송에 참가하지 못함으로써 판결의 결과에 영향을 미칠 공격 또는 방어방법을 제출하지 못한 때에는 이를 이유로 확정된 종국판결에 대하여 재심의 청구를 할 수 있다.

(2) 재심청구기간

재심청구는 확정판결이 있음을 안 날로부터 **30일** 이내, 판결이 확정된 날로부터 **1년** 이내에 제기하여야 한다. 이 기간은 **불변기간**이다.

3 소송비용

행정소송법 제32조 【소송비용의 부담】 취소청구가 제28조의 규정에 의하여 기각되거나 행정청이 처분 등을 취소 또는 변경함으로 인하여 청구가 각하 또는 기각된 경우에는 소송비용은 피고의 부담으로 한다.

제33조 【소송비용에 관한 재판의 효력】 소송비용에 관한 재판이 확정된 때에는 피고 또는 참가인이었던 행정청이 소속하는 국가 또는 공공단체에 그 효력을 미친다.

핵심 OX

01 처분 등을 취소하는 판결에 의하여 권리 또는 이익을 침해받은 제3자는 소송에 참가하지 못함으로써 판결의 결과에 영향을 미칠 공격 또는 방어방법을 제출하지 못한 때에는 그 귀책사유 여부와 관계없이 확정된 종국판결에 대하여 재심의 청구를 할 수 있다. 15. 국회8급, 04. 5급 공채 ( )

02 소송참가할 수 있는 행정청이 자기에게 책임없는 사유로 소송에 참가하지 못함으로써 판결의 결과에 영향을 미칠 공격방어방법을 제출하지 못한 때에는 이를 이유로 확정된 종국판결에 대하여 재심을 청구할 수 있다. 18. 국가7급 ( )

핵심 OX

03 행정처분에 대한 취소청구가 사정판결에 의하여 기각된 경우에 소송비용은 피고가 부담한다. 13. 국가7급, 08. 지방9급 ( )

01 X 02 X 03 O

제3장 무효등확인소송, 부작위위법확인소송

제1절 무효등확인소송

행정소송법 제35조 【무효등확인소송의 원고적격】 무효등확인소송은 처분 등의 효력 유무 또는 존재 여부의 확인을 구할 법률상 이익이 있는 자가 제기할 수 있다.

제38조 【준용규정】 ① 제9조, 제10조, 제13조 내지 제17조, 제19조, 제22조 내지 제26조, 제29조 내지 제31조 및 제33조의 규정은 무효등확인소송의 경우에 준용한다.❶

1 서설

1. 의의

행정청의 처분 등의 **효력 유무** 또는 **존재 여부의 확인**을 구하는 소송을 말한다(제4조 제2호). 그 유형으로는 처분무효확인소송, 처분유효확인소송, 처분실효확인소송, 처분존재확인소송, 처분부존재확인소송이 있다.

2. 성질

무효등확인소송은 확인의 소에 해당하지만 항고소송의 성질을 갖는다는 점에서 준항고소송설이 통설적 견해이다.

3. 적용법규의 특성

취소소송에 관한 대부분의 규정이 적용되나, ① 예외적 행정심판**전치주의**, ② **제소기간**의 제한, ③ 재량처분의 취소, ④ **사정판결**, ⑤ 간접강제에 관한 규정이 **적용되지 않는다.**

2 소송요건

1. 관할

무효등확인소송의 관할에는 취소소송에 관한 규정이 준용되므로 제1심 관할법원은 **피고의 소재지**를 관할하는 행정법원이 된다(제9조, 제38조 제1항).

2. 원고적격

(1) 문제의 소재

무효등확인소송은 처분 등의 효력 유무 또는 존재 여부의 확인을 구할 **법률상 이익이 있는 자**가 제기할 수 있다(제35조). 여기서 '확인을 구할 법률상 이익'의 의미에 대해서는 견해의 대립이 있다.

❶ 취소소송 규정 준용 X
무 - 제. 심. 사. 간 / 부 - 소. 집. 사
- 무효등확인소송: 제소기간, 행정심판전치주의, 사정판결, 간접강제
- 부작위위법확인소송: 처분변경으로 인한 소 변경, 집행정지, 사정판결

핵심 OX

04 무효등확인소송은 처분 등의 효력 유무 또는 존재 여부의 확인을 구할 법률상 이익이 있는 자가 제기할 수 있다. 14. 경특2차 ( )

05 사정판결에 관한 행정소송법 규정은 무효등확인소송에는 준용되지 않는다. 15. 국가9급 · 서울7급, 13. 서울9급, 12. 지방7급, 10. 국가7급 ( )

06 무효등확인소송은 행정청의 처분등의 효력 유무 또는 존재 여부를 확인하는 소송이다. 08. 세무사 ( )

07 행정소송의 대상은 구체적인 권리 · 의무에 관한 분쟁이어야 하므로 구체적인 권리 · 의무에 관한 분쟁을 떠나서 법령 자체의 무효확인을 구하는 청구는 행정소송의 대상이 아닌 사항에 대한 것으로서 부적법하다. 12. 사복 ( )

08 무효확인소송은 행정심판을 거치지 아니하고 제기할 수 있다. 14. 사복, 10. 세무사 ( )

09 무효등확인소송의 제기는 처분 등의 효력이나 그 집행 또는 절차의 속행에 영향을 주지 아니한다. 17. 지방7급, 14. 경특2차 ( )

10 취소소송에서 인정되는 집행정지에 관한 행정소송법 규정은 무효등확인소송에 대하여도 준용된다. 14. 경특2차, 10. 국가7급 · 세무사 ( )

04 ○ 05 ○ 06 ○ 07 ○ 08 ○ 09 ○ 10 ○

(2) 학설

① **즉시확정이익설**: '확인을 구할 법률상 이익'은 민사소송의 확인의 이익과 같이 원고의 권리나 법률상 지위에 현존하는 불안이나 위험을 제거하기 위하여 확인판결을 받는 것이 유효·적절한 수단일 때 인정된다는 것이다. 이에 따르면 무효등확인소송은 다른 효과적이고 직접적인 소송이 인정되는 경우에는 허용되지 않는다고 본다.

② **법적 보호이익설(다수설)**: '확인을 구할 법률상 이익'을 민사소송의 확인의 이익보다 넓은 개념으로서 취소소송에 있어서와 동일하게 **법규에 의하여 보호**되는 이익으로 본다.

(3) 판례

종래 즉시확정이익설에 따라 무효확인소송에 보충성을 요구하고 있었으나, 최근 입장을 변경하여 더 이상 무효확인소송의 **보충성**은 **요구되지 않는다**는 입장을 취하고 있다(대판 2008.3.20. 2007두6342 전합).

관련판례

행정소송법 제35조에 규정된 '무효확인을 구할 법률상 이익'이 있는지를 판단할 때 행정처분의 무효를 전제로 한 이행소송 등과 같은 직접적인 구제수단이 있는지를 따져보아야 하는지 여부(소극)

종래 대법원은 행정소송법 제35조에 규정된 '무효확인을 구할 법률상 이익'이 인정되기 위해서는 무효확인소송의 보충성(판결로써 분쟁이 있는 법률관계의 유·무효를 확정하는 것이 원고의 권리 또는 법률상의 지위에 관한 불안·위험을 제거하는데 필요하고도 적절한 경우라야 한다고 제한적으로 해석)을 요구하였으나, 동 판결에서 행정처분의 근거 법률에 의하여 보호되는 직접적이고 구체적인 이익이 있는 경우에는 행정소송법 제35조에 규정된 '무효확인을 구할 법률상 이익'이 있다고 보아, 이와 별도로 무효확인소송의 보충성이 요구되는 것은 아니므로 행정처분의 무효를 전제로 한 이행소송 등과 같은 직접적인 구제수단이 있는지 여부를 따질 필요가 없다고 해석함이 상당하다고 하여, 이와 상반된 종전의 판례를 변경하였다(대판 2008.3.20. 2007두6342 전합).

3. 피고적격

무효등확인소송은 취소소송의 피고적격에 관한 규정이 준용되므로 처분 등을 행한 **행정청**을 피고로 한다.

4. 제소기간

무효등확인소송의 경우에는 **제소기간의 제한**을 **받지 않지만**, 무효선언을 구하는 의미의 취소소송의 경우에는 제소기간의 제한을 받는다(대판 1987.6.9. 87누219).

5. 소제기의 효과

무효등확인소송이 제기되면 소송계속상태가 발생하여 소송참가관련청구의 병합·이송, 집행정지결정을 할 수 있다.

핵심 OX

01 대법원은 종래 무효확인소송에서 요구해 왔던 보충성을 더 이상 요구하지 않는 것으로 판례태도를 변경하였다. 18. 지방교행, 13. 국가9급 ( )

02 무효인 과세처분에 의해 조세를 납부한 자가 부당이득반환청구소송을 제기할 수 있는 경우에도 과세처분에 대한 무효확인소송을 제기할 수 있다. 16. 지방9급 ( )

핵심 OX

03 무효확인소송의 제1심 판결시까지 원고적격을 구비하였는데 제2심 단계에서 원고적격을 흠결하게 된 경우, 제2심 수소법원은 각하판결을 하여야 한다. 19. 국가9급 ( )

04 무효등확인소송은 다른 법률에 특별한 규정이 없는 한 그 처분 등을 행한 행정청을 피고로 한다. 14. 경특 ( )

05 무효등확인소송에는 취소소송의 제소기간에 관한 규정이 준용되지 않는다. 13. 국가7급 ( )

06 무효인 행정행위에 대하여 취소소송을 제기하는 경우에는 제소기간의 제한이 적용되지 않는다. 16. 국회8급 ( )

01 ○ 02 ○ 03 ○ 04 ○ 05 ○ 06 X

3 심리

1. 심리절차(제38조 제1항)

취소소송의 **직권심리주의** 및 **행정심판기록제출명령**에 관한 규정은 무효등확인소송에도 준용된다.

2. 입증책임

무효등확인소송의 입증책임에 대해서는 취소소송의 경우와 같이 법률요건분류설에 따라 입증책임이 분배되어야 한다는 것이 다수설이나, 판례는 원고가 부담하여야 한다고 본다.

관련판례

무효확인소송에서 입증책임
행정처분의 당연무효를 주장하여 그 무효확인을 구하는 소송과 그 무효확인을 구하는 뜻에서 그 처분의 취소를 구하는 소송에 있어서는 그 무효를 구하는 사람(원고)에게 행정처분에 존재하는 하자(위법성)가 중대하고 명백하다는 것을 주장 입증할 책임이 있다(대판 1976.1.13. 75누175).

3. 선결문제의 심리 · 판단

처분 등의 무효 또는 부존재의 여부가 **민사소송의 선결문제**가 된 경우 당해 민사소송의 수소법원이 **심리 · 판단**할 수 있다. 다만, 단순위법 · 취소사유인 경우는 공정력으로 인하여 그 유효성 여부를 판단할 수 없다.

4 판결

1. 위법판단 기준시

취소소송과 같이 **처분시**로 보는 것이 통설 · 판례이다.

2. 사정판결 여부

다수설 · 판례 모두 **부정**적인 입장이다(대판 1970.7.24. 69누126).

3. 판결의 효력

취소판결의 효력 및 기속력에 관한 규정이 준용된다. 따라서 확정판결은 **제3자**에게도 효력이 있으며, **제3자의 소송참가 · 제3자의 재심청구**가 인정되고, 당사자인 **행정청**과 그 밖의 **관계 행정청**을 **기속**한다.

관련판례

행정처분의 무효확인판결이 소송의 당사자는 물론 제3자에게도 미치는지 여부(적극)
행정상의 법률관계는 이를 획일적으로 규율할 필요가 있을 뿐 아니라 행정처분무효 확인소송은 제소기간의 도과등으로 인하여 행정처분 취소의 소를 제기할 수 없게 되었을 때라도 중대하고 명백한 하자 있는 행정처분이 무효임을 확정하여 그 외견적 효력을 제거하여 줌으로써 행정처분 취소의 소를 제기한 것과 같은 구제의 길을 터주려는데 그 취지가 있는 것이고 행정청의 공권력의 행사에 불복하여 그 처분의 효력을 다투는 점에서 행정처분 취소의 소와 기본적으로 동질의 소송유형에 속하여 그에 준하는 성질을 가지는 것이라 할 것이므로 행정처분의 무효확인 판결이 비록 형식상은 확인판결이라 하여도 그 무효확인판결의 효력은 그 취소판결과 같이 소송의 당사자는 물론 제3자에게도 미치는 것이라고 함이 상당하며 이는 당원의 판례이기도 하다(대판 1982.7.27. 82다173).

5 관련문제 - 취소소송과의 관계

1. 개설(무효와 취소의 구별의 상대성)

현행 행정소송법 제4조는 취소소송과 무효등확인소송을 서로 다른 별개의 행정소송으로 규정하고 있다. 그러나 양 소송의 유형을 구분짓는 행정처분의 무효 또는 취소사유의 구별이 상대화되어 감에 따라 실체법상의 위법사유와 소송형식이 불일치하는 경우에 법원은 이를 어떠한 요건하에서 받아주어야 하는지, 그리고 나아가 어떠한 판결을 해야 하는지가 문제된다.

2. 무효사유인 처분에 대한 취소소송제기(무효선언적 의미의 취소소송)

(1) 의의

당사자가 **무효인 처분**을 대상으로 **취소소송**을 **제기**한 경우로서 '무효선언적 의미의 취소소송'이라고도 한다. 이 경우 당사자가 제기한 취소소송과 관련 취소소송은 취소소송의 요건을 갖추어야 하는지, 그리고 나아가 수소법원의 심리결과 처분의 하자가 중대·명백하여 당연무효의 사유로 밝혀진 때에 법원은 무효선언으로서의 취소판결을 할 수 있는지 여부가 문제된다.

(2) 취소소송의 요건을 갖추어야 하는지 여부

① 학설

㉠ **적극설:** 적극설은 행정행위의 무효사유와 취소사유는 객관적으로 명백하지 않고 상대적이므로, 비록 무효선언을 의미하더라도 그 소송의 형식이 취소소송을 취하는 한 행정심판전치주의나, 제소기간에 대한 제한이 적용된다는 입장이다.

㉡ **소극설:** 이에 대하여 소극설은 이러한 경우는 그 형식만 취소소송일 뿐, 그 소송으로 구하는 판결은 당해 행정행위가 무효임을 확인하는 무효확인소송이며, 무효인 행정행위는 별도의 행위를 기다릴 필요없이 처음부터 당연히 무효이므로 행정심판전치주의나 제소기간의 적용이 없다고 본다.

핵심 OX

01 행정심판전치주의가 적용되도록 하는 규정이 있는 경우일지라도 처분의 무효를 구하는 소송에는 행정심판전치주의가 적용되지 않으므로 무효사유의 하자를 취소소송으로 다투는 경우에도 행정심판을 거칠 필요가 없다. 14. 국회8급 ( )

02 행정처분의 당연무효를 선언하는 의미에서 그 취소를 구하는 행정소송을 제기하는 경우에는 취소소송의 제소기간을 준수하여야 한다. 19. 국회8급, 18. 지방교행, 15. 서울9급·서울7급, 12. 국회8급·국가9급, 08. 세무사 ( )

01 X 02 O

② **판례**: 대법원은 환지변경(경계변경)처분취소소송사건(대판 1990.8.28. 90누1892 ; 대판 1987.9.22. 87누482 등)에서 행정처분의 무효를 선언하는 의미에서 취소를 구하는 소송도 항고소송의 일종이므로 전심절차를 거쳐야 한다고 하여 취소소송의 요건을 갖추어야 한다고 판시하여 적극설의 입장을 취하고 있다.

(3) 심리결과 처분의 하자가 무효의 사유로 밝혀진 경우의 법원의 판결

판례는 이 경우 이른바 무효선언의미에서의 취소판결을 할 수 있다는 입장이다(대판 1987.6.9. 87누219).

핵심 OX

03 판례는 무효를 선언하는 의미의 취소판결을 인정하고 있다.
18. 지방교행, 14. 지방9급 · 경특1차, 13. 국회9급 · 국가7급 (　)

3. 취소사유인 처분에 대한 무효확인소송의 제기

(1) 취소소송제기에 필요한 소송요건을 갖추지 못한 경우

취소소송의 제기에 필요한 소송요건을 갖추지 못한 경우에는 당해 무효확인소송에서도 **기각판결**을 내려야 한다는 점에서는 학설과 판례가 견해를 일치하고 있다.

(2) 취소소송제기에 필요한 요건을 갖춘 경우

① 학설

㉠ **기각판결설**: 무효확인청구에 취소청구가 당연히 포함되어 있다고 볼 수 없음을 이유로 원고의 청구는 기각되어야 한다는 견해이다.

㉡ **소변경설**: 이 경우 법원은 각하판결을 할 것이 아니라, 석명권을 행사하여 무효확인소송을 취소소송으로 변경한 후에 취소판결을 하여야 한다는 견해이다.

㉢ **취소판결설**: 무효확인청구에는 원고의 명시적인 반대의사표시가 없는 한 취소청구도 당연히 포함되어 있다고 보아 법원은 취소판결을 할 수 있다는 견해이다.

② **판례(취소판결설)**: 판례도 일반적으로 행정처분의 무효확인을 구하는 소에는 원고가 그 처분의 취소를 구하지 아니한다고 밝히지 아니한 이상 그 처분이 만약 당연무효가 아니라면 그 **취소를 구하는 취지**도 **포함**되어 있는 것으로 보아야 한다고 하여 취소판결설의 입장을 따르고 있다(대판 1994.12.23. 94누477).

핵심 OX

04 행정처분의 무효확인을 구하는 소에는 원고가 그 처분의 취소를 구하지 아니한다고 밝히지 아니한 이상 그 처분이 만약 당연무효가 아니라면 그 취소를 구하는 취지도 포함되어 있는 것으로 보아야 한다.
18. 지방7급, 12. 국회8급, 06. 세무사 (　)

05 무효확인소송을 제기하였는데 해당 사건에서의 위법이 취소사유에 불과한 때, 법원은 취소소송의 요건을 충족한 경우 취소판결을 내린다.
17. 국가7급(10월) (　)

핵심정리 취소소송과 무효확인소송과의 관계

구분	취소소송의 소송요건	판결
무효사유인 처분에 대한 취소소송제기	×	각하판결
	○ (무효선언적 의미의 취소소송)	본안심리 후 인용판결 ⇨ 단, 무효선언 (무효선언적 의미의 취소판결)
취소사유인 처분에 대한 무효확인소송의 제기	×	기각판결(∵무효사유에 미달)
	○	취소판결(∵大는 小를 포함) (cf. 기각판결설/소변경설)

03 ○ 04 ○ 05 ○

제2절 부작위위법확인소송

행정소송법 제36조【부작위위법확인소송의 원고적격】 부작위위법확인소송은 처분의 신청을 한 자로서 부작위의 위법의 확인을 구할 법률상 이익이 있는 자만이 제기할 수 있다.

제38조【준용규정】 ② 제9조, 제10조, 제13조 내지 제19조, 제20조, 제25조 내지 제27조, 제29조 내지 제31조, 제33조 및 제34조의 규정은 부작위위법확인소송의 경우에 준용한다.

1 서설

1. 의의

행정청의 부작위가 위법하다는 것을 확인하는 소송을 말한다(제4조 제3호). 즉 당사자의 신청에 대하여 **일정한 처분**을 하여야 할 **법률상 의무**가 있음에도 불구하고 어떠한 처분도 하지 않고 이를 **방치**한 경우에 그 부작위가 위법함을 확인하는 소송이다. 행정소송법은 행정심판과는 달리 의무이행소송을 채택하지 않고 부작위위법확인소송을 채택하고 있다.

2. 성질

부작위위법확인소송은 항고소송으로서 확인소송이다.

3. 적용법규의 특성

취소소송의 규정이 대부분 적용되나, ① 처분변경으로 인한 소의 변경(제22조), ② **집행정지**결정 · 집행정지취소결정(제23조, 제24조), ③ **사정판결**(제28조), ④ 사정판결시 피고의 소송비용부담(제32조) 등은 준용되지 않는다.

2 소송의 대상

1. 부작위의 의의

부작위란 당사자의 신청에 대하여 상당한 기간 내에 일정한 처분을 하여야 할 법률상 의무가 있음에도 이를 방치하는 것을 말한다(제2조 제1항 제2호).

2. 부작위의 성립요건

(1) 당사자의 신청

① 신청의 내용: 불문한다.

② 법규상 · 조리상 신청권의 존부: 법규상 · 조리상 **신청권의 존부**에 대해서는 학설이 대립하나, **필요**하다는 것이 다수설이자 판례이다.

핵심 OX

01 부작위위법확인소송의 대상이 되는 부작위는 당사자의 신청이 없더라도 성립할 수 있다. 15. 교행 ( )

02 행정청의 아무런 처분이 없는 경우에도 이를 거부처분으로 간주하는 법규정이 있는 때에는 부작위에 해당하지 않는다. 10. 세무사 ( )

핵심 OX

03 부작위위법확인소송에 있어서는 사정판결이 적용되지 아니한다. 05. 국회8급 ( )

04 부작위위법확인소송에 대해서는 행정소송법상 처분변경으로 인한 소의 변경에 관한 규정이 준용된다. 13. 국회8급 ( )

05 법원은 부작위에 대하여 집행정지결정을 할 수 있다. 06. 대구9급 ( )

06 취소소송의 제소기간에 관한 규정은 무효등확인소송과 부작위위법확인소송에서는 준용되지 않는다. 13. 서울9급, 10. 세무사 ( )

07 부작위위법확인소송에서 사인의 신청권의 존재여부는 부작위의 성립과 관련하므로 원고적격의 문제와는 관련이 없다. 18. 지방9급 ( )

01 X 02 O 03 O 04 X 05 X 06 X 07 X

관련판례

부작위위법확인의 소의 요건
부작위위법확인소송은 처분의 신청을 한 자로서 부작위의 위법의 확인을 구할 법률상의 이익이 있는 자만이 제기할 수 있다 할 것이며, 이를 통하여 구하는 행정청의 응답행위는 행정소송법 제2조 제1항 제1호 소정의 처분에 관한 것이라야 하므로, 당사자가 행정청에 대하여 어떠한 행정행위를 하여 줄 것을 신청하지 아니하거나 그러한 신청을 하였더라도 당사자가 행정청에 대하여 그러한 행정행위를 하여 줄 것을 요구할 수 있는 법규상 또는 조리상의 권리를 갖고 있지 아니하든지 또는 행정청이 당사자의 신청에 대하여 거부처분을 한 경우에는 원고적격이 없거나 항고소송의 대상인 위법한 부작위가 있다고 볼 수 없어 그 부작위위법확인의 소는 부적법하다(대판 1995.9.15. 95누7345).

(2) 상당한 기간의 경과

(3) 처분을 할 법률상 의무의 존재

(4) 처분의 부존재

처분의 **부존재**를 의미하며, 행정입법에 대한 부작위는 부작위위법확인소송의 대상이 되지 않는다.

관련판례

추상적인 법령의 제정 여부 등이 부작위위법확인소송의 대상이 될 수 있는지 여부(소극)
구체적 사건에 대한 법률상 분쟁을 법에 의하여 해결함으로써 법적 안정을 기하는 것이 행정소송이므로 부작위위법확인소송의 대상이 될 수 있는 것은 구체적 권리의무에 관한 분쟁이어야 하고, 추상적인 법령에 관한 제정 여부 등은 부작위위법확인소송의 대상성을 인정할 수 없다(대판 1992.5.8. 91누11261).

3 소송요건

1. 관할

취소소송과 같이 **부작위행정청의 소재지**를 관할하는 제1심 행정법원이 된다(제9조 제1항).

2. 원고적격

부작위위법확인소송의 원고적격은 처분의 신청을 한 자로서 부작위의 위법을 구할 법률상 이익이 있는 자만이 가진다(행정소송법 제36조).

3. 피고적격(행정청)

취소소송과 같이 당해 **부작위청**이 피고가 된다.

핵심 OX

08 부작위위법확인소송에서 '부작위'라 함은 행정청이 당사자의 신청에 대하여 상당한 기간 내에 일정한 처분을 하여야 할 법률상 의무가 있음에도 불구하고 처분을 하지 않는다는 의사를 통지하는 것을 말한다. 13. 서울9급 ( )

09 부작위가 성립하기 위해서는 당사자의 신청이 있어야 하며, 여기서 신청이란 법규상 또는 조리상 신청권의 행사로서의 신청을 말한다. 13. 국회8급, 10. 세무사 ( )

10 부작위의 직접 상대방이 아닌 제3자는 당해 행정처분의 부작위위법확인을 구할 법률상의 이익이 있는 경우 원고적격이 인정된다. 13. 국회8급, 04. 국가9급 ( )

11 국민의 구체적인 권리의무에 직접적으로 변동을 초래하지 않는 추상적인 법령의 제정 여부 등은 부작위위법확인소송의 대상이 될 수 없다. 18. 국가9급 ( )

08 X 09 O 10 O 11 O

4. 제소기간

(1) 행정심판을 거친 경우

재결서 정본을 송달받은 날로부터 90일 이내에 제기하여야 한다.

(2) 행정심판을 거치지 않는 경우

부작위위법확인소송의 경우는 처분이 없으므로 처분이 있음을 전제로 한 취소소송의 제소기간 제한에 관한 규정은 성질상 준용되지 않는다고 볼 수 있다. 이에 대하여 **제소기간**에 대하여 **제한이 없다**는 견해와 부작위의 성립요건의 하나인 신청 후 상당한 기간이 경과하면 그 때 처분이 있는 것으로 보고 그 때부터 1년 이내에 제소할 수 있다고 보는 견해가 대립한다.

(3) 행정소송법의 규정

부작위위법확인소송의 제소기간에 대하여 행정소송법 제38조 제2항은 취소소송의 제소기간이 준용된다는 규정을 두고 있다.

관련판례

부작위위법확인의 소의 제소기간

부작위위법확인의 소는 부작위상태가 계속되는 한 그 위법의 확인을 구할 이익이 있다고 보아야 하므로 원칙적으로 제소기간의 제한을 받지 않는다. 그러나 행정소송법 제38조 제2항이 제소기간을 규정한 같은 법 제20조를 부작위위법확인소송에 준용하고 있는 점에 비추어 보면, 행정심판 등 전심절차를 거친 경우에는 행정소송법 제20조가 정한 제소기간 내에 부작위위법확인의 소를 제기하여야 한다(대판 2009.7.23. 2008두10560).

5. 행정심판전치주의

취소소송과 같이 **임의적 행정심판전치주의**가 적용된다. 이 경우 행정심판은 의무이행심판이다.

6. 소제기의 효과

(1) 소송계속상태 발생, 중복제소금지

(2) 집행정지결정의 문제

부작위위법확인소송은 적극적 처분이 존재하지 않으므로 집행정지결정의 문제는 발생하지 않는다.

(3) 관련청구의 이송과 병합

이송과 병합에 관한 행정소송법 제10조는 부작위위법확인소송에서도 준용된다.

(4) 소의 변경

사실심 변론종결시까지 청구기초의 변경 없이 법원의 허가를 받아 부작위위법확인소송을 **취소소송**이나 **당사자소송**으로 변경할 수 있다. 다만, 처분이 존재하지 않는 부작위위법확인소송에서는 처분변경으로 인한 소의 변경은 적용되지 않는다.

핵심 OX

01 甲은 A시장의 부작위에 대해 행정심판을 거친 후 부작위위법확인의 소를 제기하려면 행정심판 재결서의 정본을 송달받은 날부터 60일 이내에 제기하여야 한다. 19. 변호사, 17. 지방7급 ( )

핵심 OX

02 행정청의 부작위에 대하여 행정심판을 거치지 않고 부작위위법확인소송을 제기하는 경우에는 제소기간의 제한을 받지 않는다. 19. 지방9급, 13. 지방9급 ( )

핵심 OX

03 당사자가 적법한 제소기간 내에 부작위위법확인의 소를 제기한 후 동일한 신청에 대하여 소극적 처분이 있다고 보아 처분취소소송으로 소를 교환적으로 변경한 후 부작위위법확인의 소를 추가적으로 병합한 경우 제소기간을 준수한 것으로 볼 수 있다. 19. 국회8급 ( )

01 X 02 O 03 O

4 심리

1. 심리의 범위

부작위위법확인소송의 심리권이 신청의 실체적 내용에까지 미칠 수 있는지에 대하여 소극설과 적극설의 대립이 있다.

(1) 학설

① **소극설(절차적 심리설)**: 부작위위법확인소송은 의무이행소송과 달리 행정청의 부작위가 위법한 것임을 확인하는 소송으로서 법원의 심판대상은 부작위의 위법성이므로, 법원은 부작위의 위법 여부를 확인하는 데 그치고 실체내용까지 판단할 수 없다는 입장이다.

② **적극설(실체적 심리설)**: 심리범위가 부작위의 위법 여부뿐만 아니라 실체적 심리까지 미쳐 행정청의 특정작위의무의 존재까지도 심리 · 판단할 수 있다는 견해이다.

(2) 판례

소극설의 입장이다.

> **관련판례**
>
> **부작위위법확인소송의 변론종결시까지 행정청의 처분으로 부작위 상태가 해소된 경우 소의 이익 유무(소극)**
>
> 부작위위법확인의 소는 행정청이 국민의 법규상 또는 조리상의 권리에 기한 신청에 대하여 상당한 기간내에 그 신청을 인용하는 적극적 처분 또는 각하하거나 기각하는 등의 소극적 처분을 하여야 할 법률상의 응답의무가 있음에도 불구하고 이를 하지 아니하는 경우, 판결(사실심의 구두변론 종결)시를 기준으로 그 부작위의 위법을 확인함으로써 행정청의 응답을 신속하게 하여 부작위 내지 무응답이라고 하는 소극적인 위법상태를 제거하는 것을 목적으로 하는 것이고, 나아가 당해 판결의 구속력에 의하여 행정청에게 처분 등을 하게 하고 다시 당해 처분 등에 대하여 불복이 있는 때에는 그 처분 등을 다투게 함으로써 최종적으로는 국민의 권리이익을 보호하려는 제도이므로, 소제기의 전후를 통하여 판결시까지 행정청이 그 신청에 대하여 적극 또는 소극의 처분을 함으로써 부작위상태가 해소된 때에는 소의 이익을 상실하게 되어 당해 소는 각하를 면할 수가 없는 것이다(대판 1990.9.25. 89누4758).

2. 입증책임

부작위위법확인소송에 있어서 일정한 **처분을 신청한 사실** 및 **상당한 기간이 경과**하였다는 것은 **원고**가 입증책임을 지게 되나, 정당한 사유로 상당한 기간을 경과하게 된 것에 대한 입증책임은 피고인 **처분청**이 지게 된다.

3. 심리절차

취소소송의 **직권심리주의** 및 **행정심판기록제출명령**에 관한 규정이 부작위위법확인소송에도 준용된다.

핵심 OX

04 법원은 단순히 행정청의 방치행위의 적부에 관한 절차적 심리만 하는 게 아니라, 신청의 실체적 내용이 이유 있는지도 심리하며 그에 대한 적정한 처리방향에 관한 법률적 판단을 해야 한다. 18. 국회8급 ( )

핵심 OX

05 부작위위법확인소송은 행정청의 부작위 또는 무응답, 거부처분 등 소극적 위법상태를 제거하기 위한 제도이다. 08. 선관위9급 ( )

06 허가처분신청에 대한 부작위를 다투는 부작위위법확인소송을 제기하여 제1심에서 승소판결을 받았는데 제2심 단계에서 피고 행정청이 허가처분을 한 경우, 제2심 수소법원은 각하판결을 하여야 한다. 19. 국가9급 ( )

04 X 05 X 06 O

5 판결의 효력

1. 서설

부작위위법확인소송에 대해서도 판결의 일반적 효력이 인정되며 취소소송의 **기속력**, **형성력**의 규정이 준용되고 있다. 그리고 **거부처분에 대한 재처분의무** 및 **간접강제**의 규정도 준용되고 있다.

2. 위법판단 기준시

취소소송 · 무효등확인소송의 경우와 달리 부작위위법확인소송은 처분이 존재하지 않아 **판결시(사실심 변론종결시)**를 기준으로 한다.

관련판례

부작위위법확인소송의 위법판단 기준시: 판결시(사실심 변론종결시)
부작위위법확인소송은 판결시를 기준으로 하여 그 부작위의 위법성을 확인함으로써 행정청의 응답을 신속하게 하여 부작위 내지 무응답이라고 하는 소극적 위법상태를 제거하는 것을 목적으로 하는 것이다(대판 1990.9.25. 89누4758).

핵심 OX

01 甲이 제기한 부작위위법확인소송에서 A시장의 부작위가 위법한지 여부는 甲의 허가신청시를 기준으로 판단되어야 한다.
19. 변호사, 13. 서울9급, 12. 국가7급, 07. 세무사 변형 ( )

3. 부작위위법확인소송의 인용판결의 효력

(1) 확정력

부작위위법확인소송의 판결에도 **형식적 · 실질적 확정력**이 발생하고, 판결의 **제3자효** 규정이 준용된다(제38조 제2항).

(2) 재처분의무 발생

판결에 의하여 행정청의 부작위가 위법하다는 것이 확인되면 행정청은 그 **판결의 취지에 따라 처분을 해야 할 의무**[1]가 발생한다(제30조 제2항, 제38조 제2항). 다만 부작위위법확인소송은 행정청의 부작위가 위법하다는 것을 확인하는 데 그치는 것이므로 행정청은 판결의 취지에 따라 어떠한 처분을 하기만 하면 되고, 반드시 원고의 신청대로 처분할 필요는 없으므로 거부처분도 가능하다(다수설).

[1] '판결의 취지에 따르는 신청에 대한 처분'의 의미(다수설 · 판례)
부작위위법확인소송의 심리권의 범위에서 부작위의 위법확인만을 할 수 있다는 입장에서 단순히 신청에 대한 응답의무를 부담하는 데 그치는 것으로 거부처분을 한다 하더라도 기속행위에 대한 부작위위법확인소송의 인용판결의 취지(기속력)에 반하지 않는다고 함

(3) 간접강제

행정청이 판결취지에 따른 재처분의무를 이행하지 아니한 때에는 제1심 수소법원은 당사자의 신청에 의하여 결정으로써 상당한 기간을 정하고, 행정청이 그 기간 내에 이행하지 아니한 때에는 그 지연기간에 따라 **일정한 배상**을 할 것을 명하거나 **즉시 손해배상**을 할 것을 명할 수 있다.

핵심 OX

02 판례의 태도에 비추어 볼 때, 부작위위법확인소송에서 인용판결(확인)이 확정되면 행정청은 이전의 신청에 대한 처분을 하여야 하고 거부처분을 할 수는 없다.
08. 세무사 ( )

01 X 02 X

판례연구 무효확인소송, 부작위위법확인소송

1. 기본 판례

무효확인소송에 별도의 확인소송의 보충성이 요구되지 않는다.

> 행정처분의 근거 법률에 의하여 보호되는 직접적이고 구체적인 이익이 있는 경우에는 행정소송법 제35조에 규정된 '무효확인을 구할 법률상 이익'이 있다고 볼 수 있으며, 이와 별도로 무효확인을 구할 필요가 있는지 여부에 관한 무효확인소송의 **보충성이 요구되는 것은 아니다.** 이와 다른 취지로 판시한 종전 대법원판결들은 이 판결의 견해에 배치되는 범위 내에서 변경한다(대판 2008.3.20. 2007두6342 전합).

2. 관련 판례

① 무효확인을 구하는 소에는 그 처분이 당연무효가 아니라면 그 취소를 구하는 취지도 포함되어 있는 것으로 본다.
② 처분의 하자가 당연무효인가여부는 무효를 주장하는 원고에게 입증책임이 있다.
③ 법규상·조리상 신청권이 있는 자가 제기할 수 있다.
④ 입법부작위는 부작위위법확인소송의 대상이 되지 않는다.
⑤ 공사중지명령 이후 그 원인사유의 소멸을 이유로 한 공사중지명령철회의 신청에 대해 아무런 응답을 하지 않고 있는 경우, 행정청의 부작위는 위법하다.
⑥ 거부처분에 대한 부작위위법확인의 소는 부적법하다.
⑦ 부작위의 위법성이 판단대상이고 신청에 대한 실체적 처분의 내용까지는 심리할 수 없다는 것이 판례의 입장이다.
⑧ 4급 공무원이 당해 지방자치단체 인사위원회의 심의를 거쳐 3급 승진대상자로 결정되고 임용권자가 그 사실을 대내외에 공표한 경우, 그 공무원에게 승진임용 신청권이 있다.

핵심 OX

03 행정청이 행한 공사중지명령의 상대방은 그 명령 이후에 그 원인사유가 소멸하였음을 들어 행정청에게 공사중지명령의 철회를 요구할 수 있는 조리상의 신청권이 없다. 18. 국회8급 ( )

04 4급 공무원이 당해 지방자치단체 인사위원회의 심의를 거쳐 3급 승진대상자로 결정되고 임용권자가 그 사실을 대내외에 공표한 경우 그 공무원에게 승진 임용신청권이 있다. 14. 서울7급 ( )

03 X **04** O

제4장 당사자소송, 객관소송

제1절 당사자소송

1 개설

1. 의의

당사자소송은 행정청의 처분 등을 원인으로 하는 법률관계에 관한 소송과 그 밖에 **공법상 법률관계**에 관한 소송으로서 그 법률관계의 한쪽 당사자를 피고로 하는 소송을 말한다(제3조 제2호).

> **행정소송법 제39조 【피고적격】** 당사자소송은 국가 · 공공단체 그 밖의 권리주체를 피고로 한다.
>
> **제40조 【재판관할】** 제9조의 규정은 당사자소송의 경우에 준용한다. 다만 국가 또는 공공단체가 피고인 경우에는 관계 행정청의 소재지를 피고의 소재지로 본다.
>
> **제41조 【제소기간】** 당사자소송에 관하여 법령에 제소기간이 정하여져 있는 때에는 그 기간은 불변기간으로 한다.
>
> **제42조 【소의 변경】** 제21조의 규정은 당사자소송을 항고소송으로 변경하는 경우에 준용한다.
>
> **제43조 【가집행선고의 제한】** 국가를 상대로 하는 당사자소송의 경우에는 가집행선고를 할 수 없다.
> [단순위헌, 2020헌가12, 2022.2.24; 행정소송법 제43조는 헌법에 위반된다.]
>
> **제44조 【준용규정】** ① 제14조 내지 제17조, 제22조, 제25조, 제26조, 제30조 제1항, 제32조 및 제33조의 규정은 당사자소송의 경우에 준용한다.
> ② 제10조의 규정은 당사자소송과 관련청구소송이 각각 다른 법원에 계속되고 있는 경우의 이송과 이들 소송의 병합의 경우에 준용한다.

2. 성질

당사자소송은 행정청의 공권력 행사와 관련된 항고소송과는 달리 민사소송과 유사한 소송이다. 따라서 당사자소송의 피고는 항고소송과는 달리 당해 법률관계의 귀속주체인 **국가** 또는 **공공단체**가 된다.

3. 대상

당사자소송의 대상은 공법상의 법률관계 그 자체이다.

4. 다른 소송과의 구별

(1) 항고소송

항고소송이 행정주체의 우월적 지위에서 행한 처분을 대상으로 하는 복심적 쟁송인 반면, 당사자소송은 대등한 주체로서 공법상의 법률관계를 대상으로 하는 시심적 쟁송이라는 점, 행정청을 피고로 하는 항고소송과는 달리 **국가·공공단체**와 같은 **권리주체**를 **피고**로 한다는 점에서 차이가 있다.

(2) 민사소송

대등한 당사자간의 소송인 점에서는 민사소송과 같으나, 민사소송은 사법상의 법률관계에 관한 소송이고 당사자소송은 **공법상의 법률관계**에 관한 소송이라는 점에서 차이가 있다.

(3) 적용법규의 특성(취소소송의 준용배제규정)

취소소송의 규정 중에서 **소의 제기기간**, 선결문제, 원고적격, 피고적격, 소송대상, **행정심판전치주의**, **집행정지**, **사정판결**, 제3자에 의한 재심청구, 재처분의무, **간접강제** 등에 관한 규정은 성질상 적용되지 않는다(제44조 제1항).

2 종류

1. 실질적 당사자소송

(1) 의의

공법상의 법률관계에 관한 소송으로서 대립하는 당사자 사이의 소송을 말하며, 당사자소송의 일반적인 모습이다. 실질적 당사자소송은 민사소송과 비슷한 형태의 소송이다.

(2) 종류

행정소송법 제3조 제2호	종류	
행정청의 처분 등을 원인으로 하는 법률관계에 관한 소송	공법상의 금전지급 청구소송	• 광주민주화운동 관련자 보상금 청구소송 • 석탄가격안정지원금 청구소송 • 법령상 퇴역연금액 감액조치에 관한 소송 • 퇴직연금지급거부에 관한 소송
	확장❶	• 처분 등의 무효를 전제로 하는 공법상 부당이득반환청구소송(조세과오납금반환청구소송 등) • 공무원의 직무상 불법행위로 인한 국가배상청구소송
그 밖의 공법상 법률관계에 관한 소송	공법상 신분·지위 확인소송	• 태극무공훈장수여자확인 • 영관생계보조금기금권리자확인 • 도시재개발조합원자격확인
	공법상 계약에 관한 소송	• 서울시립무용단원해촉 무효확인 • 공중보건의 계약해지 무효확인

핵심 OX

01 석탄가격안정지원금의 지급을 구하는 소송은 당사자소송이다. 06. 국회8급 ( )

02 시립합창단원의 위촉은 공법관계에 해당한다. 13. 국회8급 ( )

03 공무원이나 공립학교 학생의 신분확인을 구하는 공법상 신분·지위 확인소송은 판례상 당사자소송이다. 14. 국회8급 ( )

01 ○ 02 ○ 03 ○

❶ 법률행위가 아닌 권력적 사실행위, 또는 불법행위, 나아가 사건에 대해서 인정하는 경우로서 학설과는 달리 판례는 사법관계로 보아 민사소송으로 해결하는 입장

법령 자체에서 권리·의무가 발생하는 경우	행정처분을 매개로 하는 경우
당사자소송으로	항고소송으로
법령의 개정에 따른 국방부장관의 퇴역연금액 감액조치에 대하여 이의가 있는 퇴역연금수급권자는 항고소송을 제기하는 방법으로 감액조치의 효력을 다툴 것이 아니라 직접 국가를 상대로 정당한 퇴역연금액과 결정, 통지된 퇴역연금액과의 차액의 지급을 구하는 공법상 당사자소송을 제기하는 방법으로 다툴 수 있다(대판 2003.9.5. 2002두3522).	민주화운동 관련자 명예회복 및 보상 등에 관한 법률의 취지와 내용에 비추어 보면 그 규정들만으로는 바로 법상의 보상금 등의 지급대상자가 확정된다고 볼 수 없고, 심의위원회에서 심의·결정을 받아야만 비로소 보상금 등의 지급대상자로 확정될 수 있다. 따라서 그와 같은 심의위원회의 결정은 국민의 권리의무에 직접 영향을 미치는 행정처분에 해당하므로, 관련자 등으로서 보상금 등을 지급받고자 하는 신청에 대하여 심의위원회가 관련자 해당 요건의 전부 또는 일부를 인정하지 아니하여 보상금 등의 지급을 기각하는 결정을 한 경우에는 신청인은 심의위원회를 상대로 그 결정의 취소를 구하는 소송을 제기하여 보상금 등의 지급대상자가 될 수 있다(대판 2008.4.17. 2005두16185 전합).

관련판례

1 중앙관서의 장이 보조금의 예산 및 관리에 관한 법률 제31조 제1항에 의한 보조금 반환을 구하는 경우, 민사소송의 방법으로 반환청구를 할 수 있는지 여부(소극)

보조금의 예산 및 관리에 관한 법률은 제30조 제1항에서 중앙관서의 장은 보조사업자가 허위의 신청이나 기타 부정한 방법으로 보조금의 교부를 받은 때 등의 경우 보조금 교부결정의 전부 또는 일부를 취소할 수 있도록 규정하고, 제31조 제1항에서 중앙관서의 장은 보조금의 교부결정을 취소한 경우에 취소된 부분의 보조사업에 대하여 이미 교부된 보조금의 반환을 명하여야 한다고 규정하고 있으며, 제33조 제1항에서 위와 같이 반환하여야 할 보조금에 대하여는 국세징수의 예에 따라 이를 징수할 수 있도록 규정하고 있으므로, 중앙관서의 장으로서는 반환하여야 할 보조금을 국세체납처분의 예에 의하여 강제징수할 수 있고, 위와 같은 중앙관서의 장이 가지는 반환하여야 할 보조금에 대한 징수권은 공법상 권리로서 사법상 채권과는 성질을 달리하므로, 중앙관서의 장으로서는 보조금을 반환하여야 할 자에 대하여 민사소송의 방법으로는 반환청구를 할 수 없다고 보아야 한다(즉, 당사자소송으로 반환청구를 해야 한다)(대판 2012.3.15. 2011다17328).

2 광주민주화운동 관련자 보상심의위원회의 보상금 지급신청에 대한 결정에 대한 소송의 성격(당사자소송)

[1] 광주민주화운동 관련자 보상심의위원회의 보상금지급신청에 대한 결정이 취소소송의 대상이 되는 행정처분인지 여부(소극)

광주민주화운동 관련자 보상 등에 관한 법률 제15조 본문의 규정에서 말하는 광주민주화운동관련자 보상심의위원회의 결정을 거치는 것은 보상금 지급에 관한 소송을 제기하기 위한 전치요건에 불과하다고 할 것이므로 위 보상심의위원회의 결정은 취소소송의 대상이 되는 행정처분이라고 할 수 없다.

[2] 같은 법에 의거하여 관련자 및 유족들이 갖게 되는 보상 등에 관한 권리 및 소송의 성격(=당사자소송)과 그 지급에 관한 법률관계의 주체(=대한민국)

같은 법에 의거하여 관련자 및 유족들이 갖게 되는 보상 등에 관한 권리는 헌법 제23조 제3항에 따른 재산권침해에 대한 손실보상청구나 국가배상법에 따른 손해배상청구와는 그 성질을 달리하는 것으로서 법률이 특별히 인정하고 있는 공법상의 권리라고 하여야 할 것이므로, 그에 관한 소송은 행정소송법 제3조 제2호 소정의 당사자소송에 의하여야 할 것이며 보상금 등의 지급에 관한 법률관계의 주체는 대한민국이다.

[3] **취소소송을 제기한 당사자가 국가 또는 공공단체에 대한 당사자소송을 행정소송법 제10조 제2항에 의하여 관련 청구로서 병합하였으나 위 취소소송이 부적법한 경우 법원은 소변경청구로 보아 청구의 기초에 변경이 없는 한 이를 허가하여야 하는지 여부(적극)**
취소소송 등을 제기한 당사자가 당해 처분 등에 관계되는 사무가 귀속되는 국가 또는 공공단체에 대한 당사자소송을 행정소송법 제10조 제2항에 의하여 관련 청구로서 병합한 경우 위 취소소송 등이 부적법하다면 당사자는 위 당사자소송의 병합청구로서 같은 법 제21조 제1항에 의한 소변경을 할 의사를 아울러 가지고 있었다고 봄이 상당하고, 이러한 경우 법원은 청구의 기초에 변경이 없는 한 당초의 청구가 부적법하다는 이유로 병합된 청구까지 각하할 것이 아니라 병합청구 당시 유효한 소변경청구가 있었던 것으로 받아들여 이를 허가함이 타당하다.

[4] **취소소송을 제기하였다가 당사자소송으로 소변경을 허용할 경우 당사자소송의 제소기간의 준수기준(= 취소소송)**
취소소송을 제기하였다가 나중에 당사자소송으로 변경하는 경우에는 행정소송법 제21조 제4항, 제14조 제4항에 따라 처음부터 당사자소송을 제기한 것으로 보아야 하므로 당초의 취소소송이 적법한 기간 내에 제기된 경우에는 당사자소송의 제소기간을 준수한 것으로 보아야 할 것이다(대판 1992.12.24. 92누3335).

3 민주화운동 관련자 명예회복 및 보상 등에 관한 법률에 따른 보상금 등의 지급을 구하는 소송의 형태(취소소송)❶

[다수의견]

[1] 민주화운동 관련자 명예회복 및 보상 등에 관한 법률 제2조 제1호, 제2호 본문, 제4조, 제10조, 제11조, 제13조 규정들의 취지와 내용에 비추어 보면, 같은 법 제2조 제2호 각 목은 민주화운동과 관련한 피해 유형을 추상적으로 규정한 것에 불과하여 제2조 제1호에서 정의하고 있는 민주화운동의 내용을 함께 고려하더라도 그 규정들만으로는 바로 법상의 보상금 등의 지급 대상자가 확정된다고 볼 수 없고, '민주화운동 관련자 명예회복 및 보상 심의위원회'에서 심의 · 결정을 받아야만 비로소 보상금 등의 지급 대상자로 확정될 수 있다. 따라서 그와 같은 심의위원회의 결정은 국민의 권리의무에 직접 영향을 미치는 행정처분에 해당하므로, 관련자 등으로서 보상금 등을 지급받고자 하는 신청에 대하여 심의위원회가 관련자 해당 요건의 전부 또는 일부를 인정하지 아니하여 보상금 등의 지급을 기각하는 결정을 한 경우에는 신청인은 심의위원회를 상대로 그 결정의 취소를 구하는 소송을 제기하여 보상금 등의 지급대상자가 될 수 있다.

[2] 민주화운동 관련자 명예회복 및 보상 등에 관한 법률 제17조는 보상금 등의 지급에 관한 소송의 형태를 규정하고 있지 않지만, 위 규정 전단에서 말하는 보상금 등의 지급에 관한 소송은 '민주화운동 관련자 명예회복 및 보상 심의위원회'의 보상금 등의 지급신청에 관하여 전부 또는 일부를 기각하는 결정에 대한 불복을 구하는 소송이므로 **취소소송**을 의미한다.

[대법관 김황식, 김지형, 이홍훈의 반대의견]

민주화운동 관련자 명예회복 및 보상 등에 관한 법률 제17조의 규정은 입법자가 결정전치주의에 관하여 특별한 의미를 부여하고 있는 것으로, 심의위원회의 결정과 같은 사전심사를 거치거나 사전심사를 위한 일정한 기간이 지난 후에는 곧바로 당사자소송의 형태로 권리구제를 받을 수 있도록 하려는 데 그 진정한 뜻이 있는 것이다.

핵심 OX

01 광주민주화운동 관련자 보상 등에 관한 법률에 의거한 손실보상청구소송은 판례에 따를 때 당사자소송에 해당한다. 15. 국회8급 · 서울9급 ( )

02 민주화운동 관련자 명예회복 및 보상 등에 관한 법률에 의한 보상금 지급청구소송은 판례에 따를 때 당사자소송에 해당한다.
15. 서울9급, 14. 국회8급, 10. 국회9급 ( )

❶
- 민주화운동: 항고소송
- 광주민주화운동: 당사자소송

01 O 02 X

또한, 소송경제나 분쟁의 신속한 해결을 도모한다는 측면에서도 당사자소송에 의하는 것이 국민의 권익침해 해소에 가장 유효하고 적절한 수단이다. 따라서 보상금 등의 지급신청을 한 사람이 심의위원회의 보상금 등의 지급에 관한 결정을 다투고자 하는 경우에는 곧바로 보상금 등의 지급을 구하는 소송을 제기하여야 하고, 관련자 등이 갖게 되는 보상금 등에 관한 권리는 위 법이 특별히 인정하고 있는 공법상 권리이므로 그 보상금 등의 지급에 관한 소송은 행정소송법 제3조 제2호에 정한 국가를 상대로 하는 당사자소송에 의하여야 한다(대판 2008.4.17. 2005두16185 전합).

4 고용·산재보험료 납부의무 부존재확인의 소의 법적 성질(=공법상 당사자소송)

고용산재보험료징수법 제4조, 제16조의2, 제17조, 제19조, 제23조의 각 규정에 의하면, 사업주가 당연가입자가 되는 고용보험 및 산재보험에서 보험료 납부의무 부존재확인의 소는 공법상의 법률관계 그 자체를 다투는 소송으로서 **공법상 당사자소송**이라 할 것이다(대판 2016.10.13. 2016다221658).

5 구 도시 및 주거환경정비법상 도시환경정비사업조합 설립인가신청에 대하여 행정청의 조합설립 인가처분이 있은 후 조합설립결의의 하자를 이유로 조합설립의 효력을 다투기 위한 소송(=항고소송)

도시환경정비사업조합 설립인가신청에 대한 행정청의 조합설립 인가처분은 단순히 사인들의 조합설립행위에 대한 보충행위로서의 성질을 가지는 것이 아니라 법령상 일정한 요건을 갖추는 경우 행정주체(공법인)의 지위를 부여하는 일종의 설권적 처분의 성질을 가진다고 봄이 상당하다. 그리고 그와 같이 보는 이상, 일단 조합설립 인가처분이 있은 경우 조합설립결의는 위 인가처분이라는 행정처분을 하는 데 필요한 요건 중 하나에 불과한 것이어서, 조합설립 인가처분이 있은 이후에는 조합설립결의의 하자를 이유로 조합설립의 무효를 주장하는 것은 조합설립 인가처분의 취소 또는 무효확인을 구하는 **항고소송**의 방법에 의하여야 할 것이고, 이와는 별도로 조합설립결의만을 대상으로 그 효력 유무를 다투는 확인의 소를 제기하는 것은 확인의 이익이 없어 허용되지 아니한다.

그러나 다른 한편, 도시정비법상 도시환경정비사업조합이 공법인이라는 사정만으로 도시환경정비사업조합과 시공자 사이에 체결되는 공사도급계약 등을 둘러싼 법률관계가 공법상의 법률관계에 해당한다거나 위와 같은 공사도급계약의 효력을 다투는 소송이 당연히 공법상 당사자소송에 해당한다고 볼 수는 없고, 도시정비법의 규정들이 도시환경정비사업조합과 시공자와의 관계를 특별히 공법상의 계약관계로 설정하고 있다고 볼 수도 없으므로, 도시환경정비사업조합과 시공자 사이의 공사도급계약 등을 둘러싼 법률관계는 사법상의 법률관계로서 그 공사도급계약의 효력을 다투는 소송은 민사소송에 의하여야 할 것이다(대결 2010.4.8. 2009마1026).

6 도시 및 주거환경정비법상 주택재건축정비사업조합을 상대로 관리처분계획안에 대한 조합 총회결의의 효력을 다투는 소송이 행정소송법상 당사자소송인지 여부(적극) 및 이를 본안으로 하는 가처분에 대하여 민사집행법상 가처분에 관한 규정이 준용되는지 여부(적극)❶

도시 및 주거환경정비법(이하 '도시정비법'이라 한다)상 행정주체인 주택재건축정비사업조합을 상대로 관리처분계획안에 대한 조합 총회결의의 효력을 다투는 소송은 행정처분에 이르는 절차적 요건의 존부나 효력 유무에 관한 소송으로서 소송결과에 따라 행정처분의 위법 여부에 직접 영향을 미치는 공법상 법률관계에 관한 것이므로, 이는 행정소송법상 **당사자소송**에 해당한다. 그리고 이러한 당사자소송에 대하여는 행정소송법 제23조 제2항의 집행정지에 관한 규정이 준용되지 아니하므로(행정소송법 제44조 제1항 참조), 이를 본안으로 하는 가처분에 대하여는 행정소송법 제8조 제2항에 따라 민사집행법상 가처분에 관한 규정이 준용되어야 한다(대결 2015.8.21. 2015무26).

핵심 OX

01 사업주가 당연가입자가 되는 고용보험 및 산업재해보상보험에서 보험료 납부의무 부존재확인은 당사자소송으로 다투어야 한다.
24. 국가9급 ( )

핵심 OX

02 도시 및 주거환경정비법상 주택재건축정비사업조합을 상대로 관리처분계획안에 대한 조합 총회결의의 효력 등을 다투는 소송은 행정소송법상 당사자소송에 해당한다.
19. 국가9급, 15. 국회8급, 13. 지방9급, 11. 국가7급 ( )

❶
· 관리처분계획안: 당사자소송
· 관리처분계획: 항고소송

01 ○ 02 ○

7 지방소방공무원이 소속 지방자치단체를 상대로 초과근무수당의 지급을 구하는 소송을 제기하는 경우, 행정소송법상 당사자소송의 절차에 따라야 하는지 여부(적극)

지방자치단체와 그 소속 경력직 공무원인 지방소방공무원 사이의 관계, 즉 지방소방공무원의 근무관계는 사법상의 근로계약관계가 아닌 공법상의 근무관계에 해당하고, 그 근무관계의 주요한 내용 중 하나인 지방소방공무원의 보수에 관한 법률관계는 공법상의 법률관계라고 보아야 한다. 나아가 지방공무원법 제44조 제4항, 제45조 제1항이 지방공무원의 보수에 관하여 이른바 근무조건 법정주의를 채택하고 있고, 지방공무원 수당 등에 관한 규정 제15조 내지 제17조가 초과근무수당의 지급 대상, 시간당 지급 액수, 근무시간의 한도, 근무시간의 산정 방식에 관하여 구체적이고 직접적인 규정을 두고 있는 등 관계 법령의 내용, 형식 및 체제 등을 종합하여 보면, 지방소방공무원의 초과근무수당 지급청구권은 법령의 규정에 의하여 직접 그 존부나 범위가 정하여지고 법령에 규정된 수당의 지급요건에 해당하는 경우에는 곧바로 발생한다고 할 것이므로, 지방소방공무원이 자신이 소속된 지방자치단체를 상대로 초과근무수당의 지급을 구하는 청구에 관한 소송은 행정소송법 제3조 제2호에 규정된 **당사자소송**의 절차에 따라야 한다(대판 2013.3.28. 2012다102629).

8 부가가치세 환급세액 지급청구가 당사자소송의 대상인지 여부(적극)

납세의무자에 대한 국가의 부가가치세 환급세액 지급의무는 그 납세의무자로부터 어느 과세기간에 과다하게 거래징수된 세액 상당을 국가가 실제로 납부받았는지와 관계없이 부가가치세법령의 규정에 의하여 직접 발생하는 것으로서, 그 법적 성질은 정의와 공평의 관념에서 수익자와 손실자 사이의 재산상태 조정을 위해 인정되는 부당이득 반환의무가 아니라 부가가치세법령에 의하여 그 존부나 범위가 구체적으로 확정되고 조세 정책적 관점에서 특별히 인정되는 공법상 의무라고 봄이 타당하다. 그렇다면 납세의무자에 대한 국가의 부가가치세 환급세액 지급의무에 대응하는 국가에 대한 납세의무자의 부가가치세 환급세액 지급청구는 민사소송이 아니라 행정소송법 제3조 제2호에 규정된 당사자소송의 절차에 따라야 한다(대판 2013.3.21. 2011다95564 전합).

9 주거용 건축물의 세입자가 주거이전비 보상을 소구하는 경우 그 소송의 형태

구 공익사업을 위한 토지 등의 취득 및 보상에 관한 법률 제78조 제5항 · 제7항, 같은 법 시행규칙 제54조 제2항 본문 · 제3항의 각 조문을 종합하여 보면, 세입자의 주거이전비 보상청구권은 그 요건을 충족하는 경우에 당연히 발생하는 것이므로, 주거이전비 보상청구소송은 행정소송법 제3조 제2호에 규정된 **당사자소송**에 의하여야 한다(대판 2008.5.29. 2007다8129).

10 공익사업을 위한 토지 등의 취득 및 보상에 관한 법률 제77조 제2항에서 정한 농업손실보상청구권에 관한 쟁송은 행정소송절차에 의하여야 하는지 여부(적극)

농업손실보상청구권은 공익사업의 시행 등 적법한 공권력의 행사에 의한 재산상의 특별한 희생에 대하여 전체적인 공평부담의 견지에서 공익사업의 주체가 그 손해를 보상하여 주는 손실보상의 일종으로 공법상의 권리임이 분명하므로 그에 관한 쟁송은 민사소송이 아닌 **행정소송절차**에 의하여야 할 것이고, 위 규정들과 구 공익사업법 제26조, 제28조, 제30조, 제34조, 제50조, 제61조, 제83조 내지 제85조의 규정 내용 및 입법 취지 등을 종합하여 보면, 공익사업으로 인하여 농업의 손실을 입게 된 자가 사업시행자로부터 구 공익사업법 제77조 제2항에 따라 농업손실에 대한 보상을 받기 위해서는 구 공익사업법 제34조, 제50조 등에 규정된 재결절차를 거친 다음 그 재결에 대하여 불복이 있는 때에 비로소 구 공익사업법 제83조 내지 제85조에 따라 권리구제를 받을 수 있다(대판 2011.10.13. 2009다43461).

핵심 OX

03 지방공무원의 초과근무수당 지급청구권은 법령의 규정에 의하여 직접 그 존부나 범위가 곧바로 정해지므로 지방소방공무원이 자신이 소속된 지방자치단체를 상대로 초과근무수당의 지급을 구하는 청구에 관한 소송은 당사자소송의 절차에 따라야 한다. ( )

핵심 OX

04 부가가치세법령상 납세의무자에 대한 국가의 부가가치세환급세액 지급의무는 부당이득 반환의무이므로 그 지급청구는 당사자소송이 아니라 민사소송의 절차에 따라야 한다. 19. 서울7급, 18. 국가7급 · 서울7급, 16 · 15. 국가9급, 14. 지방7급 · 국회8급 ( )

05 공익사업을 위한 토지 등의 취득 및 보상에 관한 법률상 주거용 건축물 세입자의 주거이전비 보상청구권은 사법상의 권리이고, 주거이전비 보상청구소송은 민사소송에 의해야 한다. 19. 국가7급 ( )

06 구 공익사업을 위한 토지 등의 취득 및 보상에 관한 법률에 의한 주거이전비 보상 청구는 당사자소송의 대상이다. 19. 서울7급 ( )

07 공익사업으로 인해 농업손실을 입은 자가 사업시행자에게서 공익사업을 위한 토지 등의 취득 및 보상에 관한 법률에 따른 보상을 받으려면 재결절차를 거쳐야 하고, 이를 거치지 않고 곧바로 민사소송으로 보상금을 청구하는 것은 허용되지 않는다. 19. 국가7급 ( )

03 ○ 04 X 05 X 06 ○ 07 ○

핵심 OX

01 공무원연금법령상 급여를 받으려고 하는 자는 구체적 권리가 발생하지 않은 상태에서 곧바로 공무원연금공단을 상대로 한 당사자소송을 제기할 수 없다. 18. 서울7급 ( )

02 공무원연금법령상 급여를 받으려고 하는 자는 우선 급여지급을 신청하여 공무원연금공단이 이를 거부하거나 일부 금액만 인정하는 급여지급결정을 하는 경우 그 결정을 대상으로 항고소송을 제기하는 등으로 구체적 권리를 인정받아야 한다. 19. 지방7급 ( )

11 **공무원연금법령상 급여를 받으려고 하는 자가 구체적 권리가 발생하지 않은 상태에서 곧바로 공무원연금공단을 상대로 한 당사자소송으로 권리의 확인이나 급여의 지급을 소구할 수 있는지 여부(소극)**

공무원연금법령상 급여를 받으려고 하는 자는 우선 관계 법령에 따라 공무원연금공단에 급여지급을 신청하여 공무원연금공단이 이를 거부하거나 일부 금액만 인정하는 급여지급결정을 하는 경우 그 결정을 대상으로 항고소송을 제기하는 등으로 구체적 권리를 인정받아야 하고, 구체적인 권리가 발생하지 않은 상태에서 곧바로 공무원연금공단을 상대로 한 당사자소송으로 권리의 확인이나 급여의 지급을 소구하는 것은 허용되지 아니한다(대판 2017.2.9. 2014두43264).

12 **도시 및 주거환경정비법상의 주택재건축정비사업조합을 상대로 관리처분계획안에 대한 조합 총회결의의 효력을 다투는 소송의 법적 성질(= 당사자소송)**

도시 및 주거환경정비법상 행정주체인 주택재건축정비사업조합을 상대로 관리처분계획안에 대한 조합 총회결의의 효력 등을 다투는 소송은 행정처분에 이르는 절차적 요건의 존부나 효력 유무에 관한 소송으로서 그 소송결과에 따라 행정처분의 위법 여부에 직접 영향을 미치는 공법상 법률관계에 관한 것이므로, 이는 행정소송법상의 **당사자소송**에 해당한다(대판 2009.9.17. 2007다2428 전합).

13 **주택재건축정비사업조합이 관리처분계획의 수립 혹은 변경을 통한 집단적인 의사결정 방식 외에 개별 조합원과 사적으로 그와 관련한 약정을 체결한 경우, 약정의 당사자인 개별 조합원이 조합에 대하여 약정 내용대로 관리처분계획을 수립하도록 강제할 수 있는 민사상 권리를 가지는지 여부(소극)**

주택재건축정비사업조합(이하 '재건축조합'이라 한다)이 관리처분계획의 수립 혹은 변경을 통한 집단적인 의사결정 방식 외에 전체 조합원의 일부인 개별 조합원과 사적으로 그와 관련한 약정을 체결한 경우에도, 구속적 행정계획으로서 재건축조합이 행하는 독립된 행정처분에 해당하는 관리처분계획의 본질 및 전체 조합원 공동의 이익을 목적으로 하는 재건축조합의 행정주체로서 갖는 공법상 재량권에 비추어 재건축조합이 개별 조합원 사이의 사법상 약정에 직접적으로 구속된다고 보기는 어렵다. 따라서 그 개별 약정의 내용과 취지 등을 감안하여 유효·적법한 관리처분계획 수립의 범위 내에서 그 약정의 취지를 가능한 한 성실하게 반영하기 위한 조치를 취하여야 할 의무가 인정될 수 있음은 별론으로 하더라도, 이를 초과하여 개별 조합원과의 약정을 절대적으로 반영한 관리처분계획을 수립하여야만 하는 구체적인 민사상 의무까지 인정될 수는 없고, 약정의 당사자인 개별 조합원 역시 재건축조합에 대하여 약정 내용대로의 관리처분계획 수립을 강제할 수 있는 민사상 권리를 가진다고 볼 수 없다(대판 2022.7.14. 2022다206391).

핵심 OX

03 도시 및 주거환경정비법상의 주택재건축정비사업조합이 수립한 관리처분계획에 대하여 관할 행정청의 인가·고시가 있은 후에 제기하는 관리처분계획에 대한 소송은 판례에 따를 때 당사자소송에 해당한다. 19. 지방7급, 15. 서울9급 ( )

14 **도시 및 주거환경정비법상의 주택재건축정비사업조합이 수립한 관리처분계획에 대하여 관할 행정청의 인가·고시가 있은 후에, 그 관리처분계획안에 대한 총회결의의 무효확인을 구할 수 있는지 여부(소극)**

도시 및 주거환경정비법상 주택재건축정비사업조합이 같은 법 제48조에 따라 수립한 관리처분계획에 대하여 관할 행정청의 인가·고시까지 있게 되면 관리처분계획은 행정처분으로서 효력이 발생하게 되므로, 총회결의의 하자를 이유로 하여 행정처분의 효력을 다투는 **항고소송의 방법**으로 관리처분계획의 취소 또는 무효확인을 구하여야 하고, 그와 별도로 행정처분에 이르는 절차적 요건 중 하나에 불과한 총회결의 부분만을 따로 떼어내어 효력 유무를 다투는 확인의 소를 제기하는 것은 특별한 사정이 없는 한 허용되지 않는다(대판 2009.9.17. 2007다2428 전합).

01 ○ **02** ○ **03** X

15 **구 도시 및 주거환경정비법상 재개발조합과 조합장 또는 조합임원 사이의 선임·해임 등을 둘러싼 법률관계의 성질(= 사법상의 법률관계)**

구 도시 및 주거환경정비법상 재개발조합이 공법인이라는 사정만으로 재개발조합과 조합장 또는 조합임원 사이의 선임 · 해임 등을 둘러싼 법률관계가 공법상의 법률관계에 해당한다거나 그 조합장 또는 조합임원의 지위를 다투는 소송이 당연히 공법상 당사자소송에 해당한다고 볼 수는 없고, 구 도시 및 주거환경정비법의 규정들이 재개발조합과 조합장 및 조합임원과의 관계를 특별히 공법상의 근무관계로 설정하고 있다고 볼 수도 없으므로, 재개발조합과 조합장 또는 조합임원 사이의 선임 · 해임 등을 둘러싼 법률관계는 사법상의 법률관계로서 그 조합장 또는 조합임원의 지위를 다투는 소송은 민사소송에 의하여야 할 것이다(대결 2009.9.24. 2009마168 · 169).

16 **재개발조합에 대하여 조합원 자격확인을 구하는 소송이 당사자소송의 대상인지 여부(적극)❶**

구 도시재개발법에 의한 재개발조합은 조합원에 대한 법률관계에서 적어도 특수한 존립목적을 부여받은 특수한 행정주체로서 국가의 감독하에 그 존립 목적인 특정한 공공사무를 행하고 있다고 볼 수 있는 범위 내에서는 공법상의 권리의무 관계에 서 있다. 따라서 조합을 상대로 한 쟁송에 있어서 강제가입제를 특색으로 한 조합원의 자격 인정 여부에 관하여 다툼이 있는 경우에는 그 단계에서는 아직 조합의 어떠한 처분 등이 개입될 여지는 없으므로 공법상의 **당사자소송**에 의하여 그 조합원 자격의 확인을 구할 수 있다(대판 1996.2.15. 94다31235 전합).

17 **납세의무부존재확인의 소의 성격(= 당사자소송) 및 피고적격(= 국가 · 공공단체 등 권리주체)**

납세의무부존재확인의 소는 공법상의 법률관계 그 자체를 다투는 소송으로서 **당사자소송**이라 할 것이므로 행정소송법 제3조 제2호, 제39조에 의하여 그 법률관계의 한쪽 당사자인 국가 · 공공단체 그 밖의 권리주체가 피고적격을 가진다(대판 2000.9.8. 99두2765).

18 **조세채권의 소멸시효 중단을 위하여 납세의무자를 상대로 제기한 조세채권존재확인의 소의 법적 성질(= 공법상 당사자소송)**

조세채권자는 세법이 부여한 부과권 및 자력집행권 등에 기하여 조세채권을 실현할 수 있어 특별한 사정이 없는 한 납세자를 상대로 소를 제기할 이익을 인정하기 어렵다. 다만, 납세의무자가 무자력이거나 소재불명이어서 체납처분 등의 자력집행권을 행사할 수 없는 등 구 국세기본법 제28조 제1항이 규정한 사유들에 의해서는 조세채권의 소멸시효 중단이 불가능하고 조세채권자가 조세채권의 징수를 위하여 가능한 모든 조치를 충실히 취하여 왔음에도 조세채권이 실현되지 않은 채 소멸시효 기간의 경과가 임박하는 등의 특별한 사정이 있는 경우에는, 그 시효중단을 위한 재판상 청구는 예외적으로 소의 이익이 있다고 봄이 타당하다. 국가 등 과세주체가 당해 확정된 조세채권의 소멸시효 중단을 위하여 납세의무자를 상대로 제기한 조세채권존재확인의 소는 공법상 **당사자소송**에 해당한다(대판 2020.3.2. 2017두41771).

핵심 OX

04 재개발조합은 공법인이므로 재개발조합과 조합장 사이의 선임 · 해임 등을 둘러싼 법률관계는 공법상 법률관계이고 그 조합장의 지위를 다투는 소송은 공법상 당사자소송이다. 19. 서울7급 ( )

05 주택재개발정비사업조합은 공법인에 해당하기 때문에, 조합과 조합장 또는 조합임원 사이의 선임 · 해임 등을 둘러 싼 법률관계는 공법상 법률관계로서 그 조합장 또는 조합임원의 지위를 다투는 소송은 공법상 당사자소송에 의하여야 한다. 13. 지방9급 ( )

06 재개발조합 조합원의 자격인정 여부에 관한 다툼은 당사자소송의 대상이다. 19. 서울7급, 10. 경특 ( )

❶ 재개발조합
· 조합원: 공법
· 조합장 · 조합임원: 사법

핵심 OX

07 납세의무부존재확인청구소송은 공법상 법률관계 그 자체를 다투는 소송이므로 과세처분청이 아니라 그 법률관계의 한쪽 당사자인 국가 · 공공단체 그 밖의 권리주체에게 피고적격이 있다. 17. 국가9급(10월) ( )

08 납세의무부존재확인의 소는 당사자소송이고 항고소송의 성격을 가지므로 해당 과세처분 관할 행정청이 피고가 된다. 19. 서울7급 ( )

09 판례에 의하면 지방자치단체가 보조금 지급결정을 하면서 일정 기한 내에 보조금을 반환하도록 하는 교부조건을 부가한 경우, 보조금을 교부받은 사업자에 대한 지방자치단체의 보조금반환 청구소송은 당사자소송에 해당한다. 15. 국가9급 ( )

04 X 05 X 06 O 07 O 08 X 09 O

19 **군인연금법령상 급여를 받으려고 하는 사람이 국방부장관에게 급여지급을 청구하였으나 거부된 경우, 곧바로 국가를 상대로 한 당사자소송으로 급여의 지급을 청구할 수 있는지 여부(소극)**

국방부장관 등이 하는 급여지급결정은 단순히 급여수급 대상자를 확인·결정하는 것에 그치는 것이 아니라 구체적인 급여수급액을 확인·결정하는 것까지 포함한다. 구 군인연금법령상 급여를 받으려고 하는 사람은 우선 관계 법령에 따라 국방부장관 등에게 급여지급을 청구하여 국방부장관 등이 이를 거부하거나 일부 금액만 인정하는 급여지급결정을 하는 경우 그 결정을 대상으로 항고소송을 제기하는 등으로 구체적 권리를 인정받은 다음 비로소 **당사자소송**으로 그 급여의 지급을 구해야 한다. 이러한 구체적인 권리가 발생하지 않은 상태에서 곧바로 국가를 상대로 한 당사자소송으로 급여의 지급을 소구하는 것은 허용되지 않는다(대판 2021.12.16. 2019두45944).

2. 형식적 당사자소송

(1) 의의

행정청의 처분 등으로 형성된 법률관계에 대한 소송으로 그 처분청을 피고로 하지 않고 그 법률관계의 **일방 당사자를 피고**로 제기하는 소송을 말한다. 즉 소송의 실질적 내용은 처분의 효력을 다투는 것이지만, 형식적으로는 소송경제 등의 필요에 의해 당사자소송의 형식을 취하는 것이다.

(2) 필요성

당사자가 다투고자 하는 것이 처분이 아니라 처분에 근거하여 이루어진 법률관계인 경우 행정청을 배제하고 다툼이 있는 법률관계의 **실질적 이해관계**인을 **피고**로 함으로써 소송의 진행이나 분쟁의 해결에 보다 적절하다는 점에서 인정되는 것이다.

(3) 인정 여부

형식적 당사자소송을 별도의 법적 근거 없이 행정소송법 제3조 제2호를 근거로 하여 형식적 당사자소송을 인정할 수 있는가에 대해서 **개별법 규정**이 없으면 인정할 수 없다는 부정설이 다수설이다.

(4) 개별법상의 예

① **특허법 등:** 특허법 제191조는 보상금 또는 대가에 관한 불복의 소에 있어서의 피고를 보상금을 지급할 관서 또는 출원인·특허권자로 한다고 규정하고 있다. 이러한 특허법 규정은 디자인보호법, 실용신안법, 상표법에 준용되고 있다.

② **공익사업을 위한 토지 등의 취득 및 보상에 관한 법률**[1]**:** 구 토지수용법 제75조의2 제2항의 토지소유자 또는 관계인이 보상금의 증감에 관한 같은 조 제1항의 행정소송을 제기하는 경우에는 재결청 외에 기업자를 피고로 한다고 규정하여 필수적 공동소송으로 보았으나(대판 1991.5.28. 90누8787), 2003.1.1. 제정된 공익사업을 위한 토지 등의 취득 및 보상에 관한 법률에 의하여 재결기관(토지수용위원회)을 소송당사자에서 제외시켜 **형식적 당사자소송**으로 인정하고 있다.

핵심 OX

01 형식적 당사자소송은 소송형식상 당사자소송이지만, 처분 등의 효력에 관한 다툼으로서의 실질을 가진다. 10. 세무사 ( )

[1] 약칭: 토지보상법

01 ○

토지보상법 제85조【행정소송의 제기】 ① 사업시행자 · 토지소유자 또는 관계인은 제34조와 규정에 의한 재결에 불복할 때에는 재결서를 받은 날부터 90일 이내에, 이의신청을 거쳤을 때에는 이의신청에 대한 재결서를 받은 날부터 60일 이내에 각각 행정소송을 제기할 수 있다. 이 경우 사업시행자는 행정소송을 제기하기 전에 제84조에 따라 늘어난 보상금을 공탁하여야 하며, 보상금을 받을 자는 공탁된 보상금을 소송이 종결될 때까지 수령할 수 없다.
② 제1항에 따라 제기하고자 하는 행정소송이 **보상금의 증감에 관한 소송인 경우**, 그 소송을 제기하는 자가 **토지소유자 또는 관계인일 때에는 사업시행자를**, 사업시행자일 때에는 토지소유자 또는 관계인을 각각 피고로 한다.

3. 소송요건

(1) 재판관할(제40조)

항고소송과 마찬가지로 제1심 관할법원은 **피고의 소재지**를 관할하는 행정법원이 된다. 다만, 국가 또는 공공단체가 피고인 경우에는 **관계행정청의 소재지**를 피고의 소재지로 본다.

> 핵심 OX
>
> 02 국가가 당사자소송의 피고인 경우에는 관계 행정청의 소재지를 피고의 소재지로 본다.
> 18. 지방교행, 10. 국가7급 ( )

(2) 원고적격

행정소송법에 특별한 규정이 없으므로 항고소송에서와 같은 제한이 없으며, **권리보호의 이익 및 필요를 가진 자**는 원고가 될 수 있다는 일반 민사소송의 원고적격규정이 준용된다.

관련판례

공익사업을 위한 토지 등의 취득 및 보상에 관한 법률에 따른 토지소유자 또는 관계인의 사업시행자에 대한 손실보상금 채권에 관하여 압류 및 추심명령이 있는 경우, 채무자인 토지소유자 등이 보상금의 증액을 구하는 소를 제기하고 그 소송을 수행할 당사자적격을 상실하는지 여부(소극)
공익사업을 위한 토지 등의 취득 및 보상에 관한 법률(이하 '토지보상법'이라 한다) 제85조 제2항에 따른 보상금의 증액을 구하는 소(이하 '보상금 증액 청구의 소'라 한다)의 성질, 토지보상법상 손실보상금 채권의 존부 및 범위를 확정하는 절차 등을 종합하면, 토지보상법에 따른 토지소유자 또는 관계인(이하 '토지소유자 등'이라 한다)의 사업시행자에 대한 손실보상금 채권에 관하여 압류 및 추심명령이 있더라도, 추심채권자가 보상금 증액 청구의 소를 제기할 수 없고, 채무자인 토지소유자 등이 보상금 증액 청구의 소를 제기하고 그 소송을 수행할 당사자적격을 상실하지 않는다고 보아야 한다(대판 2022.11.24. 2018두67).

(3) 피고적격

당사자소송은 항고소송과는 달리 **국가 · 공공단체** 그 밖의 **권리주체**를 피고로 한다(제39조). 국가가 피고인 때에는 **법무부장관**이, **지방자치단체**가 피고인 때에는 **당해 지방자치단체의 장**이 **대표**한다.

> 핵심 OX
>
> 03 취소소송은 다른 법률에 특별한 규정이 없는 한 그 처분 등을 행한 행정청을 피고로 하며, 당사자소송은 국가 · 공공단체 그 밖의 권리주체를 피고로 한다.
> 18. 서울9급, 15. 교행, 14. 지방7급, 13. 서울9급 ( )
>
> 02 ○ 03 ○

핵심 OX

01 당사자소송에 관하여 법령에 제소기간이 정하여져 있는 경우에는 그 기간은 불변기간으로 한다. 10. 관세사 ( )

핵심 OX

02 당사자소송이 부적법하여 각하되는 경우 그에 병합된 관련청구소송 역시 부적법 각하되어야 하는 것은 아니다. 13. 지방9급 ( )

핵심 OX

03 당사자소송에는 취소소송과 달리 사정판결 제도가 없다. 99. 국가7급 ( )

01 ○ 02 × 03 ○

(4) 제소기간(제41조)

당사자소송에는 취소소송의 제소기간에 관한 규정이 적용되지 않는다. 당사자소송에 관한 제소기간이 다른 **법령에 규정된 경우**에는 그에 의하며, 그 기간은 **불변기간**이다.

(5) 전심절차

항고소송과 달리 시심적 쟁송이므로 **행정심판전치주의**가 적용되지 않는다.

(6) 소의 변경(제42조)

소의 변경에 관한 행정소송법 제21조의 규정은 당사자소송을 항고소송으로 변경하는 경우에 준용한다.

4. 소제기의 효과

당사자소송이 제기되면 관련청구소송의 이송 · 병합(제10조), 소송참가규정(제16조, 제17조)이 준용된다. 그러나 **집행정지**에 관한 규정은 **준용되지 않는다**(제23조, 제24조).

5. 심리

(1) 준용규정

취소소송의 직권심리주의(제26조), 행정심판기록제출명령(제25조)에 관한 규정이 준용된다.

(2) 입증책임

민사소송의 일반원칙(법률요건분류설)에 따라 입증책임을 지게 된다.

6. 판결

(1) 판결의 효력

당사자소송의 판결에도 판결의 일반적 효력이 인정되지만, **사정판결제도가 없다**는 점에서 항고소송과 차이가 있다. 또한 취소판결의 기속력 조항은 당사자소송에 준용(제30조 제1항, 제44조)되지만, 취소판결의 제3자효(제29조 제1항), 재처분의무(제30조 제2항 · 제3항), **간접강제**(제34조) 등은 당사자소송에는 적용되지 않는다.

(2) 가집행선고

① 소송촉진 등에 관한 특례법 제6조 단서의 "**국가를 상대로 하는 재산권의 청구에 관하여는 가집행의 선고를 할 수 없다.**"라는 규정에 대하여 헌법재판소가 평등의 원칙에 위반된다는 결정(헌재 1989.1.25. 88헌가7)을 함으로써 동법 제6조는 삭제되었다.

② 행정소송법 제43조는 "국가를 상대로 하는 당사자소송의 경우에는 가집행선고를 할 수 없다."라고 국가에 대한 가집행선고를 금지하고 있어서, 국가를 상대로 하는 당사자소송에서 가집행선고를 제한하는 심판대상조항은 공공단체 그 밖의 권리주체를 피고로 하는 경우와 차별하는 것으로서 평등원칙에 위반된다고 하여 위헌결정되었다(헌재 2022.2.24. 2020헌가12).

관련판례

1 공법상 당사자소송에서 재산권의 청구를 인용하는 판결을 하는 경우, 가집행선고를 할 수 있는지 여부(적극)
행정소송법 제8조 제2항에 의하면 행정소송에도 민사소송법의 규정이 일반적으로 준용되므로 법원으로서는 공법상 당사자소송에서 재산권의 청구를 인용하는 판결을 하는 경우 가집행선고를 할 수 있다(대판 2000.11.28. 99두3416).

2 국가를 상대로 하는 당사자소송의 경우에는 가집행선고를 할 수 없다고 규정한 행정소송법 제43조가 평등원칙에 위배되는지 여부(적극)
심판대상조항은 재산권의 청구에 관한 당사자소송 중에서도 피고가 공공단체 그 밖의 권리주체인 경우와 국가인 경우를 다르게 취급한다. 동일한 성격인 공법상 금전지급 청구소송임에도 피고가 누구인지에 따라 가집행선고를 할 수 있는지 여부가 달라진다면 상대방 소송 당사자인 원고로 하여금 불합리한 차별을 받도록 하는 결과가 된다. 재산권의 청구가 공법상 법률관계를 전제로 한다는 점만으로 국가를 상대로 하는 당사자소송에서 국가를 우대할 합리적인 이유가 있다고 할 수 없고, 집행가능성 여부에 있어서도 국가와 지방자치단체 등이 실질적인 차이가 있다고 보기 어렵다는 점에서, 심판대상조항은 국가가 당사자소송의 피고인 경우 가집행의 선고를 제한하여, 국가가 아닌 공공단체 그 밖의 권리주체가 피고인 경우에 비하여 합리적인 이유 없이 차별하고 있으므로 평등원칙에 반한다(헌재 2022.2.24. 2020헌가12).

3 소송당사자를 차별하여 국가를 우대하는 것이 평등원칙에 위배되는지 여부(적극)
소송촉진 등에 관한 특례법 제6조 제1항 중 단서부분은 재산권과 신속한 재판을 받을 권리의 보장에 있어서 합리적 이유 없이 소송당사자를 차별하여 국가를 우대하고 있는 것이므로 헌법 제11조 제1항에 위반된다(헌재 1989.1.25. 88헌가7).

4 당사자소송에 대하여 민사집행법상 가처분에 관한 규정이 준용되는지 여부(적극)
당사자소송에 대하여는 행정소송법 제23조 제2항의 집행정지에 관한 규정이 준용되지 아니하므로(행정소송법 제44조 제1항 참조), 이를 본안으로 하는 가처분에 대하여는 행정소송법 제8조 제2항에 따라 민사집행법상 가처분에 관한 규정이 준용되어야 한다(대결 2015.08.21. 2015무26).

5 미지급명예퇴직수당액지급을 구하는 소송이 당사자소송인지 여부(적극)
명예퇴직수당은 명예퇴직수당 지급신청자 중에서 일정한 심사를 거쳐 피고가 명예퇴직수당 지급대상자로 결정한 경우에 비로소 지급될 수 있지만, 명예퇴직수당 지급대상자로 결정된 법관에 대하여 지급할 수당액은 명예퇴직수당규칙 제4조 [별표 1]에 산정 기준이 정해져 있으므로, 위 법관은 위 규정에서 정한 정당한 산정 기준에 따라 산정된 명예퇴직수당액을 수령할 구체적인 권리를 가진다. 따라서 위 법관이 이미 수령한 수당액이 위 규정에서 정한 정당한 명예퇴직수당액에 미치지 못한다고 주장하며 차액의 지급을 신청함에 대하여 법원행정처장이 거부하는 의사를 표시했더라도, 그 의사표시는 명예퇴직수당액을 형성·확정하는 행정처분이 아니라 공법상의 법률관계의 한쪽 당사자로서 지급의무의 존부 및 범위에 관하여 자신의 의견을 밝힌 것에 불과하므로 행정처분으로 볼 수 없다. 결국 명예퇴직한 법관이 미지급 명예퇴직수당액에 대하여 가지는 권리는 명예퇴직수당 지급대상자 결정 절차를 거쳐 명예퇴직수당규칙에 의하여 확정된 공법상 법률관계에 관한 권리로서, 그 지급을 구하는 소송은 행정소송법의 당사자소송에 해당하며, 그 법률관계의 당사자인 국가를 상대로 제기하여야 한다(대판 2016.5.24. 2013두14863).

핵심 OX

04 공법상 당사자소송에서 재산권의 청구를 인용하는 판결을 하는 경우에는 가집행선고를 할 수 없다. 08. 국가9급 ( )

핵심 OX

05 당사자소송은 공법상 법률관계에 관한 소송이므로 이를 본안으로 하는 가처분에 대하여는 민사집행법상 가처분에 관한 규정이 준용되지 않는다. 23. 지방9급 ( )

06 명예퇴직한 법관이 미지급 명예퇴직수당액에 대하여 가지는 권리는 명예퇴직수당 지급대상자 결정 절차를 거쳐 명예퇴직수당규칙에 의하여 확정된 공법상 법률관계에 관한 권리로서, 그 지급을 구하는 소송은 당사자소송에 해당하며, 그 법률관계의 당사자인 국가를 상대로 제기하여야 한다. 23. 지방9급 ( )

07 법관이 이미 수령한 명예퇴직수당액이 구 법관 및 법원공무원 명예퇴직수당 등 지급규칙에서 정한 정당한 명예퇴직수당액에 미치지 못한다고 주장하며 차액의 지급을 신청한 것에 대하여 법원행정처장이 행한 거부의 의사표시는 행정처분에 해당한다. 19. 지방7급 ( )

08 명예퇴직한 법관이 미지급 명예퇴직수당액에 대하여 가지는 권리는 공법상 법률관계에 관한 권리이므로 그 지급을 구하는 소송은 당사자소송에 해당한다. 19. 서울7급 ( )

04 X **05** X **06** O **07** X **08** O

6 퇴역연금차액지급을 구하는 소송이 당사자소송인지 여부(적극)

국방부장관의 인정에 의하여 퇴역연금을 지급받아 오던 중 군인보수법 및 공무원 보수규정에 의한 호봉이나 봉급액의 개정 등으로 퇴역연금액이 변경된 경우에는 법령의 개정에 따라 당연히 개정규정에 따른 퇴역연금액이 확정되는 것이지 구 군인연금법 제18조 제1항 및 제2항에 정해진 국방부장관의 퇴역 연금액 결정과 통지에 의하여 비로소 그 금액이 확정되는 것이 아니므로, 법령의 개정에 따른 국방부장관의 퇴역연금액 감액조치에 대하여 이의가 있는 퇴역연금수급권자는 항고소송을 제기하는 방법으로 감액조치의 효력을 다툴 것이 아니라 직접 국가를 상대로 정당한 퇴역연금액과 결정, 통지된 퇴역연금액과의 차액의 지급을 구하는 공법상 당사자소송을 제기하는 방법으로 다툴 수 있다 할 것이고, 같은 법 제5조 제1항에 그 법에 의한 급여에 관하여 이의가 있는 자는 군인연금급여재심위원회에 그 심사를 청구할 수 있다는 규정이 있다하여 달리 볼 것은 아니다(대판 2003.9.5. 2002두3522).

핵심 OX

01 당사자소송에서도 피고경정이 인정된다. 09. 세무사 ( )

02 당사자소송에도 제3자의 소송참가가 허용된다. 13. 지방9급 ( )

03 당사자소송은 본질상 민사소송이므로 행정소송법상 직권증거조사규정이 적용될 수 없다. 12. 지방7급 ( )

01 ○ 02 ○ 03 X

핵심정리 취소소송에 관한 행정소송법 규정의 준용

구분	무효등 확인소송	부작위위법 확인소송	당사자 소송
재판관할(제9조)	○	○	○
관련소송 이송·병합(제10조)	○	○	○
피고경정(제14조)	○	○	○
공동소송(제15조)	○	○	○
제3자소송참가(제16조)	○	○	○
행정청소송참가(제17조)	○	○	○
소의변경(제21조)	○	○	○
행정심판기록의 제출명령(제25조)	○	○	○
직권심리(제26조)	○	○	○
판결의 기속력(제30조)	○	○	○
피고적격(제13조)	○	○	×
취소소송의 대상(제19조)	○	○	×
확정판결의 3자효(제29조)	○	○	×
제3자의 재심청구(제31조)	○	○	×
처분변경에 의한 소의변경(제22조)	○	×	○
집행부정지 원칙(제23조)	○	×	×
행정심판전치주의(제18조)	×	○	×
제소기간 제한(제20조)	×	○	×
간접강제(제34조)	×	○	×
사정판결(제28조)	×	×	×

판례연구 당사자소송의 피고자격

1. 기본 판례

당사자소송은 국가 · 공공단체 그 밖의 권리주체가 피고적격을 가진다.

> 납세의무부존재확인의 소는 공법상의 법률관계 그 자체를 다투는 소송으로서 당사자소송이라 할 것이므로 행정소송법 제3조 제2호, 제39조에 의하여 그 법률관계의 한쪽 당사자인 **국가·공공단체 그 밖의 권리주체**가 피고적격을 가진다(대판 2000.9.8. 99두2765).

2. 관련 판례

당사자소송	• 전문직 공무원의 채용계약해지에 관한 소송 • 구 도시재개발조합을 상대로 한 조합원 자격 유무에 관한 확인청구 • 서울특별시시립무용단 단원의 해촉에 대한 소송 • 공중보건의사채용계약 해지의 의사표시 • 광주광역시문화예술회관장의 단원 위촉 · 해촉 • 공무원연금법상 미지급 퇴직연금 지급에 관한 소송 • 퇴역연금 결정 후의 퇴역연금청구소송 • 광주민주화운동 관련자 보상에 관한 법률에 근거한 관련자 및 유족들이 갖는 보상청구소송 • 석탄산업법상 재해위로금 지급의 청구 • 하천법상 손실보상금 지급이나 손실보상청구권의 확인을 구하는 소송 • 한국전력이 텔레비전방송수신료 징수권한이 있는지 여부를 다투는 소송 • 도시 및 주거환경정비법상의 주택재건축정비사업조합을 상대로 관리처분계획안에 대한 조합총회결의의 효력을 다투는 소송
항고소송	• 민주화운동 관련자 명예회복 및 보상 등에 관한 법률에 따른 보상금 지급을 구하는 소송 • 공무원연금관리공단의 급여결정 • 도시 및 주거환경정비법상의 주택재건축정비사업조합이 수립한 관리처분계획에 대하여 관할 행정청의 인가 · 고시가 있은 경우 관리처분계획에 대한 소송 • 의료보호법상 진료기관의 보호비용청구에 대해 보호기관이 심사 결과 진료비 지급을 거절한 경우 • 특수임무수행자 및 그 유족으로서 보상금 등을 지급받고자 하는 자의 신청에 대하여 위원회가 대상자에 해당하지 않는다는 이유로 기각하는 결정

핵심 OX

04 계약직 공무원에 대한 채용계약해지의 의사표시는 국가 또는 지방자치단체가 대등한 지위에서 행하는 의사표시로 이해된다. 19. 서울9급(2월) ( )

05 공중보건의사의 채용계약해지의 의사표시는 징계처분과 마찬가지로 항고소송으로 다투어야 한다. 13. 지방9급 ( )

06 공무원연금관리공단의 퇴직급여결정에 대한 소송은 판례에 따를 때 당사자소송에 해당한다. 15. 국회8급 · 서울9급 ( )

07 공무원연금공단의 법령개정사실 및 퇴직연금수급자가 일부금액의 지급정지 대상자가 되었음을 통보한 사안에서 미지급퇴직연금의 지급을 구하는 소송은 판례상 당사자소송이다. 15. 국회8급, 14. 국회8급 ( )

08 폐광대책비의 일종으로 폐광된 광산에서 업무상 재해를 입은 근로자에게 지급하는 재해위로금의 지급청구는 당사자소송의 대상이다. 19. 서울7급 ( )

09 한국전력공사가 텔레비전 방송수신료 징수권한이 있는지 여부를 다투는 소송은 당사자소송이다. 15. 국회8급 ( )

04 ○ 05 X 06 X 07 ○ 08 ○ 09 ○

제2절 객관소송

1 의의

객관적 쟁송은 행정법규의 적정한 적용, 행정작용의 적법성을 보장하기 위한 소송을 말한다. 객관적 쟁송은 특별히 법이 정하고 있는 경우에만 **소제기**가 **가능**하다(열기주의).

행정소송법 제45조【소의 제기】 민중소송 및 기관소송은 법률이 정한 경우에 법률에 정한 자에 한하여 제기할 수 있다.

제46조【준용규정】 ① 민중소송 또는 기관소송으로써 처분 등의 취소를 구하는 소송에는 그 성질에 반하지 아니하는 한 취소소송에 관한 규정을 준용한다.
② 민중소송 또는 기관소송으로써 처분 등의 효력 유무 또는 존재 여부나 부작위의 위법의 확인을 구하는 소송에는 그 성질에 반하지 아니하는 한 각각 무효등확인소송 또는 부작위위법확인소송에 관한 규정을 준용한다.
③ 민중소송 또는 기관소송으로서 제1항 및 제2항에 규정된 소송 외의 소송에는 그 성질에 반하지 아니하는 한 당사자소송에 관한 규정을 준용한다.

핵심 OX

01 객관적 소송은 객관적인 적법성의 확보를 구하는 공익적 소송이므로 법률상 명문의 규정 없이도 제기할 수 있다. 09. 세무사 ( )

2 종류

1. 민중소송

(1) 의의

국가 또는 공공단체의 기관이 법률에 위반되는 행위를 한 경우에 직접 자기의 법률상 이익과 관계없이 그 시정을 구하기 위하여 제기하는 소송이다(제3조 제3호).

(2) 성질

개인의 권리구제를 목적으로 하는 주관적 쟁송과는 달리 국가 또는 공공단체의 기관의 행위에 대한 행정법규의 적정한 적용을 보장하는 일반 공익을 위하여 인정되는 **객관적 쟁송**이다. 민중소송은 법률적 쟁송에는 해당되지 않으므로 법률이 허용하고 있는 경우에만 인정된다(제45조).

(3) 종류

민중소송을 규정하고 있는 법률로는 공직선거법, 국민투표법 등이 있으며, 종류로는 선거소송, 당선소송, 국민투표효력에 관한 민중소송 등이 있다.

① 공직선거법상의 민중소송

㉠ 선거무효소송

ⓐ **대통령** 또는 **국회의원선거의 효력**에 관하여 이의가 있는 **선거인·정당** 또는 **후보자**는 선거일로부터 **30일 이내**에 당해 **선거구선거관리위원회위원장**을 **피고**로 하여 **대법원**에 소송을 제기할 수 있다(제222조 제1항).

핵심 OX

02 판례는 민중소송은 법률이 규정하고 있는 경우에 한하여 제기할 수 있다고 한다. 07. 관세사 ( )

03 주민소송은 행정소송법 제3조에서 규정하고 있는 민중소송에 해당한다. 13. 국가7급 ( )

04 국회의원선거에 있어 선거의 효력에 이의가 있는 후보자는 고등법원에 선거소송을 제기할 수 있다. 08. 세무사 ( )

05 공직선거법상의 선거소송은 민중소송이다. 14. 서울7급 ( )

01 X 02 O 03 O 04 X 05 O

ⓑ **지방의회의원** 및 **지방자치단체의 장 선거**에 있어서의 **효력**에 관한 소청에 대한 결정에 불복이 있는 **소청인**은 결정서를 받은 날로부터 **10일 이내**에 지역구 시 · 도의원선거, 자치구 · 시 · 군의원선거 및 자치구 · 시 · 군의 장 선거에 있어서는 그 선거구를 관할하는 **고등법원**에, **비례대표**시 · 도의원선거 및 **시 · 도지사**선거에 있어서는 **대법원**에 제소할 수 있다(제222조 제2항).

ⓛ **당선무효소송:** 대통령, 국회의원, 지방의회의원, 지방자치단체의 장 선거에 있어서 선거의 효력은 인정하면서 개개의 **당선인의 당선을 다투는 소송**이다. 무자격자가 당선되었거나 개표에 잘못이 있는 경우에 제기되는 소송이다. 당선무효소송은 선거무효소송과 달리 선거인은 제소할 수 없고, **후보자**와 **정당**만이 제기할 수 있다(제223조).

② **국민투표법상의 민중소송:** **국민투표**의 효력에 관하여 이의가 있는 투표인은 **10만인 이상의 찬성**을 얻어 투표일로부터 **20일 이내**에 **중앙선거관리위원회 위원장**을 **피고**로 하여 **대법원**에 제소할 수 있다(제92조).

③ **주민투표법상의 주민투표소송:** 주민투표의 효력에 관하여 이의가 있는 주민투표권자가 제기하는 소송(주민투표법 제25조)

④ **지방자치법상의 주민소송:** 주민이 지방자치단체의 위법한 재무회계행위를 시정하기 위하여 법원에 제기하는 소송(지방자치법 제22조)

(4) 민중소송의 소송요건

민중소송의 소송요건은 각 개별법에 따른다.

2. 기관소송

(1) 의의

기관소송이란 국가 또는 **공공단체의 기관 상호간**에 권한의 존부 또는 그 행사에 관한 다툼이 있을 때에 제기하는 소송을 말한다(제3조 제4호). 본래 행정기관 상호간의 권한쟁의는 행정권 내부의 통일성 확보의 문제이기 때문에 감독권 행사에 의하여 내부적으로 해결하는 것이 원칙이며, **법률이 허용하고 있는 경우**에만 법원에 제소가 인정된다.

(2) 종류

기관소송은 **국가기관 상호간**의 기관소송과 **공공단체의 기관 상호간**의 기관소송이 있다. 이 중 국가기관 상호간, 국가기관과 지방자치단체간 및 지방자치단체 상호간의 권한쟁의심판은 **헌법재판소의 관장사항**으로 행정소송으로서의 기관소송에서 **제외**된다.

(3) 대상

기관소송은 객관적 쟁송으로서 법률이 특히 인정하는 경우에 한하여 예외적으로 인정되기 때문에 각 **개별법률에 따라 인정**된다.

핵심 OX

06 공직선거법상의 당선소송은 민중소송이다. 14. 서울7급 ( )

07 국민투표법상 국민투표무효소송은 기관소송의 예에 속한다. 07. 관세사 ( )

핵심 OX

08 기관소송이란 국가 또는 공공단체의 기관 상호간에 있어서의 권한의 존부 또는 그 행사에 관한 다툼이 있을 때에 이에 대하여 제기하는 소송을 말한다. 12. 지방9급 ( )

09 기관소송이란 국가 또는 공공단체의 기관이 법률에 위반되는 행위를 한때에 직접 자기의 법률상 이익과 관계없이 그 시정을 구하기 위하여 제기하는 소송이다. 09. 국가7급 ( )

10 기관소송은 개별법률에 특별한 규정이 있는 경우에 인정되고 그 법률에 정한 자만이 제기할 수 있다. 09. 국가7급 ( )

11 지방자치단체의 장의 재의요구에도 불구하고 지방의회가 조례안을 재의결한 경우 단체장이 지방의회를 상대로 제기하는 소송은 기관소송이다. 18. 지방교행 ( )

12 기관소송으로서 처분 등의 취소를 구하는 소송에는 그 성질에 반하지 아니하는 한 취소소송에 관한 규정이 적용된다. 09. 국가7급 ( )

06 ○ **07** X **08** ○ **09** X **10** ○ **11** ○ **12** ○

(4) 관련 법규정

① **지방자치법상의 기관소송(지방자치법 제192조 제4항)**: **지방자치단체의 장**은 재의요구한 사항이나 지방의회에서 재의결된 사항이 법령에 위반된다고 판단되는 때에는 재의결된 날부터 **20일** 이내에 대법원에 소를 제기할 수 있다. 이 경우 필요하다고 인정되는 때에는 그 의결의 집행을 정지하게 하는 **집행정지결정**을 신청할 수 있다.

② 지방자치법상 지방자치단체의 장이 감독청의 자치사무에 관한 명령이나 처분의 취소 또는 정지에 대하여 이의가 있는 때에는 그 취소 또는 정지처분을 통보받은 날로부터 15일 이내에 대법원에 제소할 수 있게 하고 있는데(동법 제188조 제6항), 이러한 소송은 동일한 법주체의 기관간의 소송이 아니라 상이한 법주체간의 소송이므로 행정소송법상의 기관소송이 아니라고 할 것이다.

③ **지방교육자치에 관한 법률상의 기관소송(제28조)**: 지방교육자치에 관한 법률은 **시·도의회** 또는 **교육위원회의 의결**에 대하여 **교육감**이 **대법원**에 제소하는 기관소송을 인정하고 있고, **집행정지결정**을 신청할 수 있다.

(5) 소송요건

기관소송의 소송요건은 각 개별법에 따른다.

3. 객관적 쟁송의 준용규정(제46조)

(1) 민중소송 또는 기관소송으로써 처분 등의 취소를 구하는 소송에는 그 성질에 반하지 아니하는 한 취소소송에 관한 규정을 준용한다.

(2) 민중소송 또는 기관소송으로써 처분 등의 효력 유무 또는 존재 여부나 부작위의 위법확인을 구하는 소송에는 그 성질에 반하지 않는 한 각각 무효등확인소송 또는 부작위위법확인소송에 관한 규정을 준용한다.

(3) 민중소송 또는 기관소송으로서 위 (1), (2) 외의 경우에는 그 성질에 반하지 않는 한 당사자소송에 관한 규정이 준용된다.

핵심 OX

01 행정소송법에서는 민중소송으로써 처분 등의 취소를 구하는 소송에는 그 성질에 반하지 아니하는 한 취소소송에 관한 규정을 준용한다.
18. 지방교행, 09. 세무사 (　)

01 ○

관련판례

甲 시장이 감사원으로부터 감사원법 제32조에 따라 乙에 대하여 징계의 종류를 정직으로 정한 징계 요구를 받게 되자 감사원에 징계 요구에 대한 재심의를 청구하였고, 감사원이 재심의청구를 기각하자 乙이 감사원의 징계 요구와 그에 대한 재심의결정의 취소를 구하고 甲 시장이 감사원의 재심의결정 취소를 구하는 소를 제기한 사안에서, 감사원의 징계 요구와 재심의결정이 항고소송의 대상이 되는 행정처분이라고 할 수 없고, 甲 시장이 제기한 소송이 기관소송으로서 감사원법 제40조 제2항에 따라 허용된다고 볼 수 없다고 한 사례

甲 시장이 감사원으로부터 감사원법 제32조에 따라 乙에 대하여 징계의 종류를 정직으로 정한 징계 요구를 받게 되자 감사원법 제36조 제2항에 따라 감사원에 징계 요구에 대한 재심의를 청구하였고, 감사원이 재심의청구를 기각하자 乙이 감사원의 징계 요구와 그에 대한 재심의결정의 취소를 구하고 甲 시장이 감사원의 재심의결정 취소를 구하는 소를 제기한 사안에서, 징계 요구는 징계 요구를 받은 기관의 장이 요구받은 내용대로 처분하지 않더라도 불이익을 받는 규정도 없고, 징계 요구 내용대로 효과가 발생하는 것도 아니며, 징계 요구에 의하여 행정청이 일정한 행정처분을 하였을 때 비로소 이해관계인의 권리관계에 영향을 미칠 뿐, 징계 요구 자체만으로는 징계 요구 대상 공무원의 권리·의무에 직접적인 변동을 초래하지도 아니하므로, 행정청 사이의 내부적인 의사결정의 경로로서 '징계 요구, 징계 절차 회부, 징계'로 이어지는 과정에서의 중간처분에 불과하여, 감사원의 징계 요구와 재심의결정이 항고소송의 대상이 되는 행정처분이라고 할 수 없고, 감사원법 제40조 제2항을 甲 시장에게 감사원을 상대로 한 기관소송을 허용하는 규정으로 볼 수는 없고 그 밖에 행정소송법을 비롯한 어떠한 법률에도 甲 시장에게 '감사원의 재심의 판결'에 대하여 기관소송을 허용하는 규정을 두고 있지 않으므로, 甲 시장이 제기한 소송이 기관소송으로서 감사원법 제40조 제2항에 따라 허용된다고 볼 수 없다고 한 사례이다(대판 2016.12.27. 2014두5637).

핵심 OX

02 A시장이 감사원으로부터 감사원법에 따라 A시 소속 공무원에 대한 징계 요구를 받게 된 경우, 감사원의 징계 요구는 '징계 요구, 징계절차 회부, 징계'의 단계로 이어지는 독립된 처분의 일종으로서 항고소송의 대상이 된다. 19. 변호사 ( )

02 X

학습 점검 문제

01 행정심판법에 대한 내용으로 옳지 않은 것은?

① 행정심판위원회는 필요하면 당사자가 주장하지 아니한 사실에 대하여도 심리할 수 있다.

② 행정심판위원회는 임시처분을 결정한 후에 임시처분이 공공복리에 중대한 영향을 미치는 경우에는 직권으로 또는 당사자의 신청에 의하여 이 결정을 취소할 수 있다.

③ 청구인은 행정심판위원회의 간접강제 결정에 불복하는 경우 그 결정에 대하여 행정소송을 제기할 수 있다.

④ 당사자의 신청을 거부하는 처분에 대한 취소심판에서 인용재결이 내려진 경우, 의무이행심판과 달리 행정청은 재처분 의무를 지지 않는다.

02 행정심판법상 행정심판에 대한 내용으로 가장 옳지 않은 것은?

① 무효등확인심판에서는 사정재결이 허용되지 아니한다.

② 거부처분에 대한 취소심판이나 무효등확인심판청구에서 인용재결이 있었음에도 불구하고 피청구인인 행정청이 재결의 취지에 따른 처분을 하지 아니한 경우에는 당사자가 신청하면 행정심판위원회는 기간을 정하여 서면으로 시정을 명하고 그 기간에 이행하지 아니하면 직접처분을 할 수 있다.

③ 행정청이 처분을 할 때에 처분의 상대방에게 심판청구 기간을 알리지 아니한 경우에는 처분이 있었던 날부터 180일까지가 취소심판이나 의무이행심판의 청구기간이 된다.

④ 종로구청장의 처분이나 부작위에 대한 행정심판청구는 서울특별시 행정심판위원회에서 심리·재결하여야 한다.

03 **행정심판법상 재결에 대한 내용으로 옳지 않은 것은?**

① 심판청구를 인용하는 재결은 청구인과 피청구인, 그 밖의 관계 행정청을 기속한다.

② 재결에 의하여 취소되거나 무효 또는 부존재로 확인되는 처분이 당사자의 신청을 거부하는 것을 내용으로 하는 경우에는 그 처분을 한 행정청은 재결의 취지에 따라 다시 이전의 신청에 대한 처분을 하여야 한다.

③ 재결은 서면으로 하며 재결서에 적는 이유에는 주문 내용이 정당하다는 것을 인정할 수 있는 정도의 판단을 표시하여야 한다.

④ 처분의 상대방이 아닌 제3자가 심판청구를 한 경우 위원회는 재결서의 등본을 지체 없이 피청구인을 거쳐 처분의 상대방에게 송달하여야 한다.

정답 및 해설

01 당사자의 신청을 거부하는 처분에 대한 취소심판에서 인용재결이 내려진 경우, 행정청은 재처분의무를 진다(행정심판법 제49조 제2항).

02 거부처분에 대한 취소심판이나 무효등확인심판청구에서 인용재결이 있는 경우에는 간접강제만 허용되고 직접처분은 인정되지 않는다. 의무이행심판에서 이행명령재결에 따른 처분을 하지 않은 경우에 직접처분이 가능하다(행정심판법 제50조).

03 심판청구를 인용하는 재결은 피청구인, 그 밖의 관계 행정청을 기속한다.

> **행정심판법 제49조 【재결의 기속력 등】** ① 심판청구를 인용하는 재결은 피청구인과 그 밖의 관계 행정청을 기속(羈束)한다.

정답 **01** ④ **02** ② **03** ①

04 행정심판에 대한 내용으로 옳은 것은? (다툼이 있는 경우 판례에 의함)

① 종중이나 교회와 같은 비법인사단은 사단 자체의 명의로 행정심판을 청구할 수 없고 대표자가 청구인이 되어 행정심판을 청구하여야 한다.

② 행정심판의 대상과 관련되는 권리나 이익을 양수한 특정승계인은 행정심판위원회의 허가를 받아 청구인의 지위를 승계할 수 있다.

③ 행정심판에서는 항고소송에서와 달리 처분청이 당초 처분의 근거로 삼은 사유와 기본적 사실관계가 동일성이 인정되지 않는 다른 사유를 처분사유로 추가하거나 변경할 수 있다.

④ 행정심판의 재결이 확정되면 피청구인인 행정청을 기속하는 효력이 있고 그 처분의 기초가 된 사실관계나 법률적 판단이 확정되므로 이후 당사자 및 법원은 이에 모순되는 주장이나 판단을 할 수 없다.

05 항고소송의 원고적격에 대한 판례의 입장으로 옳지 않은 것은?

① 일반면허를 받은 시외버스운송사업자에 대한 사업계획변경 인가처분으로 인하여 노선 및 운행계통의 일부 중복으로 기존에 한정면허를 받은 시외버스운송사업자의 수익감소가 예상된다면, 기존의 한정면허를 받은 시외버스운송사업자는 일반면허 시외버스운송사업자에 대한 사업계획변경 인가처분의 취소를 구할 법률상의 이익이 있다.

② 처분의 근거 법규 또는 관련 법규에 그 처분으로써 이루어지는 행위 등 사업으로 인하여 환경상 침해를 받으리라고 예상되는 영향권의 범위가 구체적으로 규정되어 있는 경우, 그 영향권 내의 주민들에 대하여는 특단의 사정이 없는 한 환경상 이익에 대한 침해 또는 침해 우려가 있는 것으로 사실상 추정된다.

③ 출입국관리법상의 체류자격 및 사증발급의 기준과 절차에 관한 규정들은 대한민국의 출입국 질서와 국경관리라는 공익을 보호하려는 취지로 해석될 뿐이므로, 동법상 체류자격변경 불허가처분, 강제퇴거명령 등을 다투는 외국인에게는 해당 처분의 취소를 구할 법률상 이익이 인정되지 않는다.

④ 법령이 특정한 행정기관으로 하여금 다른 행정기관에 제재적 조치를 취할 수 있도록 하면서, 그에 따르지 않으면 그 행정기관에 과태료 등을 과할 수 있도록 정하는 경우, 권리구제나 권리보호의 필요성이 인정된다면 예외적으로 그 제재적 조치의 상대방인 행정기관에게 항고소송의 원고적격을 인정할 수 있다.

06 행정소송에 대한 내용으로 옳은 것은? (다툼이 있는 경우 판례에 의함)

① 납세의무자에 대한 국가의 부가가치세 환급세액 지급의무는 부당이득반환의무에 해당하므로, 그에 대한 지급청구는 민사소송의 절차에 따라야 한다.

② 국가기관인 시 · 도 선거관리위원회 위원장은 국민권익위원회가 그에게 소속직원에 대한 중징계요구를 취소하라는 등의 조치 요구를 한 것에 대해서 취소소송을 제기할 원고적격을 가진다고 볼 수 없다.

③ 생태 · 자연도 1등급으로 지정되었던 지역을 2등급 또는 3등급으로 변경하는 내용의 환경부장관의 결정에 대해 해당 1등급 권역의 인근 주민은 취소소송을 제기할 원고적격이 인정된다.

④ 처분청이 처분 당시 적시한 구체적 사실을 변경하지 아니하는 범위 내에서 단지 처분의 근거 법령만을 추가 · 변경하는 경우에 법원은 처분청이 처분 당시 적시한 구체적 사실에 대하여 처분 후 추가 · 변경한 법령을 적용하여 처분의 적법 여부를 판단할 수 있다.

04

> **행정심판법 제16조【청구인의 지위 승계】** ① 청구인이 사망한 경우에는 상속인이나 그 밖에 법령에 따라 심판청구의 대상에 관계되는 권리나 이익을 승계한 자가 청구인의 지위를 승계한다.
> ⑤ 심판청구의 대상과 관계되는 권리나 이익을 양수한 자는 위원회의 허가를 받아 청구인 의 지위를 승계할 수 있다.

| 선지분석 |

①

> **행정심판법 제14조【법인이 아닌 사단 또는 재단의 청구인 능력】** 법인이 아닌 사단 또는 재단으로서 대표자나 관리인이 정하여져 있는 경우에는 그 사단이나 재단의 이름으로 심판청구를 할 수 있다.

③ 행정처분의 취소를 구하는 항고소송에서 처분청은 당초 처분의 근거로 삼은 사유와 기본적 사실관계가 동일성이 있다고 인정되는 한도 내에서만 다른 사유를 추가 또는 변경할 수 있고, 이러한 기본적 사실관계의 동일성 유무는 처분사유를 법률적으로 평가하기 이전의 구체 적 사실에 착안하여 그 기초인 사회적 사실관계가 기본적인 점에서 동일한지에 따라 결정되므로, 추가 또는 변경된 사유가 처분 당시에 이미 존재하고 있었다거나 당사자가 그 사실을 알고 있었다고 하여 당초의 처분사유와 동일성이 있다고 할 수 없다. 그리고 이러한 법리는 행정심판 단계에서도 그대로 적용된다(대판 2014.5.16. 2013두26118).

④ 행정심판의 재결은 피청구인인 행정청을 기속하는 효력을 가지므로 재결청이 취소심판 의 청구가 이유 있다고 인정하여 처분청에 처분을 취소할 것을 명하면 처분청으로서는 재결의 취지에 따라 처분을 취소하여야 하지만, 나아가 재결에 판결에서와 같은 기판력이 인정되는 것은 아니어서 재결이 확정된 경우에도 처분의 기초가 된 사실관계나 법률적 판단이 확정되고 당사자들이나 법원이 이에 기속되어 모순되는 주장이나 판단을 할 수 없게 되는 것은 아니다(대판 2015.11.27. 2013다6759).

05 국적법상 귀화불허가처분이나 출입국관리법상 체류자격변경 불허가처분, 강제퇴거명령 등을 다투는 외국인은 대한민국에 적법하게 입국하여 상당한 기간을 체류한 사람이므로, 이미 대한민국과의 실질적 관련성 내지 대한민국에서 법적으로 보호가치 있는 이해관계를 형성한 경우이어서, 해당 처분의 취소를 구할 법률상 이익이 인정된다고 보아야 한다(대판 2018.5.15. 2014두42506).

06 행정처분의 취소를 구하는 항고소송에 있어 처분청은 당초 처분의 근거로 삼은 사유와 기본적 사실관계가 동일성이 있다고 인정되는 한도 내에서는 다른 사유를 추가하거나 변경할 수도 있으나 기본적 사실관계가 동일하다는 것은 처분사유를 법률적으로 평가하기 이전의 구체적인 사실에 착안하여 그 기초인 사회적 사실관계가 기본적인 점에서 동일한 것을 말하며, 처분청이 처분 당시에 적시한 구체적 사실을 변경하지 아니하는 범위 내에서 단지 그 처분의 근거법령만을 추가·변경하거나 당초의 처분사유를 구체적으로 표시하는 것에 불과한 경우에는 새로운 처분사유를 추가하거나 변경하는 것이라고 볼 수 없다(대판 2007.2.8. 2006두4899).

| 선지분석 |

① 납세의무자에 대한 국가의 부가가치세 환급세액 지급의무는 그 납세의무자로부터 어느 과세기간에 과다하게 거래징수된 세액 상당을 국가가 실제로 납부받았는지와 관계없이 부가가치세법령의 규정에 의하여 직접 발생하는 것으로서, 그 법적 성질은 정의와 공평의 관념에서 수익자와 손실자 사이의 재산상태 조정을 위해 인정되는 부당이득 반환의무가 아니라 부가가치세법령에 의하여 그 존부나 범위가 구체적으로 확정되고 조세 정책적 관점에서 특별히 인정되는 공법상 의무라고 봄이 타당하다. 그렇다면 납세의무자에 대한 국가의 부가가치세 환급세액 지급의무에 대응하는 국가에 대한 납세의무자의 부가가치세 환급세액 지급청구는 민사소송이 아니라 행정소송법 제3조 제2호에 규정된 당사자소송의 절차에 따라야 한다(대판 2013.3.21. 2011다95564 전합).

② 甲이 국민권익위원회에 부패방지 및 국민권익위원회의 설치와 운영에 관한 법률(이하 '국민권익위원회법'이라 한다)에 따른 신고와 신분보장조치를 요구하였고, 국민권익위원회가 甲의 소속기관 장인 乙시·도선거관리위원회 위원장에게 '甲에 대한 중징계요구를 취소하고 향후 신고로 인한 신분상 불이익처분 및 근무조건상의 차별을 하지 말 것을 요구'하는 내용의 조치요구를 한 사안에서, 국가기관 일방의 조치요구에 불응한 상대방 국가기관에 국민권익위원회법상의 제재규정과 같은 중대한 불이익을 직접적으로 규정한 다른 법령의 사례를 찾아보기 어려운 점, 그럼에도 乙이 국민권익위원회의 조치요구를 다툴 별다른 방법이 없는 점 등에 비추어 보면, 처분성이 인정되는 위 조치요구에 불복하고자 하는 乙로서는 조치요구의 취소를 구하는 항고소송을 제기하는 것이 유효·적절한 수단이므로 비록 乙이 국가기관이더라도 당사자능력 및 원고적격을 가진다고 보는 것이 타당하고, 乙이 위 조치요구 후 甲을 파면하였다고 하더라도 조치요구가 곧바로 실효된다고 할 수 없고 乙은 여전히 조치요구를 따라야 할 의무를 부담하므로 乙에게는 위 조치요구의 취소를 구할 법률상 이익도 있다고 본 원심판단을 정당하다(대판 2013.7.25. 2011두1214).

③ 환경부장관이 생태·자연도 1등급으로 지정되었던 지역을 2등급 또는 3등급으로 변경하는 내용의 생태·자연도 수정·보완을 고시하자, 인근 주민 甲이 생태·자연도 등급변경처분의 무효 확인을 청구한 사안에서, 생태·자연도의 작성 및 등급변경의 근거가 되는 구 자연환경보전법 제34조 제1항 및 그 시행령 제27조 제1항, 제2항에 의하면, 생태·자연도는 토지이용 및 개발계획의 수립이나 시행에 활용하여 자연환경을 체계적으로 보전·관리하기 위한 것일 뿐, 1등급 권역의 인근 주민들이 가지는 생활상 이익을 직접적이고 구체적으로 보호하기 위한 것이 아님이 명백하고, 1등급 권역의 인근 주민들이 가지는 이익은 환경보호라는 공공의 이익이 달성됨에 따라 반사적으로 얻게 되는 이익에 불과하므로, 인근 주민에 불과한 甲은 생태·자연도 등급권역을 1등급에서 일부는 2등급으로, 일부는 3등급으로 변경한 결정의 무효 확인을 구할 원고적격이 없다(대판 2014.2.21. 2011두29052).

정답 04 ② 05 ③ 06 ④

07 **항고소송의 대상적격에 대한 내용으로 옳지 않은 것은? (다툼이 있는 경우 판례에 의함)**

① 피해자의 의사와 무관하게 주민등록번호가 유출된 경우라고 하더라도 주민등록번호의 변경을 요구할 신청권은 인정되지 않으므로, 구청장의 주민등록번호 변경신청 거부행위는 항고소송의 대상이 되는 행정 처분에 해당하지 않는다.

② 거부행위의 처분성을 인정하기 위한 전제요건이 되는 신청권의 존부는 구체적 사건에서 신청인이 누구인 가를 고려하지 말고 관계 법규에서 일반 국민에게 그러한 신청권을 인정하고 있는가를 살펴 추상적으로 결정하여야 한다.

③ 도시계획시설결정에 이해관계가 있는 주민으로서는 도시시설계획의 입안권자 내지 결정권자에게 도시 시설계획의 입안 내지 변경을 요구할 수 있는 법규상 또는 조리상의 신청권이 있고, 이러한 신청에 대한 거부행위는 항고소송의 대상이 되는 행정처분에 해당한다.

④ 제소기간이 이미 도과하여 불가쟁력이 생긴 행정처분에 대하여는 개별 법규에서 그 변경을 요구할 신청권을 규정하고 있거나 관계법령의 해석상 그러한 신청권이 인정될 수 있는 등 특별한 사정이 없는 한 국민에게 그 행정처분의 변경을 구할 신청권이 있다 할 수 없다.

08 **항고소송의 대상이 되는 처분에 대한 대법원 판례의 입장으로 옳지 않은 것은?**

① 어업면허에 선행하는 우선순위결정은 최종적인 법적 효과를 가져오는 것이 아니므로 처분이 아니지만 어업면허우선순위결정 대상탈락자 결정은 최종적인 법적 효과를 가져오므로 처분이다.

② 내부행위나 중간처분이라도 그로써 실질적으로 국민의 권리가 제한되거나 의무가 부과되면 항고소송의 대상이 되는 처분이다. 따라서 개별공시지가결정은 처분이다.

③ 상표권의 말소등록이 이루어져도 법령에 따라 회복등록이 가능하고 회복신청이 거부된 경우에는 그에 대한 항고소송이 가능하므로 상표권의 말소등록행위 자체는 항고소송의 대상이 될 수 없다.

④ 국·공립대학교원 임용지원자가 임용권자로부터 임용거부를 당하였다면 이는 거부처분으로서 항고소송의 대상이 된다.

09 **항고소송에서 수소법원이 하여야 하는 판결에 대한 내용으로 옳지 않은 것은? (다툼이 있는 경우 판례에 의함)**

① 무효확인소송의 제1심 판결시까지 원고적격을 구비하였는데 제2심 단계에서 원고적격을 흠결하게 된 경우, 제2심 수소법원은 각하판결을 하여야 한다.

② 행정처분이 있음을 안 날부터 90일을 넘겨 행정심판을 청구하였다가 각하재결을 받은 후 그 재결서를 송달받은 날부터 90일 내에 원래의 처분에 대하여 취소소송을 제기한 경우, 수소법원은 각하판결을 하여야 한다.

③ 허가처분 신청에 대한 부작위를 다투는 부작위위법확인소송을 제기하여 제1심에서 승소판결을 받았는데 제2심 단계에서 피고 행정청이 허가처분을 한 경우, 제2심 수소법원은 각하판결을 하여야 한다.

④ 행정심판을 청구하여 기각재결을 받은 후 재결 자체에 고유한 위법이 있음을 주장하며 그 기각재결에 대하여 취소소송을 제기한 경우, 수소법원은 심리 결과 재결 자체에 고유한 위법이 없다면 각하판결을 하여야 한다.

10 **행정소송에 있어서 일부취소판결의 허용여부에 대한 판례의 입장으로 가장 옳은 것은?**

① 재량행위의 성격을 갖는 과징금부과처분이 법이 정한 한도액을 초과하여 위법한 경우에는 법원으로서는 그 한도액을 초과한 부분만을 취소할 수 있다.

② 독점규제 및 공정거래에 관한 법률을 위반한 광고 행위와 표시행위를 하였다는 이유로 공정거래위원회가 사업자에 대하여 법위반사실공표명령을 행한 경우, 표시행위에 대한 법위반사실이 인정되지 아니한다면 법원으로서는 그 부분에 대한 공표명령의 효력만을 취소할 수 있을 뿐, 공표명령 전부를 취소할 수 있는 것은 아니다.

③ 개발부담금부과처분에 대한 취소소송에서 당사자가 제출한 자료에 의하여 정당한 부과금액을 산출할 수 없는 경우에도 법원은 증거조사를 통하여 정당한 부과금액을 산출한 후 정당한 부과금액을 초과하는 부분만을 취소하여야 한다.

④ 독점규제 및 공정거래에 관한 법률을 위반한 수개의 행위에 대하여 공정거래위원회가 하나의 과징금부과처분을 하였으나 수개의 위반행위 중 일부의 위반행위에 대한 과징금부과만이 위법하고, 그 일부의 위반행위를 기초로 한 과징금액을 산정할 수 있는 자료가 있는 경우에도 법원은 과징금부과처분 전부를 취소하여야 한다.

정답 및 해설

07 甲 등이 인터넷 포털사이트 등의 개인정보 유출사고로 자신들의 주민등록번호 등 개인정보가 불법 유출되자 이를 이유로 관할 구청장에게 주민등록번호를 변경해 줄 것을 신청하였으나 구청장이 '주민등록번호가 불법 유출된 경우 주민등록법상 변경이 허용되지 않는다'는 이유로 주민등록번호 변경을 거부하는 취지의 통지를 한 사안에서, 피해자의 의사와 무관하게 주민등록번호가 유출된 경우에는 조리상 주민등록번호의 변경을 요구할 신청권을 인정함이 타당하고, 구청장의 주민등록번호 변경신청 거부행위는 항고소송의 대상이 되는 행정처분에 해당한다(대판 2017.6.15. 2013두2945).

08 행정청이 국민의 신청에 대하여 한 거부행위가 항고소송의 대상이 되는 행정처분에 해당하려면, 행정청의 행위를 요구할 법규상 또는 조리상의 신청권이 그 국민에게 있어야 하고, 이러한 신청권의 근거 없이 한 국민의 신청을 행정청이 받아들이지 아니한 경우에는 그 거부로 인하여 신청인의 권리나 법적 이익에 어떤 영향을 주는 것이 아니므로 이를 항고소송의 대상이 되는 행정처분이라고 할 수 없다. 국·공립 대학교원 임용지원자는 임용권자에게 임용 여부에 대한 응답을 신청할 법규상 또는 조리상 권리가 없다(대판 2003.10.23. 2002두12489).

09 재결취소소송의 경우 재결 자체에 고유한 위법이 있는지 여부를 심리할 것이, 재결 자체에 고유한 위법이 없는 경우에는 원처분의 당부와는 상관없이 당해 재결취소소송은 이를 기각하여야 한다(대판 1994.1.25. 93누16901).

10 외형상 하나의 행정처분이라 하더라도 가분성이 있거나 그 처분대상의 일부가 특정될 수 있다면 일부만의 취소도 가능하고 그 일부의 취소는 당해 취소부분에 관하여만 효력이 생기는 것인바, 공정거래위원회가 사업자에 대하여 행한 법위반사실공표명령은 비록 하나의 조항으로 이루어진 것이라고 하여도 그 대상이 된 사업자의 광고행위와 표시행위로 인한 각 법위반사실은 별개로 특정될 수 있어 위 각 법위반사실에 대한 독립적인 공표명령이 경합된 것으로 보아야 할 것이므로, 이 중 표시행위에 대한 법위반사실이 인정되지 아니하는 경우에 그 부분에 대한 공표명령의 효력만을 취소할 수 있을 뿐, 공표명령 전부를 취소할 수 있는 것은 아니다(대판 2000.12.12. 99두12243).

| 선지분석 |

① 과징금부과처분이 법정 최고한도액을 초과하여 위법한 경우, 그 취소범위는 전부취소 자동차운수사업면허조건 등을 위반한 사업자에 대하여 행정청이 행정제재수단으로 사업 정지를 명할 것인지, 과징금을 부과할 것인지, 과징금을 부과키로 한다면 그 금액은 얼마로 할 것인지에 관하여 재량권이 부여되었다 할 것이므로 과징금부과처분이 법이 정한 한도액을 초과하여 위법할 경우 법원으로서는 그 전부를 취소할 수밖에 없고, 그 한도액을 초과한 부분이나 법원이 적정하다고 인정되는 부분을 초과한 부분만을 취소할 수 없다(대판 1998.4.10. 98두2270).

③ 개발부담금부과처분 취소소송에 있어 당사자가 제출한 자료에 의하여 적법하게 부과될 정당한 부과금액이 산출할 수 없을 경우에는 부과처분 전부를 취소할 수밖에 없으나, 그렇지 않은 경우에는 그 정당한 금액을 초과하는 부분만 취소하여야 한다(대판 2004.7.22. 2002두868).

④ 공정거래위원회가 부당지원행위에 대한 과징금을 부과함에 있어 여러 개의 위반행위에 대하여 하나의 과징금 납부명령을 하였으나 여러 개의 위반행위 중 일부의 위반행위만이 위법하고 소송상 그 일부의 위반행위를 기초로 한 과징금액을 산정할 수 있는 자료가 있는 경우에는, 하나의 과징금납부명령일지라도 그 중 위법하여 그 처분을 취소하게 된 일부의 위반행위에 대한 과징금액에 해당하는 부분만을 취소할 수 있다(대판 2006.12.22. 2004두1483).

정답 07 ① 08 ④ 09 ④ 10 ②

11 **재결과 항고소송에 대한 내용으로 옳지 않은 것은? (다툼이 있는 경우 판례에 의함)**

① 재결취소소송의 경우 재결 자체에 고유한 위법이 있는지 여부를 심리할 것이고 재결 자체에 고유한 위법이 없는 경우에는 원처분의 당부와는 상관없이 당해 재결취소소송은 기각되어야 한다.

② 소청심사위원회가 해임처분을 정직 2월로 변경한 경우 처분의 상대방은 소청심사위원회를 피고로 하여 정직 2월의 재결에 대한 취소소송을 제기할 수 있다.

③ 감사원의 변상판정처분에 대하여서는 행정소송을 제기할 수 없고 그 재결에 해당하는 재심의 판정에 대하여만 감사원을 피고로 하여 행정소송을 제기할 수 있다.

④ 중앙토지수용위원회의 이의재결에 불복하여 취소소송을 제기하는 경우에는 원처분인 수용재결을 대상으로 하여야 한다.

12 **행정소송법상 집행정지에 대한 내용으로 가장 옳지 않은 것은?**

① 취소소송이 제기되면 처분의 효력이나 그 집행은 정지되지 않으나 절차의 속행은 정지된다.

② 처분의 효력정지는 처분 등의 집행 또는 절차의 속행을 정지함으로써 목적을 달성할 수 있는 경우에는 허용 되지 아니한다.

③ 집행정지는 공공복리에 중대한 영향을 미칠 우려가 있을 때에는 허용되지 아니한다.

④ 집행정지의 결정 또는 기각의 결정에 대하여는 즉시 항고할 수 있다.

13 **항고소송의 대상이 되는 처분에 해당하는 것은? (다툼이 있는 경우 판례에 의함)**

① 구 약관의 규제에 관한 법률에 따른 공정거래위원회의 표준약관 사용권장행위

② 지적 공부 소관청이 토지대장상의 소유자명의변경신청을 거부한 행위

③ 국세기본법에 따른 과세관청의 국세환급금결정

④ 지방재정법에 따라 지방자치단체가 당사자가 되어 체결하는 계약에 있어 계약보증금의 귀속조치

정답 및 해설

11 소청심사위원회가 해임처분을 정직 2월로 변경한 경우 처분의 상대방은 소청심사위원회가 아닌 징계권자를 피고로 하고, '정직 2월의 재결'이 아닌 원처분(해임처분이 변형되어 남아있는 '정직 2월')에 대하여 취소소송을 제기할 수 있다.

12 행정소송법 제23조 제1항은 "취소소송의 제기는 처분 등의 효력이나 그 집행 또는 절차의 속행에 영향을 주지 아니한다"라고 규정하여 집행부정지원칙을 규정하고 있다. 이는 남소를 방지하고 행정의 실효성확보를 위한 것이다.

13 공정거래위원회의 '표준약관 사용권장행위'는 그 통지를 받은 해당 사업자 등에게 표준약관과 다른 약관을 사용할 경우 표준약관과 다르게 정한 주요내용을 고객이 알기 쉽게 표시하여야 할 의무를 부과하고, 그 불이행에 대해서는 과태료에 처하도록 되어 있으므로, 이는 사업자 등의 권리·의무에 직접 영향을 미치는 행정처분으로서 항고소송의 대상이 된다(대판 2010.10.14. 2008두23184).

| 선지분석 |

② 토지대장에 기재된 일정한 사항을 변경하는 행위는, 그것이 지목의 변경이나 정정 등과 같이 토지소유권 행사의 전제요건으로서 토지소유자의 실체적 권리관계에 영향을 미치는 사항에 관한 것이 아닌 한 행정사무집행의 편의와 사실증명의 자료로 삼기 위한 것일 뿐이어서, 그 소유자 명의가 변경된다고 하여도 이로 인하여 당해 토지에 대한 실체상의 권리관계에 변동을 가져올 수 없고 토지소유권이 지적공부의 기재만에 의하여 증명되는 것도 아니다. 따라서 소관청이 토지대장상의 소유자명의변경신청을 거부한 행위는 이를 항고소송의 대상이 되는 행정처분이라고 할 수 없다(대판 2012.1.12. 2010두12354).

③ 국세기본법 제51조·제52조의 국세환급금 및 국세환급가산금결정에 관한 규정은 이미 납세의무자의 환급청구권이 확정된 국세환급금 및 가산금에 대하여 내부적 사무처리절차로서 과세관청이 환급절차를 규정한 것에 지나지 않고 그 규정에 의한 국세환급금(가산금 포함)결정에 의하여 비로소 환급청구권이 확정되는 것은 아니므로, 국세환급금결정이나 이 결정을 구하는 신청에 대한 환급거부결정 등은 납세의무자가 갖는 환급청구권의 존부나 범위에 구체적이고 직접적인 영향을 미치는 처분이 아니어서 항고소송의 대상이 되는 처분이라고 볼 수 없다(대판 1989.6.15. 88누6436).

④ 입찰보증금은 낙찰자의 계약체결의무 이행의 확보를 목적으로 하여 그 불이행시에 이를 국고에 귀속시켜 국가의 손해를 전보하는 사법상의 손해배상 예정으로서의 성질을 갖는 것이라고 할 것이므로 입찰보증금의 국고귀속조치는 국가가 사법상의 재산권의 주체로서 행위하는 것이지 공권력을 행사하는 것이거나 공권력작용과 일체성을 가진 것이 아니라 할 것이므로 이에 관한 분쟁은 행정소송이 아닌 민사소송의 대상이 될 수밖에 없다고 할 것이다(대판 1983.3.7. 81누366).

정답 11 ② 12 ① 13 ①

판례색인

- 대법원 판결
- 대법원 결정
- 행정법원 판결
- 헌법재판소 결정

판례색인

대법원 판결

대판 1993.8.24. 93누5673 927, 928
대판 1993.9.10. 92도1136 670
대판 1993.9.14. 92누4611 96, 424, 425
대판 1993.9.14. 92누16690 619
대판 1993.9.28. 92누15093 926
대판 1993.10.8. 93누2032 312, 321
대판 1993.10.12. 93누883 303
대판 1993.10.26. 93누6331 438, 443
대판 1993.10.26. 93다6409 810
대판 1993.11.9. 93누14271 624
대판 1993.11.23. 93누15212 99
대판 1993.11.23. 93누16833 680
대판 1993.11.26. 93누7341 39
대판 1993.11.26. 93다18389 693
대판 1993.12.7. 91누11612 96
대판 1993.12.21. 92누14441 928
대판 1994.1.11. 93누10057 150
대판 1994.1.25. 93누7365 96
대판 1994.1.25. 93누8542 379
대판 1994.1.28. 93누22029 418
대판 1994.3.8. 92누1728 305
대판 1994.3.22. 93누18969 502
대판 1994.3.22. 93누22517 64
대판 1994.3.22. 93다56220 141
대판 1994.4.12. 93다11807 719
대판 1994.4.26. 92누17402 954
대판 1994.4.29. 93누12626 937
대판 1994.5.10. 93다23422 141
대판 1994.5.24. 92다35783 전합 794
대판 1994.5.24. 93누5666 185
대판 1994.6.14. 93도3247 446
대판 1994.8.9. 94누3414 502
대판 1994.8.12. 94누2190 915
대판 1994.8.26. 93누20467 699
대판 1994.8.26. 94누3223 364, 438
대판 1994.9.9. 93누22234 911
대판 1994.10.11. 94누4820 952
대판 1994.10.14. 93누22753 287, 291
대판 1994.10.25. 93누21231 297
대판 1994.10.28. 92누9463 357, 358
대판 1994.10.28. 94누5144 620, 621
대판 1994.11.8. 94다26141 729
대판 1994.11.11. 94다28000 143, 340
대판 1994.11.22. 94다32924 767
대판 1994.12.2. 92누14250 644
대판 1994.12.13. 93다49482 445
대판 1994.12.23. 94누477 973
대판 1995.1.20. 94누6529 69, 429
대판 1995.1.24. 94다45302 764, 771
대판 1995.2.24. 94누9146 163
대판 1995.2.24. 94다57671 765
대판 1995.3.10. 94누7027 392
대판 1995.3.28. 94누6925 214
대판 1995.3.28. 94누12920 382
대판 1995.4.25. 93누13728 51
대판 1995.4.28. 94다55019 99
대판 1995.5.14. 91도627 342
대판 1995.6.9. 94누10870 94, 132, 135
대판 1995.6.13. 94다56883 313, 318, 323
대판 1995.6.29. 95누4674 676
대판 1995.6.30. 93추83 185, 648
대판 1995.6.30. 94다14407 795
대판 1995.7.11. 94누4615 355
대판 1995.7.28. 95누2623 624, 887
대판 1995.7.28. 95누4629 958
대판 1995.8.22. 94누5694 전합 189, 198
대판 1995.9.5. 94누16250 862
대판 1995.9.15. 94누4455 125
대판 1995.9.15. 94다16045 391
대판 1995.9.15. 95누6311 385
대판 1995.9.15. 95누6724 927
대판 1995.9.15. 95누7345 975
대판 1995.9.26. 94누14544 113
대판 1995.9.29. 95누5332 828
대판 1995.10.13. 95다32747 730
대판 1995.11.7. 95누9730 366
대판 1995.11.10. 94누11866 274
대판 1995.11.10. 95누5714 262
대판 1995.11.10. 95다23897 729
대판 1995.11.14. 94다50922 141
대판 1995.11.14. 95누2036 302
대판 1995.11.14. 95누10181 63
대판 1995.11.21. 95누9099 690
대판 1995.12.8. 95카기16 187
대판 1995.12.22. 94다51253 99, 144
대판 1995.12.22. 95누30 501
대판 1995.12.22. 95누4636 94, 424
대판 1995.12.26. 95누14220 937
대판 1996.1.23. 95누13746 63, 64, 68
대판 1996.2.9. 95누12507 381
대판 1996.2.9. 95누14978 887
대판 1996.2.13. 95누11023 94
대판 1996.2.13. 95다3510 98
대판 1996.2.15. 94다31235 전합 93, 413, 987
대판 1996.2.15. 95다38677 전합 719
대판 1996.2.23. 95누2685 888
대판 1996.2.23. 95누3787 63
대판 1996.3.22. 95누5509 959
대판 1996.3.22. 96누433 689, 690
대판 1996.4.12. 95누7727 226
대판 1996.4.12. 96도158 687, 688
대판 1996.4.26. 95다11436 91
대판 1996.5.10. 96누2903 58
대판 1996.5.16. 95누4810 전합 286, 291
대판 1996.5.31. 94다15271 716
대판 1996.5.31. 95누10617 424
대판 1996.6.11. 95누12460 919
대판 1996.6.14. 95누17823 486
대판 1996.6.25. 95누1880 965
대판 1996.6.28. 94다54511 789
대판 1996.6.28. 96누4374 611, 616
대판 1996.6.28. 96누4992 401
대판 1996.7.26. 94누13848 781
대판 1996.7.30. 95누12897 72
대판 1996.8.20. 95누10877 71, 276, 334, 430
대판 1996.8.23. 94누13589 80
대판 1996.8.23. 96누1665 239
대판 1996.9.6. 96누5995 58
대판 1996.9.20. 95누8003 198, 199, 899, 917
대판 1996.10.11. 96누6172 282
대판 1996.10.11. 96누8086 621
대판 1996.10.29. 96누8253 279
대판 1996.11.8. 96누9959 399, 400
대판 1996.11.8. 96다20581 322
대판 1996.11.12. 96누1221 52, 354
대판 1996.11.29. 95다21709 69
대판 1996.11.29. 96누8567 414
대판 1996.12.6. 96누6417 93
대판 1996.12.20. 96누9799 373, 955
대판 1996.12.20. 96누14708 97
대판 1997.1.21. 95누12941 221
대판 1997.1.21. 96누3401 390
대판 1997.2.14. 96누15428 613
대판 1997.2.14. 96다28066 774
대판 1997.2.14. 96다36159 755
대판 1997.2.25. 96추213 81
대판 1997.2.28. 96누1757 640
대판 1997.2.28. 96누17578 401

대판 2000.11.10. 2000두727 67
대판 2000.11.28. 99두3416 991
대판 2000.11.28. 99두5443 499, 505
대판 2000.12.12. 99두12243 393
대판 2001.1.5. 98다39060 720
대판 2001.1.16. 99두10988 166, 272
대판 2001.2.9. 98두17593 236, 239, 278
대판 2001.2.9. 2000두6206 58
대판 2001.2.15. 96다42420 전합 776, 777
대판 2001.2.23. 99두6002 635
대판 2001.2.23. 2000다68924 362
대판 2001.3.9. 99두5207 213
대판 2001.3.23. 99두6392 942
대판 2001.4.13. 2000두3337 472, 499
대판 2001.4.13. 2000두6411 786
대판 2001.4.24. 99두5412 65, 68
대판 2001.4.24. 2000다16114 723
대판 2001.4.24. 2000두5203 등 66
대판 2001.4.27. 2000다50237 340
대판 2001.5.8. 2000두6916 861
대판 2001.5.8. 2000두10212 479
대판 2001.6.12. 99두8930 957
대판 2001.6.12. 2000다18547 191, 196
대판 2001.6.15. 99두509 96, 318, 320, 321
대판 2001.6.29. 99다56468 781
대판 2001.7.10. 98다38364 74
대판 2001.7.27. 99두2970 925
대판 2001.7.27. 99두5092 850
대판 2001.8.21. 2000다12419 139
대판 2001.8.21. 2000두8745 333
대판 2001.8.24. 99두9971 149
대판 2001.8.24. 2000두2716 195
대판 2001.9.25. 2000두2426 790
대판 2001.9.25. 2001다41865 770
대판 2001.10.12. 2001다47290 723
대판 2001.10.12. 2001두274 332
대판 2001.10.12. 2001두4078 616
대판 2001.10.30. 2000두5616 944
대판 2001.11.13. 2000두536 843
대판 2001.11.30. 2000다68474 693
대판 2001.11.30. 2001두5866 264
대판 2001.12.11. 99두1823 247
대판 2001.12.11. 2001다33604 97
대판 2001.12.11. 2001두7541 892
대판 2001.12.11. 2001두7794 424
대판 2001.12.24. 2001다54038 99
대판 2002.2.5. 2001두5286 389
대판 2002.2.8. 2000두4057 81, 239
대판 2002.2.22. 2001다23447 724
대판 2002.2.26. 99다35300 788
대판 2002.3.12. 2000다55225 · 55232 740
대판 2002.3.12. 2000다73612 155
대판 2002.4.12. 2000두5944 700
대판 2002.4.26. 2000다16350 277
대판 2002.5.17. 2000두8912 489
대판 2002.5.24. 2000두3641 292
대판 2002.5.28. 2000두6121 698
대판 2002.5.28. 2001두9653 392
대판 2002.6.28. 2001두10028 242
대판 2002.7.9. 2001두10084 350
대판 2002.7.12. 2002두3317 639
대판 2002.7.23. 2000두9151 854
대판 2002.7.26. 2001두3532 906
대판 2002.8.16. 2002마1022 628
대판 2002.8.23. 2001두2959 360
대판 2002.8.23. 2001두5651 186
대판 2002.8.27. 2002두3850 842
대판 2002.9.4. 2001두9370 66
대판 2002.9.6. 2002두554 478
대판 2002.9.24. 2000두5661 313
대판 2002.10.11. 2000두8226 406, 408
대판 2002.10.11. 2001두151 271
대판 2002.10.25. 2001두4450 884
대판 2002.10.25. 2002두5795 282
대판 2002.11.8. 2001두1512 68, 69
대판 2002.11.13. 2001두1543 372, 474
대판 2002.11.22. 2001도849 675, 676
대판 2002.11.26. 2002두5948 427
대판 2002.12.10. 2001두3228 335
대판 2002.12.10. 2001두5422 382
대판 2002.12.10. 2001두6333 405
대판 2003.2.14. 2001두7015 495
대판 2003.2.14. 2002다62678 750
대판 2003.3.11. 2001두6425 526, 533, 957
대판 2003.3.14. 2000두6114 525
대판 2003.3.14. 2002다57218 58
대판 2003.3.28. 2002두11905 279
대판 2003.3.28. 2002두12113 28
대판 2003.4.25. 2001다59842 743
대판 2003.4.25. 2001두1369 792
대판 2003.5.16. 2002두3669 638
대판 2003.5.30. 2003다6422 312, 394
대판 2003.5.30. 2003다9339 316
대판 2003.6.27. 2002두6965 67
대판 2003.7.11. 99다24218 723, 725
대판 2003.7.11. 2001두6289 162
대판 2003.8.22. 2002두12946 525
대판 2003.9.5. 2001두403 62, 63, 67, 215
대판 2003.9.5. 2002두3522 982, 992
대판 2003.9.23. 2001두10936 66, 417, 418
대판 2003.11.27. 2001다
33789 · 33796 · 33802 · 33819 733
대판 2003.11.28. 2003두674 492, 495
대판 2003.12.11. 2001다65236 735
대판 2003.12.11. 2001두8827 520, 941
대판 2003.12.12. 2003두8050 515, 532, 538
대판 2003.12.26. 2003두1875 65
대판 2004.1.15. 2002두2444 964
대판 2004.3.18. 2001두8254 전합 524
대판 2004.3.25. 2003두12837 275
대판 2004.3.26. 2003다54490 726
대판 2004.3.26. 2003도7878 34, 35, 36, 37
대판 2004.4.9. 2001두6197 699
대판 2004.4.9. 2002다10691 445
대판 2004.4.9. 2003두13908 327
대판 2004.4.22. 2000두7735 전합 302
대판 2004.4.22. 2003두9015 전합 297, 298
대판 2004.4.27. 2003두8821 114, 418
대판 2004.4.28. 2003두1806 413, 920
대판 2004.5.28. 2002두5016 283
대판 2004.5.28. 2004두961 242
대판 2004.5.28. 2004두1254 494, 496
대판 2004.6.10. 2002두12618 621
대판 2004.6.25. 2003다69652 737
대판 2004.7.8. 2002두1946 126
대판 2004.7.8. 2002두8350 499
대판 2004.7.22. 2004다19715 166
대판 2004.8.20. 2003두8302 535
대판 2004.9.23. 2003다49009 748
대판 2004.9.23. 2003두1370 522, 532
대판 2004.9.24. 2002다68713 423
대판 2004.9.24. 2003두13236 491
대판 2004.10.15. 2002다68485 144, 284
대판 2004.10.15. 2003두6573 152
대판 2004.11.12. 2003두12042 239, 246
대판 2004.11.25. 2004두7023 275
대판 2004.11.26. 2003두2403 356, 362
대판 2004.12.9. 2003두12707 535, 536

대법원 결정

행정법원 판결

헌법재판소 결정

MEMO

신동욱

약력
현 | 해커스공무원 행정법 강의
현 | 해커스공무원 헌법 강의
전 | 서울시 교육청 헌법 특강
전 | 2017 EBS 특강
전 | 2013, 2014 경찰청 헌법 특강
전 | 교육부 평생교육진흥원 학점은행 교수
전 | 금강대 초빙교수
전 | 강남 박문각행정고시학원 헌법 강의

저서
해커스공무원 처음 행정법 만화판례집
해커스공무원 신동욱 행정법총론 기본서
해커스공무원 신동욱 행정법총론 조문해설집
해커스공무원 神행정법총론 핵심요약집
해커스공무원 神행정법총론 단원별 기출문제집
해커스공무원 神행정법총론 핵심 기출 OX
해커스공무원 神행정법총론 사례형 기출+실전문제집
해커스공무원 神행정법총론 실전동형모의고사 1·2
해커스공무원 처음 헌법 만화판례집
해커스공무원 神헌법 기본서
해커스공무원 神헌법 조문해설집
해커스공무원 神헌법 핵심요약집
해커스공무원 神헌법 단원별 기출문제집
해커스공무원 神헌법 핵심 기출 OX
해커스공무원 神헌법 실전동형모의고사 1·2
해커스군무원 神행정법 단원별 기출문제집

2025 대비 최신개정판

해커스공무원

신동욱 행정법총론

기본서 | 2권

개정 11판 1쇄 발행 2024년 7월 5일

지은이	신동욱, 해커스 공무원시험연구소 공편저
펴낸곳	해커스패스
펴낸이	해커스공무원 출판팀
주소	서울특별시 강남구 강남대로 428 해커스공무원
고객센터	1588-4055
교재 관련 문의	gosi@hackerspass.com 해커스공무원 사이트(gosi.Hackers.com) 교재 Q&A 게시판 카카오톡 플러스 친구 [해커스공무원 노량진캠퍼스]
학원 강의 및 동영상강의	gosi.Hackers.com
ISBN	2권: 979-11-7244-213-2 (14360) 세트: 979-11-7244-211-8 (14360)
Serial Number	11-01-01